AUTRE-MONDE

Volume 1

Né en 1976 en région parisienne, Maxime Chattam s'est très jeune passionné pour les histoires fantastiques, les mystères policiers et l'écriture. Il étudie l'art dramatique, enchaîne les petits boulots pendant ses études en littérature et criminologie. Il est ensuite libraire. En 2001, son premier roman *L'Âme du mal* est publié. Après s'être imposé comme l'un des maîtres du thriller français, Maxime Chattam s'illustre dans la *fantasy* avec le même succès. Vendue à près de 600 000 exemplaires, la série *Autre-Monde* (déjà traduite dans une dizaine de langues) a conquis le public des jeunes adultes.

MAXIME CHATTAM

Autre-Monde

Volume 1

Ambre

L'Alliance des Trois

Malronce

Le Cœur de la Terre

Entropia

ALBIN MICHEL

Ambre

1

La fille dans le box

L'apocalypse frappa sans le prélude des sept trompettes.

L'humanité bascula en quelques jours à peine. Balayée sans avoir le temps de protester, de s'indigner, de supplier, happée par le chaos dans un immense hoquet terrifié. Le ciel résonnait encore de l'écho des coups de tonnerre incessants lorsque le dernier homme tomba sur une terre balayée de rafales féroces. Les corps tapissaient le sol, les vêtements claquant dans le vent perpétuel, visages livides, regards éteints, une extinction massive, subite, inéluctable.

La stridulation d'un criquet colossal déchira le silence. Chaque plainte s'affinait en une sirène assourdissante retentissant à travers les plaines du monde. Un appel qui révélait petit à petit sa nature digitale.

Ambre Caldero se réveilla en sueur, le cœur battant, et chercha son réveil du bout des doigts pour en couper l'agaçant rugissement.

Sa tête retomba sur l'oreiller, elle se sentait moite, lourde de sommeil et en même temps l'esprit secoué par la précision de ce cauchemar interminable. Elle y avait vécu l'horreur de la fin du monde, les enseignes géantes des supermarchés ou des restaurants s'écrasant au milieu de gerbes électriques spectaculaires, sous les cris des familles désespérées, les cieux obscurcis de jour comme de nuit, l'oppressante certitude que tout espoir est vain tandis que des immeubles explosaient, que des voitures s'envolaient subitement dans des bourrasques imprévisibles.

Pourtant, une fois l'émotion dissipée, Ambre ne se sentit ni mal ni inquiète. Pire, elle se leva avec une pointe de regret en constatant que le monde à ses pieds était le même que celui dans lequel elle s'était couchée. Sa chambre, minuscule, avait toujours la même odeur d'humidité, malgré tous les efforts qu'elle déployait pour la parfumer. La moquette collée au mur, élimée jusqu'à la trame, avait perdu sa couleur, il n'en restait qu'un gris de poussière. Le lino du sol, d'un brun horrible, plus éraflé et ridé que le visage du doyen de la ville, disparaissait à peine sous les tapis qu'Ambre accumulait pour s'en protéger. Quelques meubles terminaient de saturer l'espace, dont le bureau pour l'obtention duquel elle s'était battue auprès de sa mère. Disposer de son propre espace à elle pour travailler. Ne pas être contrainte de se tenir dans la pièce principale du mobil-home pour faire ses devoirs, pouvoir s'isoler, s'éloigner, se protéger.

Ambre se leva et d'un geste maladroit renversa le réveil sur le sol. Elle soupira en le ramassant, s'agaçant d'être à ce point godiche. Elle passait son temps à tout faire tomber et n'avait pas les réflexes pour rattraper les choses à temps, ce qui avait le don d'agacer son beau-père au plus haut point.

L'évocation de sa présence lui donna la nausée. Elle n'avait pas envie de le croiser. Ce gros lourdaud ronflait probablement dans les vapeurs de l'alcool, rêvant à la gloire des championnats nationaux de bowling. Joe était le champion de la ville, ce qui, compte tenu des dimensions plus que modestes de Carson Mills, revenait à dire qu'il était champion du trou du cul du monde, mais pour « Gouttière » ce n'était qu'un tremplin vers le succès. Jamais Ambre n'aurait pu l'appeler ainsi devant lui, mais pour un homme incapable de se tenir droit, qui était pétrifié à l'idée que sa boule puisse finir dans la gouttière longeant la piste, c'était un surnom légitime, estimait-elle.

Un jour elle quitterait cet endroit sordide et elle partirait loin. Très loin. Assez loin pour que sa mémoire ne puisse plus retenir de souvenirs de cette ville pourrie. Pour ça il lui faudrait de l'argent. Et donc attendre. Pour l'heure, Ambre n'était qu'à la croisée des chemins de la vie, la pire période, parfaite pour se perdre. Plus tout à fait une gamine, certainement pas encore une adulte. On ne lui passait plus ses caprices et ses lubies d'enfants, mais on ne portait aucun crédit à son opinion de jeune femme qu'elle n'était pas tout à fait.

Elle détestait son âge. Le début de l'adolescence n'était qu'injustice. Ça avait commencé avec son corps qui l'avait trahie. Elle avait lutté contre le temps, contre la pression sociale, il était hors de question qu'elle abandonne ses jeux de petites filles, ses idéaux de vie enfantins, ses rêves naïfs, quitte à passer pour une retardée, Ambre avait longtemps conservé un amour profond pour les jouets, pour les courses effrénées au grand air en s'imaginant au milieu de mondes fantasmés, elle se parlait en mimant les attitudes d'une cour entière de compagnons qui s'amusaient à ses côtés, et même lorsque ses « amies » réelles lui avaient reproché de se conduire comme un « bébé » et s'étaient détachées d'elle, Ambre avait perduré dans ses obsessions puériles. Elles étaient plus qu'une source de plaisir, elles étaient son refuge.

Mais tout autour d'elle lui commandait de grandir, de se préparer à devenir autre chose, d'envisager de prendre ses responsabilités. Son corps, véritable traître, avait imposé l'heure du changement.

Elle avait considéré cette trace de sang comme un affront, sa biologie la rappelant à l'ordre. Elle ne pouvait l'emporter sur le temps.

Sa poitrine s'était développée dans la foulée, presque instantanément, sans même lui laisser le temps de l'accepter, de s'adapter à tout ce qu'elle lui imposait, là encore comme un moyen de lui rappeler qu'elle n'avait plus le choix.

Les jouets avaient disparu dans une caisse, vendue à la hâte lors d'une brocante, et Ambre avait serré les dents à s'en faire mal lorsque sa mère, sous l'impulsion de Gouttière, avait accepté quelques billets à peine pour s'en séparer. Ambre avait eu l'impression de voir son enfance s'envoler pour toujours.

La porte d'un placard de la pièce principale du mobil-home claqua et Ambre sursauta. Elle savait qu'à cette heure ça ne pouvait être que sa mère, mais aussi que faire autant de bruit pouvait susciter la colère de Gouttière s'il avait passé une mauvaise soirée à sa compétition la veille.

La jeune fille enfila un sweat-shirt sur sa chemise de nuit et sortit embrasser sa mère qui se servait un café bouillant. Elle était vêtue du même jogging rose pâle que la veille, ses boucles rousses en désordre, le visage fripé par la fatigue. Ambre avisa les coussins sur la banquette qui servait de canapé à la pièce de vie du mobil-home et comprit que sa mère avait encore dormi là.

— Fais attention avec les placards, maman, lui chuchota-t-elle en l'embrassant sur la joue.

— Je t'ai réveillée ?

— Non, je vais à l'école ce matin.

— Ah oui, c'est vrai…

Elles conversaient tout bas, comme deux conspiratrices, guettant la porte de la chambre principale avec une pointe d'appréhension. Avec Gouttière on ne pouvait jamais savoir à quoi s'attendre sauf s'il émergeait, de force, avant dix heures du matin. Là, ce n'était jamais bon.

Ambre avala une biscotte et un verre de lait.

— Je vais me laver, annonça-t-elle.

— Pas de douche, hein chérie ? lui rappela sa mère d'un air anormalement concerné.

— Non, maman. Je sais.

Le ruissellement de l'eau dans le bac résonnait et réveillait Gouttière qui dormait juste à côté. Au début, Ambre faisait exprès, par défi, de prendre une douche tout de même au réveil, juste pour se gausser d'avoir contrarié Gouttière, mais cela le mettait tellement de mauvaise humeur que ça finissait tôt ou tard par retomber sur son bouc émissaire : la mère d'Ambre.

Jamais Gouttière n'aurait levé la main sur Ambre elle-même, il était trop fourbe et malin pour ça. Il savait y faire, ne prendre aucun risque, il avait un don pour sentir les proies faciles, celles qui encaissaient sans se rebeller, celles qui se trouvaient elles-mêmes toutes les justifications du monde à se faire ainsi maltraiter. Ambre n'était pas comme ça. Trop de caractère. De l'estime de soi. Et Ambre était tout ce qui restait à Anna, sa mère. Gouttière savait qu'il ne fallait pas se risquer sur ce terrain. C'était peut-être l'unique moyen de provoquer une réaction de sa victime idéale.

Ambre fit une toilette de chat avec un peu d'eau au lavabo de l'étroite salle de bains, déjà dans l'attente de sa douche du soir, et elle passa embrasser à nouveau sa mère avant de sortir pour rejoindre l'école.

Le soleil tombait de biais sur l'horizon en ce matin de septembre, soulignant les volutes de rosée qu'il transformait en brume diaphane au-dessus des forêts et des parcelles de blé. Ambre coupa à travers champs, pour gagner plus de dix minutes, et chemin faisant elle s'entraîna comme chaque matin à gommer son accent traînant. Elle en avait honte. Le jour où elle quitterait Carson Mills, elle irait loin, très loin, et personne ne saurait deviner son origine. Certainement pas à travers ce que par ici, dans le Kansas, on appelait un « accent chantant ». Elle aurait un phrasé neutre. Ambre se voulait de nulle part et de partout à la fois. Elle serait ainsi plus libre. Elle s'imaginait travailler dans l'ombre de la *skyline* de New York puis filer vers Chicago pour faire du vélo le long du lac Michigan avant de glisser plus à l'ouest encore pour célébrer la fête de la bière et du jazz à Portland dans l'Oregon. Elle volerait sans ancrage d'un point à l'autre. Son avenir serait aussi aérien que son présent était rivé dans le réel, c'était ce qu'elle se plaisait à répéter le soir pour s'endormir.

Ambre arriva au lycée avec un peu d'avance. La plupart des élèves qu'elle croisa étaient rivés à leur téléphone portable, même ceux qui s'étaient rassemblés pour soutenir un ersatz de conversation semblaient puiser leurs réflexions exclusivement dans le contenu virtuel que les réseaux sociaux proposaient. Grâce à Internet, Carson Mills n'était plus un trou paumé au fin fond du Kansas ; dans le monde virtuel des téléphones, tablettes et autres ordinateurs, Carson Mills pouvait bien être au centre du monde, tous étaient interconnectés et le lieu n'importait plus vraiment, ce qu'on *montrait* et *racontait* seul comptait.

En y réfléchissant, Ambre réalisa que sa propre mère disposait d'un compte sur les réseaux sociaux, que même Gouttière, qui n'y connaissait rien, paradait sur Internet en tenue de bowling avec ses trophées.

Ambre traversa cette meute hypnotisée sans soulever un regard dans sa direction, tel un fantôme, et en profita pour aller aux toilettes. Ici, elle ne connaissait presque personne. Pas eu le temps. Pas eu l'envie. Elle avait débarqué en cours d'année, au printemps dernier, après plusieurs années d'internat en banlieue de Kansas City. C'était elle qui avait souhaité suivre ses cours au loin. Pour mieux se concentrer, disait-elle officiellement. Pour fuir la misère de sa vie de famille en réalité. Jusqu'à ce qu'ils viennent s'installer dans ce mobil-home décati. Il n'y avait plus assez d'argent pour payer l'internat, et c'était à présent trop loin de toute façon.

Elle était bonne élève, pour ne pas dire excellente, attentive, et travailleuse. C'était son ticket vers ses ailes. Celles qui lui permettraient de s'envoler loin de Carson Mills. Elle considérait chaque note comme une plume supplémentaire, et seules les plus élevées bénéficiaient de la densité nécessaire pour la porter. Certains ici la regardaient d'un œil mauvais. *Fayote.* Ils la méprisaient. *Gourde.* La bousculaient parfois. *Débile !* Mais elle ne se sentait pas harcelée pour autant. Ambre se contentait de les ignorer, se réfugiant dans ses rêves lorsque leurs regards méprisants s'agglutinaient sur son passage en même temps que les sarcasmes et les remarques désobligeantes. Parfois elle rêvait qu'un pouvoir magique lui permette, d'un geste, de faire tomber le manche d'un balai en travers du passage, qu'une planche de skate s'élance sans prévenir ou qu'un lacet s'emmêle avec l'autre pour faire trébucher ses détracteurs. De petites vengeances mesquines, elle le reconnaissait. Les filles étaient les pires. Elles la toisaient avec défiance, mépris, et surtout une jalousie qui débordait de leurs lèvres moqueuses, de leurs pupilles haineuses. Ambre était jolie. Très jolie. Trop jolie pour elles. Et à Carson Mills, on n'aimait pas qu'une même personne soit à la fois brillante et belle. C'était une région rurale, construite sur l'épopée du chemin de fer, mains calleuses et dos voûtés avaient sorti ses fondations de la terre et à présent que les champs l'encerclaient on conservait une certaine méfiance pour tout ce qui ne semblait pas venir de ses entrailles, et nulle pierre précieuse n'avait jamais jailli des carrières de Carson Mills.

Ambre préférait la compagnie des livres à celle des humains, souvent décevants.

Les toilettes étaient désertes lorsque Ambre y pénétra. Les néons au plafond crépitaient en clignotant. Ambre poussa la porte d'un des box couverts de graffitis et lorsqu'elle eut terminé alla se laver les mains. Son visage dans le miroir était pâle sous l'éclairage synthétique. Ses cheveux blond roux presque ternes. Ses yeux normalement verts devenaient gris. Même ses taches de rousseur devenaient invisibles ainsi. Elle s'aspergea d'eau fraîche et noua ses cheveux avec un élastique.

Quelque chose n'était pas comme d'habitude.

Un parfum électrique flottait dans l'air. Une odeur d'ozone.

Le regard d'Ambre accrocha quelque chose dans l'angle du miroir. Une tache sur le sol, derrière elle, sous la porte d'un des box.

Un téléphone portable gisait au pied de la cuvette. À côté, deux grandes chaussettes bleues étaient renversées sur une paire de chaussures lustrées.

— Il y a quelqu'un ? demanda-t-elle.

Aucune réponse. Juste le bourdonnement fatigué des néons qui s'étaient enfin stabilisés.

Ambre se pencha pour regarder sous la porte. Il n'y avait pas de pieds posés sur le carrelage. Juste chaussures, chaussettes et téléphone. Qu'une des filles ait pu oublier son téléphone ici était concevable mais le reste l'était nettement moins.

— Hé oh ? insista Ambre.

À moins que la fille en question se soit installée là pour se changer et dans la précipitation ait abandonné derrière elle une partie de ses affaires ?

Ce serait bien le genre de Lynn ça ! songea-t-elle. *Fille à papa en apparence, bien sage et obéissante mais une fois avec sa horde de harpies elle ouvre les boutons de ses chemises jusqu'au bas des seins, se colle du rouge à lèvres et fume à tout va…*

Oui, plus elle y songeait, plus Ambre trouvait l'hypothèse plausible. Certaines sortaient de chez elles vêtues comme des enfants modèles et à peine débarquées au lycée elles fonçaient se transformer dans les toilettes. Celle-là s'était un peu trop dépêchée de rejoindre ses copines et, les connaissant, ne pas mettre la main sur son portable la rendait certainement hysté-rique, comme si sa vie ne valait plus rien à présent.

Ça lui fera une bonne leçon !

Ambre ramassa son sac avant de s'arrêter. Ce n'était pas sympa de sa part. Peut-être que la fille en question ne faisait pas partie des amies de Kath Rooney, le groupe des pestes, peut-être que c'était juste une nana discrète, ou banale. Une lycéenne dans son genre, distraite…

Ambre soupira et fit demi-tour pour ouvrir la porte du box dans l'intention de ramasser le téléphone.

Elle s'arrêta sur le seuil.

Des vêtements s'entassaient sur la cuvette, pendus maladroi-tement contre la colonne d'eau. Un chemisier parfaitement enfilé dans un cardigan, la bretelle du soutien-gorge en dessous dépassait du col. Une jupe plissée dépassait du rebord de la cuvette.

Cette fois ça ne pouvait être un oubli.

Toute la panoplie était présente.

Jusqu'à la culotte, devina Ambre en l'apercevant qui flottait dans l'eau.

C'était comme si la fille s'était… volatilisée. D'un coup. Ne laissant derrière elle que ses vêtements…

Qu'est-ce que c'était que ce truc ? Un tour qu'on lui jouait ?

Ambre regarda autour d'elle, affolée, avant de constater qu'il ne pouvait y avoir personne d'autre.

Ambre remarqua alors le sac qui pendait contre la patère au dos de la porte.

Après une courte hésitation elle l'ouvrit pour prendre un des livres. L'étiquette était bien présente sur la couverture cartonnée :

Alisson Moody-Claviel.

Ambre la connaissait de vue. C'était bien l'une de celles qui se donnaient un genre sage dans la rue mais qui étaient parmi les plus délurées au lycée. Mauvaise réputation avec les garçons, même.

Cela avait-il un rapport ?

Ambre hésita à prendre le téléphone pour aller la chercher et le lui rendre avant de réaliser que la situation était peut-être plus compliquée que cela.

Tout en elle lui disait qu'il était arrivé quelque chose à Alisson. Elle ne devait rien toucher. Prévenir le personnel du lycée.

On va encore me prendre pour une idiote qui a trop d'imagination !

Les néons crépitèrent et s'éteignirent brusquement, plongeant Ambre dans le noir absolu.

L'odeur d'ozone s'intensifia. Ambre sentit une pression dans l'air tout autour d'elle, son pull se couvrit d'électricité statique qui produisit des dizaines de minuscules étincelles lorsqu'elle y frotta sa manche tandis qu'elle repoussait la porte pour sortir du box à tâtons.

Elle eut alors la sensation de ne plus être seule dans la pièce. Elle frissonna. Ambre percevait quelque chose d'étrange, comme une présence qui grossissait, une force qui montait tout autour d'elle à l'image du lait qui va déborder soudainement de la casserole, et elle fut prise de panique, cherchant son souffle, mais aussi vite que le lait redescend lorsqu'on le retire d'un feu trop chaud, tout s'estompa d'un coup et la lumière revint.

Ambre se précipita vers la sortie.

Le téléphone d'Alisson s'alluma sur sa page Facebook.

Sa photo en gros plan montrait une jeune adolescente souriante, l'air doux et pur.

La porte des toilettes se referma en silence.

Puis le cadran du portable retourna aux ténèbres.

2

Les Bicoques

— Dans quoi tu t'es encore fourrée ?

Gouttière avait le regard mauvais.

Ambre approchait à peine du mobil-home qu'il avait ouvert la porte d'un coup de pied, la faisant claquer et renversant au passage la série de canettes qu'il avait alignées sur une planche sous l'auvent de toile où il aimait passer ses soirées chaudes.

— Tout le monde ne parle que de ça, ajouta-t-il. La fille disparue, et c'est toi qui l'as vue la dernière !

Ambre secoua la tête.

— Non, je ne l'ai pas vue, j'ai juste trouvé…

— Arrête, Ambre, arrête ! T'as toujours les meilleures excuses du monde, mais la vérité c'est que tu nous fous dedans, ta mère et moi. Tu pouvais pas t'en empêcher, hein ?

Il se tenait sur la marche, une main tapant nerveusement la structure du préfabriqué, l'autre poing serré devant lui. Il arborait l'une de ses sempiternelles chemises à carreaux, un jean moulant et grosse boucle de ceinture rutilante (il l'avait sûrement astiquée pendant au moins une heure avant de la mettre, pour qu'elle « crache à t'en rayer les rétines » parce qu'une belle boucle de ceinture, ça attire le regard sur la virilité d'un homme).

— J'ai rien fait, insista la jeune adolescente. J'ai rapporté ce que j'ai vu, c'est tout.

Gouttière claqua du poing sur la porte qui résonna sous le choc. Tout son corps manqua s'élancer vers Ambre tel un élastique trop tendu mais il se retint *in extremis* et lutta pour conserver son équilibre sur la marche comme s'il s'agissait d'une question de vie ou de mort.

— Tu ne piges donc rien ! s'énerva-t-il. Tu t'es prise pour quoi ? Une héroïne ? Une de ces connasses de la télévision ?

— On n'a pas la télé, Joe.

— Tu te crois maligne ? Tu crois que t'es dans un de tes livres débiles ? Va falloir que tu grandisses, ma pauvre, et vite ! Dans le vrai monde il faut faire profil bas, tu comprends ça ? Se taire, pas faire de vagues. Y a que comme ça qu'on tient la longueur. Tu crois que les soldats qui reviennent de la guerre, là, ce sont des héros ? Ils sont dans les cimetières, les héros ! C'est comme ça là-dehors, tu piges ça ? Mais non, toi, faut que tu ramènes ta grande bouche partout où tu peux ! Et voilà, maintenant tout Carson Mills parle de nous ! Les Willis mêlés à cette affaire de fille qui a disparu ! Bordel de merde !

— Maman et moi, nous ne sommes pas des Willis. Tu ne l'as pas épousée et tu n'es pas mon père.

Ça y était. Ambre n'avait pas su s'arrêter à temps, baisser les yeux et ravaler sa fierté tout autant que sa haine.

Joe et Ambre se défiaient. Le champion local de bowling releva le menton, sa fine moustache noire aussi luisante dans le soleil de fin d'après-midi que ses cheveux couverts de gel rabattus en arrière, les sillons parallèles creusés par le peigne bien visibles. Deux boules d'un noir opaque occupaient le fond de ses orbites.

Les boules de la colère. De celles qui cherchaient à mettre

à terre, à rouler férocement sur leur cible pour un _strike_ implacable.

— Ton père ? releva-t-il avec un léger rictus sardonique. Tu veux dire l'inconnu qu'a fourré ta mère avant de se débiner ? Le connard que tu ne connais même pas ? Ah ça non, je ne suis pas ton père et crois-moi, j'en suis fier quand je te vois.

Ambre serra l'anse de son sac de toutes ses forces pour ne pas hurler ni pleurer. Pas devant lui.

Elle secoua la tête et tourna les talons.

— C'est ça débine-toi encore ! la héla Joe. Et cette fois, quoi que tu fasses, débrouille-toi pour qu'on ne vienne pas nous ennuyer !

Ambre accéléra, pas sûre de tenir jusqu'à être hors de vue, et dès qu'elle eut dépassé le grand hêtre qui marquait l'intersection entre leur chemin et la route, les larmes roulèrent sur ses joues.

Holden Caulfield n'était pas de taille à lutter contre la peine que ressentait Ambre.

Elle referma son exemplaire de _L'Attrape-cœurs_, incapable de se concentrer pour lire. Elle s'était pourtant installée dans son recoin préféré, au creux d'un nœud de branches à plus de deux mètres de haut, avec vue sur l'océan de blés dorés qui nappait la colline en pente douce jusqu'aux faubourgs de la petite ville. Les tiges dansaient dans la brise. Les Mackie n'avaient toujours pas moissonné leurs champs, ce qui n'avait plus rien de surprenant compte tenu des saisons catastrophiques qu'ils vivaient. L'été avait été froid et pluvieux et septembre ressemblait à un mois de juillet ensoleillé. C'était à n'y plus rien comprendre, sinon que la Terre faisait payer à ses occupants de si mal la traiter…

Ambre reposa la tête contre le tronc. Les mots de Gouttière résonnaient encore à ses oreilles. Le pire était d'en arriver à douter. Et s'il avait raison ? Si elle en avait trop fait ? La police était venue au lycée le matin même et le proviseur en personne était venu tirer Ambre de sa classe d'anglais pour que l'adjoint du shérif puisse l'interroger. Alisson Moody-Claviel n'était effectivement pas en cours alors qu'elle avait quitté le domicile de ses parents à huit heures et que plusieurs témoins l'avaient vue entrer dans l'enceinte de l'établissement, probablement pour se rendre aux toilettes. Il ne fallait pas être très malin pour constater que l'adjoint Boone était plus que préoccupé par cette disparition, surtout à cause des vêtements retrouvés dans le box et de leur *disposition*.

C'était ce qui intriguait Ambre également. C'était tellement surprenant, cette précision avec laquelle chaque couche épousait parfaitement la suivante, et la manière dont ils s'entassaient... Comme si on avait claqué des doigts pour faire disparaître le corps d'Alisson. *Sa chair ! Comme si on avait fait se volatiliser son enveloppe corporelle, ne laissant derrière elle que ce qui était matériel...*

Ambre songea aux romans de science-fiction qu'elle lisait parfois et soupira.

Tu as trop d'imagination, ma pauvre !

Il y avait assurément une explication bien plus logique.

Cela n'excluait pas l'hypothèse macabre.

Criminelle.

Alisson pouvait-elle s'être fait attaquer dans les toilettes du lycée par un rôdeur de passage ? Dans ce cas où était donc son corps ? Le type ne pouvait l'avoir sortie, toute nue, dans la cour sans que personne ne les remarque...

Ambre ne comprenait pas bien ce qui s'était passé dans ce box obscur mais son instinct lui soufflait que ce n'était pas naturel.

On ne reverra jamais Alisson Moody-Claviel, jamais.

Elle en était convaincue.

Ambre demeura ainsi une heure encore avant de constater que le ciel s'obscurcissait peu à peu, et elle redescendit de son arbre pour retrouver le sentier qui serpentait à travers bois. Elle avait une boule au ventre à l'idée de rentrer.

Le camp de mobil-homes se dressait au nord-ouest de la ville, un peu comme on met de côté un cousin gênant qui fait honte au reste de la famille sans qu'on puisse vraiment s'en débarrasser. Tous ceux que les crises successives avaient économiquement exclus de la normalité se retrouvaient là, en compagnie de gens de passage qui ne pouvaient s'offrir le motel pour plusieurs semaines, dans ce qui était communément surnommé « les Bicoques » par les autres habitants de Carson Mills. Ambre avait eu honte de vivre là au début, elle qui avait connu une vie meilleure à Kansas City, dans un véritable appartement, et même dans une maison à l'époque où sa mère vivait chez sa sœur. Mais c'était avant qu'elle ne rencontre Joe-Gouttière et que l'amour ne lui fasse perdre la raison. Avant qu'Ambre ne préfère l'exil en internat. Avant que la situation financière ne se dégrade. Pour échouer ici, dans son fief, le seul endroit au monde où il était quelqu'un, le « Champion ».

À présent Ambre s'était habituée. *On s'habitue à tout, non?* songeait-elle souvent. Vivre dans les Bicoques ne la dérangeait plus, c'était presque même une fierté. Elle ne faisait pas partie de ces hypocrites là-bas, ceux qui élevaient leurs filles dans le chemin de la morale et de la vertu, celles-là mêmes qui s'empressaient de se changer dans les toilettes du lycée pour ôter la moitié du tissu qu'elles portaient en quittant le regard fier de leurs parents.

Et d'y perdre la vie.

C'est moche de penser ça. Tu ne vaux pas mieux. Et ici les gens ne sont pas plus honnêtes! Loin de là…

Ambre s'en voulut aussitôt. Elle pressa le pas, même si marcher dans les bois au crépuscule ne l'effrayait pas, c'étaient *ses* bois, elle les connaissait par cœur désormais, elle y avait vécu des aventures incroyables, fait des rencontres mémorables et survécu à bien trop de périls pour qu'ils puissent représenter un danger à ses yeux. Et c'était sans compter tous les livres qu'elle y avait lus! Non, elle voulait se dépêcher pour arriver en même temps que sa mère qui devait rentrer de la blanchisserie industrielle d'une minute à l'autre. Si Gouttière était encore de mauvaise humeur à cause de ce qu'elle avait fait le matin au lycée, il était préférable qu'Ambre soit présente.

Il était toujours plus prompt à tenter de se maîtriser en sa présence.

Lorsque Ambre parvint au parc des mobil-homes, une odeur de viande grillée lui rappela qu'il fallait se dépêcher, l'heure du dîner était déjà bien entamée. Peyton Donovitch profitait du beau temps pour ressortir son barbecue et empester tout le site. En face, Kenny Pike rotait ses bières depuis son transat fixant d'un œil mauvais son voisin. Tout se terminerait comme d'habitude par des cris et des jets de bouteilles. Ambre croisa Mrs Oyner, qui travaillait chez Mo's, la vieille épicerie du centre, et qui lui rapportait de temps en temps un paquet de bonbons. Ambre n'était pas dupe, elle voyait bien que la date de péremption était dépassée et que Mrs Oyner ne faisait que récupérer ce qui était jeté, mais c'était le geste qui comptait. Toutefois, la solidarité des classes populaires, par ici, n'était qu'un mythe. Il y avait bien des gestes, des attentions et une entraide lorsque c'était vraiment nécessaire, mais pas plus qu'ailleurs. Le reste du temps, c'était méfiance et jalousie. On se toisait du coin de l'œil, chacun se demandant si le voisin ne quitterait pas les Bicoques avant soi, ce qui créait une sorte de hiérarchie, chacun estimant qu'il valait mieux que l'autre et par conséquent que sa situation devait s'améliorer en premier, sans quoi ce serait une preuve supplémentaire de l'injustice de ce « monde de merde ».

De cela, Ambre s'était également accommodée. Elle y allait de ses sourires et refusait de tomber dans ce schéma égoïste, proposant un coup de main aussi souvent que possible lorsque la situation se présentait, ce qui avait le don de faire enrager Gouttière qui clamait haut et fort qu'elle se faisait exploiter par tous et que par sa faute on le considérait, *lui*, comme un homme faible. Une occasion supplémentaire de prendre sa revanche sur lui.

Mrs Oyner lui adressa un sourire aimable et fila chez elle. À cette heure, tout semblait paisible, presque idyllique dans le meilleur des mondes.

Pourtant, il était une chose qu'Ambre haïssait par-dessus tout dans les Bicoques : cette indifférence cruelle.

Si des cris provenaient un soir d'un mobil-home, personne n'y allait. On savait reconnaître ce qui relevait d'une affaire domestique ou d'une agression extérieure, et ces dernières dans le coin étaient plutôt rares. Chacun devait se mêler de ses oignons.

— Quand tu fourres tes doigts dans la gamelle d'un clébard pendant qu'il mange, il va te les choper pour bien te rappeler que c'est *son* assiette ! Et il aura raison, le con ! répétait Gouttière. Ici c'est pareil. Chacun sa gamelle.

Ce qui l'arrangeait bien, il fallait le reconnaître.

Si la mère d'Ambre sortait un matin avec l'œil noir et la lèvre fendue, on se contentait de baisser le regard et on se tirait en vitesse vaquer à ses occupations. Pas du genre à remettre de l'ordre dans tout ça, encore moins à appeler le shérif.

Ambre aperçut la petite citadine abîmée de sa mère garée sur le côté du mobil-home, juste à côté du pick-up de Gouttière (on vivait dans un taudis mais chacun devait disposer de sa voiture, il y a des limites à l'inacceptable) et elle pressa encore le pas.

Elle sut dès qu'elle fut sous l'auvent en toile. Elle le devina à l'ombre que dessinait la silhouette de sa mère contre la fenêtre. Avachie sur l'évier, en train de faire la vaisselle lentement, tête penchée comme pour s'y noyer.

Ambre entra dans la pièce en trombe.

Sa mère ne leva pas le nez.

Ambre écarta ses longues mèches rousses pour découvrir le coin de la bouche tuméfié et la joue rouge comme un piment.

— Il t'a encore…

— C'est rien, lâcha sa mère du bout des lèvres.

Ambre avisa Gouttière qui buvait un Dr Pepper, droit comme un I sur la banquette. Il portait sa tenue argentée avec son nom brodé sur le cœur, celle du champion. Pas d'alcool avant de jouer, et cela le rendait encore plus nerveux.

— Quoi ? fit-il.

Ambre était furieuse. Elle s'adressa à sa mère en priorité :

— Et toi, tu ne dis rien ?

— Arrête, ce n'est pas ce que tu crois, je me suis cogn…

— Pas à moi maman ! Tu le laisses te taper dessus et…

Gouttière brandit un index menaçant dans sa direction :

— Si tu te comportais bien à l'école, ça n'arriverait pas !

— Ah, donc c'est de ma faute ? Pourquoi tu ne t'en prends pas à moi, alors ?

Elle le défiait, impérieuse. Lui était en train de bouillir. La rage le fit transpirer presque aussitôt. Il ne pouvait pas lever la main sur elle de crainte de faire voler son équilibre de petit coq en éclats, c'était bien la seule chose que la mère d'Ambre risquait de ne pas tolérer, mais il en rêvait. Surtout maintenant avant un entraînement, oser lui embrouiller les nerfs, c'était tout tenter pour lui gâcher la soirée.

La mère d'Ambre s'interposa, posant les mains sur les épaules de sa fille :

— J'ai entendu ce qui s'est passé ce matin au lycée, je suis désolée, je…

— Maman ! Tu ne peux pas te laisser faire comme ça.

Sa mère secoua la tête, préparant encore une de ses excuses idiotes ou pire, elle allait s'accuser de l'avoir bien mérité !

C'en fut trop pour Ambre qui la repoussa en reculant.

Gouttière attrapa un des livres que la jeune adolescente laissait traîner un peu partout et le lui lança à travers la pièce.

— C'est ça, va donc t'abrutir avec un de tes livres débiles ! C'est comme ça qu'un jour tu gagneras ta vie ! En lisant pour oublier la vie de ratée que tu te seras fabriqu…

— Joe ! s'écria la mère d'Ambre.

Cette fois il était allé trop loin. Les boules noires remplirent ses orbites, prêtes à dévaler à toute vitesse sur la piste pour écraser l'imprudente mais il se ravisa en broyant sa canette.

— Je vais être en retard avec vos conneries, dit-il en se relevant.

Il passa devant sa compagne qu'il incendia du regard, épousseta sa combinaison argentée et sortit en claquant la porte.

Mais Ambre était déjà dans sa chambre, le visage enfoui dans son oreiller, priant de toutes ses forces pour que ce monde bascule, pour que l'apocalypse sourde des vices de l'humanité et que dans une immense gerbe de sang et de feu elle la dévore tout entière.

Et Ambre avec elle.

3

Rumeur

Le week-end avait très mal commencé.

Gouttière était dans une mauvaise phase au bowling, cela se traduisait par une humeur abominable, une irascibilité insupportable pour quiconque restait dans la même pièce plus d'un quart d'heure.

La mère d'Ambre travaillait comme serveuse le samedi au *Loup Solitaire*, un bar-restaurant à la sortie nord de la ville, un lieu pas toujours très recommandable, et Ambre se retrouvait souvent en tête à tête avec le champion. Son regard sur elle changeait et Ambre n'aimait pas cela. Elle percevait le combat permanent en lui et devinait qu'il luttait pour ne pas faire d'elle le punching-ball qu'il recherchait pour se défouler en l'absence de sa mère. C'était physique. Il serrait les poings dès qu'Ambre se servait dans le frigidaire, se mordait les lèvres lorsqu'elle passait devant lui, la fusillait de ses boules noires dès qu'elle lui adressait la parole tandis qu'il écoutait son petit poste radio en éclusant ses bières. Tôt ou tard, Ambre craignait qu'il ne parvienne plus à se contenir et lui tombe dessus à grands coups de gifles. Et si les vannes du barrage s'ouvraient, Dieu seul savait combien de temps et de coups il lui faudrait pour parvenir à les refermer.

Ambre en avait peur tout autant qu'une part d'elle-même s'y attendait.

C'était peut-être le seul moyen de faire réagir sa mère. Pour qu'elle le quitte et que tout s'arrête enfin. Une nouvelle existence.

Elle n'en aura pas le courage. Elle préfère encaisser les humiliations et les baffes plutôt que de vivre seule.

Elle détestait ce que « l'amour » faisait faire à sa mère. Cela la rendait stupide. Soumise. Pire : vidée de toute personnalité, de toute lucidité. L'amour dans ce qu'il avait de plus détestable, pervers. Mais était-ce réellement de l'amour ?

Tout le samedi, Ambre se méfia de Gouttière.

Son instinct lui commanda de sortir, ce qu'elle fit avant qu'il ne soit trop tard. Elle n'avait pas le courage de l'affronter, ni même de le défier dans l'espoir que cela ferait réagir sa mère. Au fond d'elle-même, elle avait déjà perdu confiance en elle, ce qui était le plus douloureux à admettre.

Elle passa le reste de son week-end loin des Bicoques, dans la forêt, en compagnie de Holden Caulfield, et lorsqu'il n'eut plus rien à lui raconter, elle écouta Jim Hawkins et Long John, entourée du babil des oiseaux et des craquements de la végétation. Ses livres étaient plus qu'un refuge, ils formaient un espoir. Celui de vies différentes, riches de découvertes, de rencontres, de surprises. Elle savait que tant qu'elle lirait des livres, elle aurait quelque chose à quoi se raccrocher, car chacun, à sa manière, lui indiquait une direction possible tout en lui fournissant une bonne dose d'évasion. Les livres lui racontaient autant de destins plus palpitants qu'elle pourrait elle-même expérimenter lorsqu'il serait temps. Ils lui donnaient confiance en son avenir.

Confiance en l'amour, peut-être.

Les livres n'édulcoraient rien, loin de là, ils exploraient toutes les facettes de l'homme, la plus obscure et la plus lumineuse, et dans cet éventail, Ambre lisait autant d'alternatives possibles à sa vie.

Ainsi en alla-t-il du week-end, au fil des pages, ainsi que des jours suivants, comme autant de chapitres qu'on survole sans grand intérêt.

La disparition d'Alisson Moody-Claviel fut sur toutes les lèvres pendant le week-end mais également pendant la semaine qui suivit. Elle fit même la couverture du *Wichita Eagle*, le journal le plus lu de la région. Au lycée, on ne parlait que de ça. Alisson était brusquement la fille la plus populaire et appréciée de toutes les classes, elle n'avait jamais eu autant d'amis et la plupart des filles avaient une anecdote à raconter pour prouver combien elles étaient proches d'Alisson. La plupart ne savaient même pas où elle habitait ni n'étaient capables de prononcer son nom entier sans l'écorcher, mais ça n'était pas grave, ce qui comptait c'était d'en faire plus que la voisine, d'étaler son chagrin et en fin de compte de montrer qu'on était la *vraie* victime de toute cette affaire.

Bien entendu, sa page Facebook fut rapidement plus saturée de messages qu'elle n'en avait jamais cumulés.

Ambre avait envie de vomir lorsqu'elle les entendait piailler, cancaner et gémir.

Bizarrement, le bureau du shérif ne demanda pas à la revoir une seule fois. Ambre s'était attendue à devoir témoigner encore et encore, devant le shérif en personne, voire face à un juge ou carrément dans une pièce blanche encadrée par des hommes et des femmes habillés en noir, impassibles, affichant un badge du FBI au revers de leurs tailleurs et de leurs costumes impeccables. Mais rien de tout cela n'arriva. L'enquête était en cours, c'était tout ce qui filtrait des locaux du shérif.

Les semaines filèrent, et vinrent enfin les morsures de l'automne qui lançait ses rafales fraîches sans prévenir entre deux journées douces. Alisson devint à peine un entrefilet dans la presse, puis sa page Facebook ne reçut plus aucune visite, et une adolescente dont les réseaux sociaux ne sont plus lus est une adolescente qui n'existe plus, vous diraient la plupart des lycéens de Carson Mills et d'ailleurs. On parlait de tout, mais Alisson n'était plus un sujet depuis longtemps. Sa famille suscitait des regards de compassion lorsqu'elle traversait le centre ou qu'elle entrait dans un *diner*, et c'était à peu près tout ce qu'il restait d'Alisson. De la compassion lorsqu'on n'avait d'autre choix qu'y penser.

Aux Bicoques, la seule animation de septembre et d'octobre fut un incendie qui se déclara dans le mobil-home des Morelos en pleine nuit. Le temps que les voisins s'en rendent compte et que les pompiers débarquent, la baraque flambait. Les parents et leurs deux enfants furent totalement carbonisés, au point qu'on ne retrouva presque rien de leurs corps. Donald Parkerman, le suprémaciste blanc inculte et bagarreur des Bicoques osa même dire que c'était « bien fait pour ces sales Mexicains parce que le père faisait du trafic d'essence et que c'était à cause de tous les bidons qu'il entreposait chez lui que ça avait brûlé comme les entrailles de l'enfer ». Personne n'osa le reprendre dans le grand courant de la lâcheté ordinaire.

Halloween approchait lorsqu'un midi, Ambre, qui déjeunait seule, entendit la conversation d'un groupe de filles à côté d'elle :

— Tu as *vraiment* été voir l'Apache ? demanda l'une d'entre elles d'un air dégoûté.

Ambre connaissait l'Apache, comme tous les enfants de Carson Mills. C'était un homme qui vivait dans les rues du centre, plutôt discret, et qui ne devait pas avoir plus de sang indien qu'Ambre mais ses longs cheveux de jais et son visage émacié en avaient décidé autrement dans le vent des rumeurs. L'Apache ne parlait presque jamais, il vivait de ce qu'il trouvait et de la générosité des habitants mais, pour les enfants, sa manière de surgir de nulle part et son apparence suffisaient à les effrayer. On se méfiait de lui.

— C'est ma mère qui m'a donné un sac de provisions que

nous allions jeter, tu sais comment elle est avec son Lions Club et tout ça, elle voulait que j'aille le trouver pour les lui offrir.

— Il t'a… Il t'a *touchée* ? voulut savoir une autre.

Certains, les adolescentes en particulier, lui prêtaient une attitude déplacée envers les femmes, pour ne pas dire pire.

— Je ne l'ai pas vu en fait.

— Tu l'as cherché ?

— Oui, j'ai fait le tour du centre, en passant par les contre-allées, les cours intérieures, les renfoncements derrière les bâtiments et les aires de chargement, partout où il traîne habituellement mais il n'était pas là.

— Il a sa planque au fond de l'impasse derrière le CVS[1], c'est là qu'il habite.

La plus moqueuse des filles pouffa :

— Genre il a une adresse… C'est un clochard !

— J'y suis allée, enchaîna celle qui racontait. Et il n'était pas là non plus. Mais… C'était bizarre.

— Bizarre comment ? voulut savoir la troupe.

— Eh bien… Je sais pas trop.

— Genre il t'espionnait caché quelque part ?

— Non. Une impression. L'air était tout électrique.

À ces mots, Ambre fronça les sourcils.

— T'es sûre qu'il te matait pas ?

— Non je vous dis qu'il n'y avait personne, et c'est ça qui était étrange, j'étais comme couverte d'électricité statique et j'avais… Mon instinct me commandait de déguerpir, comme si mon corps pouvait sentir quelque chose que je ne pouvais voir.

Deux des filles rirent, sarcastiquement, mais une autre embraya :

— Moi je pense que tu as bien fait. Il devait pas être loin et dans un coin aussi isolé, c'est dangereux de venir seule. Ta mère est folle de t'envoyer là-bas, il aurait tout aussi bien pu te violer ! C'est ça que ton corps a ressenti !

---

1. Célèbre chaîne de drugstores américains.

Ambre n'écouta pas la suite, elle était tout entière obnubilée par ce qu'elle venait d'entendre. Le sentiment étrange et l'électricité statique.

Tu te fais un film. Ça n'a rien à voir. C'est impossible.

Pourtant elle ne parvenait pas à décrocher. Elle avait elle aussi expérimenté quelque chose de très ressemblant ce matin-là dans les toilettes du lycée lorsqu'elle avait découvert les affaires d'Alisson. Ambre se méfiait d'elle-même, de son imagination débordante, de sa capacité à combler les nombreux vides de la réalité par des idées saugrenues, par les projections des lectures qu'elle venait de faire ou par des fantasmes plus personnels. Dans son monde imaginaire, Alisson et l'Apache étaient peut-être reliés, une sombre histoire d'amour impossible, mais dans le vrai monde ce n'était assurément rien d'autre qu'une coïncidence sans aucun intérêt.

Ambre voulut prendre son plateau pour le débarrasser lorsqu'elle mit un coup de coude dans son verre par inadvertance. Elle le vit partir, presque au ralenti, et tout son esprit voulut l'immobiliser, le contrôler par la pensée avant que l'eau qu'il contenait encore ne s'échappe, qu'elle s'humilie devant tout le monde, mais elle ne put rien y faire et la plus peste des filles assises à côté fut brusquement aspergée.

Elle leva les bras au ciel et ouvrit grand la bouche, outrée.

— Je suis désolée ! s'excusa Ambre aussitôt.

— Caldero ! enragea la fille. Tu… Tu l'as fait exprès je suis sûre ! Regarde ma robe ! Je suis trempée !

— Pardon, je t'assure que…

Ambre croisa alors le regard de celle qui avait raconté son histoire d'Apache introuvable. L'inquiétude et le doute y étaient encore lisibles. Ce qu'elle avait vécu relevait des sens et aucun mot ne pouvait le décrire. Ambre le comprit immédiatement.

En même temps, elle sut qu'elle irait voir l'Apache.

Imagination et danger n'avaient en cet instant plus aucune importance.

Seul comptait son instinct.

4

Ce qu'il y a dans la cabane

Il fallut trois jours à Ambre pour se lancer à la recherche de l'Apache. Trois jours pour trouver le bon moment, et celui-ci tomba le jour de Halloween.

Prétextant d'aller rejoindre des copines pour se déguiser (ce qui prouvait que sa propre mère ne la connaissait pas sans quoi elle aurait été surprise à l'évocation de copines qu'Ambre n'avait pas), la jeune adolescente put quitter les Bicoques pour la journée sans avoir à se justifier davantage. Elle marcha plus d'une demi-heure pour rejoindre le centre-ville, affrontant au passage une armée de citrouilles qui projetaient leur visage effrayant éclairé de l'intérieur par des bougies. Sur la route, Ambre croisa nombre d'enfants squelettes, loups-garous, zombies (c'était la grande mode des morts vivants cette année) et autres monstres plus ou moins spectaculaires qui jouaient le jeu, un panier à la main. Ambre ne se sentait pas concernée par la chasse aux friandises, muée par un sentiment bien plus fort que la gourmandise, elle traçait son chemin en ignorant les hurlements et les rires.

Elle contourna le poste du shérif pour éviter qu'on lui pose la moindre question et s'arrêta chez Mo's, la vieille épicerie de la ville. Acheter une partie de ses courses chez Mo's relevait de la tradition autant que de l'engagement moral pour une partie des habitants de Carson Mills, pour soutenir le commerce familial face à la pression des chaînes nationales qui s'implantaient un peu partout et remplaçaient les institutions locales.

Avec ses maigres moyens, Ambre y acheta un paquet de chips, songeant que ce serait mieux que rien pour initier la discussion avec l'Apache. Elle n'avait aucune idée de ce qu'elle cherchait, encore moins de ce qu'elle lui dirait, mais c'était plus fort qu'elle, Ambre devait s'assurer qu'il n'y avait aucun lien entre lui et Alisson.

C'est au shérif que tu devrais raconter tout ça.

Elle s'en voulait d'être aussi têtue ; lorsqu'elle avait une idée en tête, il lui devenait impossible d'y échapper.

Et pour lui dire quoi ? « Shérif ! J'ai ressenti quelque chose de très étrange dans les toilettes du lycée le matin où Alisson a disparu, je ne saurais pas trop comment vous l'expliquer, à vrai dire c'est surtout maintenant que j'y repense que je réalise comme c'était bizarre… Mais une des filles de mon lycée a vécu la même chose en présence de l'Apache, l'électricité statique, tout ça… Il doit y avoir un lien ! »

Avec un discours pareil, il y aurait un lien direct entre elle et l'unité psychiatrique de Wichita, ça c'était sûr !

On n'interne pas les gamins de mon âge pour ça…

Et puis elle se trompait, réalisa-t-elle. Ce n'était pas en présence de l'Apache que ça s'était produit, mais en le cherchant.

Près de sa tanière.

Ambre descendit Main Street jusqu'au CVS qui faisait l'angle avec l'église luthérienne, et longea la façade vitrée jusqu'à s'arrêter à l'entrée d'une étroite contre-allée jalonnée de conteneurs à poubelles, jonchée de vieux papiers et de gobelets de café froissés qu'on pouvait acheter en face, au comptoir qui vendait bagels et donuts. L'endroit n'était pas très avenant.

Dans son dos un enfant cria très fort et un bref instant Ambre eut la désagréable impression que ça n'était pas pour jouer, qu'il avait vraiment peur, mais ne voyant personne et le cri s'étant interrompu, elle estima que ça n'était pas grave.

L'allée l'attendait. Ombreuse.

Aucune impression d'être entourée d'électricité, aucune odeur singulière. Ambre ne savait pas s'il fallait s'en réjouir ou au contraire craindre que cela présageait une fausse piste.

Ambre s'y engagea d'un pas déterminé après avoir pris une profonde inspiration. Il fallait qu'elle aille jeter un œil. Ne serait-ce que pour faire taire ses idées folles, ses supputations ridicules, voir l'Apache pour se rassurer et déguerpir aussitôt qu'ils auraient échangé quelques mots pour prouver qu'il n'y avait rien de spécial chez lui.

Une bouteille de bière vide se mit à rouler au milieu de l'allée, brusquement poussée par le vent. Elle filait droit sur Ambre. La jeune fille s'efforça d'ignorer l'interprétation que son imagination débridée en faisait : « Va-t'en ! Vite ! Tant que tu le peux encore ! Suis la bouteille qui roule pour fuir. Cours ! » Elle l'enjamba et déboucha dans la petite cour où de vieux cartons déchirés s'amoncelaient au pied d'un compacteur. Plusieurs portes de service en fer donnaient sur cette zone peu fréquentée et, tout au fond, il y avait le vieil entrepôt désaffecté où vivait l'Apache. Une bâche noire mal clouée au chambranle servait d'entrée. Elle bruissait doucement dans la brise.

La rumeur de la ville semblait bien plus lointaine ici, presque inaudible, comme si Ambre avait marché aux confins de la civilisation. *C'est idiot puisque je suis près du centre-ville*, réalisa-t-elle sans pour autant s'expliquer le silence pesant qui l'entourait.

Comment devait-elle l'appeler ? Ambre se doutait que l'Apache ne répondrait pas à son surnom, pire, qu'il devait le détester.

— Monsieur ? demanda-t-elle d'un ton trop faible.

Ambre se racla la gorge et enjamba les détritus qui encombraient le fond de la cour pour parvenir sur le seuil de l'entrepôt. Cette fois, avec plus d'assurance et de vigueur, elle insista :

— Monsieur ? Vous êtes là ? Est-ce que je peux entrer ?

Ne recevant aucune réponse, Ambre supposa qu'il n'était pas « chez lui » avant de réaliser que l'endroit était vaste. *Il est peut-être loin là-dedans et il ne m'entend pas.* Fallait-il se hasarder dans ce vieux bâtiment poussiéreux et obscur ? S'il ne sortait pas c'était qu'il avait une bonne raison, ce n'était pas à elle de lui forcer la main. L'esprit galopant d'Ambre reprit le dessus, elle l'imagina alors blessé et agonisant, faute d'un peu de bienveillance.

Ambre cogna contre la bâche comme s'il s'agissait d'une porte et réalisant l'inutilité de son geste elle prit son courage à deux mains pour pénétrer dans l'entrepôt. Il y régnait une odeur âcre de renfermé et de moisissure. La poussière en suspension se voyait dans le prolongement des fenêtres et des ouvertures, très haut dans le plafond, et alourdissait l'air.

Ambre osa un pas, puis un autre, le temps que sa vision s'adapte et qu'elle distingue les piles de cageots oubliés depuis longtemps, les gravats de pierre, de tôle, et toutes les feuilles de journaux disséminées un peu partout au sol comme un linoléum d'informations perdues, diluées dans l'obscurité, à l'écart du monde, dans ce vieil entrepôt abandonné. L'Apache était un peu cela, réalisa-t-elle soudain, un élément à part de la civilisation, à peine entraperçu et oblitéré par le quotidien de ceux qui vivaient dans la lumière. Cela lui fit mal au cœur. L'Apache avait eu une vie avant de devenir ce qu'il était aujourd'hui, une jeunesse, des parents probablement, et des amis… Que s'était-il passé pour qu'il en arrive là ? Pour que personne ne puisse lui tendre la main, le maintenir à flot avant qu'il ne sombre ? Qu'est-ce qui poussait un homme à se réfugier ainsi dans l'humidité et le noir ?

Ambre avança encore un peu et découvrit une grosse masse à l'écart, près d'un mur. Cela ressemblait à un enchevêtrement de bois et de papier, presque un monticule et le regard d'Ambre s'habitua tandis qu'elle approchait lentement, mue par la curiosité. Elle vit plusieurs palettes dressées tels des murs, des cageots empilés et du journal pour fermer le tout. C'était une cabane. Rustique et fragile mais assez grande pour qu'un homme puisse s'y asseoir et s'y allonger.

— Monsieur ? osa à nouveau Ambre.

Cette fois sa voix se projeta et résonna entre les colonnes d'acier. Aucune réponse. Elle était seule ou on ne souhaitait pas lui répondre.

Ambre hésita, pas tout à fait rassurée, puis elle avança en direction de la cabane. Un bref coup d'œil en arrière lui révéla que la bâche, à la sortie, se rétrécissait tandis qu'elle progressait, jusqu'à devenir trop éloignée pour être rassurante.

Pas le moment d'imaginer le pire. Concentre-toi. Ne laisse pas tes idées folles prendre le dessus. Il n'y a rien d'anormal dans cet endroit. Il n'y a rien de dangereux. Ce sont seulement l'obscurité et le silence qui te perturbent.

Ambre se répéta sa petite litanie plusieurs fois jusqu'à ce qu'elle sente qu'elle se maîtrisait et s'agenouilla devant la cabane.

— Vous êtes là ? insista-t-elle. Je ne veux pas vous déranger, seulement m'assurer que tout va bien...

Ambre ne pouvait entrer dans des explications trop précises, elle ne se voyait pas lui dire que c'était à cause d'un témoignage, encore moins évoquer une histoire d'électricité statique...

Soudain toute la bêtise de ses actes lui sauta aux yeux. Elle se tenait seule dans un lieu vétuste, sans avoir prévenu quiconque, à la recherche d'un marginal qui n'avait pas bonne réputation, seulement motivée dans sa démarche par des suppositions loufoques nées de son imagination débridée.

— C'est crétin, je n'ai rien à faire là... murmura-t-elle.

Ambre était sur le point de faire demi-tour lorsque quelque chose remua dans la cabane. Un frottement sec, bref, comme un membre qu'on bouge et qui cogne sur le papier journal servant d'isolant.

Ambre se raidit.

L'Apache était bien là. Juste là. À seulement un mètre d'elle, caché dans sa tanière.

Alors pourquoi ne répond-il pas lorsque je l'appelle ?

Il avait ses raisons. Peut-être avait-il peur des autres ?

Et s'il est malade ?

— Vous allez bien ? interrogea Ambre. Personne ne vous voit plus dehors, est-ce que vous avez besoin d'aide ?

Nouveau mouvement dans la cabane, une reptation pataude.

Instinctivement, Ambre fit un pas en arrière en avalant sa salive.

— Monsieur... ?

La reptation reprit, maladroite, en direction de ce qui servait de porte à la petite cabane : plusieurs pages de journaux collées les unes aux autres comme d'un clapet de fortune.

Il va sortir. Il vient vers moi.

Ambre ne savait pas pourquoi mais elle n'était pas du tout à l'aise à cette idée. C'était idiot puisque c'était la raison de sa présence, pourtant, à ce moment, tout en elle lui indiquait que c'était une mauvaise idée. Très mauvaise. Ne pas rester ici. Ne pas attendre qu'il sorte.

— Je... je vais...

Quelque chose grogna à l'intérieur, un raclement de gorge lugubre, puissant, quelque chose qui n'était pas humain.

À cet instant, tout le corps d'Ambre se couvrit de chair de poule, et elle se mit à trembler. Ce n'était pas l'Apache qui était là. Ce n'était même pas un homme. Mais c'était gros.

Très gros.

Il y eut un choc puissant à l'intérieur de la cabane et Ambre fit un bond en arrière sous l'effet de la peur. La chose gronda encore, et renifla longuement puis Ambre entendit couler ce qui ressemblait à un liquide épais. Son imagination frappa à nouveau et elle supposa que c'était de la bave. Beaucoup de bave.

Le reniflement se poursuivit et Ambre vit le papier journal bouger devant elle, comme s'il était brièvement aspiré.

Il me sent !

Le grondement, cette fois, lui évoqua de la satisfaction.

Il me sent et il aime ça !

Son esprit en déduisit une chose qui la terrifiait. *Il... a... faim !*

Ambre paniquait.

Mais dans un sursaut de survie elle parvint à se reprendre et à faire volte-face en direction de la sortie.

La bâche était loin. Beaucoup trop loin.

La chose dans son dos poussa un rugissement de colère et la cabane vola en éclats, les palettes furent déchiquetées par la force de la créature et Ambre perçut aussitôt le bruit de ses pas la prenant en chasse.

Courir le plus vite possible. Atteindre la lumière du jour avant qu'il ne la rattrape, avant que ses griffes ne se resserrent sur une de ses chevilles et qu'elle sente la morsure terrifiante de ses crocs acérés dans sa chair. Foncer si rapidement qu'elle ne ferait qu'effleurer le sol, plus vite qu'une flèche dans l'air.

Ambre était incapable de l'expliquer rationnellement mais son instinct la guidait, et percevait que ce qui la traquait était inhumain.

Elle focalisa ses efforts sur sa trajectoire, Ambre était une grande maladroite, elle se savait capable de trébucher sur n'importe quoi à tout moment, aussi se concentra-t-elle sur le parcours, lever les pieds, allonger sa foulée le plus possible. Et ne surtout pas écouter ce qu'elle entendait derrière elle. Ne pas céder à la panique.

Le grondement était sur ses talons. Juste là, rugissant de rage et de faim, Ambre le devinait.

Le carré de lumière grossissait mais ça n'était pas suffisant. La chose allait la rattraper. D'un instant à l'autre, elle tendrait un de ses membres horribles pour lui saisir le pied et ce serait fini.

Terminé pour Ambre Caldero, qui serait dévorée dans un entrepôt insalubre et dont les restes pourriraient pendant des semaines avant qu'on ne retrouve quelques os éparpillés.

La bâche de la porte n'était plus qu'à quelques mètres.

Ambre soufflait, elle tendit la main vers la sortie, vers le soleil.

Le grondement dans son dos s'éleva, plus fort encore, et se transforma en cri de rage. Puis la peur s'y mêla.

Ambre se jeta à travers la bâche qui fut arrachée au passage, et elle roula sur les trois marches du perron avant de se vautrer dans les cartons de la cour, empêtrée dans le plastique.

En sueur, haletante, la jeune fille se débattit avec son carcan et se releva. La tête lui tournait, elle craignait d'être encore pourchassée et fonça aussi vite que possible dans la contre-allée.

Jamais la rue ne lui parut aussi rassurante lorsqu'elle s'y jeta, bousculant trois adolescents costumés en zombies.

Tous autour d'elle riaient et se moquaient de son air craintif et désespéré, cherchant à lui faire encore plus peur avec leurs têtes monstrueuses et leurs costumes d'Halloween.

Mais Ambre venait de rencontrer la véritable terreur, et plus rien en comparaison ne pouvait l'effrayer. Aucun mort vivant, aucun loup-garou ou vampire ne serait jamais à la hauteur de la chose dans l'entrepôt.

5

En lisière

L'esprit humain ne cessait de surprendre Ambre.

Dans les heures qui suivirent sa rencontre avec la chose de l'entrepôt, le sien ne cessa de remodeler son souvenir pour que, petit à petit, il n'en reste qu'un court film tressautant et indistinct. Plus rien n'y était figé. Ni la taille de la chose, ni sa haine, ni même son appétit. Ce n'était plus qu'une accumulation d'impressions vagues. Son esprit faisait son maximum pour la rassurer. Pour donner du sens à ce qui n'en avait pas. Et petit à petit, il y parvenait.

Ambre n'avait presque pas dormi de la nuit mais au petit matin elle n'était plus sûre de rien.

Qu'avait-elle dérangé dans la cabane sinon très probablement un animal sauvage ? Était-ce un sanglier ? Elle avait rapidement écarté l'hypothèse du chien errant, il ne fallait pas exagérer, ce qui lui avait couru derrière était bien plus puissant qu'un chien ! Un ours lui avait semblé de prime abord plus évident, avant de réaliser que ce n'était pas très plausible dans la région. Ils étaient rarissimes et plutôt cantonnés au sud-ouest de l'État; un ours en plein centre-ville, même un soir d'Halloween, aurait fini par se faire repérer. Non, le sanglier lui paraissait plus probable.

Pourtant quelque chose en elle, de l'ordre de l'instinct, lui répétait que ça n'était pas ça. Pas un animal sauvage. Quelque chose de plus dangereux encore. Une chose *contre nature*.

Ambre ne pouvait lutter contre sa mémoire refaçonnée par son pragmatisme, et elle ne savait plus quoi en penser. En parler à sa mère était impossible, elle aurait commencé par la sermonner pour avoir menti et s'être rendue seule dans un endroit pareil. Et puis elle ne la croirait pas. Qui le ferait?

J'ai été pourchassée par… J'ignore si c'était animal, à vrai dire, je n'en suis pas sûre… Peut-être que c'était… autre chose!

On lui reprochait déjà d'avoir beaucoup trop d'imagination, alors avec un discours pareil, on finirait par la traiter de folle et on l'enfermerait. Au fil de la journée, Ambre comprit qu'elle était seule sur ce coup.

Pour changer…, ironisa-t-elle avec amertume.

Pendant près d'une semaine, Ambre vécut avec ses doutes, ses nuits entrecoupées de cauchemars, ne sachant quoi faire, pressentant que tout ce qu'elle avait éprouvé n'était pas seulement le fruit de son cerveau indomptable mais aussi lié à une perception *différente* du monde. Elle s'intéressait à ce que les autres ne voulaient ni voir ni entendre. Qui se souciait encore d'Alisson Moody-Claviel à part sa famille? Tout aussi accablant: il n'y avait personne pour s'interroger sur ce qu'il était advenu de l'Apache. Ambre laissait traîner ses oreilles un peu partout et nul n'en parlait. Pour la plupart, Alisson avait fugué et l'Apache n'intéressait personne en ville parce que c'était un marginal.

Pour autant, Ambre était incapable de tisser un lien réel entre eux. Était-ce le hasard? L'Apache avait-il vraiment fui la ville comme le clochard itinérant qu'il était au fond? Alisson s'était-elle sauvée avec un amoureux de passage? Il y avait l'électricité statique, les vêtements abandonnés d'Alisson…

Le shérif avait affirmé qu'elle s'était changée en hâte dans les toilettes du lycée pour qu'on ne la reconnaisse pas, que cela prouvait qu'elle avait l'intention de fuguer, et d'après lui, elle était déjà loin de Carson Mills et on n'y pouvait plus rien faire. Mais Ambre avait vu les vêtements, la manière dont ils étaient empilés, ce n'était pas *normal*, personne ne se déshabillait ainsi. C'était plus comme si elle avait... disparu d'un coup, rien que son corps. Et tout ce qu'elle portait était tombé sur place, brusquement.

Et puis la *chose* qui l'avait pourchassée dans l'entrepôt n'était pas un animal, elle ne parvenait pas à s'en convaincre, même après une semaine. Sa part cartésienne cherchait par tous les moyens à lui présenter ses souvenirs sous un certain angle, mais au fond d'elle, Ambre refusait de se laisser convaincre.

Pour autant, elle n'avait aucune hypothèse plausible sur la nature de ce qu'elle avait croisé, et elle ne voulait surtout pas y retourner, sous aucun prétexte. Le surlendemain de l'incident, angoissée à l'idée que quelqu'un pourrait se faire blesser par la *chose*, Ambre avait passé un coup de fil anonyme depuis une cabine téléphonique de Main Street pour prévenir le shérif qu'une bête sauvage rodait dans l'entrepôt désaffecté derrière le CVS. De ce qu'elle avait pu apprendre par la suite, cela n'avait rien donné. Et aucun passant ne se fit agresser de toute la semaine.

Cela faisait à présent dix jours, et Ambre commençait à croire qu'elle en avait peut-être fait un peu trop, après tout. Sa mère le lui avait souvent répété : elle laissait trop de place à son imagination, et la réalité n'était pas ce qu'elle avait en tête. Les deux ne devaient pas se confondre. Jamais.

Un soir, Gouttière faisait cuire des œufs dans le mobil-home, tandis qu'Ambre était plongée dans un roman de Shirley Jackson, sa mère étant de service pour la soirée. Le crépitement de l'huile dans la poêle fut leur unique conversation jusqu'à ce que le champion local de bowling demande :

— Tu veux que je t'en fasse ?

C'était inhabituel de sa part, il était plutôt adepte du « chacun pour soi ». Ambre releva le nez de ses pages, méfiante. Gouttière lui désigna les œufs en train de frire.

— Avec une tranche de lard si tu veux, ajouta-t-il.

Ambre attendait la pique, la chute de ce qui serait une blague idiote dont il avait le secret, mais rien ne vint. Même son regard semblait franc. Gouttière devina le malaise et précisa :

— J'ai remarqué que tu avais pas l'air bien ces derniers temps. Alors je te propose de te faire à dîner. Faut manger. Tu dînes presque plus…

Ambre était stupéfaite. Il avait remarqué ça. Lui.

Elle hésita. Fallait-il accepter cette main tendue ? Cela signifiait-il lui pardonner tout le mal qu'il faisait ? *Non, certainement pas*, songea Ambre. Mais peut-être enterrer la hache de guerre. Pour un temps…

— OK, lâcha-t-elle en haussant les épaules et en posant son livre.

Il prépara deux assiettes et vint s'asseoir en face d'elle sur la petite table en formica.

— Tiens, et finis-moi ça, que tu te remplumes un peu, t'es trop maigre, tu vas finir par devenir moche comme ta mère…

Ambre se raidit. C'était terminé. Il venait de lui couper l'appétit. Comment pouvait-on être à ce point crétin ?

— Oh, le prends pas mal, je plaisantais…, se corrigea-t-il, la bouche pleine tout en désignant l'assiette d'Ambre de sa fourchette. Pour une fois que je te fais la bouffe, fais pas cette tête.

Gouttière avait toujours été un abruti grossier et agressif. Mais il lui tendait clairement une perche pour au moins apaiser un peu la situation entre eux. Ambre songea à sa mère, sans cesse au milieu, et considéra que pour elle, il était préférable que tout se passe le mieux possible avec Gouttière, si stupide et fruste fût-il. Elle avala une bouchée.

— Eh bah voilà ! Tu vois que je suis pas si mauvais cuisinier…

Ambre mangeait sans appétit, cherchant quoi et comment répondre pour ne pas être trop gentille ni trop irrespectueuse, mais il la devança :

— Alors, tu as un petit copain ?

— Pardon ?

— Au lycée, tu as bien un petit copain maintenant, non ?

Ambre le fixait, incapable de répondre. Qu'est-ce qui lui prenait de vouloir ainsi jouer au père modèle, de s'intéresser à elle ?

— Non, parvint-elle finalement à articuler.

— T'as pas envie ?

Ambre ne savait quoi dire. Elle trouvait cette conversation trop déplacée compte tenu de leurs relations.

— Ah, si, t'as envie, comme toutes les filles de ton âge, mais t'y arrives pas. Les garçons te trouvent bizarre, pas vrai ?

Gouttière écarta les coudes pour se faire de la place et poussa le roman qui tomba de la table. Ambre voulut se pencher pour le ramasser mais il la retint d'un ordre ferme :

— Laisse donc ça par terre, c'est sa place.

— Un livre ? Sa place dans la poussière ? s'indigna Ambre.

— Tu te rends compte de tout le temps que tu perds avec ces conneries ?

— Lire, une perte de temps ?

Ambre était estomaquée.

— Tu devrais t'intéresser plus aux garçons qu'à tes bouquins ! Pas étonnant que tu les fasses fuir !

— Je...

— La vie continue dans le vrai monde pendant que tu te perds dans ces pages, tu sais ça ? Et pendant ce temps, tu vieillis, à chaque page tournée, c'est un bout de toi-même que tu gaspilles... Tout ça pour quoi ? Pour rien, pour du vide.

— Justement non, à chaque livre lu c'est une vie de plus que j'ai vécue en quelques heures. À la fin, toi tu n'auras que ta misérable existence pour tout souvenir, alors que moi j'aurai une bibliothèque entière de souvenirs en plus.

Sur quoi elle se pencha et ramassa son roman. Dès qu'elle se redressa Gouttière lui saisit la main.

— Tu confonds tout, ma pauvre fille. Tu sais ce qui va se passer si tu continues de donner autant d'importance à ces histoires bidon ? Tu vas les mélanger avec la réalité. Et tu vas devenir folle ! Et là aucun mec ne voudra d'une siphonnée comme toi !

— Si c'est pour finir avec un looser dans ton genre je préfère encore mes livres ! lança Ambre en se levant et en claquant la porte derrière elle.

— C'est ça ! aboya Gouttière dans son dos. Fuis ! Comme toujours ! Fuis la réalité ! Va donc te réfugier dans tes rêves de gamine !

Ambre s'éloigna le plus vite possible du mobil-home, pour ne plus l'entendre, et elle marcha jusqu'à la limite des Bicoques où elle s'effondra plus qu'elle ne s'assit sur une souche renversée. Elle se tenait en lisière de la forêt, dans l'obscurité ; un vague halo provenait d'une caravane illuminée en retrait dans son dos. Face à elle se dressait le mur de l'inconnu, les ténèbres végétales qui respiraient lentement au gré d'une douce brise nocturne.

Ambre serra les mâchoires pour s'interdire de pleurer. Ne surtout pas lui donner ce crédit-là. Il ne valait pas ces larmes. Elle s'en voulait. Qu'est-ce qui lui avait pris de croire que ça pouvait bien se passer avec lui ?

Ambre s'enfouit la tête dans les mains et soupira longuement. Elle était fatiguée. Épuisée même. Par toutes ces tensions, par ce qu'elle endurait quotidiennement, par ce que subissait sa mère. Et par ce qu'elle avait cru vivre dans cet entrepôt obscur. Sa vie lui échappait. Elle avait le sentiment de ne plus rien maîtriser, d'être emportée dans un courant de plus en plus violent et de se cogner sans cesse à des récifs parfois invisibles. Combien de temps pouvait-elle encore tenir ainsi ?

Ses rêves d'apocalypse revinrent, non plus comme des trames lointaines de la pensée, mais davantage comme une échappatoire et, plus inquiétant encore, ils résonnaient à cet instant dans son esprit presque comme une solution. Un espoir.

Elle s'en voulut aussitôt. *Quel genre d'adolescent songe à la fin du monde comme à un soulagement?*

Elle sentit la forme du roman de Shirley Jackson contre ses flancs, dans sa poche. Heureusement qu'elle avait les livres. Ils étaient autant de portes d'évasion. Des tremplins pour l'âme, pour s'élever. Pour grandir. Du baume pour son bien-être et de la matière pour sa culture. Pour s'élever au-dessus de sa condition, ici dans les Bicoques de Carson Mills. Celui qui lit est universel. Il n'est plus homme ou femme, il est l'humanité tout entière traversée par le même courant porteur: celui de la littérature. Ça, Gouttière ne pourrait jamais le comprendre.

Sauf qu'Ambre en venait à désirer plus que tout que la littérature devienne la vie. La plus sombre des fictions, réalité.

La fin. Définitive. Dernière phrase de la planète. Point.

Blanc.

Terminé.

Au loin les branchages bougèrent et sortirent Ambre de ses divagations. Elle se mit aussitôt à craindre que Gouttière ait pu vouloir la rattraper pour lui faire entendre raison, pour la ramener au mobil-home ou pour passer ses nerfs. Serait-il capable de se contenir? Ne finirait-il pas par lui faire subir le même sort qu'à toutes les femmes qu'il avait côtoyées? Le pire, s'avoua alors Ambre, était que sa mère ne réagirait pas. C'était évident.

Les buissons bruissèrent à nouveau.

Ambre jeta un œil en direction du bruit, effrayée à l'idée de reconnaître la silhouette familière. Le son ne provenait ni de derrière ni des côtés mais plutôt de quelque part devant. Dans l'obscurité.

Quelqu'un qui rentre chez lui, ici, aux Bicoques…

Sauf qu'il n'y avait aucun chemin dans cette direction, rien qu'un treillis inextricable de ronces, de fougères et d'arbres difformes, personne ne s'aventurerait là-dedans en pleine nuit. À moins d'être passablement ivre, ce qui n'était pas rare dans la population locale.

Ambre était lasse de toute cette laideur. Quelle serait la suite ? Des cris résonnant dans un mobil-home ? Une bagarre d'ivrognes ? Un autre incendie accidentel provoquant la mort d'une famille dans l'indifférence quasi générale ? Ambre respirait à pleins poumons pour chasser la crise d'angoisse qui montait. Ses livres lui manquaient. La fuite dans l'imaginaire. Le besoin urgent d'une autre vie.

L'individu dans la forêt se mit à bouger à nouveau. Il était presque en face d'Ambre.

À une vingtaine de mètres environ, estima-t-elle. *Qu'est-ce qu'il fait là ?*

Même ici où l'on était coutumier des bizarreries, c'était étrange.

Dans la nuit, Ambre était incapable de l'apercevoir, mais elle entendit un raclement de gorge gras, puis une sorte de reniflement profond, de ceux, grossiers, qui descendent jusqu'au fond et nettoient les parois en vibrant. L'homme recommença une deuxième fois. Puis une troisième. Et il poursuivit ainsi pendant près d'une minute.

Qu'est-ce qu'il fait ? Il va se faire saigner, cet idiot, à respirer ainsi !

L'homme se mit alors à bouger et Ambre devina qu'il venait vers elle.

Il n'a pas de lampe, rien du tout. Il progresse dans le noir total.

C'était de plus en plus incompréhensible.

La forêt bougeait devant la jeune fille, elle s'agitait au gré des pas, et Ambre devinait que l'homme ne cherchait pas à contourner les obstacles mais progressait droit devant lui, cassant, arrachant et écrasant tout ce qui entravait sa marche. Avec détermination. Avec rage.

Soudain l'instinct d'Ambre se réveilla et la méfiance s'activa.

Je ferais peut-être mieux de ne pas rester là.

Ambre se releva.

L'homme s'immobilisa et renifla à nouveau.

Qu'est-ce qui lui prend ? Est-ce qu'il… il sent l'air ?

Cela ressemblait au rituel d'un animal sauvage qui hume le danger.

Ou sa proie…

L'homme reprit sa marche forcée et cette fois il accélérait. Il n'y avait aucun doute possible, il venait droit sur elle. Au fur et à mesure que la végétation cédait sur son passage, une émotion primitive était en train d'éclore dans les entrailles de la jeune fille. Tout d'abord une boule dans son estomac, puis un frisson le long de son échine avant qu'une sueur froide la fasse frémir. Une peur profonde, ancestrale. Elle réalisa alors qu'elle tremblait. Son esprit, en retard sur sa chair, subissait, et elle demeura tétanisée plusieurs longues secondes tandis que la masse effrayante se rapprochait de plus en plus d'elle, dans l'obscurité.

Puis soudain la raison reprit le contrôle.

Fuir. Maintenant. Vite !

La jeune fille voulut se lancer en arrière mais, dans sa maladresse habituelle, elle fit tomber son livre de sa poche. C'était dans ces instants-là qu'elle rêvait d'un superpouvoir lui permettant de rattraper les objets au vol, ce qui n'arrivait bien entendu jamais. La réalité, toujours aussi décevante.

Le roman disparut à ses pieds dans le noir.

C'était un livre de la bibliothèque, et Ambre ne pouvait pas se permettre d'avoir le moindre ennui avec l'établissement, il était bien trop vital à son quotidien.

Elle s'agenouilla dans la mousse et les feuilles mortes tandis que l'homme se rapprochait de plus en plus dans son dos.

Où est-il bon sang ?

Ses mains sondaient le sol humide, rencontrant des champignons spongieux, des brindilles en pagaille et quantité de feuilles craquantes, mais pas la couverture rassurante d'un livre. Elle mobilisait ses pensées pour se calmer, retrouver son souffle,

ne pas céder à la panique. Faire taire cette peur qui l'avait envahie sans explication.

*Concentre-toi ! Ce n'est qu'un type ivre, c'est tout, ça ne peut
qu'être ça. N'écoute pas ton imagination. Voilà. C'est ça. N'écoute
pas ton imagination…*

L'homme était à présent tout près. Moins de dix mètres. Il
respirait lourdement, presque un râle, et Ambre commença à se
demander s'il n'y avait pas autre chose. Cette respiration était
étonnante, pas tout à fait…

Brusquement tous ses sens furent en alerte.

Non, c'est impossible.

Pourtant son corps, son instinct, lui commandait le
contraire. Ce n'était pas un alcoolique des Bicoques.

C'était la chose de l'entrepôt. Elle l'avait retrouvée.

Une frayeur animale coula à nouveau dans ses veines.

*Comment aurait-elle fait ? Non, ça ne peut pas… Ce n'était pas
un homme dans l'entrepôt, c'était…*

Ambre réalisa que ce qui fondait sur elle n'était *pas tout à fait*
humain non plus. C'était évident.

Nouveau reniflement lugubre. La chose la sentait. Elle
reconnaissait la fille qui l'avait dérangée dans la cabane de
l'Apache, la proie qui lui avait échappé…

Plusieurs branches volèrent en éclats tandis que la chose
s'élançait brutalement vers Ambre.

Cette fois elle abandonna le livre et se redressa pour courir.

Le plus vite possible. Pour sa vie.

Parce qu'elle le percevait au plus profond d'elle, si la chose la
rattrapait, tout serait fini.

Ambre sentit ses joues fouettées par la végétation, des
racines qui tentèrent de la faire trébucher, des masses épaisses
qui voulaient la ralentir, mais elle fonça de toutes ses forces en
direction de la lumière, vers la caravane.

Derrière elle la chose grognait.

Ambre fonçait. Un tronc oblique apparut tout à coup juste
devant ses yeux et elle eut le réflexe prodigieux de se pencher

assez pour l'éviter mais elle dérapa et roula dans le parterre de feuilles, glissant tandis qu'elle essayait de se redresser sans perdre plus de temps.

La chose était juste là, à quelques mètres en retrait. Ambre pouvait presque sentir son odeur rance.

Un bond. Un élan de rage, pour sa survie. Et elle filait plus rapide qu'une ombre.

Elle déboucha sous l'auvent de la caravane illuminée et allait se jeter contre la porte pour tambouriner dessus avant de se reprendre. La solidarité, aux Bicoques, n'était pas garantie, et on risquait de la prendre pour une folle. De lui poser des questions. Cela reviendrait aux oreilles de sa mère et pire, il se pouvait qu'on la raccompagne de force jusqu'à Gouttière.

Elle esquiva le perron de la caravane et courut jusqu'aux mobil-homes suivants pour se maintenir dans la lumière. Alors elle ralentit pour regarder autour d'elle et écouter.

Il n'y avait plus aucune trace de la chose, rien qu'une télé distante, dans une des habitations, et la rumeur d'une conversation agitée un peu plus loin.

Ambre pivota dans tous les sens pour s'assurer que son poursuivant n'allait pas surgir brusquement d'entre les maisonnettes mais elle ne vit rien. Aucun signe de sa présence.

Ni raclement de gorge ni souffle rauque.

Elle n'avait pourtant pas rêvé, elle était sûre d'elle, de ce qu'elle avait entendu et senti.

Ambre ne pouvait pas rentrer chez elle maintenant, pas après ce qu'il s'était passé avec Gouttière et tant que sa mère ne serait pas de retour. Quant à traverser la forêt pour aller en ville c'était impensable. Pourtant elle ne pouvait attendre là. La chose était silencieuse, peut-être même en train de se rapprocher en ce moment même pour bondir et l'emporter. Ambre était trop exposée ici et n'avait aucune vision d'ensemble.

La Place. C'est là que je dois aller !

Ambre se remit à trotter, aux aguets, guettant la moindre présence derrière une poubelle ou le long d'un mur. Il y avait au centre des Bicoques un espace appelé La Place, aménagé autour d'un immense sapin, avec une demi-douzaine de tables et de bancs en bois ainsi que des barbecues improvisés avec des parpaings et des fûts d'acier coupés en deux. Cela servait aux rassemblements, principalement l'été. La vue y était dégagée sur plus de vingt mètres à la ronde et des guirlandes d'ampoules étaient suspendues à des mâts, diffusant un éclairage suffisant pour distinguer la moindre présence.

Ambre y parvint rapidement et fut déçue de n'y trouver personne. C'était un endroit apprécié des quelques adolescents des Bicoques pour y fumer des cigarettes et boire les bières volées à leurs parents. Sauf ce soir.

Elle s'installa sur une table, le plus au centre possible, et s'y assit en tailleur. De là elle pouvait distinguer quiconque s'approcherait et il lui suffirait de hurler en dernier recours, pour que tous ceux qui vivent à proximité l'entendent.

Elle posa ses mains sur ses genoux et attendit.

La vie habituelle des Bicoques lui parvenait aux oreilles, mais aucune trace de la chose. Pas la moindre ombre suspecte.

Chacun vivait son existence comme à son habitude. Ambre était invisible, assise sur sa table, dans le froid du début de soirée.

Aucun monstre à l'horizon.

Rien que la vie autour d'elle.

Une guirlande se mit soudain à clignoter mais elle se stabilisa aussitôt.

Ambre attendit.

Longtemps.

Les monstres du quotidien l'entouraient, indifférents, mais aucune trace de celui qui la traquait.

Elle songea alors au livre perdu dans sa fuite. Il lui manquait. Comme un membre de sa famille.

Ce n'est rien qu'un livre !

C'était tout un livre.

6

Rodney

Ambre se réveilla très tôt. Elle savait que sa mère dormirait tard et ne souhaitait croiser Gouttière pour rien au monde. Elle fit une toilette de chat et s'habilla en silence pour ressortir. Il faisait encore noir dehors. Une obscurité moins effrayante que lorsqu'elle était finalement rentrée, quelques heures plus tôt, épiant chaque recoin. La promesse de l'aube imminente avait quelque chose de rassurant. Rien ne se produisait à l'approche du soleil. Les ténèbres refluaient, les monstres nocturnes sentaient que leur heure était passée, le danger du soleil en approche les obligeait à fuir, à s'abriter dans leur tanière…

Tu lis trop de livres, diraient certains, se moqua Ambre *in petto*.

La jeune adolescente avait une bonne heure d'avance sur son horaire habituel pour aller en cours. Elle refit en sens inverse le chemin qu'elle avait emprunté dans la soirée, guettant le moindre signe d'une présence anormale. Même si elle avait peu et mal dormi, le sommeil avait, une fois encore, dilué les certitudes de la veille. Elle n'était plus aussi sûre d'elle. Était-ce une silhouette humaine ? Impossible d'être catégorique. Après tout, il faisait aussi noir dans la forêt que dans une cave sans fenêtre et sans ampoule. Il lui avait *semblé* que c'était une forme humaine, pourtant les bruits et la rage avec laquelle son poursuivant avait fendu la végétation indiquaient qu'il s'agissait plus probablement d'un animal. Alors que croire ?

Même s'il s'agissait d'une bête, pourquoi est-ce qu'elle m'a chargée ? Pourquoi moi précisément ?

Parce qu'elle se tenait en lisière des Bicoques probablement. En première ligne. Fallait-il croire à un sanglier furieux ? Au fond d'elle, Ambre ne parvenait pas à se défaire de l'impression désagréable que c'était la même chose que dans l'entrepôt. C'était aberrant, elle le savait. Pire : cela impliquait que la chose l'avait volontairement traquée jusqu'ici ! Alors Ambre retournait à ses mécanismes de défense : donner du crédit aux adultes. Elle avait trop d'imagination. Elle se laissait déborder par celle-ci bien trop facilement.

Tu n'es sûre de rien, alors arrête tes suppositions, car c'est dans la nature humaine d'envisager le pire et tu n'as pas besoin de ça en ce moment.

Ambre s'approchait de l'endroit où la créature avait surgi. Elle regretta alors de n'avoir pas tourné la tête, ne serait-ce qu'une seconde, juste pour savoir ce dont il s'agissait, pour mettre fin à ses spéculations une bonne fois pour toutes.

L'aube demeurait encore invisible, pourtant la nuit n'était plus aussi profonde que lors de l'attaque.

Ambre passa sous le tronc incliné qu'un immense pin empêchait de tomber complètement, puis retrouva la souche sur laquelle elle s'était assise. Le livre qu'elle avait fait tomber dans sa fuite devait être quelque part par ici. Elle s'agenouilla et sonda le tapis de feuilles mortes et d'aiguilles, soulevant branchages et fragments d'écorce sans rien trouver.

Il est forcément là ! Je me suis relevée, et il est tombé. Je n'ai pas eu le temps de courir à ce moment-là.

Pourtant, après dix minutes de fouilles intenses, Ambre dut se rendre à l'évidence.

Quelqu'un l'avait-il ramassé ?

Entre vingt-deux heures et six heures du matin ? Ici, dans un endroit isolé où personne ne va ? Non…

Cela pouvait être la chose.

Non, non, non… Pas d'hypothèse dramatique. Reste concrète.

Alors qui ? Comment avait-il disparu ?

Il va falloir que je le rembourse à la bibliothèque.

Ambre calcula combien elle avait dans ses minuscules économies personnelles et estima que cela suffirait à se mettre en règle.

Son regard embrassa le paysage dans la pénombre. Les troncs sombres, les branches basses, décharnées, celles plus garnies des conifères avec leurs armées de pointes. Les fougères, les taillis denses, les arbustes entremêlés et les amas de ronces dégoulinantes. Autant d'abris, de cachettes pour l'épier en ce moment même.

Arrête tout de suite ! Il n'y a rien ni personne.

Aucun être humain ne serait venu par ici en pleine nuit, c'était insensé. Mais aucun animal n'aurait ramassé son livre après l'avoir manquée, elle.

Comme une sorte de lot de consolation. Pour le humer. Pour conserver mon odeur…

Ambre secoua la tête. C'était plus fort qu'elle, elle ne pouvait s'en empêcher, toujours imaginer, et souvent le pire.

Elle jeta un dernier coup d'œil à la lisière impénétrable de la forêt. Un violent frisson la saisit. Instinctif.

Elle ignorait si cela provenait de son cortex reptilien mais une petite voix lui murmurait qu'il était préférable de ne pas rester ici plus longtemps.

Elle soupira puis tourna le dos aux ombres.

Un concours de circonstances et la curiosité donnèrent un nouvel élan à toute cette histoire lorsque Ambre se trouva en train de faire la queue au CVS du centre-ville. Elle y était passée après l'école pour acheter discrètement ce dont elle avait besoin en prévision de « ses trucs ». Elle haïssait cet instant plus que tout dans sa vie. Le moment où, chaque mois, elle devait acheter des serviettes hygiéniques parce qu'elle était une femme. Elle se sentait humiliée. Lorsqu'elle posait le paquet à la caisse, elle avait l'impression que tout le monde la regardait, que tous savaient et, d'une certaine manière, ils avaient tous le regard dans sa culotte. « Hé ! Ambre Caldero a ses règles maintenant. Oyez, oyez ! Ambre Caldero saigne. Ohé ! Ne vous approchez pas trop tant qu'elle n'a pas mis ses serviettes ! » Pourquoi lui infliger pareille dégradation ? En public de surcroît ! Rien que pour ça, Dieu ne pouvait exister ou alors c'était décidément un homme comme tous les autres. Ambre refusait de demander ce service à Gouttière. Car c'était lui qui faisait les courses du mobil-home, « parce que vous autres n'achetez que de la merde et des marques pourries », répétait-il, de mauvaise humeur à chaque fois. Cela aurait été encore pire.

Elle patientait dans la file, s'efforçant de dissimuler tant bien que mal un paquet de serviettes hygiéniques entre ses bras serrés sur sa poitrine lorsqu'elle surprit une phrase entre la femme devant elle et la caissière :

— Vous n'avez pas revu Rod ?

— L'Apache ? fit la caissière. Non, ça fait un moment déjà.

— Alors il est parti cette fois, ça ne fait plus de doute.

— Oh, il reviendra, ne vous inquiétez pas ! Il a trop ses habitudes ici pour s'en priver…

La femme reposa un tube de pastilles vitaminées sur le bord de la caisse.

— Bon, je ne le prends pas. J'ai déjà celui de la dernière fois chez moi. Je n'aime pas le savoir là-dehors, en plein hiver, sans quelques forces pour éviter de tomber malade. Un homme comme lui, s'il attrape une pneumonie, ce serait dramatique.

— Il reviendra, je vous dis. Comme de la mauvaise herbe !

— Vous connaissez son nom ?

Les deux femmes pivotèrent en même temps vers Ambre. La question était sortie toute seule, sans même que la jeune fille puisse se contrôler.

— Tu le connais ? répondit la cliente. Oui, bien sûr, tous les gamins ici ont déjà vu « l'Apache ». Il vous fiche la trouille, n'est-ce pas ? Ce n'est pas un mauvais bougre, tu sais. Juste un marginal. Un homme qui a trébuché et qui est tombé en dehors du système.

— Il s'appelle Rod ? insista Ambre.

La femme acquiesça.

— Rodney. Il avait une vie normale avant. La plupart des gens par ici le considèrent comme un clochard un peu effrayant, mais il n'est pas méchant. Un peu rustre parfois, la faute à la vie dans la rue. La prochaine fois que tu le croises, souviens-toi que ce n'est pas un épouvantail, mais Rodney... Oh, comment s'appelle-t-il déjà ? Ah oui, Malkovitch. J'y pense à cause de l'acteur... Rodney Malkovitch. Un être humain, pas un « Apache » ou je ne sais quoi.

Ambre hocha la tête. Lui donner un nom lui faisait du bien même si elle éprouvait une grande peine, subitement. Comme si Rodney Malkovitch était mort et qu'elle seule le savait.

La femme jeta un regard rapide sur ce qu'Ambre tenait entre ses bras et lui adressa un clin d'œil complice.

— La corvée, pas vrai ? lui dit-elle.

Ambre s'empourpra.

Elle était ailleurs.

En cours ou chez elle, son esprit divaguait, incapable de se figer sur une tâche unique. Pendant plusieurs jours Ambre tourna autour du pot sans parvenir à s'avouer la vérité. Lorsqu'elle fut enfin prête, elle se leva un matin avec la conviction qu'il fallait creuser la piste de l'Apache. Tout ça ne pouvait être un hasard. Ce n'était pas anecdotique. Ses terreurs ne l'avaient pas été et il était temps de se l'avouer.

C'était un mercredi et elle profita de son après-midi pour filer à la bibliothèque afin de s'asseoir en face d'un des ordinateurs en libre accès. Ambre n'était pas très branchée technologie et encore moins Internet. Elle en connaissait les grands principes, mais cela ne l'intéressait pas. Trop désincarné. Même lorsqu'elle travaillait sur un de ses devoirs, elle préférait avoir deux ou trois livres sous les yeux pour préparer son exposé, même si c'était plus long, il y avait davantage de contact physique avec le papier, avec la douceur des photographies et la manipulation faisait partie du plaisir ; coller un Post-it, tracer un trait à peine visible au crayon dans la marge ou pouvoir contempler plusieurs pages en même temps la rassurait.

Elle ouvrit une page sur Google, dieu des recherches, réseau sanguin de cet Internet labyrinthique, guide essentiel à sa survie en milieu virtuel. Ambre donna Rodney Malkovitch à manger à Google et aussitôt il lui digéra plusieurs pages qu'il aligna proprement. Il n'y avait plus qu'à faire le tri. Finalement pas grand-chose en éliminant les homonymes, mais quelques mentions ici et là. Université de Washburn à Topeka, Kansas, diplômé de chimie. Ambre reconnut la photo de l'Apache. Elle découvrit également sa date de naissance et fut surprise de constater qu'il n'avait pas quarante ans. Elle le pensait plus vieux d'au moins quinze ans. Rodney Malkovitch avait même une page Facebook mais qui n'avait pas été alimentée depuis cinq ans. Il ne disait rien de lui, de sa situation. Comment avait-il basculé de cette vie normale, intégrée, armé de tous les outils pour se fondre dans la norme, à l'être errant qu'il était désormais ?

Qu'il avait été, corrigea Ambre. *Il est mort à présent.*

Elle n'en savait rien, à vrai dire, mais tous les signaux étaient au rouge. L'Apache avait disparu, et ce qui rôdait dans sa tanière de fortune n'avait rien de rassurant. Ambre le pressentait, l'homme s'était évaporé, comme Alisson Moody-Claviel avant lui. Et personne ne les reverrait jamais. Elle ne pouvait l'expliquer rationnellement, c'était un ressenti, une évidence. Elle le savait. Elle le *sentait*.

Quelques clics supplémentaires et Ambre apprit que Rodney avait été engagé dans une compagnie pétrochimique, compagnie qui avait licencié massivement trois ans plus tard. Était-ce le tournant de son existence ? Difficile à croire. Il était diplômé et jeune, il aurait dû retrouver un emploi. Alors quoi ? Une maladie ? Une tragédie personnelle ? Une déception amoureuse dont il ne s'était pas relevé ? Possible. Ambre se représentait Rodney, trentenaire, sans emploi, enfermé dans le noir chez lui à déprimer, avant que les huissiers finissent par le mettre dehors… Rien de bien original. Et surtout, rien qui la mette sur une piste pour comprendre ce qui avait pu lui arriver récemment. Était-il devenu la chose rencontrée dans l'entrepôt ?

Y avait-il une étape supplémentaire à la déshumanisation ? Se pouvait-il qu'un homme, une fois rejeté par la société, une fois son esprit complètement marginalisé, passe par une transformation ultime, le privant cette fois de son être physique, pour en faire le rejeton terminal de cette mise au ban ? Une créature plus humaine, pas tout à fait animale...

Non, c'était un délire d'adolescente trop imaginative, se rassura Ambre.

Cette dernière capitula en fin d'après-midi et déambula dans les rues de Carson Mills, déçue de ne pas avoir de réponse.

Elle finit par rentrer aux Bicoques et fut rassurée d'y voir sa mère qui ne travaillait pas ce soir-là. Gouttière l'ignora, comme si elle n'existait pas et Ambre y trouva son compte, puis elle alla se coucher pour lire. Dehors l'orage menaçait, de brefs flashes illuminaient la nuit, découpant les silhouettes décharnées des arbres sur un fond sinistre. Le vent s'intensifiait, sifflant à travers la moindre brèche, cherchant à s'immiscer à tout prix, presque goulûment, comme la langue d'un chien au fond d'un pot de yaourt. Des bâches vibraient. Des volets claquaient. Des branches crissaient sur les toits.

C'est la fin des temps... Enfin. La destruction du monde des hommes. Le début d'une nouvelle ère. La nature va reprendre ses droits. Et notre sale espèce ne manquera pas.

Ce n'était pas très optimiste, constata Ambre avec une pointe d'amertume et de culpabilité. Est-ce que tous les jeunes dans son genre considéraient l'apocalypse comme une nécessité ? Était-ce une forme de suicide déguisé ? Par lâcheté... Plutôt que de s'avouer ses propres failles, elle les projetait sur toute l'humanité.

Non, nous sommes réellement des parasites. Et plus nous avançons dans le temps, plus nous apprenons à nous tuer massivement. Les guerres font de plus en plus de morts... Un jour ce sera la fin. La vraie. Et on le méritera.

Brusquement, Ambre prit peur. Un vertige saisissant, et elle étouffa un haut-le-cœur. Était-ce ainsi que pensaient tous ces garçons avant de rentrer dans leur lycée pour ouvrir le feu sur leurs camarades ? Était-elle en train de basculer dans cette forme d'indifférence au point que sa propre mort devait à tout prix entraîner tous les autres avec elle ? Ambre éprouva du dégoût, au-delà de l'être humain, rien que pour elle-même. Voulait-elle vraiment mourir ? Non. Lorsque la chose l'avait poursuivie, c'était une pulsion de vie qui l'avait fait courir si vite. Au contraire. Ambre voulait vivre.

Juste vivre mieux.

C'est le chagrin et le désespoir qui aveuglent au point de ne plus discerner le bien et le mal.

Son regard bascula vers l'extérieur où il dériva lentement, flottant dans l'accablement, la perte de repères. Elle se faisait peur parfois. Ça ne lui ressemblait pas, toutes ces pensées si noires. Elle avait toujours été une battante, une gamine solaire. L'adolescence avait cassé quelque chose à l'intérieur.

Pas l'adolescence, non. La vie. MA vie.

Sa mère qui préférait fuir toute forme de conflits au point de sombrer et d'entraîner sa fille avec elle. Son père qui manquait à l'appel depuis toujours, tellement absent qu'il était mort pour Ambre. Gouttière qui les tirait vers le bas, un peu plus profondément chaque jour.

L'internat lui manquait, réalisa-t-elle. Au moins là-bas elle n'avait pas à jouer la comédie. Elle était vraiment seule et n'avait qu'à vivre avec, sans faux-semblant. Sans illusion.

Dans cet instant cruel, Ambre se jura que si elle avait un jour la possibilité d'avoir une seconde chance, elle ne serait que lumière. Positive. Retrouver ces valeurs que l'enfant en elle avait portées.

La végétation s'agitait de tous côtés sous son regard.

Il fait dehors comme il fait en moi maintenant.

Et pendant un court instant, il sembla à Ambre qu'une forme humanoïde se tenait dans la pénombre, à bonne distance, observant son mobil-home. Fixant sa fenêtre.

Des pupilles presque jaunes braquées sur elle.

Ambre cilla, manquant s'effondrer, ne sachant s'il fallait hurler pour que sa mère rapplique ou si elle devait se jeter sous ses couvertures pour se cacher.

Mais le temps d'une hésitation et il n'y avait plus rien. Seulement des ombres mouvantes dans la tempête naissante. Ambre cligna des yeux plusieurs fois. Avait-elle rêvé ? Un buisson massif se dandinait dans les bourrasques, presque humain.

La jeune fille finit par hocher la tête. Elle se faisait tout un film. Il n'y avait rien là-dehors. Encore moins une chose vaguement humaine qui l'épiait.

Pourtant ces yeux lui avaient paru si… vrais. Si sauvages.

— Vicieux…, avoua-t-elle à mi-voix.

Cette nuit-là, elle dormit très mal, agitée par des cauchemars où des mains griffues surgissaient de sous son lit pour lui attraper la cheville et l'entraîner dans les profondeurs terrifiantes, sous le mobil-home.

7

Entre rêve, cauchemar et réalité

La pluie, le froid et les bourrasques de fin novembre nettoyèrent la région de Carson Mills des dernières rémanences du soleil d'été, ne laissant plus qu'un carcan gris et pesant sur le paysage autant que sur le moral.

Le temps diluait petit à petit les doutes et les peurs d'Ambre et imposait une fatalité toute naturelle, si bien qu'elle supposa que Rodney Malkovitch, Alisson Moody-Claviel et la chose faisaient désormais partie de son passé. Il lui était vite apparu comme une évidence qu'elle n'avait pas d'autre choix que de vivre son existence. Personne ne prenait ces disparitions au sérieux, la fuite d'un marginal et la fugue d'une adolescente demeuraient des explications suffisantes. *Peut-être crédibles*, finit par s'avouer la jeune fille.

Et puis son esprit fut rapidement occupé par un autre événement au moins aussi envahissant.

Un garçon venait de débarquer en cours. Ses parents venus du Minnesota avaient emménagé à Carson Mills, et Thomas Gauntley Jr illumina la classe de son sourire de publicité, jouant avec sa longue mèche d'un mouvement sec de la tête, le regard transperçant. Lorsque ses pupilles sombres se bloquèrent sur Ambre, celle-ci fut incapable d'en décrocher. Tom était grand. Il était fort. Il sentait bon. Un cliché.

Ambre tomba dedans aussi facilement que dans un roman sentimental mal écrit mais suffisamment habile pour rester efficace jusqu'au bout.

Il était évident qu'il n'était pas indifférent non plus. Les coups d'œil furtifs, le rictus de séducteur en coin, et Tom passa à l'action dès la deuxième semaine de son arrivée en venant s'asseoir à côté d'Ambre pendant le déjeuner. Ils échangèrent quelques banalités avant que Tom demande :

— C'est vrai que tu habites dans le camp de mobil-homes et de caravanes à la sortie de la ville ?

Pour la première fois, Ambre se sentit honteuse de son statut. Elle fit la moue avant d'avouer :

— Ça vend pas du rêve, je te l'accorde.

— Au contraire ! Mes parents ont loué un gros camping-car un été pour qu'on traverse une partie du pays et c'est un de mes meilleurs souvenirs. Tu crois que je pourrais passer te voir là-bas un de ces jours ?

— Les Bicoques, c'est pas vraiment des vacances en camping-car.

— Pas grave, du moment que tu es là pour me faire la visite.

Ambre sentit son sang affluer vers son visage, incapable de se contrôler et s'en voulut de ne pouvoir se maîtriser davantage.

Soudain elle songea à Gouttière et son euphorie s'évanouit aussitôt.

— Euh… je sais pas si c'est une bonne idée, il n'y a rien à voir là-bas.

— Bon, en tout cas je te laisse mon numéro, comme ça on en discute.

Il attrapa une serviette en papier et y griffonna une série de chiffres.

— Tu ne veux pas me filer le tien ? finit-il par dire face au silence de la jeune fille.

— Je… Je n'en ai pas.

— Pas de portable ? T'es pas comme les autres, toi, ça c'est sûr ! Tiens, je te laisse aussi mon adresse, dans ce cas.

Ambre vit qu'il habitait au sud de la ville, dans les beaux quartiers. Elle éprouva alors un sentiment étrange, ne sachant si c'était de la gêne ou une forme d'envie.

Tom lui déposa un baiser sur la joue et s'en alla, la laissant complètement sous le charme, bouche entrouverte.

Plus loin, Kath Rooney la dévisageait, elle et ses comparses se moquaient ouvertement d'Ambre, avec dédain et surtout une évidente jalousie.

Mais la jeune fille n'en avait que faire. Tom lui avait offert un baiser.

Elle fixa le numéro et l'adresse dont l'encre bavait sur la serviette. De toutes les histoires qu'elle avait lues, celle-ci était la plus courte en texte, mais elle promettait d'être l'une des plus passionnantes.

Thanksgiving imposa une coupure et Ambre ne put voir Tom pendant quatre jours. Elle contemplait son numéro, allongée sur son lit, et pour la première fois elle regrettait de ne pas posséder un portable. Juste pour lui envoyer un message. Elle passa des heures à s'imaginer ce qu'elle aurait pu lui écrire, et en conclut que c'était finalement préférable de ne pas en avoir. Trop compliqué. Elle était incapable de choisir les mots sans revenir dessus un millier de fois.

Gouttière les emmena, quasiment de force, au bowling, toute la journée du samedi, et lorsque Ambre constata que sa mère était éteinte, encourageant sans passion son apollon de pacotille avec sa tenue moulante ridicule, elle dégaina un livre de sa poche et se laissa absorber par les pages.

En fin d'après-midi, Ambre se leva pour aller aux toilettes et sur le chemin du retour elle manqua rentrer dans une femme en sortant un peu trop vite.

— Pardon, madame.

— Ah, mais tu es la fille des serviettes hygiéniques !

Ambre crut qu'elle allait mourir de honte et s'empressa de vérifier que personne autour ne les avait entendues avant de reconnaître la cliente du CVS, celle qui connaissait Rodney Malkovitch.

— Alors, tu l'as croisé ? insista la grosse dame.

— Qui ça ?

— Eh bien : Rod !

— Il est revenu ? demanda Ambre, pleine d'espoir.

— Pas que je sache. Mais tu avais l'air de t'intéresser à lui. C'est bien, ça. C'est très chrétien, tu sais ? Les jeunes de ton âge perdent ces valeurs aujourd'hui. C'est bien dommage.

Ambre eut le sentiment qu'une ouverture s'offrait à elle, alors elle s'aventura :

— Vous le connaissiez ?

— Pas plus que ça. Mais j'ai entendu parler de son histoire. On ne laisse pas un homme seul sans lui donner un minimum, je n'ai pas été élevée ainsi. Quelques provisions, de vieux vêtements qui ne servent plus, une couverture l'hiver, des vitamines quand c'est possible, ce genre de choses…

L'occasion était trop belle pour s'interrompre ainsi. Ambre insista :

— Pourquoi vivait-il dans la rue ? Il avait un diplôme, non ?

La grosse dame inclina la tête pour regarder Ambre par-dessus ses petites lunettes carrées.

— Parfois ça ne suffit pas. Je crois que Rod a souffert d'une *sévère dépression*.

Elle avait prononcé ses derniers mots un ton plus bas, comme s'il s'agissait d'un secret honteux qu'il ne fallait pas trop ébruiter.

— Là-dessus, ajouta-t-elle, sa femme l'a quitté, il a perdu son boulot et… Ma foi, rien de bien original. C'est juste qu'il n'a pas su remonter la pente à temps. Vois-tu, Rod était seul. Je veux dire : il n'avait pas de famille. C'est important la famille, ma petite, tu comprends ? C'est elle qui te retient lorsque tu t'enfonces et que tu n'arrives plus à surnager. C'est la famille qui te tient la tête hors de l'eau, le temps que tu reprennes des forces pour affronter ce monde. Ne l'oublie jamais. Prends soin de la tienne.

À ce mot, Ambre aperçut Gouttière qui s'élançait sur la piste dans le dos de la femme, sa mère applaudissant mollement, comme absente. Vision déprimante.

La dame repoussa Ambre.

— Tu m'excuseras, mais il faut vraiment que j'y aille. La bière me fait pisser comme un ange pleure !

Le soir même, Ambre repensait à tout ça en récupérant le linge humide pendu au fil derrière le mobil-home. L'histoire de Rod lui faisait peur tout autant qu'elle la rendait triste. Cet homme avait dû se sentir bien seul pour sombrer ainsi sans jamais parvenir à trouver ne serait-ce qu'un sursaut d'énergie, d'envie, pour se relever avant qu'il ne soit trop tard. En même temps, cela la renvoyait à sa propre vie. Quel genre de femme serait-elle plus tard ? Loin du Kansas. Seule ? C'était angoissant.

Pour la première fois depuis une semaine, Tom Gauntley n'accaparait plus ses pensées. Elle ne savait dire si c'était un soulagement ou un manque.

Ambre s'arrêta une fois le dernier jeans récupéré et plié au sommet de la pile dans le panier à linge. Il manquait ses deux culottes tout au bout du fil. Elle le savait, c'était elle qui les avait étendues avant de partir. Elle inspecta les alentours sans rien repérer et trouva ça bizarre.

J'espère que c'est pas un de ces pervers qui est venu me les piquer !

Elle demanda à sa mère qui ne sut quoi lui répondre tandis que Gouttière faisait comme s'il n'avait rien entendu. C'était de mieux en mieux. Maintenant sa lingerie disparaissait !

Ambre eut du mal à s'endormir, elle tournait sans cesse dans son lit, les idées s'emmêlant comme elles savent si bien le faire une fois la nuit tombée, et lorsque le sommeil vint, il fut ponctué de visions étranges. Rod se transformait en l'Apache avant de grogner comme une bête et de courir à quatre pattes en pourchassant Ambre qui trébuchait. Tom apparaissait, séducteur, mais incapable de la secourir. Et Ambre réalisait, honteuse, qu'elle ne portait pas de culotte tandis qu'elle roulait aux pieds de la chose et du beau gosse. Au loin le rire gras de Gouttière résonnait comme le tonnerre et la silhouette de sa mère, dos tourné, vibrait dans le vent d'une nuit d'apocalypse.

Puis tout s'interrompit. Il n'y eut plus que le noir. Le repos. Elle s'enfonçait profondément dans l'inconscient.

Avant qu'un nouveau rêve ne se tisse lentement.

Elle était allongée sur son lit, dans sa chambre plongée dans l'obscurité. Une silhouette l'observait. Massive. Puis cette dernière se pencha vers elle, se mit à la sentir, en commençant par ses cheveux. Dans son rêve, Ambre était incapable d'agir, tétanisée. Elle voyait l'homme la respirer et soudain sa main surgir pour caresser ses hanches par-dessus la couette. L'homme soupira. Une forme d'excitation.

Ou de… faim ?

Ambre n'en était pas tout à fait sûre. Elle n'arrivait pas à réfléchir normalement. Il lui semblait que l'intrus voulait la manger. C'était ce qu'elle ressentait. La manger tout entière.

La silhouette se mit alors à grimper sur le lit qui s'enfonça, les lattes couinant sous le poids. Il se tenait au-dessus d'Ambre.

Son visage sentait fort, sans qu'elle puisse en identifier l'odeur. Était-ce de l'alcool ? La transpiration acide ?

Le visage de l'homme se pencha sur elle pour... Allait-il la mordre ou l'embrasser ? Ambre ne distinguait presque rien, comme si ses paupières refusaient de s'ouvrir pleinement.

Une longue langue se déplia entre les lèvres menaçantes, légèrement luisante dans un rayon de lune qui filtrait entre les stores. Elle se tortilla tel un ver. Elle se rapprocha alors de la joue d'Ambre, qui sentit qu'un cri gonflait dans sa poitrine, mais qu'il ne parvenait pas à éclore.

Soudain la jeune fille fut prise de panique et dans les vapeurs oniriques son double se mit à s'agiter, à repousser l'agresseur et elle se mit à cligner des yeux, le souffle court, moite et terrifiée, cette fois bien réveillée.

Assise, elle haletait, cherchant à comprendre, encore engluée dans les vapeurs du sommeil. Les ombres de sa chambre et celles de son sommeil se mêlaient encore sans qu'elle sache bien ce qu'elle voyait.

Pendant une fraction de seconde il lui sembla entendre un déclic mécanique, comme si sa fenêtre ou sa porte se refermait, mais Ambre mit cela sur le compte du cauchemar qu'elle venait de faire.

Pourtant, il flottait encore dans la pièce une odeur désagréable qui lui piquait le nez.

8

La spirale infernale

La banquette arrière de la vieille Chevrolet grinça tandis que Tom se rapprochait d'Ambre.

C'était elle qui avait eu l'idée de l'entraîner à la casse des fils

Fergus. Ce n'était pas très loin des Bicoques, à la sortie nord de la ville, et elle connaissait plusieurs accès discrets. Ici personne ne viendrait les embêter.

Car Ambre avait besoin d'intimité pour se confier. Depuis la nuit de samedi, elle se sentait déboussolée. Incapable de savoir qui croire. Son instinct qui lui hurlait que le cauchemar n'en était pas un ? La logique qui clamait qu'il n'y avait personne dans sa chambre et qu'elle avait tout inventé en dormant ? Pourtant elle n'avait pas rêvé le petit bruit métallique, elle en était certaine, pas plus que l'odeur nauséabonde qu'elle avait captée dès son réveil.

Le début de semaine avait été difficile, elle se sentait confuse, presque folle et elle éprouvait un profond besoin de parler. Lorsque le visage de Tom était apparu en classe le lundi matin, le cœur d'Ambre s'était brusquement dilaté dans sa poitrine, lui apportant un sentiment d'apaisement. C'était à lui qu'elle devait tout raconter, et il fallut attendre le moment propice, jusqu'au mercredi après-midi, après les cours.

Tom était tout attentionné. Il lui avait même pris la main en marchant lorsqu'ils avaient pénétré la forêt pour contourner la casse par l'est.

À présent, il n'y avait plus que des épaves tout autour, et le ronflement lointain d'une grue et de l'énorme presse hydraulique qui broyait les aciers. L'intérieur de la Chevrolet sentait le vieux cuir et un peu l'huile.

— C'est gentil de m'avoir accompagnée, dit Ambre.

Tom était tout près d'elle, il lui offrait son meilleur sourire.

— Tu plaisantes ? Un rendez-vous dans une casse auto ? Quel mec refuserait ? C'est romantique *et* excitant ! Tous les bonheurs masculins réunis…

Ambre ne releva pas.

— Je voulais te parler d'un truc… étrange.

Soudain elle ne se sentait plus aussi sûre d'elle. Toute son histoire lui parut ridicule.

— Vas-y, je t'écoute.

Elle avait trop attendu cet instant pour renoncer alors elle prit une longue inspiration pour s'encourager et se lança. Elle ne mentionna ni les disparitions, ni la chose de l'entrepôt ou de la forêt, inutile d'en rajouter et de passer pour une paranoïaque complètement folle, se contentant de décrire son rêve dans les moindres détails et d'expliquer avec les bons mots ce qu'elle avait éprouvé à son réveil, incapable de savoir si elle avait été sur le point de se faire agresser ou si ça n'avait été qu'un cauchemar.

Les deux jeunes adolescents demeurèrent un moment à s'observer en silence. Ambre ne savait ce qu'elle attendait de lui sinon qu'il trouve un moyen de la rassurer.

Au lieu de quoi le regard de Tom finit par s'allumer d'une lueur qu'Ambre ne sut caractériser exactement, entre charmeuse et maligne.

— Tu aimerais qu'un homme, disons… plutôt séduisant, vienne te surprendre la nuit ?

— Pardon ?

Il la gratifia d'un clin d'œil.

— Eh bien… tu sais, si par exemple tu laissais ta fenêtre déverrouillée…

— Tom ! Je suis sérieuse !

— Moi aussi.

Il se pencha vers elle et lui posa une main dans les cheveux, à l'arrière du crâne, pour l'embrasser. Ambre en fut tellement stupéfaite qu'elle ne put rien faire pendant quelques secondes avant de reprendre ses esprits et de le repousser.

— Non ! Je ne veux pas !

C'était un tel cri du cœur que Tom en parut outré. Une fois encore le silence s'installa entre eux, un flottement gêné, très désagréable.

— J'avoue que je ne te comprends pas, finit-il par lâcher. Tu m'entraînes ici et tu me racontes tes fantasmes de mec qui te colle en pleine nuit mais finalement tu me repousses !

— Je voulais qu'on soit tranquilles pour me confier à toi ! Tout ce que je t'ai dit est vrai !

— Tu m'as dit que c'était pendant ton sommeil, un rêve…

— J'avais besoin de… Et puis laisse tomber.

Ambre se referma aussitôt. Elle se sentait terriblement seule. Incomprise. Elle s'était joué cette conversation une centaine de fois depuis le lundi matin ; réaliser qu'elle s'était fourvoyée la rendait amère et une tristesse sourde glissa sur tout son être jusqu'à la recouvrir entièrement.

Lorsque leur embarras fut supérieur à leur timidité, ils convinrent qu'il était préférable de partir et regagnèrent la forêt.

— Je suis désolé, lâcha Tom du bout des lèvres. Je ne voulais pas te froisser.

Ambre haussa les épaules. Elle lui en voulait de ne pas être celui dont elle avait besoin, toutefois sa présence la rassurait un peu.

— Je suis désolée aussi, avoua-t-elle. C'est pas que je voulais pas que tu m'embrasses mais…

— Pas le bon moment.

— C'est ça.

Ils se tournèrent autour maladroitement avant de se séparer. Ambre avait parlé machinalement. À vrai dire, elle n'était même plus tout à fait sûre de vouloir que Tom l'embrasse. Elle ignorait pourquoi elle lui avait dit ça sinon pour s'éloigner moins penaude. En réalité, elle n'était que déception, chagrin et solitude.

Les livres, toujours les livres, pour sauver son âme. C'était ce qu'Ambre constatait au début du mois de décembre. Elle avait accéléré son rythme de lecture, dévorant plusieurs romans chaque semaine comme si la réalité ne méritait plus qu'on lui consacre la moindre heure libre. Après chaque séance intense à tourner les pages, elle s'accordait un moment pour réfléchir à ce qu'elle venait d'absorber, elle imaginait les personnages prendre vie sous ses yeux, interagir avec elle parfois, réalité et fiction s'entremêlaient alors subtilement. Un objet tombait (par la maladresse d'Ambre) sur le passage invisible d'untel. Le bruit d'une voiture au loin était l'approche de tel héros. Les branches que le vent soulevait témoignaient de la présence d'un autre personnage à la lisière de son champ de vision. Elle se rassurait ainsi.

Car le monde dans lequel Ambre vivait était tout sauf rassurant. Tout sauf compréhensible.

La neige fit son apparition timide mais sans tenir, transformant le sol en une boue épaisse et collante. Le climat lui-même n'avait rien de réconfortant. La mère d'Ambre s'absentait toujours aussi souvent pour son travail afin de grappiller le moindre dollar supplémentaire, laissant sa fille en compagnie de Gouttière qu'il était préférable de fuir autant que possible. Ambre s'emmitouflait dans sa parka fourrée, prenait ses mitaines et son écharpe avant de disparaître à l'autre bout des Bicoques pour lire au calme.

Un dimanche après-midi, Ambre fut dérangée par une succession de craquements de branches au loin dans la forêt. Elle ne parvint pas à distinguer ce dont il s'agissait, ne sachant si elle allait voir surgir l'un des protagonistes de son roman ou un cerf, mais le raclement de gorge qui suivit la tétanisa. Elle rentra aussitôt. Même la compagnie de Gouttière lui était préférable à ce son si étrange qui lui rappelait de mauvais souvenirs. Était-il réel ? N'était-ce pas là encore son imagination qui débordait, transformant un bruit de la forêt en quelque chose de plus angoissant ? Dans le doute, Ambre préférait s'abstenir de tenter le diable.

Cinq jours plus tard, un soir, elle guettait les ombres de la nature par la fenêtre, bien au chaud dans sa chambre, lorsqu'une forme vaguement humaine passa fugacement entre les troncs. La jeune fille se redressa, terrifiée, et scruta longuement la pénombre sans rien voir de plus. À force de chercher à s'inventer des incursions de ses romans dans la réalité, elle ne savait plus trop ce qu'elle devait ou pouvait croire, toutefois celle-ci était bien trop spontanée et inquiétante pour être le fruit de ses projections. Cette nuit-là, elle dormit avec un bâton contre sa fenêtre en plexiglas et une pile de livres devant sa porte pour s'assurer qu'elle se réveillerait si quelqu'un ou quelque chose tentait de pénétrer dans sa chambre.

La fin de la semaine suivante, elle ouvrit les yeux en pleine nuit, le cœur battant à tout rompre. Elle l'avait entendu malgré son sommeil.

Et il résonna grassement dans la forêt, à moins de cinquante mètres du mobil-home : ce raclement de gorge profond, à s'en décoller les parois, un reniflement guttural, bruyant, qui n'avait rien d'humain, mais qui était trop rageur et trop précis, presque articulé, pour être animal.

La chose l'avait retrouvée. Ambre en était certaine. Elle lui tournait autour depuis un moment. C'était elle qui lui avait volé ses petites culottes en train de sécher sur le fil. Elle observait sa proie, patiemment. Cherchait la meilleure approche. Elle allait frapper, tôt ou tard. Ce n'était pas une tentative de communication, pas plus qu'une approche maladroite. La chose la traquait. La chose faisait une fixation sur Ambre. Pourquoi elle ? Probablement parce qu'elle était celle qui était venue la déranger dans sa tanière dans l'entrepôt. Peut-être son premier contact humain. À chaque fois qu'elle y repensait, Ambre devinait la faim de la bête. Elle transpirait de ses grognements, de sa façon de se précipiter. Une faim profonde. Elle la dévorerait. Entièrement. D'abord avec frénésie, puis plus méticuleusement, pour savourer ses dernières bouchées. C'était comme si la chose était aveugle ou insensible aux autres habitants des Bicoques, car personne n'avait disparu, en tout cas Ambre n'avait entendu aucune rumeur alarmante. Non, c'était elle qu'elle désirait plus que tout. Et elle rôdait alentour, étudiant le terrain tel un prédateur ayant besoin de se sentir en confiance, épiant sa victime, attendant le meilleur moment pour jaillir, ne prendre aucun risque superflu. Attaquer pour triompher.

Pour se repaître.

Ambre devait s'y préparer.

Lorsqu'elle se leva le lendemain matin, les paupières lourdes de fatigue, elle croisa sa mère en train de fumer une cigarette par la fenêtre ouverte du salon, l'air absent. Elle hésita à lui en parler et lorsque les premiers mots sortirent de sa bouche, elle constata que sa mère ne l'écoutait même pas, perdue dans ses propres pensées, enfouie dans sa lâcheté, si loin dans son malheur qu'elle était hermétique à tout, même à la détresse de sa propre fille. Ambre capitula.

En classe elle ne fut pas attentive. Pas même à Tom. Depuis l'épisode désastreux de la casse automobile il n'était plus le même avec elle. Ils ne se tournaient plus autour, parfois s'évitaient. Le malaise était encore palpable. La magie s'était rompue.

L'approche du week-end la désespérait. Sa mère travaillerait et cela signifierait qu'elle serait à nouveau seule.

À la merci de la chose.

Ce n'était pas Gouttière qui lui serait d'un quelconque secours. Non seulement il n'écouterait rien mais si elle commettait la bêtise de lui en parler, il se moquerait d'elle pendant des années… Pis encore : s'il se passait véritablement quelque chose, Ambre le savait capable de prendre ses jambes à son cou pour sauver sa propre peau sans se soucier d'elle.

Elle s'enferma dans sa chambre le samedi matin pour faire ses devoirs avec difficulté, trop distraite, trop occupée à scruter le dehors par la fenêtre au moindre son suspect. L'après-midi elle irait à la bibliothèque. Là-bas au moins elle serait en sécurité pendant quelques heures et pourrait se perdre dans un bon livre. Cette idée la porta toute la matinée.

Elle sortit de sa chambre pour déjeuner. Gouttière était attablé, une bière posée devant lui pour tout repas. Il arborait une robe de chambre satinée de mauvais goût sur son short et son tee-shirt de la nuit. Il n'était pas levé depuis longtemps, la veille au soir il avait eu une compétition de son satané bowling et, à voir sa mine déconfite, il n'avait pas remporté le succès escompté.

Ambre s'empressa de prendre des pickles, du jambon et deux tranches de pain de mie pour se confectionner un sandwich, sans lui adresser la parole. S'il était de mauvais poil il était préférable de l'ignorer.

Il se leva alors pour arracher le pain des mains de sa belle-fille et sortit une assiette pour l'y poser.

— Je vais te le faire ton sandwich, moi, déclara-t-il sur un ton qui ne souffrait aucune contradiction.

Il ouvrit le frigidaire et s'empara d'un concombre et de tomates, ainsi que du pot de moutarde.

— Faut y mettre des légumes ! Mange équilibré au moins.

Ses gestes étaient secs, directs. Il s'empara d'un long couteau impressionnant dont la lame brillait dangereusement et le leva juste devant le nez d'Ambre.

— L'instrument des gagnants, exposa-t-il sobrement.

Il trancha de fines rondelles de concombre qu'il étala sur une tranche de pain. Il y allait trop fort, entamant à chaque fois un bout du plan de travail en formica. *Chop-chop-chop.*

— Tu sais que c'est le couteau qui nous sépare des primates ? confia-t-il, sûr de lui. Lorsqu'on l'a inventé, aussi sec, on est devenus l'espèce dominante. On découpe. On plante. On façonne. On tue. Et hop ! Au sommet de la chaîne alimentaire !

Ambre sentit son haleine chargée. Ce n'était pas la première canette qu'il éclusait. À peine midi et déjà bien ivre. Une tomate subit le même sort que le concombre, avec une colère inappropriée. Le couteau claquait sur le formica. *Chop-chop-chop.* C'était comme s'il passait ses nerfs d'avoir perdu la veille sur les pauvres légumes. Tranche de jambon ciselée en lanières, presque déchirée de colère. *Chop-chop-chop.* Puis Gouttière aspergea copieusement le tout de moutarde avant de faire glisser l'assiette sur la table d'un geste brusque, imposant à Ambre de s'y asseoir. Il attrapa une nouvelle bière et vint se poster en face de la jeune fille. Il n'avait toujours pas lâché le couteau de son autre main.

— Mange. Que ta mère ne me tombe pas dessus parce que tu bouffes rien quand tu es sous ma responsabilité.

Ambre obéit, ne voulant surtout pas le contrarier. Plus vite elle avalerait son repas, plus vite elle pourrait sortir d'ici. Il lui faisait peur. Surtout avec cette lame trop grande.

Soudain l'acier tinta en tombant sur la table et Gouttière ouvrit sa bière pour en engloutir une longue lampée.

Ambre regardait l'arme qui oscillait encore, entre eux.

— Tu parles plus trop en ce moment, lâcha Gouttière, de la mousse plein la lèvre supérieure. Pas que t'étais une grande bavarde avant, mais là j'ai l'impression qu'on n'existe plus, avec ta mère.

Ambre haussa les épaules, ne sachant que répondre. Ce n'était pas le moment de le contrarier, et en la matière, elle savait qu'il était impossible de prévoir ce qu'il voulait ou ne voulait pas entendre.

Gouttière lui attrapa le poignet d'un mouvement très rapide pour un homme alcoolisé et Ambre sursauta.

— Hé ! Tu nous prends pour quoi ? Des fantômes ? Tu t'imagines que c'est une maison hantée ici, c'est ça ? Faut montrer un peu plus de respect !

Ambre se dégagea.

— C'est pas une maison, c'est un mobil-home, répliqua-t-elle en mordant dans son sandwich.

C'était plus fort qu'elle. Elle ne pouvait s'en empêcher.

Gouttière s'enfonça dans la banquette en soupirant. Il parut alors peiné. Il fit plusieurs bruits de bouche avant de boire la moitié de sa canette, le regard perdu au-dehors. Puis il pivota vers Ambre. Son regard avait changé. Il était plus doux. Presque triste.

Sa main vint se poser sur celle de la jeune fille.

— C'est pas facile pour nous tous, avoua-t-il. Je suis désolé d'être parfois un peu… tu sais… C'est pas que je sois méchant, tu me connais, mais j'ai beaucoup de pression sur les épaules. Et toi et moi, on se comprend pas trop. Faut qu'on arrange ça. Pour nous et pour ta mère. Pas vrai ?

Ambre était un peu désemparée. Ce n'était pas son genre, ce type de discours apaisant et conciliant. Elle finit par hocher la tête, cherchant avant tout à extraire sa main de celle de Gouttière. Mais il serra. Les doigts se refermèrent comme un piège sur une souris trop naïve. En reposant sa canette, Gouttière cogna le couteau qui se mit à tourner sur lui-même telle une girouette. La pointe glissa dans un imperceptible feulement d'acier, désignant tour à tour Gouttière et Ambre.

— Attends, commanda-t-il. Faut qu'on se cause. Pour le bien de notre famille. Tu sais. Pour le bien de son avenir.

De sa main libre il vint caresser la joue d'Ambre qui fut glacée par le geste. Tout son corps se raidit au contact de ses doigts rêches. Plus que tout, c'était le regard de Gouttière qui la terrifiait. Il ne l'avait jamais fixée ainsi. De la douceur, et une lueur brillante malsaine.

— Approche, qu'on se parle comme on s'est jamais parlé toi et moi. Faut vider nos sacs, tu comprends ?

Les alertes internes d'Ambre étaient à leur maximum et brusquement elle n'en supporta pas davantage. Elle repoussa sa main et s'arracha à son emprise.

Les traits de Gouttière s'affaissèrent d'un coup. Un jus noir emplit alors ses yeux d'une colère infinie et il jeta sa bière avec une telle violence qu'elle rebondit brutalement à dix centimètres du visage d'Ambre, tandis que le couteau, emporté par le même élan, vint se planter juste devant elle en vibrant. Gouttière voulut se redresser pour lui sauter dessus mais calcula mal son geste, la table scellée au sol lui heurta le dessus des cuisses et le fit retomber sur ses fesses. Il claqua des poings sur la table dans une rage folle.

Malgré ses tremblements, Ambre eut le temps de s'éloigner et tandis qu'elle arrachait sa parka à la patère près de la porte, les jambes flageolantes, elle l'entendit grommeler et respirer lourdement. Elle savait qu'il se contenait. Il allait redescendre. Se rendre compte. Mais elle était dehors.

C'était déjà beaucoup trop pour elle.

Le vent soufflait fort sous un plafond de nuages de plomb. Il ne tarderait pas à pleuvoir ou à neiger en abondance. Souvent, Ambre constatait avec étonnement à quel point le climat était en harmonie avec ce qu'elle ressentait. Et à présent, elle n'était que ciel obscur sans horizon, envie de déverser des torrents de larmes, et des rafales de haine parcouraient sa tête à lui en faire mal au crâne.

Pourtant elle constata qu'elle n'avait pas coupé par le sentier pour rejoindre la ville. Plus court, il était aussi très isolé, traversait les bois et, depuis qu'elle devinait la présence de la chose dans les environs, elle ne prenait aucun risque. La route la rassurait. Plus fréquentée.

Au moins, je n'ai pas de tendances suicidaires !

Non, elle préférait rêver à la fin du monde tout entier.

Elle secoua le menton, désespérée par sa propre attitude.

Ambre finit par rejoindre la ville et marcha longtemps, passant devant la bibliothèque sans s'arrêter. Elle n'était plus d'humeur à lire. La vie avait repris le dessus. Trop d'émotions. Trop de concret. Elle erra sans bien savoir où ses pas la conduisaient avant de réaliser qu'elle était parvenue dans les quartiers sud de Carson Mills.

Des arbres le long du trottoir, les jardins déployant leurs tapis soignés devant des façades rutilantes qui sentaient bon la famille idéale. Pas de doute, Ambre n'était plus chez elle.

Le panneau arborant le nom de la rue lui fit comprendre qu'elle n'était pas loin de chez Tom et elle hésita. La dernière fois qu'elle avait essayé de lui parler, sa réaction avait été pitoyable. Elle se mordilla les lèvres, indécise.

Elle avait besoin de se confier. Besoin d'une épaule, d'une

présence, d'être rassurée. Rien qu'un autre être humain à ses côtés, qui comprendrait. Elle n'en attendrait rien d'autre. N'exigerait pas de mots en retour. Rien que son attention. Son bras autour d'elle. Sa chaleur. Pouvoir s'abandonner contre lui et sentir que rien ne lui arriverait plus, au moins aujourd'hui.

Avant qu'elle ait fini de peser le pour et le contre, elle se trouva sur le seuil d'une maison coloniale et elle sonna à la porte. Mrs Gauntley la fit entrer, surprise et en même temps très souriante. Elle appela Tom sur un ton presque fier. Manifestement, pour la mère du garçon, Ambre passait le test du critère esthétique haut la main.

Tom ne put dissimuler son étonnement mais se reprit rapidement en ajustant le col de son polo sous son pull et la fit monter dans sa chambre. Il y avait encore de nombreux cartons fermés autour du bureau et du lit, et rien pour décorer les murs ou les étagères, juste quelques livres de classe.

Il invita Ambre à s'asseoir sur le lit et lui demanda ce qui lui valait le plaisir de la recevoir. Ambre hésita. Elle n'était toujours pas sûre que c'était une bonne idée mais avant d'avoir pu tergiverser plus longuement, les mots fusèrent de sa bouche.

Son beau-père agressif. La peur qu'elle avait ressentie. L'absence de sa mère pour la protéger. L'impression d'être surveillée, presque suivie. Là encore, elle omit de mentionner la chose, préférant évoquer une silhouette.

Tom écouta chaque mot, son expression joyeuse s'effaçant peu à peu pour laisser la place à la stupeur, la contrariété et l'embarras.

— Je ne sais pas quoi te dire, finit-il par balbutier. Tu as prévenu le shérif ? Peut-être qu'il pourrait rendre visite à ton beau-père pour le calmer.

— Non, surtout pas. Ça ne ferait qu'empirer la situation. Il me détesterait encore plus et trouverait un moyen de le faire payer à ma mère.

Tom haussa les épaules :

— En même temps, si elle s'occupait de toi…

— C'est ma mère ! Je ne veux rien faire qui puisse lui attirer davantage d'ennuis.

— Je sais pas quoi te dire, moi. Tout ça est compliqué. Tu attends quoi de moi ?

— Rien, juste que tu m'écoutes…

Ambre eut envie d'ajouter « et que tu me prennes dans tes bras pour me rassurer », mais elle n'y parvint pas.

— Bon, OK. Parce que là, je vois pas quoi te dire.

Tout à coup, Tom lui parut stupide avec sa bouche bée et son air dépassé par les émotions d'une autre. Ambre s'en voulut aussitôt d'être venue jusqu'ici avec autant d'espoir. Elle se releva.

— Non, viens, reste, essaya-t-il de la retenir. On pourrait… on pourrait mettre tout ça de côté et… par exemple te changer les idées.

Il affichait à présent son rictus de séducteur. Il était en fait pitoyable. Ambre n'ajouta pas un mot et ramassa sa parka pour redescendre, sous le regard médusé de Tom.

Dans la rue, elle marchait contre le vent, luttant pour se défaire de toutes ces déceptions, ne sachant si c'était Tom qui lui arrachait des larmes ou si elle pleurait vraiment, en silence.

Tous les hommes ne sont pas aussi crétins que lui ou aussi mauvais que mon beau-père, non. Les romans le prouvent ! Il n'y aurait pas autant de belles histoires à lire si ça n'était pas possible en vrai. Tout n'est pas qu'invention. C'est inspiré par la vie… C'est possible. Je ne suis pas tombée sur les bons, c'est tout.

Elle martelait les mots pour s'en convaincre, refusant de perdre espoir. Pourtant ses mâchoires se serraient de plus en plus fort et bientôt elle ne put plus accuser les bourrasques de la faire pleurer. Elle sanglotait sans parvenir à s'interrompre.

Les cieux s'étaient encore assombris, prêts à confondre la nuit et le jour de leur courroux tumultueux.

Le temps change avec moi. Il me suit.

Ambre s'en voulut d'être aussi autocentrée. Le climat de la planète calqué sur une adolescente du Kansas ? Pour qui se prenait-elle ? Et si c'était vrai alors elle était le centre de l'histoire, et donc tout ça n'était pas réel. Elle se réveillerait un jour ou comprendrait qu'elle n'était que le pantin d'un roman, d'un film ou d'une vaste manipulation à la *Truman Show* ou à la *Matrix*. Le monde ne pouvait tourner autour d'elle. Elle n'était pas son centre de gravité, seulement une minuscule particule insignifiante de son univers colossal. Quoi qu'elle puisse faire dans sa vie, elle ne changerait rien à rien.

Ambre s'arrêta. Elle était devant la contre-allée du CVS, celle qui menait à la cour et à l'entrepôt où elle avait croisé la chose pour la première fois.

Était-ce un hasard ou son inconscient qui l'avait guidée jusque-là ? Que cherchait-il à lui faire comprendre ?

Que tout se résume à cet endroit. La chose est ma Némésis. L'affronter pour retrouver ma vie.

Quelle était-elle, cette vie ? Les Bicoques, une mère absente, un beau-père dangereux. Était-ce là ce qu'elle voulait retrouver ?

Ambre essuya les larmes sur ses joues. Elle se sentait vide. Sans espoir. Sans rêve. Sans amour. Rien qu'un profond sentiment de gâchis. À qui manquerait-elle si elle venait à disparaître ? Pleurerait-on sur sa tombe ? Une inquiétante pulsion de mort l'envahissait. Elle respirait lentement. Chaque goulée d'air froid pénétrait loin en elle. Elle réalisa alors qu'elle se sentait vivre.

Ce n'est pas une bouffée de destruction, non. Au contraire. C'est la vie qui m'appelle. Mais pas celle que je subis. Je dois me prouver que je ne suis pas folle. Je dois me prendre en main. Agir.

Ambre hocha vivement la tête. C'était exactement ça. Elle devait agir. Affronter ses démons. S'affranchir de ses peurs. Et cela commençait ici même.

Elle s'élança dans la contre-allée. La chose avait sa tanière ici. C'était là qu'elle rentrait lorsqu'elle ne furetait pas autour du mobil-home pour surveiller sa proie. Ambre en était convaincue. Une créature pareille se devait d'avoir un repaire.

Puisqu'elle ne venait pas à elle, Ambre allait s'offrir à son chasseur. Elle s'interdit de réfléchir davantage et pressa le pas. Vite. Se dépêcher avant qu'elle ne réalise ce qu'elle faisait.

Ambre se mit à courir.

9

Fuites

Le rideau cendré de nuages étouffait les derniers rayons du soleil si bien qu'il semblait déjà faire nuit sur Carson Mills. L'entrepôt était obscur, les lucarnes du plafond ne laissaient tomber qu'une pâleur spectrale sur les piliers rouillés. Le *ploc-ploc* régulier de grosses gouttes rythmait l'endroit tandis que le vent soufflait au-dehors, semblable à un être pernicieux et moqueur attendant le moment de se gausser. Ambre savait qu'elle serait la proie de ce rire cruel. Elle s'était fourrée dans ce guêpier toute seule. C'était sa décision. Son erreur.

Elle attendit sur le seuil que ses yeux s'habituent à la pénombre puis s'avança lentement, dans la direction où elle pensait que se trouvait la cabane de carton et de papier. L'odeur de poussière et d'humidité s'intensifia. Puis un parfum désagréable, plus musqué, vint la recouvrir, qui vira carrément à l'acide à mesure qu'elle se rapprochait d'un amas sombre rivé à une paroi.

C'est là. J'y suis presque. Plus le moment de se dégonfler.

Pourtant Ambre n'était plus du tout certaine qu'elle avait raison de se trouver ici. Le chagrin, le sentiment de ne plus rien avoir à perdre, même la colère s'étaient envolés, ne laissant que le vide et quelques doutes. La peur s'insinuait à présent. Elle allait se déverser dans tout l'espace qu'aucune autre émotion n'occuperait. Ambre devait la contenir avant de paniquer.

Peut-être est-il temps de paniquer !

Non. Garder le contrôle. Aller au bout de ses incertitudes. Si la chose existait bien, Ambre avait enfin une chance de s'en assurer. Sinon elle devrait voir la réalité en face : elle se faisait totalement dominer par son imagination. À la limite de la folie. Pour supporter son quotidien. Pour donner un minimum de sens au monde. Un peu d'intérêt...

Et si je n'invente rien, je peux tout aussi bien me faire arracher un bras et finir dévorée dans ce lieu sordide !

Mais les pieds de la jeune fille continuaient d'avancer. Lentement. Sans bruit.

Ploc-ploc.

Rafale de vent stridente à l'extérieur, début de rire sarcastique.

Elle y était presque.

La cabane était devant elle, à moins de cinq mètres, un monticule de cartons et de cagettes recouvert de papier journal. Un battant s'agitait mollement dans un courant d'air. Une fragrance animale forte mêlée à une transpiration intense s'en dégageait au point de piquer les narines et la gorge.

Ambre saisit ce qui servait de porte du bout des doigts et le souleva doucement.

L'odeur devint presque insupportable.

L'intérieur était petit. Et occupé au centre par un gros tas informe de débris qui soudain s'agitèrent. Ambre comprit alors que ce n'était pas un monticule mais un être vivant. Un raclement de gorge bruyant et rauque résonna dans tout l'entrepôt, terrifiant Ambre sur le coup. Ce qui servait de tête pivota dans sa direction. Dans l'obscurité, la jeune fille crut distinguer des replis de peau pendouillant du menton, des joues et même sur le front, et deux petites billes jaunes se posèrent sur elle. Elles s'ouvrirent tout grand, à mesure que la surprise et ce qu'Ambre prit pour de la faim s'allumaient à l'intérieur. L'être dans la cabane avait une forme humaine, mais son attitude ne l'était plus.

Nouveau raclement de gorge, cette fois plus gourmand.

Ambre recula d'un pas.

La chose commença à se déplier, tout affamée.

Il était difficile d'y voir correctement, Ambre n'était pas absolument certaine de ce qu'elle croyait distinguer, pourtant l'homme ne paraissait pas normal, même physiquement.

Comme si son costume de peau était beaucoup, beaucoup trop grand pour son corps de chair!

Il en dégoulinait partout, de ces plis dégoûtants.

L'homme-animal se mit à s'extraire de sa tanière et Ambre sut qu'elle devait fuir pour espérer vivre. Le déclic fut instantané. Elle fit volte-face et courut plus vite que jamais. Coordonnant jambes et bras pour foncer à toute vitesse en direction de la sortie. Le souffle cadencé. Elle fonçait parce que l'espoir était revenu. Celui d'une vie meilleure. Son désir d'être. Ambre ne voulait pas mourir. Elle ne l'avait jamais voulu. C'était le désespoir qui l'avait aveuglée. Elle n'était que vie. Sa joie d'être ne l'avait jamais quittée, simplement enfouie sous des couches de déceptions, elle se protégeait.

Elle y était presque, tendit les mains pour saisir l'encadrement de la porte afin de jaillir encore plus rapidement de l'entrepôt lorsque la chose la rattrapa.

Une poigne d'acier se referma sur son épaule, la déséquilibra, et Ambre sentit qu'elle allait basculer et s'effondrer. Elle se rétablit *in extremis* en agrippant le chambranle de la porte de sortie, se retrouva sur un genou, tirée en arrière.

Les jointures de ses doigts blanchirent tandis qu'elle s'arrimait de toutes ses forces pour résister. Mais la chose était bien plus puissante et Ambre devina qu'elle allait se faire aspirer. Elle serrait les dents pour ne pas lâcher, pourtant déjà ses phalanges glissaient… Elle allait se faire entraîner jusqu'au fond du bâtiment, dans ses recoins les plus ténébreux et…

— Ambre! s'écria une voix familière depuis la cour. Ambre!

Elle n'en croyait pas ses oreilles! L'espoir revint et lui donna l'énergie de résister quelques secondes de plus.

— Ici! Je suis ici! répondit-elle dans un cri désespéré. Vite!

Une lumière dansante se rapprocha, vive, des pas martelèrent la cour humide.

Un flash pénétra dans l'entrepôt et la chose relâcha Ambre
immédiatement en poussant un grondement contrarié.

Tom surgit dans l'encadrement et fixa Ambre au sol, complètement stupéfait, avant de se reprendre et de l'aider à se relever.
Elle le poussa à sortir en se précipitant, jetant des coups d'œil
effrayés en arrière.

Mais la chose avait eu peur de Tom et de la lampe de son
portable. Elle ne sortirait pas. Pas maintenant, comprit Ambre.
Elle n'était pas encore prête à se montrer au grand jour. Pas
assez confiante.

Son heure viendrait. À n'en pas douter.

Tom, vexé et surtout inquiet pour Ambre après sa sortie
spectaculaire, avait tout raconté à sa mère qui l'avait mis dehors
aussitôt en lui ordonnant de la rattraper pour lui parler, la rassurer, faire son travail d'homme. Il avait eu du mal à retrouver
sa piste avant qu'un passant lui indique qu'il avait vu une ado
correspondant à la description se précipiter dans la ruelle près
du CVS.

La présence de Tom fit un bien fou à Ambre et pendant trois
heures elle refusa de le quitter, ou même d'expliquer ce qu'il lui
était arrivé. Lorsqu'elle accepta d'en faire le récit, Tom l'écouta
sans l'interrompre une seule fois, avant de conclure :

— On m'a parlé de ce marginal. Un Indien ou je ne sais
quoi... Il faut que tu ailles voir le shérif pour porter plainte.

— Ce n'est pas lui, c'était... Enfin, si, je pense que c'est lui,
du moins ce qu'il en reste...

— Certains types qui vivent trop longtemps dehors
deviennent de véritables bêtes. Il est dangereux !

— Tom, je ne crois pas que le shérif me croirait...

— Je te crois, moi !

Mais dans son attitude, Ambre voyait bien qu'il remodelait

l'histoire pour en gommer l'irrationnel. L'Apache était un clochard devenu fou. Pas un monstre. Fallait-il insister ? Lui raconter les vêtements d'Alisson Moody-Claviel et les résidus d'électricité dans les toilettes où elle s'était volatilisée ? *Non. Il refusera de comprendre. C'est un pragmatique.*

Ambre ne devait pas se voiler la face : elle était seule. Personne n'envisagerait de la suivre dans ses interprétations.

Interprétations ? Vraiment ? Je sais ce que j'ai vu. Il faisait noir peut-être, mais cette fois ce n'est pas mon imagination. Il y avait un réel problème avec l'homme qui se trouvait dans la cabane. Il n'était pas normal.

Ambre refusait de laisser sa part réaliste gagner ce combat. Elle avait été jusqu'au bout pour se prouver qu'elle n'affabulait pas, qu'elle n'en rajoutait pas. *Ce n'est pas une INTERPRÉTATION !*

— Si tu ne te rends pas au bureau du shérif, alors moi j'irai voir ce clodo et je vais le remettre à sa place ! tonna Tom avec autorité.

Pendant une seconde, Ambre fut touchée par la réaction du garçon. Il la prenait au sérieux et se mouillait pour elle, prêt à en découdre. Cela lui fit du bien. Enfin quelqu'un qui s'intéressait à ses problèmes, qui s'occupait d'elle ! Puis, revoyant l'ombre effrayante dans l'entrepôt, elle frissonna et songea qu'elle n'avait pas le droit de le mettre dans une situation aussi risquée. Elle secoua la tête vivement.

— Non. Ne te mêle pas de ça. Il est dangereux.

— Il faut bien faire quelque chose !

— Ne plus traîner par là-bas pour commencer. Et puis… garder un œil sur lui si on le croise dans la rue. S'il s'en prend à qui que ce soit, alors j'irai voir le shérif pour porter plainte.

Ambre savait bien que personne ne verrait l'Apache errer sur les trottoirs de Carson Mills. Il ne sortait plus que la nuit, discrètement, passant probablement par des ruelles et des sentiers obscurs… Elle devait seulement gagner du temps. *Pour quoi faire ? Qu'il revienne et finisse le travail ?* Non. Pour réfléchir. Ambre était déboussolée. Reprendre ses esprits.

Elle observa Tom avec une certaine tendresse. Il n'était pas très malin, il fallait bien se l'avouer, et plutôt immature, toutefois il venait de se rattraper. Ce n'était pas un grand courageux non plus et Ambre en fut finalement rassurée. Il n'irait pas se frotter à l'Apache. Ce n'étaient que des paroles en l'air. Elle n'avait rien à craindre de ce côté.

Elle lui déposa un baiser sur la joue.

Il ne remplissait pas du tout le rôle qu'elle avait rêvé lui donner, mais peut-être qu'avec le temps ils pourraient devenir de bons amis.

— Tu crois que ta mère pourrait me déposer à l'entrée des Bicoques ce soir ?

Tom haussa les épaules comme si c'était une évidence.

Ambre n'avait aucune envie de rentrer, mais elle avait repoussé l'inévitable aussi longtemps que possible.

Gouttière gomma sa belle-fille de sa vie.

Littéralement. Il la fit disparaître. Pas un regard, pas un mot. Il fit comme si elle n'existait pas.

Les premiers jours, cela rassura presque Ambre. Ne plus avoir affaire à lui était une bonne chose, en particulier compte tenu de ce qui s'était passé la dernière fois. Mais au bout d'un moment Ambre se sentit humiliée. Il niait sa qualité d'être humain. Son titre de « fille de » celle qu'il avait prise dans sa vie. Il arrangeait la réalité en effaçant ce qui ne l'arrangeait pas. Et plus Ambre repensait à son attitude de ce samedi midi, plus elle le trouvait insupportable et lâche.

D'un autre côté, il fallait bien avouer que c'était pratique. Car cela la laissait libre de vivre comme bon lui semblait. Elle se couchait tard, observant l'extérieur en quête d'une présence. Lorsqu'elle le pouvait, l'après-midi et le week-end, elle furetait dans le centre-ville pour guetter, traquer l'existence d'une silhouette fantomatique dans les impasses, les contre-allées et les lieux abandonnés. Mais aucune trace de la chose. S'était-elle calmée depuis qu'Ambre lui avait échappé ? Avait-elle changé de proie ? Ce serait le pire. Ambre ne pourrait jamais se le pardonner si elle découvrait que, par son silence et son inaction, une autre fille s'était fait agresser. Elle ignorait encore quelle était son idée, sinon s'assurer que la chose furetait encore autour d'elle. Ambre voulait la prendre au piège, d'une manière ou d'une autre. Ne pas expédier les autorités à sa recherche (si tant est qu'on veuille bien la croire) mais les faire tomber directement sur la chose. Ambre ne savait pas comment elle s'y prendrait, mais dans tous les bons romans, les héros finissaient par trouver une solution et elle ne doutait pas qu'elle ferait de même, après tout, elle n'était pas plus bête qu'un personnage d'encre et de papier…

Sauf que la chose demeurait invisible.

Ambre était un fantôme chez elle, et la créature qui la traquait en était devenue un également. Le moral d'Ambre était au plus bas quand tous ses camarades sautaient de joie au moment des vacances de Noël. Toute la journée dans le mobil-home avec Gouttière non loin, c'était intenable.

Même Tom ne suffisait pas à la calmer. Il était gentil avec elle, mais leur relation avait clairement basculé dans un autre registre. Fini les regards en coin, les petites attentions, désormais ils empruntaient le chemin de l'amitié, se testaient, parfois se retrouvaient, mais il n'y avait plus l'intensité des débuts. Il leur faudrait du temps pour que ça débouche éventuellement sur un rapport fort, de confiance, et ce précieux temps, Ambre le consacrait à son obsession du moment.

Le soir du réveillon, Ambre était au plus bas. Sa mère avait accepté d'aller travailler pour un salaire plus élevé et la promesse d'être présente le jour de Noël.

Quelques décorations lumineuses brillaient aux fenêtres des Bicoques, certains avaient même tendu des lampions, dressé des Pères Noël et des sapins d'ampoules multicolores sur leur minuscule toit, ou des « Joyeuses fêtes » en néon plaqués entre le plexiglas et les stores de leur habitation. Chez Ambre, rien de tout cela. Gouttière se fichait bien de cette période de l'année, trop de bons sentiments, de rapport à la « famille », cette entité qui ne signifiait rien à ses yeux, et il refusait qu'on cède à cette « mascarade » comme il disait, allant jusqu'à interdire à Ambre et à sa mère de mettre un petit sapin dans le salon. Ambre s'en moquait, elle ne voulait pas faire semblant ; toutefois, ce soir-là, elle se sentit profondément triste. Seule. Elle se souvenait des rires et des partages d'autrefois avec sa mère, sa tante, parfois sa grand-mère, et eut un pincement au cœur.

Elle alla s'enfermer dans sa chambre tôt pour écouter de la musique tout bas, et découvrit un paquet de pain d'épice déposé sur son lit avec un mot manuscrit :

« Pardon de ne pas être là ce soir. À dévorer sans modération en attendant mon retour. Maman. »

Ambre en eut les larmes aux yeux avant d'ouvrir méticuleusement le papier plastifié pour savourer une tranche. Que sa mère y ait pensé la touchait énormément. Elle la sentait si loin ces derniers temps, si absente, qu'elle n'aurait jamais misé un penny sur la moindre attention. Elle se souciait encore d'elle et cela remplit le cœur de la jeune fille d'une joie dont elle avait bien besoin ainsi que d'un peu d'espoir pour la suite.

Ambre écouta quelques chansons avant de couper pour s'emparer de *Frankenstein* de Mary Shelley, dans lequel elle s'immergea totalement au point de perdre toute notion du temps.

Un son à l'extérieur attira son attention, plus tard dans la soirée, comme un buisson qui s'affaisse brusquement. Elle se redressa pour regarder par la fenêtre. Il faisait nuit, et la neige tombait en silence. Ambre ne voyait rien de particulier, quelques ombres végétales, le flanc du mobil-home le plus proche et l'arrière du pick-up de Gouttière sur lequel se réfléchissaient les halos rouge, bleu et vert d'une décoration, non loin. Le mouvement permanent des flocons brouillait sa perception mais après une longue minute d'inspection elle en conclut qu'il ne pouvait rien y avoir. Fausse alerte.

Encore un raton laveur.

Ces derniers étaient une véritable plaie aux Bicoques, répandant poubelles et saccageant tout ce qui restait dehors la nuit.

Ou la chose…

Cette fois Ambre se maîtrisa aussitôt pour ne pas aller plus loin dans ses divagations. Il n'y avait rien de dangereux là-dehors, elle n'était pas aveugle. Son imagination ne prendrait pas le dessus, elle passait une bonne soirée avec son livre et son pain d'épice, et il était hors de question qu'elle se gâche tout avec des suppositions idiotes.

Le bruit caractéristique d'une canette en aluminium qu'on broie avant de la lancer en direction de l'évier résonna de l'autre côté de la cloison. Gouttière éclusait, une nouvelle fois. Il valait mieux ne plus sortir de la chambre.

Ambre reprit son roman et s'enfonça dans ses oreillers. La lecture l'enveloppa à nouveau progressivement. Le monstre de Frankenstein rôdait entre les pages et détruisait peu à peu le monde de son créateur. Ambre frissonnait.

Une nouvelle canette vide rebondit contre la cloison.

Les pages s'enchaînaient, passionnantes, effrayantes.

Une ombre passa devant la fenêtre et Ambre sursauta.

Avait-elle rêvé ? *Non, non, il y a quelqu'un dehors !*

Elle se mit à genoux sur son matelas pour se rapprocher de la lucarne et observa dehors. La neige recouvrait désormais tout le paysage de son linceul immaculé et reflétait les rares lumières environnantes, soulignant les silhouettes des massifs d'épineux ou les troncs à la parure anémique qui encadraient le mobil-home.

Une branche basse ployait encore plus sous le poids de son costume fraîchement enfilé et son extrémité dansait non loin de la fenêtre, comme si elle cherchait à gratter contre sa surface. En l'apercevant, Ambre fut rassurée. Ce n'était rien. *Juste un arbre dans le vent…*

Elle retourna à sa lecture tandis que la porte du frigidaire claquait dans la pièce mitoyenne. *Il va finir ivre mort…*

Au fil des chapitres, Ambre se diluait dans son histoire,

elle cessait d'exister dans ce monde, oubliait qui elle était, ses préoccupations, jusqu'à remplacer ses propres sens par ceux du personnage, ayant froid avec lui, peur avec lui, éprouvant le même sentiment d'injustice, de colère, mais le tout enveloppé d'une pellicule de mots qui créait le minimum de distanciation nécessaire à ne pas sombrer avec lui. La lecture développait sa magie, tout semblait vrai et pourtant il existait entre chaque émotion et Ambre un léger recul, celui qui se trouvait entre ses yeux et les pages, pour que rien ne soit *vraiment* douloureux, ou *totalement* euphorique. Rien que des vagues de ressentis à l'ampleur importante, mais à l'impact contrôlé. Et à chaque instant, Ambre demeurait maîtresse de la situation, il lui suffisait d'accélérer ou de réduire le débit pour influer sur ce qu'elle vivait, et d'une simple pichenette elle avait le pouvoir de tout rompre en refermant la couverture.

Les mains du monstre se posèrent lentement sur la fenêtre. Il hissa son corps hideux pour que son visage odieux puisse distinguer l'intérieur de la chambre de ses petits yeux vifs.

Lorsque Ambre quitta les lignes d'encre du regard, attirée par ce mouvement, elle fut à peine surprise de sa présence. Il était là, une seconde plus tôt, entre ses mains, dans son roman, et son propre esprit n'avait pas encore tout à fait quitté l'histoire.

Puis la réalité se sépara de la fiction et brusquement Ambre comprit que ce qui se trouvait plaqué contre le plexiglas n'était plus sous son contrôle. Il la fixait avec curiosité. Avec appétit.

La chose resserra sa poigne sur le dessus du battant pour tenter de l'ouvrir et cette fois Ambre sut qu'elle ne s'arrêterait pas. Elle était venue pour elle. Pour enfin jouir de ce qu'elle convoitait depuis maintenant un long moment. Jusqu'à lécher chacun de ses os. Il ne resterait rien de la jeune fille. Ambre en était convaincue. Elle pouvait lire cette rage affamée dans son regard grotesque.

Pourtant elle ne put crier, la terreur lui bloquait la gorge, incapable d'agir normalement, comme si elle était encore groggy de mots. Si elle tentait de se jeter en avant pour fuir, elle passerait sous la créature qui risquait d'entrer à tout moment et pourrait la saisir d'un geste. Ambre s'enfonça dans son lit, reculant jusqu'à se retrouver plaquée contre le mur, tandis que la chose s'énervait pour briser la fermeture. Ce n'était plus qu'une question de secondes avant qu'elle n'y parvienne, avant qu'elle ne se hisse à l'intérieur et qu'elle se jette sur sa proie.

Ambre ferma les paupières et serra les bras contre ses flancs, tremblante.

Un coup lourd contre la fenêtre la fit bondir.

Et sa trachée s'ouvrit enfin. Un long cri aigu et puissant.

Nouveau coup. La chose accélérait.

Ambre fermait les yeux et criait, perdue entre cauchemar et réalité, ne sachant plus qui elle était, ni qui l'agressait, jusqu'à ce que deux poignes froides se referment sur ses chevilles et la tire brutalement en avant.

Elle voulut le repousser mais le monstre était bien trop puissant, d'un violent coup de paume il la rejeta sur le lit.

L'odeur n'était pas celle, attendue, du musc, de la saleté et de l'urine, mais celle plus fruitée et chaude de l'alcool.

Elle ouvrit les yeux et découvrit avec stupeur que son assaillant n'était pas la chose mais Gouttière en personne. La fenêtre demeurait fermée. Le monstre n'était pas entré.

— Tu n'as pas fini de hurler comme ça ? s'énervait-il. Qu'est-ce qui te prend ? T'as vu le croque-mitaine, c'est ça ?

Il la gifla brusquement et Ambre en fut paralysée, en état de choc. Elle ne comprenait plus rien. Gouttière venait de perdre toute maîtrise. Le jour tant redouté était arrivé. L'escalade dans le cauchemar.

— Je vais te le montrer, moi, le croquemitaine ! fit le champion d'une voix chevrotant d'ivresse. Regarde-moi, petite, regarde-moi bien !

Il retroussa les lèvres sur ses dents jaunes et ouvrit grand les yeux, les veines du cou saillantes, et grimpa à quatre pattes sur le lit, vers elle.

— Je vais te coller une belle frousse, tu vas voir…

Il grimaçait d'un air fou. Complètement dément, terrifiant encore plus Ambre qui se sentait acculée, coincée dans l'angle, entre les oreillers.

Gouttière se rapprochait, son odeur empestait à présent. Un air obscène lui glissa sur le visage et sa langue pointue caressa sa dentition luisante dans la lumière tamisée. Il posa une main sur la cuisse d'Ambre. Elle ne savait pas ce qui lui prenait, ce qu'il voulait, mais cette fois elle ne parvenait pas à le repousser. Elle ne pouvait plus s'enfuir.

— Voilà l'angoisse ! Voilà la peur ! Allez ! Affronte-les ! Affronte-moi ! Je vais te montrer ce que c'est vraiment que d'avoir la frousse ! Après tu verras, tu n'auras plus jamais peur ! Laisse-toi envahir ! Je vais te soigner !

Il était au-dessus d'elle, et souriait avec cruauté. Il claqua des dents comme un dentier détraqué qui se rapprochait du nez d'Ambre, prêt à le découper en fines lamelles. De l'écume blanche envahit la commissure de ses lèvres.

La jeune fille tenta de le repousser de toutes ses forces mais il ne bougea pas. Au contraire même il commença à faire peser de plus en plus son poids sur elle, l'écrasant complètement dans les draps et un rire dément ricocha dans la petite chambre. Il n'était pas seulement saoul à en perdre l'équilibre, il en perdait la raison.

— Non ! Non ! parvint-elle à crier.

Quelque chose fusa dans le dos de Gouttière et une bouteille vint éclater contre sa tempe, projetant sa tête de côté. Aussitôt, tout son corps s'affaissa sur la jeune fille qui paniqua, étouffée.

Une présence se dressa au-dessus et tira l'homme en arrière pour qu'il bascule et tombe du lit.

— Maman !

Ambre se lança littéralement dans les bras de sa mère qui tenait encore le goulot brisé dans une main.

— Ma chérie, viens, vite, il est temps de fuir cette horreur.

10

Apocalypse

Mère et fille couraient pour s'emparer du strict minimum : manteau chaud et bottes fourrées pour Ambre, puis elles jaillirent du mobil-home sous les voiles de flocons qui tombaient encore. Avant que la porte se referme, Ambre crut entendre Gouttière gémir de rage à l'intérieur mais elle n'en était pas certaine.

La voiture de sa mère se trouvait à moins de dix mètres, la calandre enfoncée dans le mur de neige qu'elle avait repoussé pour parvenir jusqu'ici. Elles s'y engouffrèrent, haletantes et tremblantes et, lorsque les portières claquèrent, Ambre se félicita d'être parvenue jusqu'ici, saine et sauve ; elle, la grande maladroite, avait réussi. La jeune fille réalisa enfin ce qui se passait. Sa mère ici, revenue pour elle. La fuite. Enfin ! Aussitôt son estomac se creusa à l'idée que tout pouvait encore échouer. Si Gouttière sortait maintenant pour se jeter sur le capot, il lui suffirait de hurler sur sa compagne pour que celle-ci se couvre le visage des mains et pleure, soumise et effrayée.

Non, pas cette fois ! Elle a su que sa place était ici, ce soir, avec moi. Elle a tout plaqué. Et elle l'a frappé ! C'est fini. C'est fini ! Nous allons nous en aller loin de lui, pour toujours. Pour toujours !

Sa mère cherchait ses clés dans ses poches.

Ça n'allait pas assez vite.

Ambre jeta un coup d'œil inquiet en direction du mobil-home. La neige s'entassait sur le pare-brise et floutait le paysage mais Ambre put constater que rien n'avait bougé.

— Dépêche-toi, maman, je t'en supplie, dépêche-toi !

— Oui, dans la précipitation je ne sais plus ce que j'ai fait de ces fichues… ah ! Les voilà !

Le moteur démarra du premier coup et le véhicule partit en marche arrière en dérapant avant de tourner pour se remettre dans le sens de ce qui servait de route. Avec le manque de visibilité, le coffre vint taper contre le mobil-home. Cette fois Gouttière les tuerait s'il les rattrapait. Ambre pivota sur un genou pour guetter à travers la lunette arrière tandis que les roues patinaient dans la neige.

— Ah non, pas ça ! s'énerva sa mère. Allez ! Allez ! Avance !

— Vas-y doucement, maman, ne nous enlise pas.

Les pneus reprirent un peu d'adhérence et le véhicule cahota en roulant sur son tapis glissant.

— C'est ça, accélère progressiv...

Les mots s'étranglèrent dans la gorge de la jeune fille.

Une ombre venait de surgir de derrière le mobil-home. Un être grossier qui titubait dans la pâle lueur rouge des phares de la voiture qui se réverbérait sur la neige. Il fonçait droit sur elles et Ambre reconnut la silhouette difforme. Cette fois c'était la chose, à n'en pas douter. Cet être bestial, animé des instincts les plus primitifs, les plus sauvages.

— MAMAN ! hurla Ambre. Fonce ! Fonce !

— Quoi ? Il est là ? Il est sorti !

La chose bondit en avant, les bras devant elle, ses doigts crochus cherchant à agripper le rebord de la voiture. Elle la manqua une première fois et revint à la charge. Ambre pouvait la voir se rapprocher malgré le voile de glace qui couvrait la vitre. La voiture zigzaguait lentement sur le verglas.

— VITE ! fut tout ce qu'elle put dire.

Les roues patinaient, la vieille guimbarde chassa dans le virage et manqua de peu de venir s'encastrer dans un arbre dont les branches basses raclèrent le toit.

La chose était à moins d'un mètre dans leur sillage, prête à s'arrimer. Ambre devinait ce qui suivrait. Mue par une force prodigieuse digne de sa faim, la chose se hisserait jusqu'à briser la lunette arrière pour entrer dans l'habitacle où elle n'aurait aucun mal à dévisser la tête de sa mère avant d'enfin pouvoir savourer son triomphe avec la fille.

Le moteur se mit à rugir et Ambre se renversa sur son siège

tandis qu'elles fonçaient entre les sapins et les caravanes éclairées de l'intérieur. Un autre virage où le flanc de l'auto vint taper bruyamment dans une congère et Ambre crut que cette fois c'en était fini, puis elles reprirent de la vitesse malgré tout et sortirent du territoire des Bicoques.

Ambre scruta l'obscurité rougeâtre qu'elles laissaient sur leur passage mais ne vit plus aucun monstre.

Dans un rugissement, elles débouchèrent sur la route, les pneus crissèrent sur la neige et le bitume avant de tourner brutalement.

Elles fonçaient plein nord.

Loin de Carson Mills.

La nuit ressemblait à un voyage sans fin. Il n'y avait que les ténèbres, de toute part. Aucun signe de civilisation, elles flottaient dans le néant, dérivant dans un autre monde. Ambre sut qu'elles n'étaient pas devenues folles lorsqu'elles croisèrent un camion qui fit hurler ses puissantes sirènes en passant à leur niveau. La radio grésillait et, pour ce qu'elles pouvaient en entendre, les voix ne cessaient de répéter qu'il ne fallait prendre son véhicule qu'en cas de nécessité absolue compte tenu des chutes de neige importantes attendues dans les prochaines heures.

C'est une nécessité absolue! se rassura Ambre avant de poser sa main sur celle de sa mère.

— Merci, dit-elle, plus bas qu'elle ne l'aurait voulu.

Sa mère resta silencieuse une longue minute, concentrée sur sa trajectoire, avant de répondre :

— J'aurais dû le faire depuis longtemps. Je te demande pardon.

Ses doigts se resserrèrent sur ceux de sa fille et des larmes coulèrent en silence sur ses joues.

Un peu de musique country parvint à leurs oreilles à travers les grésillements, un air faussement joyeux dont la mélodie portait en fait une ritournelle presque douloureuse et dont les paroles racontaient un amour impossible entre deux êtres à cause de leur incapacité à communiquer.

La neige se remit à tomber plus tard, férocement, elle battait tout sur leur passage, les coupant de tout. Elles roulaient plus doucement à présent, et la nuit se poursuivit ainsi pendant un temps qui sembla infini à Ambre. Un instant hors du monde où elle songea qu'elle était heureuse malgré tout. Plus qu'elle ne l'avait été depuis bien trop longtemps.

L'aube les trouva recroquevillées dans le même lit, dans un motel bon marché. Elles ne purent dormir tard, réveillées par l'angoisse d'être rattrapées. Pourtant, non loin dans leur esprit trottait une idée agréable, un sentiment prometteur auquel il ne manquait pas grand-chose pour qu'il s'épanouisse : un espoir de liberté.

— Tu crois qu'il va nous pourchasser ? demanda Ambre à sa mère.

Celle-ci haussa les épaules.

— S'il lui reste deux sous de jugeote, il a compris que c'était fini.

Ambre détailla la chambre où elles se trouvaient. Elle avait dû connaître des jours meilleurs, autrefois, avec son papier peint usé aux couleurs affadies et sa moquette élimée jusqu'à la trame. Même la télé n'avait pas encore été remplacée par un de ces écrans plats. Pourtant, elle constata que s'il fallait vivre ici quelque temps, cela lui suffirait amplement.

Les deux fugitives traversèrent la route enneigée en direction d'un restaurant qui s'avéra fermé, comme le laissaient supposer ses enseignes lumineuses éteintes. Un papier « Joyeux Noël, on se retrouve le 26 ! » écrit à la va-vite était scotché sur la porte. Il n'y avait aucun autre bâtiment aussi loin que portait la vue à travers le drap blanc de la neige. La mère d'Ambre grimaça et elles retournèrent au motel pour dévaliser les distributeurs de friandises et de boissons installés non loin de leur chambre.

Plusieurs paquets de chips, de bonbons et de barres chocolatées gisaient entre des canettes de sodas sur le lit.

— Après tout, c'est Noël, non ? On peut manger toutes ces saloperies, ça ne compte pas aujourd'hui.

Ambre sourit et approuva. Sa mère lui passa une main affectueuse dans les cheveux.

— Je suis désolée de ne pas t'offrir mieux. Pardonne-moi.

Ambre la prit dans ses bras. Elle avait tout ce qu'il lui fallait.

Après un petit tour dans l'après-midi pour se dégourdir les jambes, les deux filles constatèrent qu'elles étaient les seules clientes du motel. Elles cherchèrent un peu de vie en discutant avec le réceptionniste, un jeune adulte boutonneux qui passait plus de temps sur son téléphone portable qu'à les écouter, mais qui daigna partager la tarte aux pommes que lui avait préparée sa colocataire, puis elles retournèrent dans leur abri de fortune.

La télévision leur tint compagnie jusqu'au soir où elles terminèrent leurs provisions.

Ambre se sentait détendue. L'incertitude ne la dérangeait pas. Elle quittait un univers où tous ses repères s'étaient dérobés, rien ne pouvait être pire désormais. Gouttière avait atteint son point de rupture et dévoilé son vrai visage, il ne pourrait y avoir de retour en arrière. La chose démontrait à Ambre que plus rien n'était rationnel dans la vie qu'elle abandonnait derrière elle. Cet être monstrueux était-il le produit d'un bouleversement naturel dont elle était pour l'heure l'unique témoin ? Alisson Moody-Claviel avait incarné les prémisses de ces transformations. D'autres suivraient-elles ? Il se passait quelque chose. Une autre hypothèse naquit au milieu des neurones agités d'Ambre. *Peut-être que la chose est une invention de mon esprit. Je suis juste en train de devenir folle…*

Ou juste une protection. Un sixième sens capable de l'avertir… *Contre quoi ?*

Était-ce, d'une certaine manière, une métaphore du danger grandissant que représentait Gouttière ?

Ambre secoua la tête.

Elle pouvait avoir inventé la chose mais pas Rodney. L'Apache avait existé, elle en avait eu la preuve. Tout ça n'était pas dans sa caboche confuse de jeune adolescente traumatisée, ses recherches l'avaient prouvé.

Quoi qu'il en soit, partir loin ne pouvait être que salvateur.

— Pourquoi tu t'agites comme ça ? s'étonna sa mère. Tu veux qu'on change de chaîne ?

— Non, maman, tout va bien.

Mais après un moment d'hésitation, Ambre demanda :

— Où va-t-on aller ?

Sa mère la fixa en faisant la moue.

— Je pensais que, dans un premier temps, on pourrait aller chez ma sœur. Du provisoire, juste le temps de s'organiser, que je trouve un boulot du côté de Kansas City.

Ambre approuva. Tout serait mieux que l'environnement de Carson Mills.

— Laissons-nous la journée de demain pour réfléchir si tu veux, qu'on appelle Liz pour la prévenir, et que je t'emmène faire quelques courses pour nous rhabiller. Shopping entre nanas !

Un sourire complice. Ambre n'en avait plus eu depuis une éternité. Elle se colla à sa mère et s'endormit ainsi.

Dans la matinée, mère et fille trouvèrent une petite ville non loin où les commerces étaient ouverts, et elles remplirent plusieurs sacs de vêtements et de tout le nécessaire pour survivre en milieu urbain. Elles appelèrent tante Liz pour tout lui expliquer et cette dernière leur demanda vingt-quatre heures, le temps pour elle de rentrer du Missouri, où elle avait fêté Noël, chez ses enfants.

Elles déjeunèrent dans un restaurant où elles mangèrent plus que de raison, et finirent par entrer dans une enseigne de maquillage où elles essayèrent tout ce qu'il était possible de se mettre, sous les regards dubitatifs des vendeuses. Elles riaient.

En constatant que le ciel noircissait à grande vitesse, les deux filles prirent le chemin de leur motel, avec une boîte de nourriture chinoise pour le dîner.

Elles se garèrent face à la porte de leur chambre pour décharger leurs paquets plus facilement et entrèrent, pleines de joie.

Cette dernière s'évanouit en un instant lorsque la silhouette de Gouttière sortit de la salle de bains, pour leur barrer le chemin de la porte.

— J'ai bien fait de mettre mon pick-up derrière, dit-il d'une voix blanche. Je ne pense pas que vous seriez entrées si vous l'aviez vu.

— Joe ? balbutia la mère d'Ambre en se liquéfiant. Mais comment tu…

— Comment j'ai fait pour vous retrouver ? Il n'y a que ta sœur que tu connaisses dans la région. Suffisait de remonter dans la bonne direction et de vérifier chaque motel en bord de route.

Il conservait son regard mauvais qu'il tentait par tous les moyens d'arranger mais sa nature transpirait, et il y avait trop de colère contenue pour la faire taire. Pourtant sa voix demeurait basse.

— Qu'est-ce que… Qu'est-ce que tu…

— Qu'est-ce que je fais là ? À ton avis ?

Ambre et sa mère demeuraient tétanisées.

— Je suis venu vous dire que je suis désolé, lâcha-t-il d'un coup. Je suis un idiot. J'arrête la picole. C'est juré.

Ses petits yeux glissèrent vers Ambre, ce qui la glaça.

— Ça ne se reproduira plus jamais, insista-t-il en tendant la main vers sa compagne. J'ai compris que sans toi je ne suis rien, tout comme tu n'es rien sans moi.

Ambre secoua la tête.

— Non, maman.

Elle vit que sa mère était incapable de bouger, totalement terrifiée et soumise à Gouttière. Toute sa détermination et ses résolutions fonctionnaient à merveille loin de lui, mais sa simple présence suffisait à raviver le terrible envoûtement de la domination.

— C'est vrai, poursuivit ce dernier, toi et moi on est deux loosers. On ne peut pas s'en sortir l'un sans l'autre. Si tu pars je finirai mal, je vais me foutre en l'air, ça c'est sûr. Mais toi ? Qu'est-ce que tu vas faire seule sans moi ? Là tu te crois maligne parce que tu files avec ta gamine, mais dans une semaine ? Dans un mois ? C'est une vie, ça, chez ta sœur ? À faire des boulots minables, sans aucune dignité ? Tu crois que tu trouveras un mec bien pour s'intéresser à toi ? Et beau comme moi en plus ? Non, sérieux, tu le sais au fond de toi, on est tous les deux des déglingués, et c'est parce qu'on s'est trouvés qu'on tient le coup, chacun en s'appuyant sur les failles de l'autre.

Ambre attrapa la main de sa mère. Elle était glacée.

— Maman, ne l'écoute pas.

Gouttière ne lâchait à présent plus sa compagne du regard, plantant ses prunelles flamboyantes dans celles de sa proie, et il continua :

— Repense à nos débuts, à notre amour, c'est le quotidien qui a tout foutu en l'air, mais maintenant qu'on le sait, on ne va plus se laisser faire. J'arrête de boire, ça me vrille les idées. Et je vais bosser plus, pour que tu puisses lever le pied de ton côté. On va s'arranger. Tout va rentrer dans l'ordre, et tu verras, on va avoir une belle vie.

Il secoua les mains, dressées vers celle qu'il tentait de convaincre, pour l'inciter à les prendre.

— Maman ! Ne l'écoute pas…

Pourtant sa mère demeurait pétrifiée, hypnotisée par des années de perfidie lentement distillée jusqu'à s'ancrer dans ses propres failles. Gouttière avait si bien œuvré qu'il n'avait qu'à lui passer le lasso de la perversité autour du cou, elle ne se débattait même plus. Et comme à son habitude, il inversa les rôles :

— Je t'en veux même pas pour le coup sur la tête, c'est promis ! Au contraire même, ça m'a fait comprendre que j'allais dans le mur. Qu'il fallait que je sauve notre couple. C'est ma responsabilité. Admets-le. C'est *notre* responsabilité que de réparer tout ce que nous avons cassé, pour se retrouver comme avant.

Il avait un ton mielleux qu'Ambre détestait, mais plus que tout elle se mit à éprouver de la colère en constatant que sa mère cédait – elle pouvait le lire dans son attitude. Incapable de lutter, fuyant à tout prix le moindre conflit, inapte à raisonner face à des arguments assenés avec conviction, elle préférait se recroqueviller dans sa carcasse fragile comme son caractère, disparaître de la surface du monde et subir.

— Je t'en supplie maman ! Ne l'écoute pas ! Tu sais très bien qu'il raconte n'importe quoi ! Si on retourne là-bas, ça recommencera ! Dans deux jours ou deux semaines. Tu as pris ta décision ! Tu es forte maintenant ! Je t'en supplie…

Gouttière secouait la tête.

— Non, souviens-toi de comment j'étais quand on s'est rencontrés, je peux redevenir doux comme ça. Fais-moi confiance comme tu le faisais à l'époque. J'en ai besoin. Ne me lâche pas. C'est justement parce que tu n'avais plus confiance qu'on en est arrivés là, je souffrais par ta faute, et ça m'a rendu fou ! Mais si tu m'aimes, je serai celui dont tu es tombée amoureuse, c'est évident !

Il venait de la prendre par le bras et la tirait doucement vers lui. Ambre serra de son côté et insista mais déjà elle sentait que la bataille était perdue. Sa mère glissait vers lui.

— Fais-moi confiance, lui murmura Gouttière en lui caressant la joue.

Il serrait son bras dans le même temps, ajoutant à la perfidie du langage une pression physique qui acheva de soumettre sa proie à sa volonté.

— On reviendra chercher ta voiture plus tard, annonça-t-il lorsqu'il sut qu'il avait gagné. Nous ne devons plus nous quitter maintenant. Et comme ça on pourra se parler sur le trajet du retour. Allez, viens.

Son regard devint froid comme la mort lorsqu'il croisa celui d'Ambre dont les mots restèrent coincés dans sa gorge.

Le ciel était plus noir que les abysses de la démence. Pourtant des éclairs venaient l'illuminer, de plus en plus nombreux, de plus en plus proches.

À l'arrière du pick-up, Ambre sombrait. Lentement, elle s'enfonçait dans le désespoir. Chaque kilomètre qui la ramenait un peu plus près de ses terreurs la rendait un peu plus absente. Elle s'enfonçait en elle, profondément.

Un matraquage d'éclairs puissants zébra l'horizon droit devant. Ils fonçaient vers la tempête.

Ce chaos, c'est le mien. C'est mon esprit qui déborde sur la réalité.

Jamais de sa vie Ambre n'avait autant souhaité la fin du monde. Cette apocalypse, dont elle rêvait parfois, était à présent son unique prière. Son dernier espoir. Et l'existence en retour ne lui proposait que ce mur sombre au loin et sa cohorte d'éclairs. Ce n'était pas suffisant. Ce n'était pas assez définitif.

Ambre ferma les paupières. Elle invoquait les dieux de l'imaginaire, les diables de la folie, et tout le panthéon de l'échappatoire pour l'aider à fuir, d'une manière ou d'une autre.

Plus personne ne parlait dans l'habitacle, tous trois saisis par le spectacle inquiétant qui s'offrait à eux.

Lorsque Ambre rouvrit les yeux, elle constata qu'il n'y avait plus d'électricité nulle part, les fermes, les stations-service ou les rares commerces qu'ils croisaient étaient tous plongés dans l'obscurité et il était difficile de distinguer quoi que ce soit à plus de quelques mètres dans cette nuit particulièrement dense. Seuls subsistaient les flashes bleutés intermittents pour y voir quelque chose au-delà des phares du véhicule.

Et les éclairs s'intensifiaient encore. Il en crépitait à présent de partout, tels des bras squelettiques fouillant le sol et les nuages à la recherche de quelque trésor mystérieux.

À cet instant Ambre réalisa que le plus étrange était le silence qui régnait. Aucun tonnerre ne grondait pour les accompagner.

— Jamais vu un truc pareil…, murmura Gouttière sur son volant.

Cela devenait un acharnement. Des dizaines d'arcs électriques frappaient de part et d'autre, devant ou derrière, parfois cinq ou six au même endroit en autant de secondes.

Il se passait *réellement* quelque chose, comprit Ambre.

Soudain un puissant flash jaillit devant eux et la jeune fille le vit clairement s'ouvrir comme une main pour les saisir.

D'un réflexe exceptionnel, Gouttière l'évita et l'éclair embrasa un poteau en bord de route, propulsant une myriade d'étincelles avant qu'il ne s'effondre.

— Bon Dieu ! aboya Gouttière. C'est pas passé loin ! Vous avez vu ça ? Non mais vous avez bien vu la même chose que moi ? On aurait dit que ce machin *voulait* nous attraper !

Son visage brillait sous les stroboscopes qui pulsaient tout autour. La sueur sur son front trahissait un début de panique.

Ambre était incapable de savoir ce qu'elle ressentait. Était-ce enfin la fin des fins qu'elle avait tant implorée ? *Le climat est toujours à l'image de mes émotions.*

Elle n'était pourtant pas le centre du monde, et ses désirs n'étaient jamais une réalité. Jamais.

Ne restait alors qu'une hypothèse.

C'est moi. C'est mon imagination. Rien de tout ça n'arrive pour de vrai.

Mais tandis qu'une centaine de bras foudroyants crépitaient en même temps dans le ciel, elle songea que ce n'était peut-être pas si mal. Oui, elle devenait folle, à sa manière, mais cette folie avait quelque chose de rassurant.

Tout d'un coup les vitres explosèrent tandis qu'une intense lumière bleutée aveuglait la jeune fille. Elle n'eut que le temps d'entrapercevoir ce qui ressemblait à des griffes d'électricité qui s'ouvraient pour s'emparer de Gouttière et de sa mère. Elle ne put garder les yeux ouverts et il y eut un son étrange, une implosion vaporeuse, comme une masse importante qui se transforme brutalement en poudre qui explose de l'intérieur.

Puis l'onde de choc la plaqua sur son siège et le pick-up vint s'encastrer dans le fossé, en un choc violent.

Ambre mit plusieurs minutes à reprendre pleinement conscience. Le froid pénétrait par toutes les ouvertures, lui fouettant les joues.

Elle ne sentit aucune douleur profonde et estima qu'elle n'avait rien de cassé. Mais elle n'osait pas ouvrir les yeux pour autant.

Elle craignait ce qu'elle allait découvrir.

Au fond d'elle, il n'y avait déjà plus aucun doute, ni Gouttière ni sa mère ne seraient encore présents avec elle dans la voiture.

Elle pouvait deviner les flashes toujours aussi nombreux à travers ses paupières.

Le monde changeait.

Une tempête sans précédent.

Vient-elle de moi ?

Était-elle seulement vraie ? N'y avait-il pas, à l'instant présent, une autre Ambre assise à l'arrière d'un pick-up, couverte de larmes silencieuses, qui retournait à une vie misérable avec son beau-père et sa mère, refusant la réalité ?

Si c'est là mon imagination, alors je vais y rester. Pour toujours.

C'était son choix.

Il y avait du bruit autour d'elle. Était-ce le vent ou le moteur qui bourdonnait ? Des rafales sifflantes ou les murmures d'une conversation d'adultes ?

Ambre inspira profondément. Elle était prête.

Elle ouvrit les yeux.

L'Alliance des Trois

À Clémentine et Antoine.
Et à nos parents
qui ont pris la responsabilité de nous aimer.

Il existe des endroits sur Terre où le monde n'est plus celui que nous connaissons. Des endroits où tout devient possible. Même l'impensable.

Des boutiques obscures pleines de livres ou de bibelots étranges, comme celle qui ouvre cette histoire, des ruelles étroites où personne n'ose s'aventurer, parfois même dans une forêt, un lieu entre deux buissons. Il suffit de savoir regarder. Et de laisser agir la magie.

Car ce livre est un grimoire.

Mais prenez garde, si vous décidez de tourner la page, il vous faudra une baguette magique : votre âme de rêveur. Celle que bien des gens perdent en devenant adultes. La possédez-vous encore ?

Alors, ensemble, poussons la porte de ce monde… nouveau.

Maxime Chattam, Edgecombe, le 2 mai 2007.

PREMIÈRE PARTIE

La Tempête

1

Premier signe

La première fois que Matt Carter fut confronté à une sensation « d'anormal », c'était juste avant les vacances de Noël. Ce jour-là, il aurait dû se douter que le monde ne tournait plus rond, qu'il allait se produire *quelque chose* de grave. Mais quand bien même il aurait pris ce phénomène au sérieux, qu'aurait-il pu faire ? Pouvait-il imaginer à quel point tout allait changer ? Aurait-il pu l'en empêcher ? Certainement pas. Il n'aurait rien pu faire, sauf prendre peur, ce qui aurait été pire.

C'était un jeudi après-midi, l'avant-dernière journée de cours. Matt accompagnait Tobias et Newton dans *La Tanière du dragon*, une boutique spécialisée en jeux de rôle, wargames et autres jeux de plateau. Ils étaient partis du collège et marchaient dans les longues rues de Manhattan, à New York.

Matt, quatorze ans bien que sa taille lui en fasse paraître deux de plus, adorait se promener dans cette ville, entre les canyons de buildings étincelants. Il avait toujours possédé une imagination débordante, et dans ses moments de rêve il se disait que Manhattan était une forteresse d'acier et de verre, les centaines de tours protégeant ses habitants d'un danger extérieur. Lui se sentait un chevalier parmi d'autres, attendant le jour où l'aventure ferait appel à ses talents, sans se douter un instant que celle-ci allait prendre un tour inattendu, tout aussi implacable qu'angoissant.

— Il ne fait pas froid pour le mois de décembre, vous avez remarqué ? demanda Tobias.

Tobias était un garçon noir, assez petit, toujours actif : s'il ne tapait pas du pied ou n'agitait pas les doigts alors il parlait. Le médecin lui avait dit un jour qu'il était un « grand angoissé » mais Tobias n'y croyait pas, il débordait seulement d'énergie, point. Il avait un an de moins que ses camarades, et un vrai don pour les études, au point d'avoir sauté une classe.

Et une fois de plus il avait raison : les blizzards habituels à cette période de l'année n'étaient pas apparus et la température refusait de descendre au-dessous de zéro.

— Avec les scouts, continua-t-il, on va même aller camper dans le comté de Rockland pendant les vacances. Camper en plein mois de décembre !

— Lâche-nous avec tes scouts, protesta Newton.

Newton, au contraire, était aussi grand et costaud pour son âge qu'il manquait de subtilité, essentiellement tourné vers sa petite personne. Néanmoins il était un compagnon de jeux de rôle inestimable pour son imagination et son implication.

— N'empêche, c'est vrai ! insista Tobias. Ça fait deux ans de suite qu'on n'a presque pas de neige, moi je vous le dis : c'est la pollution, ça dérègle toute la planète.

— Ouais, eh bien, en attendant, vous allez avoir quoi pour Noël ? demanda Newton. Moi, j'attends la nouvelle Xbox ! Avec *Oblivion*, j'adore ce jeu !

— Moi, j'ai demandé une de ces tentes qui se déplie toute seule quand tu la sors de son sac, répliqua Tobias. Des jumelles pour l'observation des oiseaux et aussi un abonnement à *World of Warcraft* pour l'année prochaine.

Newton fit la moue, comme si une tente et des jumelles ne pouvaient être des cadeaux acceptables.

— Et toi, Matt ? interrogea Tobias.

Matt marchait les mains dans les poches de son manteau noir qui ondoyait dans le vent. Ses cheveux bruns mi-longs lui fouettaient le front et les joues. Il haussa les épaules :

— Je ne sais pas. Et je crois que cette année, je préfère

l'ignorer. J'aime bien les surprises, c'est plus... magique, dit-il sur un ton qui manquait de conviction.

Tobias et Matt se connaissaient depuis l'école primaire, et Tobias comprit que ce Noël-ci aurait une saveur particulière pour son ami : ses parents venaient de lui annoncer qu'ils se séparaient. Au début, fin novembre, Matt avait pris la nouvelle avec philosophie, il n'y pouvait rien, c'était la décision de ses parents et bon nombre de ses copains vivaient ainsi, un coup chez leur père, la semaine suivante chez leur mère. Puis, au fil des semaines, Tobias l'avait vu s'étioler à mesure que les cartons s'entassaient dans l'entrée en vue du déménagement, prévu pour le début d'année. Il était moins concentré pendant leurs parties de jeux, et même pendant les cours, ses notes – déjà pas extraordinaires – s'étaient effondrées. La réalité du divorce le rattrapait.

Ne sachant que répondre, Tobias donna une petite tape amicale dans le dos de son camarade.

Ils descendaient Park Avenue, longeant le sillon du chemin de fer qui coupait l'artère en deux, et arrivèrent dans un quartier moins entretenu. Les trois garçons savaient que leurs parents n'aimaient pas qu'ils traînent dans ce coin. Des détritus jonchaient le trottoir et des tags s'étalaient sur les murs. Au croisement avec la 110ᵉ Rue, le trio tourna, presque rendu à *La Tanière du dragon*. Ici les immeubles étaient moins hauts, mais le soleil n'y descendait pas à cause de l'étroitesse de la voie. Les ombres des habitations rendaient l'endroit sinistre.

Newton désigna la devanture crasseuse d'une boutique dont la poussière opacifiait la vitrine. Seule restait lisible la pancarte flottant au-dessus de l'entrée : AU BAZAR DE BALTHAZAR.

— Alors les gars, vous êtes toujours des poules mouillées ?

Matt et Tobias échangèrent un bref regard. Le *Bazar de Balthazar* servait aux garçons du collège pour tester leur courage. Outre le lieu qui n'avait rien d'accueillant, c'était surtout son propriétaire qu'on craignait. Le vieux Balthazar détestait les enfants, à ce qu'on disait, et n'hésitait pas à les jeter dehors à grands coups de pied dans l'arrière-train. De là étaient nées nombre de légendes à son sujet et on ne tarda pas à entendre que le *Bazar* était hanté ! Personne n'y croyait, mais on prenait soin de ne pas s'en approcher. Pourtant, à la rentrée, Newton s'y était rendu, tout seul. Il en était ressorti après avoir passé les cinq minutes réglementaires pour réussir l'épreuve. C'était tout Newton ça : le besoin de prouver sa bravoure, quitte à faire des choses puériles.

— On n'a pas peur, fit Tobias. C'est juste que c'est débile cette histoire.

— C'est l'épreuve du courage ! rétorqua Newton. Sans ce genre de test, comment veux-tu prouver ta valeur ?

— On n'a pas besoin de ce genre de trucs idiots pour être courageux.

— Alors vas-y, prouve-moi que c'est idiot, qu'il n'y a rien à craindre et que tu es un homme, un vrai !

Tobias soupira.

— Il n'y a rien à prouver, c'est nul, c'est tout.

— Je savais que tu te dégonflerais, pouffa Newton.

Matt fit un pas en avant, vers la rue.

— OK, on va y aller, Tobias et moi.

L'intéressé ouvrit de grands yeux surpris.

— Qu'est-ce... qui te prend ? bafouilla Tobias.

— Puisque vous êtes deux, annonça Newton, vous devez revenir avec quelque chose.

Tobias fronça les sourcils, tout ça prenait mauvaise tournure.

— Quoi ? Comment ça ? fit-il.

— Vous devez piquer un truc à Balthazar. N'importe quoi, mais revenez avec un objet. Et là, vous serez des braves, les mecs ! Vous aurez tout mon respect.

Tobias secoua la tête :

— C'est complètement idiot ce...

Matt l'attrapa par l'épaule et l'entraîna pour traverser avec lui la rue en direction de la vieille échoppe.

— Qu'est-ce que tu fais ? protesta Tobias. On ne doit pas y aller ! Newton est un crétin qui fait ça pour se foutre de nous !

— Peut-être, mais au moins il arrêtera avec ça. Viens, il n'y a rien à craindre.

Tobias marchait à ses côtés, profondément mal à l'aise à l'idée de faire quelque chose qu'il ne *sentait* pas. *Matt n'aurait jamais fait ça avant que ses parents divorcent*, songea-t-il. *Il n'est plus le même. C'est comme le climat, tout fout le camp !*

Matt marqua une pause devant la porte du bazar. Ce dernier semblait si vieux qu'il aurait pu être là à l'époque des Indiens. La peinture vert sombre de la façade s'écaillait, révélant un bois moisi. La croûte grise était si épaisse sur la vitrine qu'on ne pouvait même pas vérifier s'il y avait ou non de la lumière à l'intérieur.

— On dirait que c'est fermé, protesta Tobias avec une nuance d'espoir dans la voix.

Matt secoua la tête et posa la main sur la poignée.

La porte s'ouvrit en grinçant et ils entrèrent.

L'intérieur était pire que tout ce que l'on pouvait imaginer de l'extérieur. Des étagères en bois recouvraient les murs et encombraient la longue pièce dans tous les sens, la transformant en labyrinthe. Des centaines, des milliers d'objets s'entassaient pêle-mêle : bibelots, presse-papiers en forme de statuettes, bijoux aussi anciens que la boutique, livres à reliure de cuir craquelée, insectes séchés et punaisés dans des boîtes transparentes, tableaux noircis, meubles bancals, le tout recouvert d'une impressionnante couche de poussière, comme si personne n'y avait plus touché depuis des siècles. Mais au final, le plus surprenant était encore l'éclairage, réalisa Matt. Une seule ampoule nue, perdue au milieu de ce capharnaüm, et qui ne diffusait qu'une lueur chiche, abandonnant le reste de la pièce à sa pénombre mystérieuse.

— Oh, vraiment, je crois qu'on devrait sortir d'ici, chuchota Tobias en levant des yeux inquiets vers le plafond.

Sans un mot, Matt contourna la première série d'armoires

ouvertes sur des collections de timbres, de papillons et de bocaux pleins de billes multicolores qui attirèrent tout à coup l'attention de Tobias.

Matt fouillait l'endroit du regard sans parvenir à détecter présence humaine. Le bazar semblait interminable et il crut percevoir un murmure provenant du fond.

Tobias lui saisit le bras :

— Viens, je crois qu'il vaut mieux sortir, je préfère que Newton me traite de poule mouillée que de voler un truc ici.

— On ne va rien voler, lui répondit Matt sans s'arrêter pour autant. Tu me connais, je ne suis pas comme ça.

— Alors qu'est-ce que tu fais là ? se désespéra Tobias.

Mais Matt ne répondit pas, occupé à marcher en direction des murmures.

Plus déstabilisant encore que le lieu qu'ils visitaient, le silence de Matt termina de paralyser Tobias. Il ne put rien ajouter, partagé entre une frousse tenace lui ordonnant de déguerpir, et une véritable fascination pour la multitude de billes qui brillaient doucement à travers leur récipient en verre. Combien y en avait-il ? Peut-être mille ou deux mille, impossible de savoir, certaines luisaient d'un éclat violet et orange ou noir et jaune, qui les faisait ressembler à des yeux monstrueux.

Tobias réalisa soudain que son camarade s'était enfoncé dans le magasin et, ne voulant pas rester seul, il s'élança sur ses pas.

Les billes pivotèrent pour le suivre du regard. Tobias se retint de hurler. Il se pencha vers elles. Rien. Toutes les billes étaient inertes, rien que des billes. Il avait rêvé. Oui, c'était ça : un effet d'optique ou tout simplement un tour de son cerveau à cause de l'angoisse. Il se redressa et retrouva des couleurs, rassuré. Il ne s'était rien passé. Tout allait bien, cet endroit n'était rien d'autre que le résultat du délire d'un vieil acariâtre. Oui, tout allait bien.

Tobias s'empressa de rejoindre son ami qui venait de disparaître derrière une pile de livres séculaires.

Matt avançait sur le plancher gondolé et le murmure devint plus audible. Une voix aux intonations contrôlées, semblable à celle des présentateurs de journaux télévisés.

À mesure qu'il s'en rapprochait, Matt prit conscience qu'il n'était pas là par hasard. En d'autres temps, jamais il n'aurait relevé le défi de Newton, il se serait contenté de l'ignorer, sans un mot. Matt avait toujours su se préserver de ce genre de bêtises, il avait le nez creux pour sentir ce qu'il fallait faire ou ce qu'il était préférable d'éviter. Et cette fois, précisément, il était en train de faire *ce qu'il était préférable d'éviter*. Pourquoi ? Parce qu'il était comme ça depuis plusieurs jours, plusieurs semaines en fait. Depuis que son père lui avait dit qu'il allait déménager du quartier, et qu'au début ils ne se verraient pas beaucoup. Ensuite, « lorsqu'il aurait tout arrangé », Matt viendrait vivre avec lui... si sa mère les laissait en paix. Matt n'avait pas aimé cette dernière remarque. Le lendemain, sa mère était venue lui faire un discours similaire : ils allaient vivre ensemble, même si son père disait le contraire. Ses parents avaient toujours été différents, elle plutôt campagne, lui très urbain, elle du matin, lui du soir, et ainsi de suite. Ce qu'ils appelaient auparavant leur « complémentarité » devenait tout à coup le symbole de leur déchirement : ils étaient le jour et la nuit. Bien sûr, il y avait Matt, leur soleil. Du haut de ses quatorze ans, le garçon avait su tout de suite vers quoi ils se dirigeaient : une guerre pour obtenir sa garde. Deux copains à lui avaient enduré cette épreuve. Un cauchemar.

Et qui dit que trop d'amour ne peut nuire ? avait ragé Matt. Ses parents allaient se déchirer pour lui. Depuis, il n'arrivait plus à être le même, ne parvenait plus à se concentrer, et ses propres réactions le surprenaient. Il n'agissait plus comme le Matt qu'il avait été.

Et il n'était pas ici par hasard. À chaque pas il distinguait un peu plus ses motivations réelles, celles qui le faisaient foncer vers *ce qu'il était préférable d'éviter*. Il voulait semer le chaos dans sa famille. Faire des choses idiotes pour que ça retombe sur ses parents et sur ses relations avec eux. Il voulait les faire souffrir comme ils le faisaient souffrir depuis un mois.

Matt s'étonna lui-même de cet éclair de lucidité.

Pourquoi je réagis comme ça ? C'est moi le crétin dans cette histoire ! Et pendant un instant, il fut tenté de faire demi-tour et de ressortir.

Il n'en eut pas le temps.

Il déboucha sur l'arrière-boutique où se trouvait un antique comptoir en merisier, un bois rouge recouvert d'une lourde desserte en marbre noir. Assis derrière, un vieil homme, au nez long et fin, presque chauve hormis deux touffes de cheveux blancs au-dessus de ses oreilles, écoutait une petite radio portative. Il se penchait en avant comme pour y coller le front, et ses minuscules lunettes rectangulaires semblaient sur le point de tomber de son nez. Sa tête pivota vers Matt sans que le reste du corps suive, et il toisa l'adolescent de haut en bas, l'air soupçonneux.

— Que fais-tu là ? dit-il d'une voix éraillée.

Ce type est tout droit sorti d'un film ! s'étonna Matt sans répondre à la question.

— Alors ? Je te parle ! insista le vieux Balthazar sans aucune gentillesse.

— Je... Je voudrais vous acheter quelque chose.

— M'acheter quoi ?

Matt palpa ses poches de jean à la recherche de son argent et sortit six billets de un dollar qu'il montra, toute sa fortune.

— Qu'est-ce que vous avez pour six dollars ?

Balthazar fronça les sourcils, et ses petits yeux noirs s'étrécirent encore. Il semblait sur le point d'exploser.

— Ici on vient quand on cherche quelque chose de *précis !* tonna-t-il. Où te crois-tu donc ?

— Dans un... magasin, répondit Matt sans se démonter.

Cette fois Balthazar bondit de son siège. Il portait une grosse robe de chambre en laine grise par-dessus un costume poussiéreux comme son commerce. Il posa les mains sur le marbre du comptoir et se pencha pour fixer Matt droit dans les yeux :

— Espèce d'insolent ! Je suis capable de trouver n'importe quoi pour peu qu'on y mette le prix, n'importe quoi tu m'entends ? Et toi, tu me demandes ce que je peux te vendre pour six dollars ? Ça ne marche pas dans ce sens chez moi, je ne suis pas *ce genre* de magasin !

Matt commençait à se sentir moins vaillant, il n'avait plus du tout envie d'être ici et il allait décamper lorsqu'il remarqua un mouvement étrange sous la manche du vieil homme. Il n'eut que le temps d'apercevoir le bout d'une queue huileuse, marron et noir, qui frétillait, avant qu'elle ne remonte sous le tissu. Il resta bouche bée. Un serpent ? Ce cinglé avait-il un serpent enroulé autour du bras sous sa robe de chambre ? Cette fois il était grand temps de déguerpir.

Mais Tobias surgit dans son dos. Balthazar le vit et cette fois ses mâchoires roulèrent sous la fine peau de ses joues tant il fulminait.

— Et vous venez à plusieurs pour ça, morveux ? éructa-t-il.

Tobias ne put retenir un gémissement de peur lorsqu'il vit Balthazar se redresser et contourner son meuble pour venir vers eux. Matt fit deux pas en arrière lorsque Balthazar apparut tout entier. Ce qu'il vit lui glaça le sang : une autre queue de serpent dépassait de derrière la robe de chambre, cette fois beaucoup plus volumineuse, de la taille d'une grosse aubergine. Elle se tordit avant de remonter à toute vitesse comme si elle avait compris qu'on la voyait.

Matt entendit les pas de Tobias qui couraient vers la sortie.

— Vous allez me foutre le camp tout de suite !

Matt recula, de plus en plus vite, tandis que Balthazar fonçait sur lui. Puis il se mit à fuir, il slaloma entre les hautes étagères et vit enfin la porte qui se refermait sur le passage de Tobias. La lumière du jour qui filtrait par l'ouverture semblait lointaine, presque irréelle. Matt y parvint pourtant, tira sur la poignée et, sur le seuil, sans savoir vraiment pourquoi, il se tourna pour contempler l'antre de Balthazar.

Au bout de l'allée, dans la pénombre du bric-à-brac, le vieux bonhomme le scrutait également. Tandis que la porte se refermait doucement, Matt le vit sourire, content de lui. Et dans la dernière seconde, il vit distinctement une langue fourchue jaillir d'entre les lèvres de Balthazar, une langue tressautante de serpent.

2

Magie

La seconde fois que Matt fut confronté à un phénomène fantastique fut la dernière, avant que la *Tempête* n'arrive.

Sa confrontation avec Balthazar l'avait passablement perturbé et lorsque, en échangeant quelques mots avec Tobias, il avait compris qu'il était le seul à avoir vu tout ça, il s'était tu. Était-ce à cause du divorce de ses parents ? Se pouvait-il qu'il fût à ce point blessé que lui venaient des visions ? Tout de même, il n'avait pas halluciné ! Balthazar avait bien un serpent autour du bras ainsi qu'une queue de serpent énorme dans son dos ! Et il lui avait tiré la langue, une langue fourchue ! *La pénombre, la peur*, s'était-il dit ensuite, sans vraiment y croire.

Le vendredi soir sonna le début des vacances pour tout le collège. Matt rentra directement chez lui, il n'avait pas le cœur à sortir avec ses amis. Il vivait dans un appartement au vingt-troisième étage d'une tour de Lexington Avenue. Sa chambre était décorée de posters de films, *Le Seigneur des Anneaux* en tête. Des tablettes abritaient sa collection de figurines tirées du même film : Aragorn, Gandalf, et toute la communauté de l'Anneau figuraient en bonne place, face à son lit.

Matt mit sa chaîne hi-fi en marche, System of a down cracha aussitôt ses premiers accords puissants et agressifs. Le jeune garçon se laissa tomber sur son lit et observa son environnement. Tout ça était nouveau pour lui, ce mélange entre le Matt qui aimait rêver à des mondes fantastiques et le Matt réaliste qui avait soudain émergé cet été pendant ses vacances dans le Vermont, avec son cousin Ted, plus âgé de deux ans. Cette facette de lui qu'il venait de découvrir était née au contact de Patty et Connie, deux filles de seize ans. Pour la première fois de sa vie, il s'était intéressé à son look, à ce qu'il disait aux autres et à ce qu'on pouvait penser de lui. Il voulait attirer l'attention des deux filles, se donner de l'importance. Ted l'avait pris en main, lui faisant écouter ses premiers disques de metal, lui offrant des conseils pour draguer les filles. À la rentrée, c'était un Matt métamorphosé qui avait rejoint ses camarades. Même physiquement, il avait perdu les petites rondeurs de l'enfance, ses traits s'étaient affinés, dessinant plus d'angles que de courbes. Il s'était choisi une parure qu'il adorait : chaussures de marche, jeans bleus, pulls ou tee-shirt foncés ainsi qu'un manteau noir à capuche qui lui descendait jusqu'aux genoux et qu'il adorait sentir flotter dans le vent. Matt avait laissé pousser ses cheveux qui commençaient à rebiquer sur ses oreilles et dans sa nuque comme autant de points d'interrogation.

Aujourd'hui ces deux mondes se mélangeaient, se heurtaient parfois. Celui des jeux, des figurines qu'il appréciait tant, et celui du jeune homme en devenir. Il s'interrogeait sur la conduite à tenir : devait-il sacrifier ses passions juvéniles au nom de l'âge mûr ? Newton était un peu comme ça. Tobias, lui, n'avait pas encore eu le *déclic*, il s'habillait n'importe comment et ne jurait que par les scouts et les jeux.

Le chanteur de System of a down beuglait ses mélopées et, lentement, Matt sombra dans le sommeil, un sommeil agité par les silhouettes de ses parents se disputant tout bas dans leur coin, fidèles à leur habitude, puis par les formes sensuelles de

Patty et Connie, et enfin par un homme avec une langue et des yeux de serpent...

Noël arriva plus vite que Matt ne l'avait craint, les jours filèrent au rythme de ses parties de jeux de rôle avec Newton et Tobias. Ce dernier était finalement resté, les prévisions météo ayant contraint son groupe de scouts à annuler leurs sorties dans les bois. Au début des vacances, les parents de Matt durent s'absenter trois jours à cause de leur travail, il fallut que Matt insiste pour pouvoir rester seul à la maison. Ils voulaient appeler Maât, sa baby-sitter attitrée depuis des années. Maât était une résidente du même étage, d'origine égyptienne. Sa peau ensoleillée était à l'image de son caractère : chaleureux et souriant. C'était une très grosse femme, douce et généreuse, qui avait veillé le petit Matt pendant des années, le soir, quand les parents ne pouvaient rentrer tôt. Matt en gardait des souvenirs agréables mais il aspirait désormais à plus de liberté. Et s'il conservait pour Maât une certaine tendresse, il devait bien avouer que cette célibataire endurcie l'agaçait à présent avec toutes ses petites attentions. En définitive, il put profiter de ces trois jours en solitaire, Maât ne vint le visiter que le dernier soir.

Le jour de Noël, Matt constata avec plaisir que ses parents s'efforçaient d'être calmes et, pour un peu, il aurait pu croire qu'ils allaient se remettre ensemble. En voyant la pile de cadeaux qu'ils lui avaient offerts, le garçon fut d'abord submergé de joie avant de comprendre qu'ils le gâtaient parce que c'était leur dernier Noël tous les trois. Son sourire mourut sur ses lèvres, avant de revenir devant le dernier paquet, le plus grand. Dès qu'il en aperçut un bout, il sut ce que c'était et explosa de bonheur : l'épée d'Aragorn.

— C'est la vraie réplique ! précisa son père fièrement. Pas l'imitation remplie d'air. Celle-là, si tu l'aiguises, c'est une arme véritable ! Alors faudra faire attention, bonhomme.

Matt la sortit de son emballage et la brandit devant lui,

surpris par son poids : elle était affreusement lourde ! La lame étincelait sous ses yeux, captant les lumières du plafonnier, comme des étoiles elfiques, songea-t-il. Elle était fournie avec un support mural et un étui en cuir et des sangles qui permettaient de la porter dans le dos, comme dans le film.

— Merci ! Je sais déjà où je vais la mettre ! fit Matt. J'ai hâte de voir la tête des copains quand je vais la leur montrer !

Le lendemain, Matt s'habilla en vitesse et passa dans le salon où son père regardait la chaîne d'information. Le présentateur commentait de terribles images de tempête :

« *C'est le troisième cyclone en deux mois dans cette région habituellement épargnée, et cela n'est pas sans rappeler la vague de tremblements de terre qui secoue l'Asie.* »

Une autre journaliste prit la relève :

« *Oui, Dan, c'est la question qui brûle toutes les lèvres désormais : avec ces saisons qui ne ressemblent plus à ce que nous connaissions et toutes ces catastrophes naturelles qui s'enchaînent depuis quelques années, on peut se demander si la planète n'est pas en train de changer bien plus rapidement que nous ne l'envisagions suite au réchauffement…* »

Le père de Matt prit la télécommande et changea de chaîne. Cette fois ce furent des images de soldats patrouillant dans une ville lointaine accompagnées d'une voix monocorde, pas du tout préoccupée par ce qu'elle racontait : « *Les troupes armées quadrillent la ville tandis que les conflits continuent de secouer le pays. Rappelons que…* » La chaîne fut remplacée par une autre. Bulletin météo.

« *Nous invitons les personnes souffrant d'insuffisance respiratoire ou d'asthme à ne pas faire d'efforts car la qualité de l'air sera de 6 aujourd'hui, une mauvaise nouvelle qui ne doit pas nous faire oublier que c'est bientôt le réveillon de la…* » La télé s'éteignit et son père tourna la tête vers Matt.

— Tu sors, fiston ?

— Je vais voir Tobias et Newton, je vais leur montrer mon épée !

— Négatif, tu ne sors pas avec ça, c'est une arme, je te le rappelle, c'est interdit. Si tu veux qu'ils la voient, ils viennent ici.

Matt soupira mais acquiesça.

— OK, je la laisse là. Je vais chez Newton, on va essayer sa nouvelle console de jeux.

Cinq minutes plus tard, Matt arpentait les rues de l'East Side, engoncé dans son manteau mi-long, une écharpe enroulée autour du cou. Le froid s'était abattu sur la ville sans prévenir, brutalement, en une nuit, comme s'il avait voulu rattraper tout le retard en quelques heures. Il n'était pas neuf heures du matin et, dans les rues entièrement verglacées, les véhicules roulaient au pas.

Matt bifurqua au niveau de la 96e Rue, une artère plus calme où une poignée de passants, le nez rivé sur leurs pieds, s'efforçaient de ne pas glisser.

Il approchait d'une impasse obscure lorsqu'une lumière bleue en jaillit, avant de disparaître aussi brusquement. L'adolescent ralentit l'allure. Le flash bleu jaillit une fois encore et illumina le trottoir.

Une enseigne lumineuse ? Dans cette ruelle ? Matt n'en avait pas le souvenir. Pourtant ça ressemblait à un puissant néon capricieux. Il s'arrêta sur le seuil de la voie sans issue. Étroite, emplie d'ombres. Une langue de béton s'engouffrant entre deux immeubles pour accéder aux containers des poubelles et aux escaliers de secours.

Matt s'avança, il avait du mal à distinguer le fond de l'impasse tant la pénombre était dense.

Le flash bleu surgit à nouveau et illumina l'arrière d'une benne jusqu'à frôler les fenêtres du premier étage. Matt sursauta. *Bon sang ! C'est quoi ça ?*

Une forme humaine bougea au même endroit mais, de là où il se tenait, Matt ne put en distinguer davantage.

À cet instant, un bourdonnement électrique monta dans l'air, avant de se taire.

Matt hésita. Devait-il s'assurer que le type n'était pas blessé ou partir en courant ?

L'éclair bleu réapparut, cette fois il balaya le sol sans s'élever, léchant le bitume et faisant fondre aussitôt le verglas. Il provenait de la terre, constata Matt, et se déplaçait à la manière d'un câble électrique tranché : des saccades vives. *Comme un serpent !* pensa-t-il avec un frisson désagréable. Cette fois, il ne s'éteignit pas aussi vite mais continua à se mouvoir en ondulant. L'éclair se terminait par de petites gerbes d'étincelles bleues ressemblant à des doigts qui effleurèrent des journaux abandonnés. Ces derniers s'enflammèrent immédiatement. Puis, comme s'il venait de trouver ce qu'il cherchait, l'éclair s'immobilisa face à deux containers.

Matt entendit alors un gémissement. Quelqu'un avait besoin d'aide. Sans plus réfléchir, il s'élança dans l'impasse.

À peine eut-il le temps d'apercevoir des baskets usées qui s'agitaient et un pantalon sale que l'éclair se jetait dessus. Puis l'éclair disparut avec un claquement sec, laissant sur son passage une fumée épaisse et écœurante – relents d'expériences chimiques comme celles qu'ils pratiquaient en classe. Matt fit un bond en arrière et, le cœur battant, attendit un moment avant d'oser bouger. Lorsqu'il s'approcha enfin de l'endroit où il avait entrevu les jambes, il ne vit que des vêtements entassés. Comme si l'homme s'était volatilisé.

Impossible !

Pourtant les journaux terminaient de se consumer autour de lui en libérant de timides flammes bleu et jaune. Tout s'était passé si vite. Se pouvait-il qu'il n'ait pas bien vu ?

Non ! Cette fois j'en suis sûr ! C'était bien réel. Un homme a été… englouti par un éclair sorti du sol !

Matt recula.

— Oh, la vache…, murmura-t-il.

Pince-toi, gifle-toi, mais fais quelque chose, se dit-il. *Faut pas rester là ! Ce truc pourrait revenir !* Mais aller où ? Rentrer prévenir ses parents ? La police ? Personne ne le croirait.

Les copains! Au début, ils se ficheraient de lui mais il avait confiance, ils finiraient par le croire.

Matt entendit un bourdonnement électrique dans le fond de l'allée et il détala sans plus attendre.

À sa grande stupeur, ni Tobias ni Newton ne rirent de lui lorsqu'il leur raconta son aventure. Peut-être à cause de la peur qui se lisait encore sur son visage. Alors il ajouta l'histoire du serpent au *Bazar de Balthazar* et là Tobias explosa:

— Ah! Je le savais! Ces billes! C'étaient des yeux! Je savais que je n'avais pas rêvé!

Il fit à son tour le récit des billes en forme d'œil qui l'avaient suivi du regard. Alors Newton prit un air grave pour ajouter:

— Un gars au collège a raconté l'autre jour qu'il avait vu des lueurs bleues sortir des toilettes du sous-sol, et il était persuadé que ça n'était pas un problème électrique. Alors, dites-moi, les gars: c'est nous qui en faisons trop ou il se passe *vraiment* quelque chose?

— Ça me fait flipper tout ça, avoua Tobias. Tu dis qu'il ne restait plus que les fringues?

Matt hocha la tête.

— C'était sûrement un clochard, vu ce qu'il portait. Et sur le chemin j'ai subitement réalisé qu'on n'en voyait plus beaucoup ces derniers temps, vous avez remarqué?

— C'est l'hiver, ils s'abritent, tenta de modérer Tobias pour se rassurer.

— Non, jusqu'à ce matin il ne faisait pas froid, contra Newton. T'as raison, Matt, il se passe un truc avec eux. On en voit de moins en moins, et le pire c'est que ce ne sont pas les gens qu'on va rechercher en premier, personne n'y prête attention. Ils peuvent disparaître complètement avant qu'on s'en rende compte, ces types-là n'existent pas tout à fait pour les passants.

— Oh là là! ça me fait penser à ces vêtements qu'on voit

parfois dans la rue ou sur les bords d'autoroute, s'alarma Tobias. On se demande toujours comment quelqu'un a pu perdre une chaussure, un chemisier ou un caleçon comme ça ! Si ça se trouve, c'est ce machin avec l'éclair, il emporte des gens depuis longtemps et personne ne s'en est encore rendu compte.

— Sauf que ça s'accélère, fit remarquer Matt.

Tobias grimaça, effrayé. Il demanda :

— Alors pourquoi les médias n'en parlent pas ?

— Trop occupés à parler des catastrophes et des guerres, hasarda Matt en se souvenant du journal du matin.

Newton fit signe qu'il n'était pas d'accord :

— Et si c'était parce qu'aucun adulte ne voit tout ça ? Tobias, puis toi, et ce mec au collège… que des ados, pas d'adultes comme témoins.

Tobias croisa les bras sur son torse.

— On est mal, dit-il.

Newton allait ouvrir la bouche lorsque sa mère entra dans la chambre :

— Les garçons, il faut que vous rentriez chez vous tout de suite. Ils viennent d'annoncer un énorme blizzard pour l'après-midi.

Les trois adolescents s'observèrent en silence.

— Bien, madame, remercia finalement Matt.

— Vous voulez que je vous ramène en voiture ?

— Non, ça ira, on n'habite pas loin, Tobias et moi on va rentrer ensemble.

— Dans ce cas ne tardez pas, d'ici deux ou trois heures le vent va se lever et les rues de New York vont se transformer en gigantesque soufflerie.

Elle sortit en refermant derrière elle. Newton désigna son ordinateur :

— On reste en contact via MSN, ça vous va ?

Les autres approuvèrent, et bientôt Matt marchait avec Tobias dans Lexington Avenue déjà balayée par un vent puissant.

— J'aime pas du tout cette histoire, gémit Tobias. Je sens que ça va mal tourner, faudrait peut-être en parler aux parents, tu ne crois pas ?

— Pas aux miens en tout cas ! s'écria Matt pour se faire entendre. Ils n'en croiront pas un mot.

— Peut-être qu'ils auraient raison, non ? Je ne sais plus quoi penser. Et si on se faisait peur pour rien ? Des éclairs qui peuvent sortir du sol pour emporter les gens, ça se saurait, non ?

— Écoute, fais comme tu veux, moi, j'en parle pas à mes parents, c'est tout.

Ils arrivèrent devant l'immeuble où vivait Tobias, Matt habitait un pâté de maisons plus loin.

— On se retrouve sur MSN dans une heure, confirma-t-il. Tu me diras ce que tes vieux ont dit.

Tobias eut l'air embarrassé, il finit par acquiescer. Avant de le quitter, Matt lui posa une main sur l'épaule :

— Mais je suis d'accord avec toi sur un point : j'ai l'impression que ça va mal tourner.

3

La Tempête

Matt monta dans sa chambre. Son père s'était installé dans le salon devant la télé, et sa mère dans le bureau était pendue au téléphone.

L'épée brillait sur son lit, il n'avait pas encore pris le temps de l'accrocher au mur. Il mit son ordinateur en marche et lança le programme de discussion à distance MSN. Newton était déjà connecté sous son pseudonyme : « Tortutoxic. » Matt lui envoya :

« [Grominable a écrit :] Je suis là. »

La conversation s'enclencha aussitôt :

« [Tortutoxic a écrit :] Fo ke tu chang 2 pseudo. La C débil.

[Grominable a écrit :] Et toi arrête d'écrire comme un kobold. J'aime bien mon pseudo, il est drôle. Et on ne se méfie pas de ce qu'on sous-estime. Pratique !

[Tortutoxic a écrit :] Grominable va. Ketufais ?

[Grominable a écrit :] Pour la dernière fois : écris normalement, à quoi ça sert d'avoir une langue si c'est pour la torturer ?

[Tortutoxic a écrit :] C 1 lang vivante non ? C fait pour vivre, pour évoluer.

[Grominable a écrit :] Oui, langue vivante, et toi tu la fais souffrir.

[Tortutoxic a écrit :] OK, c'est bon, je vais caresser la langue dans le sens du poil, lâche-moi, monsieur Pierce. »

M. Pierce était leur professeur d'anglais. Matt se leva et alluma la petite télé qu'il avait dans sa chambre. Il tomba sur une édition spéciale du journal. Le présentateur incitait les gens à ne plus sortir de chez eux car un blizzard *colossal* – le mot fit tiquer Matt, *colossal* ne sortait pas de la bouche des présentateurs télé d'habitude, ce qui n'était pas bon signe du tout – se rapprochait de New York et on s'attendait à des rafales de vent dépassant les cent cinquante kilomètres-heure et à des chutes de neige *colossales*. Cette fois, Matt se leva. Les présentateurs télé ne répétaient jamais le même mot dans une phrase, comme si un coiffeur voulait couper les cheveux avec un sécateur : on ne fait pas ce genre d'énormité quand on est adulte *et* professionnel. Alors répéter « colossal » trahissait le haut degré de panique qui touchait la rédaction. Matt se précipita sur son clavier :

« [Grominable a écrit :] T'as regardé la télé ? Je crois qu'ils sont affolés, même aux infos. Les choses ne tournent pas rond.

[Tortutoxic a écrit :] Ouaip. Bulletin d'alerte météo à tout va. J'étais aussi sur MSN avec mon cousin à Boston et depuis cinq minutes : plus rien. Je viens d'essayer de l'appeler et la ligne est en dérangement. Sur les infos, ils disent que le blizzard est au-dessus de Boston en ce moment ! »

Tobias se connecta :

« [KastorMagic a écrit :] S'lut les gars. J'ai parlé à mes parents. Ils ne m'ont pas cru.

[Tortutoxic a écrit :] Sans blague ? Et tu t'attendais à quoi ? Qu'ils aillent chercher le numéro de SOS Fantômes dans le bottin pour nous sauver ?

[KastorMagic a écrit :] Je sais pas. Compter sur ses parents, c'est pas un truc qu'on t'a appris ? Pour le coup c'est raté. »

Matt allait se mêler à la conversation lorsque son attention fut captée par la télévision. L'image se voilait, des parasites firent tressauter le présentateur. *Ça, c'est la transmission satellite, ça veut dire que la tempête approche.* Et comme pour le confirmer, une gigantesque ombre s'étendit sur l'avenue. Matt se précipita contre la fenêtre. Toute la rue était plongée dans un clair-obscur crépusculaire qui fit ressortir les centaines de lumières des immeubles. Matt eut l'impression qu'un gigantesque oiseau stagnait au-dessus des toits ; il inspecta les cieux : un nuage noir recouvrait toute la ville. Un nuage *colossal*.

Le vent s'engouffra dans l'avenue et frappa la fenêtre avec un sifflement strident.

La lucarne cathodique se brouilla, les couleurs s'évanouirent. Puis après un *pop* l'image disparut complètement. Écran noir, bientôt remplacé par la mire. Matt zappa et découvrit que la plupart des chaînes subissaient le même sort. Elles se coupaient toutes, les unes après les autres.

Le jeune garçon se cala devant son ordinateur :

« [Grominable a écrit :] Ça y est, le blizzard est sur nous, c'est arrivé plus vite qu'ils ne l'avaient annoncé ! Y a même plus de télé !

[Tortutoxic a écrit :] Tu m'étonnes, c'est la panique dans ma rue, les gens ont été pris de vitesse, ça klaxonne de partout ! J'ai les »

Newton n'acheva pas sa phrase. Matt patienta une minute mais rien ne vint. Soudain un message s'afficha : « Vous êtes déconnecté d'Internet. » Matt tenta de relancer l'opération, y compris en rebranchant le modem, sans succès.

— Qu'est-ce qui se passe… ?

Brusquement, l'éclairage de la chambre se coupa. Matt se retrouva dans une pièce sombre et silencieuse.

— Black-out ! s'écria son père du salon. Je vais chercher les bougies dans la cuisine, personne ne bouge.

Matt fit rouler son fauteuil jusqu'à la fenêtre, vit les lumières des immeubles s'éteindre les unes après les autres, façade après façade. L'obscurité coula sur la ville. Il n'était pas midi, pourtant on se serait cru dans les dernières secondes d'un coucher de soleil, lorsque la lumière prend cette teinte si particulière, *spectrale*. Et c'était exactement ça : la lumière des fantômes, celle qui ne perce pas les ténèbres, qui ne fait que souligner la vie, un bref instant.

Le père de Matt toqua à la porte et déposa sur le bureau une bougie allumée, dans un petit bougeoir.

— Te fais pas de bile, fiston, le courant va revenir.

— Tu as vu les infos, papa ? Le blizzard ne devait arriver que dans l'après-midi.

— Ils se sont encore plantés ! Je te le dis, moi : le gars qui fait les prédictions météo, il devrait se faire virer ! C'est de moins en moins fiable !

Son père était enjoué, il prenait tout cela à la légère. *À moins que ça ne soit pour te rassurer !* songea Matt.

— Et ça peut durer longtemps, un black-machin…

— Un black-out ? Ça dépend, deux minutes comme deux jours, en fonction des travaux à effectuer. T'en fais pas, à l'heure où nous parlons, des dizaines de techniciens s'acharnent déjà à faire revenir tout ça à la normale.

L'optimisme de son père le tuait. C'était souvent ça avec les adultes. Trop optimistes ou trop pessimistes. Matt voyait rarement des gens rester sereins, sans trop en faire. Et d'ailleurs les films le montraient bien : en cas de catastrophe une partie des gens criaient et entraînaient les autres vers le drame et l'autre partie qui se croyait invulnérable ne finissait guère mieux. Les héros étaient ceux qui savaient rester au milieu, prenant les choses sans trop d'émotion, avec juste le recul nécessaire. Était-ce vrai au quotidien ? Les gens bien, les « héros » de ce monde, étaient-ils capables de se modérer en toute circonstance ?

— Allez, c'est le moment de ressortir les bons bouquins d'horreur, fit son père. Tu n'as pas un Stephen King à te mettre sous la dent ? Dans des conditions pareilles ce serait un moment de lecture inoubliable ! Sinon je dois avoir ça dans ma bibliothèque.

— J'ai ce qu'il faut, merci p'pa.

Son père le scruta un instant, sans trouver les mots, ceux qu'il aurait aimé faire entendre à son fils. Il lui fit un clin d'œil avant de sortir, et referma la porte.

La bougie brûlait en diffusant une clarté ambrée. Sûr que c'était idéal pour lire, mais Matt n'en avait aucune envie. Il était trop inquiet par ce qui se passait dehors. Il pivota vers la fenêtre.

À présent de gros flocons de neige fusaient dans le vent, manœuvrant dans l'air avec la puissance et l'adresse d'avions de chasse. En quelques minutes l'avenue disparut derrière un épais rideau tourbillonnant. Matt n'y voyait plus rien, c'était fini. Il plaignit toutes les personnes encore dehors et qui cherchaient à rentrer chez elles avec si peu de visibilité. On ne devait pas même voir le bout de ses mains !

Les heures passant, Matt finit par s'ennuyer. Il attrapa une bande dessinée qu'il feuilleta nonchalamment. Dans l'après-midi il essaya de rallumer la télé puis la radio, mais il ne se passait rien, l'électricité n'était pas revenue. La neige, elle, ne cessait de se déverser en paquets contre la fenêtre.

En fin de journée, sa mère alla frapper aux portes des voisins pour s'assurer que tout le monde allait bien et ils organisèrent, avec les six appartements de l'étage, un roulement pour préparer les dîners, car certains n'étaient équipés que de cuisinières électriques. Le gaz avait donc ses avantages, s'amusa-t-on à répéter dans le couloir, et une sorte de colocation bon enfant s'installa entre les appartements dont on laissa les portes grandes ouvertes.

Le soir, la famille Carter mangea en compagnie de Maât et des Gutierrez, un couple de retraités qui vivait juste à côté. Personne n'avait d'enfant de l'âge de Matt à cet étage, et son seul copain dans le building était en vacances en Californie.

Matt ne s'attarda pas à table et souhaita une bonne nuit à tout le monde. Maât le salua avec plus de tendresse que ses parents qui étaient en pleine discussion avec les Gutierrez. Il s'empara au passage d'un paquet de biscuits et s'enferma dans sa chambre. Provision en cas de petit creux nocturne, lampe-torche pour y voir clair en cas d'envie pipi, et une formidable tempête à l'extérieur pour égayer la nuit. À force de voir tout le monde plaisanter de la situation, Matt avait décidé lui aussi de prendre tout cela à la légère, en tout cas avec plus d'excitation et moins d'angoisse. Oui, le blizzard était énorme ; oui, il leur était tombé dessus plus tôt que prévu, mais cela n'en faisait pas pour autant la fin du monde. *Sauf qu'il y a tous ces signes étranges depuis quelques jours.* Le vieux vendeur à langue de serpent, les billes-yeux, les éclairs-avaleurs-de-gens, tout ça faisait beaucoup. En même temps, maintenant que les heures étaient passées sur ces souvenirs, Matt les estimait moins perturbants. Il devait bien y avoir une explication rationnelle à tout ça. Un truc d'adulte que Matt et ses amis ne pouvaient saisir. Oui, peut-être une drogue des terroristes dans l'eau potable de la ville et qui donnait des hallucinations ? Pourquoi pas ? On parlait sans arrêt des terroristes ! Quand il était enfant, son grand-père lui avait dit, alors qu'il pleurait parce qu'il avait peur des terroristes dont on craignait sans cesse l'attaque : « Dis-toi qu'avant les terroristes, on a eu les communistes, on a eu les nazis. Avant les nazis, on a eu les Anglais et avant les Anglais on a eu les Indiens. Bref, il a toujours fallu qu'on s'invente des ennemis dans ce pays. Et je vais te dire : certains sont devenus des amis, et les autres n'existent plus ou sont inoffensifs. Le monde est comme ça, fiston, si tu n'as pas d'ennemis, tu n'avances pas. Alors rassure-toi, et sers-t'en comme d'un moteur pour progresser dans la vie. Sois fort ! » Sur quoi sa mère lui avait dit que grand-père était un « péquenaud de républicain ». Mais ça, Matt ne l'avait pas compris et ne le comprenait pas mieux aujourd'hui, d'ailleurs. Malgré tout, la menace terroriste était plausible pour expliquer ce qu'il avait vu.

Matt se coucha avec sa lampe et toute une pile de bandes dessinées qu'il avait ressorties de ses tiroirs. Le paquet de biscuits était lui aussi parmi les draps ainsi que son épée. Matt hésita, il ne pouvait pas dormir avec elle tout de même. Qu'auraient pensé de lui Connie et Patty si elles l'avaient vu dormir avec une épée ? Elles se seraient bien moquées de lui, assurément. À son âge… *Oui, mais elles ne sont pas là*, trancha Matt.

Le vent forcit encore, et cognait à la fenêtre devenue noire aux heures de la nuit. On ne percevait aucune lumière dans la rue, aucune lueur de bougies dans les immeubles en face. Rien que la nuit opaque et la tempête hurlante.

Matt finit par s'endormir. Il fut réveillé une première fois par les Gutierrez qui s'en allaient en criant trop fort leurs remerciements, et une seconde fois, beaucoup plus tard dans la nuit, par une détonation.

Matt sursauta. Ses paupières battaient la chamade au même rythme que son cœur. On venait de tirer quelque part – était-ce dans l'appartement ? Pas un bruit, pas une lumière dans les pièces voisines. C'est alors qu'il s'en rendit compte : la tempête avait cessé. Par réflexe il regarda son réveil dont l'écran était muet : l'électricité n'était pas revenue. Sa montre affichait trois heures trente.

En tee-shirt et caleçon, Matt se leva et s'approcha de la fenêtre. L'avenue était toujours planquée dans l'obscurité. Une épaisse croûte de neige recouvrait les bords de fenêtres. Alors l'explosion percuta à nouveau le silence, loin dans la ville et pourtant considérable. Il recula d'un pas, instinctivement.

— Qu'est-ce que c'est que ce boucan ? murmura-t-il, convaincu cette fois que ce n'était pas un coup de feu.

Il revint se plaquer contre la vitre froide et scruta l'obscurité.

Un puissant flash bleu illumina l'horizon et durant une fraction de seconde les contours des buildings apparurent en ombres chinoises sur le ciel.

— Waouh ! fit-il en reculant à nouveau, cette fois sous l'effet de la surprise.

Trois éclairs simultanés déchirèrent la nuit, des éclairs *bleus*. Et aussitôt la ville au loin se mit à clignoter sous ces flashes. Matt compta une douzaine d'éclairs qui surgirent *sur* les immeubles, comme d'immenses mains qui s'y accrochaient. Puis deux fois plus, et en moins d'une minute Matt ne pouvait plus les compter. Ils ressemblaient à celui qui avait fait disparaître le clochard dans l'impasse, mais en version géante. Ils glissaient sur les murs à toute vitesse, et Matt eut l'impression qu'ils *touchaient* les parois comme on palpe un fruit pour savoir s'il est mûr avant de le manger. Pis encore : ils avançaient, ils venaient vers lui.

— Oh, non, pas ça, dit-il tout bas.

Il fallait sortir. *Et se retrouver dehors avec ces machins ? Non, pas une bonne idée.* Au contraire, il devait rester à l'abri et peut-être qu'ils passeraient au-dessus, ou à côté, sans faire de dégâts.

Matt guetta l'horizon : ils se rapprochaient très vite.

Le vent se réveilla et des volutes de neige se soulevèrent pour dessiner des tourbillons. Cette fois le vent soufflait dans *l'autre sens*. Que se passait-il ? Une autre tempête allant dans la direction opposée ?

Un coup de tonnerre fit résonner toute l'avenue lorsqu'un éclair gigantesque s'éleva du sol pour se jeter sur un immeuble de l'autre côté de la rue. Matt vit l'énorme arc électrique grimper de fenêtre en fenêtre et lancer ses tentacules crépitants pour les atteindre le plus vite possible. *C'est une grosse main !*

C'est ça ! Une grosse main ! Et alors, tandis qu'il croyait avoir vu le plus terrifiant, Matt découvrit en plissant les yeux que les extrémités de l'éclair ne faisaient pas qu'escalader l'immeuble, elles entraient par les fenêtres, qui explosaient, et ressortaient aussitôt en laissant une fumée blanche dans leur sillage.

Ce truc est en train de volatiliser les gens ! Comme le clochard ce matin !

Ils allaient tous se faire absorber. Disparaître en une fraction de seconde. Matt bondit sur son pantalon qu'il enfila à la hâte et il enfonça ses pieds dans ses chaussures sans prendre le temps de mettre des chaussettes. Il ne savait pas où aller, mais il ne fallait pas rester là, peut-être que dans le couloir il serait protégé de ces infâmes…

Un autre claquement féroce le fit sursauter alors qu'un nouvel éclair venait d'apparaître sur la façade juste en face de la sienne.

Survivre n'était plus qu'une question de temps.

Prévenir ses parents.

Un flash bleu l'aveugla et le plancher se mit à trembler. Un grondement monta depuis les fondations de l'immeuble. Un éclair était sur eux, en train de grimper vers Matt, dévorant les gens d'étage en étage.

— Pas le temps ! dit-il tout haut en voyant son manteau dans un coin de la pièce.

Il se précipita dans le corridor, son père dormait sur le canapé du salon, sa mère dans leur chambre. *Vite !*

Les murs aussi se mirent à trembler, le grondement devint plus fort, assourdissant.

Et juste avant que Matt n'entre dans le salon, les fenêtres explosèrent.

L'éclair dévasta tout, accompagné par un vent phénoménal qui hurlait, traversa l'appartement de part en part. Lorsqu'il arriva sur Matt, le garçon eut à peine le temps de mettre les mains devant son visage pour se protéger qu'il le foudroya et repartit en laissant une épaisse fumée blanche derrière lui.

4

Autre monde

Le froid le réveilla. Matt ouvrit difficilement les yeux, ses paupières étaient lourdes, son corps courbatu comme s'il avait couru un marathon la veille. Il prit conscience du froid qui l'enveloppait.

Où était-il ? Que s'était-il passé ?

Soudain, la confrontation implacable avec l'éclair lui revint en mémoire et Matt se redressa trop vite. Sa tête se mit à tourner, il posa une main sur le mur du couloir pour se retenir. Il faisait jour, une lumière de petit matin. Le parquet était glacé. Un courant d'air souleva des papiers devant lui, ils flottaient mollement dans l'appartement, à la manière de nuages égarés. Matt se leva et marcha vers le salon, un nœud dans l'estomac. Qu'était-il arrivé à ses parents ? Le salon était dans un tel état qu'un troupeau d'éléphants n'aurait pas fait plus de dégâts en le traversant. Tout était renversé, les livres éparpillés avec la vaisselle, les bibelots brisés au pied des meubles dont certains étaient tombés. Matt reconnut un caleçon et un vieux tee-shirt des Rangers qui traînaient sur le sofa : les affaires que son père portait souvent pour dormir. La grande baie vitrée n'existait plus, le vent de l'avenue s'engouffrait dans l'appartement, avec les flocons de neige. Matt avala sa salive. Il fit demi-tour et se rendit dans la chambre de ses parents. Vide également, et dévastée. Il visita toutes les pièces désertes. Pas une fenêtre n'était intacte et, bien, qu'anesthésié par l'émotion, Matt grelottait. Dans le lit où dormait sa mère il tira les draps : la chemise de nuit était à peine froissée, au milieu du matelas. *Comme avec le clochard dans la ruelle… il ne reste plus que les vêtements !* Matt secoua la tête, pour chasser les larmes. Il ne voulait pas y croire. *Non, ils sont quelque part, peut-être chez les Gutierrez ou chez Maât !* Tout ça ressemblait à un cauchemar. Il se précipita dans le couloir et sonna aux autres portes, puis, comme il n'obtenait pas de réponse, il tambourina dessus.

Personne n'ouvrit.

Matt ne percevait pas le moindre son, pas une trace de vie. Se pouvait-il qu'il soit le seul rescapé ? *Pas ça, pitié, pas ça,* se dit-il sans adresser sa prière à quiconque.

Il retourna chez lui, prit le téléphone : aucune tonalité, et pas davantage avec le téléphone portable. La télé non plus ne fonctionnait pas, l'électricité n'était toujours pas revenue. Il se pencha par la baie désormais ouverte sur le vide. Vingt-trois étages plus bas, l'avenue semblait l'aspirer. Matt se retint au chambranle. La neige tapissait le paysage, plus aucune voiture n'était visible, rien d'autre qu'un épais molleton blanc. Toute la ville était-elle touchée ? Tout le pays ?

Qu'allait-il faire ? Son ventre se creusa et la panique remonta jusqu'à sa gorge, accompagnée d'un flot de larmes qui remplirent ses yeux. QU'ALLAIT-IL FAIRE ?

Matt sentit ses jambes perdre toute force, il se laissa glisser au sol. Ses joues étaient si froides qu'il ne sentit pas les larmes ruisseler. C'était la fin, la fin de toute chose sur Terre. Matt se recroquevilla et se mit à trembler.

Après un moment, les larmes s'étaient taries. Son corps voulait vivre, il luttait. Et soudain, le jeune garçon prit conscience de la vie qui brûlait encore en lui. La vie et l'espoir. Que savait-il de l'extérieur ? Que savait-il de ce que devenaient les gens dévorés par les éclairs ? Et s'ils vivaient encore, quelque part ? *Et s'ils n'avaient pas disparu, s'ils étaient tous en bas ou à l'abri dans un gymnase, quelque chose dans ce genre ?* Cela lui semblait peu probable, jamais ses parents ne l'auraient abandonné ici. *Il faut que j'aille voir. Il y a forcément du monde dans les rues.*

La température avait anesthésié la panique et la peur en lui. Matt essaya de bouger, il eut un mal fou à se relever. Se couvrir, se réchauffer, voilà quelles étaient ses priorités. À ce moment un cri monta de l'avenue, un cri d'enfant, un cri de terreur, qui disparut aussitôt qu'entendu. Matt se pencha à nouveau, parcouru d'un frisson, sans rien remarquer de particulier. Pourtant cet enfant avait vu ou subi quelque chose de terrible pour pousser un cri pareil.

Seule bonne nouvelle à en déduire : il n'était pas seul.

Matt retourna dans sa chambre, s'emmitoufla dans une couverture de laine pour retrouver de la chaleur et s'assit sur son lit pour réfléchir. D'abord il devait descendre, peut-être qu'il croiserait des résidents dans les étages – il emprunterait l'escalier de service, hors de question d'utiliser l'ascenseur, car même s'il fonctionnait encore, ce dont Matt doutait fort, le risque de se retrouver coincé pour le reste de ses jours ne le tentait pas. S'il ne croisait aucun de ses voisins, alors il patrouillerait à la recherche de survivants. *Pas ce mot, « survivant » voudrait dire que tous les autres étaient morts, et ça je n'en sais rien, peut-être qu'ils sont… ailleurs.* Le visage de ses parents revint titiller son chagrin, mais il le chassa, il lui fallait trouver la clef du mystère pour… les sauver ?

Matt voulut vérifier l'heure à sa montre et constata qu'elle ne fonctionnait plus. Il pesta et la défit de son poignet pour l'abandonner sur son bureau.

Il fallait s'équiper, ne rien oublier, car il ne regrimperait pas de sitôt les vingt-trois étages ! De quoi avait-il besoin ? Vêtements chauds, lampe torche, un peu d'eau et de nourriture pour reprendre des forces dans la journée. *Des pansements !* songea-t-il. *Pour soigner d'éventuels blessés.* Oui, mais que pourrait-il soigner avec de simples pansements ? *Et une arme !* Que pouvait-il rencontrer une fois en bas ? *C'est pas à New York qu'on risque de se faire attaquer par un ours !* Pourtant il en prendrait une. Il se tourna et caressa la lame de son épée. Elle ferait l'affaire.

Il attendit encore un quart d'heure, afin de bien se réchauffer, lorsqu'une vitrine éclata dans la rue. Il alla voir par sa fenêtre et resta une longue minute à scruter sans rien apercevoir.

Allez, il faut y aller. Il enfila un gros pull à col roulé noir, son manteau mi-long, pas assez chaud pour ce genre de climat, mais qui avait l'avantage d'être sous la main, et prit ses gants. Il s'équipa de sa besace en tissu dans laquelle il enfourna le paquet de biscuits de la veille, une bouteille d'eau et les trois pommes qu'il dénicha dans le frigo. Lampe torche et pansements terminèrent de la remplir.

Enfin, Matt saisit l'étui en cuir et les lanières qu'il avait prévu d'accrocher au mur et les sangla dans son dos pour y glisser l'épée. Il remua les épaules pour s'habituer à son poids. Il était fin prêt.

En moins d'une heure, il était passé du désespoir à la détermination. Sans se rendre compte que ses nerfs passaient d'une émotion à l'autre avec une facilité qui aurait dû l'alarmer. Un adulte aurait compris qu'il frôlait la crise de nerfs.

Matt sortit de l'appartement et se rendit sur le palier de Maât. Il frappa plusieurs fois et l'appela :

— Maât ! C'est moi, le petit Matt ! Allez, ouvre-moi !

Curieusement, alors qu'il attendait dans la pénombre, une salve de souvenirs agréables le toucha, concernant celle qui avait été sa baby-sitter, et parfois même sa nourrice. Elle lui répétait qu'ils étaient faits pour s'entendre. Seule Maât pouvait comprendre Matt. Ces derniers mois – depuis son retour de vacances avec le cousin Ted – il l'avait presque évitée, sa douceur et son attention le renvoyaient trop à l'enfant qu'il avait été, celui-là même qu'il tentait de fuir. Pourtant, en cet instant, il aurait donné n'importe quoi pour la voir surgir et pour qu'elle le prenne dans ses bras.

Matt insista encore, longtemps, avant de se résoudre à partir.

Il se tourna vers la porte des escaliers qu'il poussa. La cage était plongée dans une obscurité profonde. Aucune lumière, pas un bruit, sauf celui du vent qui ressemblait au hurlement d'un loup en passant sous les portes.

— C'est le moment de prouver ta valeur, s'encouragea Matt en allumant sa torche.

Il s'élança en tenant la rambarde d'une main. L'épée n'était pas pratique, elle trépidait à chaque marche et son poids semblait doubler à chaque soubresaut. Matt se mit à parler à voix haute pour se rassurer :

— Je vais commencer par aller chez Tobias. Ensuite chez Newton, et peut-être qu'en chemin je croiserai des gens.

La lampe découpait un cône blanc devant lui, et Matt ne tarda pas à découvrir ce qui le mettait mal à l'aise : *tout ce qu'il ne pouvait pas voir.* Or, dans une cage d'escalier comme celle-ci, il ne pouvait rien voir. Les paliers se succédaient au fil des gros chiffres rouges. 19… 18… 17…

Soudain, une porte grinça plusieurs niveaux en dessous et claqua.

Matt s'immobilisa.

— Il y a quelqu'un ? demanda-t-il sans y mettre beaucoup de cœur.

Pas de réponse, rien que le vent hurlant à la mort.

— Il y a quelqu'un ? répéta-t-il, plus fort cette fois. Je suis Matt Carter, de l'appartement 2306.

Sa voix résonna, se répercuta sur les trente étages de marches en béton, et il eut l'impression qu'une dizaine de garçons posaient la même question.

Toujours pas de réponse.

Matt finit par reprendre sa descente, intrigué. Était-ce le vent qui avait fait s'ouvrir une porte ? Probablement.

15… 14… 13…

Matt allait atteindre le palier suivant lorsqu'un grognement le fit stopper, le pied en arrêt. Il braqua sa lampe vers l'origine du bruit et un caniche blanc apparut.

— Qu'est-ce que tu fais là, toi ? T'es perdu, c'est ça ?

Le caniche était assis et le guettait de ses billes noires. Matt s'approcha et, brutalement, les babines du chien se relevèrent sur des rangées de petites dents pointues.

— OK, je te laisse tranquille ! On se calme ! Gentil !

Mais le caniche se jeta sur le garçon. Matt bondit en arrière tandis que les mâchoires se refermaient sur son jean. Le chien était accroché à lui et grognait, un grondement guttural comme

Matt n'en avait jamais entendu. C'était très surprenant pour un chien, surtout de cette taille.

Sous l'emprise de la peur, Matt lança sa jambe pour le faire lâcher. Le petit monstre retomba au sol et, sur un réflexe aussi salvateur que cruel, Matt shoota dedans, d'un coup de pied magistral qui propulsa le chien sous la rambarde, happé par douze étages de vide.

Matt porta la main à sa bouche et entendit un son horrible, un choc mou et liquide. Le chien n'avait même pas couiné.

— Qu'est-ce que j'ai fait ? s'affola-t-il.

Il venait de tuer un caniche. Il fut pris d'un tel sentiment de culpabilité qu'il faillit se mettre à pleurer, mais il revit le contexte. Le chien l'avait attaqué. Il s'était défendu. Oui, c'était ça, de la « légitime défense » comme on disait sur la chaîne diffusant des procès toute la journée. Matt se secoua, inspira un grand bol d'air et se remit en route.

Parvenu au rez-de-chaussée, il aurait tout donné pour ne pas avoir à contempler le cadavre sanglant du chien, juste sous ses yeux. Le jeune garçon détourna la tête et se précipita dans le hall.

Personne en vue. Les portes de l'immeuble étaient closes. Matt en tira une, aussitôt une vague de neige se déversa à ses pieds et le vent glacial le saisit. Sous ses yeux, une étendue vierge d'environ cinquante centimètres d'épaisseur. Marcher dans de telles conditions s'annonçait éprouvant.

— Ça commence bien, décidément, grinça-t-il.

Il parvint à sortir et chaque pas ne tarda pas à confirmer sa prédiction : c'était infernal. Il était obligé d'allonger sa foulée, enfoncé jusqu'aux cuisses. Et puis deux éléments ne tardèrent pas à l'inquiéter : d'une part le ciel gris dont les nuages étaient si bas qu'ils faisaient disparaître le sommet des buildings les plus hauts, d'autre part l'improbable silence qui régnait sur la ville. Cette ville bruyante à toute heure du jour et de la nuit, et où il n'entendait rien d'autre que le hululement des rafales entre les profondes artères. Ce silence dans un paysage d'acier et de verre créait un paradoxe angoissant. Et puis autre chose aussi, qu'il n'arrivait pas à définir, ne parvenait pas à identifier, mais qui planait là autour de lui.

Devant le restaurant qui faisait l'angle de la rue, Matt poussa la porte du petit local toujours plein en temps normal. Des vêtements gisaient éparpillés sur le sol. Chaussures, chaussettes, sous-vêtements. Il ne manquait que les corps à l'intérieur.

Matt serra les dents ; malgré ça, les sanglots montèrent et il se mit à pleurer, appuyé contre le bar. Où étaient-ils tous ? Qu'étaient devenus ses parents ? ses voisins ? les millions d'habitants de cette ville ?

Lorsqu'il se fut délivré de son émotion, Matt sortit sans un regard derrière lui. Il avait encore l'espoir de croiser d'autres rescapés, tout ce qu'il demandait pour tenir le coup était de ne pas revoir des vêtements échoués partout, ça lui faisait penser à des fantômes et il ne le supportait pas.

Matt mit une demi-heure pour rejoindre la maison de Tobias, alors qu'il ne fallait pas cinq minutes en temps normal. Il allait entrer dans le bâtiment lorsqu'un bruissement dans la neige attira son attention : à une cinquantaine de mètres, des flocons s'envolaient et une forme essayait de s'extraire de la neige. *Un chien*, devina-t-il. De grande taille. *S'il est comme le caniche de tout à l'heure, mieux vaut ne pas l'attendre.* Matt se hâta de se mettre à l'abri.

La cage d'escalier était comme chez lui : aussi sombre qu'un trou de taupe. *C'est reparti*, soupira-t-il. Il monta jusqu'à l'étage de Tobias et cette fois ne fut pas attaqué, bien qu'au sixième il entendît un chat s'énerver contre la porte avec une rage qui lui fit grimper les marches quatre à quatre. Si le monde était devenu fou en quelques heures, une chose demeurait la même : monter douze étages faisait toujours aussi mal aux cuisses et aux mollets !

Le couloir ne disposait d'aucune ouverture sur l'extérieur si bien qu'il dut garder sa torche allumée contre lui. S'il se passait quoi que ce soit, il ne pourrait pas saisir son épée *et* la lampe en même temps, l'arme était bien trop lourde pour être manipulée d'une seule main. *Aucune raison pour que ça se passe mal*, se rassura-t-il.

Il fila jusqu'à la porte de Tobias et sonna tout en frappant. Comme il n'obtenait aucune réponse, il cria :

— Tobias, c'est moi, Matt ! Ouvre ! Allez, s'te plaît, dépêche-toi.

Mais rien ne vint, et Matt fut contraint de se rendre à l'évidence : Tobias également avait disparu.

— C'est pas vrai, dit-il en sentant sa gorge se serrer et les larmes remonter. Je ne veux pas rester tout seul.

Un grognement sourd surgit dans son dos, semblable à celui d'un ours ou d'un lion. En provenance de l'appartement d'en face.

Matt se raidit.

Puis la porte qui retenait la... *chose* résonna comme si on l'enfonçait de l'intérieur. Matt se résuma la situation : un animal sauvage allait surgir d'un moment à l'autre qui se trouverait entre lui et l'escalier de secours.

La porte trembla sur ses gonds, prête à s'effondrer.

Matt n'avait plus le temps de passer devant pour fuir. Il avisa l'autre côté : un mur, sans issue. Il secoua la tête. Il était pris au piège.

La porte vola en éclats et une ombre imposante sauta sur le seuil.

Ni tout à fait humaine, ni tout à fait animale.

5

Des mutants

Matt sentit ses jambes se dérober sous lui et tomba à la renverse. Pendant une seconde, il crut que c'était l'émotion qui l'avait privé de ses forces, avant de comprendre qu'il était tombé *dans* l'appartement de Tobias. La porte s'était ouverte tandis qu'il s'appuyait contre elle.

Tobias le dominait, le regardant avec une curiosité teintée d'incrédulité. La chose dans le couloir grogna à nouveau et Tobias releva la tête, épouvanté. Des pas lourds se rapprochaient. Matt roula sur la moquette malgré son équipement et Tobias put refermer en tirant tous les verrous.

— Ce truc vient de défoncer l'entrée d'un appart, faut filer ! s'écria Matt.

— Mes-parents-ont-remplacé-la-porte-après-notre-cambriolage-l'été-dernier, celle-ci-est-blindée, tu-crois-que-ça-suffira ? demanda Tobias à toute vitesse, sans même respirer.

Matt se releva.

— On va pas tarder à le savoir.

Et en effet, elle se mit à trembler tandis qu'on l'ébranlait à grands coups.

— C'est quoi, ce... ce... truc ? fit Matt. Ça ressemble à ces chiens tout froissés, ceux qui ont trop de peau, des...

— Sharpei, compléta Tobias, défiguré par la peur.

— C'est ça. On dirait un homme avec une peau de sharpei qui a chopé une maladie de crapaud. Il était couvert de pustules...

Tobias avait la bouche ouverte, les yeux exorbités, et ses mains tremblaient.

— Oh, Tobias, ça va ?

L'interpellé hocha la tête. Néanmoins Matt comprit qu'il était en état de choc.

— T'as vu dehors ? s'enquit le cadet.

— Ça oui, j'en viens.

— C'est... c'est la fin du monde ?

Matt déglutit. Que pouvait-il répondre ? Qu'en savait-il, lui, de ce que c'était ? Il hésita. Son ami n'allait pas bien. Moins bien que lui-même en tout cas. Il se devait de montrer l'exemple.

— Non, non, puisqu'on est encore là. Si c'était la fin du monde, on ne serait pas en train d'en parler, tu ne crois pas ?

Tobias approuva sans conviction. Il leva le bras et désigna la porte qui conduisait à la cuisine :

— Il y a un... *mutant* comme celui du couloir là-derrière. Quand je me suis réveillé ce matin, il était là. J'ai réussi à fermer avant qu'il sorte.

Ce fut au tour de Matt d'écarquiller les yeux.

— Quoi ? Tu veux dire qu'ils sont deux ?

— Celui de la cuisine est moins agressif, mais il a quand même essayé de me lancer un couteau. Je crois qu'ils sont... maladroits.

Maintenant que la tension était retombée d'un cran, Tobias articulait lentement.

— Écoute, Matt, j'ai un mauvais pressentiment. Tu vois, quand je l'ai vu là, ce matin, en train de se goinfrer, la tête dans le frigo, j'ai... j'ai eu l'impression que c'était mon père.

Ses yeux s'embuèrent de larmes.

Matt le regarda, sans un mot.

— Il avait les mêmes habits, précisa Tobias, sans retenir ses larmes. C'était... c'était un homme-sharpeï noir, avec les fringues de mon père ! Tu vois...

Matt fit alors ce qu'il n'aurait jamais cru possible en d'autres circonstances : il prit son ami dans ses bras et lui tapota affectueusement le dos.

— Comme dirait mon grand-père : vas-y, pleure un bon coup, ça ira mieux après, c'est comme quand on pète.

Tobias fut secoué d'un fou rire nerveux, incontrôlable.

— En même temps, je sais pas si on peut croire un « péquenaud de républicain », ajouta Matt en le libérant.

Tobias pouffa encore avant d'avouer :

— Je sais pas ce que c'est qu'un « péquenaud de républicain ».

— À vrai dire : moi non plus.

Et ils rirent de nouveau, d'un rire qui leur faisait du bien et du mal, les nerfs à bout.

— Faut qu'on trouve un moyen de sortir d'ici, exposa Matt lorsqu'ils se furent calmés. On ne peut pas attendre que le… mutant, comme tu dis, sorte, on serait coincés entre celui-là et l'autre.

— Et tu veux aller où ?

— Si toi et moi sommes encore là, peut-être que Newton aussi est passé au travers.

— Et après ?

— J'en sais rien, Tobias, on verra à ce moment-là, chaque chose en son temps. Déjà il faudrait pouvoir sortir. Les escaliers de secours, à l'extérieur, on peut y accéder ?

— Non, c'est par le local poubelle, dans le couloir. Faudrait passer devant le mutant. (Une petite étincelle se mit à briller dans son regard :) Attends ! Par la fenêtre des toilettes, on peut sauter sur la passerelle.

Matt remarqua tout à coup qu'aucune fenêtre n'était brisée.

— Il n'y a pas eu d'éclairs chez toi ?

— Cette nuit ? Plein tu veux dire ! Enfin, pas dans l'appartement, mais partout en ville, et sur l'immeuble, ça claquait de tous les côtés. À un moment il y a eu un énorme flash et j'ai perdu connaissance. Je me suis réveillé tout à l'heure. Plus rien ne marche, ni les téléphones, ni aucun appareil électrique.

Matt fit signe qu'il comprenait et préféra faire diversion en voyant les larmes embuer à nouveau les yeux de son camarade :

— Tu as des fringues chaudes ? demanda-t-il en avisant le pyjama de Tobias.

— Oui. J'y vais… Attends-moi là, lança-t-il en séchant ses yeux.

— Prends aussi une lampe si tu en as une.

Matt allait l'inciter à se munir de provisions mais se ravisa en songeant à ce qui se terrait dans la cuisine. *Il dit que c'est peut-être son père ! Il y aurait donc des gens disparus et d'autres*

*qui se seraient… métamorphosés en hommes-sharpei-crapauds, en
mutants.* Et Matt se demanda si les habitations qui n'avaient
pas été transpercées par les éclairs étaient toutes peuplées de
mutants, et si les autres s'étaient tous fait vaporiser. Il songea,
une fois encore, à ses parents, et la boule douloureuse resurgit
dans sa gorge. Que leur était-il arrivé ? Il dut déglutir plusieurs
fois pour chasser les sanglots qui couvaient.

Matt attendit cinq minutes durant lesquelles il entendit
le mutant du couloir frapper les murs et grogner avant d'en
déduire qu'il se cognait ! *Ce machin ne voit pas dans le noir !*

Tobias revint, engoncé dans un duffle-coat recouvert d'un
ciré vert. Matt voulut objecter que c'était un peu trop mais préféra s'abstenir. Tobias devait faire à sa manière.

— J'ai mon matériel de scout là-dedans, révéla-t-il en tapotant son sac à dos.

— Parfait, on y va.

Ils firent selon leur plan, et tout se déroula pour le mieux,
ce qui n'était pas pour déplaire à Matt. Il avait craint de devoir
passer la nuit à surveiller la porte de la cuisine.

Dans la rue, de la neige au-dessus des genoux, ils marchèrent en direction de chez Newton. Après une heure d'efforts, ils avaient parcouru les trois quarts du chemin, en sueur,
haletants.

Ce fut Tobias qui les repéra le premier :

— Là-bas ! s'écria-t-il. D'autres personnes !

— Ne crie pas, si c'est des mutants j'ai pas envie qu'ils nous
repèrent.

Matt ne parvenait pas à les identifier. Tobias sortit une paire
de jumelles flambant neuves de son sac et fit le point. Il n'arrivait pas à croire qu'ils erraient dans New York, avec tout ce
silence, toute cette neige, et pas un être vivant en vue… jusqu'à
cet instant.

— Eh bah ça alors… ! s'exclama-t-il. Ce sont des enfants.
Attends, il y a deux, non, trois adolescents avec eux. Ils sont au
moins dix.

— Pas d'adultes ?

— Je n'en vois aucun.

Matt se mit alors à crier de toutes ses forces dans leur direction.

— Ils n'ont pas l'air d'entendre, remarqua Tobias, toujours rivé à ses jumelles.

— Normal, ils sont trop loin et le vent souffle contre nous.

— On essaye de les rejoindre ?

— Impossible. Ils ont bien trop d'avance, et avec toute cette neige on ne pourra jamais les rattraper. Restons-en à notre plan, conclut-il avec une pointe de regret dans la voix.

Tobias rangea ses jumelles et il reprit la cadence, en jetant de brefs regards vers les formes qui disparurent à l'angle d'une rue lointaine.

— Tu crois vraiment qu'il n'y a plus aucun adulte ? demanda Tobias après un temps.

— Je n'en sais rien. Je préfère ne pas y penser.

Ils arrivèrent devant chez Newton et montèrent avec prudence. Ils sillonnèrent tout l'étage sans rien trouver. Toutes les fenêtres étaient brisées. Dans son lit en désordre, un caleçon et un tee-shirt étaient abandonnés.

— Peut-être qu'il s'est caché quelque part ? hasarda Tobias.

— Je ne crois pas, fit sombrement Matt en considérant les vêtements sur le lit.

Leur ami avait été vaporisé, comme les autres, par ces éclairs étranges.

— On fait quoi maintenant ?

Matt haussa les épaules.

— On ferait mieux de sortir et de partir à la recherche d'autres personnes, plus on sera nombreux, mieux ce sera. Peut-être qu'en rassemblant un maximum de témoignages on parviendra à comprendre ce qui s'est passé.

— Tu crois que des gens ont échappé aux… trucs ?

— Oui, ce groupe qu'on a croisé en est la preuve. Toi et moi aussi.

Réalisant qu'il n'avait rien absorbé depuis la veille et que la faim commençait à le tenailler, Matt ajouta :

— Il ne doit pas être loin de midi, on va déjà manger un morceau.

— Je ne suis pas certain de pouvoir avaler…

— Force-toi, le coupa Matt. Avec les efforts qu'il faudra fournir dans la neige, tu auras besoin de tes forces.

Ils confectionnèrent des sandwiches avec ce qu'ils débusquèrent dans le frigo : jambon et fromage. Après quoi, Matt prit le temps de tartiner le pain de mie de beurre de cacahuètes.

— Ça, au moins, ça nous tiendra au ventre.

Et ils redescendirent dans la rue.

— Dans quelle direction ? demanda Tobias.

— Nous ne sommes pas loin de l'East River, on va y jeter un coup d'œil. Là-bas on pourra voir l'autre côté du fleuve, si les quartiers du Queens et de Brooklyn sont touchés.

Tobias approuva vivement. L'idée que tout puisse être comme avant dans le reste de la ville semblait lui plaire.

Ils avancèrent péniblement, levant haut les jambes.

Au bout d'un moment, Tobias fit remarquer :

— Tu as vu, on dirait que tout ce qui roule a disparu ?

Matt se frappa le front avec son gant. Voilà ce qui le dérangeait sans réussir à mettre des mots dessus. Les rues étaient totalement vides !

— Dire que je n'y avais même pas fait attention ! Où donc sont passées les voitures ?

— Et si les éclairs ne vaporisaient pas que les gens ?

Matt approuva. Oui, ça ne pouvait qu'être ça. *Les êtres vivants et les voitures*, se dit-il sans parvenir à y croire pleinement. *C'est complètement dingue cette histoire. Je dois être en train de dormir, je vais bientôt me réveiller et tout sera normal.* Aussitôt, la voix de la raison le remit en phase avec la réalité : *Non, non, non. Tout ça est bien réel. As-tu déjà eu si froid en dormant ? Et les rêves ne durent jamais très longtemps, là ça fait déjà plusieurs heures… tout est vrai !*

Le vent devint plus vif lorsqu'ils se rapprochèrent du fleuve, irritant les joues de sa langue glaciale. L'East River apparut entre deux immeubles : un large ruban d'eau sombre ; sur la rive opposée le quartier du Queens paraissait aussi tranquille que le leur.

— Ça n'a pas l'air plus vivant en face, fit remarquer Tobias sans masquer sa déception.

Matt se contenta de scruter les façades lointaines, à plusieurs centaines de mètres de distance.

— Tu peux me passer tes jumelles ? réclama-t-il soudain.

Tobias s'exécuta et Matt les orienta vers un petit parc, de l'autre côté du fleuve. Il avait vu juste : trois individus se cachaient derrière un arbre, accroupis. En sondant les environs, Matt ne tarda pas à repérer ce qu'ils craignaient : un mutant, penché en avant, marchait lentement, comme s'il cherchait quelqu'un. Impossible de les prévenir, ils étaient beaucoup trop loin.

— Qu'est-ce qu'il y a ? s'impatienta Tobias.

— Je vois trois personnes. Attends... elles se sont relevées. Ce sont des ados, non, avec un enfant, moins de dix ans. Ils se mettent à courir, un mutant aux baskets.

Tobias se redressa :

— Il va leur tomber dessus ?

Matt patienta quelques secondes avant de répondre :

— Non... ils sont rapides et pas lui. (Il rendit les jumelles à son camarade.) Bon, au moins on est fixés sur le reste de la ville, c'est partout pareil.

— Tu crois que *le monde entier* s'est transformé ?

Voulant éviter que Tobias ne sombre à nouveau dans les larmes – et pas sûr de tenir lui-même –, Matt se voulut aussi optimiste que possible :

— Pour l'instant on n'en sait rien. Peut-être tout l'État, peut-être pas. Et même si tout le pays a disparu, on ne sait pas ce qu'il en est de l'Amérique du Sud, et même de l'Europe. Tôt ou tard, les secours arriveront.

Tobias fixait Matt, lèvres plissées, ne sachant s'il devait croire son ami ou non. Soudain son regard dévia et alla se poser au loin, sur l'immense pont qui reliait Manhattan au Queens. Il s'empressa de regarder dans ses jumelles. Sa bouche s'ouvrit toute grande.

— Oh, non, c'est pas vrai, furent ses premiers mots.

6

Un château dans la ville

Le visage de Tobias avait beau être pâle depuis le début du cataclysme, cette fois Matt le vit devenir crayeux.

— Quoi ? jeta-t-il, oppressé.

— Le pont… il… il… il est infesté de mutants ! bafouilla Tobias sans lâcher ses jumelles. Au moins… cent ! Mais… ils sont cinglés ! Ils se tapent dessus… ça grouille !

— D'accord, au moins on le sait : ne pas s'approcher du pont, tenta de relativiser Matt.

— Et si c'était comme ça avec tous les autres ponts ? Manhattan est une île, non ? On va rester coincés ici jusqu'à ce qu'ils finissent par nous trouver ?

Matt leva les mains en signe d'apaisement :

— Tobias, il faut que tu te contrôles, c'est important. Si on panique, on ne s'en sortira pas. OK ?

Tobias rangea ses jumelles en hochant la tête.

— Oui, tu as raison. Je me contrôle. Je me contrôle.

Matt n'était pas sûr qu'il tienne longtemps en se le répétant, mais si ça pouvait marcher au moins quelques heures, c'était bon à prendre. Le temps de trouver un abri, et d'autres rescapés, espérait-il. *L'union fait la force, non ? Faut qu'on se regroupe, le plus possible.*

— Tu sais quoi ? dit-il. On va retourner au cœur de la ville et chercher un endroit où se cacher. Avec un peu de chance, sur le chemin, on croisera les autres…

Il s'interrompit en voyant le visage grimaçant de Tobias.

— Qu'est-ce qu'il y a ?

— Tu vois, je me contrôle, hein ? articula-t-il, crispé des pieds à la tête.

Tobias commençait à lui faire peur. Matt capta son regard, le suivit, et se retourna.

Au loin, vers le nord, tout l'horizon était noir. Non pas comme des nuages, mais à la manière d'un *mur* de ténèbres qui avançait.

— Oh ! la vache ! murmura Matt.

Des dizaines d'éclairs serpentaient à l'intérieur et, contrairement aux orages habituels, ils ne disparaissaient pas après une ou deux secondes, bien au contraire, ils continuaient de briller pendant qu'ils se déplaçaient sur le sol.

— On dirait… on dirait qu'ils *fouillent* les rues ! constata Matt.

— Et ils viennent par ici.

Le mur était encore loin et n'avançait pas vite. Matt estima qu'ils disposaient peut-être d'une heure avant qu'il ne soit sur eux.

— J'ai une idée ! s'exclama Tobias, on n'a qu'à aller à la banque où travaille mon père ! Il y a un énorme coffre-fort au sous-sol, je parie qu'avec tout ce qui s'est passé et l'absence d'électricité, fini ! plus d'alarme ni rien, on devrait pouvoir s'y abriter. Ces fichus éclairs ne pourront descendre aussi bas dans la terre et traverser la porte.

— Faut pas rêver, on ne pourra jamais entrer là-dedans, il doit être verrouillé ton coffre !

— Non, justement, mon père m'a raconté qu'en ce moment ils faisaient des travaux, plus d'argent, plus rien, il est grand ouvert !

Matt ne semblait pas convaincu mais le grondement qui cette fois roula jusqu'à eux lui rappela l'urgence de la situation.

— Ça marche, céda-t-il. Faut pas traîner, on y va à pleine vitesse.

— Si on veut prendre le chemin le plus rapide, faut traverser Central Park.

Matt se crispa. Sillonner l'immense parc qui découpait une bande de végétation dense au milieu de la ville ne l'enthousiasmait guère. En pleine journée, l'endroit pouvait parfois être angoissant avec ses labyrinthes de sentiers, son lac d'eau grise et ses rochers aiguisés, alors maintenant que tout était possible, il n'osait imaginer ce qu'ils pourraient croiser !

— On ne traînera pas, dit-il, c'est drôlement sauvage là-bas.

Ils échangèrent un regard entendu et se mirent aussitôt en route. La banque était à plusieurs kilomètres, il fallait se presser.

Chemin faisant, Tobias demanda :

— Nos parents, tu crois qu'ils sont…

— Toby, je préfère ne pas en parler. Pas maintenant.

— D'accord. Je comprends.

Leurs souffles cadencés exhalaient des bouffées de vapeur qui s'évaporaient, s'accélérant à mesure que leur vitesse augmentait. Ils débouchèrent dans la Cinquième Avenue qui bordait Central Park et Matt fut stupéfait de ne découvrir aucun véhicule sur cet axe qui perforait la ville de part en part. Rien qu'un goulet d'acier et de verre, avec son molleton de neige, et personne en vue.

Où sont donc passées toutes les voitures ? Quel genre de tempête *peut vaporiser les gens et tous les engins en laissant le reste ?* s'interrogea Matt.

En y regardant de plus près, il s'avéra que ce n'était pas tout à fait vrai : des formes humaines se déplaçaient très loin au sud. Les jumelles le confirmèrent : un groupe de personnes avançait lentement vers eux, à plusieurs kilomètres.

— De mieux en mieux, ironisa Matt. Ce sont des mutants, ils sont encore à bonne distance, mais il ne faut pas rester là, sans quoi on sera pris en tenaille entre eux et la tempête.

La lisière du vaste bois était pleine d'ombres tremblantes.

Matt savait que, même en le traversant dans sa largeur, il fallait couvrir un kilomètre, ce qu'il estimait très long pour un endroit aussi peu accueillant.

Lorsqu'ils s'engagèrent dans l'avenue, ils furent entraînés par un vent puissant qui leur plaqua les vêtements au corps. Ils passèrent de l'autre côté malgré tout, escaladèrent un petit muret pour déboucher dans le parc, et aussitôt le souffle rugissant s'estompa. Ici la neige avait été en grande partie repoussée par les frondaisons des arbres et elle ne montait pas plus haut que le mollet, ce qui soulagea les deux garçons aux jambes douloureuses.

— Je propose qu'on longe l'avenue vers le sud pour contourner le lac, ensuite on pivotera pour ne pas tomber sur les mutants et, au cœur du parc, on débouchera non loin de la banque, ça te va ? suggéra Matt.

Tobias s'en remettait totalement à son compagnon, il avait l'impression que son propre esprit ne discernait plus la réalité avec la même acuité que d'habitude. Était-ce cela « l'état de choc » ? Ou tout simplement la fatigue ?

Au grand soulagement de Matt, ils ne virent rien d'alarmant dans les profondeurs de Central Park. Ce qui était bien plus troublant, en revanche, provenait du nord, sous la forme d'une montagne d'encre qui emplissait tout le ciel et se rapprochait, avec ses éclairs qui sondaient les rues.

— Faut presser le pas, ordonna-t-il.

Matt ne savait plus si le vent s'était réellement calmé ou s'ils étaient à l'abri de la végétation, néanmoins il appréciait ce répit, marcher contre les rafales glaciales les avait épuisés, sans parler du sifflement qui bourdonnait encore à leurs tympans.

Soudain la forêt s'illumina d'un flash bleu qui retomba aussitôt.

— Oh, non, gémit Tobias. Les éclairs ! Ils sont déjà là !

— Plus vite, Toby, plus vite.

Ils forcèrent sur leurs jambes lourdes, zigzaguant entre les troncs bruns. La lumière déclinait alors qu'il ne devait pas être plus de trois heures de l'après-midi. Le mur noir commençait à les surplomber. Matt les guidait depuis qu'ils avaient quitté le chemin, il s'en remettait à son sens de l'orientation, espérant ne pas se tromper. Ils évoluaient dans une véritable forêt, difficile de croire qu'ils étaient au cœur de New York, et, en dehors de quelques rochers ou quelques arbres singulièrement élevés, il n'avait aucun repère.

Le tonnerre se mit à claquer derrière eux. *Ça y est, cette fichue tempête est sur nous*, songea Matt avec inquiétude. *On n'aura jamais le temps d'atteindre la banque !* Depuis le début il se doutait que ce n'était pas un bon plan. *Il nous faut une solution de repli.*

L'environnement était une friche de buissons et de branches basses, pas vraiment la cachette idéale pour essuyer une pareille tempête. Un flash bleu ouvrit le ciel dans leur dos. Nouveau coup de tonnerre. L'air devenait électrique, il sentait les poils de sa nuque se soulever. Elle était toute proche, ce n'était plus qu'une question de minutes tout au plus avant qu'ils ne soient submergés. Une petite brise apparut, faisant clapoter la capuche de Tobias contre ses épaules, puis elle prit sa force, et soudain se mua en un souffle brutal qui manqua les renverser. De la neige s'arracha du sol et se mit à tournoyer autour d'eux, les arbres grincèrent et les branches s'agitèrent si violemment qu'elles devinrent autant de menaces.

Agrippés à leurs manteaux, ils pressèrent le pas en se donnant la main, front baissé.

Ils écartèrent un bosquet de hauts roseaux et un petit lac apparut. En face, construit sur un rocher rouge, se trouvait un château, comme ceux des films de *fantasy*. Un kiosque construit sur des colonnes de pierre en marquait l'entrée, suivi d'une cour et du bâtiment principal, flanqué d'un donjon lui-même surmonté d'une haute tour.

— Le château du Belvédère ! s'écria Tobias. On pourrait s'y abriter, je crois qu'on n'arrivera jamais jusqu'à la banque !

— C'est exactement ce que je pensais ! cria à son tour Matt par-dessus le vent.

Trois éclairs consécutifs venaient de fendre le ciel, il faisait nuit. La neige virevoltait, déversant des vagues blanches sur les deux garçons.

Ils contournèrent l'étang en se recroquevillant pour offrir le moins de prise possible à la tempête qui tentait de les balayer. Matt aperçut alors une meute de chiens qui couraient, les crocs à l'air, pour fuir la tempête. Il poussa son ami pour le faire accélérer.

Tobias grimpa les marches et passa le premier sous le kiosque du château. Le vent hurlant s'engouffra dans l'édifice, un phénoménal coup de tonnerre fit trembler les murs et Matt, en haletant, referma la porte derrière lui.

Ils virent les fenêtres s'assombrir et en une seconde la chape de ténèbres recouvrit la ville.

Matt entendit la respiration saccadée de son ami, puis il reconnut le bruit d'un sac que l'on fouille. Tobias alluma la lampe qu'il venait d'extirper de ses affaires.

— J'a… j'arrive pas à le croire, souffla-t-il en éclairant devant lui. On a réussi.

Une bourrasque vint secouer la porte, faisant sursauter les deux adolescents.

— Et maintenant ? interrogea Tobias. Qu'est-ce qu'on fait ?

Matt ôta sa besace qui lui meurtrissait l'épaule et la hanche, défit les sangles de son épée et, à son grand soulagement, libéra son dos de leur poids. La lame tinta en touchant le dallage.

— On n'a pas le choix, je crois. Faut attendre que ça passe, confia-t-il.

Mais il s'était raidi, l'oreille aux aguets.

Il se pencha pour ramasser son épée qu'il sortit du baudrier et la leva devant lui. Ses muscles se contractèrent, après tous les efforts qu'ils venaient de fournir, il ne pourrait pas la maintenir ainsi longtemps.

— Rien ne prouve que nous sommes seuls ici, chuchota-t-il tant bien que mal, dans le vacarme de la tempête. C'était ouvert.

Tobias sursauta comme s'il venait de recevoir un caillou sur la tête.

— Dis pas ça, je veux pas ressortir !

Matt explora la vaste salle, Tobias à ses côtés pour l'éclairer. Les murs étaient en pierre tandis que des meubles d'un vert pâle ou d'un orange-brun exposaient des instruments d'observation : longue-vue, microscope et guides de la faune visible dans Central Park. À l'étage, ils inspectèrent une quinzaine d'oiseaux empaillés et montèrent par l'escalier en colimaçon jusqu'au sommet de la tour : une porte donnait sur une terrasse, mais ils se contentèrent de redescendre sans s'y rendre, n'ayant aucune envie de laisser entrer le froid et la neige. Rassuré, Matt déposa sa précieuse arme sur un buffet et vint se poster près d'une fenêtre en ogive.

— Je vois les éclairs qui *fouillent*, ils ne sont pas très loin, dit-il.

Matt se rendit compte que sa voix tremblait un peu. Il inspira profondément pour essayer de se calmer. *De toute manière, ça ne sert à rien de paniquer.* Pour l'heure, il fallait se réchauffer, leurs pantalons étaient trempés.

Tobias venait d'extraire trois bougies de son sac à dos. Il les alluma et les disposa dans la pièce.

— Je les ai prises avant de partir, réflexe de scout. Tu vois, c'est pas si mal les scouts !

— J'ai jamais pensé le contraire, répondit Matt doucement, sans le regarder. C'était juste un truc entre Newton et moi, pour te charrier.

— Ah.

Tobias parut blessé à l'idée que ses amis s'étaient alliés pour le taquiner.

— Tu crois qu'il est… je veux dire : Newton, tu penses qu'il est devenu un de ces mutants ?

Matt continuait de guetter la progression de la tempête.

— Non, je ne crois pas. J'ai l'impression que les mutants sont des adultes. Ils sont grands, assez costauds. La nuit dernière des gens se sont volatilisés et d'autres se sont transformés en ces créatures dégoûtantes. On dirait que les seuls rescapés pour l'instant ne sont... que des enfants, ou des ados.

Tobias se pencha pour fixer une flamme. Elle lui réchauffait le nez.

— Tu crois que le monde va rester ainsi ? marmonna-t-il d'une voix tremblante à son tour. Qu'on ne reverra plus jamais nos parents, nos copains ?

Matt ne répondit pas, la gorge nouée. Face à son silence, Tobias se tut à son tour et ils attendirent sans bouger, les jambes humides, pendant que la tempête frappait Manhattan, recouvrant l'île de son manteau obscur. Seuls les éclairs illuminaient les immenses façades mortes des buildings. Matt eut l'impression d'être au cœur d'une ville fantôme. Un cimetière architectural. Les éclairs jaillissaient du sol, se promenaient pour sonder les rues et l'intérieur de quelques bâtiments, comme au hasard, puis disparaissaient avant de se reformer plus loin.

— Ils se rapprochent, avertit Matt après deux heures de veille. L'espèce de gros nuage noir est arrivé en avance sur eux. Je me demande ce que ça peut être.

— Moi, je m'en fiche, tout ce qui m'intéresse, c'est de comprendre pourquoi tout le monde a disparu. Et où ils sont.

Deux éclairs se matérialisèrent dans la forêt de Central Park, mais Matt ne parvenait pas à les distinguer clairement.

— Je monte, de là-haut je les verrai mieux, prévint-il.

Il se posta au sommet de la tour, contre une fenêtre ronde, à côté de la porte conduisant sur la terrasse. De là, il vit l'un des deux éclairs qui avançait et peu à peu se rapprochait d'eux, son extrémité se divisant en cinq petites ramifications de foudre.

— Ce sont vraiment des mains, murmura-t-il pour lui-même.

Son estomac se vrilla lorsqu'il vit que l'éclair venait à présent droit sur eux en clignotant. Ils étaient sans défense, se cacher dans une armoire ne servirait à rien, ces *choses* glissaient sur le sol et s'insinuaient partout. La longue main bleue ne cessait de trembler, perdant de son intensité par à-coups. Elle se mit à ralentir, et Matt n'en crut pas ses yeux lorsqu'elle se recroquevilla sur elle-même avant de disparaître en laissant un petit sillon de fumée. L'autre éclair endura le même traitement au loin dans le parc. C'est alors qu'il en remarqua un troisième qui tentait d'entrer dans la forêt et qui subissait le même sort. *Ils ne supportent pas la forêt, on dirait!* triompha Matt. Un mouvement plus discret attira son attention au pied du château : un groupe de singes couraient et sautaient dans un arbre. Matt dévala les marches pour retrouver Tobias :

— Bonne nouvelle : j'ai l'impression que les éclairs ont du mal à progresser dans la végétation, mauvaise nouvelle : des babouins campent devant la porte.

— Des *babouins* ? répéta Tobias, incrédule.

— Je te le jure, je n'ai pas rêvé, des singes en plein hiver, à New York.

Tobias claqua des doigts.

— Bien sûr ! Ils viennent du zoo de Central Park !

— Ah ? Et il y a des animaux dangereux là-bas ? Parce qu'on dirait bien qu'ils se sont échappés.

— Déjà les babouins ne sont pas des singes très sympathiques, ils peuvent nous attaquer s'ils nous repèrent, je l'ai vu dans un reportage télé. Mais un danger, ça oui, et de taille : ils abritent des ours polaires dans ce zoo. Eux, s'ils ont faim, on est mal !

Matt soupira. Il ne manquait plus que ça.

— Alors qu'est-ce qu'on fait ? demanda Tobias.

— On attend que la tempête passe, proposa Matt. T'as une meilleure idée ?

Tobias secoua la tête.

— On va passer la nuit ici et on verra demain matin, approuva-t-il.

Sur quoi il se leva et tira un bureau devant la porte d'entrée.

— Voilà…, souffla-t-il après l'effort. Ça bloquera les indésirables le temps de nous organiser, au cas où…

Pendant que les éléments continuaient de se déchaîner au-dehors, les garçons mangèrent leurs sandwiches au beurre de cacahuètes, sans percevoir si la nuit était tombée ou non, la vraie, au-delà du nuage poisseux qui dominait leurs têtes. Les éclairs, eux, continuaient d'arpenter les avenues, de grimper à l'assaut des constructions avant d'en ressortir en laissant une fumée blanche de mauvais augure. Au bout d'un moment, Matt sentit mordre le froid et il ouvrit tous les placards à la recherche de vêtements secs. Il trouva des vieilles couvertures dont ils s'emmitouflèrent après avoir retiré leurs pantalons qu'ils mirent à sécher devant les bougies, ce qui leur parut bien maigre, mais mieux que rien.

Tobias s'endormit le premier, roulé en boule dans ses couvertures, sous la table. Matt quant à lui préféra rester près de la fenêtre. Il s'estimait chanceux que Tobias soit avec lui. Seul, il serait devenu fou. Avec Tobias, c'était différent. Il était comme son frère. Leur amitié remontait à l'école primaire. Un jour, Matt avait aperçu ce petit garçon frêle en train de pleurer. La mère d'une de leurs camarades venait d'interdire à sa fille de jouer avec lui sous prétexte qu'il était noir. Matt avait du même coup découvert le racisme. Et son meilleur ami. Il l'avait consolé et depuis ils ne s'étaient plus quittés.

Le visage de ses parents se dessina dans ses pensées. Les larmes montèrent en même temps. Que leur était-il arrivé ? Étaient-ils morts ? Et pour la première fois depuis le drame, de violents sanglots le secouèrent, jusqu'à l'épuisement.

Il veilla tard, jusqu'à ce que ses paupières se ferment d'un coup.

Il rouvrit les yeux en grelottant. Les bougies s'étaient toutes éteintes. Il faisait aussi sombre dans la pièce qu'à l'extérieur. Matt resserra la couverture autour de lui, il avait mal au dos à dormir ainsi sur ce plan de travail en bois. Il allait se tourner pour repartir dans son sommeil lorsqu'il capta une lueur du coin de l'œil.

Il redressa la tête et regarda par la fenêtre.

Des dizaines de lumières se promenaient en silence dans la nuit.

7

Les échassiers

Les lumières se mouvaient par paires, des phares flottant à trois ou quatre mètres du sol. Matt colla son front à la vitre pour tenter de comprendre. Une quinzaine de lueurs avançaient dans la forêt, à peine plus vite qu'un homme.

Matt se dressa, empoigna son épée – il préférait l'avoir contre lui – et grimpa tout en haut de la tour d'observation.

D'autres phares progressaient également sur les avenues bordant le parc, et dans toutes les rues qu'il pouvait distinguer. Cinquante paires brillantes, peut-être plus. Soudain, un cône de lumière intense balaya la cour du château et Matt vit une silhouette haute de quatre mètres qui s'approchait. Elle était vêtue d'un long manteau surmonté d'une capuche d'où sortaient ces deux lueurs, *des projecteurs au sommet d'un mirador ambulant*, songea Matt. Deux tiges noires, des échasses, peut-être, émergeaient du manteau en guise de jambes. La forme, que Matt venait de baptiser « échassier », avançait sans un bruit dans la neige.

Elle cherche quelque chose. Ou quelqu'un ! La suite des éclairs, une créature traquant une dernière source de vie pour la vaporiser ?

Son cœur faillit exploser dans sa poitrine lorsque, en bas, la voix de Tobias déchira le silence de la nuit :

— Matt ? Matt ! T'es où ?

Matt bondit dans l'escalier en laissant son arme, il le dévala, faillit se tordre la cheville et se rattrapa *in extremis* à la rambarde, pour atterrir dans la salle principale devant Tobias.

— Tais-toi! ordonna-t-il, impérieux. Des espèces d'échassiers rôdent dehors, l'un est juste là! Tout près!

— Des quoi?

— Des êtres immenses, avec des lampes à la place des yeux.

La neige craqua devant la porte d'entrée.

— Il arrive, prévint Matt en cherchant une cachette autour de lui. Viens, aide-moi, il faut retirer le bureau devant la porte.

— Au contraire! Il ne faut pas qu'il puisse entrer!

— Crois-moi, ce n'est pas un bureau qui va l'en empêcher! En revanche ça le préviendrait d'une présence à l'intérieur! Aide-moi, on n'a pas le temps de discuter!

Tobias prit un air désespéré, cependant il prêta main-forte à Matt. Ils levèrent le bureau en silence pour le remettre à sa place.

Pendant ce temps, l'échassier atteignait la porte. Il allait entrer d'une seconde à l'autre.

Matt ouvrit un placard sous la fenêtre et y poussa Tobias avant d'entrer à son tour et de refermer sur eux. Ils étaient écrasés l'un contre l'autre, complètement recroquevillés.

— J'ai peur, gémit Tobias.

Matt posa son index sur ses lèvres mais il faisait noir dans ce réduit. C'est alors qu'il repéra une minuscule fente dans le bois, suffisante pour scruter la pièce.

Le portail du château grinça en s'ouvrant et une lumière blanche illumina le hall. Tobias posa la main sur le poignet de Matt et serra, terrorisé.

En rivant son œil au trou, Matt aperçut un échassier en train de se pencher pour entrer.

Non, il ne se penche pas, ce sont ses jambes… ses échasses, elles rentrent dans le manteau!

La créature en deux pas fut à l'intérieur, sans un bruit. Avec ses échasses ainsi réduites, elle ne mesurait « plus » que trois mètres. La capuche tournait sans qu'on puisse voir ce qu'elle abritait, hormis les deux puissants faisceaux qui en sortaient. C'étaient ses yeux…

L'échassier était en train d'examiner la pièce, promenant son regard aveuglant sur le sol, les meubles et les murs. La capuche se tourna face aux garçons et Matt dut fermer les paupières, le faisceau passa sur le buffet sans s'attarder. Matt retenait toujours son souffle, la main de Tobias agrippée à son poignet. Matt remarqua alors derrière la fenêtre opposée un autre échassier qui longeait le mur. Ses échasses étaient en train de s'étirer au contraire. *Pour regarder à l'étage par l'extérieur ! Ils sont en train de fouiller tout le château !*

Brusquement, l'échassier qui était dans la pièce émit un sifflement, presque un hululement. Il venait de poser ses lumières sur la besace de Matt et s'en rapprocha.

Le manteau s'ouvrit sur un bras blanchâtre, à la peau épaisse, une main aux doigts trois fois plus longs que la normale humaine. La main palpa la table, telle une araignée immonde, avant de toucher la besace. L'échassier se mit alors à renifler. Puis il se redressa et lança une succession de cris semblables à ceux des baleines : une alternance de plaintes et de couinements aigus, si forts que Matt serra les dents pour ne pas gémir. *Il va ameuter tout le quartier !* C'était justement ce que l'échassier faisait : il appelait des renforts. *On est fichus, ils nous ont repérés, c'est fini.* Et il avait laissé son épée en haut de la tour, impossible d'aller la chercher. Ils ne pouvaient que fuir, en espérant que l'échassier serait plus lent qu'eux, ce dont il doutait fortement. Collé contre Tobias, il réalisa qu'ils étaient à quatre pattes dans un placard, enroulés dans des couvertures, et sans même leurs pantalons. Aucune chance de s'en sortir.

Un second échassier entra à son tour. Les cris cessèrent et, au grand étonnement de Matt, ils se mirent à parler. Une voix susurrante, presque inaudible. Un son de gorge.

— Sssssssch… il… était… là ! Sssssssssch.

En voyant que l'échassier disait cela en soulevant sa besace, Matt fut saisi d'un puissant frisson.

— Oui… sssssssch. Là. Sssssssch… pas loin. Sssssssch. Encore… en ville… sssssssch, répondit l'autre.

— Vite… sssssssch. Le trouver. Sssssssch. Avant le sud… sssssssssch.

— Oui… sssssssch. Avant le sud… Sssssssch. *Il* le veut. Sssssssch.

L'échassier qui tenait la besace dans ses horribles doigts la secoua.

— La prendre… sssssssssssch ?

— Oui… sssssssssssch. Pour *Lui*. Sssssssssch… *Il* voudra… sssssssssch… la voir. Sssssssssch.

La main se rétracta et enfouit la besace de Matt à l'intérieur du grand manteau. Les deux échassiers firent demi-tour et sortirent avant de retrouver leur taille normale et de s'éloigner sans un bruit.

— T'as entendu ça ? finit par lâcher Matt, dans un souffle.

— Oui. Ils parlaient de quoi ? Nos affaires ?

— Ma besace.

— Oh, c'est pas bon signe, ça. Qui c'est, ce *il* dont ils ont causé ?

— Comment veux-tu que je le sache ? Ils obéissent à quelque chose et quand tu les vois, tu n'as pas envie de voir leur maître ! J'aime pas ça. C'est… c'est *moi* qu'ils cherchaient ! fit-il tout haut, secoué par la révolte. Oh, bon sang ! Je voudrais que tout s'arrête !

Matt ouvrit le placard sous le regard apeuré de Tobias et s'extirpa, en s'assurant que plus aucun échassier n'était dans la cour.

Matt se cacha la bouche derrière la main et alla s'asseoir sur le banc. Tobias le suivit, circonspect.

— Peut-être…, risqua-t-il timidement, peut-être qu'ils se sont trompés. Qu'ils cherchent quelqu'un d'autre.

Matt demeura silencieux.

— Tu avais quoi dedans ? insista Tobias. Dans ta besace, qu'est-ce qu'ils t'ont pris ?

Matt réfléchissait à toute vitesse, mais pas à ce que Tobias lui demandait. Il analysait ce qu'il venait d'entendre et ce qu'il convenait de faire. Il y avait urgence, il le sentait. Ces créatures ne tarderaient pas à revenir et, s'ils n'agissaient pas, Tobias et lui seraient découverts. Matt n'avait aucune idée de ce qu'il se passait, ni pourquoi ni pour qui les échassiers le traquaient, mais il n'avait aucune envie de le savoir.

— On doit déguerpir, dit-il enfin. Partir vers le sud. C'est ce qu'ils craignaient : que je parvienne au sud avant qu'ils ne me trouvent. Je ne sais pas ce qu'il y a là-bas mais ça a l'air de les déranger.

— Et si le monde n'avait pas changé au sud ?

— Prends tes affaires, on quitte la ville.

8

Des courses en pleine nuit

Les garçons enfilèrent leurs pantalons encore humides et Matt récupéra son épée qu'il sangla sur son dos.

— Comment va-t-on sortir de la ville ? interrogea Tobias. Si tous les ponts sont comme celui qu'on a vu ce midi, c'est mission impossible.

— On n'emprunte aucun pont. On descend vers le sud.

— Mais on ne peut pas, il n'y a pas de pont pour quitter Manhattan par le sud !

— C'est ce que je viens de te dire : on n'en prend pas. On passe par un tunnel. Le tunnel Lincoln, sous la rivière de l'autre côté de la ville.

— Et qu'est-ce qui te fait croire qu'il ne sera pas occupé par les… les mutants ?

— Ils ne voient pas dans le noir. Celui qui était dans ton couloir n'arrêtait pas de se cogner. Même s'ils semblent bêtes, je ne crois pas qu'ils aillent se piéger dans un endroit obscur. Parce que l'électricité du tunnel doit être coupée comme partout.

Tobias soupira.

— De toute façon on n'a pas le choix, pas vrai ?

Matt approcha de la sortie et, après s'être assuré que le champ était libre, il s'élança dans la neige, Tobias sur les talons.

Ils ne tardèrent pas à apercevoir les lumières blanches des échassiers qui patrouillaient dans les avenues, et Matt bifurqua vers la forêt en évitant ces guetteurs au regard perçant. Lorsqu'une branche craqua tout à coup près d'eux, Matt songea aussitôt aux ours polaires du zoo et s'apprêtait à courir de toutes ses forces. Au lieu de quoi ils virent un homme, ou plutôt un mutant, compte tenu de son visage plissé et des énormes pustules qui le recouvraient. Il se tenait assis et tapait une boîte de viande en conserve contre une pierre, sans les avoir détectés. Cette vision d'un adulte difforme au milieu de Central Park en pleine nuit, incapable d'ouvrir une boîte de conserve, fit autant de peine à Matt que de peur.

Le jeune garçon hésita à tirer son épée, mais préféra limiter les mouvements pour ne pas alerter le mutant. Ce dernier tapa violemment sa boîte et émit un grognement de colère en constatant qu'elle n'était pas brisée. Matt et Tobias parvinrent à s'éloigner sans être repérés.

Ils finirent par atteindre la limite du parc, et Matt se rendit compte qu'il éprouvait des regrets à sortir du couvert de la végétation alors qu'il l'avait tant craint dans la journée. Il fallait traverser la large avenue Broadway pour rejoindre des axes plus discrets, mais trois échassiers sillonnaient les environs.

— On va se dépêcher et pas un bruit ! prévint Matt. Si l'un de ces trucs nous voit, il va se mettre à crier comme tout à l'heure pour ameuter ses copains et on sera fichus.

— Avec toute cette neige au milieu de la rue, on ne pourra pas courir, constata Tobias. Regarde, tu crois pas qu'on pourrait passer par là ? (Il montra du doigt l'entrée du métro.) On descend, on longe les voies et on ressort pas très loin du tunnel Lincoln, exposa-t-il.

Matt allait approuver vivement lorsqu'ils virent un échassier sortir du métro.

— Mauvaise idée…, rectifia Tobias.

— On s'en tient au premier plan. Tu es prêt ? C'est parti !

Matt s'élança, penché en avant pour ne pas attirer l'attention, bientôt suivi par Tobias. Ils étaient contraints de lever les jambes très haut et s'enfonçaient jusqu'aux cuisses à chaque pas. Un échassier apparut au carrefour suivant, ses yeux sondant le sol devant lui. Matt pressa l'allure. L'échassier hésita, puis prit finalement leur direction, ses échasses laissant dans son sillage des trous profonds. Il marchait beaucoup plus facilement et donc plus vite qu'eux. Ses yeux balayaient toujours la neige deux mètres devant lui. S'il levait la tête, ou du moins cette capuche qui lui servait de tête, il ne pourrait manquer les deux garçons. Matt jeta un coup d'œil à son compagnon qui suivait au même rythme.

Ils atteignirent le trottoir opposé avant que l'échassier ne soit sur eux et Tobias découvrit un renfoncement dans lequel il tira Matt. L'échassier passa devant eux, sans ralentir.

— C'était moins une, soupira Tobias quand la créature se fut éloignée.

La suite se déroula mieux. Ils trouvèrent leur rythme, progressant de recoin en recoin, attendant que les échassiers soient le plus loin possible pour traverser les rues. Ils longèrent ainsi vingt pâtés de maisons en une heure, et approchèrent enfin le tunnel Lincoln, épuisés par cette marche forcée dans la neige et l'éprouvante vigilance de tous les instants. Entre deux barres d'immeubles ils avaient vu un échassier repérer deux mutants qui titubaient et, après les avoir sondés minutieusement, l'échassier était reparti sous les regards ahuris des deux humanoïdes. Si on ne pouvait parler d'alliance, il existait du moins une « neutralité bienveillante » entre les deux espèces, nota Matt. *Neutralité bienveillante* était l'expression préférée de leur professeur d'histoire au collège. Y repenser lui arracha le cœur. Tout ce qui avait trait à leur quotidien d'avant la Tempête lui déchirait la poitrine. Ne revivraient-ils jamais leur existence paisible ? Avaient-ils perdu leurs parents, leurs amis et le confort de la vie *normale* pour toujours ? Matt préféra ne plus y songer avant que sa gorge ne l'étouffe à nouveau et qu'il ne puisse plus contrôler ses émotions. Ce n'était pas le moment de craquer.

Tobias l'attrapa par la manche pour lui désigner un grand magasin de sport :

— Tu ne crois pas qu'on devrait faire une pause ravitaillement ? Après tout, le sud, c'est vaste, ça peut nous prendre des jours. On pourrait s'équiper en conséquence.

— Excellente idée !

La porte était fermée, alors Matt tira son épée, s'assura qu'aucun échassier n'était en vue et frappa un grand coup dans la vitrine avec le pommeau. L'arme ricocha et le garçon faillit s'effondrer. Il mobilisa à nouveau ses forces, serra la poignée de l'arme dans ses deux mains et cette fois lança tout le poids de son corps dans le balancier de ses épaules. La vitre se transforma en une grosse toile d'araignée, le verre était fêlé, un trou marquait le point d'impact, mais il tenait bon.

— La vache ! s'étonna Tobias. J'aurais jamais cru que c'était si difficile.

La troisième fois fut la bonne, toute la vitrine céda. Matt se jeta en arrière et elle dégringola, heureusement amortie par la neige qui empêcha le vacarme de résonner dans toute la rue.

— C'est l'heure des soldes, annonça Matt sans joie.

Ils allumèrent la lampe torche de Tobias, Matt avait perdu la sienne avec sa besace, et ils parcoururent les allées en examinant les produits. Tobias s'arrêta devant les sacs de randonnée et en sélectionna un grand pour remplacer le sien. Le nouveau disposait de poches un peu partout et d'une bien meilleure contenance. Matt préféra un petit, pour ne pas entraver ses mouvements avec l'épée dans le dos, et à sa grande joie retrouva une besace comme la sienne. Ils passèrent ensuite au rayon des duvets et en choisirent deux, dernier cri : selon la notice, ils ne tenaient aucune place et offraient une chaleur sans égale.

— De toute façon, s'il s'agit de publicité mensongère, je ne sais pas à qui on ira se plaindre, fit Tobias que les emplettes remettaient d'aplomb.

Tobias avait toujours été un garçon pragmatique. Partir pour la grande aventure ne le dérangeait pas en soi, à condition de disposer du matériel adéquat. Dans les linéaires suivants il s'empara de lampes torches, de piles, de bâtons lumineux, de nourriture lyophilisée, d'un réchaud à gaz avec cartouche et d'un nécessaire de table. Les vêtements suivirent. Ils remplirent leurs sacs d'accessoires divers pour ne manquer de rien, et allaient faire demi-tour lorsque Tobias fut attiré par le comptoir des armes à feu.

— J'ai jamais aimé ça, avoua-t-il, mais je crois que les circonstances ont changé. Je serais pas contre un fusil à…

Il s'arrêta devant les râteliers et illumina la croûte de métal qui les recouvrait.

— Ça alors… On dirait que les armes ont fondu…

— Pas toutes, corrigea Matt en désignant l'autre allée.

Les arcs de compétition s'alignaient sur les présentoirs.

— Je te le dis : tout ce qui se passe depuis hier n'est *vraiment* pas normal, protesta Tobias. Le monde change ? Pourquoi pas… Les gens sont vaporisés ou sont transformés en mutants ? À la rigueur ! Mais que les véhicules disparaissent et que les armes fondent, c'est un truc que je ne saisis pas bien.

— C'est la Terre qui se rebelle contre l'homme, sa pollution et ses guerres, proposa Matt sans y croire.

Tobias se tourna vers lui, très sérieux :

— Tu crois ?

Matt haussa les épaules.

— Nan, enfin j'en sais rien. Viens, il faut pas traîner.

Tobias approuva vivement et examina les arcs. Il choisit un modèle de taille moyenne, et un carquois à couvercle qu'il déforma en tassant les flèches au maximum. Les deux garçons terminèrent leurs emplettes en s'équipant d'un gros couteau de chasse qu'ils accrochèrent l'un à sa ceinture, l'autre à sa cuisse.

Cinq minutes plus tard ils étaient dehors, et s'avançaient vers l'entrée du tunnel Lincoln.

Un léger clapotis les intrigua, Matt pressa le pas.

L'entrée du tunnel se dessina. Matt s'immobilisa d'un coup.

Leur fuite n'allait pas être simple.

9

Voyage dans les ténèbres

Le tunnel était inondé.

La rue descendait vers un large trou ténébreux où une eau noire s'agitait, emplissant le tiers du souterrain.

Ils restèrent à contempler l'accès impraticable pendant plusieurs secondes, abattus. Puis Tobias fit remarquer :

— Avec un bateau, c'est possible. Il y a au moins deux, si c'est pas trois mètres d'air au-dessus du niveau d'eau, plus qu'il n'en faut.

Matt dévisagea son compagnon. C'était la première fois qu'il tenait le rôle de l'optimiste.

— Et on le trouve où le bateau ?

— On vient de vandaliser un magasin de sport, je te rappelle !

Matt approuva, puis ajouta :

— Il faudra ramer, longtemps. Sous la terre et dans l'obscurité ! Tu te sens prêt ?

Tobias réfléchit avant d'opiner :

— Entre ça et rester en ville une nuit de plus, je pense que je préfère ramer.

— Alors c'est parti.

Ils retournaient sur leurs pas, quand Matt s'arrêta au niveau d'un porche en pierre. Des marches grimpaient vers une porte vitrée et il aperçut des vêtements bleu marine ainsi qu'un bijou brillant faiblement sous l'éclat de sa lampe torche. C'était l'uniforme d'un policier dont le badge doré scintillait. Matt s'agenouilla. Un homme, un policier se tenait ici la veille, dont il ne restait plus que des lambeaux de tissu. L'arme dans le ceinturon avait fondu mais le manteau restait gonflé par le gilet pare-balles. Matt le sortit et l'enfila sous son pull.

— C'est du Kevlar, mieux qu'une armure ! s'enthousiasma-t-il.

Il capta le regard défait de Tobias qui ne parvenait pas à s'arracher du petit tas de vêtements. Matt posa une main sur l'épaule de son ami.

— Essaye de ne pas y penser, lui conseilla-t-il. Je sais que c'est dur, mais il le faut, on ne s'en sortira pas sinon.

Tobias soupira longuement, puis ils se remirent en route. Dans le magasin de sport, ils débusquèrent un canot à gonflage automatique et trois pagaies – Matt avait insisté pour en prendre une de plus au cas où.

De retour devant le tunnel, ils dénouèrent les sangles qui retenaient le canot et Tobias lut brièvement la notice avant de tirer sur un élastique pour libérer la goupille de la cartouche d'air. Le bateau se déplia en se gonflant tout seul. L'opération prit quinze secondes à peine.

— Comme les canots de sauvetage des avions, apprécia-t-il.

Ils embarquèrent les sacs avant de monter à bord et, sans un regard en arrière, poussèrent sur les rames pour entrer dans le tunnel. Matt eut un petit pincement au cœur, il quittait sa ville, son appartement. Ses parents. Qu'étaient-ils devenus ? Aucune certitude de connaître un jour la vérité, de les retrouver, voire de s'en sortir vivant. Ce que Tobias et lui vivaient en ce moment avait tout d'un cauchemar. Il avait beau conseiller à son ami de ne pas y penser, le désespoir et la peur rôdaient en eux, guettant la moindre faille pour s'y engouffrer.

Tobias le sortit de ses pensées en quittant son poste pour s'emparer d'une lampe torche qu'il arrima avec du gros scotch gris sur la proue.

— Et dire que j'ai failli t'empêcher de prendre ce scotch, admit Matt.

Tobias pressa le bouton, et la lampe leur ouvrit la route. Il se remit à son poste, rame aux poings.

Ils estimèrent la profondeur de l'eau à environ deux mètres cinquante. Des gouttes tombaient du plafond de la voûte, en ruisselaient carrément, provoquant l'inquiétude des deux adolescents.

Après une demi-heure d'efforts, ils étaient sous la rivière Hudson, surveillant les infiltrations de plus en plus nombreuses. Le tunnel menaçait-il de s'effondrer ? Sans se concerter, les deux garçons ramèrent plus fort, les bras ankylosés, les épaules douloureuses.

Matt vit tout à coup des bulles crever la surface, d'abord minuscules, il n'y prêta pas attention, puis de la largeur d'une pizza, et il ne put les ignorer.

— Tu as vu ? demanda-t-il doucement.

— Oui. On dirait qu'elles nous suivent.

— Elles sont juste en dessous de nous et ne nous lâchent pas d'un mètre.

— Et moi, je ne vais plus pouvoir ramer à cette vitesse, j'ai mal partout.

Les problèmes n'arrivant jamais seuls, leur lampe torche émit des signes de faiblesse. Tobias délaissa sa rame pour aller la tapoter, mais elle clignota de plus en plus, jusqu'à s'éteindre. Matt entendit Tobias qui la secouait après l'avoir déscotchée. Il enfonça le bouton de marche, plusieurs fois, vainement.

— Houston, on a un problème, fit Tobias sans rire, la peur filtrant dans sa voix.

Matt attrapa sa propre lampe et pressa l'interrupteur. Rien.

Des bulles nombreuses crevaient maintenant la surface en émettant des gargouillis. Matt tâtonna à la recherche de son sac à dos et trouva un tube lumineux. Il le craqua et une lueur verte illumina la petite embarcation qui dérivait vers une paroi humide.

Tobias soupira de soulagement en fixant la lumière.

— J'ai bien cru qu'on allait se transformer en fichues taupes sur ce coup, lâcha-t-il.

Matt se pencha pour suivre les émissions de bulles qui semblaient former un cercle autour d'eux.

— Ça nous tourne autour, dit-il.

Soudain, quelque chose souleva le fond de l'embarcation, renversant les sacs, avant de disparaître aussi brusquement. Les deux garçons se cramponnèrent aux rames. Ils se regardèrent dans la lueur spectrale et, sans un mot, se remirent à pagayer à toute vitesse. Le tunnel semblait infini tandis que leurs épaules et leurs bras s'enflammaient. L'eau clapotait de toute part, sans que Matt puisse discerner les remous qu'ils provoquaient de ceux de la *chose*, quelle qu'elle fût. Matt imaginait un énorme ver, il ne savait pourquoi, il *sentait* que c'était exactement ça. Une sorte d'anguille croisée avec un lombric, longue de plusieurs mètres, et tournant autour d'eux comme un prédateur affamé autour de sa proie.

Puis il y eut une altération dans les ténèbres lointaines, une pâle clarté se profila, à bonne distance.

— La... sortie ! haleta Tobias.

Ils transpiraient, à bout de souffle, les muscles brûlants.

Le ver-anguille les heurta à nouveau, plus fort cette fois, propulsant la nacelle vers un des murs qu'ils heurtèrent. Tobias tomba à la renverse, heureusement à l'intérieur de l'esquif.

— Vite ! s'écria Matt en lui tendant la rame qu'il venait de ramasser. Ce truc devient agressif !

Ils redoublèrent d'énergie, visages crispés, articulations blanches tant ils serraient les manches... et la sortie se rapprocha. Autour d'eux, l'eau bouillonnait, le ver-anguille souleva à deux reprises le fond du bateau, comme pour le tâter. Matt craignait la morsure, il la sentait venir, une gueule pleine de dents acérées allait se refermer sur leurs pieds et les engloutir dans cette eau noire.

Le bout du tunnel se profila, en pente légère dans un virage, où de petites vaguelettes venaient s'écraser.

Encore une vingtaine de mètres.

Brusquement le canot fut chahuté une fois encore, un coup brutal qui faillit faire passer Matt par-dessus bord. Puis le ver-anguille passa sous eux et frappa. Un bord se souleva dans les airs et ils s'agrippèrent, tout près de chavirer. Pendant une seconde ils restèrent ainsi en un équilibre précaire ; puis Matt lâcha sa rame et roula vers l'autre bord, son corps faisant contrepoids. Le fond retomba en claquant sur l'eau et Matt se retrouva les bras en croix, le visage à dix centimètres des remous inquiétants. Il sentit une peau huileuse glisser sous ses doigts et frémit. Le ver-anguille frissonna lui aussi au contact du garçon et Matt devina qu'il se retournait. *Pour me présenter sa gueule ! Il va mordre !* Il contracta ses abdominaux et bondit en arrière au moment où une masse froide frôlait ses mains.

Tobias ramait désespérément.

Ils y étaient presque.

Étrangement, l'eau redevenait calme. Plus de bulles, plus de sillons menaçants autour d'eux. Le ver-anguille s'était éloigné.

Ils abordèrent le rivage d'asphalte. Tobias sauta à terre en soufflant. Il tendit la main à son compagnon pour le hisser et tous deux s'empressèrent de récupérer leurs sacs pour s'éloigner à toutes jambes.

Ils remontèrent la double voie à la lumière du bâton fluorescent. L'aube s'était éveillée pendant qu'ils étaient sous terre. Et pourtant ils ne voyaient pas le soleil, rien qu'une brume épaisse. Qui recouvrait tout. Ce qui n'empêcha pas les deux garçons de percevoir le changement radical de l'environnement. Matt connaissait la sortie du tunnel Lincoln, ses énormes échangeurs d'autoroutes, ses pancartes publicitaires gigantesques et quelques bâtiments, mais dénuée de toute végétation. Or ils entendaient un bruissement continu, celui du vent dans les feuillages touffus.

À peine jaillirent-ils du tunnel que leurs semelles crissèrent sur les racines et les feuilles qui recouvraient la route. Dix pas plus loin, l'asphalte avait disparu, enseveli sous un tapis de lianes et de lierres.

— Il s'est passé quelque chose ici aussi. Quelque chose d'autre, fit remarquer Matt, d'un ton lugubre. Je ne reconnais plus rien.

10

De Charybde en Scylla

La lumière verte du tube ne suffisait plus à percer cette poisse et les deux garçons ne voyaient rien à deux mètres. Cependant ils constatèrent que tout ce qui les entourait était recouvert de branches, de lianes, de fougères et d'un lierre énorme, comme s'il poussait là depuis vingt ans.

— Pince-moi, demanda Matt à son ami. On dirait que la végétation a envahi le monde en deux nuits.

— Et même plus de neige ! fit Tobias en se penchant par-dessus le parapet de la route pour distinguer les alentours.

— De mieux en mieux. Est-ce que ta lampe marche ?

Tobias tenta de la rallumer, sans succès.

— Non, aucune en fait, avoua-t-il après en avoir essayé plusieurs. Qu'est-ce qu'on fait maintenant ? J'avais espéré trouver d'autres personnes…

— On s'en tient à notre plan : aller vers le sud.

— Là-dedans ? objecta Tobias en désignant la brume qui les entourait.

— Oui. Je ne vais pas rester ici, à attendre que les échassiers nous retrouvent. Ils craignent quelque chose au sud, je veux savoir quoi.

— Tu as conscience que le sud dont ils parlent, c'est peut-être la Floride ? On va marcher pendant des milliers de kilomètres !

Matt rajusta son sac à dos, sa besace et son épée bien calée entre ses omoplates, avant de s'élancer en lâchant :

— Possible. En tout cas, j'y vais.

Tobias marmonna d'obscures protestations en enfilant son gros sac et se dépêcha de rattraper son compagnon.

— Tu as remarqué que plus aucun appareil électrique ne fonctionne ? demanda-t-il. On n'a plus de montre, plus de lampe, plus rien. Ce soir, quand la nuit tombera, on sera coincés.

— Il nous reste plusieurs tubes lumineux et tu es scout, non ? Tu sais faire du feu ! On pourra se faire à manger et se réchauffer.

— N'empêche, ça craint. Quand on voit ce qui s'est passé à New York et quand on voit ici, j'ose pas imaginer ce qui nous attend encore !

— Tobias ?

— Quoi ?

— Imagine moins et marche plus.

Tobias fit la moue, néanmoins le message était reçu et il se tut.

Ils progressèrent en perçant le brouillard de leur halo vert. Il leur fallut marcher durant une heure avant que la route s'ouvre sur un début de ville. Pour ce qu'ils pouvaient en apercevoir, les rues étaient vides, pas une silhouette à l'horizon, pas un bruit. Des boutiques apparurent : coiffeur, marchand d'alcools, toiletteur pour chien, poste... En passant devant l'église, Tobias proposa :

— On pourrait allumer un cierge, juste au cas où...

— Au cas où quoi ?

— Bah, tu sais... Dieu, tout ça.

— Tu y crois, toi ?

Tobias haussa les épaules.

— Mes parents y croient.

— Ça m'étonnerait que ça suffise. Et franchement, tu as vu l'état de la ville ? Tu crois vraiment que Dieu existe, quand on voit le monde ?

— C'est pas forcément lui qui décide du mal, c'est peut-être nous, lui il est spectateur et il nous laisse faire, un truc dans ce goût-là…

— Dans ce cas pas la peine de lui demander de l'aide, il est sûrement aussi paumé que nous.

Sur quoi Matt changea de chemin sans prévenir et fonça droit sur l'église.

— Je croyais que ça servait à rien ? s'étonna Tobias qui n'arrivait plus à comprendre.

Matt pénétra dans l'édifice, aussi désert que le reste de la ville, et s'empara d'un gros paquet de cierges qu'il fourra dans son sac.

— Au moins, si tu veux allumer un cierge, que ça guide *vraiment* nos pas, confia-t-il avant de ressortir.

Le centre-ville n'abritait aucun signe de vie. Ils s'arrêtèrent sur les marches de la mairie pour se désaltérer à leurs gourdes et soulager leur dos.

— Tu as remarqué qu'on n'entendait plus d'oiseaux ? Même le jour ! souligna Tobias.

Matt se redressa en hochant la tête.

— Exact. Pas un pépiement, pas un bruissement d'ailes.

Matt s'interrogea sur ce silence pesant. Les éclairs avaient-ils été particulièrement habiles ou existait-il une autre explication ? Matt n'était pas à l'aise, cette brume l'angoissait. En les privant de toute vision, elle les contraignait à choisir leur chemin sur quelques mètres, jamais plus, et il se sentait affreusement vulnérable avec leur tube lumineux qui brillait dans ce nuage sans fin. Il guetta autour de lui. Il ne pouvait même pas voir où s'arrêtait la végétation qui les entourait.

Soudain, Tobias agrippa violemment le bras de son compagnon.

— Aïe ! Qu'est-ce qui te prend ? protesta Matt sous la douleur.

Tobias restait bouche bée, l'index tendu vers la rue, juste devant eux.

Haut comme un chat et de la longueur d'un autobus, un mille-pattes noir avançait, surgi de la brume, la chenille de ses pattes ondulant comme une vague, ses fines antennes palpant le chemin devant lui.

Matt porta une main à son dos, pour saisir la poignée de son épée. L'insecte géant semblait ne pas les avoir repérés, il continua de glisser sans bruit et disparut aussi vite qu'il était arrivé.

— Je... je veux que tout ça s'arrête, murmura Tobias, épuisé.

Matt relâcha son arme et se leva.

— Ne te laisse pas aller, répondit-il doucement. On doit tenir le coup. Allez, viens, il vaut mieux ne pas traîner ici.

— Et pour aller où ? s'écria Tobias.

Matt perçut un début de panique.

— Dans le sud, on trouvera quelque chose qui nous aidera peut-être.

— Comment tu peux le savoir, hein ?

Matt haussa les épaules.

— Je te l'ai dit. Si les échassiers craignaient que je sois parti là-bas, c'est qu'il existe une raison. On doit y aller, je le *sens*.

— Ton fichu instinct, c'est ça ?

Matt fixa les yeux rougis de son ami.

— Oui, fit-il. On doit aller au sud, j'en suis persuadé. Souviens-toi de la fois où on s'était perdus dans les Catskills, j'avais retrouvé le refuge du groupe. Et la fois où on jouait dans le parc à côté de Richmond Town, j'ai *senti* qu'il ne fallait pas y aller et ces trois grands crétins nous ont attaqués ! Chaque fois que je sens un truc, ça marche. Fais-moi confiance. On doit partir pour le sud.

Tobias se leva péniblement.

— J'espère que tu ne te trompes pas, marmonna-t-il en ajustant son sac à dos et son arc.

Ils se remirent en route, longeant la rue principale qu'ils remontèrent jusqu'aux faubourgs. Là, Tobias s'écarta pour s'emparer d'une bouteille de lait sur le perron d'une petite maison en bois. Tout heureux de sa prise, il en oublia un moment la brume étouffante :

— C'est rare de voir des bouteilles en verre ! On ne voit plus les gens se faire livrer le lait le matin.

— C'est parce que tu es un gars de la ville, ironisa Matt sans joie.

La présence du lait devant la maison lui rappelait surtout la disparition de tous les habitants de la région, peut-être même du pays.

Après une heure de marche, la route se mit à tourner vers l'est, ce qui ne plut guère à Matt, bien qu'il n'osât la quitter. Il ne distinguait pas grand-chose des bas-côtés, sinon les ombres d'une végétation dense et basse. Ici, aucun arbre, aucune luxuriance, rien que d'interminables tapis de lianes, de lierres et des mers de fougères. Ils croisèrent une voie de chemin de fer à peu près épargnée par la verdure, et qui partait dans la bonne direction, pourtant Matt ne s'y engagea pas. La route avait un côté rassurant, elle servait d'artère reliant les organes de ce qui avait été une civilisation : les villes. Il voulait les traverser, en dehors d'elles, moins de sécurité, moins de cachettes.

Un kilomètre plus loin, tandis que les panneaux indiquaient la proximité d'une ville, ils ralentirent en percevant des râles et des grondements dans la brume, droit devant eux. Le tube lumineux qui leur servait de lampe commençait à faiblir et Matt en profita pour le lancer au loin dans les champs sauvages qui bordaient le chemin.

Quelqu'un émit une salve de grognements, à moins de cent mètres sur la route. On lui répondit aussitôt, encore plus près. Puis d'autres au loin et ainsi de suite. Matt en compta neuf. Des pas lourds se mirent à résonner.

— Tu penses à la même chose que moi ? interrogea Tobias.

— Des mutants ?

— Ça y ressemble ! Les mêmes bruits dégoûtants. On peut les contourner en passant par les fougères.

Matt fit la moue. Il n'avait aucune envie de s'enfoncer dans cette étrange végétation.

— Tu as une autre idée ? chuchota Tobias. C'est le moment de la donner parce que le truc se rapproche !

— La voie de chemin de fer.

— Quoi ? Derrière nous ?

— Elle part vers le sud, ici on ne sait même pas où on va et ça grouille de mutants.

— M'est avis qu'on sera plus en sécurité dans les villes que dans la campagne.

— C'est ce que je pensais aussi mais… on dirait que les mutants sont… les adultes qui n'ont pas disparu. Et donc plus nombreux dans les villes et les villages.

Les bruits de pas étaient tout proches maintenant.

Tobias tourna la tête en direction de ce qui arrivait sur eux et capitula devant l'urgence :

— OK, on fait demi-tour. Vite.

Ils déguerpirent et Matt attendit d'avoir mis au moins trois cents mètres entre eux et les grognements avant de craquer un autre bâton lumineux qui propagea sa lumière verte autour d'eux. Ils retrouvèrent la voie de chemin de fer et s'engagèrent entre les rails, la peur au ventre.

— Comment tu peux être sûr qu'elle va vers le sud ? demanda Tobias après un long silence.

Matt extirpa un petit objet de sa poche de manteau et ouvrit la main sur une boussole.

— Je l'ai prise au magasin de sport.

— Au moins, si les appareils électriques ne fonctionnent plus, le magnétisme, lui, est toujours opérationnel !

— Je l'espère, avoua sombrement Matt.

Ils posaient les pieds sur les traverses, planche après planche, remarquant la présence de lianes enroulées autour des rails. Ils ne tardèrent pas à être hypnotisés par la cadence de leurs pas, parfaitement synchronisés. Le stress se dissipa, la fatigue remonta, avec la faim. Il n'était pas midi lorsqu'ils firent une pause en s'asseyant sur les rails. Ils burent presque toute la bouteille de lait en mangeant des barres énergétiques, sans un mot. La brume n'avait pas faibli, elle ne laissait filtrer du soleil qu'un vague halo blanc. Une lumière de crépuscule.

Quelques arbres dressaient de temps à autre leur ombre imposante. Pendant une seconde Matt fut pris d'un doute : et s'ils marchaient ainsi pour rien ? Vers une destination sans fin ? Et s'il n'y avait rien à trouver au sud ? Aussitôt, il cligna des paupières et chassa ces mauvaises pensées. Il ignorait quoi, mais *quelque chose* au sud dérangeait les échassiers. Aussi sûrement qu'ils le cherchaient pour le compte de leur... maître, ce fameux « Il ». Matt était convaincu qu'il devait filer au plus vite loin de New York.

Ils se remirent en route sans tarder, le manque de sommeil, l'inquiétude et la digestion composèrent un cocktail soporifique qui les fit vaciller en marchant. Lorsqu'il fut évident qu'ils n'en pouvaient plus, Matt leva le bras et proposa une halte. On sortit les duvets et Matt installa le sien entre les rails, sur les traverses.

— Tu vas dormir *là* ? s'étonna Tobias.

— Oui, qu'est-ce que tu crains ? Pas les trains, en tout cas.

— Moi, je ne pourrai pas. Je préfère encore les racines.

Malgré la tension et l'inconfort, ils sombrèrent aussitôt.

Un sommeil sans rêves. Un sommeil froid.

Et pendant qu'ils se reposaient, une ombre passa au-dessus d'eux, entre cette chape de brume et le soleil. Une ombre silencieuse qui tournoya une minute à l'aplomb de leur position, comme si elle pouvait les sentir, mais, prisonniers de leur sarcophage vaporeux, les deux garçons demeuraient invisibles. L'autre finit par reprendre de l'altitude et se dilua à l'horizon.

11

Des escaliers dans les nuages

Lorsqu'il reprit conscience, Tobias s'alarma de ne rien voir, avant de constater que le tube lumineux était épuisé. Ils avaient dormi bien plus longtemps qu'ils ne l'avaient prévu. La nuit était tombée et la brume demeurait compacte.

Tobias voulut réveiller Matt, qu'il discernait à un mètre de lui, lorsqu'il sentit qu'on lui retenait les pieds. Un frisson glacial le transperça.

Une liane, poussée en quelques heures, s'était enroulée autour de ses jambes. Tobias se dégagea vivement et secoua son compagnon.

— Matt… Matt… il fait nuit.

Le garçon ouvrit les yeux, puis se redressa.

— Je ne sais pas quelle heure il peut être mais c'est la nuit noire, lança Tobias. Et le tube est mort. Faut en craquer un autre.

Matt hocha la tête, le temps de reprendre ses esprits. Il ouvrit sa besace et compta six tubes.

— Je dois en avoir autant, ajouta Tobias. De quoi tenir une petite semaine. Qu'est-ce qu'on fait ? On se remet en route ?

Matt prit le temps de réfléchir avant d'approuver.

— Ne perdons pas de temps, on est réveillés, autant y aller. Mais avant j'aimerais manger quelque chose de consistant.

Tobias sortit les rations de nourriture lyophilisée et ils installèrent le petit réchaud à gaz sur une traverse de la voie ferrée. L'appareil émit une flamme dansante qui teinta leurs visages d'une lueur bleue. Un doux fumet ne tarda pas à se dégager de la casserole, le poulet-vermicelle prenait de la densité sous leurs yeux. Matt ne fut pas mécontent de couper le chuintement du réchaud lorsque ce fut prêt, il se sentait terriblement vulnérable près de cette lumière qu'il devinait visible de loin malgré la poisse environnante.

Ils mangèrent de bon cœur puis nettoyèrent les ustensiles.

— On va manquer d'eau, fit remarquer Tobias. À ce rythme-là il nous faudra repasser par une ville demain.

— On trouvera bien. Allez, viens.

Ils allumèrent un nouveau tube pour guider leurs pas et la marche reprit. De temps à autre, ils entendaient des bruissements dans les buissons ou entre les arbres, sans pour autant distinguer une forme.

Matt ouvrait la route, progressant entre les rails. Après environ trois heures de marche – ils n'avaient aucun moyen de connaître l'heure exacte –, ils marquèrent une pause pour se désaltérer et masser leurs pieds. Avant de repartir à l'assaut des kilomètres.

Plus tard dans la nuit, Matt devina un changement dans la luminosité, l'aube n'allait plus tarder. Une de plus. Ils progressaient mécaniquement, allongeant un pied devant l'autre, par pur réflexe, après une nuit entière de ce balancement lancinant. Matt ne prêtait plus d'attention aux bruits environnants, il avançait, les épaules douloureuses à cause des sangles de ses sacs.

Soudain il réalisa qu'un muret jalonnait le talus sur lequel ils se trouvaient. Il se tourna vers Tobias :

— Je crois qu'on approche de quelque chose.

Tobias, tout aussi bercé par la cadence, ouvrit de grands yeux, comme s'il s'éveillait.

— Ah ? Je commence à fatiguer.

— Continuons un peu, on trouvera peut-être un endroit sec pour s'arrêter.

Le muret s'élevait, et Matt finit par s'en approcher et se pencher par-dessus. Mais il ne distingua rien d'autre que la brume. Pas de végétation, pas de construction, juste le vent sifflant en contrebas.

Il se saisit d'une pierre du ballast qu'il lâcha dans le vide. Elle chuta et disparut dans le cocon vaporeux, sans un son.

— Waouh! s'écria-t-il. Je crois qu'on est sur un pont!

Immédiatement, Tobias vérifia l'espace entre les deux parapets. C'était étroit. Si un train venait à surgir, ils n'auraient pas de quoi se ranger. *Aucune raison pour qu'un train circule, plus maintenant...*, songea-t-il, sans savoir si cela devait le réconforter ou le déprimer. Il tira Matt par la manche:

— Viens, ne traînons pas, dit-il en accélérant.

Il avait hâte d'en finir avec ce pont. Mais après une cinquantaine de mètres, la voie ne semblait toujours pas recoller à la terre ferme. Le vent soufflait plus fort, loin sous leurs pieds, tandis qu'à leur hauteur, il ne sentait pas la moindre brise.

— Cet endroit est curieux, je n'aime pas ça, avoua-t-il.

Tout à coup, un claquement sec retentit au-dessus de leurs têtes: comme un pan d'étoffe dont s'empare le vent. Matt fit un pas de côté, trébucha dans le ballast et Tobias s'accroupit en se protégeant le visage. Le claquement résonna une seconde fois, plus haut, en s'éloignant.

— C'était... un sacrément gros oiseau, murmura Tobias.

Matt se redressa, le cœur battant à tout rompre.

— Ça nous a frôlés, je l'ai senti sur ma nuque. Il est passé tout près.

Sans un mot de plus, ils se remirent en route, à vive allure, scrutant la masse impénétrable qui les surplombait tout en sachant que si cette créature plongeait à nouveau sur eux, ils ne la verraient qu'au tout dernier moment. Mais il n'y eut plus de survol, plus de battement d'ailes gigantesques.

En revanche, deux lumières blanches apparurent dans leur dos, à l'entrée du pont. Deux phares puissants, côte à côte, qui se rapprochaient assez vite.

— Oh! bon sang! s'écria Tobias. Tu vois... tu vois qu'il peut y avoir des trains!

Matt secoua la tête, livide.

— C'est pas un train. C'est un échassier. Et je crois qu'il nous a repérés.

Matt en eut la confirmation lorsque les cris de baleine retentirent dans leur dos. Plaintes et couinements stridents brisèrent la ouate brumeuse.

— Cours ! hurla Matt. Cours !

Il fonça tête baissée et tira son ami.

Aussitôt, des pierres roulèrent derrière eux, l'échassier venait de s'élancer sur leurs traces.

Avaient-ils une chance de semer un échassier ? Matt en doutait. Devait-il garder son énergie pour un éventuel affrontement ou faire face et brandir son épée ? Ses jambes engloutissaient les mètres comme si elles refusaient cette dernière éventualité. Il entendait les tiges du monstre s'enfoncer dans le ballast avec la régularité d'une machine. La longueur de ses cannes suffisait à lui donner l'avantage. Il n'allait plus tarder à les rattraper. Matt avait déjà le souffle court, son équipement le handicapait considérablement. Il faillit s'en débarrasser. Tout jeter, même son arme, pour s'échapper.

Une forme aux contours géométriques se profila devant eux. Des angles percèrent la brume. Une rampe, un toit... un quai. Une gare se dressait sur le pont. Tobias et Matt l'atteignirent en haletant, ils grimpèrent sur un quai sale et abandonné. De grosses auréoles de rouille tachaient les murs, de larges fissures s'ouvraient comme du pain entaillé avant la cuisson. Les néons étaient crottés, des toiles d'araignées occupaient tous les coins.

Les deux garçons couraient pour remonter le quai tandis que l'échassier se hissait déjà sur la marche de béton. Un escalier creusait une sortie et Matt saisit la rambarde pour y bondir, suivi de Tobias. La structure métallique s'enfonçait sous la gare. Un carrefour apparut : d'un côté une ligne droite qui fusait sous le pont, de l'autre la descente d'un escalier aussi raide qu'étroit. Matt opta pour la seconde voie. Il sautait plus qu'il ne dévalait les marches, Tobias sur ses talons. L'escalier présentait soudain un palier avant de tourner dans l'autre sens, dessinant de gigantesques Z. La structure suspendue par des filins et des poutrelles aux rivets apparents prenait des airs de tour Eiffel. À bout de souffle, Matt et Tobias s'immobilisèrent, ils n'entendaient plus l'échassier. Matt osa un coup d'œil au-dessus d'eux. Leur poursuivant s'était figé devant l'entrée des marches. Même avec ses échasses rentrées il était trop grand pour passer. Matt le vit hésiter et se pencher en avant pour tenter de se glisser dans la cage. Il n'était pas à son aise, ses longs doigts laiteux s'agrippaient aux mailles des parois. Matt, les poumons en feu, le vit reculer pour ressortir, lever la tête et lancer ses couinements lancinants pour appeler de l'aide.

Tobias, plié en deux, épuisé, appuya les mains sur ses genoux.

— Je crois... que... mon asthme... revient !

— T'as jamais... eu... d'asthme !

— Mes poumons... sifflent... parfois.

— Arrête, trancha Matt. Mieux vaut filer... tant que ce truc... peut pas nous suivre.

Ils continuèrent, plus lentement, se demandant jusqu'où ils allaient descendre. La brume se clairsemait maintenant, et ondoyait de plus en plus. Le vent s'invita, caressant les cheveux. Une dizaine de mètres plus bas, il se mit à siffler et à fouetter les joues. La brume avait disparu, remplacée par un tourbillon de nuages qui se délitaient peu à peu, laissant entrevoir la cime d'une forêt en contrebas. De quelle hauteur étaient-ils descendus ? Cent mètres ? Peut-être le double, estima Matt avant d'atteindre les dernières marches, entre de hauts pins. Les deux garçons s'effondrèrent dans la mousse, les jambes tétanisées par l'effort.

À peine avaient-ils retrouvé leur souffle qu'ils réalisèrent que l'endroit était éclairé. Des champignons hauts comme des roues de camion irradiaient une lueur blanche.

— Alors ça... ! gloussa Tobias. On dirait des lampadaires ! Regarde ! Il y en a partout ! On va pouvoir économiser nos tubes.

Matt était déjà en train de parcourir les environs, un sentier perçait la forêt de part en part. Il s'empressa de revenir vers Tobias.

— On est sur la bonne route ! s'écria-t-il.

— Comment tu peux le savoir ?

Matt se contenta de le pousser jusqu'à une vieille remise dissimulée sous des bouquets de fougères et de buissons de ronces, au croisement d'un sentier et du chemin qui venait des escaliers. Là, posée contre un tronc d'arbre, une grande planche brillait dans la lumière tiède des champignons. À bien y regarder, Tobias comprit que ce n'était pas la planche qui brillait, mais de la peinture.

On s'en était servi pour écrire un message.

12

Rencontre nocturne

« *N'allez pas au nord. Les adultes ont disparu. Des monstres les remplacent. Nous sommes neuf. Nous allons au sud.*

Il faut suivre les scarabées. »

Tobias retrouva un peu d'espoir.

— Tu avais raison, le sud, c'est l'avenir, lança-t-il. Mais c'est quoi cette histoire de scarabées ?

Matt fit la moue.

— Aucune idée. Viens, je ne sais pas combien de temps les échassiers resteront coincés, mais je n'ai pas envie d'être là quand ils descendront.

L'aube dressait timidement sa douce frange à l'horizon, cependant l'épaisseur des frondaisons était telle qu'il aurait fait totalement nuit s'il n'y avait eu les champignons lumineux.

— Tu crois que si j'en coupe un bout il continuera de nous éclairer ? demanda Tobias en marchant.

— Tu n'as qu'à essayer.

Tobias s'empressa de brandir son couteau de chasse et découpa avec soin un long copeau de chair blanche.

— Ça marche ! s'écria-t-il, on n'aura plus besoin de bougies !

Il glissa délicatement son trophée dans sa poche, sans que la lueur baisse d'intensité. Après quoi ils suivirent le sentier sur plusieurs kilomètres, tandis que le soleil se levait. Lorsqu'il fit tout à fait jour, l'éclat des champignons s'atténua, jusqu'à s'éteindre.

Ils marchèrent ainsi toute la journée, dans une forêt dense, ne prenant du repos que pour se sustenter et délasser leurs membres douloureux. En fin d'après-midi, ils n'étaient plus en état de poursuivre. Ils s'écartèrent du sentier pour se mettre à l'abri dans la végétation. Matt s'assit sur une souche, ôta chaussures et chaussettes, et découvrit cinq énormes ampoules.

— Tu as remarqué que la neige a disparu de ce côté du tunnel ? demanda Tobias.

— Et le climat est plus doux, il ne fait plus froid du tout, souffla Matt en grimaçant à la vue d'une sixième cloque.

Tobias se pencha sur les pieds de son ami et prit un air dégoûté :

— Je suis sûr d'avoir les mêmes ! Je ne veux pas les voir ! Mes pieds me font un mal de chien.

Sur quoi il prépara le réchaud à gaz et ils dînèrent en silence, trop exténués pour faire la conversation. Alors qu'ils commençaient à somnoler, Tobias émit l'idée de se relayer pour monter la garde.

— On ne tiendra pas, nos paupières se ferment toutes seules, on a besoin de tout le sommeil possible. Je ne crois pas que monter la garde servirait à grand-chose.

Tobias finit par délacer ses chaussures pour aérer ses pieds. Il se massa les chevilles.

— Tu penses qu'on va marcher longtemps comme ça ? demanda-t-il sur un ton grave.

Matt décela plus qu'une inquiétude dans sa voix, une résignation, un abattement soudain. Pouvait-il l'en blâmer ? Et que pouvait-il leur arriver de pire ? Ils marchaient, seuls, en ignorant ce qu'ils cherchaient, sans promesse de répit, rien que sur une intuition.

Mais je sens qu'il faut aller au sud ! tenta de se rassurer Matt. *Les échassiers avaient peur que j'y sois déjà. Quelque chose là-bas nous aidera. D'autres rescapés le savent !* se répéta-t-il en se remémorant les mots sur la planche : « *Il faut suivre les scarabées.* »

— Je ne sais pas, avoua enfin Matt. On marchera le temps qu'il faudra. Mieux vaut ne pas y penser, le manque de certitude angoisse, et on n'a pas besoin de ça.

Tobias émit un ricanement :

— Tu parles comme un prof !

Matt fronça les sourcils avant de réaliser que Tobias avait raison. Depuis qu'ils étaient partis, il s'était bâti un comportement de meneur, jusque dans l'attitude : autorité et force apparente, ce qui n'était qu'une illusion. Tobias avait émis des signes de faiblesse qu'il avait fallu compenser, Matt l'avait tiré en avant et depuis il n'était plus redevenu l'adolescent terrifié qu'il était en réalité. *Tout ça, c'est du flan ! J'ai la pétoche ! J'ai envie de chialer comme un môme !* Mais en même temps, il devinait que ça n'arriverait pas, pas maintenant. Il se devait d'être fort. De les guider, Tobias et lui, vers le sud, vers l'espoir.

Malgré tout, une question le taraudait au point de fissurer sa détermination. Pourquoi lui ? Pourquoi les échassiers le pourchassaient-ils lui en particulier ? Pourquoi pas Tobias ? Et qui était ce « Il » pour lequel ils le traquaient ?

J'ai intérêt à me poser moins de questions et à dormir, se raisonna-t-il pour fuir ses doutes. Au fond de lui, il avait le sentiment que tôt ou tard il entendrait parler de ce « Il », les échassiers n'allaient pas l'oublier. *À moins d'atteindre le sud avant qu'ils ne nous retrouvent…* Le flou vient très vite brouiller ses idées, tout s'emmêlait dans son cerveau, il avait besoin de fuir la réalité, pour un temps, de dormir, et c'est ce qu'ils firent, après s'être assurés qu'ils étaient bien cachés dans les fougères.

Avec un bel ensemble, tous deux rêvèrent. D'un monde

normal. Avec des journées de cours, des professeurs qu'ils détestaient, d'autres qu'ils adoraient. Des repas en famille…

Matt ouvrit les paupières.

Il n'était pas chez lui, pas dans son lit sécurisant.

Il faisait encore nuit, une nuit opaque, obscurcie encore par la cime des arbres. Il avait froid, l'humidité s'était glissée dans son duvet, il avait mal au dos, et des courbatures dans tout le corps. Cette aventure-là avait un goût bien amer en comparaison de celles qu'il avait rêvées dans ses jeux de rôle.

Autour d'eux, des insectes stridulaient. Deux hiboux échangeaient leurs impressions à grand renfort de *hou-hou* sibyllins. Les champignons lumineux n'habitaient pas cette région, au grand regret de l'adolescent. Et soudain jaillit dans la nuit un cri aigu, comme Matt n'en avait jamais entendu. Le cri grimpa et flotta dans l'air plusieurs secondes avant de cesser. Cela ressemblait à une plainte qui virait au rire obscène et saccadé d'une hyène. Une énorme hyène dégénérée.

Tobias s'était redressé d'un bond.

— Qu'est-ce… que c'est ? bégaya-t-il.

— Ce qui m'a réveillé, je crois.

Matt avait déjà saisi son épée sans pour autant la sortir du baudrier.

Un arbre se mit à grincer, tout proche. Puis la végétation fut violemment secouée.

— Là ! s'écria Tobias en désignant une lourde branche qui tremblait encore. La vache ! Ce truc doit être énorme !

Il se jeta sur son arc et tâtonna à la recherche de ses flèches avant d'en encocher une et de se relever pour scruter les alentours.

Matt laissa échapper un gémissement et s'approcha lentement pour lui murmurer :

— Je le vois ! Il est là-haut… Accroupi à l'endroit où le tronc se sépare en deux.

Tobias leva les yeux, et se raidit. Une forme étrange, aussi haute qu'un homme, guettait. Matt insista :

— Tu l'as repéré ?

— Ou... ouais. Je... j'ai... la pétoche, Matt.

Matt demeura impassible. Lui aussi était terrorisé. Il distinguait de longues griffes à la place des mains et des pieds. Et brusquement, la créature se pencha pour mieux voir les deux garçons.

Un frisson secoua Matt.

La tête du monstre ressemblait à un crâne recouvert d'une peau blanche, sans chair ; la mâchoire proéminente retroussait les lèvres sur des dents acérées et anormalement longues. Une immense bouche pleine de crocs qui ne cessait de répandre une bave épaisse. Ses yeux luisaient, attentifs.

Une abomination taillée pour découper, arracher. Un prédateur.

Soudain, Matt comprit qu'elle allait bondir.

Il tira la poignée de sa lourde épée et la lame apparut devant lui. Ses deux mains se joignirent sous le pommeau et il ne cilla pas, en se demandant s'il tiendrait longtemps. Il luttait pour ne pas s'effondrer et hurler de peur.

Du coin de l'œil, il distingua la pointe d'une flèche. Tobias venait de mettre en joue la bête. Le triangle de métal tremblait tellement que Matt douta qu'il puisse toucher sa cible, même immobile.

Brusquement, la créature tourna la tête et huma l'air. Elle semblait hésiter, reporta son attention sur les deux garçons, renifla à nouveau en direction du sentier et lâcha un cri rageur en direction de ses proies.

Avant que Tobias puisse décocher sa flèche, elle avait disparu, bondissant d'arbre en arbre pour se fondre dans la nuit.

Tobias soupira et se laissa choir sur son duvet.

— Quelque chose approche par le sentier, chuchota Matt. Quelque chose qui a fait fuir ce... cette bestiole.

Au moment où il prononçait ces mots, une forme animale se profila dans les ombres du chemin. Les garçons réintégrèrent vivement le couvert des fougères.

— Tu as vu ce que c'était ? s'enquit Tobias.

— Non, c'est gros, avec des poils, on aurait dit une panthère ou un ours, mais c'est allé trop vite.

Le pas lourd de la bête écrasait les branchages, puis il ralentit. Ils perçurent de petits sifflements : elle reniflait le sol.

— Elle nous sent, articula Matt sans voir.

Tobias hocha la tête, gagné à nouveau par une angoisse sourde. Quel genre de monstre pouvait faire fuir un prédateur comme celui qui les avait repérés plus tôt ?

C'est alors que la bête fendit les broussailles et marcha vers eux.

Matt se redressa, l'épée devant lui, prêt à frapper malgré la terreur qui le privait de toute force. Tobias en fit autant, avec l'énergie du désespoir il banda son arc.

Un énorme chien apparut.

Les babines flottantes, le regard doux, on eût dit une sorte de croisement entre un saint-bernard et un terre-neuve. Tobias sentit la corde de son arc glisser sur ses phalanges moites.

— Qu'est-ce qu'on fait ? bredouilla-t-il.

Le chien parut surpris par l'accueil, il ouvrit la gueule, et sortit sa grosse langue rose en haletant, comme s'il était content de lui. Il ressemblait à un gros nounours.

— Range ton arc, conseilla Matt. Il n'est pas méchant.

Une fois les gardes baissées, le chien s'approcha et vint se frotter contre Matt, qu'il gratifia d'une léchouille satisfaite.

— Qu'est-ce que tu fais là, toi ? C'est pas un endroit pour les chiens.

— Il a un collier ?

— Non. Rien du tout.

— C'est curieux, jusqu'à présent les seuls chiens que j'ai aperçus étaient redevenus sauvages.

L'animal se mit à errer dans leur bivouac de fortune, reniflant les sacs et les places où ils avaient dormi.

— Peut-être qu'il nous piste pour le compte des échassiers, hasarda Tobias.

— Non. Il n'a rien d'agressif, c'est une bonne pâte.

— Alors il est sûrement à quelqu'un ! Qui ne doit pas être loin derrière !

— Non, répéta Matt. Il a le poil plein de nœuds, il n'a pas été brossé depuis un moment. Détends-toi, Toby. Ce chien est… un ami.

— Un ami ? s'indigna Tobias. Un truc énorme débarque en pleine nuit et aussitôt tu l'adoptes !

— Il faut lui trouver un nom, proposa Matt.

— Un nom ? Tu… veux *vraiment* le prendre avec nous ?

Le chien tourna brutalement la tête vers Tobias et le fixa. Tobias resta bouche bée.

— Il… il a compris ce que je viens de dire ?

— En temps normal, je te dirais que c'est impossible, mais là…

Tobias leva les paumes devant l'animal :

— J'ai rien contre toi, c'est juste que…

— Plume ! Il va s'appeler Plume ! Ça lui va bien !

Matt se mit à rire. Il lui sembla qu'il ne l'avait plus fait depuis une éternité. Le chien planta ses prunelles brunes dans les siennes.

— Ça te plaît ?

La longue queue battit la mesure. En d'autres circonstances, Matt n'y aurait pas prêté attention, mais le monde avait changé. Leurs repères avaient changé. Bien différents de leur ancienne vie. *Ancienne vie*. Ces deux mots faisaient mal.

— Écoute, dit Matt à Tobias, il n'a pas l'air affamé, il doit se débrouiller pour manger, il peut marcher en silence et…

Une idée lui vint. Il ramassa son sac à dos et s'approcha de Plume.

— Tu pourrais prendre ça sur ton dos ?

Tobias ricana.

— Tu crois qu'il va te répondre ?

Plume se tourna vers lui une fois encore et le fixa comme s'il était stupide. Matt posa le sac sur le dos du chien qui ne broncha pas.

— Bien sûr, il faudra bricoler un système de harnais quand on croisera une ville, mais ça peut se faire.

Tobias haussa les sourcils.

— Voilà qu'on va faire équipe avec un chien, maintenant. Un chien savant en plus !

Réveillés pour réveillés, ils décidèrent de ranger leurs affaires et de se remettre en route. Matt s'apprêtait à craquer un tube lumineux mais Tobias sortit le fragment de champignon de sa poche. Il brillait encore, aussi intensément qu'une petite lampe, irradiant une clarté d'une blancheur parfaite. Tobias ramassa un long bout de bois qui pouvait lui servir de bâton de marche et embrocha le fragment lumineux.

— J'ouvrirai la voie, lança-t-il.

L'épisode du chien les avait apaisés. Plume n'était qu'un gros compagnon plein de poils, sans comparaison avec la créature qu'ils avaient aperçue, néanmoins il les rassurait.

Ils marchèrent toute la nuit, Plume gambadant à leur côté. Tobias ne pouvait s'empêcher de le surveiller, il ne partageait pas le même enthousiasme que son ami à l'égard du chien. Il soupçonnait un piège, tout cela était surréaliste. Que faisait dans les parages un chien comme celui-là ? Pourquoi les suivait-il ? Simplement parce qu'ils étaient l'unique forme de vie amicale qu'il avait croisée ? Parce qu'ils étaient les derniers représentants de la race humaine, ses anciens maîtres, qu'il avait sentis ? Quelques heures plus tard, face à l'apparente placidité du chien, la méfiance retomba et Tobias finit par se résigner. Après tout, Plume était aussi content que Matt d'avoir retrouvé des êtres sympathiques dans cette étrange forêt, ce qui pouvait expliquer son enthousiasme à les accompagner. Quant à son intelligence… Plus rien n'était comme avant, il fallait l'accepter.

Durant leur longue marche, Plume s'arrêta de temps à autre pour fixer les ténèbres de la forêt, ce qui ne manqua pas d'alarmer les garçons. Cependant, rien ne vint troubler leur progression, ils purent poursuivre jusqu'en fin de matinée où, lors d'une pause, Tobias désigna Plume qui urinait sur des pissenlits.

— Euh… je crois que c'est une fille.

Matt fit signe que ça lui était égal. Seule la présence du chien lui importait.

Ils marchèrent toute la journée, se reposant pendant deux heures pour manger, et à leur grand étonnement ils trouvèrent la force de suivre le sentier jusqu'à la tombée de la nuit. Là, la forêt se clairsema enfin.

Et avant que leurs dernières forces ne les abandonnent et qu'ils ne s'effondrent dans le sommeil, ils virent les scarabées.

Des millions de scarabées rouges et bleus.

13

Première violence

Lorsqu'ils arrivèrent au sommet de la butte, ils en eurent le souffle coupé.

Matt pensa d'abord contempler deux rivières de lumière qui glissaient paisiblement l'une contre l'autre, la première rouge comme une coulée de lave, la seconde bleue comme un glacier illuminé de l'intérieur, coulant à la vitesse d'un homme en marche.

Puis le trio s'aventura plus près de ce spectacle fascinant.

Au pied de la colline, une vieille autoroute ensevelie sous les lianes serpentait sur plusieurs kilomètres avant de disparaître dans un virage au loin. La route était recouverte par des millions, peut-être des milliards de scarabées qui marchaient côte à côte, tous dans le même sens. Parfaitement ordonnés, ils ne se heurtaient pas, ne se montaient pas dessus. Ils avançaient en une parfaite suite de petites processions dont le cliquetis des pattes martelait le chant. Il s'en dégageait un grouillement solennel et hypnotique.

Les deux voies étaient remplies, celle de gauche par des scarabées dont une lumière rouge jaillissait du ventre, celle de droite par des scarabées au ventre bleu.

Tous marchaient vers le sud.

Tobias s'approcha, il montra du doigt une petite colonne bleue qui n'était pas du bon côté et qui serpentait dans les broussailles. Il défit son sac à dos et trouva la bouteille de lait dont il but les dernières gouttes avant de se pencher pour saisir plusieurs scarabées qu'il enfourna dans la bouteille avant de refermer le bouchon.

— On aura de la lumière !

— Fais pas ça, c'est cruel, le réprimanda Matt.

— C'est la loi de la jungle maintenant, le plus fort gagne et fait ce qu'il veut.

Matt secoua la tête, déçu par l'attitude de son ami d'habitude si respectueux de la nature. Il était en train de changer avec le monde. *Non, c'est juste le traumatisme de tout ce qui nous arrive, il va redevenir lui-même,* voulut se convaincre Matt. Le pire qui pouvait lui arriver désormais serait de perdre son ami, le seul repère qui lui restait de cette réalité qui avait été autrefois la leur.

Tobias avait levé la bouteille à hauteur de son visage. Sa peau d'ébène était bleutée par les insectes s'agitant dans leur prison.

Son rictus s'affaissa brutalement. Il murmura quelque chose que Matt ne put entendre et s'empressa de libérer tous les scarabées.

— Allez, filez les gars, dit-il tout bas, dépêchez-vous. Excusez-moi pour ça, je sais pas ce qui m'a pris.

Il revint vers Matt et Plume qui l'observaient avec la même fierté dans le regard.

— Je sais, je sais, lâcha Tobias, j'ai été stupide. Allez, on remonte, on va se poser dans un coin pour dormir.

Sans un mot de plus ils se remirent en chemin, et trouvèrent une anfractuosité dans la colline, entre deux rochers, où ils purent passer la nuit. Plume vint se blottir entre les deux garçons, offrant sa présence rassurante. Son apparition était inespérée, Matt n'en revenait toujours pas. D'où venait-elle ? Pourquoi les accompagnait-elle comme si elle les avait cherchés eux, et personne d'autre ? Matt douta qu'il puisse un jour trouver des réponses, existaient-elles seulement ? Plume pouvait-elle n'être qu'un chien errant qui avait échappé à la transformation en bête sauvage, comme lui et Tobias avaient survécu aux éclairs ? Il s'endormit en posant une main sur la grosse patte poilue et sombra aussitôt dans un sommeil profond.

Cette nuit-là fut paisible, sans cauchemars.

Au petit matin, ils partagèrent avec Plume le fond d'eau de leurs gourdes. Il était temps de s'arrêter dans une ville. Le ciel était couvert de nuages bas mais il ne faisait pas froid.

Pendant toute la matinée ils longèrent l'autoroute lumineuse depuis le sommet de la colline puis bifurquèrent à l'approche d'une ville, du moins de ce qu'il en restait. La végétation avait tout recouvert, grimpant sur les immeubles, s'entortillant autour des fils électriques pour prendre et transformer ce qui avait été une agglomération en véritable jungle. Là ils purent s'équiper de bouteilles d'eau et en profitèrent pour dévaliser une épicerie car leurs provisions commençaient à manquer. Plume s'éloigna sous le regard attentif de Matt : partait-elle se ravitailler elle aussi ? Tobias, au fond du magasin, inspectait les étalages de friandises pendant que Matt feuilletait une bande dessinée avec un pincement au cœur. Au rythme où la nature recouvrait la civilisation, bientôt il ne pourrait plus en trouver. Et plus jamais de nouveautés, de même qu'il n'irait plus jamais au cinéma voir un film avec ses copains.

Lorsque la porte du fond s'ouvrit, Matt n'y prêta pas attention, absorbé qu'il était par ses réflexions nostalgiques. Mais quand la voix caverneuse d'un homme trancha le silence, il sursauta et se laissa tomber sur le carrelage couvert d'une épaisse mousse verte.

— Ne bouge pas !

Tobias laissa échapper un cri et voulut s'enfuir, mais la main de l'homme se déplia et le saisit par les cheveux :

— Reste donc ici !

Matt releva la tête et constata que l'homme ne l'avait pas vu, il s'en prenait à Tobias. Il était assez petit mais trapu, une couronne de cheveux bruns cerclait son crâne et une barbe fournie lui mangeait le visage.

— Faut pas t'en aller comme ça, je t'ai fait peur ?

— Lâchez-moi, gronda Tobias.

— Si je le fais tu vas te barrer. Je le vois dans ton regard.

— Vous me faites mal !

L'homme pivota pour coincer Tobias dans un coin et lâcha ses cheveux.

— Ça va mieux, là ? s'enquit-il sans gentillesse.

Il lui tendit la main.

— Je m'appelle Johnny.

Tobias ne répondit pas.

— T'es pas très poli comme garçon. Bon, on dirait que tu as de la chance de m'avoir trouvé. C'est devenu sacrément dangereux là-dehors.

Tobias se décrispa un peu.

— Laissez-moi passer, s'il vous plaît.

Mais Johnny ne bougea pas.

— Tu veux aller où comme ça ? interrogea-t-il. Y a plus rien dehors, tu as dû t'en rendre compte. Allez, viens donc avec moi derrière. Je vais te faire visiter. Toi et moi on va se serrer les coudes, pas vrai ? On va s'entraider.

Tobias voulut forcer le passage, mais Johnny lui saisit le bras.

— Lâchez-moi ! hurla Tobias. Lâchez-moi !

— Tais-toi un peu ! (Le ton devint agressif :) T'es pas content de voir un être vivant ? Tu devrais t'estimer heureux de tomber sur moi et pas sur une de ces meutes de chiens ! Eux te mettraient en pièces en un rien de temps.

Tobias voulut se dégager mais l'homme lui lança une gifle avec une telle violence que Tobias devint tout pâle.

— Arrête ! ordonna l'homme. Tu vois bien que le monde est différent maintenant. Ne sois pas idiot, tout seul t'as aucune chance dehors. Je te protégerai. (Il ajouta d'un air vicieux :) On se rendra des services tous les deux. Tu vois ce que je veux dire, pas vrai ? Ça va te plaire, fais-moi confiance.

Comme Tobias ne bronchait pas, l'homme inclina la tête.

— À moins que tu ne fasses partie du groupe d'hier soir, c'est ça, hein ? Tu t'es perdu ou tes copains sont encore dans le secteur ? Allez, parle !

L'homme saisit Tobias par le col et le souleva.

— Me mets pas en colère, je t'assure que tu n'as pas envie que je sois en pétard contre toi.

Matt ne savait pas comment réagir. Ce Johnny n'était pas normal. Il en était sûr. Il ressemblait à l'un de ces pervers que sa mère craignait tout le temps. Pourtant il devait agir, ne pas laisser Tobias entre ses pattes. *Comment faire. Mon épée...*

L'homme hurla encore sur Tobias.

Matt saisit la poignée de son arme, sortit la lame du baudrier et, sans bruit, s'approcha pour surprendre l'agresseur par-derrière.

Mais au moment de frapper il hésita. Il n'osa ni planter son épée dans le dos de Johnny, ni l'entailler de son tranchant. Matt réalisa en une seconde combien la violence d'une arme n'était pas simple à appréhender. Il avait répété cette scène des centaines de fois dans ses jeux de rôle : « Je plante ma lame dans ce troll ! » s'écriait-il avec joie ; mais tenir plusieurs kilos d'acier trempé à deux mains, lever les bras et les abattre de toutes ses forces dans le dos d'un homme, pour le blesser, peut-être le tuer, était un acte dont il se sentit soudain incapable. Même s'il agressait son meilleur ami, Matt ne parvenait pas à frapper cette chair, cette vie. *Introduire cette lame dans un corps humain !* entendit-il résonner dans son cerveau. *Et lui sectionner les muscles, les veines, les os ! Lui crever les poumons, transpercer son cœur ! Non, je ne peux pas !*

Johnny perçut une présence derrière lui et tourna la tête.

— Qu'est-ce…, commença-t-il.

Pris de panique, Matt ferma les yeux et hurla. *Maintenant ou jamais.*

Il fit un bond en avant, la pointe de son arme tendue devant lui. Ses bras durent vaincre une résistance, puis la lame glissa dans quelque chose.

Johnny lâcha un gémissement suivi d'un juron et s'abattit contre les étagères d'où dégringolèrent des dizaines de boîtes de gâteaux à apéritif.

Matt rouvrit les yeux.

Il avait embroché l'homme jusqu'à la moitié de sa lame. Alors il tira en arrière et l'épée ressortit en faisant un bruit atroce qu'il ne pourrait plus jamais oublier. Matt tomba à la renverse et lâcha son arme.

Johnny tituba vers lui. Du sang jaillissait de sa blessure et se répandait à une vitesse effrayante sur ses vêtements. Il s'effondra sur Matt, et l'écrasa de tout son poids.

— Sale petit…, gémit-il. Je vais… t'arracher… la tête.

Et ses deux mains enserrèrent le cou de Matt. Ce dernier tenta de se défendre, horrifié par la tiédeur poisseuse qui trempait son jean. L'homme se vidait de son sang sur lui.

Johnny le secoua, lui tapa la tête contre la mousse du sol. De plus en plus fort. Un flash crépita sous les yeux du garçon, suivi d'un voile noir. Il perdit ses repères, et la force le quitta brutalement. Un autre coup, nouveau flash. L'air lui manquait déjà. Johnny beuglait au-dessus de lui, une écume rouge à la bouche.

Matt avait mal à la gorge, il ne respirait plus. Il parvint à attraper les poignets de son agresseur…

Son crâne heurta à nouveau le sol.

Un éclair l'aveugla. La pièce disparut d'un coup.

Le poids de Johnny se dissipa.

Matt eut conscience de trembler, puis son corps s'affaissa.

Et il n'y eut plus que le noir de l'oubli.

14

Le murmure des ténèbres

Dans l'absolu de sa mort, car Matt sut aussitôt qu'il était mort, l'adolescent perçut la notion de froid abyssal. Il la perçut plus qu'il ne la sentit car il n'avait pas froid lui-même, en réalité il ne ressentait aucune sensation, mais le froid était là, tout autour de son âme, dansant comme un vent puissant, prêt à le saisir. Un froid venant du néant, loin, très loin de lui, et qui le tenait suspendu au-dessus d'un abîme fait de ténèbres.

Matt attendit, longtemps. Très longtemps. Le temps ne s'écoulait pas de la même manière ici, il n'y avait pas la trotteuse de son souffle pour lui rappeler qu'il était vivant, ni la cadence de son cœur pour marteler le temps qui passait, non, rien qu'une infinie patience tandis qu'il ne se passait rien. Absolument rien.

Et pourtant, Matt était bien là, pas physiquement, mais en pensée. Pas complète, car il ne pouvait se souvenir. Il lui était impossible de repenser à quelque chose de précis, les concepts mêmes de famille, d'amis avaient disparu. À vrai dire, il ne restait que l'essence de son être, et Matt sut que mourir, c'était ne garder que le substrat de sa conscience et le laisser flotter à jamais dans le vide. Matt était Matt, et c'était tout.

À vrai dire, c'était trop. Il aurait préféré ne rien savoir, n'être plus rien, car cette attente sans jouir de sa conscience et sans la promesse d'une échéance le faisait souffrir. Une démangeaison. Voilà ce qu'était l'attente ici. Une démangeaison qu'on ne parvient pas à localiser et que, de toute façon, on sait ne pouvoir soulager.

Puis lui parvinrent les voix.

Ou plutôt les murmures.

Lointains et proches à la fois. Lointains parce qu'ils semblaient provenir des confins de ce vide, et proches parce que Matt les entendait résonner à l'intérieur de son âme.

Ils disaient tous la même chose. Répétant la phrase comme une multitude d'échos, créant un gigantesque brouhaha. Pourtant Matt comprit clairement les mots qui lui parvenaient :

« Viens à moi. »

Les voix changèrent d'intonation, devinrent plus mielleuses :

« Ensemble, nous pouvons tout. Ensemble, le monde est à nous. »

« Viens à moi. »

Matt sentit une présence dans les ténèbres. Un être imposant, tout près. Et plus il se rapprochait, plus Matt sentait la démangeaison en lui se faire virulente, son âme se mit à vaciller. Ses perceptions s'altérèrent, son âme *tremblait*. La présence fut sur lui. Étouffante. Matt sut qu'il ne pouvait rien faire. Il s'en dégageait un tel charisme oppressant que Matt aurait pu croire qu'il s'agissait du Diable en personne. Pourtant il n'en était rien, il le devinait. Ce n'était pas le Diable, c'était quelque chose de plus viscéral, de plus ancien encore.

De plus effrayant.

Et tout à coup, la puissance d'une seule voix :

« Je suis le Raupéroden, Matt. Viens à moi. »

DEUXIÈME PARTIE

L'île des Pans

15

Un étrange coma

Matt eut d'abord mal au ventre. Puis à la gorge et à la tête. D'affreux maux de tête, le tout entrecoupé de sommeils profonds, peuplés de présences inquiétantes. Ensuite Matt eut froid. Puis chaud. Très chaud. Jusqu'à délirer. Il eut de brefs moments de conscience, assez peu lucides, il entrevit la lumière du soleil. Puis il sentit la pluie. Et la nuit.

Des loups – à moins que ce ne soit des chiens sauvages – hurlèrent au loin.

Matt décodait un message complexe, compte tenu de son état. Son corps... son corps était douloureux. Alors les voix revinrent, différentes. En fait, Matt comprit que ce n'étaient pas les mêmes. Cette fois, les voix étaient dans la lumière. Plus accueillantes, plus rassurantes.

On parla de lui.

Il dormit à nouveau.

Longtemps.

Parfois il croyait avoir rouvert les yeux, mais il n'en gardait qu'un souvenir évanescent. Celui d'une clarté chaude, d'un repos confortable, moelleux. De soif et de faim également.

Il dormit beaucoup.

La force le quitta peu à peu. Ses muscles se ramollirent, commencèrent à fondre avec le temps.

Le soleil alternait avec la lune. Au début, il lui sembla que chaque fois qu'il ouvrait les paupières l'un remplaçait l'autre.

Les jours et les nuits s'enchaînaient comme des secondes. Puis comme des minutes.

Bientôt il ne traversa plus qu'un enchaînement de souvenirs : une lueur agréable, de l'eau qui coule en lui, de la nourriture aussi. Parfois une démarche de somnambule pour le conduire dans une pièce toute proche, avec un puits sans fond dans lequel il avait l'impression de se perdre. Ses gestes étaient ceux d'un automate, il ne les contrôlait pas. Puis le retour à cette pièce blanche, réconfortante… un lit ! Matt vivait à présent dans un grand lit doux. Avec le temps, il plaça deux larges fenêtres dans sa vision de la pièce. La lumière du soleil traversait des rideaux en organdi couleur pêche. Il ne tarda pas à voir des murs jaune clair.

Les jours et les nuits se succédaient.

Matt peupla alors ses souvenirs d'êtres vivants. Des voix fluettes. Des silhouettes penchées au-dessus de lui. Elles lui parlaient sans qu'il parvienne à les comprendre.

Son corps était de plus en plus mou. Chaque effort lui demandait une énergie qui l'épuisait et ne tardait pas à le replonger dans une longue et profonde léthargie.

Simple spectateur de ce manège, Matt se laissait porter par le ressac des éveils et les vagues du sommeil, comme un radeau vivant au large du temps, loin de toute civilisation, de tout échange. Il s'était habitué à cette succession d'états, et cela aurait pu durer longtemps, si, un matin, un ange ne lui était apparu.

Ce jour-là, Matt entrouvrit les paupières et, dans cette vision floue qui était la sienne, distingua une silhouette aux longs cheveux blonds tirant sur le roux. Ses yeux, vivement, firent alors le point et chassèrent les brumes de son regard.

Il la vit, à côté de lui.

Une jeune fille, quinze ans peut-être, aux pommettes hautes, aux lèvres roses sous un nez fin, et qui se tenait parfaitement droite sur une chaise. Belle comme une fleur aux premiers jours du printemps, fière de ses pétales aux couleurs vives, soyeuse et volontaire. Et sa voix douce le berça pour adoucir son réveil :

— Alors ce n'est pas vrai ce qu'on dit de toi ?

Il sembla à Matt qu'elle chantait plus qu'elle ne parlait, tant ses intonations étaient apaisantes.

— Tu n'es pas dans le coma, n'est-ce pas ?

Un sourire illumina son visage, ses taches de rousseur s'allongèrent. Matt voulut faire de cette fille son ciel, de ces taches ses étoiles, et de ces yeux deux astres verts qu'il pourrait contempler à chaque instant.

Que lui arrivait-il ? Pourquoi parlait-elle de coma ? Où était-il ? Dans une maison…

— Je le vois bien, tu m'entends ! s'amusa-t-elle.

Le soleil brillait derrière les deux grandes fenêtres aux rideaux transparents. Le plafond était immensément haut. Une moquette immaculée et épaisse recouvrait le sol, et des meubles en bois ouvragé d'un blanc pur décoraient cette chambre que les rayons du soleil illuminaient, au point de la rendre magique, comme dans *Le Seigneur des Anneaux* qu'il aimait tant. Il était à Fondcombe.

— Je… suis…, articula-t-il.

Mais sa voix était éraillée, sa gorge sèche. La fille se pencha pour lui tendre un verre d'eau qu'il but d'une traite.

— Tu es sur l'île Carmichael, du moins ce qu'il en reste. Je suis Ambre.

Ambre… même son nom avait des sonorités magiques. Matt voulut se redresser mais l'effort le terrassa et il s'effondra dans ses oreillers. La vague de fatigue s'enroula autour de lui et tout ce qu'il eut le temps de dire avant de disparaître dans l'écume du sommeil fut :

— Ambre… sois mon ciel…

Quand il rouvrit les yeux, il fut surpris de retrouver la pièce autour de lui. Tout ceci n'était donc pas un rêve.

Et Ambre ? Existe-t-elle ? Aussitôt, il se souvint de ce qu'il lui avait dit et la honte le submergea. Il avait déliré ! Ça ne pouvait être que le délire !

Une porte s'ouvrit dans le fond de la chambre et deux adolescents s'approchèrent, deux garçons. Matt leur donna treize
et seize ans. Le premier était petit, blond, vêtu d'une chemise
blanche et propre et, tout aussi étonnant : il était coiffé d'un
haut-de-forme, ces chapeaux que Matt n'avait vus que dans les
mains de magiciens qui en faisaient surgir lapins et colombes.
L'autre était sa copie conforme, son grand frère assurément, sauf
qu'il était habillé plus simplement.

— Elle avait raison, il n'est pas comme d'habitude, fit le petit.

— Exact, ses yeux ont l'air moins... embués. On dirait qu'il
nous comprend cette fois.

Matt avala sa salive et articula lentement :

— Bien sûr... que je vous... comprends ! J'ai... soif.

Le plus grand attrapa la carafe d'eau posée sur la table de
chevet et lui emplit un verre que Matt vida sans s'arrêter pour
respirer.

— Formidable ! Tu as survécu ! s'exclama le petit.

— À quoi ? J'ai... survécu à quoi ?

— Au délire ! À ton coma ! T'es resté comme ça si longtemps qu'on a cru que tu n'en sortirais jamais.

— Combien de temps ? demanda Matt, soudain inquiet.

Le petit ouvrit la bouche, mais son frère le devança :

— Vaut mieux te reposer, on va y aller doucement, d'accord ? Je vais prévenir ton ami.

— Tobias ? Il va bien ?

— Oui. Ne t'en fais pas.

— Mais je suis resté combien de temps ainsi ? Et le monde...
il est revenu à la normale ?

Les deux frères s'observèrent, une pointe d'angoisse dans le
regard.

— Non. Mais les choses ont évolué, on en sait un peu plus
désormais. On s'est organisés. Je vais chercher Tobias, essaye de
ne pas bouger, tu es faible.

Avant que Matt puisse insister, les deux étranges compères
avaient disparu. Matt en profita pour tenter de se redresser, mais

cette fois avec précaution. Il put s'asseoir dans son lit. Il était vêtu d'un pyjama gris qui bien entendu n'était pas à lui. Il réalisa qu'il était affamé. Tobias entra et courut vers lui.

Matt eut un choc en le voyant.

Tobias avait maigri, son visage était plus marqué, moins poupon. Il avait perdu ses joues d'enfant.

Tobias serra son ami dans ses bras.

— Ce que je suis content de te revoir !

— Moi aussi, Toby... Moi aussi... Mais... Qu'est-ce qui m'est arrivé ?

Tobias haussa les sourcils et tira une chaise à son chevet.

— Il s'en est passé des choses ! commença-t-il. Tout d'abord, comment te sens-tu ?

— Ramolli, les jambes en coton, j'ai l'impression d'avoir passé six mois au lit !

Tobias ne partagea pas son rire.

— Quoi ? s'inquiéta Matt. Je n'ai pas passé six mois ici ! Rassure-moi !

Tobias soupira, et se lança :

— Cinq. Ça fait cinq mois que tu es comme ça.

— Cinq mois ? répéta Matt, incrédule. Comment... comment c'est possible ?

— Ce type qui m'a agressé dans l'épicerie, tu t'en souviens ? Il t'est tombé dessus, il t'a étranglé et te tapait la tête par terre. Je lui ai écrasé une bouteille sur le crâne et il est devenu tout raide. Mais tu étais inconscient. J'ai essayé de te réveiller sans réussir. Alors je t'ai porté à l'extérieur. Plume est arrivée en courant...

— Elle va bien ? le coupa Matt.

— Mieux que jamais, elle venait dormir ici jusqu'à ce que Doug la fasse sortir, il dit que ce n'est pas bon de dormir avec un chien. Je trouve ça idiot, mais c'est lui le doc.

— Parce qu'il y a un médecin ici ?

— Oui, tu l'as vu tout à l'heure...

— Le grand blond ?

— Oui, et son petit frère, ils sont deux. C'étaient les fils du propriétaire, un grand docteur, connu dans le monde entier avant que la Tempête ne change tout.

Matt avait mille questions en tête, aussi préféra-t-il se concentrer pour ne pas se disperser.

— Revenons à nous. Plume est arrivée en courant, tu disais…

— Oui, je crois qu'elle avait entendu le grabuge. J'ai réussi à te mettre sur son dos et la pauvre bête t'a porté tout le chemin, sans jamais ralentir.

— Je savais que c'était un chien extraordinaire.

— Tu lui dois la vie, sans elle je n'aurais jamais pu retrouver les autres.

— Qui ça ?

— Ceux qui avaient écrit la pancarte dans la forêt. Ils n'étaient plus que huit, un… Glouton en a tué un.

— Un Glouton ?

— Oui, c'est comme ça qu'on appelle les mutants maintenant. Bref, on a réussi à te faire boire et manger de la bouillie pendant les huit jours de marche. Jusqu'à ce qu'on arrive ici. Depuis, tu étais dans un coma étrange, tu en sortais de plus en plus souvent, mais sans parvenir à nous parler. Tu mangeais ce qu'on te mettait dans la bouche, tu buvais, parfois même tu arrivais à te lever pour aller aux toilettes et pourtant on voyait bien que tu avais en permanence le regard dans le vague. Jusqu'à ce matin.

— C'est de la folie !

Doug, l'aîné des frères blonds, entra avec un plateau qu'il déposa sur les jambes de Matt avant de repartir. L'assiette contenait une omelette fumante que Matt s'empressa de dévorer tant il avait faim.

— Tu te souviens de quelque chose ? interrogea Tobias. Tu as pas mal cauchemardé, tu murmurais que tu étais poursuivi, tu parlais d'une grande forme noire derrière toi…

Matt cessa de mâcher et serra sa couverture dans son poing. *Le Raupéroden*, se souvint-il avec un frisson. *Quel étrange nom…* Et quel charisme terrifiant !

Voulant changer de sujet, il demanda :

— Où sommes-nous ? Cette… chambre, on dirait que tout est normal ici, pas de végétation, rien d'étrange.

— C'est l'île Carmichael. Notre sanctuaire ! À l'origine, c'est un milliardaire qui l'a achetée, elle est au milieu du fleuve Susquehanna, du moins ce qui était le fleuve Susquehanna…

— Attends une seconde, tu veux dire qu'on a marché jusqu'à… Philadelphie ! Plus de cent cinquante kilomètres !

— Exact.

— Et comment avez-vous trouvé l'île ? Au hasard ? s'enthousiasma Matt en avalant un énorme morceau d'omelette.

— Non, afin d'attirer tous les survivants de la Tempête, les gens de l'île avaient décidé de faire un grand feu, qu'ils alimentaient en permanence, pour faire un immense panache de fumée visible de très loin. Nous l'avons remarqué et nous sommes venus voir.

— Vous êtes nombreux ? fit le jeune convalescent, la bouche pleine.

— Assez, oui…

Matt ajouta précipitamment :

— Et les parents ? On sait ce qu'ils sont devenus ? Une trace d'eux quelque part ?

Tobias soupira, le regard triste.

— Pas vraiment…

Mais dans cette réponse laconique, Matt décela autant de doute que de souffrance. Il enchaîna :

— Et c'est quoi cette île ?

Tobias se fendit d'un rictus qui signifiait : « Tu ne vas pas le croire. » Au lieu de répondre il se contenta d'un énigmatique :

— Il vaut mieux que tu voies par toi-même, mais pour l'instant tu as besoin de repos.

Matt secoua la tête :

— Je viens de passer cinq mois dans mon lit, j'en ai eu du repos ! Je veux voir…

Tobias le repoussa sans difficulté lorsqu'il tenta de se lever.

— Tu es faible, Doug a affirmé que tu devais te ménager les premiers jours, pour que ton corps se réhabitue à l'effort. Tes muscles sont « atrophiés ». Sois patient.

Matt soupira. À contrecœur, il accepta de s'étendre.

Il inspira un grand coup et contempla sa chambre. Tout y était impeccable, impossible de croire que derrière ces murs le reste de la civilisation avait disparu. Soudain, Matt se demanda pourquoi la végétation ne recouvrait pas cette maison. Il voulut questionner Tobias, cependant la fatigue l'enveloppa d'un coup, aussi brutalement qu'une rafale de vent. Ses paupières clignèrent.

Tobias récupéra l'assiette vide.

— Je vais te laisser te reposer, tu en as besoin, murmura-t-il. Je reviendrai demain, peut-être qu'on pourra faire un tour dehors, tu verras, tu n'en croiras pas tes yeux !

Matt se sentit sombrer dans le sommeil. Incapable de lutter. Comme victime d'un sortilège surpuissant. Pourtant il aurait voulu questionner Tobias pendant des heures, Doug et son frère avaient dit qu'ils en savaient un peu plus sur le monde…

La dernière chose dont il eut conscience fut d'entendre Tobias chuchoter :

— C'est bon de te revoir parmi nous.

16

Hanté !

Matt ouvrit les yeux en pleine nuit, emmitouflé dans ses couvertures, seul son visage dépassait des draps. Il faisait frais dans la pièce. Il cilla, aveuglé par ce qu'il crut être le clair de lune. Elle brillait si fort que c'était elle qui l'avait sorti de son sommeil.

C'est alors que la lune bougea.

Elle pivota sur son axe pour illuminer l'intérieur de la chambre, à la manière d'un projecteur. Soudain, une seconde lune, copie conforme de la première, apparut juste à côté. Et Matt comprit.

Ce n'étaient pas des lunes.

Mais les yeux des échassiers. Un échassier se tenait juste derrière la fenêtre et scrutait l'intérieur de la chambre. Le double faisceau passa sur le lit et s'arrêta sur le visage de Matt avant qu'il ait pu se dissimuler. La terreur s'empara du garçon, qui voulut sauter hors du lit. Il n'en eut pas la force, ses jambes ne le portaient pas.

Une main blanche surgit de la longue cape de l'échassier et elle déplia ses doigts immenses pour pousser sur le montant de la fenêtre. Le verre se fissura en une toile d'araignée fragile, puis se brisa.

Le vent froid pénétra dans la pièce et se mit à tournoyer, soulevant les draps d'un coup. Le bras laiteux s'allongea en direction de Matt qui se mit à hurler.

Une voix gutturale sortit de sous la capuche de l'échassier :

— Viens… Sssssssssch… Le Raupéroden t'attend… Sssssssssch… Viens. Il va être content.

Matt hurla encore plus fort lorsque les longs doigts mous s'enroulèrent autour de sa cheville et commencèrent à le tirer.

Puis il sentit quelque chose de moite sur son front.

Les deux lunes disparurent et la main le lâcha.

Les couvertures réapparurent sur lui.

Et la nuit glissa dans ses cauchemars lorsqu'il ouvrit les yeux pour de bon.

— Calme-toi, lui souffla-t-on, c'est un mauvais rêve. C'est tout.

Matt se tut. Il reprit son souffle. La tête blonde de Doug l'observait au-dessus de lui.

— Regie, apporte-nous le plateau, fit l'adolescent à son petit frère toujours coiffé de son chapeau haut de forme.

Doug retira le linge humide qu'il avait posé sur le front de Matt et lui sourit.

— Tu as faim ? lui demanda-t-il. On a fait du pain frais ce matin.

— Du pain ? répéta Matt. Vous savez faire du pain ?

Il avait toujours la voix un peu enrouée.

— Il a bien fallu apprendre ! Les réserves de pain de mie dans les supermarchés ont vite moisi ! Ça fait un peu plus de cinq mois que la Tempête a tout changé. On sait faire plein de choses maintenant. Heureusement que les livres de recettes n'ont pas pourri ! dit-il en riant.

Matt se redressa pour s'asseoir.

— Je vais pouvoir me lever aujourd'hui ?

— Quelques minutes, pas plus. J'ai bien peur qu'il faille plusieurs semaines avant que tu retrouves l'usage de tes muscles, surtout pour marcher.

— Tu... tu es médecin ? s'étonna Matt, Doug était si jeune.

— Notre père l'était.

Matt capta le voile de tristesse dans son regard.

— Et j'ai toujours été passionné par ce qu'il faisait. Il m'a appris plein de choses.

Matt hocha la tête, admiratif.

— C'était le plus grand docteur du monde ! ajouta le petit Regie qui entrait, chargé d'un plateau. Il s'appelait Christian...

— C'est quoi cette île ?

Doug répondit en posant devant lui le plateau garni de pain et d'un bol de lait.

— Notre père l'a fondée il y a une vingtaine d'années. Il n'a autorisé que ses amis fortunés à venir s'y installer, à condition de respecter l'architecture gothique de son manoir. Aujourd'hui il y a sept manoirs.

— Six, corrigea Regie d'un ton tranchant.

Doug parut agacé mais approuva :

— Oui, six, pardon.

Matt but un peu de lait : du lait en poudre mélangé à de l'eau. Il n'avait ni la même texture ni la même saveur que le vrai.

— Elle est grande cette île ? s'enquit Matt.

— Oui, assez, tu la verras bientôt. Nous sommes soixante-sept à y vivre. De dix ans... Quel âge a Paco ?

— Je crois qu'il a eu neuf ans, précisa Regie, mais c'est vraiment le plus jeune.

— De neuf à dix-sept ans donc.

— Aucun enfant de moins de neuf ans n'a survécu ? s'alarma Matt.

— Aucun n'est arrivé ici en tout cas, mais il semblerait qu'il y en ait ailleurs, et même des bébés.

— Et vous êtes les seuls rescapés ?

Doug fit oui de la tête, l'air sombre.

— Mon frère et moi. Les soixante-cinq autres sont arrivés au fur et à mesure au cours des deux premiers mois. Comme toi et Tobias.

Doug mit une petite tape sur sa cuisse, geste que Matt trouva très paternel, et se leva en disant :

— Allez, mange, ensuite on verra si tu peux marcher un peu. Ne t'en fais pas pour les vêtements, on en a à ta taille.

Moins d'une demi-heure plus tard, Matt s'était habillé et marchait avec peine, appuyé sur Doug, dans un long couloir en bois brun encadré par des tapisseries ternes.

— Je n'ai pas vraiment mal aux jambes, confia-t-il. C'est plutôt comme si j'avais des courbatures.

Doug semblait étonné par la vigueur de son patient.

Ils arrivèrent à un balcon surplombant une vaste salle dominée par trois gigantesques lustres. Une cheminée géante trônait sur une estrade en pierre. On pourrait y cuire un éléphant, constata Matt. Les murs étaient comme partout dans la maison : en bois ouvragé, bien que couverts ici d'une centaine de têtes d'animaux empaillés. Matt en fut écœuré. Il détestait la seule idée de la chasse, quant à exposer ses trophées... Au sol, un carrelage en damier noir et blanc. La lumière du jour entrait par les hautes fenêtres en ogives qui ouvraient la partie supérieure des murs, à plus de neuf mètres de hauteur, à l'instar d'une nef d'église.

Doug désigna les six larges tables et les chaises tapissées de velours :

— C'est notre salle de réunion, quand il faut prendre des décisions collectives. C'est la plus grande pièce de toute l'île.

Perchés comme ils l'étaient, sa voix résonna.

— Nous sommes nombreux à dormir ici ? interrogea Matt.

— Mon frère et moi bien entendu. Tobias et toi. Ainsi que cinq autres garçons que je te présenterai bientôt.

— Et… Ambre ? osa timidement Matt.

— Elle dort dans le manoir de l'autre côté du parc, exposa Doug comme s'il s'agissait d'une évidence. Les filles ne dorment pas dans les mêmes bâtiments que les garçons !

Ils descendirent le grand escalier, traversèrent le réfectoire ainsi qu'une série d'autres pièces immenses pour enfin atteindre le hall et sa sculpture terrifiante. Une pieuvre de cinq mètres sur trois déroulait ses tentacules de bronze face à l'entrée. Elle avait une tête horrible, des yeux menaçants, et ouvrait une gueule prolongée d'un bec tranchant, qui avait dû causer bien des cauchemars aux enfants des environs, devina Matt.

— C'est de là que le manoir porte son nom : manoir du Kraken. Mon père était un passionné de légendes animales. Celle du poulpe géant était sa préférée. C'est pour ça que chaque manoir ici porte le nom d'un animal mythologique.

Cependant, le plus surprenant était à l'extérieur.

À peine sous le porche, Matt fut saisi par l'épaisseur de la végétation qui dressait de véritables murs verts de part et d'autre d'un étroit chemin. Il eut le sentiment que le manoir était perdu au centre d'un labyrinthe de fougères, ronces, buissons et arbres à lianes.

— On se relaie tous les jours pour couper les plantes qui grimpent sur les maisons, expliqua Doug. Nous avons des corvées et tout le monde participe. Le fauchage, la cuisine, la lessive, monter la garde…

— Vous montez la garde ? s'étonna Matt.

— Oui. Sur le pont qui relie la terre ferme à l'île.

— Il y a eu des intrusions ?

— Non, heureusement. Parfois des meutes de chiens sauvages s'approchent, mais ils ne peuvent entrer. Pendant la Tempête, un éclair est tombé sur le début du pont, et a brisé la première arche. Depuis on a bricolé une sorte de pont-levis avec des plaques de tôle. Ça empêche les indésirables d'entrer. Mais la garde, c'est surtout pour le cas où des Cyniks ou des Gloutons voudraient nous attaquer.

— Des Cyniks ? Qu'est-ce que c'est ?

Doug ouvrit la bouche pour répondre puis fit la moue.

— Je crois qu'on a tout notre temps pour aborder les mauvaises nouvelles, on verra ça plus tard. Viens, je vais te faire faire le tour du manoir.

Il entraîna Matt par un petit sentier où un garçon brun, quatorze ans environ, les cheveux en bataille, s'affairait à couper des tiges et des feuilles à l'aide d'un gros sécateur. Ils le saluèrent.

— Je te présente Billy, dit Doug. Il habite le manoir avec nous.

Le garçon parut très surpris de voir Matt debout.

Doug et Matt poursuivirent leur promenade, lentement, et grimpèrent une série de marches en pierre recouvertes de minuscules racines pour atteindre la terrasse, elle aussi couverte d'un tapis de végétation. De là ils dominaient de cinq bons mètres ce qui avait autrefois été le parc. Il n'en restait qu'une jungle inextricable, si épaisse qu'on ne pouvait distinguer le sol. Au loin, Doug désigna les façades gothiques des autres manoirs. Fenêtres hautes en ogive, arches en pierre, pignons et cheminées élancés, toits pentus et tours… le Moyen Âge flottant sur une mer verte. Juste en face, à cent mètres, un manoir flanqué de tourelles leur renvoyait la lumière du soleil de sa pierre blanche.

— Comment s'appelle-t-il, celui-là ?

— L'Hydre, exposa Doug. C'est un manoir de filles. C'est là qu'Ambre habite.

— C'est quoi un Hydre ?

— *Une* Hydre. C'est une légende de la mythologie, un serpent à sept têtes qui repoussent dès que tu lui en coupes une. C'est aussi le nom d'une constellation d'étoiles, je crois.

Matt hocha la tête, songeur. Plus que l'explication, c'était Ambre qui l'intriguait. Cette fille lui avait fait une sacrée impression. Était-ce parce qu'il était dans un état de semi-conscience ?

Il pivota et découvrit un autre bâtiment plus proche encore sur la gauche, tout en hauteur, avec peu de fenêtres et de nombreux niveaux. De son bouquet de tours, l'une dominait, du haut de ses soixante mètres, au moins, estima Matt, la plus élevée de l'île, assurément. Elle était coiffée d'un dôme gris.

— Et celui-là ? Quel est son nom ?

— Oh, celui-là ?

Doug parut ennuyé. Il se gratta la nuque.

— C'était le manoir du Minotaure. Mais… on ne l'appelle plus comme ça depuis la Tempête.

— Pourquoi ?

Doug prit une grande inspiration avant de lancer :

— Il est hanté.

— Hanté ? Par quoi ?

— On ne sait pas, de la fumée verte s'en dégage parfois et… la nuit on peut voir une créature étrange qui rôde à l'intérieur.

Matt s'arrêta, captivé. Décidément, le monde était de plus en plus surprenant.

— Et quel est son nom désormais ?

Doug l'examina, guetta un court instant l'édifice qui ressemblait à un phare, puis :

— Il n'en a plus. On n'en parle plus, c'est tout, lâcha-t-il.

Matt comprit pourquoi il avait d'abord mentionné la présence de sept manoirs avant que son frère le corrige. Il contempla l'impressionnante forteresse. De grosses tours carrées, sans fenêtres, et un corps principal sans fioritures, percé de rares ouvertures obscures. Il devait faire sacrément sombre à l'intérieur, même en pleine journée. Curieuse idée que de vouloir ériger pareille bâtisse.

— Allez viens, tu as assez marché pour ton premier jour, et Tobias doit avoir fini son tour de nettoyage, il meurt d'envie de passer du temps avec toi.

Doug descendit les marches, et Matt s'apprêtait à le suivre lorsqu'il jeta un dernier coup d'œil au manoir hanté. Et lui vint l'étrange sentiment que, dès le départ, on l'avait bâti pour abriter quelque chose. Car c'était bien ce qui se dégageait de son architecture massive : on avait construit là un donjon, bien plus qu'une habitation. Et si le but était d'*empêcher quelque chose de sortir ? Non, c'est idiot, personne ne ferait ça…*

Et comme pour souligner qu'il avait tort d'être sceptique, une ombre glissa derrière l'une des fenêtres.

Matt se figea, soudain convaincu : quoi qui puisse se terrer à l'intérieur de ce lieu sordide, on était en train de l'observer.

Mais avant qu'il puisse ouvrir la bouche, la forme avait disparu.

17

Panorama de l'île

Matt retrouva Tobias dans une salle du premier étage, un petit salon coquet, tout en bois verni et en velours rouge. Il était accompagné de Plume. Matt la serra dans ses bras et le chien le salua de généreux coups de langue. Elle était encore plus grande que dans son souvenir.

Il s'assit pour reposer son corps fatigué et laissa exploser son ébahissement concernant l'île, l'organisation apparente et l'ingéniosité de la communauté.

— Doug et son frère m'ont dit qu'on en savait plus sur le nouveau monde maintenant, dit-il. Tu peux me raconter ?

Le visage de Tobias s'assombrit, comme si un nuage passait soudain.

— Eh bien... on sait que trois camps sont distincts, c'est désormais une certitude, exposa Tobias doucement. Trois sortes de... survivants à la Tempête. Nous, les enfants et les adolescents, les adultes et...

— D'autres adultes ont survécu ? Le type de l'épicerie n'était pas le seul, alors ! C'est génial ! Des enfants ont pu retrouver leurs parents ?

Tobias fit « non » de la tête, plusieurs fois.

— Ce n'est pas génial du tout en fait. Depuis la Tempête, les adultes sont... violents. On n'en sait pas plus pour l'instant. Ils semblent s'être organisés, comme nous, mais on n'en voit plus, on ne sait pas où ils sont allés et ce qu'ils font, sauf que chaque fois qu'un adolescent a croisé leur route, ça s'est soldé par une attaque. On ne peut plus leur faire confiance.

— Tu veux dire que... ils ne sont plus comme avant ? Vous êtes sûrs de ça ?

— Oui, Matt. Il n'y a plus un seul adulte en qui on puisse avoir confiance. Ils sont tous très différents. Violents et perfides.

— Mais comment c'est possible ? Et sait-on qui ils sont ? Et nos parents ?

— Je n'en sais rien. Personne ne le sait. Certains adultes ont survécu à la Tempête et depuis ne sont plus du tout les mêmes, c'est tout ce qu'on peut dire. On dirait des sauvages. Et... c'est comme s'ils nous détestaient, nous, les enfants et les ados.

Matt s'effondra, le dos rond, le regard perdu. Tobias lui tapota l'épaule, amicalement.

— Je croyais que... qu'on pourrait revoir nos parents un jour, avoua Matt.

— Je suis désolé.

— Vous devez vous sentir sacrément seuls ?

Tobias dodelina de la tête :

— Non, pas vraiment. On s'est construit notre communauté ici. On s'entend bien, et il y a tellement de choses à faire qu'on n'a pas le temps de déprimer.

Matt inspira longuement, pour chasser la peine qui habitait son corps, pour l'éloigner de sa gorge et de ses yeux, pour qu'elle se dilue en lui.

— Et quelle est la troisième faction ? demanda-t-il. Tu m'as parlé de trois camps.

— Les Gloutons. Ils se sont rassemblés en petites tribus, et on a remarqué qu'ils ont gagné en astuce et en habileté. Ils ne dorment plus n'importe où, ils se sont fabriqué des armes.

— Agressifs ?

Tobias hocha la tête :

— Oh, oui ! Plus que les hommes ! Quand ils croisent la route d'un ado ou d'un enfant, ils cherchent à le tuer. Les adultes, eux, sont plus vicieux. Ils enlèvent les enfants, on ne sait pas pourquoi, mais ils les emmènent et on n'a plus de nouvelles.

— Ils nous enlèvent ?

— Oui, des enlèvements massifs, les adultes débarquent et cherchent à faire un maximum de prisonniers. Ceux qui sont capturés ne reviennent jamais, c'est tout ce qu'on sait pour l'instant.

— Et ça arrive souvent ? s'étonna Matt.

— Plus maintenant. En tout cas dans cette région, c'est un peu plus calme, enfin… côté adultes. Parce que la forêt grouille de choses dangereuses.

Matt écarquilla les yeux. Il n'en revenait pas. Plus rien n'était semblable à autrefois. À vrai dire, s'il n'avait pas lui-même vécu la Tempête et la fuite de New York dans une ville ravagée, il n'aurait pas cru un seul mot de tout cela.

Tobias, sans entrer dans les détails, lui confirma l'existence de créatures étranges, effrayantes, qui rôdaient la nuit dans les bois alentour. Puis il expliqua à Matt que la Tempête avait épargné beaucoup d'enfants. De tous les âges, quelques-uns très jeunes d'après les témoignages, et jusqu'à dix-sept, parfois dix-huit ans. Ceux qui avaient survécu aux premiers jours s'étaient rassemblés en clans, à travers tout le pays. Des équipes de dix, parfois cinquante personnes. Une rumeur affirmait qu'il existait même des villages de plus de cent adolescents !

— Comment ça une rumeur ? interrogea Matt. Comment est-ce possible, sans téléphone, sans radio, sans rien pour communiquer !

— Grâce aux Longs Marcheurs ! Ça a commencé avec un type à l'ouest, dans un rassemblement assez important. Il a voulu aller voir ailleurs, à la recherche d'autres survivants, et il s'est mis à marcher dans tout l'État jusqu'à trouver d'autres groupes. Il s'est proclamé Long Marcheur – colporteur de nouvelles et d'espoir ! – et un autre garçon a embrayé, partant dans une autre direction. Depuis, des dizaines d'autres ont suivi. Ils sillonnent le pays, à la recherche des rassemblements comme le nôtre, pour transmettre les nouvelles du monde.

— Ils sont… fous ! Avec tous les dangers à l'extérieur !

Tobias haussa les épaules.

— C'est pour ça qu'on a tous instauré une règle : l'hospitalité pour les Longs Marcheurs. On les nourrit et les loge sans rien demander en échange et eux nous transmettent ce qu'ils entendent. Aux dernières nouvelles, il existerait une quarantaine de sites panesques.

— Panesques ? répéta Matt.

— Ah, oui ! C'est notre nom maintenant. Les enfants et les ados qui vivent ensemble forment la communauté panesque. On ne savait pas comment s'appeler… tous âges confondus, et personne n'était d'accord. Et puis un jour un Long Marcheur est venu nous informer qu'à l'ouest, ils avaient adopté ce terme, en hommage à Peter Pan.

— L'enfant qui ne veut pas grandir, compléta Matt.

— Exactement. Les adultes croisés jusqu'à présent sont tous

méchants, aucun n'a jamais voulu nous aider, ils ne cherchent qu'à nous neutraliser pour nous emmener avec eux. Les adultes sont froids et cruels. Du coup, on les appelle les Cyniks. Voilà, tu sais l'essentiel.

— Pourquoi est-ce que les ados… les Pans ne se rassemblent pas pour former une énorme ville ? On serait encore plus forts.

— C'est le début, tu sais. Les Longs Marcheurs n'existent que depuis deux mois. Et même eux se perdent tout le temps, la plupart n'arrivent pas à retrouver leur site de départ. C'est compliqué, plus rien ne ressemble au passé. Et beaucoup de Longs Marcheurs périssent en route. Le danger est partout. Je crois que, pour l'instant, chaque clan essaye de s'organiser pour survivre, se nourrir, se défendre. Il a fallu trouver des lieux et les rendre vivables. Personne n'a envie d'abandonner son repère ! Comme nous cette île ; qui voudrait en partir ? On y est en sécurité, c'est confortable, on a des réserves de nourriture, et on a même trouvé des poules pour avoir des œufs frais !

Matt engrangeait les informations, tissant un portrait de ce nouveau monde de plus en plus exaltant mais tellement angoissant. Les Cyniks… les Gloutons… les Pans. Que s'était-il passé la fameuse nuit où la Tempête avait frappé le monde, de quelle nature étaient ces éclairs vaporisant les gens tout autour de lui ? Comment en étaient-ils arrivés là ?

Tobias bondit d'un coup et lui fit signe de le suivre. Ils zigzaguèrent entre les couloirs en lambris, les escaliers et les salles pleines de tableaux, de livres et de sculptures, avant de gravir les marches en spirale d'une tour étroite. Matt commençait à se sentir vraiment fatigué, ses jambes flageolaient, sa tête tournait.

Tobias souleva une trappe et ils émergèrent au point culminant du manoir. De là, toute l'île était visible.

Matt en eut le souffle coupé. Une terre de deux kilomètres de long sur un kilomètre de large, au jugé, et coupant le fleuve en deux rubans gris et mouvants. Un molleton de verdure l'emmitouflait, à l'exception des sept manoirs dont les pointes, les tours, les dômes et les arrondis de pierre jaillissaient tels des sommets rocailleux crevant une mer de nuages. Matt remarqua également un ensemble confus de petites constructions, à l'écart.

— Qu'est-ce que c'est là-bas ?

Le vent vint soulever ses cheveux trop longs. Les collines qui encadraient l'île et son fleuve se perdaient dans un horizon de forêt.

— C'est le cimetière. Ici, trois endroits sont à éviter. Ça, fit Tobias en désignant le manoir du Minotaure et sa gigantesque tour ; le cimetière et les abords du fleuve, surtout les quais qui se trouvent à l'extrémité sud de l'île.

— Pourquoi ?

— Parce qu'ils sont dangereux. Le fleuve, par exemple, est plein de choses étranges, on ne les voit jamais entièrement, mais il suffit d'apercevoir les formes noires qui nagent pour comprendre. On est obligés d'y pêcher pour diversifier notre alimentation, mais la pêche est une activité à risque ici ! La semaine dernière, Steve, qui tenait la canne, a failli partir avec et on a vu surgir une nageoire de la taille d'un panier de basket. Pour le cimetière et le manoir, crois-moi, mieux vaut ne pas s'en approcher.

Matt était aussi surpris par l'attitude de son ami que par ce qu'il apprenait. Tobias avait beaucoup changé en cinq mois, en dehors même de son physique. Il s'exprimait mieux, plus posément, trahissant une maturité, une assurance nouvelles. En revanche, il semblait toujours aussi électrique, incapable de rester plus de quelques secondes au même endroit sans bouger, un hyperactif toujours en mouvement !

Un gros corbeau vint se poser sur un créneau, juste à côté d'eux. Il les fixa de ses billes noires.

— Au moins les oiseaux existent encore, ironisa Matt.

— Oui. En fait, on découvre les conséquences de la Tempête chaque mois. Par le biais des Longs Marcheurs, quand il en passe, ce qui est rare, ou lorsqu'on sort.

— Vous explorez les environs ?

— Non, ça non ! Trop d'accidents chaque fois, alors on limite au maximum les sorties.

À l'air sombre que prit Tobias, Matt imagina des tragédies, et il ne posa pas la question.

— La plupart de nos problèmes surviennent lorsqu'on part en forêt cueillir des fruits. Mais on ne peut pas s'en passer. Doug dit qu'il est nécessaire de manger des fruits frais si on ne veut pas tomber malade. Et régulièrement, nous manquons de vivres. Alors nous partons vers les ruines d'une ville, à quelques kilomètres d'ici, pour faire le plein. Eau potable, farine et boîtes de conserve le plus souvent.

— Les provisions ne manquent pas en ville ?

— Au contraire ! On n'a pas le temps de tout manger avant que les dates de consommation soient dépassées. On se débrouille. Mais tôt ou tard, il faudra qu'on chasse, nous ne mangeons plus de viande depuis longtemps, et si on ne se met pas à l'agriculture d'ici peu, viendra un jour où nous manquerons de farine pour faire le pain.

Tobias admirait l'étendue de la forêt qui les encerclait, elle semblait infinie.

— Tout est à faire, ajouta-t-il doucement.

— Doug semble très… présent dans tout ce qui se fait ici, n'est-ce pas ?

Tobias approuva.

— C'est un des plus vieux, il connaît bien l'île puisqu'il y vivait avant, et il est très intelligent. Il sait énormément de choses. Et ce qu'il ignore un jour, il le sait le lendemain. Je pense qu'il passe du temps dans les bibliothèques du manoir, tu as dû les voir ! Elles sont partout ! Son père était un intellectuel, collectionneur d'art et de connaissances. Tel père tel fils, non ?

Matt eut un pincement au cœur en songeant au sien. Il n'était plus question de divorce désormais. Plus de séparation, plus de choix à faire entre lui et sa mère. Il se mit à regretter ce cruel dilemme. Puis la tête tourna à nouveau, plus fort. Il se sentait épuisé, il avait trop tiré sur ses muscles, son corps n'en pouvait plus, l'enthousiasme qui l'avait porté jusqu'ici s'était étiolé.

Tobias dut l'aider à rejoindre sa chambre, où il s'endormit aussitôt.

Il se réveilla pour le dîner et, malgré les protestations de Doug, descendit pour manger avec les autres garçons du manoir. Tous étaient présents, les tours de garde seraient assurés par d'autres, ce soir. Outre les deux frères blonds, Tobias, Billy et ses cheveux en bataille, Matt put rencontrer Calvin, un jeune garçon noir souriant à pleines dents, et son contraire : Arthur, un petit brun peu aimable qui toisa Matt de haut en bas lorsqu'il descendit le grand escalier. Plume était absente, et Tobias lui expliqua qu'elle préférait vivre dehors. Elle s'enfonçait dans l'épaisseur des taillis et ne réapparaissait que de temps à autre, quand bon lui semblait. Elle se nourrissait seule, et tout ce qu'il fallait faire pour elle, c'était la brosser de temps à autre.

On offrit une place à Matt en bout de table, tandis que Travis – qui semblait tout droit sorti de la forêt, avec sa salopette tachée de terre et des fragments d'herbes dans sa chevelure rousse – leur servait une soupe de légumes. Owen, le benjamin du groupe, onze ans tout juste, une frimousse pétillante et un regard espiègle, fit une boulette avec de la mie de pain et la lança dans les cheveux du rouquin. Doug le réprimanda aussitôt d'un ton sévère :

— On ne gâche pas la nourriture, Owen ! C'est ce qui est le plus important désormais.

Regie approuva vivement. Il avait déposé son chapeau à ses côtés.

— Je croyais qu'il ne pourrait pas marcher avant plusieurs jours, s'étonna Arthur en désignant Matt.

Doug haussa les épaules.

— Moi aussi. Cinq mois au lit, ses muscles ont fondu, et quand on le regarde, on n'a pas l'impression qu'il soit chétif. J'avoue que… Matt est plutôt vigoureux.

Tout dans son attitude montrait qu'il n'y comprenait rien.

Les neuf occupants du manoir du Kraken mangèrent de bon appétit avant de monter se coucher. Ils avaient eu une rude journée et personne n'aspirait à veiller tard. Matt déclina la proposition de Doug de le raccompagner à sa chambre, il commençait à s'y retrouver dans ce dédale de couloirs et de salles.

Pourtant, à un moment, il avait dû manquer un tournant car il n'était plus dans la bonne direction. Il se retrouva au milieu d'un petit escalier en bois, face à une fenêtre étroite et haute. Dehors, le manoir hanté se détachait dans la nuit. Matt eut envie de le guetter pour voir de ses propres yeux ces manifestations étranges, lorsqu'il perçut une conversation dans un corridor tout proche.

— On se retrouve à une heure du matin, d'accord ? dit la première voix.

— Ça marche. N'oublie pas les couvertures, il fait froid dehors, répondit la seconde.

Matt supposa qu'ils parlaient de monter la garde. Ce qui lui parut surprenant, puisque Doug lui avait expliqué le contraire pendant le dîner : personne au manoir du Kraken n'était de garde cette nuit.

— Et ne fais pas de bruit ! reprit la première voix. Pas comme l'autre jour, j'ai pas envie que Tobias ou le nouveau nous tombe dessus !

Cette fois, Matt tiqua. Il se tramait quelque chose. Pourtant, lorsqu'il redescendit les marches, en prenant grand soin de ne pas les faire grincer, il n'y avait plus personne dans le couloir. Ils étaient repartis.

Matt retrouva enfin sa chambre et se coucha en laissant sa bougie allumée. Il observait le plafond. Tant de curiosités et de mystères enveloppaient cette île ! Puis, les paupières lourdes, Matt souffla la flamme et se retourna pour dormir, trop épuisé pour envisager de surveiller le manoir à une heure du matin.

Les mystères devraient attendre un peu.

18

Cérémonie

Les trois jours suivants, Matt se contenta de rester dans le manoir, ou juste autour, pour aider à la coupe des racines et des lianes. Il fallait s'en occuper chaque jour si on ne voulait pas voir disparaître les rares sentiers déjà étroits. La végétation poussait à une vitesse démentielle.

Il ne mentionna à personne la petite conversation qu'il avait surprise dans le couloir, gardant ce secret pour lui en attendant d'en savoir davantage sur chacun. Il effectuait de courtes tâches, pour ne pas fatiguer son corps trop vite. Plume l'accompagnait la plupart du temps, et on lui répéta qu'il était rare de la voir si souvent dans le manoir. Matt en fut ému, Plume était son chien, il n'en pouvait plus douter. Plus étrange encore : elle avait beaucoup grandi pendant son coma. Elle lui arrivait à présent à l'épaule, ce qui faisait d'elle le plus grand chien qu'il ait vu de sa vie.

Doug, quant à lui, n'en revenait pas de la résistance de son patient. Il lui semblait inconcevable qu'on puisse tenir aussi longtemps debout après être resté alité pendant cinq mois. Matt supposa que c'était parce qu'il se levait pour aller aux toilettes durant son coma, même s'il le faisait comme un somnambule, ce qui ne semblait pas convaincre Doug.

Il fit la connaissance des autres Pans qui vivaient sur l'île : Mitch et ses grandes lunettes, l'artiste de la bande, capable de dessiner n'importe quoi en quelques minutes du haut de ses treize ans seulement ; Sergio, musclé et au tempérament de feu ; la douce Lucy et ses immenses yeux bleus qui déclenchaient des gloussements chez les garçons plus âgés. Mais il ne revit pas Ambre, à son grand regret. Il notait l'existence de clans au sein de l'île, les plus jeunes traînaient ensemble, et, un peu à l'écart, il vit trois costauds discuter comme s'ils formaient un groupe distinct et soudé.

Le soir du cinquième jour après son réveil, une réunion fut organisée dans la grande salle du Kraken – Matt avait découvert que les Pans de l'île disaient rarement « manoir », mais le nom de l'animal mythologique qui le caractérisait.

Matt suivit l'arrivée de chacun depuis le haut balcon. La salle se remplit peu à peu, tous allaient se chercher un verre avant d'occuper une des nombreuses chaises installées le long des tables en bois massif. Matt se demanda s'il devait les rejoindre, mais préféra rester sur son perchoir d'où il avait une vue d'ensemble.

Après un moment de confusion, Doug monta sur l'estrade de la cheminée – il paraissait tout petit à côté, et pendant une seconde Matt eut la désagréable impression que c'était une gigantesque bouche noire prête à l'engloutir.

— S'il vous plaît ! fit Doug en levant les bras.

La clameur retomba et les têtes pivotèrent dans sa direction.

— Qui est de garde sur le pont ? demanda-t-il.

Un garçon noir assez costaud se pencha pour répondre :

— C'est Roy. C'est le seul dehors, tous les autres sont là.

Doug approuva.

— Bien, dit-il. Silence, s'il vous plaît ! Nous allons commencer. Nous avons plusieurs points à aborder, mais, d'abord, je voudrais vous présenter notre nouveau venu. Enfin, il est parmi nous depuis cinq mois mais…

À cet instant Matt se redressa. Il ne s'était pas attendu à cela.

— … Il s'appelle Matt, je vous demande de bien vouloir l'accueillir comme il se doit.

Sur quoi, les soixante-quatre personnes assises en bas se mirent à frapper en cadence le fond de leur verre sur la table. Un puissant martèlement envahit la grande salle et Matt se sentit minuscule. Il dévala les marches en saluant brièvement l'assemblée, et Doug lui fit signe d'aller s'asseoir.

Les joues en feu, Matt repéra une place à côté de Tobias et s'y installa, tête basse.

— Quelle entrée fracassante ! lui murmura Tobias.

— La honte. Tu sais ce qu'on fait ici ?

— Comme d'habitude : on s'organise pour les prochains jours. On va définir les tours de garde, les corvées, etc.

Doug abordait un problème de fuite dans un toit, et demandait des volontaires pour réparer. Les plus vieux répondaient. Les tâches s'organisaient, Matt s'aperçut que les plus jeunes effectuaient l'élagage, tandis qu'on réservait la garde et la pêche aux Pans les plus âgés. Les filles étaient traitées à l'égal des garçons, ce que Matt ne manqua pas de souligner. Tobias lui répondit en chuchotant :

— Au début, c'est vrai qu'on donnait toujours la cuisine ou le linge, ce genre de trucs, aux filles. Mais un groupe d'entre elles s'est révolté et a demandé à faire comme les garçons. Bien sûr, tout le monde n'était pas d'accord, Doug le premier. Alors on les a mises à l'essai et... elles font au moins aussi bien que nous, alors on ne fait plus de différence. Ça nous a servi de leçon.

Doug distribua les autres missions et termina par une remarque singulière :

— Vous êtes plusieurs à venir me voir depuis un mois déjà, pour me parler de problèmes de fièvres, de troubles de la vision. Je voudrais rassurer tout le monde. Il ne s'agit pas de maladie, celles et ceux qui sont concernés vont mieux... et... euh, la situation est sous contrôle.

Matt n'eut aucune difficulté à percevoir le trouble de Doug. Il n'avait pas encore entendu parler de cette histoire, mais elle semblait mettre le jeune blond dans une position inconfortable.

— Bref, je laisse la parole à Ambre qui voudrait vous en toucher deux mots.

Le battement des verres sur les tables servait d'approbation générale, Matt le comprit en voyant chacun s'y adonner en hochant la tête.

Doug céda la place à la jolie blonde aux reflets roux. Matt put enfin la contempler tout son saoul. Elle était aussi jolie que dans son souvenir vaporeux. Grande et fière, elle annonça, en balayant tout l'auditoire d'un regard :

— En effet, nous sommes de plus en plus nombreux à manifester des changements ces derniers temps. Ne me demandez pas de vous l'expliquer, mais j'ai de bonnes raisons de croire que c'est en relation avec la Tempête. Je pense que nos organismes doivent s'adapter à ce nouveau monde. Nous avons eu la chance de ne pas être transformés, comme certains adultes, en Gloutons, mais il est probable qu'une force dans l'air est responsable des modifications des molécules de la végétation, ce qui explique tous ces changements. Nous y sommes peut-être sensibles.

— Une scientifique cachée dans le corps d'une ado ? plaisanta Matt.

— Elle aussi, c'est une futée ! affirma Tobias.

— Elle est sympa ? demanda Matt qui ne parvenait pas à décrocher son regard de la jeune fille.

— Je sais pas trop. Elle ne cause pas d'elle. Je dirais même qu'elle est... plutôt froide.

Matt fut déçu, ce n'était pas l'impression qu'il en avait eue. *Tu étais dans un état comateux !* s'entendit-il penser.

— Quoi qu'il en soit, je vous demande de ne pas hésiter à venir me voir si vous percevez des altérations en vous. Doug a déjà beaucoup de choses à gérer, alors nous nous sommes mis d'accord pour que ce soit moi qui vous entende à ce sujet. Vous savez où me trouver.

À nouveau les verres se mirent à tonner sur les tables. Tandis que tout le monde se levait pour sortir dans un brouhaha général, plusieurs garçons et filles vinrent saluer Matt pour lui souhaiter la bienvenue. Matt les remercia tous, jusqu'à ce qu'Ambre surgisse devant lui. Elle était à peine plus petite que lui, ce qui n'était pas peu dire puisqu'il mesurait un mètre soixante-dix à seulement quatorze ans.

— Heureuse de te voir enfin sur pied, fit-elle en guise de salut.

L'unique sujet de conversation qui vint à l'esprit de Matt fut de s'intéresser à ce qu'elle avait été avant la Tempête :

— Merci. Tu viens d'où ? Ta ville d'origine, je veux dire.

Ambre fronça les sourcils. Elle toisa Tobias comme s'il était responsable et lança à Matt :

— On ne parle plus de ces choses-là. C'est devenu impoli, on ne te l'a pas dit ?

— Ah, non. Désolé. (Il s'empressa d'ajouter avant qu'elle ne décide de partir :) Merci d'avoir veillé sur moi pendant mon coma.

— Ce n'était pas un coma ordinaire, nous avons tous eu peur que tu n'en sortes jamais.

— Tu as l'air drôlement calée en sciences.

Elle prit le temps d'y réfléchir en plissant les lèvres.

— Je suis cartésienne, je crois. J'aime apprendre comment marchent les choses, c'est tout. Appelle ça de la curiosité. D'ailleurs, tu n'aurais pas des connaissances particulières toi aussi ? En physique ou en biologie…

— C'est au sujet de ces maladies dont Doug et toi parliez tout à l'heure ?

— Il ne s'agit pas de maladies. Je cherche à comprendre, c'est tout ; et en l'occurrence j'aurais besoin d'informations sur la physique.

— Dans les bibliothèques du Kraken, tu pourrais trouver ton bonheur. Et ça tombe bien, Tobias et moi avions prévu de nous y promener ce soir, on pourrait t'aider.

Tobias dévisagea son ami qui improvisait.

Le visage d'Ambre s'illumina :

— Excellente idée ! Retrouvons-nous ici dans une heure, je dois repasser à l'Hydre.

Lorsqu'elle se fut éloignée, Tobias guetta Matt.

— Elle te plaît, c'est ça ? devina-t-il.

— Mais non, ne dis pas n'importe quoi. Je me suis dit que c'était l'occasion de mieux la cerner.

Très peu convaincu, Tobias grogna.

— Je me demande ce qu'on va faire à cette heure-là dans une bibliothèque ! Des fois tu as de ces idées, je te jure !

— Tu avais entendu parler de cette histoire de maladies ?

— Vaguement. Certains en ont peur, surtout que le dernier Long Marcheur nous a informés que c'était pareil dans le site qu'il venait de visiter. Des maux de tête, des fièvres, ça finit par passer mais ça fout les jetons. Du coup une rumeur est née : et si les Pans étaient à leur tour en train de changer ? Des hommes sont devenus des Gloutons alors pourquoi pas nous ?

— Quelle horreur ! grimaça Matt. Tu en as, toi, des maux de tête… ?

— Non, et je croise les doigts pour que ça n'arrive pas !

Ils marchèrent en direction des chambres, le temps d'attendre Ambre. En chemin, Matt leva l'index :

— Dis, je voulais te demander : comment fait-on pour avoir l'heure, maintenant ?

Tobias désigna une vieille horloge en bois dans un angle de la salle.

— Les mécanismes à aiguilles qu'il faut remonter marchent encore ! Ce sont les systèmes électriques ou à piles qui sont détruits.

— Et les voitures ?

— Plus aucune trace. Elles ont fondu jusqu'à se dissoudre dans des mares pleines de reflets métalliques. Maintenant tout est recouvert de végétation. Même les villes sont méconnaissables, on dirait des ruines vieilles de mille ans !

Et pendant qu'ils bavardaient, ils ne remarquèrent pas un adolescent qui les guettait avec intérêt depuis un renfoncement de la grande salle. Il les épia jusqu'à ce qu'ils disparaissent à l'étage, puis il s'enveloppa dans une cape grise et sortit dans la nuit.

19

L'Alliance des Trois

Ils retrouvèrent Ambre à l'heure dite et grimpèrent dans les étages, guidés par Tobias.

Chacun tenait une lampe à huile, unique source d'éclairage avec les bougies qui jalonnaient les corridors, plantées dans ce qui avait été autrefois des porte-torches décoratifs. Ils durent examiner les tranches des livres de deux bibliothèques avant d'en trouver une qui comportait des ouvrages scientifiques. C'était une petite salle à l'écart, au dernier étage. Les murs disparaissaient sous des étagères colossales, au point d'y avoir construit une corniche qui faisait le tour de la pièce, à quatre mètres de hauteur, et à laquelle on accédait par un escabeau grinçant.

Les ouvrages tapissaient le décor d'une mosaïque polychrome, adoucie par le faible éclat de la lune au travers des fenêtres. Une table bordée de bancs tapissés de vert trônait au centre.

— Qu'est-ce qu'on cherche ? demanda Matt.

— Tous les ouvrages qui traitent d'électricité et de l'énergie des déplacements.

Les deux garçons se regardèrent, surpris. Tobias protesta :

— Tu es sûre que ça va nous servir à…

Ambre le coupa :

— Vous voulez m'aider oui ou non ?

Ils hochèrent la tête et se partagèrent les rayonnages. Il n'était pas simple de lire les titres sous le seul éclairage des lampes à huile et, très souvent, ils devaient ouvrir le livre pour inspecter son index. Après une heure de fouille ils n'en avaient mis de côté qu'un seul. Ambre, qui avait le secteur du haut, se pencha sur la rambarde pour s'adresser aux garçons :

— Je ne trouve rien. À tout hasard : dans ce que vous avez

trié, il y aurait un ouvrage sur la télékinésie ou l'électricité statique ?

Matt fit une grimace d'incompréhension.

— C'est quoi la téléki…

— C'est le déplacement des objets à distance. Être capable de faire bouger une fourchette sans la toucher, par exemple.

— C'est des livres de magie qu'il te faut ! s'esclaffa Tobias.

Mais, voyant le regard sévère de la jeune fille, il se reprit aussitôt.

— Non, je n'ai pas vu ça, déclara-t-il.

— Pourquoi t'intéresses-tu à ces sujets ? demanda Matt.

— Parce qu'ils ont peut-être un lien avec ce qui est arrivé au monde pendant la Tempête.

— On ne saura jamais ce qui s'est passé !

— Détrompe-toi. La réponse est sûrement en nous.

— En nous ? Comment ça ?

Ambre hésita à poursuivre la conversation, puis descendit rejoindre les garçons. Tous trois s'assirent autour de la table.

— Je suis certaine qu'aucune maladie ne nous affecte, ce n'est qu'une perturbation naturelle, les conséquences de la Tempête sur nos organismes.

— Tu déduis ça toute seule ? s'émerveilla Matt.

— À vrai dire, c'est Doug qui m'a donné cette idée. Figure-toi qu'il pense que c'est la Terre qui se venge. Les hommes l'ont trop maltraitée pendant longtemps, ils l'ont polluée jusqu'à la rendre invivable. Alors, avant qu'on ne détruise tout, elle s'est retournée contre nous. Les scientifiques ignoraient tant de choses sur le monde, sur l'énergie, sur l'étincelle de vie : cette électricité essentielle à l'apparition de la vie sur Terre, celle-là même qui anime nos cellules. Et si cette étincelle de vie, c'était tout simplement le battement de cœur de la Terre ? Sauf qu'à un moment elle a décidé de tout changer avant qu'il soit trop tard.

Les flammes illuminaient le visage d'Ambre, soulignant la douceur de ses traits.

— Tu parles de la Terre comme d'une… forme de vie.

— C'est exactement ce qu'elle est. Doug dit qu'elle aurait une forme de conscience qui nous échappe, qui se transmet dans l'essence de toute chose, au cœur des végétaux, des minéraux et de l'homme forcément. Et pour se défendre des hommes elle aurait activé cette intelligence pour l'altérer. Pour modifier les cellules des végétaux afin qu'ils poussent plus vite pour reprendre le contrôle de la planète. Et avant ça, en jouant avec ses humeurs : le climat. Les éclairs qu'on a tous vus ont servi à déséquilibrer le patrimoine génétique des hommes qu'ils frappaient. La plupart ont disparu, vaporisés, probablement que leur organisme n'a pas supporté la décharge, d'autres ont muté pour devenir les Gloutons. Quelques-uns n'ont pas été foudroyés et forment aujourd'hui les Cyniks. Et enfin, il y a nous : les Pans. Comme si la Terre gardait espoir en nous. Elle n'a pas totalement détruit l'humanité, elle a épargné ses enfants pour qu'ils refassent le monde de demain, en étant plus respectueux.

— Pourquoi les adultes sont-ils agressifs avec nous alors ? questionna Tobias.

— Parce que la Tempête les a privés de leur mémoire, de ce qu'ils sont. Tout ce qui leur reste, c'est la conscience que seuls les enfants ont été volontairement épargnés.

— Ils seraient… jaloux de nous ?

Ambre haussa les épaules :

— Je ne sais pas, tout ça, c'est des suppositions. Mais ça tient debout quand on regarde autour de nous. On en saura plus lorsqu'on découvrira pourquoi les Cyniks enlèvent les Pans.

— Quel rapport avec la télé… la télékinésie ? insista Matt.

— Eh bien… (Ambre jaugea ses deux interlocuteurs un court instant avant de se lancer :) De plus en plus de Pans se plaignent de choses bizarres. Une fille de mon manoir n'arrête pas de se prendre des petits coups d'électricité statique dès qu'elle touche un objet. L'autre jour elle s'est mise en colère, elle n'en pouvait plus. Une dizaine de minuscules éclairs sont apparus au sol, pas plus hauts qu'un grain de riz, mais il y en avait beaucoup et c'était le soir, alors on ne pouvait pas les manquer !

— Tu veux dire que c'est elle qui les a fait apparaître ? s'étonna Tobias.

— Oui, j'en suis sûre. Elle s'est calmée aussitôt en découvrant ce spectacle hallucinant et ils ont disparu. Depuis elle ne prend plus de coups de jus toutes les cinq minutes, mais ses cheveux se soulèvent sur son crâne dès qu'elle dort, comme si elle était traversée par du courant ! Je ne lui ai rien dit pour ne pas lui faire peur mais il se passe quelque chose.

— C'est complètement dingue ce truc ! fit Tobias.

— Et elle n'est pas la seule. Dans le manoir de Pégase un garçon allume un feu en une seconde. Il frotte deux silex et une flamme énorme jaillit. Tout le monde a essayé de faire comme lui et personne n'y arrive. Et qu'on ne me dise pas qu'il a le coup de main, on n'allume pas un feu avec des silex en un seul geste !

— Tu crois qu'on est en train de... muter, nous aussi ? s'inquiéta Matt.

Ambre eut une moue indécise.

— Je crois surtout que nous sommes victimes de la même « impulsion », comme dirait Doug, générée par la Tempête. Cette impulsion qui a transformé le monde a fini par nous modifier à sa manière, en s'intégrant dans notre génétique.

— C'est quoi déjà, la génétique ? intervint Tobias.

— C'est ce qui concerne nos gènes, tout ce qui fait que tu es un être humain, noir, blanc ou autre, aux cheveux de telle ou telle couleur, de petite ou grande taille, bref, c'est la combinaison biologique de ce que tes parents et tes ancêtres te transmettent et qui fait que tu es comme tu es.

— C'est un truc de dingue ! répéta Tobias, fasciné.

— Notre chance est de ne pas nous changer en Gloutons, mais quelques-uns d'entre nous développent des liens avec certains aspects de la nature. L'étincelle pour le feu, l'électricité et...

— La télékinésie ?

Ambre fixa Matt.

— Oui.

Face au silence et à l'attitude gênée de la jeune fille, Matt hésita à poursuivre. Soudain, il comprit ce qui n'allait pas :

— C'est toi, n'est-ce pas ? Tu es victime de cette… transformation.

— Je préfère dire : altération. Je suis toujours la même, sauf qu'un… changement subtil s'opère en moi, je le sens.

Tobias ouvrait les yeux comme s'il pleuvait des barres de chocolat.

— Tu es capable de déplacer des objets sans les toucher ! s'exclama-t-il.

— Chuuuuuuuuut ! s'énerva Ambre. Ne le crie pas ! Je n'ai pas envie qu'on me regarde comme un monstre de foire. C'est pour ça que je voudrais trouver des livres sur la physique, comprendre quelles sont les forces en présence.

— Tu peux réellement déplacer des objets ? insista Tobias.

— Non, pas tout à fait. D'habitude je suis plutôt maladroite. Dans ma vie j'ai renversé un nombre incroyable de verres, tasses, stylos et ainsi de suite qui tombent ou roulent au moment où je vais les saisir. Quand j'étais petite, je croyais que j'avais la poisse, ce qui est stupide, je le reconnais. C'est juste que je ne suis pas attentive, je pense toujours à plusieurs choses en même temps et du coup je suis distraite. La semaine dernière, j'ai mis un coup de coude dans une lampe sans le faire exprès, je me suis précipitée pour la rattraper avant qu'elle ne s'écrase, je le fais toujours même si ça ne sert à rien parce qu'il est impossible d'être aussi rapide, c'est un réflexe ! Il était tard et je ne voulais pas réveiller les autres filles, alors j'ai voulu de tout mon cœur que la lampe s'immobilise et je peux vous jurer que sa chute s'est… ralentie. J'ai eu le temps de la saisir juste avant qu'elle ne touche le sol.

— Non ? répliqua Tobias, incrédule. Tu plaisantes ?

Matt, lui, ne mettait pas la parole de la jeune fille en doute une seule seconde. Tellement de phénomènes incroyables avaient eu lieu depuis la Tempête qu'il ne trouva pas celui-ci plus surprenant.

— Tu peux contrôler ce pouvoir ? demanda-t-il.

— Non, cependant il est en moi.

— Tu en as parlé aux autres ?

Tobias suivait l'échange, son scepticisme se transforma en curiosité.

— Non, vous êtes les premiers. À l'Hydre, des filles se doutent que quelque chose cloche sans deviner quoi.

Elle considéra les deux garçons qui la regardaient sérieusement, avant de soupirer.

— Si vous saviez comme ça fait du bien de partager ce poids ! murmura-t-elle, subitement fragile.

Elle ne cessait de surprendre Matt. Tour à tour vive et presque adulte dans son vocabulaire ou sa pertinence, puis soudain enfantine lorsque le masque de la jolie fille sûre d'elle s'effaçait. Elle se ressaisit aussitôt :

— Dites, vous ne voudriez pas m'aider dans mes recherches, pas seulement ce soir mais les autres jours ? Je pense que les Pans de l'île qui souffriront de maux particuliers viendront me voir et ensemble nous pourrons tenter de percer les mystères de cette altération.

— Aucun mystère là-dedans, rétorqua Tobias avec sa simplicité coutumière. Si ce que tu racontes est vrai, alors les Pans sont en train d'avoir des pouvoirs !

Ambre secoua vivement la tête.

— Ce ne sont pas des pouvoirs ! Le mot contient une connotation magique, surnaturelle. Et franchement : je n'y crois pas une seconde ! Là il s'agit de facultés en rapport avec la nature, j'en suis certaine ! Sergio avait de la fièvre, il était brûlant comme les braises avant d'être soudain capable d'allumer un feu juste en frottant deux silex. Gwen n'arrêtait pas de prendre des minuscules décharges avant de faire apparaître des éclairs. Il existe un lien entre la nature et ces facultés qui nous tombent dessus. Elles apparaissent progressivement avec des symptômes qui peuvent nous mettre la puce à l'oreille. Il faut collecter les troubles des autres Pans pour saisir l'altération qui va s'opérer en eux.

— Ne pourrait-on pas en parler avec Doug, il connaît tellement de choses ? proposa Tobias.

— Hors de question ! s'opposa Ambre. Je... je le trouve
étrange.

— Il sait tout ! Il saura quoi faire ! insista Tobias.

— Justement ! Il en sait trop. C'est louche. Je sens qu'il ne
nous dit pas tout. J'ai eu des conversations avec lui au sujet de
la Tempête, et ses déductions que je vous ai exposées sont formidables de logique. Comment peut-on penser à ça tout seul à
seulement seize ans ?

— De la même façon que tu le fais ! contra Tobias.

— Je me contente de développer ce que lui a trouvé !

— Alors c'est un génie, c'est tout.

Ambre n'était pas convaincue.

— Je n'y crois pas. Mais c'est peut-être moi qui suis paranoïaque, je ne sais pas...

— Non, je suis d'accord avec toi, intervint Matt. Il ne se
conduit pas comme les autres. Je ne l'aime pas, je crois. Il est
autoritaire et...

— Ça, au moins, on doit l'en féliciter ! objecta Tobias. Sans
lui et son autorité, cette île ne serait qu'un champ de bataille.
Au début, les Pans les plus vieux et les plus costauds ont voulu
tout commander, c'était la loi du plus fort. Doug a su les recadrer
immédiatement, et il a fait preuve d'intelligence et de fermeté
pour prendre le contrôle de l'île et la tenir. Sans cette autorité,
ce serait le chaos. Je crois que c'est... naturel chez l'homme, et
même chez l'ado : les plus puissants cherchent à s'imposer et ils
font la loi si un plus malin n'est pas là pour tout organiser et
installer un équilibre pour tous.

— D'accord, c'est un bon meneur, concéda Matt. Cela dit,
Doug cache quelque chose. (Il baissa la voix :) Et ce n'est pas
tout.

Il leur raconta la conversation qu'il avait surprise trois nuits
plus tôt.

— Je n'ai pu reconnaître les voix, ce n'était ni Doug ni

Regie, ça j'en suis sûr. Ce qui signifie qu'on fait des cachotteries au Kraken et qu'on ferait mieux d'être discrets.

Ambre approuva.

— Je vous propose qu'on forme une alliance, tous les trois. Nous allons avoir l'œil sur tous les comportements bizarres des autres Pans. Et on se retrouvera ici régulièrement pour faire le point. (Se tournant vers Tobias, elle demanda :) Doug vient souvent dans cette bibliothèque ?

— Non, je crois qu'il traîne plutôt aux étages inférieurs. Ici c'est désert.

— Parfait ! Et avec tous ces couloirs et ces portes, je pourrai vous rejoindre sans éveiller l'attention.

Elle tendit la main au-dessus de la table et les deux garçons y posèrent la leur, en un geste solennel.

— Nous allons enquêter ensemble, annonça-t-elle. Pour la vérité et le bien-être des Pans.

Sous la clarté chaleureuse des lampes à huile, ils partagèrent un regard excité par cette promesse de secret.

— Pour la vérité et le bien-être des Pans, répétèrent-ils d'une seule voix.

L'Alliance des Trois était née.

20

Des traîtres !

Matt continua de se reposer les jours suivants, tout en participant à son rythme aux différentes corvées. Bien qu'il fût attentif, il ne remarqua rien d'anormal chez ses compagnons. Ni conciliabule suspect, ni manifestation de l'altération.

Il ne savait s'il s'habituait à l'idée de ne plus jamais revoir sa famille, cependant il vivait de mieux en mieux sa tristesse.

Elle restait présente, surtout au moment de s'endormir. Là, il lui arrivait de pleurer, des larmes qu'il s'empressait de cacher. Est-ce que les autres Pans étaient passés par là eux aussi ? Probablement. Matt avait de la peine pour les plus jeunes, les petits devaient souffrir de ce manque d'affection. Cet abandon. Raison pour laquelle, sans doute, ils demeuraient ensemble. Matt avait bien remarqué ces grappes de cinq ou six gamins, qui marchaient, parlaient, mangeaient et dormaient en bande. Doug et les autres Pans plus âgés les laissaient faire, estimant qu'ils en avaient besoin, la dynamique du groupe recréait d'une certaine manière un cocon protecteur, une chaleur humaine, le sentiment de ne pas être seuls.

Un après-midi, il était en train de bêcher un lopin de terre qu'ils étaient parvenus à dégager pour y planter des graines de salades lorsqu'une trompette se mit à sonner par deux fois.

— Qu'est-ce que c'est ? s'inquiéta-t-il en voyant tout le monde se redresser brusquement.

— C'est le veilleur du pont, expliqua Calvin. Deux coups, ça veut dire : Long Marcheur !

Ils lâchèrent leurs outils pour se précipiter vers le sentier. Bien qu'il fût sur pied depuis une semaine, Matt ne s'était encore jamais aventuré loin du Kraken, Doug le lui avait vivement déconseillé tant qu'il ne serait pas en pleine forme. Il hésita, puis estima qu'il se sentait bien et suivit les garçons, d'un pas nettement plus lent.

Ils se faufilèrent entre les murs de buissons et d'arbres, rejoignirent un autre chemin qui serpentait entre ronces et fougères et gravirent une petite butte pour découvrir le pont en contrebas. Son extrémité brisée – de gros blocs blancs dépassaient du fleuve – était peu à peu remplacée par une lourde plaque de tôle que six garçons s'affairaient à faire glisser sur des rondins, afin qu'elle recouvre le trou.

Sur l'autre rive, émergeant de la forêt, un adolescent enveloppé dans une cape vert foncé attendait sur son cheval. La plaque mise en place, il traversa, puis on répéta la manœuvre en sens inverse avant de tirer les rondins. En une minute, il ne restait plus qu'un trou béant de cinq mètres de diamètre.

Les Pans accouraient des quatre coins de l'île pour saluer le Long Marcheur. Lorsque le cheval fut à sa hauteur, Matt s'aperçut que le cavalier avait au moins seize, peut-être dix-sept ans. Ses traits étaient creusés par la fatigue, il était sale, deux croûtes de sang séché ornaient sa pommette et son front, tandis qu'un énorme bleu couvrait le dessus de sa main droite, celle qui tenait les rênes. Les chevaux étaient un bien précieux, Matt l'avait appris, il en restait peu qui ne soient pas redevenus sauvages.

On conduisit le Long Marcheur jusqu'au Kraken afin qu'il s'y repose. Tout le monde était impatient d'entendre les nouvelles qu'il apportait, mais la tradition voulait qu'il puisse d'abord se sustenter et dormir. Le Long Marcheur, qui répondait au nom de Ben, se rinça le visage, avala un bol de soupe et dévora toute une miche de pain avant de demander :

— Qui est en charge ici ?

Doug s'avança.

— On peut dire que c'est moi, je m'appelle Doug. Tu as l'air épuisé, on va te conduire à un lit propre, et ce soir, si tu te sens mieux, on t'écoutera dans la grande salle.

— Non, réunis les Pans de ton île tout de suite, dit-il en posant ses sacoches. Je dois vous parler sans attendre.

Les quelques adolescents présents dans la cuisine s'observèrent, inquiets. Matt vit parmi les sacoches une hache à la lame émoussée et au manche taché de brun.

— Fais-le maintenant, Doug, insista le Long Marcheur. Je veux vous apprendre les nouvelles du monde sans plus attendre. Car elles ne sont pas bonnes.

L'agitation qui secouait les rangs de la grande salle trahissait une angoisse profonde. Il n'était pas normal de se réunir en plein après-midi, et le visage fermé du Long Marcheur ne rassurait guère.

Il monta sur l'estrade de pierre après s'être débarrassé de sa cape crottée, et demanda le silence d'un geste.

Matt remarqua qu'il ne s'était pas séparé de sa ceinture à laquelle pendait un énorme couteau de chasse.

— Écoutez-moi, s'il vous plaît. Faites silence, témoignez votre respect pour les nouvelles du monde. Car cette fois, j'en ai peur, elles seront sinistres.

Une clameur se répandit dans la salle avant que le Long Marcheur ne lève à nouveau le bras.

— Il semblerait qu'on ait repéré les Cyniks, exposa-t-il. Ils sont au sud. Loin d'ici, rassurez-vous. Mais ils sont nombreux. Très nombreux au dire de quelques témoins.

— Au-delà de la Forêt Aveugle ? demanda un jeune Pan avec des lunettes et une large cicatrice sur la joue.

— Oui, bien plus bas.

Matt se pencha vers Tobias pour lui chuchoter :

— C'est quoi, cette Forêt Aveugle ?

— Loin au sud, une forêt si grande qu'on n'en connaît pas les limites. Ses arbres sont hauts comme des buildings et elle est si dense que la lumière du jour ne filtre pas. Personne n'a jamais osé s'y enfoncer.

Une fille avec une queue-de-cheval interrogea Ben à son tour :

— Comment l'a-t-on appris ? Des Longs Marcheurs ont traversé la Forêt Aveugle ?

— Non, fit Ben. En réalité, cette forêt court sur des centaines de kilomètres, mais très loin à l'ouest, il existe des trouées, des passages sinueux que les Cyniks empruntent. Plusieurs Pans les ont vus. Les Cyniks ont colonisé tous les territoires du sud, sur des milliers de kilomètres, dit-on. C'est à vérifier, bien sûr, mais affirmé par deux sources différentes. On ne sait rien de leur organisation, juste qu'ils sont là-bas. Ils ont lancé quelques incursions au nord, vous le savez. Les rumeurs d'enlèvements de Pans sont fondées. On ne parvient pas à tenir des chiffres précis, mais il semblerait que plusieurs dizaines de Pans aient été kidnappés un peu partout. Et ça ne s'arrête pas.

— Sait-on ce qu'ils deviennent ? demanda Doug.

— Non. On ne les revoit plus, c'est tout. Les Cyniks les emmènent avec eux au sud, c'est en suivant l'une de ces expéditions que des Pans ont découvert ces immenses colonies. Pour l'heure il est impossible de s'enfoncer loin dans leurs terres. Il semblerait qu'ils obéissent à une hiérarchie, mais on n'en sait pas plus.

Un murmure s'éleva.

— Ce n'est pas tout, reprit le Long Marcheur. J'ai… une autre mauvaise nouvelle. Tout porte à croire qu'une large partie de ces enlèvements ait bénéficié d'une aide des… Pans. Des traîtres.

Le murmure se transforma en exclamations de colère.

— C'est confirmé dans deux sites, insista Ben en haussant la voix pour se faire entendre. Néanmoins il est probable que des traîtres agissent ailleurs aussi. Tous les Longs Marcheurs transmettent à présent cette information : faites attention. Soyez vigilants. Certes, il ne faut pas entrer dans la paranoïa non plus, ce qui risquerait de semer la discorde chez nous, mais un peu de vigilance et une dose de bon sens peuvent nous sauver la mise.

Autour de Matt, chacun y alla de son commentaire.

« Tu vois qui pourrait être un traître ici ? »

« Non, on est tous solidaires ! Quoique… Roy est bizarre des fois… » Un autre intervenait aussitôt : « Non, pas Roy, je le connais bien, c'est un chic gars ! Par contre, Tony, il est… »

« Tony est réglo, c'est mon pote, je peux te l'assurer ! » Et un autre d'ajouter : « Et Sergio ? Il est flippant des fois. »

« Impossible, c'est une tête de mule, pourtant y a pas plus droit comme mec ! »

Dès qu'on suspectait quelqu'un, un Pan se dressait pour le défendre. Matt réalisa que c'était peut-être là une différence majeure entre les enfants et les adultes : cette capacité à se faire confiance, à rester solidaires.

— Votre île est isolée des autres communautés de Pans, ajouta Ben. Aussi, prenez garde, vous êtes une proie tentante. Ce sont là les deux grandes nouvelles du monde. Ce soir, je vous conterai la vie des autres sites, les découvertes et les idées qui circulent ailleurs.

Il descendit de l'estrade et Doug le rejoignit pour le questionner en le conduisant vers une chambre propre.

Matt croisa le regard d'Ambre assise un peu plus loin, sur un banc. Ils hochèrent la tête doucement. Ils devaient se parler.

Un peu plus tard, Matt et Tobias marchaient sur un sentier derrière le manoir du Kraken.

— Au fait, ce groupe de huit Pans que tu as rejoint quand j'étais inconscient, avant de trouver cette île, ils sont toujours là ?

— Pour sept d'entre eux, oui.

— Qu'est-il arrivé au huitième ?

— Elle. C'était une fille. Elle s'est fait attaquer au cours d'une cueillette de fruits dans la forêt. On n'a jamais su ce que c'était exactement, une meute de chiens sauvages ou un Glouton peut-être. On a seulement retrouvé son corps, du moins ce qu'il en restait, c'était atroce.

— Ah, fit Matt, confus. Peut-être un monstre comme celui qui a failli nous sauter dessus avant que Plume ne le fasse fuir.

— Non. Depuis j'ai appris que des Longs Marcheurs en avaient croisé. Ils appellent ça des Rôdeurs Nocturnes, on ne les voit que la nuit. Il paraît que c'est la créature la plus redoutable !

— Rien que d'y repenser j'ai la chair de poule. Et les autres, les sept qui t'accompagnaient, ils sont encore présents ?

— Oui. Il s'agit de Calvin, que tu connais, et d'autres que tu n'as pas encore eu l'occasion de rencontrer. Comme Svetlana, une fille très solitaire du Capricorne, ou Joe du Centaure. Depuis qu'on est sur l'île on est tous très occupés.

— T'ont-ils dit pourquoi ils suivaient les scarabées ? Tu te rappelles ? C'était ce qu'ils avaient écrit sur la planche dans la forêt !

— Ah, oui ! C'était une idée de Calvin, il avait déjà aperçu des scarabées au nord et comme ils allaient tous vers le sud, il en avait conclu qu'il fallait faire confiance à l'instinct des insectes. Il disait que des milliards de bestioles ne pouvaient se tromper en allant vers le sud.

— C'est pas bête.

Ambre vint à leur rencontre et entra directement dans le vif du sujet :

— Intéressant ce que Ben nous a dit. Cette histoire de traître, ça ne vous rappelle rien ?

— La discussion que j'ai surprise l'autre nuit ? proposa Matt.

— Peut-être bien, en effet. On se fait sûrement des idées, cela dit, mieux vaut être prudents. Je vous propose qu'on monte la garde cette nuit et les suivantes. Il faut avoir une vue sur le Kraken, c'est là que ça bouge. Au moins on en aura le cœur net.

Les deux garçons acquiescèrent.

— Mais où se poster ? demanda Tobias. Il faut un endroit stratégique.

Ambre eut une moue d'ignorance.

— C'est trop grand à l'intérieur pour qu'on puisse tout sur-veiller, pesta-t-elle. Et dehors… c'est pas terrible, et on man-quera de hauteur pour guetter les issues.

Matt recula d'un pas et tendit lentement la main.

— Le lieu stratégique, c'est celui-là. De là on ne pourra rien rater, exposa-t-il.

Les deux autres suivirent le geste du regard.

Il désignait le manoir hanté qui apparaissait au-dessus des arbres.

— Euh… non, là c'est sans moi, protesta Tobias.

— Matt n'a pas tort, contra Ambre. Après tout, on dit qu'il est… Mais qu'est-ce qu'on en sait vraiment ?

— Non, non, non ! s'emballa Tobias. Vous n'avez jamais vu

la fumée verte qui s'en dégage ? Et le monstre qui rôde derrière les fenêtres ? Impossible, on ne met pas les pieds là-dedans !

— Bon, on verra bien, on en discutera tout à l'heure, trancha Ambre.

— Tu ne te feras pas remarquer si tu n'es pas dans ta chambre cette nuit ? s'étonna Matt.

— Non, personne ne viendra voir. Ne t'en fais pas. Lorsque les premiers Pans sont arrivés sur l'île, Doug a décrété que les filles et les garçons ne dormiraient pas dans les mêmes manoirs, mais il n'a jamais interdit de passer la nuit ensemble tant qu'on ne dort pas ! assura-t-elle en riant. Et puis j'en ai marre de son autorité. Ce soir, quand le Long Marcheur aura fini, on se retrouve sous le grand escalier. Là, une porte mène à un couloir de service, en face d'un placard. À cet endroit, on sera sûrs que personne ne viendra.

Elle tendit la main et ils posèrent la leur.

— L'Alliance des Trois, dirent-ils en chœur.

La haute tour du manoir hanté les dominait, insensible au vent glacé qui soufflait du nord, encerclée de corbeaux qui tournoyaient comme des sorcières autour d'un feu de joie.

21

Surveillance

Le Long Marcheur leur raconta les sites de l'ouest. Les trouvailles des uns, les découvertes des autres, comment chaque village s'organisait, et il rapporta quelques dissensions, essentiellement à cause de l'autorité qui ne faisait pas toujours l'unanimité. Certains sites procédaient à des élections pour élire un

Grand Pan, dans d'autres cela se faisait naturellement, comme sur cette île. Cependant, Matt apprit que cette relative harmonie – qu'il sentait fragile – était parfois née dans la violence. Au début des regroupements, les adolescents les plus vieux, souvent les plus agressifs, s'étaient imposés. En l'absence d'adultes et avec le règne de la peur, la loi du plus fort s'était imposée en premier lieu, avant que la raison et le nombre ne reprennent le contrôle. Néanmoins il demeurait quelques sites où l'autorité était exercée par des brutes qui réduisaient leurs camarades en esclavage. Pour l'heure, personne n'osait s'en mêler, mais des voix de plus en plus puissantes s'élevaient pour les dénoncer.

Maintenant que le Long Marcheur était reposé et lavé, Matt remarqua combien ses blessures étaient nombreuses et impressionnantes : plusieurs estafilades sur le cou, une demi-douzaine d'ecchymoses sur ses avant-bras, quant au dessus de sa main droite, il était enflé et virait au vert zébré de bleu. Les Longs Marcheurs prenaient des risques énormes pour relier les sites panesques, se dit Matt. Pour donner de l'espoir, transmettre les nouvelles et redonner un peu de force aux adolescents et aux enfants en les reliant entre eux. Il comprit alors le respect et la gratitude dont tous faisaient preuve à leur égard.

Ben défroissa une feuille de papier noircie de notes et s'en servit pour dresser la liste :

— Voici les différents savoirs ou techniques qui ont été démontrés. Plusieurs Pans qui vivaient à la campagne, pour certains des fils de fermiers, nous ont donné les procédures à suivre pour choisir sa terre, y planter des graines et tout ce qu'il faut pour démarrer une agriculture. On commence à rassembler de précieuses connaissances en matière médicale, notamment sur des méthodes de soins : bras ou jambes cassés. Une nouvelle liste de baies à ne surtout pas consommer, elles ont entraîné des empoisonnements, dont trois mortels. Selon la procédure, je communiquerai tous les détails à votre Grand Pan tout à l'heure tandis qu'il me fournira l'avancée de votre site, pour qu'ensemble, nous apprenions.

Après plus d'une heure et demie de discours, le Long Marcheur remercia l'assemblée qui le félicita en frappant les verres sur les tables, puis tout le monde sortit, dans l'excitation des dernières nouvelles.

Matt s'éclipsa le plus discrètement possible par la porte sous le grand escalier et trouva sans peine le placard. Tobias y était déjà, dans l'obscurité.

— J'te jure, quelle idée elle a eue de nous donner rendez-vous ici ! murmura Tobias. Vous êtes faits pour vous entendre tous les deux !

— Tu n'as pas de lampe ? demanda Matt dans l'obscurité.

— Attends.

Soudain une lueur d'une blancheur pure apparut dans les mains de Tobias.

— Tu te rappelles mon morceau de champignon lumineux ? Il brille encore ! Et toujours aussi fort.

La porte s'ouvrit sur Ambre qui s'empressa de les rejoindre.

— C'est génial ce truc ! s'enthousiasma-t-elle en découvrant le végétal.

— Nous l'avons trouvé sur notre longue route jusqu'ici. Bon, on fait quoi ?

Leurs trois visages, éclairés par en dessous de cette lumière pâle, prenaient des allures spectrales.

— Moi, je dis qu'il faut aller au manoir du Minotaure, fit la jeune fille.

— Le manoir hanté ? s'alarma Tobias.

— Matt a raison, de là, on pourra surveiller le Kraken et toutes ses allées et venues. Rien ne nous échappera.

Tobias ne dissimulait pas sa peur. Il esquissa une grimace dégoûtée :

— J'aime pas cette idée.

— Je vais monter dans ma chambre chercher des couvertures, exposa Matt, je vous les lancerai par la fenêtre. Pendant ce temps, Tobias, tu passes par les cuisines pour prendre quelques fruits, il faudra qu'on tienne le coup toute la nuit.

Ils firent ce qu'ils avaient prévu et se retrouvèrent tous les trois à arpenter un sentier mal entretenu, une couverture sur les épaules et Ambre ouvrant le chemin avec une lampe à huile.

Malgré la flamme ondoyante, la végétation restait d'un gris fuligineux à cause de la nuit. Les ronces s'emmêlaient en nœuds complexes qu'il fallait enjamber, le visage fouetté par les branches basses des arbres.

— Personne ne vient plus tailler ce chemin, grogna Ambre qui, en tête, balayait le plus gros des obstacles.

Une faune d'insectes nocturnes grouillait autour d'eux, faisant bruisser les feuilles.

Puis le perron du manoir hanté apparut au détour d'une haie d'épineux. Un court escalier conduisait au portail encadré de colonnes de pierre et surmonté d'une rosace en vitrail. Un colossal mur blafard formait un bloc fermé, coiffé de tours carrées et trapues.

— Inutile d'aller jusqu'à la tour la plus haute, annonça Ambre. Elle se trouve de l'autre côté du manoir, je pense qu'il suffit de se hisser dans l'une de celles-ci, on y dominera le Kraken.

Matt s'avança le premier sur les marches et actionna la poignée du lourd portail. Il poussa le vantail en s'aidant de l'épaule, et il s'ouvrit avec un grincement lugubre.

Sur ses talons, Ambre leva la lampe pour éclairer l'intérieur : un hall froid, le plus long tapis que Matt ait vu de sa vie, plusieurs portes, et un escalier en colimaçon dans une tourelle.

Ils prirent cette direction, Tobias guettant le moindre signe suspect.

Ils grimpèrent plusieurs étages, avant de traverser une salle poussiéreuse, meublée d'un billard et d'un bar sur lequel reposaient encore des carafes d'alcool. Ils se retrouvèrent ensuite dans un couloir, menant à un carrefour.

— Par où ? demanda Matt en chuchotant.

Ambre soupira :

— Comment veux-tu que je le sache ? Je ne suis jamais venue ici !

Ils prirent au hasard et traversèrent deux autres salles, l'une pleine d'armures inquiétantes qui tenaient des épées et des masses d'armes, la seconde décorée par des trophées de safaris : lions, tigres, rhinocéros empaillés, et une dizaine de têtes d'antilopes jaillissant des murs. Plusieurs crochets inutilisés témoignaient d'une collection plus importante. Aucun signe d'une présence quelconque. S'il était hanté, alors ce manoir prenait son temps pour dévoiler ses spectrales entrailles. *C'est pour mieux nous piéger !* songea Matt. *Une fois qu'on sera bien perdus, alors il sera temps de nous attaquer !*

À nouveau : couloirs, bifurcations, portes, et enfin escalier. Après quelques minutes ils purent déboucher au sommet d'une tour, sur le flanc sud, d'où ils avaient une vue parfaite sur le Kraken.

— On sera bien ici, approuva Ambre en contemplant les environs.

Leur poste de gué était entouré de créneaux surmontés d'un toit pointu d'ardoises grises. Aucune fenêtre pour empêcher le vent de siffler à leurs oreilles, mais un panorama garanti à 360 degrés. Ils dominaient les toits, et seules deux autres tours, dont la plus haute coiffée d'un dôme, les dépassaient.

Ils s'emmitouflèrent dans leurs couvertures et se relayèrent pour veiller. Deux restaient assis à l'abri des courants d'air, tandis qu'un troisième se positionnait entre deux créneaux pour surveiller le Kraken en contrebas.

Matt prit le premier tour de garde. Il vit les lumières dansantes des bougies s'éteindre derrière les fenêtres, au fur et à mesure que l'heure se faisait tardive. Bientôt, il n'en resta que deux.

— Je crois que c'est la chambre de Doug qui est allumée, précisa-t-il à ses compagnons. L'autre… je ne sais pas.

Après un long moment, durant lequel son nez devint un glaçon, la chambre de Doug s'éteignit, mais pas l'autre. Un raclement métallique descendit de la haute tour. Tobias sursauta :

— C'était quoi ça ?

— Relax, probablement la structure qui bouge avec le vent, avança Matt.

Tobias le regarda, pas rassuré pour autant.

Ambre prit la suite plus tard, lorsque Matt sentit ses jambes faiblir.

Il vint discuter avec Tobias, pour lutter contre la fatigue, puis ils croquèrent une pomme pour s'occuper.

Le temps, au sommet d'une tour parcourue par le vent froid de la nuit, prit consistance : une chape molle, lourde sur les épaules, écrasante sur les paupières, capable de faire taire les plus bavards, de bercer les esprits les plus alertes.

Tobias et Matt somnolèrent.

Ils furent à peine réveillés quand Ambre chuchota :

— La dernière lumière vient de s'éteindre.

Puis plus rien pendant presque une heure.

Une main s'approcha de l'épaule de chaque garçon. Elle les étreignit et les secoua doucement :

— Il faut que vous voyiez ça, murmura Ambre.

Déboussolés par le sommeil, ils se redressèrent péniblement.

— Quoi donc ? Ça a bougé en bas ? demanda Matt.

— Non, mais là, si !

Elle pointa son index vers la tour d'en face, celle du Minotaure. Une lumière verte illumina une meurtrière des escaliers. Puis à peine disparaissait-elle qu'une autre, plus haut, s'allumait. Quelqu'un montait vers le sommet de la tour. *Ou quelque chose !* corrigea aussi vite Matt qui recouvrait d'un coup ses esprits.

— Mince…, laissa échapper Tobias. Je le savais. Cet endroit est maudit !

— Dis pas ça… c'est peut-être…

Mais les mots d'Ambre s'étranglèrent dans sa gorge. Une fumée verte, luminescente, grimpait du sommet de la tour. Elle montait en ondulant avant d'être soufflée par le vent… dans leur direction.

— C'est l'émanation d'un esprit ! tonna Tobias en se dirigeant vers la trappe.

Matt le saisit par l'épaule :

— Où vas-tu ?

— Je file ! Qu'est-ce que tu crois ? L'esprit vient droit sur nous !

— C'est juste une fumée.

— Elle est verte ! Et elle brille dans la nuit !

Ambre se précipita sur la trappe, sous le regard déstabilisé de Matt.

— Toi aussi, tu t'enfuis… Je croyais qu'on…

— Non ! le coupa-t-elle. Je vais voir ce que c'est !

Tobias se prit la tête à deux mains et laissa échapper un gémissement.

— C'est une grave erreur ! Je vous le dis, insista-t-il. C'est une très mauvaise idée.

Mais Matt avait déjà sauté dans la trappe pour suivre leur amie.

22

Un secret inavouable

Ambre fonçait dans les couloirs obscurs du manoir, la lampe dressée devant elle pour projeter un cône tremblant de lumière orangée.

Matt courait juste derrière elle et Tobias suivait, craignant de se retrouver seul dans ce lieu lugubre. Ambre s'orientait au jugé, poussant des portes et sautant des paliers pour ne pas perdre de temps.

Soudain, ils se retrouvèrent bloqués par une lourde porte en bois : deux battants de quatre mètres de haut, fermés par une impressionnante chaîne en fer et un cadenas rouillé. À cela s'ajoutaient des dizaines de verrous en acier ainsi qu'une lourde barre. Des plaques de métal soudées renforçaient encore la structure.

— Il faut vite trouver un autre accès, lança Ambre en reprenant son souffle.

— Ce sera partout pareil ! contra Matt. Tu as vu cette porte ? Personne ne se serait donné autant de mal s'il existait un autre passage accessible.

Ambre acquiesça, c'était d'une logique imparable.

Tobias montra un étrange dessin gravé dans le bois des battants.

— Regardez, on dirait un symbole démoniaque !

— C'est un pentacle, confirma Ambre en s'approchant.

Une étoile à cinq branches dans un cercle, entourée de lettres cabalistiques.

— Vous croyez que ça date d'avant la Tempête ? fit Tobias. Que cette maison était habitée par un type voué au diable ?

Matt secoua la tête.

— Ça m'étonnerait, avoua-t-il en inspectant le cadenas. En même temps, le type qui a conçu l'architecture de cet endroit n'était pas net. C'est sinistre à souhait !

Ambre ouvrait la bouche pour répondre quand on racla violemment le bas de la porte. Les trois adolescents sursautèrent en criant. Un souffle puissant surgit par en dessous et balaya toute la poussière.

— Il nous sent ! s'écria Tobias. Il nous sent !

Et comme pour lui répondre, une masse considérable se jeta sur les panneaux et fit trembler la barre et les chaînes.

— On se tire, lança Matt.

Ambre en tête, ils détalèrent tous trois à pleine vitesse. Ils se perdirent longtemps dans le dédale des salles avant de surgir enfin à l'air libre, haletants, les joues en feu, mais vivants.

Matt dut s'adosser à l'entrée pour retrouver une respiration normale. La lumière qu'Ambre tenait encore à la main avait faibli, la flamme avait elle aussi lutté pour survivre à cette agitation, et elle retrouvait vigueur en même temps que le trio.

— On garde ça pour nous, souffla Ambre. Tant qu'on n'en sait pas plus, c'est notre secret.

— Tu veux enquêter là-dessus aussi ? questionna Matt.

— Un peu que je veux ! Il faut interroger Doug, l'air de rien, toi, tu es nouveau, il trouvera ça normal si tu lui demandes.

Matt approuva.

— Moi, j'y remets plus jamais les pieds ! s'écria Tobias.

— Écoute, fit Ambre, tu as vu la taille de cette porte et tout ce qui l'empêche de s'ouvrir. Je crois qu'on ne risque rien.

L'air hagard, il rétorqua :

— Ouais… ! C'est ce que disaient les passagers du *Titanic*.

Ils furent d'accord pour dire qu'ils n'apprendraient rien de plus cette nuit et chacun retourna à sa chambre en regardant par-dessus son épaule à travers les couloirs.

Cette nuit-là, pour le peu de temps qu'il restait à dormir, ils firent des cauchemars inoubliables.

Deux jours plus tard Matt cherchait Doug sur la terrasse derrière le Kraken ; on lui conseilla d'aller voir au Centaure.

Matt prit le sentier qui courait au pied de la terrasse, et s'enfonça dans la luxuriante végétation qui couvrait l'île. Il longea l'Hydre ; par les fenêtres ouvertes, il perçut les éclats de rire des filles, et rejoignit un autre sentier, celui qu'ils nommaient le Circulaire parce qu'il faisait le tour de l'île.

Matt n'avait jamais quitté le Kraken, sauf pour accompagner Tobias ou Calvin, avec qui il s'entendait de mieux en mieux, mais jamais il n'était allé aussi loin. Cependant il avait appris à reconnaître les silhouettes des différents manoirs et pouvait les localiser de tête. Il croisa une Pan d'à peine dix ans sur le sentier, elle marchait avec une autre du même âge que Matt et ils se saluèrent. Les deux filles tenaient un panier plein de ces fleurs mauves qu'il avait aperçues plusieurs fois dans sa soupe du soir.

Un quart d'heure plus tard, il remarqua que les arbustes et les buissons à sa droite n'étaient plus du même vert qu'ailleurs. Ici ils tiraient sur le noir, à tel point qu'il s'arrêta pour caresser une feuille et l'inspecter de près. Elles étaient bien noires. Toutes. Matt n'en revenait pas. Il sortit du sentier pour vérifier si le phénomène persistait, et constata bien vite que même les fougères prenaient cette surprenante teinte morbide.

Un bosquet s'agita. Matt pensa aussitôt à un lièvre ou un renard, mais il n'eut que le temps d'apercevoir une longue patte noire, une patte… luisante, semblable à du cuir.

Jamais vu un petit mammifère comme ça !

Plus loin, il écarta les taillis pour se frayer un chemin et découvrit un voile blanc qui courait de tronc en tronc sur une douzaine de mètres. Lorsqu'il vit de quoi il s'agissait, le choc fut tel qu'il se figea.

— C'est pas possible…, murmura-t-il pour lui-même.

C'était une toile d'araignée.

Matt vit un oiseau desséché capturé dans un cocon. Plus loin, un écureuil pendait dans la gangue filandreuse. Des dizaines de proies vidées, prisonnières de cette fleur mortelle, s'entassaient sur toute sa longueur. Matt fut pris d'un haut-le-cœur. Et par-delà cette zone funèbre il distingua un mausolée de pierre, et plusieurs stèles grises. Le cimetière que Tobias lui avait déconseillé d'approcher.

— Qu'est-ce que je fais là ? balbutia-t-il.

Lorsqu'il voulut se retourner, il ne reconnut plus le paysage. Par où était-il arrivé ? Tout était sombre et identique, un chaos de plantes indiscernables les unes des autres. Matt se précipita droit devant, repoussa les lianes et les branches basses, tandis que des troncs craquaient dans son dos. Et soudain la lumière blanche du sentier se profila. Matt le rejoignit à toutes jambes en fixant la zone noire à sa droite.

Il atteignit le manoir du Centaure en s'interrogeant encore sur ce qui avait pu contaminer la végétation à ce point autour du cimetière, et surtout en craignant de deviner ce que pouvait être la bête dont il avait vu la patte velue. Il détestait l'idée même d'une araignée, mais large comme une roue de voiture : *Non, c'est impossible… j'ai dû rêver ! Oui, c'est ça, j'ai mal vu. C'est impossible*, se répéta-t-il.

Doug se trouvait dans la volière derrière le manoir. C'était une construction assez volumineuse, tout en poutrelles métalliques et en verre, pleine de plantes aux fleurs multicolores. Une centaine d'oiseaux y vivaient, sur des perchoirs en bois ou dans de véritables nids entre les branches des arbres. Il en émanait une cacophonie ponctuée de bruissements d'ailes qui obligeait à parler fort.

— Ta condition physique ne cesse de m'impressionner, avoua Doug en le voyant. N'importe qui aurait mis un bon mois avant de pouvoir faire une longue promenade comme celle-ci, et toi en moins de dix jours tu vagabondes sans peine !

— Je tiens ça de… mon père, répondit-il avec un pincement au cœur.

— Tu connais Colin ?

Doug recula pour présenter un grand garçon aux longs cheveux châtains, les joues ponctuées de quelques boutons d'acné. Matt le salua.

— C'est le doyen ! Dix-sept ans. Il s'occupe des oiseaux.

Le visage de Colin s'illumina.

— Oui, c'est ma passion. Je les adore.

— Bonjour. Moi, c'est Matt.

— Salut, Matt.

— Tu voulais quelque chose ? demanda Doug.

Matt enfonça les mains dans les poches de son jean et demanda à Doug, d'un air innocent :

— Dis, ce fameux manoir hanté, tu crois vraiment qu'il est dangereux ? Parce que je me disais qu'on pourrait peut-être le nettoyer et en faire des chambres supplémentaires, surtout si d'autres Pans viennent vivre sur l'île un jour.

Doug rétorqua aussi sec :

— Ne t'en approche pas. Ce n'est pas une histoire de grand-mère, je te jure que cet endroit est diabolique ! Plusieurs Pans ont vu la tête d'un monstre apparaître la nuit, derrière les fenêtres des tours. Et puis on a bien assez de place comme ça. Il doit y avoir de quoi faire encore une vingtaine de chambres, donc pas d'urgence.

— Toi qui étais là avant la Tempête, tu pourrais me dire qui y vivait ?

Doug parut troublé.

— Il est impoli d'évoquer la vie d'avant la Tempête, sauf si la personne décide de t'en parler elle-même.

— Oui, mais je me disais que toi, tu es au courant de ce qu'il y avait là-dedans, après tout, c'est ton père qui choisissait ses voisins, n'est-ce pas ?

Doug haussa les épaules.

— Un vieux monsieur l'a fait construire au tout début. Il est mort quand j'avais huit ou neuf ans, et depuis il est resté abandonné.

— Il n'était pas hanté avant la Tempête ?

— Je ne sais pas. Non, je suppose que non. Mais c'était un lieu qu'on n'approchait pas avec Regie. On le trouvait effrayant.

— Et ce vieux monsieur, il faisait quoi ?

Doug planta ses prunelles dans celles de Matt. *Il me trouve trop curieux*, devina ce dernier.

— C'était un vieux monsieur, c'est tout. Comme je te l'ai dit, j'étais assez jeune quand il est mort, alors je ne m'en souviens plus.

Matt sentait qu'on ne lui disait pas tout. Doug cachait quelque chose. *Comme s'il avait peur ! C'est ça, il y a quelque chose qui lui fait réellement peur là-dedans !* Que pouvait-il savoir de si effrayant qu'il ne pouvait même pas répéter aux autres Pans de l'île ?

Matt le remercia et allait s'éloigner lorsque le grand Colin l'interpella :

— Hey, si tu aimes les oiseaux, tu peux venir quand tu veux. En plus, un coup de main ne sera pas de refus.

Il souriait et cette expression lui donnait un air bête, le regard vide et les dents un peu jaunes.

Matt considéra ce grand benêt aux joues déformées par les boutons avant d'acquiescer. Colin n'était apparemment pas le plus futé des Pans.

Il rentra au Kraken dans l'intention de partager son sentiment avec ses deux amis lorsqu'il aperçut Ambre dans la grande salle, en pleine discussion avec Ben le Long Marcheur. Elle était enthousiaste, riait à ses remarques et lui posait plein de questions. Matt devina plus que de la curiosité dans l'attitude de la jeune fille.

Elle était séduite par le charisme et le physique d'aventurier de Ben.

Matt devait admettre que c'était un sacré bonhomme. Presque un mètre quatre-vingts, le menton carré, le nez fin et des yeux verts qui contrastaient avec sa chevelure noire. Il avait un physique d'acteur.

Un acteur abîmé par la route ! Oui, mais ça lui donne de la… virilité. Je suis sûr que les filles adorent ses blessures, elles trouvent ça « craquant » !

Il pesta dans son coin et préféra faire le tour par l'arrière pour ne pas passer devant eux.

La tendresse qu'Ambre mettait dans ses sourires pour Ben lui déchirait le cœur.

23

L'Altération

Le lendemain, il fut annoncé qu'une cueillette de fruits devait être organisée dans la forêt, à l'extérieur de l'île. Matt se souvint des explications de Tobias, c'étaient les expéditions les plus dangereuses, là où il se produisait le plus d'accidents, voire de tragédies.

Doug annonça pendant la réunion dans la grande salle que, comme d'habitude, ils effectueraient un tirage au sort pour désigner les cueilleurs. Dans une grande marmite on avait réuni tous les rectangles de bois gravés au nom de chaque Pan de plus de douze ans – il fallait avoir dépassé cet âge pour y participer, à cause des risques et des efforts physiques nécessaires – mais celui de Matt ne fut pas ajouté à la liste, Doug estimant qu'il n'était pas encore prêt physiquement. Conscient des risques, Matt ne protesta pas, bien qu'il se sentît en forme. Il préférait attendre la prochaine cueillette.

Dix noms des douze participants nécessaires étaient déjà tombés lorsque Doug lut un autre rectangle de bois tiré au hasard par son frère Regie :

— La onzième sera Ambre Caldero.

Matt sursauta. Pas Ambre. Maintenant qu'on lui avait dépeint ces sorties dangereuses il ne voulait pas que ses amis prennent autant de risques. *Mais c'est la règle ici. Je ne peux rien y changer. Mais je peux m'assurer qu'elle est en sécurité !*

Aussitôt la réunion achevée, Matt alla voir Doug pour l'informer qu'il accompagnerait Ambre dans sa mission.

— C'est bien que pour ma première sortie je ne sois pas seul, expliqua-t-il, nous serons deux et je t'assure que je ne ferai pas d'efforts superflus.

Doug protesta mais, face à la détermination de Matt, il comprit qu'il ne servait à rien d'insister.

— Fais comme tu veux, abdiqua-t-il, je ne peux pas t'ordonner de rester. Mais c'est une idée stupide, je te l'aurai dit. Et tu ferais mieux de rester avec quelqu'un comme Sergio, il est costaud, s'il y a un problème il pourra te protéger.

Matt se garda bien de préciser qu'il y allait justement pour protéger Ambre. Et il fila auprès de la jeune fille. Il apprenait à la connaître et sut d'emblée qu'il ne fallait surtout pas lui présenter sa présence telle qu'il la voyait : Ambre en vulnérable et lui en protecteur risquait de la mettre en colère. Elle détestait qu'on la dise faible ou fragile.

— J'ai parlé à Doug, je viens avec toi, lui dit-il. Ça va me familiariser un peu avec l'extérieur et, pour ma première sortie, c'est bien que je sois avec quelqu'un de confiance.

Le lendemain matin, ils étaient treize sur le pont, à regarder leurs camarades actionner les rondins puis la plaque de tôle pour leur permettre de quitter l'île. C'était le petit matin, des volutes de brume flottaient au-dessus du bras du fleuve, comme autant de danseurs éthérés. Matt avait revêtu son pull, il faisait frais, et remis son manteau mi-long noir, l'épée chargée sur le dos. Plume l'observait avec un regard triste. Il avait décidé de ne pas l'emmener, il ne souhaitait pas lui faire courir le moindre risque. Autour de lui, chaque cueilleur portait un large panier en osier.

Une fois de l'autre côté, Matt découvrit un sentier à peine visible tant la végétation le recouvrait. Ils marchèrent vingt minutes durant à travers une forêt extrêmement dense avant de se scinder en deux groupes, l'un au nord, l'autre au sud. Lorsque apparurent les premiers arbres fruitiers, chacun partit dans sa direction, Matt suivit Ambre et, très vite, constata qu'il avait perdu de vue les autres.

— Pourquoi ne faites-vous pas des groupes ? demanda-t-il à Ambre.

— C'est ce qu'on faisait au début, mais on s'est aperçus que ça attirait les prédateurs. Et quand on s'enfuyait, dans la panique, certains se perdaient et devenaient des proies faciles. Maintenant on se sépare pour aller plus vite et limiter les risques.

La forêt était plus aérée ici, le soleil maussade du matin parvenait à poser un voile tiède sur les branches, et même sur l'herbe. Matt aida Ambre à remplir son panier de prunes et de baies violettes qu'il ne connaissait pas. Ils le rapportèrent sur le sentier où d'autres paniers, certains pleins, d'autres vides, attendaient. Lucy, la fille aux immenses yeux bleus, arriva de l'île avec un panier vide, le remplaça par un plein, et s'en retourna. Ambre troqua le sien, plein à ras bord, contre un vide. Ainsi fonctionnait la mécanique de la cueillette. En moins d'une matinée, ils parvenaient à récolter de quoi nourrir les Pans de l'île pendant plus d'une semaine.

— Tu t'entends bien avec les autres filles de ton manoir ? questionna Matt en marchant.

— Ça va. On trouve un peu tous les comportements, c'est normal. Gwen, la fille qui a une altération avec l'électricité, est vraiment une chouette copine. Je n'arrive pourtant pas à lui avouer que tous les poils de son corps se hérissent la nuit, elle se croit… guérie, comme si c'était une maladie. Lucy, qui était dans le sentier tout à l'heure, est sympa. Et puis, on a les pestes, Deborah et Lindsey. La vie en communauté quoi !

— Tu… tu n'as jamais peur ?

— Peur ? Peur de quoi ?

Matt désigna le paysage sauvage qui les entourait :

— De tout ça, de l'avenir dans ce nouveau monde.

Ambre prit le temps de réfléchir avant de répondre :

— Franchement ? Je crois que je le préfère à l'ancien.

— Ah bon ?

Le regard de la jeune fille était rivé au sol, elle avançait en contemplant ses pieds.

— Mon beau-père était un gros con, dit-elle soudain. (Et son ton de colère froide ainsi que sa grossièreté figèrent Matt.) Ma mère n'a rien trouvé de mieux que de tomber amoureuse du champion de bowling de notre ville, tout un programme ! Sauf qu'il ne descendait pas que des quilles, comme disait ma tante. Il buvait et devenait agressif.

— Il te battait ? osa demander Matt avec le plus de douceur possible.

— Ça non ! Mais il cognait sur ma mère. (Ambre se tourna pour observer son compagnon.) Ne fais pas cette tête, si elle avait voulu, elle aurait pu le quitter, mais elle l'aimait tellement qu'elle lui pardonnait tout, même l'impardonnable.

Ils partagèrent un long silence, seulement habité par le pépiement des oiseaux.

— Tu comprends pourquoi je n'ai pas de regrets sur ce…

Matt, du coin de l'œil, la vit qui séchait rapidement une larme. Et sans réfléchir il posa la main sur l'épaule de son amie.

— Ça va, ça va, répéta-t-elle. Tu sais, je crois que dans ce monde qui s'offre à nous, tout est à faire, il y a de la place pour tout le monde, tous les caractères, toutes les ambitions, il suffit de trouver le rôle que l'on veut jouer.

— Tu as trouvé le tien ?

— Oui. J'attends d'avoir seize ans, c'est l'âge minimum pour devenir Long Marcheur.

— Tu veux sillonner le pays comme eux ?

— Oui. Apporter les nouvelles, guetter les changements de la nature, espionner les déplacements de nos ennemis, et raconter de site en site toutes nos découvertes.

— C'est dangereux.

— Je sais, c'est pour ça que les Pans ont décrété qu'il fallait au moins seize ans, pour avoir une chance de survivre. Chaque mois, des Longs Marcheurs disparaissent, on ne les revoit plus, et chaque mois de nouveaux ados se portent volontaires. Je trouve ça génial.

Matt ne sut que répondre. Il était inquiet. Allait-il perdre son amie ? Il se rendit compte que l'imaginer quittant l'île Carmichael un jour lui crevait le cœur. Était-ce Ben qui lui avait farci le crâne avec ces idées ? Où était-ce par… amour pour lui qu'elle voulait marcher dans ses pas ? Matt aurait voulu lui en parler, aborder le sujet, mais, n'osant pas, il demeura silencieux le reste de leur marche.

Au bout de deux heures, Ambre et Matt avaient dû s'enfoncer assez loin dans un verger naturel pour débusquer des pommes mûres, et la jeune fille sifflotait en remplissant son panier. Matt, quant à lui, était grimpé dans un arbre pour ne pas laisser les fruits les plus hauts se perdre. Il les lançait un par un dans le cercle d'osier sous ses pieds, à côté de son épée qu'il avait laissée au sol pour pouvoir escalader. Il se sentait plein de mélancolie, ses parents lui manquaient. Et puis il ressassait ce qu'Ambre lui avait dit, son désir de partir, Matt songeait à Ben avec jalousie. Pourquoi ne parvenait-il pas à aborder le sujet avec elle ? Il était si simple de lui dire : « Hey, en fait je me demandais : c'est Ben qui t'a donné cette idée folle de devenir Long Marcheur ? » Pourtant rien ne sortait de ses lèvres. Il brûlait d'envie de la questionner, de savoir ce qu'elle lui trouvait, si elle l'aimait bien… *Bien sûr qu'elle l'aime bien ! J'ai bien vu comment elle le regardait ! Elle buvait ses paroles !* Matt secoua la tête. Il était ridicule. *Je me fais honte. Tout ça pour… une fille.*

Après tout, cela ne le regardait pas.

Une nuée d'oiseaux s'élancèrent des arbres alentour, s'envolant brusquement pour d'autres horizons.

Si j'étais l'un d'eux, tout serait plus facile ! Voler… décoller dès que je ne suis pas satisfait pour me chercher un endroit plus confortable. La vraie liberté !

La fuite, réalisa-t-il. Ce dont il rêvait, c'était de pouvoir fuir sans cesse. Ce n'était pas une solution.

Une grosse branche craqua quelque part au sol. Tout près.

Matt fouilla la forêt du regard… Et se figea. Le sang glacé.

Une forme trapue, de la hauteur d'un homme mais dégageant la puissance d'un taureau, s'approchait d'Ambre, par-derrière. Le visage plissé, les joues tombantes, les yeux réduits à deux minuscules fentes sous les couches de peau pendante… c'était un Glouton !

Il portait un gros sac de toile sur l'épaule et un gourdin taillé dans une bûche dans l'autre main. Matt le vit baver en levant le bras, prêt à frapper Ambre. Il semblait si costaud qu'un seul coup allait lui fendre la tête, lui ouvrir le cerveau.

Matt sauta sur la branche du dessous, puis sur la suivante et en moins de deux secondes il était à terre, tenant une pomme entre les doigts. Il hurla :

— Dégage ! Pourriture !

Le Glouton pivota et les plis de son visage s'étirèrent sous l'effet de la surprise. Matt lança sa pomme de toutes ses forces, si fort en fait qu'elle ne put rebondir sur lui mais *éclata* complètement en heurtant le nez monstrueux. Ambre s'était jetée dans les fougères.

Le Glouton, aussi étonné que sonné, ne vit pas Matt qui venait de ramasser son épée et la sortait du baudrier en se ruant sur lui.

La lame fendit l'air. La pointe s'enfonça dans le ventre du Glouton qui se mit aussitôt à beugler en lâchant ses affaires. Il saisit Matt à la gorge et serra, beuglant toujours.

Non ! Pas ça ! Pas encore ! paniqua Matt. Et il repoussa l'avant-bras couvert de verrues d'un puissant coup de coude. Dans la foulée, il dégagea la lame des chairs ouvertes. Du sang se mit à ruisseler sur les loques du Glouton qui continuait de hurler autant de douleur que de rage. Matt opéra un moulinet avec son épée qui dans le feu de l'action lui semblait beaucoup plus légère. Elle trancha net le poignet du Glouton.

Les hurlements redoublèrent.

Le sang jaillit en un épouvantable geyser.

Horrifié, Matt recula, trébucha, et s'effondra dans les hautes herbes.

Alors surgit un autre Glouton, grondant et poussant un cri de guerre. Il brandit une lourde massue au-dessus de Matt et le garçon paniqué n'eut que le temps de voir la créature colossale tirer sur ses bras pour abattre la pointe en silex sur lui.

Il ne parvint même pas à fermer les yeux, il sut seulement, avant que la pierre ne s'encastre dans son crâne, que le choc allait être terrible. Mortel.

Il entendit alors Ambre s'époumoner :

— Noooooooooooon !

Une branche fouetta l'air, frappa le Glouton au visage et le renversa avant qu'il puisse toucher Matt. Un bruit d'os cassé et le son mat d'un corps qui s'effondre.

Matt cligna des paupières.

Il était en vie. Sain et sauf.

Il se redressa, chercha autour de lui la présence du secours providentiel. À ses pieds, le premier Glouton gémissait en se vidant de son sang, les entrailles glissant peu à peu en dehors de son ventre blessé. Matt réprima un haut-le-cœur et s'écarta.

— C'était quoi ? Qu'est-ce…, commença-t-il avant de voir le visage stupéfait d'Ambre. Hey, ça va ?

— Je… c'est… moi…

Elle semblait en état de choc, la bouche ouverte, le regard papillonnant.

— Calme-toi, il faut filer. Ces deux machins n'étaient peut-être pas tout seuls, allez viens.

Il ramassa son épée et le baudrier, saisit Ambre par la main et la tira pour s'éloigner le plus vite possible.

Une fois sur le sentier, Ambre parvint à dire :

— C'est moi qui ai lancé la branche.

— Et je te dois une sacrée chandelle !

— Sans la toucher, ajouta-t-elle.

Cette fois, Matt s'arrêta.

— Quoi ? Tu es en train de me dire que…

Elle hocha la tête, vivement.

— Oui, j'ai crié, j'ai voulu faire quelque chose, et j'ai pensé de toutes mes forces à lui balancer l'énorme branche qui était par terre. Et ça s'est produit exactement comme ça, sans même que je me lève.

Avec le recul, Matt revit la scène. En effet, ce qui avait frappé le Glouton était massif, trop lourd pour être soulevé et projeté aussi violemment à la seule force de ses bras.

— Alors ça ! souffla-t-il. Écoute, pour l'instant n'en dis rien à personne, c'est notre secret, d'accord ? Mais il faut tout de même sonner l'alarme, que tout le monde regagne l'île en vitesse.

Ils coururent en ameutant tout le monde. Les cueilleurs se rassemblèrent et regagnèrent le pont qu'on s'empressa de fermer, doublant la garde dès leur arrivée.

La nouvelle ne tarda pas à faire le tour de l'île et on vint les voir, s'assurer qu'ils allaient bien. Et lorsque Matt annonça qu'ils avaient tué deux Gloutons, les regards s'illuminèrent. Matt raconta l'affrontement, ajoutant qu'Ambre avait eu le sang-froid de ramasser une branche pointue et de l'enfoncer dans l'œil du second Glouton, jusqu'au cerveau. Les acclamations fusèrent, on les félicita longuement, avant qu'ils puissent à nouveau être seuls.

C'est seulement à ce moment que Matt se sentit vraiment mal. Il se rejoua la scène en mémoire, les cris du Glouton auquel il avait sectionné la main, et tout ce sang, cette souffrance se mirent à tournoyer dans son esprit. Heureusement, il n'avait pas croisé le regard du monstre, *heureusement*, se répétait-il.

Lorsqu'il voulut avaler quelques pâtes, dans l'après-midi, le sang et les cris n'avaient pas cessé de le hanter et il se leva pour aller vomir aux toilettes.

Plus tard, Tobias le trouva assis sur le muret de la terrasse, derrière le manoir, à contempler le soleil de fin de journée, le visage fermé. Plume était couchée à ses côtés, la tête sur les cuisses de son jeune maître. Matt la caressait doucement.

— Comment tu te sens ?

Matt fit la moue et réfléchit avant de dire :

— Vidé.

— Ça a été dur, pas vrai ?

Matt hocha lentement la tête.

— La… violence, c'est pas comme dans les films, Toby. Je déteste ça. (Il leva ses paumes devant lui et les contempla.) J'ai l'impression de sentir encore les vibrations de ma lame qui s'enfonce dans ses organes.

Tobias, ne sachant que répondre, s'assit près de lui, et ensemble ils guettèrent le soleil qui déclinait, colorant leurs visages de voiles orangés.

Une haute fenêtre de l'Hydre s'ouvrit, et les deux garçons reconnurent la chevelure flamboyante d'Ambre qui se penchait pour les observer. Elle leur fit de grands signes pour qu'ils la rejoignent, et ils se levèrent sans se faire prier. Plume les suivit jusqu'à l'entrée de l'Hydre, puis les quitta pour repartir vers la forêt.

La chambre de la jeune fille était spacieuse, tout en bois, décorée de rideaux blancs et de tentures vertes qui créaient des séparations entre le lit, les canapés et un vaste coin bureau. Ambre avait suspendu des lanternes à bougies un peu partout pour diffuser une ambiance chaleureuse. Elle s'était changée, à présent emmitouflée dans une robe de chambre en satin. Ses cheveux emmêlés donnèrent à penser à Matt qu'elle avait passé une partie de l'après-midi allongée. Elle aussi ne devait pas se sentir bien. Elle les entraîna vers les gros canapés confortables.

— Je voulais vous parler, déclara-t-elle en s'asseyant et en ramassant ses jambes sous elle. J'ai beaucoup réfléchi à ce qui s'est produit ce matin. Je crois que l'altération – c'est le nom que je vais définitivement donner à ce phénomène – touche tout le monde.

— Qu'est-ce qui te fait dire ça ? demanda Tobias.

— Beaucoup de Pans, à tour de rôle, se sont plaints de ne pas être bien, et ça continue.

Elle fixa Matt.

— Ce matin, cette pomme que tu as lancée, je n'ai eu que le temps de me retourner pour la voir exploser à la face du Glouton.

Matt haussa les épaules, comme si c'était normal.

— Matt, insista-t-elle, la pomme a *explosé* ! C'est impossible. Tu as presque sonné le monstre tellement tu l'as lancée fort. Personne ne peut faire exploser une pomme en la jetant au visage de quelqu'un !

— Tu es en train de dire quoi ? Que je suis moi aussi en pleine transformation ?

— Non, je te l'ai déjà dit : il ne s'agit pas d'une transformation, juste d'une modification de tes capacités. La Terre a altéré les fonctionnements des organismes de cette planète, et les Pans n'y échappent pas, sauf que chez nous, cette altération prend la forme d'aptitude particulière à chacun.

Tobias désigna son ami :

— Il a développé sa force, c'est ça ?

Ambre acquiesça.

— Et je vais aller plus loin : je me demande si la faculté que nous développons ne serait pas liée à un besoin. Tu avais besoin de force pour récupérer de ton coma, c'est une force surhumaine que tu es en train d'obtenir. Moi, j'étais... perturbée par autant de changements et depuis cinq mois je n'ai pas arrêté d'avoir la tête ailleurs, je devenais encore plus maladroite qu'avant, et pour prévenir cette maladresse, je développe une disposition à la télékinésie. J'ai demandé tout à l'heure si Sergio avait eu des corvées récurrentes et vous savez ce qu'on m'a répondu ?

— Il devait allumer les bougies ? proposa Matt sans conviction.

— Bingo ! Comme il est grand, on lui a demandé de faire du feu, et d'entretenir les lanternes. Depuis cinq mois il n'arrête pas d'allumer et d'éteindre des mèches, du coup il parvient à faire émerger des flammes en une seconde, et je parie que d'ici quelques semaines il n'aura plus besoin de frotter deux silex !

— Tu crois qu'on peut acquérir plusieurs compétences particulières ? s'enthousiasma Tobias.

— J'en serais étonnée. Tout ce changement doit chambouler une large partie de notre être, de notre cerveau, je doute qu'on puisse s'enrichir ainsi à l'infini, question de place là-dedans (elle tapota sa tempe) et d'encaissement, mais on verra bien.

— Et moi alors ? Je vais développer quelle faculté ? s'inquiéta Tobias.

Ambre et Matt le dévisagèrent.

— Je ne sais pas, avoua-t-elle. Et je ne pense pas qu'on puisse contrôler cette altération. On le saura lorsqu'elle se manifestera. Elle semble prendre du temps chez certains.

— Si j'ai vraiment cette force, il faut que j'apprenne à la maîtriser.

— Avec ce que j'ai vu ce matin, je peux te garantir que tu l'as *vraiment* ! Et ça expliquerait que tu aies été si rapide à te remettre de cinq mois de lit. Il faut qu'on fasse des exercices, je vais y réfléchir, afin de solliciter notre altération et d'apprendre à s'en servir.

— Il y en a pour des mois ! se désespéra Tobias.

— Peut-être, mais si on doit vivre avec toute notre vie, ça en vaut la peine !

Une trompette se mit à rugir au loin. Deux notes répétées, une grave suivie d'une aiguë.

— L'alerte, gémit Tobias.

— Ça correspond à quoi ? s'affola Matt.

Ambre répondit la première, en se levant :

— Que le guetteur du pont a aperçu quelque chose à la lisière de la forêt. Une note grave et une note aiguë. Quelque chose d'inamical.

— Il faut y aller, lança Matt en se redressant à son tour.

— Attendez. N'oubliez pas que pour l'instant tout ce que nous déduisons sur l'altération doit rester entre nous, d'accord ?

Ils approuvèrent et filèrent à toute vitesse vers le pont.

24

Trois capuchons et douze armures

Les guetteurs du pont avaient remarqué un groupe d'une demi-douzaine de Gloutons rôdant aux abords du sentier, cherchant manifestement un passage pour aborder l'île. Ils étaient restés jusqu'à la tombée de la nuit avant de partir en gloussant. Les Gloutons devenaient de plus en plus téméraires, on avait rapporté que leur tribu la plus proche se trouvait à plus de vingt kilomètres. Ils avaient donc parcouru un long chemin pour venir, et cela ne plut guère aux Pans de l'île. Les Gloutons ainsi que l'exploit du jour animèrent l'essentiel des conversations.

Matt mit deux jours avant d'oser reprendre son épée pour la nettoyer. Des croûtes brunes maculaient la lame. L'arme enfin propre, il descendit au sous-sol, dans l'atelier où il avait entendu parler d'une pierre à aiguiser dont se servaient les Longs Marcheurs. Il frotta sa lame en l'humidifiant. Mais à chaque raclement de la pierre sur le métal, il revoyait le sang jaillir du ventre du Glouton ou sa main tranchée rouler au sol dans une pluie écarlate. Son cœur se révulsa dans sa poitrine. Chassant ces images sordides de son esprit, il continua jusqu'à ce que le fil de sa lame ait l'affût d'un rasoir.

Ambre avait-elle raison ? Développait-il une force hors du commun ? Cela expliquerait qu'il ait pu manier son épée aussi vite, sans effort… Le sang et la culpabilité revinrent l'aveugler et lui tordre les tripes.

Dans la journée, il entendit Ben annoncer qu'il repartait dès le lendemain, il se sentait reposé et souhaitait rallier un site plus au nord. Matt se demanda si Ambre serait différente dans les jours à venir, nostalgique. Tandis qu'il déambulait dans les couloirs du manoir pour apporter des bûches aux différentes cheminées des étages, il perçut les regards admiratifs des adolescents qu'il croisait. Personne sur l'île n'avait encore osé affronter un Glouton, encore moins l'embrocher et lui couper la main. Matt apprenait à connaître les Pans les plus jeunes qui restaient souvent ensemble, filles et garçons de neuf ou dix ans. Paco, le benjamin, Laurie, la petite blondinette aux couettes, Fergie, Anton, Jude, Johnny, Rory et Jodie qui formaient le gros de leur troupe. Ceux-là le suivirent dans sa tâche, lui proposant une aide qu'il refusa poliment. Matt passait pour un héros. C'était un sentiment paradoxal, un mélange de satisfaction, de fierté même, teinté d'amertume, de dégoût. Quand il repensait à ses gestes, il sentait une vague de nausée bouillonner en lui, prête à le noyer. Être ce type de héros ne lui plaisait pas. Pas comme ça. Pas avec ces souvenirs-là d'une gloire qu'il jugeait tragique. Car ce Glouton avait été un homme autrefois. Et Matt ne parvenait pas à oublier qu'il avait tué un homme.

Même si cette dépouille était monstrueuse, agressive et relativement idiote, il n'en demeurait pas moins qu'il était un être vivant.

Une fois sa tâche accomplie, Matt s'éloigna du manoir pour s'isoler dans la forêt. Là il débusqua un rocher qu'il estima très lourd, et se concentra. Il respirait lentement, les paupières closes. Puis il s'agenouilla et tenta de le soulever.

La roche pesait au moins quatre-vingts kilos.

Il serra les dents pour forcer, lorsqu'il constata qu'elle ne bougeait pas d'un cheveu. Matt devint écarlate.

Il relâcha la pression et se frotta les doigts contre son jean en soupirant. *Impossible ! Elle n'a pas décollé d'un millimètre ! Et si Ambre avait tort ? S'il n'avait aucune altération en définitive ?*

La pomme… Ambre a raison, jamais une pomme n'aurait dû exploser comme elle l'a fait en s'écrasant sur le Glouton. Il s'est passé un truc, c'est sûr. Et l'explication d'une altération de sa force semblait la plus logique.

Alors pourquoi est-ce que je n'arrive pas à bouger ce fichu caillou ? Matt formula la réponse aussitôt : parce qu'il ne maîtrisait pas encore cette faculté. Tel un nouveau-né, il devait apprendre à coordonner chaque partie de son corps avec certaines zones de son cerveau. *Oui, c'est ça ! Je n'en suis qu'à découvrir cette force, il faut apprendre à s'en servir, la localiser et la gérer !*

Il passa alors une bonne heure à s'entraîner, se concentrant pour sentir la pierre sous sa peau, écouter les battements de son cœur, jusqu'à la chaleur de son sang. Mobilisant toute sa volonté il essaya de la soulever plusieurs fois, sans jamais obtenir plus de réussite.

Le soir, il mangea avec Tobias dans la grande salle, lui confia son petit entraînement, et alla se coucher relativement tôt.

Emmitouflé dans ses couvertures, il vit qu'il avait oublié de tirer ses rideaux. La lumière de la lune entrait par les fenêtres après avoir silhouetté les hautes frondaisons de l'île. De son lit, Matt pouvait distinguer l'Hydre et ses quelques lampes encore allumées. Il repéra la chambre d'Ambre et s'aperçut que dansaient encore les lueurs de ses lanternes à bougies. Il n'eut aucune peine à l'imaginer concentrée à son bureau, fixant un crayon qu'elle tentait de faire bouger. Têtue comme elle l'était, ça pouvait durer toute la nuit.

Il s'endormit en surveillant la façade du manoir.

Et se réveilla dans une clairière.

Il faisait toujours nuit, la lune s'était déplacée sur son orbite, il s'était écoulé au moins deux heures. Matt se frotta les paupières, tout ensuqué. Que faisait-il là ? *Je rêve ! Ce n'est rien, juste un rêve, c'est tout…* Pourtant, il se sentait beaucoup plus maître de lui-même que dans un songe. Il était actif. *Le propre des rêves est de ressentir une certaine passivité, non ?* Et Matt était interpellé par le simple fait qu'il puisse dire qu'il rêvait. Il percevait l'air frais de la nuit, la terre sèche sous ses pieds nus et la caresse des hautes herbes contre ses chevilles – il était toujours vêtu de son pyjama en coton. Il se pinça et ressentit la douleur qui termina de le réveiller.

Cette fois, aucun doute, je ne rêve pas ! Alors comment était-il arrivé ici ? Était-il somnambule ? Il fit un tour sur lui-même pour scruter les alentours. Au milieu d'une forêt la petite clairière semblait noyée par les herbes et des fleurs qui, sous la pâleur de la lune, paraissaient grises ou noires.

Qu'est-ce que je fais là ?

Le ciel étincela brièvement, sans un bruit. Un éclair dans le lointain. Puis trois autres, très rapprochés. Un vent froid souffla soudainement, mordit les joues de Matt d'un coup, lui glaçant les oreilles. Et cette fois, ce fut la forêt qui s'éclaira plusieurs fois, comme sous le coup d'un flash surpuissant. Un tapis de brume apparut, glissant hors du bois, telle la mousse d'un bain qui déborde.

Je n'aime pas ça. Il se passe quelque chose.

Dans la série d'illuminations suivantes, Matt remarqua une ombre informe qui circulait entre les arbres, longue et mouvante : une bâche noire lâchée dans le vent. Au cours d'une nouvelle salve lumineuse, Matt la vit gifler les troncs et changer brusquement de direction pour venir vers lui. Elle flottait à environ deux mètres de hauteur, serpentant entre les feuilles. Puis elle apparut dans la clairière et confirma son impression : elle ressemblait à un lourd drap noir ondulant, avec, par intermittence, les formes de membres humains se dessinant au travers. Il vit tout d'abord un bras et une main avant qu'ils ne disparaissent et ne soient remplacés par une jambe chaussant une botte. Pourtant Matt pouvait le vérifier : il n'y avait rien derrière le grand drap. Un véritable tour de magie.

La chose se rapprocha en claquant dans le vent froid.

Matt fut pris d'une angoisse sourde, son cœur s'emballa et il dut ouvrir la bouche pour respirer. L'étrange créature n'était plus qu'à quelques mètres lorsqu'un visage émergea. Matt ne pouvait en préciser les traits mais remarqua un front anormalement haut, des arcades sourcilières très prononcées, l'absence de nez et de lèvres et une mâchoire très carrée. *On dirait une longue tête de mort !* fut sa première réaction.

Elle ouvrit la bouche et une voix susurrante s'en échappa :

— Viens, Matt. Approche-toi.

Matt était en alerte, tous les sens aux aguets. La brume commençait à s'enrouler autour de ses chevilles, et le vent tournait toujours autour de lui, ébouriffant ses cheveux. Le visage s'avança encore un peu plus dans la toile. Cette fois il ressemblait vraiment à une tête de mort difforme.

— Tends la main, lui dit-il. Et joins-toi à moi.

Cette présence étouffante, ce sifflement dans la voix, cette aura angoissante, tout s'assembla d'un coup et Matt sut qui il avait en face de lui.

— Le Raupéroden, dit-il tout bas.

La chose parut contente, elle ouvrit grand la bouche :

— Oui, c'est moi. Viens, Matt. Viens, j'ai besoin de toi.

Voyant que la brume continuait de monter autour de ses jambes et constatant que le Raupéroden se rapprochait lentement de lui, Matt sut qu'il était en danger. Il recula de quelques pas.

— Non, attends, fit le Raupéroden. Tu dois venir *en* moi. Voyage à l'intérieur, viens !

Matt se mit à courir. Il voulait s'enfuir le plus vite et le plus loin possible de cette horreur. La voix changea dans son dos, elle prit des intonations gutturales, caverneuses :

— Arrête ! Je te l'ordonne !

Mais Matt filait à toute vitesse, il sauta dans la forêt, les joues et les épaules balayées par les feuillages.

— Je te veux ! hurla le Raupéroden. Tu ne pourras pas me fuir éternellement, je te sens, tu m'entends ?

Matt avait le souffle court, il s'enfuyait sous la lune qui crevait de ses rayons argentés la surface des arbres pour ouvrir des cônes pâles tout autour de lui.

— Je te sens et je remonte ta piste. Bientôt… Bientôt je te retrouverai, Matt.

Matt soufflait comme une forge lorsqu'il rouvrit les yeux dans son lit. Il était en sueur.

Étrangement, la lune était exactement à la même place dans le ciel que dans son cauchemar. Il se leva, la gorge sèche. Ne trouvant pas d'eau, il s'enveloppa dans une robe de chambre et sortit dans les couloirs. Il faisait sombre, avec des zones sans fenêtres absolument ténébreuses. Matt prit sa petite lanterne, alluma la bougie à l'aide d'allumettes et s'aventura dans le dédale de salles et de corridors froids. Son corps était encore engourdi par le sommeil, mais son cerveau tournait à plein régime pour tenter de ne pas paniquer. Quelque chose le glaçait dans ce mauvais rêve.

Son réalisme, songea Matt. *J'avais* vraiment *l'impression d'y* être. Et pour un peu, il n'aurait pas été surpris de découvrir de la boue sur ses pieds !

Matt descendait un escalier à vis pour rejoindre les cuisines lorsqu'il devina les échos d'une conversation. *À cette heure ?* Matt ralentit. Il devait être au moins une heure du matin, sinon plus ! Pris d'une intuition, il souffla la flamme de sa bougie pour entrer dans l'ombre et rejoignit le rez-de-chaussée. Il déboucha dans une longue pièce meublée de confortables canapés en cuir foncé, et des étagères vitrées abritaient une importante collection de whiskies ainsi qu'une cave à cigares non moins fournie. Au fond, trois silhouettes encapuchonnées et enveloppées dans des manteaux discutaient à voix basse.

— Ça devient trop risqué ! On ne peut pas continuer, il faut trouver une solution. La porte ne tiendra plus longtemps.

— Elle tiendra.

— Moi, je dis qu'il faut agir maintenant, l'ouvrir nous-mêmes avant que quelqu'un découvre le pot aux roses.

— Pas encore, c'est trop tôt. Je veux que tout soit favorable à notre plan. Je ne prendrai pas le risque d'échouer. Soit l'île entière est conquise, soit c'est la catastrophe.

Matt n'en était pas certain mais il lui semblait que cette dernière voix était celle de Doug. En revanche il ne parvenait pas à identifier l'autre.

— Alors qu'est-ce qu'on fait ? demanda la troisième silhouette qui n'avait pas encore pris la parole.

Matt la soupçonna aussitôt d'être une fille.

— Je ne vois pas d'autre solution : il faut monter la garde en permanence, par roulement, fit la voix qui ressemblait à celle de Doug. On surveille discrètement les abords du Minotaure. Au moins, si un Pan a l'audace d'y entrer, on le saura et on pourra agir pour le faire sortir de là avant qu'il soit trop tard.

La phrase suivante fit trembler Matt :

— Et soyez particulièrement attentifs à Matt. Je m'en méfie, c'est un fouineur !

La fille tenta de modérer les ardeurs de ses deux compagnons :

— Avec ce que le Long Marcheur a dit à propos des traîtres, on ferait mieux d'être discrets !

— Ne t'occupe pas de ça, trancha Doug. Faisons ce que nous avons à faire, personne ne nous soupçonnera de quoi que ce soit si on continue d'être prudents. Allez, venez, je voudrais qu'on installe la cage en vitesse, qu'on puisse dormir un peu.

— T'es sûr qu'à cette heure-ci on ne va pas *le* déranger ? fit la voix de fille sans dissimuler sa peur.

— Arrête de t'inquiéter, depuis le temps je commence à connaître ses cycles. Je l'ai nourri tout à l'heure, il dort maintenant.

— Faut que tout ça se termine, je n'en peux plus.

— Bientôt, oui. Encore un peu de patience, quand tous les Pans de l'île seront ramollis par la routine, qu'ils ne seront plus aptes à prendre les armes et à se battre, alors on le libérera.

Les trois conspirateurs attrapèrent de grandes grilles d'une cage à assembler et disparurent dans le coude du couloir opposé à Matt. Ce dernier se faufila sur les tapis persans pour les suivre, en prenant soin de leur laisser un peu d'avance afin de ne pas se faire repérer. Le couloir s'ouvrait sur huit marches en pierre et traînait sa longueur, sans portes, bordé d'alcôves habitées par des armures inquiétantes. Et personne en vue. Chargés comme ils l'étaient, ils ne pouvaient avoir couru jusqu'au bout du couloir, or ils avaient disparu.

Où étaient-ils passés ? Se pouvait-il qu'ils l'aient entendu et qu'ils se soient dissimulés derrière des armures ?

Pas avec leur cage, je verrais ces grosses grilles contre les murs !

Alors où étaient-ils ?

Matt fonça jusqu'au bout du couloir pour s'assurer que personne n'était caché, puis il revint sur ses pas pour sonder les recoins. Il compta dix renfoncements de chaque côté, dont six occupés par une forme en métal, soit douze armures au total. Rien d'autre. Il soupira. Il ne pouvait inspecter chaque détail de la pierre maintenant, mais il se tramait assurément quelque chose.

Il préviendrait Ambre et Tobias dès le réveil, et ensemble ils trouveraient quoi faire. L'Alliance des Trois devait apprendre ce qu'il avait entendu cette nuit. Doug, car il était désormais sûr que c'était lui, cachait la présence d'un monstre aux autres

Pans. Une créature si effrayante qu'il était préférable d'en ignorer l'existence.

Matt devinait autre chose. Un secret inavouable que Doug cherchait à tout prix à taire.

Pour la sécurité de tous, Matt décida que l'Alliance des Trois allait percer ce secret. Ils allaient enquêter.

Car des traîtres existaient bel et bien sur l'île.

25

Toiles d'araignées et poils de Minotaure

Au dernier étage du Kraken, dans la bibliothèque poussiéreuse, le soleil matinal filtrait au travers des hautes fenêtres. Ambre, Tobias et Matt discutaient avec passion :

— Pour disparaître comme par enchantement, résuma Ambre, une seule explication !

Tobias, toujours prompt à imaginer le pire, anticipa :

— C'est leur altération à eux ! Elle les rend invisibles !

— Non ! contra la jeune fille. J'espère pas ! C'est plutôt un passage dérobé !

— C'est ce que je me suis dit, avoua Matt. On ne pourra pas inspecter le couloir en plein jour, trop de circulation. Il faut attendre cette nuit. En revanche, on pourrait se relayer tous les trois pour surveiller Doug aujourd'hui.

Ambre parut embarrassée.

— Pour moi, ça va être difficile… Ben part aujourd'hui et j'aimerais lui dire au revoir. Ensuite j'ai promis à Tiffany du manoir de la Licorne de venir la voir, elle… elle croit qu'elle a ce qu'ils appellent la maladie. Je vais vérifier si ce n'est pas plutôt une manifestation de l'altération.

Matt tourna la tête, déçu.

— Dans ce cas, à deux, ça risque d'être difficile, on va paraître suspects. Tant pis. On laisse tomber pour aujourd'hui et on se voit ce soir.

Ils se retrouvèrent tard le soir, dans le fumoir, une lampe à la main, aussi angoissés qu'excités par leur aventure nocturne. Le manoir n'était que profond silence, tous dormaient depuis un moment. Matt conduisit ses amis dans le long couloir et ils entreprirent d'examiner chaque alcôve, chaque armure, à la recherche d'un bouton, d'un loquet, ou même d'une simple éraflure sur le sol qui trahirait la présence d'une porte cachée. Dans cette lumière tamisée et mouvante, les ombres des soldats de métal dansaient lentement, les armes serrées dans leurs gants de fer, le visage pointu, agressif.

— Rien ici, murmura Tobias après avoir inspecté plusieurs renfoncements.

Matt terminait de son côté, il secoua la tête :

— Moi non plus.

Ambre les rejoignit en se mordant l'intérieur des joues :

— Pas trouvé, pesta-t-elle.

— Pourtant, ils ne peuvent pas avoir couru aussi vite, chargés comme ils l'étaient. Je les aurais vus ! Il doit y avoir un passage secret, c'est obligé !

Ambre alla s'asseoir sur les marches qui ouvraient le couloir.

— Réfléchissons, dit-elle. Combien de temps entre le moment où ils sortent de ton champ de vision et celui où tu arrives ici ?

— J'ai pris le temps d'être discret, alors... je dirais dix secondes, pas plus !

Elle observa le corridor et soupira.

— Impossible de l'avoir traversé en si peu de temps.

Tobias, debout face à Ambre, fronça les sourcils en scrutant les jambes nues de son amie. Exceptionnellement elle portait une jupe, courte et à franges – Matt en avait eu un pincement au cœur dans la journée, en se disant que c'était pour Ben. Captant le regard sans gêne de Tobias, la jeune fille s'empressa de mettre les mains entre ses cuisses pour s'assurer que sa culotte n'était pas visible :

— Tobias ! s'indigna-t-elle. Qu'est-ce qui te prend ?

Comprenant soudain la raison de sa colère, Tobias vira au rouge cramoisi.

— Non ! Non, non ! C'est pas du tout ce que tu crois, c'est ta lampe ! Là, regardez !

Ambre avait posé sa lanterne entre ses pieds. La flamme de la bougie ne cessait de trembler, caressant d'ombre et de lumière la peau des jambes de la jeune fille.

— Eh bien quoi ? demanda Ambre. C'est un courant d'air, c'est normal dans les manoirs.

— On pourrait s'en servir pour inspecter les murs ! s'excita Tobias.

Ambre fit la moue.

— Ça ne marchera pas, on ne verra pas la différence entre celui d'un passage secret et ceux qui sillonnent cet endroit.

Tobias se tourna vers son allié de toujours :

— Et toi, qu'est-ce que tu en penses ?

Matt inspectait le carrelage. Brusquement il fonça dans la grande salle toute proche et revint avec une carafe de whisky qu'il commença à verser sur le sol.

— Qu'est-ce que tu fais ? protesta Ambre.

— Je m'assure qu'aucun passage n'existe *sous* nos pieds.

Matt se penchait pour observer la réaction du liquide ambré : il stagnait. Il poursuivit son opération sur trois mètres avant d'atteindre les marches.

À cet endroit, le whisky s'infiltra dans les rainures de la pierre. Matt s'agenouilla et colla son oreille.

— Ça coule !

— Je le savais ! C'était pas le courant d'air du couloir, triompha Tobias, il y a un passage là-dessous !

Tous à quatre pattes, ils entreprirent de palper le moindre

joint de pierre, et ce fut Ambre qui trouva un minuscule rectangle en forme de bouton dans une plinthe. Elle y enfonça son doigt.

Un très léger roulement mécanique gronda sous leurs pieds et les huit marches disparurent sur un trou béant. Les huit rectangles avaient basculé en sens inverse, la plus basse devenant la plus haute d'un escalier qui plongeait dans l'obscurité.

— Bingo ! fit Ambre.

— Tu aimes bien cette expression, toi, fit remarquer Tobias.

Elle ne releva pas et s'engagea la première dans le nouveau passage, la lanterne levée devant elle. Les murs étaient taillés dans la roche, couverts de toiles d'araignées qu'un vent indiscernable agitait comme une peau frissonnante.

— C'est lugubre ! fit-elle. Voilà ce qui se passe quand on ne fait pas le ménage pendant vingt ans !

— Je comprends ma mère maintenant, quand elle me disait de nettoyer ma chambre, railla Matt en regrettant aussitôt d'avoir fait allusion au passé.

Ils s'enfonçaient dans les entrailles du Kraken, selon une pente douce, effectuant plusieurs virages.

— C'est interminable ! constata Tobias avec une pointe d'angoisse. Où est-ce que ça va finir, en Enfer ?

À cette évocation, Matt repensa au Raupéroden et à sa présence écrasante, son aura diabolique. *C'est pas le moment !*

Après une nouvelle série de coudes, Ambre confia :

— Je crois qu'on n'est plus sous le Kraken, c'est trop long.

— J'ai une petite idée de notre destination, avoua Matt. Le manoir hanté, à tous les coups. Les trois cachottiers en parlaient comme s'ils avaient l'habitude de s'y rendre.

Tout d'un coup, Ambre se prit les pieds dans un fil tendu en travers du chemin et piqua du nez tandis qu'un lourd déclic résonnait au-dessus de leurs têtes.

N'écoutant que son instinct, Matt se jeta en avant, saisit Ambre par la taille et la poussa pour qu'ils roulent ensemble à plusieurs mètres de là. Au même instant, quelque chose d'énorme s'écrasait dans leur dos en soulevant un nuage de poussière.

Avachi sur Ambre, Matt fut curieusement plus fasciné par le parfum de sa peau – il avait le nez contre sa nuque d'où se dégageait une odeur vanillée – qu'alarmé par la situation. Il cilla avant de se relever et d'aider la jeune fille à en faire autant.

Une cage en fer barrait le passage sur trois mètres de hauteur. Tobias se trouvait de l'autre côté.

— C'est eux qui l'ont installée ! déclara Matt. C'est celle qu'ils portaient la nuit dernière !

— Ils ne veulent vraiment pas qu'on approche du manoir hanté, souffla Ambre, encore désorientée par ce qui venait de se produire. Merci Matt…

— Et moi ? gémit Tobias. Je fais quoi maintenant ? Comment je passe ? J'arriverai jamais à escalader cette cage tout seul, c'est un coup à se casser une jambe !

— Tu fais demi-tour, et tu nous attends dans le fumoir, si on n'est pas de retour à l'aube, tu préviens tout le monde.

Tobias se retourna et scruta l'obscurité que sa lanterne perçait à peine.

— Pffff… J'aime pas ça, dit-il. Dans quoi est-ce qu'on s'est encore fourrés ?

— Tobias ! insista Matt. Retourne au fumoir. Allez. Tu ne risques rien !

— D'accord…, fit-il tout bas.

Il contempla ses amis une dernière fois et fit demi-tour, d'un pas lent et craintif.

N'ayant d'autre solution que d'avancer vers l'inconnu, Ambre et Matt se remirent en route, plus vigilants que jamais à ne pas poser les pieds n'importe où, surveillant d'éventuels pièges.

— Qu'est-ce qui peut y avoir d'aussi important pour qu'on veuille à tout prix nous empêcher de l'atteindre ? s'étonna Ambre.

— J'avais plutôt l'impression qu'ils cherchaient à empêcher quiconque d'approcher pour nous protéger. Comme si la chose qui se trouve au bout de ce couloir était à ce point dangereuse qu'une fois libérée plus rien ne pourrait l'arrêter. Heureusement, rien de tel n'existe.

— Et pourquoi pas ? Tu ne crois pas en Dieu, au diable ? aux démons ?

— Bien sûr que non.

— Pourquoi « bien sûr » ? Ça n'a rien d'une évidence pour des millions de gens !

— Parce que le journal télé n'existait pas à l'époque où on a inventé la religion ; si ça avait été le cas, personne n'aurait jamais cru en l'existence d'un Dieu si bon dans un monde pareil !

Ambre haussa les épaules et continua de marcher en silence.

— Je t'ai vexée ? demanda Matt.

— Non, tu ne m'as pas vexée du tout.

— Tu es croyante, c'est ça ?

— Je ne sais pas. Mon cœur me dit que le divin peut exister, mon expérience me dicte le contraire. En tout cas, depuis la Tempête, on peut se poser des questions.

— C'est exactement là où je voulais en venir !

— N'empêche que tu ne devrais pas être si… catégorique. Tout le monde a le droit de penser ou de croire en ce qu'il veut. Tu devrais être plus tolérant.

Ils arrivèrent devant un escalier aux marches irrégulières qu'ils survolèrent pour pousser une porte en bois aux charnières rouillées. Ils atterrirent dans une buanderie aux étagères couvertes de magazines soigneusement empilés. Matt jeta un œil sur les titres.

— Rien que des revues sur l'astronomie.

— Alors plus de doute, on est bien dans le manoir hanté. Au sommet de la tour il y a un dôme. Un jour, Doug nous a confié que c'était un observatoire astronomique.

Matt contempla les centaines, les milliers de pages qui s'entassaient là.

— Et si le vieux bonhomme qui a fait construire ça avait un jour découvert ou traficoté un truc dans les étoiles, déclenchant l'apparition d'une créature inconnue, et que les autres milliardaires l'avaient enfermée ici sans rien dire à personne, de crainte d'être obligés de quitter leur île ?

— Tu as trop d'imagination, répliqua Ambre en s'approchant d'une porte qu'elle entrouvrit pour scruter l'extérieur. C'est bon, on peut y aller.

Ils parcoururent une longue cuisine abandonnée, une salle à manger et un vaste salon aux rares fenêtres, toujours étroites, qui ne laissaient filtrer qu'un mince rai de lune. Sur tous les murs de pierre étaient sculptées des étoiles reliées entre elles par des lignes droites, annotées de noms latins.

— C'est très obscur ! Même en plein jour les lieux doivent être dans l'ombre. Quel genre de riche bonhomme a pu faire construire une tombe pareille ? demanda Ambre.

— Un vampire ? proposa Matt mi-figue, mi-raisin.

Ne sachant où aller, ils montèrent à l'étage, surplombant le salon depuis une mezzanine entrecoupée de colonnades. C'est en passant dans le hall suivant que Matt arrêta Ambre en lui posant la main sur l'épaule :

— Regarde.

La lourde porte à double battant fermait l'un des murs.

— On est de l'autre côté, pensa-t-elle tout haut.

Matt s'approcha et souligna du doigt les nombreuses éraflures dans le bois.

— On dirait que quelque chose s'est énervé contre la porte. (Il se pencha et saisit une touffe de poils incrustés dans une strie.) Bruns, commenta-t-il. Raides, courts et rêches, ce ne sont pas des cheveux humains, ça j'en suis sûr.

Ambre avait déjà pénétré dans une autre pièce. Matt se releva brusquement et la rejoignit. C'était un bureau qui sentait assez fort l'humidité. Outre des piles de revues astronomiques et quelques instruments aux chromes éteints par la saleté, plusieurs cadres en verre contenant des journaux d'époque étaient suspendus sur le papier peint. L'un datait du 13 avril 1961, et la une clamait : « L'homme est dans l'espace. » Un autre, du 21 juillet 1969, affichait une tribune du même acabit : « On a marché sur la Lune ! » Suivaient l'installation du télescope Hubble et les premières photos de Mars.

Ambre grimpa sur un secrétaire pour attraper l'un des cadres et le retourna pour l'ouvrir.

— Que fais-tu ? questionna Matt.

— Je voudrais en savoir plus sur cette maison !

Et elle sortit une page de journal avec une photo du manoir hanté. L'article titrait : « Un télescope privé sur l'île des milliardaires ! »

Soudain, une porte claqua quelque part, non loin d'eux.

Matt sentit son cœur tripler de vitesse. Ambre plia la feuille, la fourra dans son chemisier et ils se précipitèrent dans le couloir pour longer la mezzanine. La lumière tremblante d'une flamme apparut dans un escalier conduisant à l'étage supérieur. Les deux adolescents s'immobilisèrent. Des raclements de pas se rapprochaient. Puis, lentement, l'ombre d'un être de grande taille se profila sur les marches.

Une ombre humaine.

Avec une énorme tête de taureau.

26

Mensonges

L'ombre était immense, le Minotaure mesurait au moins deux mètres. Il gronda, un souffle sec, énervé. Puis il se mit à bouger, ses cornes s'agitèrent et ses sabots claquèrent tandis qu'il descendait les marches.

Matt n'eut pas envie de le voir, il prit la main d'Ambre et la tira pour courir jusqu'au rez-de-chaussée. Derrière, les pas du Minotaure étaient si lourds qu'ils faisaient vibrer la pierre.

— Où vas-tu ? s'écria Ambre.

— On file, je préfère me casser la cheville dans les souterrains que de rester en face de cette horreur !

Le souffle saccadé et magistral du monstre descendait de l'étage et semblait se rapprocher. Matt entraîna son amie vers la cuisine puis la buanderie où ils retrouvèrent la porte en bois et l'accès au passage secret. Leurs lampes se dandinaient au bout de leur bras, faisant tanguer l'obscurité aux formes sinistres, si bien que les deux adolescents couraient sans vraiment savoir où ils posaient les pieds.

La cage se profila, barrant le chemin. Matt se retourna et fit la courte échelle à Ambre pour qu'elle se hisse. Ce faisant, elle trouva tout de même utile de préciser :

— C'est la dernière fois que je mets une jupe ! Regarde par terre s'il te plaît pendant que je monte.

Une fois sur le toit du cube en métal, elle tendit les mains vers Matt qui recula pour prendre son élan, et il sauta le plus haut possible pour attraper les barreaux. Ses paumes se refermèrent et il poussa de toutes ses forces sur ses cuisses. Il gagna un bon mètre et put saisir la main de son amie tout en agrippant le sommet. En une seconde il était avec elle, haletant.

— Tu es un champion, l'encouragea-t-elle en se tournant pour bondir de l'autre côté.

En sueur, écarlates, ils surgirent dans le fumoir où Tobias attendait, recroquevillé sur un canapé en cuir.

— Oh, bah mince alors ! Qu'est-ce qui vous est arrivé ? s'ébahit-il.

— On l'a vu ! siffla Matt en reprenant son souffle. Le Minotaure.

— C'était lui ? Vous êtes sûrs ?

— Certains !

Ambre paraissait embarrassée. Elle nuança :

— Oui, enfin, ça ressemblait…

Matt la dévisagea :

— Qu'est-ce que tu crois que c'était ? Plus haut qu'un homme, avec une tête de taureau !

— Oui, mais ça pourrait être un costume !

— Et le souffle qu'il faisait ? C'était un costume ça aussi ? Et le bruit de ses pas, tu l'as entendu, avoue qu'aucun être humain ne porte des sabots et personne ici n'a un pas aussi lourd, il faudrait peser plus de cent kilos !

Cette fois Ambre dut acquiescer, elle ne pouvait plus nier l'évidence, même si elle heurtait son esprit cartésien.

— C'est vrai, admit-elle. C'était impressionnant, personne ne marche comme ça.

Se souvenant tout à coup de sa trouvaille, elle extirpa la page de journal de son chemisier et la déplia pour la poser sur la table basse devant eux. Matt rapprocha sa lanterne pour éclairer l'article.

— Vas-y, lis, demanda Matt.

Ambre se pencha et s'exécuta à voix basse :

« *Michael Ryan Carmichael fait construire une nouvelle tour à son manoir sur l'île du même nom, que nous connaissons mieux en tant que l'"île des milliardaires". En effet, le vénérable héritier de l'empire industriel que l'on sait, passionné d'astronomie au point d'y avoir consacré l'essentiel de ces dernières années, a décidé que l'heure était venue pour lui d'avoir la tête dans les étoiles. Il a confié à notre journal sa fierté d'enfin bâtir ce qui sera "l'observatoire privé le plus haut de la côte Est". Déjà célèbre pour avoir quitté la vie professionnelle il y a trente ans au profit de son ivresse céleste, il semblerait que nous le verrons et l'entendrons encore moins maintenant qu'il dispose de son propre télescope. "L'espace est si vaste et si riche qu'il surpasse n'importe quelle personnalité, si cultivée et drôle soit-elle ! Puisque j'y trouve tout mon bonheur pourquoi m'en priverais-je ?" se plaît-il à déclarer. Devenu aussi misanthrope que solitaire, Michael R. Carmichael est assurément l'incarnation même de cette croyance populaire qui tend à affirmer que les plus riches personnes sont souvent excentriques ! Quoi qu'il en soit, nous souhaitons à M. Carmichael de belles heures d'observation et une météo clémente au-dessus de son île !* »

Tobias s'avança pour scruter la photo d'un vieux monsieur au visage mangé par les rides et aux sourcils blancs et broussailleux qui figurait en médaillon.

— C'est un journal local, je crois, précisa Ambre. L'article date de huit ans.

— Juste avant la mort du vieux monsieur, précisa Matt. Doug m'a confié qu'il était mort quand lui-même avait huit ou neuf ans. Et il en a seize, je le lui ai demandé.

— Ça veut dire que ce bonhomme n'a presque pas profité de son observatoire, remarqua Tobias avec une pointe de tristesse. C'est peut-être son fantôme qui hante le manoir.

Ambre soupira.

— J'ai peine à le croire, avoua-t-elle.

— Doug m'a menti, rapporta Matt sombrement. Ça confirme qu'il prépare quelque chose. Il m'a dit que son père avait fondé l'île, mais elle s'appelle Carmichael, comme ce vieillard, je crois que c'est ce dernier qui en est le pionnier.

— Et s'il y avait un lien de famille ?

— Dans ce cas, Doug n'aurait aucune raison de le cacher ! Il aurait pu me dire : « C'est mon grand-père ou mon vieil oncle qui a fondé l'île. » Non, il dissimule quelque chose. Et puis le concept même d'île des milliardaires, avec des manoirs aux noms d'animaux mythologiques, l'Hydre, Pégase, Centaure ou la Licorne comme certaines constellations ! Tout ça ressemble plus au délire d'un vieil exalté des étoiles qu'à un docteur internationalement connu comme pouvait l'être le père de Doug et Regie.

— Il s'est passé un drame qui pourrait être à l'origine de tout ça ? hasarda Tobias.

— Aucune idée. Néanmoins je compte bien le découvrir.

— Ils vont être encore plus vigilants parce qu'ils vont découvrir qu'on est venus avec la cage, et le whisky dans le couloir.

Matt secoua la tête.

— On va nettoyer le sol, dit-il, et pour la cage, puisqu'elle est vide, ils se diront que le piège était mal réglé, qu'il s'est déclenché tout seul ou à cause d'un rat. Cela dit, ne nous leurrons pas, ils vont vite réaliser qu'on les a démasqués, ils seront alors dangereux.

— À partir de la nuit prochaine, on se relaye et on espionne tout ce qui se passe dans le Kraken, exposa Ambre. D'après la conversation qu'ils avaient, tu disais que Doug et ses copains semblaient pressés par le temps. S'ils préparent quoi que ce soit, c'est pour bientôt.

Matt ajouta gravement :

— Et avec ce que j'ai vu dans le manoir hanté, je sens que ça ne va pas nous plaire. Il faut faire vite.

27

Tirage au sort

La semaine qui suivit fut chargée pour l'Alliance des Trois. La garde nocturne du pont tomba sur Tobias, Ambre fut de corvée de coupe de bois et trop épuisée le soir pour tenir la surveillance qu'ils s'étaient fixée, et Matt, que Doug jugea en bonne santé, fut envoyé vers diverses tâches toutes plus éreintantes les unes que les autres. À défaut d'avoir un œil sur Doug, Matt trouva une heure chaque jour pour s'entraîner à maîtriser sa force, en tentant de soulever des pierres de moins en moins lourdes, sans plus de succès que la première fois.

Matt avait appris comment fonctionnait la répartition des travaux. Chaque Pan de l'île était représenté par un petit rectangle de bois sur lequel était gravé son nom. On les triait selon les âges – puisque certaines affectations ne pouvaient échoir aux trop jeunes – et, afin que les tâches les plus pénibles ne puissent tomber toujours sur les mêmes, on disposait les rectangles selon des paquets bien préparés. Dans une marmite on mélangeait

les noms sélectionnés pour chaque tâche et on tirait au sort les
« gagnants ». Étrangement, Ambre, Tobias et Matt furent sélectionnés parmi une vingtaine d'autres pour une longue semaine de
labeur. Sur l'estrade, Doug regardait la cérémonie, accompagné
d'Arthur, le garçon qui regardait Matt de travers depuis le début,
de Claudia, une jolie brune qui piochait les noms au hasard, et
enfin de Regie, qui restait en retrait, assis sur une chaise.

Le huitième jour, Matt, envoyé pêcher cette fois, reçut la
visite de ses amis en milieu d'après-midi. Ils étaient à l'extrémité
sud de l'île, sur un des petits pontons en bois entouré par un
mur de saules qui plongeaient ses centaines de lianes dans l'eau.
Plume était couchée sur un tapis d'herbe, elle releva la tête à
leur approche puis, rassurée par ces visages amicaux, replongea
dans sa torpeur canine. Matt, assis, avait les pieds suspendus
au-dessus de l'eau.

— Tu ne devrais pas laisser pendre tes jambes comme ça,
avertit Tobias en arrivant.

— C'est vrai, confirma Ambre. Tu n'as donc pas vu ce qui
rôdait dans l'eau ?

— Elle est trop boueuse, on n'y voit rien ! pesta Matt. C'est
déjà un miracle qu'il y ait encore des poissons !

— C'est encore plus dingue qu'on accepte de les manger !

— Vous croyez vraiment que c'est dangereux ? Parce que
j'avais songé à prendre cette vieille barque-là, pour faire un tour.

Ambre le toisa comme s'il était fou. La barque en question
était une embarcation tout abîmée, avec une rame cassée.

— Oublie ça tout de suite ! ordonna-t-elle sans rire. On ne
sait pas exactement ce qui flotte sous la surface de cette eau
noire, mais c'est gros et agressif. Personne ne t'a donc prévenu
avant de t'envoyer ici ?

— Non, fit Matt, penaud, en ramenant ses jambes sous lui,
la canne à pêche coincée sous les fesses.

— Il faut être très prudent, la pêche fait partie des activités
à risque. Ne t'approche jamais de l'eau, c'est ce qu'il faut retenir.
Ces créatures, là-dedans, il est bon de ne pas les côtoyer de trop

près ! Le jeune Bill se vante d'y mettre les pieds et ça finira par lui coûter cher !

— Ça mord au moins ? demanda Tobias qui avait de l'herbe dans les cheveux et du vert sur la joue.

— Pas mal. Tu reviens de la coupe ?

— Oui, je devais nettoyer les abords du manoir.

— Dites, vous ne trouvez pas bizarre que le jour où on se lance dans la surveillance de Doug, on est expédiés aussitôt à l'autre bout du Kraken pour faire des trucs crevants ?

Ambre et Tobias approuvèrent.

— On en parlait sur le chemin, fit Ambre. Ils savent, c'est sûr.

— Ou bien ils se méfient de toi et, comme on nous voit souvent traîner tous les trois, exposa Tobias, ils ont préféré s'assurer qu'on ne serait pas un danger pour eux !

— J'ai repensé à la cérémonie des tâches dans la grande salle, déclara Matt. En fait seuls Claudia et Doug peuvent lire les noms sur les morceaux de bois. Personne ne monte vérifier.

— C'est vrai ! clama Tobias. On pourrait, c'est une des règles, mais personne ne le fait jamais parce que tout a toujours été équitable jusqu'à présent. Tout le monde assure sa part du travail au hasard, régulièrement.

Matt hocha la tête, pensif.

— C'est ce que je pensais... Je suis sûr que cette Claudia est la fille qui était présente cette nuit-là.

Ambre enchaîna :

— Arthur a été nommé assistant par Doug dès le début, il est toujours présent sur l'estrade aussi, ça pourrait être le troisième !

— Non, rétorqua Matt. J'y ai pensé et Arthur est beaucoup plus petit que Doug et Claudia, or les trois silhouettes étaient de la même taille.

— Ce n'est pas Regie non plus alors, fit remarquer Tobias.

— De plus, Arthur ne regarde pas les noms qui sont tirés, il est juste assis sur l'estrade, c'est tout.

— Il n'intervient que quand on vote, il compte les mains levées, expliqua Tobias.

Quelque chose frôla la surface de l'eau, laissant un remous profond sur plusieurs mètres. Instinctivement, les trois adolescents reculèrent.

— Tiens, tu vois ce qu'on te disait ! avertit Ambre.

— Je suis sûr que Claudia et Doug n'ont pas tiré nos noms, fit Matt sans relever. Ils les ont donnés en trichant pour s'assurer que nous ne pourrions pas les surveiller. Je ne sais pas comment, mais ils sont au courant !

— On pourrait remettre en doute leur légitimité à présider tout le temps, proposa Tobias. Faire une sorte de coup d'État. En affirmant aux Pans que ces deux-là sont menteurs et manipulateurs.

— Pas de ça ! contra Ambre. Il ne faut pas semer la confusion, c'est exactement ce que Doug et les siens cherchent pour libérer le Minotaure. C'est bien ce qu'ils avaient dit, n'est-ce pas, Matt ?

— Oui, ils veulent attendre le bon moment. J'ai réfléchi à leur plan et je ne vois que ça. Attendre que nous devenions trop confiants, que notre rage de survivre se calme pour refaire de nous des adolescents et des enfants dociles. Alors ils lâcheront le Minotaure sur l'île, je présume qu'ils s'enfuiront aussi vite en lançant le pont de tôle dans le fleuve pour que nous soyons coincés ici, et le monstre nous massacrera tous.

— Pourquoi font-ils ça ? questionna Tobias. Je ne comprends pas leur motivation.

— Moi non plus, avoua Matt.

Ambre intervint :

— En tout cas on en a identifié deux : Doug et Claudia. Il en manque un.

— Tu la connais, cette Claudia ? s'informa Matt.

— Pas très bien, elle est de la Licorne, et je fréquente assez peu les filles de ce manoir à part Tiffany.

— C'est celle qui était malade ? se rappela Tobias.

— Oui, enfin, je crois que c'est l'altération qui se manifeste

chez elle. Elle a des maux de tête et la vue qui se trouble régulièrement pendant plusieurs minutes.

— Quel type d'altération d'après toi ? demanda Matt.

— Je n'en sais encore rien. Elle passe le plus clair de son
temps aux cueillettes sur l'île, donc je ne vois pas bien le rapport, mais je vais la questionner.

Matt insista :

— Elle pourrait nous en dire davantage sur cette Claudia.

— Je me renseignerai.

— En attendant, reprit Matt, dès la prochaine cérémonie
des tâches, on va faire en sorte de ne pas être automatiquement
expédiés au plus fatigant.

Ambre fronça les sourcils :

— Tu comptes t'y prendre de quelle manière ?

Matt eut un petit sourire narquois :

— Vous allez voir.

Pendant deux jours encore ils durent accomplir les différentes tâches qui leur étaient confiées. Le soir de cette deuxième journée épuisante, une réunion eut lieu dans la grande
salle, sous l'éclairage des trois lustres dont les lampes avaient été
remplacées par des bougies.

Doug commença, le visage grave :

— Certains d'entre vous le savent peut-être déjà, de la
fumée a été aperçu au loin, à l'est. C'est à bonne distance, et ça
ne semble pas se déplacer, on ne peut la remarquer que depuis
les tours les plus élevées de l'île, cependant il faut se rendre à
l'évidence : des êtres capables d'allumer des feux vivent à une
dizaine de kilomètres de nous.

— Ça ne peut pas être un incendie de forêt ? s'enquit une
fille avec des lunettes.

— Non, le panache de fumée est toujours mince et s'éteint
régulièrement avant d'être rallumé.

— Les Gloutons alors ! lança un autre.

— On ne sait jamais, pourtant, bien qu'ils aient fait des progrès, ça m'étonnerait beaucoup.

— On va lancer une mission d'espionnage ? demanda un jeune Pan.

— Ce n'est pas prévu. À moins que ça ne finisse par se rapprocher. On verra.

Les murmures se transformèrent en clameur. Doug leva les mains :

— S'il vous plaît ! Calmez-vous. Silence ! Merci. Nous allons suivre de près l'évolution de tout ça, rassurez-vous. En attendant, procédons au tirage au sort des prochaines tâches. Claudia et Arthur, si vous voulez bien monter sur l'estrade.

Doug alla chercher les sacs en toile contenant les noms de tous les Pans de l'île. Quand il se retourna il fut surpris de constater qu'Arthur était présent, mais pas Claudia.

— Claudia ? appela-t-il.

Tout le monde s'observa mais personne ne vit la jeune fille.

Matt leva la main timidement.

— Je... je crois qu'elle est malade, je l'ai vue entrer précipitamment aux toilettes en venant.

Doug ne cacha pas son embarras.

— Dans ce cas... nous allons reporter le tirage au sort à plus tard.

— N'est-ce pas urgent ? contra Matt. Pas mal de choses sont à faire il me semble, on ne peut pas se permettre de reporter chaque fois que l'un d'entre vous sera malade.

Plusieurs Pans approuvèrent vivement.

— C'est que..., balbutia Doug qui était pris de court. On a toujours fait comme ça, et ce fonctionnement plaît à tout le monde.

— Il s'agit juste de tirer au sort, ça ne perturbera personne si ce soir, exceptionnellement, c'est une autre personne qui le fait, n'est-ce pas ?

Matt venait de se tourner vers l'assemblée et tous hochèrent la tête.

— Honneur aux filles, ajouta-t-il. Pourquoi ne pas commencer dans l'ordre alphabétique de nos prénoms ?

Cette fois Matt se leva pour que tout le monde puisse l'entendre. Doug contenait à grand-peine la rage qui lui coloriait les oreilles.

— Qui est la première ? demanda Matt. Y a-t-il une Alicia ou une Ann ? (Comme s'il se souvenait brusquement d'elle, Matt pivota vers son amie :) Ambre ! Je crois que ça doit être toi.

Tout aussi embarrassée qu'admirative du talent de comédie de Matt, elle monta sur l'estrade de pierre pour venir à côté de Doug.

Pris au piège, celui-ci n'eut d'autre solution que de procéder au tirage au sort. Comme ils faisaient partie des Pans ayant enchaîné une longue semaine de corvées, les noms d'Ambre, Matt et Tobias furent mis de côté avec une dizaine d'autres pour tomber dans le vase des petites tâches. Aucun des trois ne fut pioché.

Doug remercia Ambre d'un sourire grinçant et elle allait rejoindre sa place lorsqu'un craquement sinistre retentit, et la lumière se mit à vaciller. Matt leva la tête vers le plafond et vit le lustre au-dessus de l'estrade tanguer. La corde qui le maintenait était en train de se rompre. Elle craqua à nouveau et cette fois Matt comprit qu'il n'avait plus le temps de réfléchir.

Ambre et Doug allaient se faire broyer sous leurs yeux.

28

La troisième faction

Matt bondit de son banc, survola les marches tandis qu'un dernier claquement lâchait l'énorme lustre sur Ambre et les autres Pans qui présidaient la réunion. Matt sut qu'il ne pourrait jamais protéger Ambre ; même en la poussant violemment, elle n'irait pas assez loin pour éviter la masse qui leur tombait dessus.

Alors, dans un geste désespéré, il leva la tête, contracta tous les muscles de son corps et hurla de toutes ses forces en brandissant les paumes vers les cieux.

L'armature métallique l'écrasa d'un seul coup. Il fut traversé par une décharge monumentale qui l'électrisa du cerveau jusqu'aux orteils. Les poignets extrêmement douloureux, les mains traversées de fourmillements, il ouvrit les yeux pour constater que le lustre tenait en équilibre.

Entre ses doigts.

Ambre et Doug étaient agenouillés, la tête enfouie sous leurs bras, attendant encore le choc. Des dizaines de gouttelettes de cire coulaient un peu partout. La sueur se mit à inonder le front de Matt et une douleur terrible cloua ses muscles, comme si on lui enfonçait un millier d'aiguilles. Du sang se mit à couler de ses paumes meurtries.

Ambre releva la tête en même temps que Doug car une pluie brûlante s'abattait sur eux, et ils constatèrent qu'ils étaient saufs. Ils roulèrent à couvert et Matt, au prix d'un effort surhumain, put relâcher le lustre qui se fracassa sur le côté.

Aussitôt, dans le silence angoissé de la grande salle, une bouffée de chaleur monta à la tête de Matt, la sueur l'inonda, sa vision se troubla et le vertige fit tournoyer la pièce, jusqu'à ce qu'il perde l'équilibre et s'effondre sur le tapis gibbeux de cire.

Lorsqu'il rouvrit les yeux, Ambre et Tobias étaient penchés au-dessus de lui, l'air inquiet.

— Qu'est… ce qui s'est… passé ? murmura-t-il.

— Tout va bien, fit Ambre de sa voix douce.

Elle lui passa un linge tiède et humide sur le front.

Soudain, Matt reprit contact avec son corps et la douleur lui arracha une grimace. Tous ses muscles tiraient si fort qu'il crut qu'ils allaient se déchirer.

— Oh ! Ce que ça fait mal !

— Calme-toi, il faut que tu te reposes. Ne bouge pas.

Survolté par ce qui s'était passé, Tobias ne put se contenir plus longtemps :

— Tu as réussi à retenir tout le lustre ! Tu l'as tenu dans tes mains et tu l'as balancé en sauvant Ambre et Doug !

— J'ai... j'ai fait ça, moi ?

Ambre hocha la tête, en plissant les lèvres, elle ne partageait pas l'exaltation de Tobias.

— Oui, tu as fait ça, dit-elle, devant tout le monde.

— Et qu'est-ce que vous leur avez dit ?

— Rien pour l'instant, mais on va se réunir bientôt. On n'y coupera plus, il faut parler de l'altération. Prévenir tous les Pans. J'aurais aimé attendre encore un peu, sauf que là... c'est fichu !

— Je t'ai... je t'ai sauvé la vie ? demanda Matt malgré la douleur.

Ambre arrêta de lui éponger le front.

— Oui, je crois que oui, finit-elle par avouer.

Ces mots suffirent à Matt pour supporter la douleur. Il était heureux d'avoir réussi à la garder en vie.

— Bravo pour le tirage au sort, le félicita-t-elle. Dis-moi, tu as un lien avec l'absence de Claudia ?

Matt parvint à lâcher un sourire par-dessus la souffrance.

— Je l'ai suivie avant la réunion... j'avais prévu de lui tendre un piège pour l'enfermer dans un placard... mais quand... quand je l'ai vue entrer aux toilettes pendant que tout le monde se rendait à la grande salle, je l'ai bloquée là-bas.

— Tu sais que c'est une déclaration de guerre que tu viens de lancer à Doug et sa bande ?

— Au moins ils savent que nous ne sommes pas dupes pour les tirages au sort truqués, ils ne s'amuseront plus à recommencer.

Après dix secondes de silence, Tobias lança :

— Il faut peut-être lui dire pour le lustre ?

Ambre soupira en levant les yeux au ciel :

— Je t'avais dit d'attendre ! Vas-y, maintenant que tu as commencé !

Tobias ne se fit pas prier :

— La corde qui a cédé, elle a été coupée. C'était du sabotage, pas un accident !

— Quoi ? s'écria Matt en voulant se redresser.

Ses muscles le mirent au supplice et il ne put retenir un gémissement.

— Et voilà ! gronda Ambre. Tu dois te reposer.

Matt secoua la tête :

— Je ne comprends pas, ça n'a aucun sens. Doug était en dessous, c'était du suicide, et il ne pouvait prévoir à l'avance qu'Ambre allait remplacer Claudia, à moins que… Un troisième camp ?

— Après Doug et les siens, puis notre Alliance, on peut dire que quelqu'un d'autre complote ! résuma Tobias. Ça devient pire que le monde des adultes dans lequel on vivait !

— Le plus troublant dans cette histoire, c'est que le coupable voulait se débarrasser de Doug, rappela Ambre. Celui qui a fait ça est prêt à l'assassiner ! Ça va beaucoup trop loin !

La douleur lança une nouvelle vague de piques étourdissantes. Matt cligna des paupières.

— Il faut tirer ça au clair…, dit-il en sentant son esprit le quitter.

Cette fois il ne put en encaisser davantage, et sombra dans l'inconscience.

29

Le grand déballage

Matt dormit presque trente heures d'affilée, au point que tous craignirent qu'il ne soit retourné dans son coma.

Il rouvrit les yeux à cause de la soif et de la faim. Il n'avait plus du tout mal aux muscles, mais des courbatures terribles le contraignaient à se déplacer avec précaution.

Tous les Pans de l'île attendaient des explications sur ce qui s'était produit ce soir-là ; Ambre avait assuré qu'elles allaient suivre dès le rétablissement de Matt. Ce dernier se sustenta largement avant de se laver et de claudiquer jusqu'à un balcon du troisième étage d'où il put s'isoler pour contempler la forêt de l'île.

Aujourd'hui encore il ne parvenait pas à se souvenir de ce qu'il avait fait. Il avait agi d'instinct, sans prendre le temps de réfléchir. Et c'était ça qui le perturbait. Cette capacité à se mettre en action en une seconde à peine. Ça ne lui ressemblait pas. Il avait toujours su se préserver dans son ancienne vie, ne pas avoir de problèmes avec les brutes de l'école, ne pas se mêler des règlements de comptes. Matt n'avait rien d'un héros. Habituellement il prenait toujours son temps avant d'agir. Dès que des ennuis se profilaient, son cœur battait la chamade et ses mains étaient moites, ses jambes cotonneuses. Et voilà qu'il sauvait Ambre par deux fois en moins d'un mois. Que lui arrivait-il ? Se pouvait-il que l'altération agisse aussi sur le cerveau ?

Non, je ne me sens pas différent ! C'est juste que s'il faut faire quelque chose, je le fais, sans hésiter. L'adrénaline, ce sentiment de peur et d'excitation qui paralyse ou ralentit la plupart des gens dans les situations extrêmes, n'a plus prise sur moi. Suis-je un autre Matt pour autant ? Non… je ne crois pas. J'ai… simplement fait ce qu'il fallait.

Était-ce ça « avoir l'étoffe d'un héros » ? Cette faculté à analyser et à agir dans les pires moments, sans perdre de temps ni se bloquer, pour prendre la meilleure décision ? Finalement, Matt s'apaisa en acceptant de se dire qu'il n'avait fait qu'obéir à ce qu'il sentait être bien. Une nouvelle peur en émergea : serait-il à la hauteur si un nouveau danger se présentait ? Son instinct lui dicterait-il la marche à suivre ? Saurait-il l'entendre et l'écouter ? Matt n'était plus sûr de rien et il avala sa salive.

Tout ça devenait très différent de ses jeux de rôle où il s'amusait à être un héros. Dans la réalité, la bravoure ne se prévoyait pas, elle ne se calculait pas, on était brave ou non, au moment d'agir.

— Je vais devoir expliquer à tout le monde ce que j'ai, pensa-t-il tout haut. Ce que je deviens : un garçon avec une force anormale que je ne maîtrise pas à volonté, mais qui survient dans les crises.

Il soupira longuement.

— Ils vont me prendre pour un monstre, ajouta-t-il avant de se rappeler qu'ils étaient tous concernés.

Car si Ambre avait vu juste, l'altération touchait de plus en plus de Pans. En parler ne serait pas si mauvais que ça, à bien y réfléchir. On pourrait identifier les altérations plus rapidement.

Et les traîtres ? Sont-ils conscients de ce pouvoir ? Contrôlent-ils le leur ? Si c'est le cas, alors une guerre bien plus destructrice que ce que nous imaginions est sur le point de débuter.

Il fallait prendre ses responsabilités. Héros ou pas, Matt devait s'adresser aux autres et s'expliquer. Il se sentait moralement fatigué, la violence de son agression par le Cynik de l'épicerie et par le sang des Gloutons se mélangeait aux craintes de complots, aux risques de meurtre, et à l'altération naissante.

Matt ignorait s'il serait ou non à la hauteur de ce qui les attendait, mais il était sûr à cet instant que son devoir était de parler. De rassurer. Et de souder leur clan menacé.

La réunion fut organisée le soir même. La grande salle n'était plus éclairée que par deux lustres et l'estrade illuminée par des dizaines de bougies posées un peu partout.

Matt regarda chaque Pan s'asseoir en le dévisageant. On murmurait en le scrutant, l'adolescent eut le sentiment d'être un singe dans un zoo.

Une fois le silence établi, il marcha jusqu'au centre de cette scène en pierre, d'une démarche lente, rouillée par les incroyables courbatures qui raidissaient son corps. Il fixa l'assemblée, Pan après Pan.

— Mes amis, commença-t-il, comme vous l'avez tous vu, il s'est passé quelque chose avec mon corps depuis la Tempête. Je suis capable de développer une force anormale dans certaines circonstances. Ambre, que vous connaissez tous, pense qu'il s'agit d'une modification « naturelle », et qu'elle nous concerne tous.

Il tendit la main dans sa direction pour l'inviter à poursuivre. Ambre se leva et vint le rejoindre pour prendre la parole :

— C'est essentiellement grâce aux déductions de Doug que j'en suis venue à ce constat : la Terre a déclenché une impulsion d'autodéfense, dont les signes avant-coureurs étaient la multiplication des ouragans, des tremblements de terre, des éruptions volcaniques, et même les perturbations des températures et des saisons. Nous n'avons pas su l'écouter, et ce phénomène a atteint son point culminant le soir du 26 décembre, lorsque la Tempête a ravagé le monde.

Tous buvaient ses paroles, les yeux exorbités, la bouche ouverte ou les sourcils froncés. Ambre sillonnait lentement l'estrade tout en déroulant son exposé :

— Bien entendu, sous quelque forme que ce soit, l'impulsion était une sorte de signal bouleversant certains codes génétiques, notamment dans les plantes et leur vitesse de croissance, accélérant la photosynthèse pour…

Un murmure collectif s'éleva et Ambre fit signe qu'elle comprenait le problème :

— La photosynthèse, c'est la capacité d'une plante à se nourrir de la lumière du soleil et du gaz carbonique pour produire ce dont elle a besoin pour vivre et s'épanouir. Rassurez-vous, je ne suis pas plus savante que vous, mais j'étais bonne élève, plaisanta-t-elle, et depuis toute cette histoire, je lis beaucoup de livres scientifiques ! Bref, la Terre a réagi à notre présence envahissante et surtout polluante en demandant à ses plantes d'être plus dynamiques et, pour s'assurer que le

problème n'allait plus se reproduire, elle a déchaîné ses foudres
sur l'humanité. La majorité des adultes a disparu cette nuit-là.
Quelques-uns sont parvenus à en réchapper avec la jalousie et la
haine qu'on leur connaît à notre égard : les Cyniks. D'autres ont
été génétiquement modifiés si brutalement qu'on peut supposer
que leur cerveau n'a pas pu tenir le coup, ils sont devenus des
bêtes sauvages : les Gloutons. Et enfin, nous, les Pans. Pourquoi
la Terre nous a-t-elle massivement épargnés ? Je pense que c'est
parce qu'elle croit en nous. Nous sommes ses enfants, certes,
des arrière-arrière-arrière... – et je pourrais remonter longtemps
comme ça – petits-enfants, mais l'humanité est le fruit de ses
entrailles. Elle veut encore y croire.

La fascination de l'auditoire était telle qu'on pouvait
entendre le vent siffler dans les longs couloirs du manoir.
Ambre prit le temps d'observer ces visages inquiets et curieux à
la fois. Puis elle poursuivit :

— Au final, la Terre n'a fait que reproduire à son échelle
ce qui se passe dans tous les organismes auxquels elle a donné
naissance : stimuler une réaction de défense. Elle a envoyé ses
anticorps et d'une certaine manière ceux-ci nous ont contami-
nés au passage. Nos corps ont répondu comme toutes les formes
de vie terrestre. Vous l'aurez remarqué, il n'y a plus grand-
chose, là-dehors, qui ressemble ou qui se comporte comme
nous en avions l'habitude. Il en va de même avec nous. Cette
impulsion a modifié une partie de notre patrimoine génétique,
cette formule de départ que nos parents et nos ancêtres nous
transmettent et qui fait que nous sommes ce que nous sommes :
blonds ou bruns, grands ou petits, chétifs ou bien portants, nous
avons tous une base génétique prédéfinie qui ne bouge pas, c'est
l'inné. Notre expérience, la vie que nous choisissions de mener,
suffit ensuite à nous rendre musclés ou gros, plus ou moins
sensibles à certaines maladies ou non, cultivés ou ignorants,
etc. Cette expérience, c'est l'acquis. La base génétique semble
désormais moins stable et plus à même d'être influencée par nos
actes, l'acquis semble perturber et modifier l'inné. En effet, il

semblerait que nous soyons en train de développer des capacités spéciales en fonction de ce que nous faisons au quotidien. J'ai appelé ça l'altération.

Bon nombre de Pans répétèrent le mot.

— La mienne est une force accrue, continua Matt. Mon corps a lutté pendant cinq mois pour tenir, stimulant mes muscles pour qu'ils puissent me porter les rares fois où je me levais, ou pour que je me rétablisse le plus vite possible. Du coup, mon altération est venue de là, le besoin d'avoir plus de force. Je ne la contrôle pas vraiment, mais je crois que ça peut venir.

— Je pense que chacun de nous peut nourrir cette altération de son quotidien, expliqua Ambre. Je l'ai déjà remarquée chez certains d'entre vous, une influence sur l'électricité contenue dans la nature, ou bien une facilité à jouer avec les étincelles, le feu. Et ainsi de suite.

Ambre lut davantage de peur que de fascination sur les traits de ses camarades, elle s'empressa de préciser :

— Dites-vous bien que ça n'a rien de négatif. La nature nous permet d'exploiter pleinement certaines zones de notre cerveau qui dormaient jusqu'à présent, et, en altérant subtilement notre génétique, nous parvenons à plus d'harmonie avec la nature et ses composants principaux : eau, feu, terre et air. Ainsi qu'avec le potentiel de nos corps. Ça signifie que certains d'entre nous auront un contact privilégié avec l'un de ces éléments, selon sa propre nature, d'autres se concentreront plus sur leur corps et l'une de ses aptitudes en particulier. C'est au cas par cas, mais ça n'a rien de... mauvais. Nous évoluons, c'est tout !

Aussitôt des dizaines de chuchotements emplirent la grande salle et bientôt ce furent des conversations enflammées. Ambre et Matt tentèrent de rétablir le calme, sans succès. Doug se leva, fit retentir une cloche plusieurs fois et le silence revint peu à peu.

— Il est nécessaire de suivre l'évolution de nos altérations à toutes et à tous, préconisa Ambre. J'aimerais vous soumettre une proposition : que nous votions pour élire un responsable qui sera chargé de recueillir nos témoignages pour tenter de cerner l'altération de chacun.

— C'est toi qu'il faut élire ! fit un Pan au fond de la salle.

— Oui ! Toi ! s'écria un autre.

Et tous approuvèrent en frappant leurs verres sur la table. Pour la forme, Doug demanda qui voulait se présenter et Matt s'aperçut que Claudia hésitait. Doug la fixa et fit un très léger signe de tête pour l'en dissuader. On demanda qui voulait d'Ambre comme « consultante de l'altération ». Presque toutes les mains se levèrent et Arthur n'eut pas besoin de les compter tant le vote était majoritaire. Ambre ne semblait pas très satisfaite de cette nouvelle charge et, lorsque la réunion fut terminée et qu'elle put s'extraire du magma de questions qui l'assaillirent, elle retrouva ses deux amis et pointa le doigt vers la porte refermée.

— Voilà exactement ce que je voulais éviter ! Maintenant je ne vais plus pouvoir faire un pas sans qu'on me saute dessus pour me demander si c'est normal de bâiller sans arrêt ou d'avoir des cloques sur les pieds ! Je voulais de la discrétion, mener mon enquête à mon rythme.

Matt et Tobias ne surent que répondre, ce dernier haussa les épaules :

— Tu vas avoir une sacrée importance maintenant, au moins on pourra contrer Doug dans les décisions qu'il prendra.

— Peut-être, mais j'aurai des difficultés à me rendre disponible pour notre Alliance et la mission qu'on s'est fixée.

— Courage, je pense qu'ils vont tous te tomber dessus les premiers jours mais ça va vite se calmer, exposa Matt.

Ambre se prit le visage entre les mains et inspira profondément.

— Je l'espère. En attendant, vous allez devoir vous passer de moi. Et maintenant que je vais pouvoir légitimement contredire Doug lors des réunions, il va nous détester encore plus. S'il doit agir, je crains qu'il décide de ne plus attendre. Soyez vigilants. Et n'oubliez pas qu'il y a deux ennemis sur l'île. Dont l'un au moins est prêt à tuer sans hésitation.

30

Cache-cache mortel

Le Kraken disposait en son centre d'un vaste patio circulaire qui servait de salon d'hiver. Chaque étage possédait un balcon rond donnant sur cette cour intérieure qui faisait ressembler l'endroit à une immense pièce montée creuse. Son sommet était couronné par une coupole de verre laissant filtrer le soleil ou les étoiles jusqu'aux fauteuils et sofas en fer forgé en contrebas.

Matt avait remarqué que si Doug voulait sortir de sa chambre pour rejoindre le fumoir ou toute autre partie située dans les deux tiers avant du manoir, il était obligé de passer par le patio. Aussi avait-il suggéré que Tobias et lui montent leur garde ici. Ils pouvaient ainsi se reposer, voire dormir à tour de rôle, sans pour autant déserter leur poste. Ils s'étaient installés tout en haut, sur une corniche servant à soutenir une statue d'amazone au-dessus du vide, et puisque la plate-forme était assez large pour les accueillir, Matt avait disposé plusieurs épaisseurs de couvertures sur lesquelles ils étaient allongés. Au début, Tobias n'était vraiment pas à l'aise, il n'osait pas fermer l'œil, car sans aucun garde-fou, s'il venait à rouler pendant son sommeil, il chuterait de vingt bons mètres avant de s'écraser sur le dallage. Puis, la fatigue et l'habitude aidant, il finit par s'assoupir dès la deuxième nuit tandis que Matt guettait.

La troisième nuit, aux alentours de minuit, une fine pluie se mit à tambouriner sur la verrière, juste au-dessus de leurs têtes. Matt ne ressentait plus que de légers tiraillements aux muscles et ses blessures aux mains cicatrisaient. Tobias contemplait le buste nu de l'amazone, cette fière guerrière tenant un arc devant elle.

— Pourquoi il lui manque un sein ? demanda-t-il tout bas.

— Je crois que la légende dit qu'elles se le coupaient pour pouvoir mieux tirer à l'arc.

Tobias fit la grimace en se touchant les pectoraux.

— Je suis content de ne pas être une amazone, confia-t-il.

— Tu t'entraînes toujours ?

— À l'arc ? Oui, souvent même. Faut dire que je ne suis pas très bon. Je touche souvent la cible mais je n'arrive pas à mettre la flèche au centre, j'enchaîne les tirs trop vite, ça a toujours été mon problème, la précipitation.

— Tu es un hyperactif, faut toujours que ça aille vite, ou que tu fasses quelque chose. À mon avis, si tu parviens à te calmer, tu tireras mieux.

Après un silence, Tobias désigna l'amazone.

— Elle est jolie quand même, tu ne trouves pas ?

Matt hésita.

— Mouais.

— Dis, t'as… t'as déjà touché les seins d'une fille ?

Matt pouffa.

— Non, non.

— T'as pas envie ? Moi, je suis curieux, lâcha-t-il sans détourner le regard de la poitrine amputée.

— Sûr que j'aimerais bien. Mais… faut trouver la bonne fille, pas n'importe qui.

Tobias prit le temps de jauger cette réflexion avant de répondre :

— Pas faux, ça doit pas être pareil quand on trouve la fille vraiment très jolie et quand on s'en fiche.

— C'est plus qu'une question d'être jolie ou non, c'est… de l'attirance.

— T'es déjà tombé amoureux ?

Matt regarda ses mains.

— Non. Pas encore.

— Et Ambre, tu la trouves comment ?

Matt sentit son ventre se creuser.

— Ambre ? C'est une sacrément jolie fille. Pourquoi ?

Qu'est-ce que Tobias pensait ? s'alarma Matt. *Ça se voit que je l'aime bien*? Si Tobias avait pu le remarquer, alors tout le monde, y compris Ambre, le savait aussi !

— Jolie comment ? insista Tobias. Jolie comme ça, ou jolie attirante ?

Matt avala sa salive. Il n'osait pas avouer ce qu'il pensait vraiment.

— Parce que moi, je la trouve vraiment canon ! enchaîna Tobias. En même temps, la Lucy elle est pas mal non plus avec ses grands yeux bleus ! Tu vois qui c'est ?

Matt, rassuré que Tobias n'insiste pas davantage sur Ambre, se reprit :

— Oui, c'est vrai qu'elle est belle.

— Je me demande si je pourrais lui plaire.

— Bien sûr que tu pourrais ! Pourquoi pas ?

— Bah, tu sais bien… Je suis… noir, et elle est blanche !

— Oh, ça. On est des êtres humains, non ? C'est quoi la différence ? Ah, oui, ta peau est de la couleur de la terre, la sienne de celle du sable. C'est avec du sable et de la terre qu'on fait les continents, qu'on fait la Terre, non ? Alors vous êtes faits pour vous mélanger. Il ne peut en naître que de bonnes choses.

— Si seulement tout le monde pouvait penser comme toi !

Matt allait répondre lorsqu'il aperçut du mouvement plus bas.

Une lueur ambrée apparut au premier étage. Matt donna une pichenette sur le bras de son copain :

— Regarde ! Ce sont eux !

Deux silhouettes encapuchonnées longèrent le patio, lanterne à la main, pour s'enfoncer dans un couloir.

— Faut pas les perdre, on fonce ! s'enthousiasma Matt.

Ils bondirent sur leurs pieds, sautèrent sur le balcon et dévalèrent les marches jusqu'au premier étage où ils se firent plus discrets. À cette vitesse, ils ne tardèrent pas à rattraper les deux comparses au visage dissimulé.

— On dirait qu'ils vont vers le passage secret, murmura Matt.

— Regarde, cette fois il y a un grand et un petit, ça pourrait être Doug et Arthur.

— Ou Regie.

— Qu'est-ce qu'on va faire ? Tu comptes t'opposer à eux ?

— Non, sauf s'ils s'en prennent directement aux Pans de l'île dès cette nuit. Mais si ça tourne mal, essaie de plaquer le petit au sol, je m'occupe de l'autre.

Ils ne tardèrent pas à traverser le fumoir et ses senteurs épicées et, comme prévu, le mystérieux duo entra dans le couloir au passage secret. Matt et Tobias s'arrêtèrent au coude avant les marches, pour ne pas être vus. Plusieurs voix leur parvinrent :

— Personne ne vous a vus ? demanda Doug.

— Non, tout le monde dort, répliqua un garçon.

— J'ai pris toutes les armes qu'il y avait dans la Licorne, fit une fille.

— Et moi, j'ai ramassé les dernières que je n'avais pu prendre l'autre jour au Centaure, fit une quatrième personne, un autre garçon.

— Très bien, les félicita Doug. On n'a plus qu'à descendre toutes celles qui sont ici sur les armures et l'île sera débarrassée de toutes les armes en acier.

— Tu les caches où ? fit la fille.

Aussitôt Matt songea à son épée et fut pris d'une colère sourde qu'il parvint à taire en se répétant qu'il l'avait cachée dans le fond de son armoire. Si elle s'y trouvait encore, il se promit de la dissimuler encore mieux.

— Dans une petite salle du manoir hanté, répondit Doug, personne ne pourra y accéder. Vous avez fait du bon boulot, c'est le meilleur moyen de s'assurer que tout se passera comme prévu quand on *lui* ouvrira les portes…

Tobias se colla à Matt pour lui murmurer à l'oreille :

— Ils sont en train de soigner leur plan, ils nous laissent sans défense, c'est pour bientôt !

Matt hocha la tête :

— Il va falloir agir, on ne peut plus attendre, répondit-il

de la même manière. Je vais tenter de voir leurs visages, il faut qu'on sache qui fait partie des traîtres.

Il se pencha tout doucement à l'angle du mur, pour que le haut de son crâne dépasse, puis ses yeux.

En bas des marches, Doug discutait avec quatre autres silhouettes. Il put reconnaître le petit à ses côtés : son frère Regie. Les autres étaient soit de dos, soit trop dans la pénombre pour être visibles.

La fille prit la parole :

— On a peut-être un souci, dit-elle. Ça fait deux nuits consécutives qu'une nuée de chauves-souris vole au-dessus de l'île. Elles sont très nombreuses, peut-être cent ou plus, elles tournoient pendant plusieurs heures avant de s'éloigner. J'avoue que ça ne m'inspire rien de rassurant.

Elle bougea suffisamment pour qu'une mèche de cheveux bouclés sorte de sous son capuchon. Elle était blonde. Or Claudia était brune. *Une autre fille !* D'après les voix qu'il entendait, Matt était certain que tous les autres étaient des garçons. Ça portait le nombre des conspirateurs à au moins six ! Un véritable gang.

— Des chauves-souris ? répéta Doug. Je n'étais pas au courant. J'espère qu'elles n'ont pas muté comme d'autres espèces animales, je n'ai pas envie d'avoir des ennuis avec des bestioles volantes.

Derrière Matt, Tobias étouffa un éternuement. Malgré tous ses efforts, un sifflement fusa dans le couloir.

Doug et les siens sursautèrent :

— Qu'est-ce que c'est ? dit-il. Allez voir, Regie, tu restes avec moi on va planquer toutes les armes, vite !

Matt fit volte-face, Tobias lui offrit une grimace confuse en guise d'excuse et en trois enjambées ils se retrouvèrent dans le fumoir où Matt se glissa sous un canapé tandis que Tobias ouvrait un placard servant à abriter les queues de billard ; il eut tout juste le temps de refermer la porte au moment où trois paires de chaussures entraient à toute vitesse.

— Quelqu'un est planqué ici, c'est sûr ! fit un des traîtres.

— Tu crois ? C'était pas le vent plutôt ?

— Non, on aurait dit… un éternuement !

Les trois se séparèrent pour inspecter la pièce, derrière le bar, dans chaque recoin, sous les épais rideaux. Matt pouvait suivre leurs gestes grâce à leurs jambes qu'il distinguait. Ils n'allaient pas tarder à le découvrir, lui ou Tobias. Que feraient-ils alors ?

Ils protégeront leur secret ! Ils nous tueront ou nous garderont prisonniers quelque part jusqu'à accomplir leur sinistre stratagème, voilà ce qu'ils feront !

Il devait agir. Prendre les devants. Mais pouvait-il battre trois personnes au corps à corps ? Matt doutait de parvenir à canaliser sa force, il n'y arrivait pas lorsqu'il s'entraînait, pourquoi en serait-il autrement pour se battre ? Il semblait qu'elle ne se manifestait que lorsqu'il était dans le feu de l'action, presque en état second. *Tant pis, je dois tenter ma chance, si j'ai l'effet de surprise avec moi, j'ai peut-être une chance de les mettre KO.* Matt avait les jambes vides, sans énergie, la peur le rendait hésitant. Jamais il n'y arriverait !

Le garçon un peu autoritaire s'immobilisa juste devant le canapé où Matt se terrait. *Maintenant ! Je dois y aller maintenant !* Pourtant il n'osait bouger, incapable de rassembler le courage nécessaire.

— Quelqu'un était forcément là ! s'énerva le garçon qui menait le petit groupe. À tous les coups, c'est ce Pan dont Doug se méfie, ce Matt.

— Tu veux qu'on aille voir sa chambre ? Si on court on peut y être en même temps que lui ! S'il n'est pas dans son lit on sera fixés. Et s'il y est tout essoufflé, pareil !

— Bonne idée, on fonce !

Les trois disparurent en une seconde. Matt sortit de sous le canapé et alla libérer Tobias de son placard.

— Ils vont savoir ! paniqua Matt. Ils courent vers ma chambre ! Quand ils la trouveront vide ils sauront que c'était moi qui étais là, que je sais tout de leur plan. Ils ne me laisseront jamais en vie !

— Alors on va dans la mienne, s'ils sont si malins que ça ils ne tarderont pas à venir la vérifier aussi. Tout le monde sait qu'on traîne tout le temps ensemble !

Moins de cinq minutes plus tard, Tobias et Matt faisaient semblant de dormir, le premier dans son lit, le second sur le sofa. La porte s'entrouvrit peu de temps après, les deux amis entrèrent en apnée pour ne pas paraître essoufflés, et une voix murmura :

— Tu vois, ils sont là ! Je te l'avais dit. C'était le vent en bas !

La porte se referma et Matt soupira.

C'était passé tout près.

31

Visiteurs nocturnes

Pendant ces mêmes trois jours, Ambre fut assaillie de questions. Tous les Pans ou presque vinrent la voir pour lui demander s'il était normal d'avoir un peu mal aux jambes, à la tête, d'avoir des cauchemars, d'être déprimé ou de se sentir seul. Elle eut bientôt le sentiment d'être une épaule consolatrice pour accueillir les confidences plus qu'une pionnière de l'altération.

Malgré tout, elle trouva motif à satisfaction auprès de cinq personnes qui manifestaient les signes évidents de l'altération. Elle confirma ce qu'elle pensait depuis longtemps du grand Sergio : il avait une faculté à produire des étincelles et elle l'encouragea à s'entraîner, suspectant un potentiel bien plus important encore. Gwen avait un rapport à l'électricité qui ne laissait planer aucun doute non plus, et elle en parla pendant trois heures, cherchant à se rassurer. Ambre parvint à la renvoyer dans sa chambre en lui certifiant que ça n'avait rien de dangereux pour sa santé puisque c'était une conséquence naturelle de la Tempête, une évolution liée à l'impulsion lancée par la Terre.

Bill, un jeune Pan du Centaure, parvenait à produire de minuscules tourbillons dans son verre d'eau, ce qu'Ambre considéra comme extrêmement prometteur. Avec du temps et de l'entraînement, peut-être parviendrait-il à influencer des surfaces bien plus importantes. Enfin, Amanda et Marek démontraient une aptitude hors norme à « sentir » les plantes, les champignons ou les fruits à distance. Sur le coup, Ambre fut sceptique, mais ils lui firent une démonstration : il suffisait qu'ils cherchent à repérer une odeur particulière et en humant l'air, avec de la patience, ils finissaient par débusquer ce qu'ils cherchaient. Bien sûr, ça ne marchait pas à tous les coups et ça prenait un temps fou, mais le résultat était tout de même parlant. Lorsqu'ils avouèrent être volontaires depuis le début pour participer aux cueillettes sur l'île et parfois en dehors, Ambre sut que son hypothèse se confirmait. L'altération se manifestait en fonction d'une nécessité. Plus on faisait quelque chose et plus on développait la faculté en adéquation.

Le matin du quatrième jour, elle se leva avec difficulté, fatiguée par tous ces témoignages. Elle fit ses ablutions matinales avec de l'eau froide – le quotidien des Pans – et après avoir avalé un morceau de pain et une pomme elle prit le chemin de son « bureau de consultations », comme elle disait. Il s'agissait en fait d'une rotonde en pierre sans toit, à une centaine de mètres de l'Hydre au milieu d'une épaisse végétation. Elle trouvait l'endroit paisible, agréable avec le soleil qui baignait la région depuis plusieurs jours, et suffisamment isolé pour que tous osent venir la voir, même les plus gênés.

Durant tout le trajet elle ne put se défaire du sentiment d'être suivie. Elle se retourna plusieurs fois sans apercevoir qui que ce soit, et pourtant cette désagréable impression qu'on l'épiait ne la quittait pas.

La petite rotonde baignait dans l'écrin du soleil, la pierre encore froide de sa nuit se réchauffait doucement. Les branches, les fougères et les buissons bruissaient dans le vent léger. Ambre prenait des notes pendant ses discussions et elle profita du calme pour les relire. Des bruits de pas ne tardèrent pas à l'extraire de sa concentration. Matt et Tobias vinrent s'asseoir sur l'un des bancs, accompagnés par Plume, le chien le plus grand qu'Ambre ait jamais vu.

— Doug mène toute une bande, fit Matt en guise de bonjour. C'est une équipe, au moins six personnes. Et ils viennent de débarrasser l'île de toutes les armes. On ne pourra plus se défendre.

— Ton épée aussi ? demanda Ambre.

— Non, heureusement. Elle était cachée, je crois qu'ils l'ont oubliée.

Ambre se laissa tomber en arrière pour reposer sa tête contre une des colonnes de la rotonde. Elle scruta le ciel, pensive.

— Que fait-on ? fit-elle.

— Si on fonce sans subtilité je crains le carnage. On pourrait alerter tout le monde, mais sans savoir qui sont les traîtres ça va vite revenir aux oreilles de Doug et il mettra son plan à exécution. On se fera massacrer.

— Tu proposes de démasquer ses complices ?

— C'est ce qu'on s'est dit ce matin avec Toby.

Tobias acquiesça largement.

— On va trouver un moyen de les identifier tous, affirma-t-il. Alors on pourra s'organiser dans leur dos. Parler à tous les autres Pans en prenant soin d'éviter les traîtres.

— Comment comptez-vous faire ?

Matt répondit :

— Avec de la patience, on les suivra la nuit jusqu'à ce que nous parvenions à voir le visage de chacun.

Ambre ne semblait pas convaincue :

— C'est dangereux et ça va prendre un temps fou !

— C'est la seule solution !

— Je sais, s'énerva la jeune fille, mais je n'aime pas que vous preniez tous ces risques. Et on n'a pas beaucoup de temps devant nous avant qu'ils ne libèrent le Minotaure.

— A-t-on le choix ? Allez, viens, j'ai entendu trois coups de trompette ce matin.

— Je n'avais pas entendu. Une réunion le matin ? C'est rarement bon signe.

Ils arrivèrent parmi les derniers, la plupart des bancs étaient occupés et Doug était déjà en train de parler :

— Avant d'aborder le sujet de cette assemblée, je voulais régler quelques détails d'intendance : les armes pour commencer. Il serait préférable de les garder toutes dans un même endroit fermé à clé, on se souvient tous de notre ancienne société et de ce que la circulation des armes a engendré comme violence. Je pense donc qu'il ne faut plus en conserver une seule sans surveillance. Voilà, je laisse cette idée germer dans vos esprits, nous en reparlerons bientôt. Sinon, le problème de la volière. Entre les poules, les pigeons et toutes les espèces dont nous disposons, Colin a beaucoup de travail et il ne serait pas contre un bon coup de main. Qui se porte volontaire comme préposé à la volière avec Colin ?

Matt se pencha vers Ambre et Tobias :

— Doug ne perd pas le nord ! Il sait qu'il doit y avoir encore des armes cachées par des Pans dans notre genre, et il va s'arranger pour toutes les collecter ! Je vais te dire, s'il remet le sujet sur le tapis à la prochaine réunion, je ne me priverai pas de lui rentrer dedans. Personne ne confisque ma lame !

Pendant ce temps, Colin déplia sa grande carcasse surmontée d'une longue tignasse châtain et précisa devant tous :

— C'est pour s'occuper des poules et de leurs œufs surtout, les oiseaux, c'est mon territoire.

Tiffany, de la Licorne, se proposa, suivie par Paco, le plus jeune Pan, d'origine mexicaine, à peine neuf ans.

— Parfait, déclara Doug, vous verrez avec Colin pour vous répartir les tâches.

— Vous touchez pas aux oiseaux ! jugea bon d'insister Colin en grattant sa joue pleine de boutons. Vous, ce sera les poules.

Satisfait de s'être débarrassé des tracasseries, Doug aborda ce qui les rassemblait :

— On s'est un peu fait surprendre par notre consommation et les réserves commencent à baisser. De plus, nous allons bientôt manquer d'allumettes et de briquets, même si on les utilise le moins possible, ça part vite. Il nous faudra également des pansements et tout ce qu'on pourra trouver pour les soins. Côté vêtements, si vous manquez de quelque chose, c'est le moment de nous confier votre liste avec la taille ou la pointure. Le convoi partira demain matin pour la ville, donc je les veux ce soir. Comme d'habitude, s'il y a des volontaires, qu'ils lèvent la main, sinon nous procéderons au tirage au sort.

Travis, dont la chevelure rousse ne cessait de pousser, leva la main. Suivit Arthur, et son air acariâtre. Sergio, le plus costaud des Pans de l'île, s'ajouta à la liste. Gwen se proposa ensuite.

Au grand étonnement de ses deux amis, Matt leva le bras.

— J'ai envie de sortir, de voir ça, leur murmura-t-il.

Aussitôt Ambre fit de même, entraînant Tobias à contrecœur.

Doug hocha la tête :

— Parfait ! Je me joindrai au groupe, ça fait longtemps que je n'ai pas participé au ravitaillement. Nous partons demain matin à l'aube.

Juste avant que tout le monde sorte, Matt posa une question non dénuée de malice :

— Doit-on emporter des armes ? Ce serait plus prudent, non ?

— À quoi bon ? Nous ne savons pas nous en servir, répliqua Doug.

— En cas d'attaque ! Il serait préférable d'avoir un objet pour se défendre !

Doug prit une seconde de pause pour bien choisir sa réponse :

— J'en choisirai deux ou trois avec Arthur, mais inutile de nous charger, nous aurons bien assez de poids au retour.

— Vous allez passer à côté de la fumée dans la forêt ? s'enquit Caroline, une jolie blonde de l'Hydre que Matt avait rarement eu l'occasion de croiser.

— Non, on gardera nos distances. Vous l'avez peut-être remarqué, cette fumée continue. Je crains qu'une communauté de Gloutons se soit installée là.

— Va-t-on envisager une expédition pour aller voir ce que c'est exactement ? demanda une fille d'habitude très timide répondant au nom de Svetlana.

— Rien n'a été décidé, mais je ne crois pas. On n'a aucun intérêt à prendre ce genre de risque, il suffit de se tenir éloigné de l'endroit qui n'est pas trop proche. Ce sera tout pour ce soir.

Les verres retentirent sans vigueur sur les tables et, tandis que l'assemblée sortait dans le brouhaha, Ambre se pencha vers Matt :

— Pourquoi tu le cherches ?

— Le provoquer, qu'il commette une erreur.

— Tu devrais éviter, ça risque de le mettre vraiment en colère contre toi.

— En tout cas ça a marché, triompha Matt avec un rictus.

— Comment ça ? fit Tobias.

— Il a trahi l'identité d'un de ses complices. Puisque aucune arme n'est accessible, il n'ira pas en « choisir deux ou trois » comme il dit, avec quelqu'un qui ne fait pas partie de sa bande. S'il emmène Arthur dans la cachette, c'est que ce dernier est au courant. C'est aussi simple que ça.

Tobias approuva.

— On ajoute Arthur à la liste. Bien joué.

Le soir, l'Alliance des Trois décida qu'il était préférable de dormir pour être en forme le lendemain, d'autant que Doug et

Arthur venant, il était peu probable que les traîtres agissent dans la nuit.

En se couchant, Matt avait laissé une fenêtre de sa chambre ouverte, il faisait chaud dans la pièce. Il s'endormait peu à peu quand une série de clapotements vifs l'interpella. Semblables à... des draps que l'on fait claquer dans l'air. Sauf qu'il y en avait tellement que Matt imagina un instant tous les Pans du manoir à leur fenêtre en train de s'agiter... Il s'éveilla tout à fait et chassa cette image saugrenue pour s'approcher de la fenêtre ouverte.

Le bruit était impressionnant, un grouillement puissant. Matt sortit la tête à l'extérieur.

Aussitôt, quelque chose vint lui frôler les cheveux. Venu du dessus. Il pivota pour contempler le ciel, à l'aplomb du Kraken.

Un nuage noir bourdonnait, dissimulant les étoiles.

Des formes noires s'en détachèrent pour plonger vers le visage de Matt.

Les chauves-souris! comprit-il en reculant précipitamment et en repoussant le battant de verre devant lui.

Trois triangles obscurs fusèrent avant de s'immobiliser devant la vitre puis de remonter à pleine vitesse pour se fondre dans la masse.

Qu'est-ce qu'elles font? Matt se rapprocha doucement de la fenêtre. *J'ai jamais vu autant de ces bestioles en même temps!* Soudain un groupe se détacha en file indienne pour piquer vers la forêt de l'île, rapidement suivi par un autre puis un troisième et ainsi de suite jusqu'à ce que tout le nuage fonde pour raser la cime des arbres. De là où il se tenait, Matt eut l'impression de contempler une nappe d'huile qui glissait sur une mer statique. La nuée reprit de l'altitude pour survoler le manoir du Capricorne au nord-ouest, tournoya un moment, avant de fondre en direction du Centaure où elle demeura plusieurs minutes.

À cette distance, Matt ne distingua plus rien. Il repensa aux jumelles qu'il avait utilisées avec Tobias pour fuir New York. Tobias avait laissé leurs affaires dans son armoire. Il fouilla son sac à dos et s'empara des jumelles pour observer l'étrange ballet aérien.

Par moments, Matt pouvait voir les taches noires descendre pour faire du surplace devant les fenêtres. *À quoi s'amusent-elles ?* Elles ne lui avaient pas semblé amicales en voulant lui agripper les cheveux. *On dirait qu'elles cherchent un moyen d'entrer dans le Centaure… Si elles réussissent, ce sera le chaos à l'intérieur !* Matt imagina la colonie se précipitant dans les chambres, lacérant les cuirs chevelus, les bras, les jambes, poussant les Pans les plus fragiles dans les escaliers… Un cauchemar.

Matt hésitait à sonner l'alerte. Mais comment prévenir les occupants du Centaure de ne surtout pas ouvrir une fenêtre ou une porte ? Impossible.

C'est alors que le nuage reprit de l'altitude pour s'éloigner de l'île en direction du nord.

Matt poussa un soupir de soulagement, qui ne dura pas longtemps. La fille qui parlait à Doug la nuit précédente avait vu ces chauves-souris deux soirs de suite. Matt se sentit mal à l'aise. Ces animaux n'agissaient pas normalement, un problème couvait. D'abord elles semblaient beaucoup trop nombreuses. Ensuite il les avait clairement vues passer d'un manoir à l'autre. Cherchaient-elles quelque chose ou quelqu'un ?

Soudain, il songea à Plume. La chienne était là dehors, vulnérable. *Elle vit dans cette forêt depuis six mois, elle ne craint rien.* Les chauves-souris étaient présentes depuis plusieurs jours, Plume n'était probablement pas une cible intéressante pour elles, à moins qu'elle ne se soit cachée. Il fallait lui faire confiance.

Matt se souvint de la tentative d'assassinat dans la grande salle. La troisième faction. L'inquiétante présence du Raupéroden dans ses rêves et enfin cette histoire de chauves-souris, tout ça faisait beaucoup. Il parvenait déjà difficilement à gérer la traîtrise de Doug et des siens, il n'avait pas besoin de tous ces ennuis en plus.

Pourtant, quand il se recoucha, en fixant le plafond, le cœur serré par l'angoisse, Matt ne tarda pas à sentir qu'il vacillait, et que le sommeil se faisait plus fort encore que ses peurs. Les nuits de garde l'avaient épuisé.

Matt s'endormit, une torpeur hantée par des murmures dans les ténèbres, par la présence écrasante d'un grand voile noir traversé de mains et de jambes et couronné par une longue tête de mort qui sourdait comme une empreinte dans du ciment frais.

Une forme qui le traquait. Reniflant sa trace dans les forêts du nord.

Un être au nom mystérieux. À l'aura terrifiante.

Le Raupéroden.

32

Expédition

L'aube teintait l'est d'une frange de lumière crue.

À l'opposé, la forêt qui bordait l'île Carmichael du côté du pont était encore une vaste étendue obscure, impénétrable.

Matt était enveloppé dans son pull et son manteau favoris. Il avait longuement hésité à prendre son épée, que Doug se rende compte qu'il n'avait pas saisi *toutes* les armes de l'île, pour finalement se dire qu'elle était devenue son extension là-dehors, la gardienne de son intégrité. Un ange protecteur au double visage : rassurant dans le brillant de sa lame au fourreau, cauchemardesque lorsque celle-ci se teintait de rouge et de souffrance. Matt ne pouvait le nier : manier son épée était euphorisant maintenant qu'elle ne pesait plus une tonne au bout de ses bras, sa poignée massive coincée dans ses paumes le renvoyait à un sentiment de puissance, et, en même temps, le tranchant de son acier lui faisait peur. Car il avait beau se répéter que c'était l'arme qui était dangereuse, il ne pouvait oublier que chaque fois, c'était lui, Matt, qui l'avait tenue. L'épée n'avait aucune personnalité, aucune âme propre, elle n'était que le prolongement agressif et létal de sa propre volonté. Lui qui s'était rêvé héros intrépide et impitoyable envers ses ennemis réalisait que jamais son imaginaire ne l'avait préparé à cette violence. Souvent il se remémorait le bruit horrible qu'avait provoqué la lame en s'enfonçant dans le corps du Glouton.

En ce petit matin, l'île dormait encore. Les huit compagnons de route étaient rassemblés devant le pont, et Plume était harnachée d'une sangle reliée à une carriole de la taille d'une table de billard, montée sur quatre grandes roues tout-terrain. Il sembla à Matt que la chienne avait encore grandi, elle devait bien peser dans les quatre-vingt-dix kilos à présent ! Était-ce une impression ou continuait-elle de se développer ? Jusqu'où pouvait-elle aller ainsi ? Tobias portait son arc sur l'épaule. Doug et sa bande n'avaient pu saisir les arcs, trop de Pans s'entraînaient régulièrement dans l'espoir d'aller à la chasse pour manger de la viande, cela ne serait pas passé inaperçu et il n'aurait jamais pu l'expliquer sans éveiller les soupçons. Côté défense de l'expédition, Doug avait confié une hache à Sergio, une masse d'arme à Arthur et Travis et un long couteau à Gwen.

On donna à chacun un gros sac à dos vide, pour porter les victuailles au retour, et la vigie du pont – Calvin, le garçon noir que Matt aimait bien – les salua tandis qu'ils mettaient la passerelle de tôle en place pour traverser.

Ambre se rapprocha de Matt.

— Bien dormi ?

— Ça peut aller.

Sans qu'il sache vraiment pourquoi, Matt n'avait pas envie de parler des chauves-souris – il se dit qu'il ne souhaitait pas inquiéter ses amis inutilement.

— Moi, je me suis entraînée jusque tard hier soir, confia Ambre. Je n'arrive toujours pas à faire bouger ne serait-ce qu'un crayon à papier ! Ça m'exaspère !

— Il faut être patiente.

— Je sais, je sais, mais je voudrais tellement y parvenir !

— Tu sais combien de temps on va mettre pour atteindre la ville ?

— Environ quatre heures si on ne traîne pas, plus les pauses. Ensuite on s'accorde une heure pour souffler et manger, trois heures pour faire le plein et, le temps de rentrer, on devrait être là avant le crépuscule.

— Pourquoi ne sort-on jamais la nuit ? On aurait plus de chance d'éviter les Gloutons, non ? Ils ne voient toujours pas dans le noir à ce que je suppose ?

— Non, je ne crois pas. Si on ne sort pas la nuit, c'est que c'est plus dangereux. De nombreux prédateurs ne chassent qu'une fois le soleil couché. La faune a beaucoup changé depuis la Tempête. L'impulsion n'a pas rendu que les Gloutons fous, bon nombre d'espèces animales sont redevenues agressives. Tous les chiens, par exemple, à l'exception de Plume, forment des bandes et sont impitoyables. Des Pans se sont fait dévorer à ce qu'on raconte. Ils ont retrouvé leurs instincts puissance dix ! Pire que des loups, car ces chiens-là n'ont pas du tout peur de nous.

Tobias vint se joindre à la conversation :

— Un Long Marcheur a rapporté une fois qu'il existe des toiles d'araignées de la dimension d'un terrain de football, voire plus ! Dedans vivaient des milliers de ces bestioles horribles, et on dit qu'elles se jettent sur n'importe quelle proie, même humaine, pour lui infliger des milliers de morsures qui auraient le même effet que sur une mouche. Elles t'injectent tellement de venin que l'intérieur de ton corps devient liquide avant qu'elles n'aspirent toutes en même temps pour te vider pendant que tu es encore vivant !

— Beurk ! grimaça Ambre. J'aime à croire que c'est juste une légende, rien de réel !

— Tobias t'a parlé de l'étrange créature qu'on a croisée un soir avant d'arriver sur l'île ? s'enquit Matt.

Ambre fit signe qu'elle n'était pas au courant.

— Oh, oui ! s'exclama Tobias avant d'enchaîner à toute vitesse : C'était flippant ! Un Rôdeur Nocturne.

— Vous avez affronté un Rôdeur Nocturne ! répéta Ambre, estomaquée.

— On aurait dit un monstre, un vrai, comme dans les films d'horreur ; ce machin se tenait dans les branches, grand comme un homme, il nous reniflait et s'apprêtait à nous sauter dessus – et je crois qu'il nous aurait massacrés sans peine ! – lorsque la petite Plume a débarqué et nous a sauvé la mise !

— Petite, petite, faut le dire vite ! railla Ambre.

Tandis que la procession s'enfonçait dans la forêt, Matt observa Plume qui tractait sa remorque d'une démarche chaloupée.

— Je me demande pourquoi elle est comme ça, dit-il. Je veux dire : pas sauvage et intelligente.

— Tu sais, dit Ambre, je pense que beaucoup de questions risquent de rester sans réponse, je crains qu'il faille l'accepter.

— Sûrement. C'est comme tous ces scarabées qu'on a vus sur l'autoroute avec Tobias. Il t'a raconté ? Des millions de…

— Des Scararmées, l'interrompit Ambre. C'est le nom que les Pans leur ont donné. Tu sais, la plupart d'entre nous les ont vus. Les vestiges de nos autoroutes en étaient infestés. Il paraît qu'ils sont toujours là. Autrefois ils allaient tous vers le sud, désormais ils circulent selon une immense boucle qui descend et remonte dans tout le pays. Quand ils vont au sud ils produisent une lumière rouge avec leur ventre, quand ils vont au nord elle est bleue. Ils semblaient un peu désorganisés au début, mais maintenant c'est toujours comme ça.

— Sait-on ce qu'ils font ?

— Non, les Longs Marcheurs aimeraient étudier cette migration, on est à peu près certains qu'elle n'est pas due au hasard, mais ça n'a pas été fait. Il faut du temps. Les Pans sont seulement en train de s'organiser.

— C'est vrai, ça fait seulement six mois… Dire que j'en ai passé cinq à dormir !

Ils marchaient. Et au fur et à mesure que le soleil se levait dans leur dos, ses rayons déliant la nature, celle-ci retrouvait tout son panache, l'éclat de son vert émeraude.

Après plus d'une heure et demie, Doug, qui ouvrait la marche en compagnie du grand Sergio, décréta qu'il fallait faire une pause. On se désaltéra, Matt prenant soin de verser un peu d'eau dans une gamelle à Plume qui eut bientôt les babines dégoulinantes. Quelques carrés de chocolat chacun et on repartit d'un bon rythme.

Matt fut surpris par la cacophonie qui résonnait dans la forêt. Des dizaines d'espèces d'oiseaux s'interpellaient dans un babil bruyant, sans aucune gêne vis-à-vis de ces humains qui passaient par là. Des roucoulements comme Matt n'en avait jamais entendu, des pépiements en rafales, aux sonorités musicales, et d'interminables stridulations montantes et descendantes. Les oiseaux qu'il parvenait à apercevoir étaient souvent classiques : piverts, corbeaux ou mésanges ; et parfois étranges comme cette espèce d'une blancheur argentée, à ailes jaunes, brillantes comme de l'or, et à la tête surmontée d'un panache bleu clair. Lorsqu'il s'envola, il dévoila le dessous de ses ailes d'un rouge éclatant.

Personne ne parlait, ou rarement, à l'exception de Gwen et Ambre qui discutaient à voix basse. Les autres préféraient se concentrer sur la cadence, tout en prêtant attention à leur environnement. Matt accéléra pour arriver au niveau de Travis.

— On voit des serpents, ici ? demanda-t-il.

Le rouquin répondit avec un accent prononcé, il devait venir des campagnes du Middle West, devina Matt.

— Les serpents, je sais pas, mais les scorpents, ça, c'est le pire !

— Les scorpents ? C'est quoi ?

— Comme une grosse vipère sauf que sa peau est constituée d'un assemblage de carapaces assez rigides, comme la queue d'un scorpion, avec le même dard que les scorpions à l'extrémité.

Mais comme elle fait en général un mètre de long, je te laisse imaginer la taille du dard !

— Dangereux en cas de piqûre ?

— T'en fais pas, si un scorpent te pique, le temps que tu le réalises tu seras déjà mort, plaisanta Travis.

Matt ne le trouva pas drôle et il se tut pendant le reste de la randonnée. Ils firent une autre halte plus tard et les premiers signes d'urbanisme, ou plutôt de ce qu'il en restait, se manifestèrent peu après midi, par un véritable mur de lianes. Ce qui avait été autrefois la façade d'un immeuble de six étages n'était plus qu'une paroi couverte de feuilles et de racines. Impossible d'y distinguer un centimètre de béton, une porte ou même une fenêtre. Il en allait de même avec tout ce qui restait de la civilisation : une ruine recouverte par la végétation telle une seconde peau. Des tiges vertes tendues d'un toit à l'autre comme s'il s'agissait de fil d'araignée rampaient sur les câbles électriques, engloutissant ce qui avait été des feux tricolores suspendus, un complexe maillage s'était tissé afin de napper la ville tout entière d'un filet de camouflage naturel. La lumière y filtrait difficilement, si bien qu'une pénombre fraîche stagnait dans les avenues pleines de fougères et de ronces.

— Waouh ! laissa échapper Matt. Jamais je n'aurais cru voir ça de ma vie ! Tout a complètement disparu sous la nature ! On se croirait dans une jungle !

— Une jungle avec des perspectives géométriques, corrigea Ambre toujours très scientifique.

Au détour d'un carrefour, le groupe se trouva soudainement face à une cascade de lianes. Doug les écarta et ils passèrent de l'autre côté, sous le toit d'une station-service. Matt remarqua aussitôt les pompes noircies et atrophiées. Il eut l'impression qu'elles avaient fondu. Le sol était tapissé d'une épaisse mousse brun et vert.

— On va s'arrêter ici pour manger et ensuite on se séparera par groupes de deux, indiqua Doug.

Ils avalèrent des sandwiches en allongeant leurs jambes

lourdes et très vite leur intérêt pour les environs les remit sur pied. Tobias regarda ses deux comparses un instant et leur annonça :

— Je vous laisse tous les deux, je vais me mettre avec Travis, c'est un gars solide !

Matt acquiesça mollement, un peu gêné. Il aperçut Doug qui proposait à Arthur de venir avec lui. *Comme par hasard !* songea-t-il. *Si vous voulez faire un sale coup, au moins vous êtes peinards, entre traîtres !*

Gwen s'approcha pour se mettre avec Ambre mais elle s'arrêta en la voyant en compagnie de Matt. Elle eut un sourire espiègle et se résigna à faire équipe avec le grand et costaud Sergio.

Doug rappela à tous les consignes de sécurité :

— Personne ne s'éloigne, si vous estimez que vous ne pourrez pas retrouver le chemin de la station-service, vous vous arrêtez et vous soufflez là-dedans, on viendra vous chercher.

Il distribua alors un sifflet à chaque paire de ravitailleurs.

— Servez-vous-en seulement si vous êtes certains d'être perdus. Parce que ça risque de ne pas attirer que nous ! Soyez vigilants, soyez discrets, ne criez pas, contentez-vous de remplir vos sacs de nourriture. Vérifiez bien les dates de consommation, les boîtes de conserve, c'est bon, mais tous les produits facilement périssables on ne prend pas. Allumettes et briquets sont les bienvenus. J'ai distribué la liste des vêtements à Gwen, c'est elle et Sergio qui s'en chargent. Je sais où se trouve la pharmacie alors je m'en occupe. On se retrouve ici dans deux heures pour ensuite passer par le supermarché et remplir ensemble la carriole de Plume.

Tous approuvèrent et ils s'élancèrent dans des directions différentes. Matt désigna Plume à Ambre :

— Elle reste ici toute seule ?

— Oui, c'est plus sûr. Ne t'en fais pas, c'est une chienne particulière, rappelle-toi. Il ne lui arrivera rien.

Matt eut du mal à abandonner son compagnon à pattes mais,

sur l'insistance d'Ambre, il quitta le rideau protecteur de la station.

Les rues qu'ils empruntèrent n'avaient de ville que le souvenir, tant on ne reconnaissait plus rien. Matt et Ambre marchaient chacun d'un côté pour scruter l'intérieur de ce qui avait été des magasins. Les vitrines étaient recouvertes de feuilles et les enseignes ne servaient plus que de tuteurs horizontaux, voire de nids. Un oiseau s'approcha tout près d'eux et Matt le remarqua car il ne semblait pas effrayé, plutôt curieux même. Après cinquante mètres, Matt s'étonna qu'il soit encore là, à voler au-dessus d'eux et à se poser régulièrement pour pouvoir les examiner. Ambre, depuis le trottoir opposé, ne pouvait le remarquer et Matt décida de ne pas la distraire avec ça, bien qu'il trouvât ce comportement pour le moins étrange. Après quelques bonds supplémentaires, l'oiseau décida qu'il en avait assez vu et s'envola pour disparaître dans un trou entre les lianes du filet naturel qui surplombait leurs têtes.

Matt repéra alors ce qui avait été une épicerie et il appela Ambre d'un petit sifflement. Ils durent forcer la porte pour arracher la mousse qui s'était amassée derrière. L'intérieur était encore plus obscur que les rues recouvertes de leur perruque végétale. Une odeur pénétrante d'humidité flottait dans la boutique. Ils attendirent que leurs yeux s'habituent à la pénombre et sillonnèrent les rayons encore pleins de marchandises.

— Parfait, décréta Ambre, on prend des boîtes de conserve, des pâtes, et même des biscuits qui sont largement mangeables.

Ils remplirent les deux sacs à dos au maximum, des sacs de randonnée, solides et volumineux, prêts à accueillir vingt kilos de matériel. Ambre chargea le sien de beaucoup de boîtes en carton pour pouvoir le porter et Matt prit ce qui était lourd.

Il commençait à appréhender le temps comme les autres Pans ; avec la rareté des montres mécaniques, la plupart n'avaient plus l'heure et ils s'étaient habitués à la *deviner* en

fonction du moment de la journée. Plus sensibles, ils parvenaient à sentir le temps écoulé. Matt soupesa son sac et dit :

— Il est sacrément lourd et on est bien en avance sur le
planning. Je propose qu'on le laisse là pour explorer un peu
les environs, on viendra reprendre notre équipement avant de
rejoindre tout le monde, ça te dit ?

— Oui, mais tu es sûr que tu pourras porter tout ça ?

— On va essayer.

Il devait peser pas loin de son poids maximum. Au prix d'un
violent effort Matt parvint à le hisser et à enfiler les bretelles.

— Tu vas tenir tout le trajet du retour ? s'inquiéta Ambre.

— Faudra bien.

Il relâcha le paquet et ils s'empressèrent de retourner à l'air
frais.

— Vous ne prenez pas d'outils ou d'équipement comme des
casseroles ? voulut savoir Matt en marchant.

— On a déjà ce qu'il faut dans les manoirs. Comme plus
personne ne vit dans les environs, les villes restent pour nous
d'inépuisables entrepôts, on n'est pas pressés.

— Bientôt, des dizaines d'aliments auront disparu, on ne
pourra plus les trouver. Dans quelques mois les dates de péremption seront largement dépassées.

— C'est pour ça qu'on essaye de se mettre à l'agriculture.
On apprend, on se prépare pour l'avenir, lorsqu'il faudra produire nous-mêmes ce dont nous aurons besoin.

— Et d'où vous apprenez ?

— Dans le *Livre des Espoirs*.

Matt fronça les sourcils.

— Jamais entendu parler, qu'est-ce que c'est ?

— C'est Doug qui l'a. Un livre dans lequel on explique comment cultiver telles céréales, comment faire du sucre, comment
récolter l'eau de pluie et la filtrer pour la rendre potable, autant
de choses vitales pour notre survie à moyen terme.

— Ça va devenir un livre sacré ce truc ! plaisanta Matt.

Ambre le fixa sans sourire.

— C'est déjà le cas, Matt. Sans cet ouvrage, nous serions condamnés à mourir à petit feu. C'est pour ça que nous l'appelons le *Livre des Espoirs*.

— Sachant que c'est Doug qui l'a, il faut être méfiant des conseils qu'il peut donner !

— Jusqu'à présent il nous a toujours aidés. J'imagine que ça doit faire partie de son plan : se rendre omniprésent, indispensable. Pour mieux nous détruire ensuite.

— Quand j'y pense, je ne comprends pas ce qui le motive. Pourquoi vouloir notre perte ? Il est le personnage central de l'île, il est parvenu à s'imposer naturellement et personne ne remet son autorité en question ! Que peut-il vouloir de plus ?

— Je ne sais pas.

Ils débouchèrent sur une vaste place, où le toit de lianes qui recouvrait les rues depuis le sommet des immeubles était nettement plus clairsemé ; le soleil perçait par de gros trous et ses rayons dessinaient des mares d'or sur la mousse. Une fontaine décorait le centre de l'esplanade, et à la grande surprise des deux adolescents l'eau y coulait encore. De longues marches conduisaient à l'entrée de ce qui avait dû être un palais de justice : un énorme bâtiment encadré de colonnes et surplombé d'un fronton triangulaire.

Ambre et Matt s'assirent sur la margelle mousseuse de la fontaine et burent de son eau claire. Ambre s'aspergea le visage et contempla la perspective imposante que leur offraient la place et le long boulevard par lequel ils étaient arrivés.

— Six mois déjà et je ne parviens toujours pas à m'habituer à ce paysage. Ces villes vides, rendues à une nature agressive. Personne nulle part. À peine une poignée d'enfants répandus ici et là, dans des villages devenus forteresses pour se protéger.

Matt la couvait du regard. Les gouttes d'eau se confondaient avec les taches de rousseur sur sa peau rose. Un fin duvet blond recouvrait ses traits, *comme sur une feuille de menthe, une feuille à l'odeur capiteuse*, songea Matt en repensant à son parfum. Elle était vraiment belle. Il eut soudain l'irrépressible envie de la

serrer dans ses bras. Au milieu de cette solitude, face aux incertitudes de leur avenir, Ambre incarnait la chaleur de l'espoir, de la
vie. Une envie de partage que Matt voulait goûter pleinement.

Une voix le sortit de son désir :

« ... ce voyage. »

Matt se redressa : l'intonation était ferme, grave, les mots
froissés par des cordes vocales usées. Ce n'était pas un Pan qui
parlait, mais un homme. Un adulte à la voix éraillée.

Des cliquetis métalliques et des pas lourds, étouffés par le
tapis végétal, se rapprochaient.

Des Cyniks.

33

Bonne et mauvaise nouvelles

Ambre et Matt s'accroupirent aussitôt derrière la fontaine
tandis que trois Cyniks entraient sur la place par une ruelle
étroite. Matt releva la tête pour les apercevoir. Ils étaient à dix
mètres à peine.

Tous trois portaient un assemblage de protection en cuir
rigide noir et en ébène, ainsi qu'un casque similaire. *Ils se sont
fabriqué des armures !* s'étonna Matt. Il remarqua l'épée, la masse
d'armes et la hache qu'ils arboraient au ceinturon.

— Qu'est-ce que le gamin dit, alors ? demanda le plus petit
du groupe. Allez, raconte !

— Il ne dit pas, il écrit ! chipota celui qui avait une voix
éraillée.

Ce dernier déroula une petite bande de papier et l'approcha
de son visage pour lire :

*« Pas prêt, n'attaquez pas de suite. Se passe des choses étranges
sur l'île, les Pans ont des pouvoirs. Je dois neutraliser petit groupe*

de meneurs, trois en particulier, pour garantir votre succès. Vous recontacte bientôt, patience. »

— Il se fout de nous ou quoi ? On ne va pas faire poireauter cent bonshommes dans cette jungle pendant encore un mois !

— Ce gosse sait ce qu'il fait, donnons-lui encore un peu de temps. Les gamins ont des… des *pouvoirs* qu'il écrit !

— Jack, c'est des âneries ! Tu sais très bien ce qu'on doit faire de tous ces gamins. On va en capturer le plus possible et on les traînera avec nous au sud. Ils n'ont aucun pouvoir !

— N'empêche. Je suis officier et je dis : on attend le prochain message pour attaquer. On va demander à sir Sawyer ce qu'il en pense, mais je suis sûr qu'il sera d'accord avec moi. Ça peut prendre trois jours ou une semaine, on va attendre ce qu'il faut pour les cueillir sans effort, grâce à ce mouflet ! J'ai pas envie de reproduire ce qui s'est passé à côté de Reston ! On avait sous-estimé les défenses de ces petits morveux je te rappelle, ils nous l'ont bien fait payer et au lieu de les faire prisonniers il a fallu tous les tuer pour emporter leurs corps !

Matt guetta Ambre qui semblait aussi abasourdie que lui. Il se remit à genoux tout près d'elle :

— C'est pour ça que Doug est venu ! chuchota-t-il. Il voulait leur donner le message ! On s'en va ! Vite !

Penché en avant, il s'éloigna en silence, suivi par Ambre. Ils prirent une rue parallèle, retrouvèrent l'épicerie pour se charger de leurs sacs, et parvenaient presque à la station-service lorsque Ambre, essoufflée, prit la parole :

— On ne peut pas sonner l'alarme. Pas tant que tous les complices de Doug ne sont pas démasqués. Notre plan tient toujours. Il faut d'abord les identifier. Ensuite on alertera les Pans et on pourra arrêter les traîtres pendant la nuit. Si on répète maintenant ce qu'on vient d'entendre, Doug ou l'un des siens préviendra les Cyniks qui lanceront l'attaque.

— Tu as raison. J'espère seulement que les trois gars qu'on a vus ne vont pas tomber sur nous pendant qu'on termine de remplir la carriole de Plume !

— On va dire qu'on a vu des Gloutons traîner dans le secteur, tout le monde sera aux aguets et on se hâtera de filer.

Les Pans se retrouvèrent comme prévu sous le toit de la station-service, les sacs à dos lourdement chargés. Ambre et Matt éprouvèrent des difficultés à regarder Doug dans les yeux, ils n'avaient qu'une envie : crier à tous qu'il s'apprêtait à les trahir et à les livrer aux Cyniks. Tobias affichait un sourire fier que Matt ne lui connaissait qu'en de rares occasions, généralement des coups douteux. Il voulut aller le voir mais préféra expliquer qu'ils avaient aperçu un groupe de Gloutons tout près et qu'il ne fallait pas tarder. À l'évocation des mutants tout le monde frissonna. On se hâta d'aller devant le supermarché et de charger la carriole avant de repartir.

Sur le chemin du retour, Tobias se rapprocha de ses deux amis et leur annonça :

— J'ai une bonne nouvelle !

— Et nous, on en a une très mauvaise.

Matt entreprit de relater tout bas ce qu'ils avaient vu et entendu et Tobias devint tout pâle.

— Une attaque ? répéta-t-il, incrédule. On est fichus ! Ils vont nous emporter vers le sud, et on ne nous reverra jamais plus !

— Calme-toi ! Rien de tout ça ne va se produire, on va trouver une solution. Alors c'est quoi ta bonne nouvelle ?

Tobias avait perdu son sourire, il lança, toujours sous l'effet de la peur :

— Travis et moi on s'est séparés pour aller plus vite tout à l'heure. En cherchant un endroit intéressant pour faire mon plein, j'ai vu Doug au loin, avec Arthur. Je les ai suivis, ils faisaient leurs courses normalement jusqu'à ce que Doug devienne méfiant et s'assure que personne ne les espionnait. J'ai bien failli me faire repérer mais j'ai eu le temps de me mettre à couvert. Quand je suis ressorti ils avaient disparu dans un grand magasin de vêtements.

— Tu es allé voir à l'intérieur ? s'enquit Matt, impatient.

— Bien sûr ! Je n'allais pas les lâcher alors qu'ils préparaient un sale coup ! Je les ai retrouvés dans les étages. Tu sais ce qu'ils ont pris ?

— Non.

— Des manteaux à capuche. Identiques à ceux qu'ils portent la nuit quand ils se retrouvent.

Ambre intervint :

— Maintenant on n'a plus aucun doute, Arthur aussi est un des comploteurs.

— Mieux que ça ! triompha Tobias en baissant la voix pour ne pas attirer l'attention du reste du convoi. J'ai récupéré trois manteaux après eux !

— On va pouvoir se mélanger à leur groupe ! comprit Matt.

— Oh ! ça, je ne suis pas certaine que ce soit une bonne idée, tempéra Ambre. Ils vont immédiatement s'en rendre compte !

— Possible, mais je prendrai le risque tout de même. Tu as entendu ce qu'ils disaient : les Cyniks sont aux portes de l'île. C'est une question de jours avant qu'ils ne nous attaquent.

Tobias approuva et dit :

— Avec la fatigue du voyage, Doug et les siens ne se réuniront pas cette nuit, mais dès la suivante on va reprendre la surveillance !

Ambre leva l'index :

— Les gars, je vous rappelle que dans son message Doug explique qu'il doit d'abord neutraliser un groupe de meneurs, trois en particulier. Je suis sûre que c'est de nous qu'il parle.

— À partir de maintenant on ne se déplace plus seuls sur l'île, proposa Matt. S'ils cherchent à nous attaquer ils le feront soit la nuit, soit lorsque nous serons isolés. Tobias et moi, on ne va plus les lâcher d'une semelle pour tenter de tous les identifier. Pendant ce temps, Ambre, tu dois absolument répertorier l'altération de chaque Pan et noter qui la maîtrise plus ou moins. Le moment voulu, on pourra avoir besoin d'eux. Entoure-toi de tous les volontaires pour ne jamais rester seule.

Devant eux, Plume tractait son impressionnant chargement recouvert d'une bâche ficelée.

La faune continuait de piailler dans une forêt si dense qu'elle en devenait sombre. Quelque part, non loin de là, une centaine de Cyniks en armure et lourdement armés attendaient le signal pour lancer l'assaut.

— Tout ça va se jouer à pas grand-chose, murmura Matt. Il ne faut pas commettre d'erreurs.

34

Bonne et mauvaise nouvelles (suite)

L'expédition rentra sur l'île avec le coucher du soleil. Pour ne pas se faire surprendre par la nuit, Doug avait fait accélérer la marche sur les quatre derniers kilomètres, si bien qu'à peine arrivés ils s'effondrèrent, épuisés. D'autres Pans, sous l'impulsion de la jolie Lucy, s'emparèrent des sacs et vidèrent la carriole de Plume qu'on libéra de son attelage. La chienne s'ébroua longuement puis vint renifler Matt, allongé dans l'herbe pour se détendre. Elle le lécha affectueusement et s'éloigna dans la forêt, comme à son habitude.

Calvin tendit la main pour aider Matt à se relever et lui annonça :

— Un Long Marcheur a atteint l'île cet après-midi ! On vous attendait pour qu'il colporte les nouvelles du monde. Venez, on se réunit dans la grande salle en ce moment.

Les huit membres de la randonnée furent installés sur des bancs au premier rang. Le Long Marcheur était un garçon de seize ou dix-sept ans avec de longs cheveux châtains, un nez tordu et des doigts fins couverts de petites plaies. Il avait une longue balafre très récente sur le haut du front et répondait au nom de Franklin.

— C'est décidément une occupation à risque, souffla Matt à ses deux camarades qui ne bronchèrent pas.

Tobias était épuisé et Ambre, fascinée.

Le Long Marcheur demanda le silence en levant les mains et, lorsqu'il l'eut obtenu, il déclara :

— Voici donc les chroniques du monde nouveau, mes amis, il y a autant d'inquiétude que de réjouissance dans ce que je vous amène, sachez-le. Pour commencer, les premiers champs cultivés ont donné quelques légumes ! L'agriculture ne prend pas partout mais c'est la preuve que c'est possible ! J'y reviendrai en détail tout à l'heure, cependant je voudrais aborder *la* nouvelle : cinq sites panesques se sont regroupés ces dernières semaines, loin à l'ouest, pour fonder notre première cité. On totaliserait plus de cinq cents personnes ! Et d'autres arrivent ! C'est le plus grand de tous nos sites recensés, et il s'appelle désormais : Éden.

— Qui a choisi le nom ? demanda Tiffany.

— Le conseil du village. Ils se sont organisés pour désigner un représentant de chaque site originel afin d'avoir un conseil qui fasse office d'autorité. Tout ça est neuf, il faut en étudier les avantages et les inconvénients, mais il est possible que d'autres villages de grande taille se créent ainsi au gré des sites qui se rassembleront. Vous êtes bien protégés sur cette île, ce n'est pas le cas de tous. À ce sujet... (Il marqua une pause pour boire.) J'ai une mauvaise nouvelle. Un site très au nord a été détruit. Il ne s'agit pas de Gloutons, d'après les rares rescapés, mais d'une tempête d'éclairs, et puis une forme noire a surgi dans leur camp. Elle a attaqué les Pans qui se mettaient sur son chemin, jusqu'à fouiller chaque recoin. Les survivants pensent qu'elle cherchait quelque chose.

Matt se redressa sur son banc. Cette description le mettait mal à l'aise.

— Une forme noire ? Sait-on ce que c'était ? interrogea Patrick, un Pan du Centaure.

— Non. L'attaque a été foudroyante, cinq minutes à peine. Lorsque la forme noire a disparu, elle avait tué la plupart des Pans. Le Long Marcheur qui a vu les corps ne s'en est pas remis. Il paraît qu'ils avaient les cheveux blancs, la peau ridée et étaient tous morts en hurlant, figés dans ce dernier cri. Des enfants au visage de vieillards terrorisés.

Cette fois, Matt sentit revenir son vertige, son souffle s'accéléra. Il savait ce qu'était cette forme noire. Ça ne pouvait être que lui, le Raupéroden. *Non, non, non ! C'est un rêve, il n'existe pas vraiment, c'est impossible !*

— Matt ? Ça va ? s'inquiéta Ambre en se penchant vers lui. Tu trembles !

Il déglutit longuement pour retrouver son rythme cardiaque, avant de hocher la tête.

— L'épuisement, c'est tout, mentit-il.

Franklin, le Long Marcheur, poursuivait :

— On n'en sait pas plus sur cette forme noire. Le site qui est le plus au nord affirme avoir aperçu des éclairs dans la forêt, trois jours avant mon passage chez eux, mais rien d'autre.

— C'est le site le plus proche du nôtre ? interrogea Colin, le doyen de l'île, à l'acné ravageuse.

— Oui, à environ trois jours de cheval. Et puis nous continuons d'en apprendre plus sur le sud. Deux Longs Marcheurs sont revenus et ont vu des armées de Cyniks, des groupes de cent hommes chaque fois, avec d'immenses chariots tirés par des ours, des chariots recouverts par une cage en bois de plus de dix mètres de hauteur ! Ces cages sont pleines de Pans.

Une clameur à la fois indignée et effrayée jaillit dans la salle. Le Long Marcheur imposa le silence en levant à nouveau les bras pour continuer :

— Tout aussi troublant, les Longs Marcheurs affirment tous les deux que le ciel au sud-est est... rouge ! Tous les jours, du matin au soir, du soir au matin, ça ne change pas, un rouge flamboyant, vif et inquiétant. Les chariots partent dans cette direction, il semblerait que les Cyniks vivent quelque part sous ce ciel infernal.

Une heure plus tard, lorsque le Long Marcheur eut terminé, Matt accompagna ses amis à la cuisine pour manger, ils étaient affamés. Lui ne toucha guère à son assiette. Cette histoire d'ombre au nord et d'attaque lui nouait l'estomac. Il ne parvenait pas à se détacher de son intuition. Le Raupéroden existait vraiment et il se rapprochait, tuant toute opposition sur son passage. *Mais pourquoi me cherche-t-il, moi ? Peut-être qu'il existe mais que dans la réalité il ne me cherche pas... Il me veut dans mes rêves, uniquement dans mes cauchemars.* Matt se raccrochait à tout et n'importe quel espoir sans tout à fait y croire.

Ambre le fit sortir de ses pensées après avoir englouti une assiette de pâtes :

— Les Cyniks se déplacent en groupes de cent hommes, ça ne vous dit rien ? Je suis sûre que ceux qui sont dans la forêt au-dessus de notre île ont également l'un de ces énormes chariots. J'échangerais mon altération pour découvrir ce que les Cyniks font avec nous ! Pourquoi enlèvent-ils tous les Pans pour les emmener au sud ?

— Moi, j'aime autant ne pas savoir, protesta Tobias, ça voudra dire que je suis encore ici en bonne santé plutôt que dans leurs saletés de cages !

— Et toi, Matt, qu'en penses-tu ? demanda Ambre.

L'intéressé haussa les épaules :

— Je ne sais pas. J'en pense rien. On a d'autres préoccupations, je crois. En parlant d'altération, tu as eu vent de résultats positifs ?

Ambre secoua la tête, l'air soudain contrariée.

— Non, rien de nouveau, tous les Pans concernés continuent de travailler, avec plus ou moins de réussite, rien de nouveau en tout cas. De mon côté, je m'entraîne tout le temps et je ne la contrôle pas du tout ! Parfois je sens que je suis à deux doigts d'obtenir un résultat et puis non ! Il ne se produit rien. C'est rageant !

— Et cette histoire de troisième faction, qu'est-ce qu'on en fait ? grogna Tobias.

— C'est pas notre priorité, déclara Matt.

— C'est un ou des assassins tout de même ! répliqua Ambre. Dois-je rappeler que cette faction a tenté de nous faire tomber un énorme lustre sur le crâne ?

Matt se leva.

— On n'a absolument rien pour enquêter sur cette mystérieuse faction. Je vais me coucher, avec Tobias on va dormir dans la même chambre désormais, pour plus de sécurité. Tu peux en faire autant avec une des filles de l'Hydre en qui tu as confiance ?

— Sans problème, Gwen sera ravie. Depuis que je lui parle de son altération avec l'électricité elle n'aime pas dormir seule.

— Parfait, conclut Matt. Une nuit de repos et demain on passe à l'action. Il faut démasquer tous les complices de Doug, le temps presse.

Et songeant à cette forme noire qui sillonnait les bois, plus qu'un sentiment d'urgence, une angoisse sourde s'empara de Matt.

35

Confusion

Cette nuit-là, Matt se réveilla à plusieurs reprises, transpirant, le cœur affolé, la bouche sèche. Il n'avait aucun souvenir de son cauchemar, mais peu de doutes sur son origine. Le Raupéroden le hantait.

Le lendemain il s'arrangea avec Tobias pour avoir un œil sur Doug, bien qu'ils ne pussent réellement le surveiller sans attirer son attention. Pendant ce temps, Ambre faisait défiler tous les Pans volontaires à la rotonde pour parler avec eux de l'altération.

Le soir, ils partagèrent un coin de table pour dîner, Ambre leur confia qu'elle avait répertorié huit cas où l'altération se manifestait sans équivoque. Les uns et les autres lui faisaient de plus en plus confiance, ils venaient vers elle comme vers un médecin, et propageaient autour d'eux cette bonne nouvelle. À ce rythme-là, elle pourrait inventorier toutes les altérations de l'île en deux semaines.

— J'ai vu le petit Mitch tout à l'heure, je crois qu'il développe une capacité d'analyse hors du commun, déclara-t-elle. Il passe son temps à dessiner ce qu'il voit, et il a une mémoire visuelle comme je n'en ai jamais vu. Il existe bien un lien entre l'altération qu'on développe et ce qu'on fait au quotidien. Notre cerveau se contente d'améliorer la partie la plus sollicitée, il réagit à la manière d'un muscle !

— Rien concernant des pouvoirs qui nous serviraient en cas d'attaque ? demanda Matt.

— Non, pas vraiment. Il va me falloir encore du temps. Et ne dis pas « pouvoir », rien de magique là-dedans.

— Excuse-moi, j'ai parlé sans réfléchir. Rien d'autre ?

— Non, enfin si : j'ai rencontré une fille du Capricorne, Svetlana, il se pourrait qu'elle puisse manipuler de faibles courants d'air. Et le grand Colin est aussi venu, il est inquiet de l'altération, je pense qu'il se rend compte qu'il change lui-même, pourtant il n'a pas voulu m'en dire plus.

— Colin, c'est bien le plus âgé de l'île ? s'assura Matt. Un grand châtain avec des boutons sur les joues ?

— Oui, c'est lui, il s'occupe de la volière. Il est un peu godiche parfois mais il finira par me parler, lorsque son altération deviendra évidente. Je vous tiendrai au courant. Ah, j'allais oublier : j'ai parlé avec Tiffany, de la Licorne, elle m'en a dit un peu plus sur cette Claudia qu'elle connaît. Il paraît qu'elle est sympa et néanmoins mystérieuse, elle ne cause pas tellement et surtout il lui arrive de sortir de sa chambre la nuit.

Les parquets grincent pas mal, donc ça s'entend. Mais Tiffany ne sait pas où elle va, elle suspecte Claudia de voir un garçon, j'ai rien dit bien sûr. En tout cas il est évident que Claudia est du complot.

Gwen vint se joindre à eux pour le dessert, elle avait de longs cheveux blonds et Tobias frissonna en les imaginant tendus tout droit vers le plafond lorsqu'elle dormait. Puis les deux filles partirent ensemble pour l'Hydre et les deux garçons montèrent dans la chambre de Tobias. Là ils bavardèrent pendant une bonne heure et demie, le temps que les lumières du manoir s'éteignent. Ils parlèrent de leurs parents qui leur manquaient, des copains, se demandant s'ils avaient survécu à la Tempête, où ils pouvaient bien être désormais. Et c'est le cœur lourd de mélancolie qu'ils finirent par enfiler les manteaux à capuche que Tobias avait rapportés, pour se fondre dans les ombres des couloirs.

Leur plan était somme toute très simple : sillonner le Kraken pendant la nuit en espérant apercevoir Doug ou ses complices pour les approcher au plus près et les identifier. Cette stratégie n'était pas très fine, dangereuse, et reposait sur une part énorme de chance, mais ils n'avaient pu trouver mieux. L'opération la plus délicate consisterait à les approcher sans se faire repérer et, s'ils se faisaient prendre, à pouvoir fuir en profitant de leur déguisement pour semer la confusion et dissimuler leur propre visage.

Ils marchèrent dans les couloirs froids pendant plus d'une heure, traversant les halls, les salles au parquet craquant, sous les regards inquisiteurs des tableaux, des têtes d'animaux empaillés ou des armures qu'ils espéraient vides. Tobias tenait une lampe à huile dans la main, bien qu'il la gardât éteinte, se repérant à la clarté de la lune qui filtrait par les hautes fenêtres.

— Tu crois qu'ils vont sortir cette nuit ? demanda Tobias, à bout de patience.

— Comment veux-tu que je le sache ?

— J'en ai marre de tourner en rond.

— On ne tourne pas en rond, le Kraken est tellement grand qu'il faudrait marcher jusqu'à l'aube avant d'en faire le tour complet !

— Justement, ils sont peut-être dans les étages supérieurs et nous on reste en bas depuis le début !

— S'ils doivent agir cette nuit, ils passeront par là, c'est le chemin vers le fumoir et le passage secret.

Tobias n'était pas convaincu. Ils errèrent encore pendant une heure avant que le petit hyperactif ne vienne s'affaler dans un fauteuil du salon.

— Pause, déclara-t-il.

Matt vint s'asseoir en face de lui.

— Il doit être plus de minuit, annonça-t-il. S'ils ne sortent pas bientôt, je pense qu'on pourra retourner se coucher pour cette nuit.

Un nuage noir passa devant la lune et la luminosité dans la pièce chuta d'un seul coup.

— C'est flippant, gloussa Tobias, on se croirait dans un vieux film d'horreur quand ça fait ça !

Matt contempla le ciel obscur à l'extérieur.

Le nuage devant la lune grouillait et palpitait, incapable de rester en place.

Il vint se coller à la vitre.

— C'est pas un nuage, souffla-t-il. Ce... ce sont des chauves-souris ! Je les ai déjà vues l'autre soir !

— Elles sont des centaines ! avertit Tobias, la voix brisée par l'inquiétude. Qu'est-ce qu'elles font ?

La nuée se mit à tournoyer, puis fondit vers le manoir du Capricorne avant de changer de cap au dernier moment et de survoler le Centaure où elles décrivirent de larges cercles.

— Elles cherchent une ouverture, révéla Matt. Elles ont fait la même chose l'autre nuit. Je crois qu'elles veulent entrer dans nos manoirs.

— Pour quoi faire ?

— Je ne sais pas, mais elles n'ont pas l'air très amicales, si tu veux mon avis. Ce fameux soir, trois de ces bestioles ont essayé de me foncer dessus.

— Faudrait prévenir les autres Pans, qu'ils ferment toutes les ouvertures possibles au crépuscule.

Matt ouvrit la bouche pour répondre lorsqu'une voix claqua dans la pièce juste derrière eux :

— Ah, vous êtes là ! Allez, on se dépêche !

Matt reconnut aussitôt ces intonations. Il se tourna et vit Doug qui leur fit signe de le suivre d'un mouvement de la main.

— Venez, on a beaucoup à faire, ordonna-t-il. Regie et Claudia nous attendent.

Sur quoi il disparut dans le corridor.

— Il n'a pas vu nos visages, murmura Matt.

— Alors on file, viens, on peut encore lui échapper en passant par l'escalier de la tour ouest.

Matt rattrapa son ami par le poignet.

— C'est notre seule chance, déclara-t-il. On peut les approcher de très près.

— Et se faire tuer dès qu'ils s'apercevront qu'on n'est pas ceux qu'ils croient !

— Si on ne fait rien, Doug enverra le signal aux Cyniks et ils détruiront cette île. Veux-tu finir dans une cage en partance pour le sud et son ciel rouge ? C'est maintenant qu'il faut agir !

Tobias soupira.

— Je déteste quand tu es lucide, railla-t-il.

— Garde bien la tête dans le fond de ta capuche, qu'on ne puisse pas te reconnaître.

Et ils s'empressèrent de suivre Doug.

En arrivant dans le couloir des armures, Matt et Tobias virent deux silhouettes qui attendaient : Claudia et Regie. À peine en bas des marches, Doug actionna l'ouverture du passage.

— Arthur, allume ta lampe, commanda-t-il.

Matt comprit qu'il s'adressait à Tobias et lui envoya un coup de coude discret. Tobias bafouilla et émit un grognement qui signifiait « oui » avant de s'exécuter en prenant soin de dissimuler la couleur de ses mains. Lorsque la flamme prit en assurance dans son bocal de verre, Tobias tint sa lampe sur le côté afin de ne pas chasser les ombres qui recouvraient son visage. Regie, qui portait une autre source de lumière, ouvrit la marche tandis que Matt et Tobias la fermaient.

Ils remontèrent tout le souterrain, prenant soin d'enjamber le fil qui déclenchait le piège de la cage, et ils accédèrent au manoir du Minotaure. Ils grimpèrent au premier étage, passant de salle en salle comme s'il n'y avait aucun risque, et Tobias se pencha vers son ami :

— Tu as vu ? Ils n'ont pas l'air de craindre le monstre.

— La première fois que je les ai surpris, Doug expliquait qu'il connaissait son cycle, il le nourrit, et il ne semblait pas en avoir peur, je m'en souviens : il a dit qu'il dormait à cette heure.

Doug désigna une porte et lança :

— Arthur et Patrick, occupez-vous de trouver des sangles dans la remise, il devrait y en avoir, nous, on va mettre la main sur des seringues propres.

Tobias fixa Matt :

— Des seringues ? répéta-t-il.

— Matt ne se laissera pas faire, continua Doug avant d'entrer dans la pièce d'à côté. Il nous faut des sangles solides.

La porte se referma sur le trio et Matt poussa Tobias dans la remise en question.

— Je ne sais pas ce qu'ils ont prévu mais il a raison sur un point : je ne vais pas me laisser faire !

Une forte odeur de poussière leur chatouillait le nez. Ils s'intéressèrent au décor et Matt faillit hurler en découvrant qu'un visage au regard mort le fixait dans les yeux à cinquante centimètres. Il recula et découvrit qu'il s'agissait d'un mannequin comme ceux qu'on pouvait voir dans les vitrines de magasins. Derrière, des dizaines de bibelots étaient amassés sur des étagères, des cartons rangés le long d'un mur et un bric-à-brac incroyable s'entassaient dans le fond. Selles de cheval, jeux de casino en plastique, une vieille guitare et même une tenue de scaphandrier qui datait au moins du début du xxe siècle. Matt remarqua qu'il lui manquait les chaussures.

— Tu sais qui est ce Patrick ? C'est pas un grand blond assez discret ?

Tobias hocha la tête :

— C'est lui. Il vit au Centaure, il doit avoir dans les quatorze ans, il ne cause pas beaucoup, par contre c'est un de nos meilleurs pêcheurs !

— En tout cas, ça en fait un de plus sur la liste.

— Qu'est-ce qu'on va faire ? On ne peut pas rester ici plus longtemps, ils vont s'en rendre compte !

Et comme pour le confirmer, des voix résonnèrent dans le couloir :

— Doug ? C'est nous ! Arthur et Patrick. Vous êtes là ?

Matt se crispa.

— On est piégés, dit-il.

Tobias répliqua :

— Dis pas ça ! Ça ne te ressemble pas de partir vaincu.

Matt inspira profondément en fixant le plafond pour réfléchir.

— Je sais, soupira-t-il. C'est juste que… je suis fatigué de tout ça ! À croire que ce n'est pas assez dur depuis que le monde a changé, il faut aussi qu'on se trahisse entre nous !

Tobias vint coller son oreille à la porte et murmura :

— Ils sont juste là ! Dans le couloir.

Soudain, Tobias se redressa d'un bond. Le plancher craqua de l'autre côté de la porte.

La poignée bougea, et commença à descendre.

Matt retrouva toute sa lucidité et le sang-froid qui le caractérisait dans les situations tendues : il se pencha et tourna le loquet du verrou en faisant le moins de bruit possible.

On tenta d'ouvrir la porte mais elle ne bougea pas.

— Ils ne sont pas là, fit une voix dans le couloir.

Tobias recolla son oreille au montant et finit par dire :

— Ils ont filé. C'est maintenant ou jamais.

Les deux compagnons sortirent, lampe à la main.

— Où vas-tu ? s'étonna Tobias, la sortie est par là !

— Je sais, mais si on s'enfuit on n'en saura jamais davantage sur ce qui se trame ici ! Le temps presse, Toby, il faut le découvrir cette nuit ! Et je ne vais pas rentrer sagement dans mon lit pour attendre les sangles et la seringue !

Tobias fit une grimace désespérée, il baissa les épaules et Matt l'entraîna sur les traces de Doug.

36

Manipulation

Matt et Tobias se guidèrent grâce aux voix qu'ils entendaient. Doug et les siens étaient dans une vaste cuisine, Arthur et Patrick les avaient rejoints et Claudia parlait :

— Qui que ce soit, ils sont venus jusqu'ici avec nous, il faut agir tout de suite !

— Regie, aboya Doug, tu fonces rejoindre Sergio !

— Le… le Minotaure ? fit le benjamin de la famille.

— Oui. Qu'il bloque l'accès à l'observatoire, je ne veux pas qu'ils montent ! Arthur va vous accompagner. Claudia, tu vas dans la remise du bas, cherche une très grosse clé avec laquelle tu iras fermer la porte de l'observatoire. Pendant ce temps je vais verrouiller le passage secret pour qu'ils ne puissent plus sortir.

Matt tira Tobias en arrière :

— Ils vont organiser une chasse à l'homme dans tout le manoir…

— Ils vont surtout libérer le Minotaure ! chuchota Tobias à toute vitesse. Cette fois on disparaît tant que c'est encore possible !

— Non, on reste ! On vient de découvrir que Sergio faisait partie du groupe ! On est sur la bonne voie et je veux savoir ce qu'ils cachent là-haut, dans l'observatoire, qui semble si important.

Matt lui fit signe de le suivre tandis qu'une porte claquait plus loin. *Regie et Arthur*, devina Matt. Il n'y avait plus une seconde à perdre. Matt se mit à trottiner, suivi par Tobias. Il ignorait comment rejoindre l'observatoire dans ce fouillis de couloirs, de salles obscures et d'escaliers mais ne doutait pas qu'avec un peu d'acharnement il trouverait un accès. Ils passèrent plusieurs fois devant des fenêtres et Matt dut dire à Tobias de baisser sa lampe, ils allaient se faire repérer. Ils montèrent dans trois tours sans qu'aucune soit la bonne. Matt présumait qu'ils n'étaient plus très loin lorsque soudain le sol se mit à trembler, des pas lourds et lents ébranlaient les murs. Il comprit aussitôt qu'il s'agissait d'une démarche, celle du monstre.

— Il vient vers nous ! gémit Tobias en regardant autour de lui. Il vient vers nous !

— Il a dû voir la lueur de notre lampe, viens !

Matt s'élança dans une grande salle au carrelage noir et blanc, ils se faufilèrent entre les tables et les chaises de réception pour pousser une porte qui donnait sur un nouveau couloir.

— Est-ce que tu sais où on va ? questionna Tobias, la voix tremblante.

Matt ne répondit pas. Le monstre n'était pas loin, il pouvait sentir le sol vibrer sous ses semelles chaque fois que le Minotaure posait un sabot par terre. Matt hésita entre la droite et la gauche. Le dédale l'avait déboussolé.

Les pas résonnèrent juste derrière eux, Tobias se tourna et interpella son ami. À l'entrée de la grande salle, un nuage de poussière se souleva et il apparut : haut de plus de deux mètres, un corps d'homme dominé par une tête de taureau, avec des cornes immenses, le Minotaure les contemplait depuis sa pénombre.

Matt poussa sur ses cuisses et se mit à courir, courir pour

fuir, courir pour survivre. Il dépassa une série de portes fermées, bifurqua sans se soucier de son orientation au carrefour suivant et commença à réaliser qu'ils étaient piégés, quand il aperçut Claudia face à lui, à l'autre bout du couloir dans lequel ils venaient de s'engager. Elle les vit en même temps et tous s'immobilisèrent. Ses cheveux bruns, bouclés, lui tombaient de part et d'autre du visage. Elle les toisa d'un regard sombre. Ses prunelles se déportèrent vers une porte à mi-chemin et la jeune fille agita nerveusement une grosse clé qu'elle tenait dans la main. Matt suivit son regard et en déduisit que c'était l'entrée de l'observatoire qu'elle était supposée fermer.

Quoi qu'il puisse y avoir au sommet, Doug voulait à tout prix le tenir secret. Matt et Claudia se dévisagèrent. Et soudain Claudia fonça vers la porte. Matt fit de même, il se précipita en forçant sur les muscles de ses jambes, ses bras se mirent à fouetter l'air.

Sans bien savoir s'il courait plus vite que Claudia ou si c'était là un autre effet de son altération musculaire, Matt sut très vite qu'il arriverait avant elle.

La porte se rapprochait. Cependant, Tobias ne pouvait courir aussi vite que lui, ils ne pourraient pas atteindre la porte ensemble avant Claudia. Et Matt refusa d'abandonner son ami.

Alors il opéra un très subtil changement dans sa course et au dernier moment, juste avant d'atteindre le renfoncement convoité, Matt se projeta sur Claudia qu'il plaqua violemment contre le mur. La jeune fille, sonnée par l'impact, cligna les yeux avant de comprendre ce qui venait de se produire. Le souffle de Matt repoussa les mèches brunes qui dissimulaient le visage à la peau bronzée.

Matt lui tenait les poignets contre la pierre froide.

— Qu'est-ce… qu'est-ce que vous… cachez, là-haut ? dit-il tout essoufflé.

Claudia voulut le repousser mais il la tenait fermement. Tobias arriva derrière eux et ouvrit la porte.

— Viens ! dit-il.

Matt l'ignora pour se concentrer sur la jeune fille. Il était si près d'elle qu'il pouvait sentir le parfum de sa peau, sucré et fleuri en même temps. Une étrange sensation de chaleur se diffusa dans son ventre et il tenta aussitôt de l'écarter de son esprit.

— Dis-moi, insista-t-il. Pourquoi voulez-vous nous interdire l'observatoire ?

Le martèlement des pas du Minotaure se rapprochait, comme s'il hésitait sur la direction à suivre.

— Par ici ! hurla Claudia. Ils sont ici !

Matt ne sut que faire, il ne se sentait pas capable de la frapper pour la faire taire. Était-ce parce que c'était une fille ou tout simplement parce qu'il n'avait pas assez de violence en lui pour frapper quelqu'un froidement ?

— Pourquoi vous nous faites ça, hein ? demanda-t-il sans cacher la colère qui bouillonnait en lui.

Le monstre se rapprochait.

— Viens, vite ! supplia Tobias.

Le Minotaure entra dans le couloir, la démarche plus lente, le pas difficile. Matt put voir ses épaules se soulever en cadence, il semblait exténué. Un souffle rauque jaillissait de ses naseaux, et s'il était hésitant, ses cornes longues et pointues demeuraient aussi menaçantes.

C'est alors que Matt remarqua un détail dans son apparence. Il portait un pantalon de toile épais et, à la place des sabots, il traînait deux lourdes chaussures de plomb. *Celles du scaphandre de la remise !* Son pantalon tenait avec des bretelles, et seuls ses bras nus étaient apparents, le reste était dissimulé sous une veste en cuir tanné, usée par les années et dont on avait coupé les manches. Le Minotaure soufflait mais ne grognait pas. Maintenant qu'il se rapprochait, Matt vit qu'il ne changeait pas d'expression : la gueule figée dans la même et unique attitude neutre.

Il s'agissait d'un trophée.

Une tête empaillée dont on avait vidé la bourre pour s'en faire un masque.

Le Minotaure n'était qu'un leurre. Sa poitrine était gonflée. *Les jambes d'un jeune Pan juché sur les épaules d'un plus costaud. Regie et Sergio, à coup sûr!* On les avait manipulés depuis le début.

Doug et ses comploteurs avaient fait en sorte d'éloigner tout le monde de ce manoir. *Pour vous livrer à votre sinistre besogne, pas vrai? Pour préparer l'attaque des Cyniks! Mais alors, que cachez-vous là-haut? Quel genre d'arme avez-vous mis au point?*

Des bruits de pas se rapprochèrent, Doug et Patrick apparurent.

Même si le Minotaure n'existait pas, ils étaient trop nombreux pour eux. Matt arracha la clé des mains de Claudia, la repoussa et se précipita derrière Tobias pour verrouiller la porte dans la foulée.

— Voilà qui devrait les tenir à distance un petit moment, soupira-t-il.

— Et nous? Comment on va faire pour sortir maintenant?

Matt leva la tête et découvrit qu'ils étaient au pied d'un large escalier à vis.

— Nous, répéta-t-il distraitement, on va monter tout en haut.

À mi-parcours, Tobias imposa une pause tant ses muscles des mollets et des cuisses brûlaient. La tour était haute, il n'y avait plus aucun doute: ils étaient dans l'observatoire. En bas la porte se mit à vibrer. Ils essayaient de l'enfoncer. Matt estima que ça leur prendrait un peu de temps, elle avait paru bien solide. Les derniers mètres furent vraiment difficiles, même pour lui qui ressentait assez peu l'effort depuis le départ. Ils atteignirent le sommet hors d'haleine, les jambes tremblantes.

Mais le spectacle leur fit retrouver tous leurs esprits.

Une impressionnante coupole sur rails coiffait la tour, ouverte d'un quart sur les étoiles pour qu'un télescope de la taille d'un camion de pompiers puisse les ausculter.

Les murs disparaissaient sous les tranches multicolores de centaines de livres, et un bureau couvert de cahiers trônait au milieu. Une lampe à huile brûlait timidement, suspendue à une molette du télescope.

— La vache ! laissa échapper Tobias.

Ils s'avancèrent dans l'imposante pièce pour distinguer des tableaux qu'une fine écriture à la craie avait décorés.

Matt perçut un frottement derrière lui et se retourna. Ça ne pouvait pas être les autres, pas si vite.

Son regard mit une seconde avant de comprendre et de se lever.

Le visage n'était pas à la hauteur qu'il attendait.

Et pour cause : un adulte d'un mètre quatre-vingt-dix leur barrait le chemin de l'escalier.

Un Cynik qui entrouvrit les lèvres pour dévoiler ses petites dents jaunes en guise de sourire.

TROISIÈME PARTIE

Les Cyniks

Le Grand Secret

Matt eut le réflexe de repousser Tobias derrière lui et de se préparer au combat. Il n'avait jamais su se battre, à l'école il avait toujours tout fait pour éviter les conflits et, les rares fois où il avait dû se servir de ses poings, il s'était fait casser la figure. Mais tout était différent désormais. Et Matt se savait plus enclin à tenir tête à ce Cynik que Tobias.

Il leva les mains devant lui, se mit en une position de garde, qu'il calquait sur ses souvenirs de films, et s'assura d'être bien stable sur ses deux jambes.

— Je vous préviens, dit-il d'une voix qu'il aurait voulu plus virile et plus menaçante, si vous faites un pas, je vous enfonce le nez dans la tête.

Le Cynik perdit un peu de son sourire que Matt jugeait provocateur et mit les mains sur ses hanches.

— Allons donc, s'indigna-t-il, en voilà des manières ! Est-ce que c'est Doug qui vous envoie ?

— On sait tout de ce que vous et Doug tramez pour livrer l'île à vos amis.

Le Cynik fronça le visage dans une attitude presque outrée :

— De quoi parlez-vous ? Quels amis ? Je suis Michael Carmichael, et vous êtes sur *mon* île, jeune homme, alors je vous saurais gré de témoigner un peu plus de respect à votre hôte si le vieillard que je suis n'en incite aucun ! Où donc sont passées les politesses ?

Moment de flottement. Matt et Tobias s'observèrent avant que le premier n'ose demander :

— Vous êtes là depuis le début ?

— Oui, je n'ai jamais quitté mon manoir.

— Mais... pourquoi... pourquoi n'êtes-vous pas...

— Agressif comme les autres adultes ? Figurez-vous qu'il m'est arrivé un drôle d'accident le soir de la Tempête. Mais si vous commenciez par me dire ce que vous faites ici ?

Matt jeta un bref coup d'œil vers l'escalier.

— Doug et ses camarades vous protègent, c'est ça ? devina-t-il.

— Oui. Compte tenu des agressions et des enlèvements commis par tous les Cyniks, comme vous les appelez, beaucoup d'enfants ont juré de massacrer tout ce qui ressemblerait de près ou de loin à un adulte. Doug et Regie ont pris peur, ils ont estimé préférable de me tenir caché ici, en attendant le bon moment pour me présenter à tous.

— Vous vous terrez depuis six mois ! s'exclama Tobias.

— Oui. Oh, on ne peut pas dire que ça change de ma vie d'avant, je peux dormir une partie de la journée et observer le ciel en soirée. Doug et ses amis me montent à manger tous les jours, à tour de rôle. C'est mieux que la maison de retraite !

Il tendit la main pour les inviter à passer dans un coin de l'observatoire où deux canapés se faisaient face, près d'une cheminée. Matt s'excusa et se dirigea vers l'escalier :

— Je vais aller ouvrir à Doug et aux autres, je crois qu'on a besoin de parler.

Confortablement assis dans les canapés, toute la bande de Doug – Sergio et Regie avaient retiré leur déguisement – encadrait Tobias et Matt. En voyant la monumentale tête cornue à leurs pieds, Matt se rappela les emplacements vides sur les murs de la salle des trophées, les clous abandonnés. Regie confirma que la tête venait de là. Les chaussures du scaphandre suffisaient à provoquer une démarche lourde et impressionnante.

Michael Carmichael, qui se déplaçait très lentement, déposa six tasses de thé fumant sur la table basse :

— Il faudra vous les partager, je n'ai pas assez de tasses, dit-il de sa voix de baryton.

Puis il alla s'asseoir avec un soupir d'épuisement dans un fauteuil roulant.

— Pourquoi vous avoir gardé ici pendant si longtemps ? demanda Matt qui ne parvenait pas à imaginer qu'on puisse rester enfermé ainsi des mois durant.

— Si tu avais entendu les propos que tenaient certains Pans à leur arrivée ici, déclara Doug. La plupart ont vu leurs copains se faire attaquer, massacrer par des Gloutons ou des Cyniks. Leur colère était contagieuse, elle est seulement en train de retomber.

Tobias haussa les épaules :

— Mais puisqu'il est… inoffensif.

Carmichael gloussa en entendant ce mot. Doug enchaîna :

— J'ai abordé le sujet plusieurs fois, et on me dit toujours la même chose : on ne peut plus faire confiance aux adultes, ils sont tous fourbes, dangereux. Dès le début j'ai compris que ça prendrait du temps avant qu'on puisse apaiser le souvenir des massacres. Et puis… oncle Carmi aime bien sa nouvelle vie !

L'intéressé approuva vivement de la tête et précisa :

— Personne pour m'ennuyer, tout mon temps pour me consacrer à ma passion et des centaines de nouveaux défis à relever !

Matt hocha la tête. Le prodigieux savoir de Doug inspirait soudainement moins d'admiration : il provenait de son oncle ! Quand on lui posait une question, il n'avait qu'à la transmettre au vieil homme qui, sage et savant, lui donnait la réponse le soir même.

— C'est vous qui avez développé cette théorie de l'impulsion, n'est-ce pas ? interrogea Matt. Quand Ambre va l'apprendre, elle sera tout excitée !

— Ambre, c'est cette jeune fille dont tu m'as parlé, Doug ? Je suis impatient de la rencontrer, j'avoue être particulièrement admiratif de son hypothèse sur l'altération !

— Et le *Livre des Espoirs*, il existe vraiment ?

Carmichael émit un petit rire sec avant de pivoter avec son siège roulant jusqu'à son bureau. Il attrapa un petit livre à couverture blanche.

— Le voilà, le fameux *Livre des Espoirs* !

Matt le prit et lut : *Guide de survie – comment s'adapter en tout milieu et développer son microcosme de survie*, par Jonas Sion.

— Un banal guide de survie ? railla Matt.

— Eh oui ! fit Carmichael non sans ironie. Truffé de bons conseils pour lancer une agriculture, recueillir de l'eau ou chasser.

— Je m'étais attendu à quelque chose de plus…

— Imposant ?

— Oui, je m'étais imaginé une sorte de… bible, un livre sacré, ou le témoignage d'un sage !

— Non, rien de tout cela. Cette société repart de zéro, mon petit, le divin aura peut-être sa place, mais plus tard. L'heure est au pragmatisme avant tout. À la survie.

Tobias, lui, en était resté au mystère du Minotaure et à toute cette mascarade.

— Alors le manoir n'a jamais été hanté ? dit-il, presque déçu.

— Non, c'était Sergio et Regie sur ses épaules qui jouaient le rôle du Minotaure, confirma Doug. Arthur courait derrière avec un énorme soufflet de cheminée pour faire croire à un souffle colossal.

— Et la fumée verte qu'on apercevait parfois ?

— Une simple réaction chimique en mettant deux produits en contact.

— Mais vous sembliez prêts à nous faire disparaître !

Doug ricana.

— Tu nous as pris pour des assassins ou quoi ? s'écria-t-il sans réelle indignation. On fait tout pour préserver notre secret, pour que l'oncle Carmichael ne soit pas en danger. C'est pour ça qu'on a confisqué presque toutes les armes de l'île. On compte bientôt dévoiler son existence. Il faut que tous les Pans soient conquis, pour éviter la discorde. Mais jamais on n'aurait tué qui que ce soit ! Claudia et Patrick se sont doutés de quelque chose, on a été obligés de leur expliquer.

— Combien êtes-vous au final ? demanda Matt.

— Sept. Nous six plus Laurie, une fille de la Licorne. Au départ il n'y avait que Regie et moi, on a commencé à dessiner des symboles effrayants un peu partout sur les portes extérieures du manoir, puis les autres se sont joints à nous au gré de nos besoins ou de leur perspicacité à découvrir qu'on cachait quelque chose. Un peu comme vous, d'ailleurs, on a eu de la chance de vous apercevoir la fois où vous êtes entrés dans le manoir du Minotaure. On a pu faire diversion et vous faire fuir. De temps en temps, l'un d'entre nous vous surveillait mais pas tout le temps, on se serait fait démasquer.

— Et cette énorme porte renforcée ? C'est vous aussi ? s'étonna Tobias.

— Juste les dessins mystérieux, pour le reste, c'était déjà là avant ! Mon oncle s'est fait construire un bunker !

— On n'est jamais trop prudent, fit le vieil homme.

Matt tourna la tête vers lui :

— Si vous, vous êtes toujours comme avant, alors on peut supposer que d'autres adultes ne sont pas devenus agressifs !

Carmichael eut l'air triste, il secoua doucement le menton.

— Figure-toi que j'ai eu beaucoup de chance. Le soir de la Tempête, j'étais ici même, à observer le ciel et les éclairs terribles qui sillonnaient la région. C'est alors qu'ils se sont rapprochés de l'île, on aurait dit des mains squelettiques énormes, elles palpaient la terre à la recherche de proies, et tout ce qu'elles touchaient, elles le vaporisaient instantanément. Au moment où elles se sont approchées de cette tour, le ciel a grondé et une lumière aveuglante a inondé cette pièce. J'ai senti une violente décharge et... plus rien.

Matt contempla le fauteuil roulant dans lequel Carmichael était assis, ses doigts noueux couverts de veines vertes, sa peau parcheminée. Le vieux monsieur continuait :

— Figurez-vous qu'un véritable éclair, pas ceux de cette sinistre Tempête, s'était abattu sur le télescope et sur moi-même ! Au moment où j'aurais dû être saisi par ces bras électriques, j'ai été terrassé par la foudre. Je pense que cette collision m'a épargné. Mais vous conviendrez que c'est un fait rarissime et qu'on ne peut légitimement espérer qu'il se soit reproduit ailleurs. Je suis donc le dernier adulte *normal* – « amical » pourrait-on dire – de ce pays et probablement de cette planète.

— Il faut la conjonction de la vraie foudre et d'un de ces éclairs malfaisants pour que l'effet s'annule ? répéta Tobias. Si ça se trouve, on pourrait redonner à tous les Cyniks leur état normal si on parvenait à recréer ces conditions !

— N'y songe pas davantage, ce serait peine perdue, beaucoup d'énergie pour aucun espoir, trancha aussitôt Carmichael. D'abord parce qu'il est impossible d'appeler, si je puis dire, la foudre, ensuite parce qu'on ne sait pas si cette Tempête se manifestera encore, ce qui semble exclu si ma théorie est juste puisqu'elle n'était là que pour transformer le monde, balayer les terres et les mers afin de délivrer l'impulsion de transformation. Et enfin, je crois que le cerveau des adultes touchés a été bien trop traumatisé, pour ne pas dire définitivement modifié par cette impulsion, pour qu'on puisse espérer une réparation naturelle.

— Vous pensez vraiment qu'il n'y aura plus de Tempête ? dit Matt.

— C'est mon avis. Savez-vous ce qu'est la symbiose ? C'est quand deux organismes s'associent pour vivre et perdurer ensemble. C'est ce que l'humanité et la Terre ont fait pendant longtemps. Jusqu'à ce que nous décidions de la piller, de la polluer, de ne plus la respecter. La Terre est un organisme qui a donc été obligé de réagir, elle a envoyé ses anticorps : la Tempête, pour obliger l'humanité, qui était devenue un parasite, à se transformer. La plupart d'entre nous ont été détruits, ils n'ont pas survécu à l'impulsion. D'autres ont muté, ils sont le pourcentage d'erreur, de rejet, de l'impulsion, et enfin ceux qui ont encaissé. Ceux-là ont été si bouleversés par cette agression naturelle qu'ils en sont devenus des êtres agressifs à leur tour, dans un état belliqueux d'autodéfense.

— C'est la théorie qu'Ambre a mise au point, rappela Matt.

— Exactement ! Parce qu'elle est observatrice, et qu'elle a vite compris que ce qui se passait à l'échelle planétaire, c'était finalement ce qui se produit dans nos corps au quotidien. Vous, les enfants, êtes l'espoir que cette Terre veut encore avoir en nous.

— Alors le monde ne changera plus, ce sera comme ça pour toujours ? constata Tobias d'une voix vacillante d'émotion.

— Il sera ce que vous en ferez. Vous avez la responsabilité de définir l'avenir de notre espèce !

— Vous allez pouvoir nous aider, répliqua Matt. Vos connaissances, vos...

Carmichael le coupa :

— Je suis très faible depuis que l'éclair m'est tombé dessus. Je ne tiens pas debout plus d'une demi-heure, et je sens mon corps qui se fatigue de plus en plus. L'avenir s'écrira sans moi, les enfants.

Doug avala sa salive bruyamment et passa le bras sur les épaules de son petit frère.

Matt décida qu'il était préférable pour tout le monde de changer de sujet, alors il revint à ce qui les préoccupait directement :

— Pourquoi vouliez-vous me faire une piqûre ?

— Pour étudier ton sang, expliqua Claudia. Tu as manifesté devant tout le monde ton altération. M. Carmichael souhaitait étudier tes globules ou je ne sais quoi.

— C'est vrai, confirma le vieux monsieur. Ne leur en veux pas, c'était mon idée de te faire cette prise de sang pendant ton sommeil. J'aimerais pouvoir vous aider à cerner cette altération. Je ne dispose pas de beaucoup de matériel pour cela, privé d'électricité, il est inutilisable, mais on ne sait jamais.

— Vous auriez dû me demander, j'aurais accepté la prise de sang !

— Tu aurais demandé pourquoi, ça aurait éveillé encore plus tes soupçons ! répliqua Doug. Ne sois pas fâché contre nous.

— C'est vrai. Je n'en veux à personne, le rassura Matt. D'ailleurs, je te présente mes excuses pour tout à l'heure, Claudia. J'espère que je ne t'ai pas fait mal.

L'adolescente lui répondit d'un signe de tête. Tous le guettaient avec un mélange d'amusement et de curiosité. Il était ce Pan dont on avait vu la démonstration de force dans la grande salle, un Pan futé, capable de déjouer leurs plans.

Brusquement, Matt réalisa qu'il avait fait fausse route dans ses soupçons. Doug et ses complices n'étaient en rien mêlés à l'attaque qui se préparait. Ils n'avaient aucun lien avec les Cyniks dans la forêt. Il se leva d'un bond :

— Je vous offrirai un échantillon de mon sang si vous le voulez, mais, avant ça, je dois vous dire quelque chose. Un secret qui menace nos vies à tous.

38

Missive anonyme

Le vieux Carmichael, Doug et tous ses complices furent anéantis d'apprendre l'existence d'un traître sur l'île. Ils avaient déjà des doutes après l'épisode du lustre et de la corde coupée, mais ils s'étaient raccrochés à des hypothèses farfelues plutôt que d'envisager le pire. Encore plus troublante, l'imminence d'une attaque des Cyniks les fit paniquer et il fallut que l'oncle Carmichael tempère les ardeurs de chacun pour que Matt puisse terminer son exposé.

Il fut décrété que tout allait rester en l'état pendant plusieurs jours. Il était impossible de crier à la trahison tant qu'on ne savait pas de qui il s'agissait, il ne fallait pas qu'il puisse prévenir les Cyniks qu'il était démasqué. Et pour sa sécurité, Michael Carmichael resterait caché encore un moment. Tous acceptèrent qu'Ambre seulement soit mise au courant dès le lendemain et c'est Matt qui lui fit les révélations à son réveil. Il l'avait trouvée dans la salle commune de l'Hydre en train de prendre son petit-déjeuner en compagnie de Gwen. Celle-ci avait fini par s'éloigner et Matt avait pu tout raconter à Ambre.

La jeune fille voulut le rencontrer de suite et Matt expliqua qu'il était plus prudent de lui rendre visite à la nuit tombée, lorsque tout le monde serait couché.

Dans l'après-midi, un second Long Marcheur, chose rare, arriva sur l'île et Matt reconnut immédiatement Ben. Il en eut un pincement au cœur ; Ambre l'aimait beaucoup. Ben revenait tout juste du sud-ouest et il n'avait pas beaucoup de nouvelles, sinon la création à Éden d'un quartier général des Longs Marcheurs. Un petit site dans la forêt avait été attaqué par des Gloutons, mais ils avaient été en mesure de repousser l'assaut. Matt songea alors aux Cyniks et se dit qu'il en serait autrement avec eux, une centaine, bien armés, et probablement sensibilisés aux stratégies militaires. Quel village panesque pouvait bien leur résister ?

En fin de journée, Ambre accourut et entraîna Matt dans un recoin du Kraken.

— J'ai eu une idée ! lança-t-elle en trépignant d'impatience. Ben est un garçon sûr, j'ai confiance en lui. Il a l'habitude des déplacements périlleux et sait être discret. On pourrait lui demander d'être notre éclaireur ! Il s'approchera de la fumée qu'il y a souvent dans la forêt et repérera le camp des Cyniks avant de nous faire un bilan de la situation.

— Oui, c'est pas une mauvaise idée. Mais c'est sacrément risqué.

— Ben est un Long Marcheur, il n'a pas peur du danger, il sert la communauté des Pans. Je commence à le cerner.

— Oui, j'ai cru remarquer que vous étiez très proches.

Ambre allait enchaîner lorsqu'elle s'arrêta, laissant mourir sa phrase dans sa gorge. Elle considéra Matt avec amusement :

— Serais-tu… jaloux ?

Matt fit une grimace de dégoût :

— Jaloux ? Pourquoi veux-tu que je le sois ?

Devinant qu'elle avait froissé son orgueil, elle s'empressa de corriger :

— Non, pardon, j'ai cru, c'est tout. En fait, Ben et moi nous connaissons car je l'ai harcelé de questions la dernière fois qu'il est venu ! Tu sais, je t'avais confié mon désir de devenir à mon tour un Long Marcheur quand j'aurai l'âge autorisé. C'est pour bientôt, dans quatre mois ! Et Ben m'a donné pas mal de conseils. Il a plus de dix-sept ans, lui, et ça fait plusieurs mois qu'il fait ça. Alors, que penses-tu de mon idée ?

— Il faut voir s'il est d'accord…

— Il le sera, j'en suis sûre !

Le soir, en l'absence d'Ambre au Kraken, Matt répéta son plan à Doug qui le trouva excellent. Tobias les rejoignit à la table où ils dînaient ; il avait tiré à l'arc toute la matinée avant sa corvée de cuisine de l'après-midi, aussi était-il épuisé.

— J'ai l'impression que mes doigts vont se décrocher de mes mains, se plaignit-il.

Quand ils se levèrent pour retourner à leur chambre, Calvin et son sourire indécrochable accourut pour tendre une petite enveloppe à Matt.

— Tiens, c'était devant la porte.

Matt la prit et découvrit son nom écrit dessus à l'encre noire. Il la décacheta et lut :

Je t'observe en ce moment même. Si tu montres cette lettre à quelqu'un, tu ne reverras plus jamais Ambre. Elle est dans un

*endroit que moi seul connais. Si je ne vais pas la libérer avant demain
matin, elle y mourra.*

*Maintenant, tu vas m'obéir : viens au cimetière de l'île à minuit.
Viens seul. Si je vois que tu es accompagné, Ambre est morte.*

*Je sais que tu l'aimes bien, ça se voit, vous êtes toujours fourrés
ensemble, tout le monde le sait. Alors ne me prends pas à la rigolade.
Sinon je la tue.*

Tu es prévenu.

Matt devint tout pâle et déglutit bruyamment.

— Ça va ? lui demanda Tobias.

— Oui… Oui, oui, c'est un mot d'Ambre, elle avance dans
ses recherches, c'est tout.

Il regarda autour de lui : ils étaient au pied du grand escalier,
une douzaine de Pans de différents manoirs discutaient, assis à
leur table. À l'écart, Ben et Franklin, les deux Longs Marcheurs,
discutaient avec enthousiasme. L'auteur de cette lettre était-il
parmi eux ou dissimulé ailleurs, sur la mezzanine ? Derrière une
colonne ? Matt ne pouvait prendre ces menaces à la légère,
il préféra plier la missive et la ranger dans sa poche pour que
Tobias ne la lui prenne pas des mains.

— Tu n'as pas l'air dans ton assiette, insista Tobias. Tu veux
t'allonger ?

Sous prétexte de se sentir mal, Matt alla s'enfermer dans les
toilettes. Il s'assit sur la cuvette fermée et relut la lettre, le cœur
battant la chamade. Quelque chose dans l'écriture, surtout dans
le dernier paragraphe, lui laissait penser qu'il s'agissait d'un Pan
assez jeune. « *Je sais que tu l'aimes bien, ça se voit, vous êtes toujours fourrés ensemble, tout le monde le sait. Alors ne me prends pas
à la rigolade.* »

C'était une remarque et une formulation puériles.

— Dans quoi est-ce qu'on s'est fourrés, Ambre ? murmura-t-il.

Matt se remémora les abords du cimetière. Cet endroit
glauque et angoissant. Y aller seul à minuit relevait de la folie.
Pourtant il en allait de la vie de son amie. Et si tout cela n'était

qu'une plaisanterie ? *Personne n'en ferait d'aussi morbide ! Non, c'est vrai... Ambre n'a pas dîné avec nous ce soir, je suis certain qu'il lui est arrivé quelque chose !*

— Si je t'attrape, dit-il en fixant l'écriture grossière, je te ferai passer l'envie de t'en prendre aux gens que j'aime.

Il n'avait pas le choix.

Il fallait se résoudre à l'évidence : il était piégé. Tout comme Ambre. Et leurs vies dépendaient du bon vouloir d'un jeune Pan dangereux.

Matt devait lui obéir.

À minuit dans le cimetière. Tout seul.

39

Pierres tombales et lune noire

Matt attendit que Tobias ronfle légèrement pour se lever. Il enfila son jean, son tee-shirt, et hésita avant de mettre son gilet en Kevlar qu'il masqua sous un pull. Il se couvrit de son manteau mi-long et sauta dans ses chaussures de marche avant de sortir son épée dont il se harnacha. *Il n'est pas précisé dans la lettre de venir sans arme, non ?* Il s'empara d'une lampe à huile qu'il alluma une fois à l'extérieur. Les buissons s'agitèrent et une grande forme sombre en jaillit. Matt recula précipitamment avant de reconnaître Plume.

— Tu m'as fichu la trouille !

Il la caressa et la chienne ouvrit la gueule pour haleter de bonheur.

— J'aurais vraiment aimé que tu sois avec moi sur ce coup-là, mais je ne peux pas t'emmener. C'est trop dangereux, je ne sais pas ce qui m'attend, et ce cimetière n'est pas un lieu pour toi, crois-moi.

Plume referma la gueule, redressa ses oreilles et le fixa.

— N'insiste pas, c'est non. Allez, file, retourne dans ta cachette, il ne faut pas sortir la nuit, allez !

La chienne baissa la tête et fit demi-tour d'une démarche lente et contrainte.

Matt s'enfonça dans le sentier qui courait derrière le Kraken et longeait le manoir soi-disant hanté. Qui pouvait bien lui donner rendez-vous dans le cimetière en pleine nuit ? Un inconscient, assurément.

Depuis sa rencontre avec Michael Carmichael il avait repensé à cet endroit lugubre, aux toiles d'araignées énormes, à cette ambiance de mort qui régnait tout autour. Cette partie de l'île n'avait rien d'un coup monté pour éloigner les Pans, il existait *vraiment* un problème là-bas – une sorte de maléfice ou de malédiction, s'était-il dit. Se pouvait-il que l'impulsion de la Tempête ait aussi modifié les terres abritant les morts ?

De part et d'autre du sentier, la forêt était opaque, noire. Un vent timide faisait bruisser les feuilles les plus hautes tandis qu'une humidité froide montait du fleuve.

Matt n'avait aucun plan, aucune ruse en tête. Tout ce qu'il voulait, c'était sauver Ambre. Il était prêt à se battre pour cela.

Après plusieurs minutes de marche il reconnut la forme caractéristique des plantes sur sa droite. Les troncs étaient difformes, noircis, la mousse sur le sol desséchée, et même les ronces avaient des épines de la couleur de l'ébène. Matt s'immobilisa et leva la lampe devant lui. Aussi loin que son regard perçait, la forêt semblait morte. Il inspira un grand coup pour se donner du courage et s'enfonça dans cette végétation infernale, écartant les branches basses qui craquaient comme des os qu'on brise. Le long rideau de soie blanche émergea et Matt prit soin de le contourner. Les cadavres d'oiseaux et de rongeurs qui y pendaient, momifiés, étaient encore plus inquiétants à la seule lueur de sa lampe. Il repensa à l'histoire de Tobias sur des araignées capables de liquéfier l'intérieur d'un homme pour lui aspirer les entrailles pendant qu'il était encore vivant et il se mit à frissonner. Après avoir ouvert un bouquet de ronces à coups d'épée, Matt pénétra dans le cimetière.

Cinq gros mausolées le dominaient, et une dizaine de croix avec plaques les encadraient. Matt remarqua la lune au-dessus de lui, elle avait une teinte rousse, il se demanda si ce n'était pas ce qu'on appelait, en astrologie, la lune noire. Dans les films fantastiques, les loups-garous se transformaient systématiquement à la lune noire.

C'est bien le moment de penser à ça! se moqua-t-il sans joie.

Il déambula parmi les stèles en s'interrogeant sur ce qu'on attendait de lui. Il ne devait plus être loin de minuit. Une nappe de brume laiteuse commençait à glisser du côté du fleuve. Elle sortait doucement des fourrés, comme un animal à l'affût, avant de se répandre entre les pierres tombales. Matt continuait de faire les cent pas lorsqu'il perçut un grouillement à ses pieds.

Des dizaines d'asticots noirs se tortillaient en voulant entrer dans la terre; Matt ne put retenir un cri de surprise lorsqu'une patte de lézard de la taille d'une main d'enfant surgit d'un trou à l'angle d'une tombe pour saisir un ver et l'emporter dans ses profondes ténèbres.

— Mais où est-ce que je suis? murmura-t-il en s'éloignant du reptile.

Pour le coup, il commença à regretter de n'avoir pas pris Plume avec lui.

Soudain, une brindille craqua et Matt fit volte-face.

Un trait noir fusa sous ses yeux, si rapide qu'il ne put réagir avant de comprendre que c'était une flèche. Elle vint le frapper en plein cœur, lui coupant le souffle.

Matt trébucha et parvint à se rétablir contre une grosse croix en pierre grise. Il eut du mal à retrouver sa respiration, mais, lorsqu'elle revint, il fut surpris de ne ressentir qu'une douleur sourde, celle de l'impact. Un gros bleu fleurirait sur sa poitrine, pourtant la flèche était plantée dans son torse. Ou plus précisément dans ses vêtements et dans la doublure du gilet en Kevlar. La pointe n'avait pu transpercer le métal de protection.

Matt leva la tête et sonda la forêt d'où était partie la flèche.

Un second trait siffla et il ne put l'éviter non plus. Cette fois il le toucha à hauteur du nombril, l'armure arrêta encore le projectile mais ça ne durerait pas, tôt ou tard on le viserait au visage. Matt sauta par-dessus une tombe et courut vers son agresseur qu'il ne parvenait pas à distinguer.

Quelqu'un bougea dans les fourrés et se mit à courir aussitôt.

Il s'enfuit! Ce lâche s'enfuit! s'énerva Matt qui surgit hors du cimetière. Il repoussa les buissons qui gênaient sa vue et chercha à repérer le fugitif. Il ne put le voir mais il l'entendit qui traversait un bosquet de plantes sèches et craquantes. Matt s'élança avec la rage de celui qui sait que la vie de son amie est entre ses mains. Il zigzagua entre les arbres et aperçut une silhouette. Dans la confusion il lui était impossible d'en discerner davantage, le fuyard passa sous la toile d'araignée gigantesque en heurtant les cocons d'animaux morts qui se décrochèrent. Au moment où Matt pensait se faufiler au même endroit, une forme noire déplia ses pattes et courut sur la toile. Matt dérapa et parvint, d'un roulé-boulé, à ne pas se prendre dans les fibres collantes. Il n'avait pas eu le temps de bien la regarder mais il était catégorique : l'araignée qui vivait là était plus grosse qu'un chat !

Il perdit du temps à faire le tour et, lorsqu'il se rapprocha du sentier, son adversaire était déjà loin. Découragé et aveuglé par la colère, Matt ne fit pas attention où il posait les pieds, sa cheville s'enfonça dans une racine qui l'envoya au tapis.

Un flash étourdissant l'électrisa. Il demeura une longue minute ainsi étalé avant de rassembler ses idées et de parvenir à se relever.

Inutile de se hâter, il avait manqué toute chance de rattraper le ravisseur d'Ambre. Matt eut envie de pleurer. Il ne voulait pas perdre son amie, il lui était intolérable qu'elle meure, encore plus à cause de lui. Il souhaitait la voir, la serrer dans ses bras et sentir le parfum de sa peau. Non, ça ne pouvait pas s'arrêter ainsi. Le ravisseur n'avait rien dit, rien demandé, il s'était contenté d'attirer Matt jusqu'ici pour pouvoir l'éliminer tranquillement. *C'était ça son plan, me tuer !* Matt n'avait plus grand doute, son assaillant était l'informateur des Cyniks. *Éliminer un groupe de meneurs : Ambre, Tobias et moi !* S'il avait raison, alors il était peu probable qu'Ambre soit encore en vie. Pourquoi s'en embarrasser si l'objectif était de tous les faire disparaître ? *Tobias ! J'ai laissé Tobias seul dans la chambre !*

Matt se remit à sprinter lorsque la logique l'apaisa : *C'est le travail d'une seule personne. Il n'y a qu'un seul traître. Les Cyniks parlaient d'un gamin, pas de plusieurs. Il ne pouvait pas être ici et en même temps au Kraken pour s'occuper de Tobias.*

Néanmoins, Matt s'empressa de remonter le sentier en frottant sa mâchoire endolorie.

Il était à la hauteur du manoir de l'Hydre lorsqu'il les entendit se rapprocher.

Une multitude de froissements et de couinements. Matt se tourna mais ne vit rien derrière lui. Alors il leva la tête.

Plus de cent chauves-souris dansaient dans le ciel en une longue procession qui se rapprochait de lui.

Elles tournoyaient en opérant de courts piqués pour raser le sol.

Matt eut le désagréable sentiment qu'elles le cherchaient et il accéléra.

Le nuage claqua dans les airs et prit de la vitesse à son tour. L'adolescent se mit à enchaîner les foulées jusqu'à filer aussi vite qu'il le pouvait.

Les premières chauves-souris passèrent juste devant lui, plongeant pour tenter de le ralentir. Les suivantes glissèrent à une poignée de centimètres de ses cheveux et Matt devina leur présence aux courants d'air qui le frôlaient. Il était beaucoup trop loin du Kraken et l'entrée de l'Hydre était à l'opposé d'où il se tenait, impossible de se mettre à l'abri. Matt ralentit d'un coup et sortit son épée qu'il brandit devant lui.

Les chauves-souris formèrent un tourbillon bruyant au-dessus de sa silhouette et tournèrent de plus en plus vite. Puis l'une d'elles se laissa emporter par sa vitesse et se précipita sur son visage.

Matt eut à peine le temps de lever sa lame pour se protéger, le petit mammifère fut sectionné en deux.

Trois autres bêtes plongèrent. Matt opéra de larges moulinets avec son arme dont le poids ne lui posait plus de problème – signe évident que son altération était efficace – et le sang gicla, envoyant des fragments d'ailes et de têtes convulsées autour de lui.

Peu à peu, le tourbillon émit une vibration grave et terrifiante, et des dizaines de chauves-souris foncèrent sur Matt.

Le garçon frappa l'air de toutes ses forces, la lame découpait tout ce qu'elle rencontrait, pourtant il fut très vite débordé. Des dizaines et des dizaines de créatures ailées se jetaient sur lui pour le lacérer de leurs griffes. Elles tombaient les unes après les autres, décapitées, amputées d'une aile ou d'une patte, et cependant elles semblaient de plus en plus nombreuses. Matt hurla, il hurla avec ses tripes, pour vivre, pour Ambre, pour Tobias. Il hurla et tous les muscles de son corps se mirent à rouler pour rendre coup pour coup. Ses mouvements devinrent fluides, rapides. La lame sifflait sans discontinuer tellement elle allait vite, même lorsqu'elle découpait la chair. Malgré tout, Matt était incapable de faire face, elles le noyaient, le submergeaient, il fut rapidement criblé de blessures. Le sang pleuvait sur lui. Et soudain tout s'arrêta.

En une seconde, plus une seule chauve-souris sur lui. Elles disparaissaient déjà en direction des nuages.

Matt tituba et lâcha son épée.

Il était entaillé aux mains et au visage, des dizaines de sillons sanglants mais peu profonds. Et pourtant il était complètement recouvert de sang chaud. Celui de ses assaillantes.

Il vit des silhouettes accourir depuis l'Hydre. Lucy, puis Gwen… et Ambre.

Il cligna des paupières en voyant son amie se précipiter vers lui et, lorsqu'il fut certain que c'était bien elle, ses jambes se dérobèrent, son esprit vacilla et il s'effondra sur la terre battue du sentier.

40

Déductions

Le lendemain matin, Matt se réveilla dans la chambre d'Ambre. Il avait le visage en feu, l'impression d'avoir des hameçons plantés dans les joues, le front et le menton.

Ambre posa un linge tiède sur ses blessures et s'assura qu'on lui apporte à manger et à boire.

Lorsque Matt lui raconta l'aventure, elle fut partagée entre colère, inquiétude et gêne. Elle n'avait pas été enlevée du tout, bien au contraire puisqu'elle avait passé la soirée en compagnie de quatre Pans qui souhaitaient partager leurs impressions sur l'altération. La réunion s'était organisée au dernier moment, et les participants avaient rapidement transmis l'information autour d'eux. Une bonne partie de l'île pouvait, de fait, être au courant, même si Matt n'en avait pas entendu parler.

— Celui qui t'a tendu ce piège le savait, résuma Ambre, il a joué sur la confusion, en te disant de n'en parler à personne, il espérait que tu t'isoles et que tu ne vérifies pas où j'étais réellement. C'était le meilleur stratagème pour t'attirer à lui en ne prenant aucun risque.

— On a voulu me tuer! Deux flèches, la première en plein cœur! Si je n'avais pas eu mon gilet pare-balles, je serais mort! Un dingue est parmi nous!

— Un dingue organisé. Son plan étant de nous tuer tous les trois, l'un après l'autre, j'imagine.

— Si on ne se dépêche pas, il va nous avoir!

Ambre approuva et se leva pour examiner le paysage par la fenêtre.

— J'ai discuté avec Ben ce matin, avant ton réveil, il est d'accord pour sortir en éclaireur dans la forêt, il va tenter de localiser le camp des Cyniks. D'après lui ce ne sera pas difficile s'ils sont une centaine.

— Qu'il commence par la fumée qu'on aperçoit au loin. Et le vieux Carmichael, tu ne l'as pas encore rencontré, du coup ?

— Non... Ce soir j'espère ! Je ne sais pas si c'est parce que nous y sommes plus attentifs, mais il semblerait que l'altération se manifeste davantage et de plus en plus puissamment. Si le traître y prête attention, il va réaliser qu'il ne faut plus attendre. Plus les jours passeront, plus les Pans de cette île seront forts et aptes à contrôler leur altération. Si tu veux mon avis, il ne va pas tarder à lancer le signal aux Cyniks.

— Pour ça il faut qu'il puisse quitter l'île, sais-tu quand ont lieu les prochaines cueillettes ?

— Très bientôt, j'en ai peur.

— Il faut se débrouiller pour que seuls les gens de confiance puissent sortir, personne d'autre !

— Ça va rendre le traître encore plus méfiant, il trouvera un moyen ou un autre de s'enfuir !

Matt soupira, Ambre n'avait pas tort. Ils étaient dans une situation critique. Il fallait confondre ce manipulateur au plus vite. Par quoi commencer ? *Ses méthodes*, se dit Matt. *Comment fait-il pour communiquer avec les Cyniks ? Les trois soldats qu'on a surpris lisaient un message qu'il venait de leur laisser... Il était sorti de l'île...*

D'un mouvement brusque Matt se redressa et frappa dans ses mains.

— Quel idiot je fais ! s'écria-t-il. C'est tellement évident que je n'y ai pas songé ! Le traître faisait obligatoirement partie de notre expédition pour délivrer le message aux trois Cyniks qu'on a surpris ! Qui était présent ? Nous, l'Alliance des Trois, Doug, Arthur et Sergio. Ceux-là, je pense qu'on peut les écarter des suspects, s'il s'agissait de quelqu'un de la bande de Doug, il aurait déjà semé la zizanie en démasquant le vieil homme, c'est un secret qui lui aurait été bien trop utile pour nous mettre dans l'embarras. Qui reste-t-il ?

— Travis et Gwen, fit Ambre. Gwen ne ferait jamais ça, c'est une amie, elle est incapable de la moindre méchanceté.

— En es-tu sûre ? Tu parierais ta vie sur elle ?

Ambre réfléchit puis lâcha :

— Absolument.

Matt acquiesça face à sa détermination. Il restait Travis, le rouquin de la bande. Un peu rustre, pas toujours finaud, mais volontaire, il rendait service très souvent, aimait s'impliquer dans la vie de la communauté et n'avait pas peur de mouiller sa chemise pour la survie ou le confort collectif. Travis était fils d'agriculteurs, se souvint Matt, un garçon à qui on a inculqué des valeurs essentielles : le travail, l'entraide et le respect. Tout ça ne cadrait pas vraiment avec l'image qu'il se faisait d'un traître et apprenti assassin de surcroît. Était-ce une couverture ? Si tel était le cas, alors il fallait lui reconnaître une habileté hors du commun.

— Ça me paraît impensable que ça puisse être Travis, confia-t-il.

— Rappelle-toi, c'est le premier à s'être porté volontaire pour venir. Il était avec Tobias pendant l'expédition, et Toby nous a dit qu'ils se sont séparés, ça pourrait correspondre.

Matt se massa le cuir chevelu, il avait sacrément mal au crâne.

— Je ne sais pas, je n'arrive pas à le croire, dit-il.

Ambre fit un bond, un grand sourire aux lèvres, et vint s'asseoir sur le lit à côté de lui. Matt se sentit soudainement mieux.

— Tu veux une bonne nouvelle ? lui dit-elle.

— Vas-y.

— Je crois que j'arrive presque à faire bouger un crayon. C'est pas encore tout à fait évident, cela dit, je me rapproche, je le sens !

— Génial ! Et avec les autres Pans, tu as des résultats ? Sergio semblait prometteur, non ?

— En effet, il fait apparaître des étincelles dès qu'il se concentre, pour l'instant il n'y arrive pas sans frotter deux objets ensemble, mais je pense qu'il pourra prochainement les faire surgir sans rien d'autre que sa concentration. Bill, le garçon qui joue avec de petits courants d'eau, est très doué. Et à mon avis Gwen n'est pas loin de pouvoir déclencher des décharges, faibles certes, mais à volonté, en tout cas elle le fait en dormant. Et toi, tu perçois des changements dans ton corps ?

Matt n'osa pas lui dire que les bouleversements les plus surprenants provenaient d'elle, lorsqu'elle s'approchait de lui.

— Rien d'évident et pourtant... mon épée pesait une tonne il y a encore quelques mois, maintenant je la soulève et la manie aisément. Je me rends compte aussi que je me fatigue moins vite que d'autres dans l'effort musculaire, pour grimper des marches ou pour courir, par exemple. Tout ça est à peine perceptible, ce sont juste des constatations plus que des changements évidents.

— Si seulement on pouvait gagner du temps avant que les Cyniks ne nous attaquent. Je suis convaincue qu'on pourrait les repousser, avec cette île comme défense naturelle et nos altérations à tous, pour peu qu'on puisse les contrôler, alors on serait imprenables !

— Je sais, je sais..., murmura Matt. Sauf qu'on ne va pas avoir ce temps. Il faut trouver autre chose.

En début d'après-midi, quand Ambre se fut acquittée de ses « consultations », l'Alliance des Trois se retrouva dans la bibliothèque scientifique au dernier étage du Kraken. Ambre se promenait sur le balcon, inspectant distraitement le dos des livres. En contrebas, Tobias et Matt étaient assis dans les fauteuils et discutaient.

— Moi non plus, je ne peux pas croire que ce soit Travis ! protesta Tobias.

— Il faudrait le surveiller, suggéra Matt.

— Et si ce n'est pas lui ?

— C'est le seul qui était dans l'expédition dont on n'est pas sûr. Pour les autres, ça semble impossible.

Tobias n'eut pas l'air convaincu. Du haut de son perchoir Ambre déclara sans même lever les yeux de l'ouvrage qu'elle venait d'ouvrir :

— Et si le traître n'était pas dans l'expédition ?

— Comment aurait-il fait pour laisser un message aux Cyniks ? contra Matt.

— C'est ça la question qu'on doit se poser ! Comment communiquent-ils ? (Elle rangea le livre et marcha jusqu'à l'escabeau pour rejoindre ses compagnons.) Il pourrait avoir dissimulé une note dans l'attelage de Plume par exemple ! Si les Cyniks sont au courant, il leur suffit de nous épier, d'attendre qu'on laisse la chienne seule et ils vont récupérer le mot !

Matt secoua la tête :

— Je n'imagine pas une seconde Plume se laissant approcher par des Cyniks.

— Qu'est-ce qu'on en sait ? Peut-être qu'elle ne se sent pas en danger en leur présence.

— Plume est d'une intelligence remarquable.

Ambre haussa les épaules et ajouta :

— C'est vrai, en tout cas c'est un exemple, il faut qu'on réfléchisse à la méthode qu'il a pu employer pour se servir de nous, de notre expédition, pour apporter un message en ville. Trouvons la méthode, elle nous conduira à l'individu.

— Tu parles vraiment comme une adulte ! s'esclaffa Tobias.

Ambre lui jeta un regard noir.

— J'ai pensé à comparer l'écriture de tous les Pans de l'île avec celle du mot que j'ai reçu hier, mais ça va nous prendre une éternité ! maugréa Matt.

— Et s'il n'est pas trop bête il aura modifié son écriture ! contra Ambre. On n'est pas des experts !

Matt se leva et fit un signe en direction de Tobias :

— Nous deux, on va s'occuper d'identifier le traître. Ambre, pendant ce temps, il faut que tu rassembles les Pans les plus habiles pour que vous travailliez ensemble à maîtriser l'altération, entraidez-vous pour contrôler vos capacités. Il faut que vous soyez opérationnels le plus vite possible. Si on doit se faire envahir, j'aimerais autant qu'on ait une chance de résister.

Dans l'après-midi, Tobias et Matt allèrent pêcher sur les quais sud. Ce dernier n'arrêtait pas d'envisager leur problème sous tous ses aspects. Du plus loin qu'il put remonter il lui sembla qu'il fallait d'abord découvrir comment le traître avait rencontré les Cyniks la toute première fois. Était-ce avant d'arriver sur l'île, au détour d'un chemin ? Ou bien plus tard, lors d'une expédition ou d'une sortie pour les cueillettes ? Matt était convaincu que ça datait de longtemps, car il avait fallu prendre contact puis l'entretenir jusqu'à ce que les Cyniks s'organisent et envoient ici un bataillon de cent hommes. Leur repaire était loin au sud-est, à plusieurs semaines, à peut-être plus d'un mois de marche... Il avait fait part de ses déductions à Tobias, et le garçon lui avait expliqué que presque tous les Pans étaient déjà sortis au moins une fois pour une raison ou pour une autre. Ils ne pouvaient pas dresser une liste sur ce critère-là.

De temps à autre ils tiraient du fleuve noir un poisson dodu qu'ils mettaient dans un seau. Chacun était plongé dans ses pensées. Finalement, Tobias désigna le visage de son ami :

— Ça ne te fait pas trop mal ?

— Un peu. Ça brûle, le pire c'est quand je souris.

— C'est tout de même bizarre ces chauves-souris qui t'attaquent, tu ne trouves pas ?

Matt frissonna.

— En effet.

— Tu crois qu'elles sont là toutes les nuits ? Qu'on ne pourra plus jamais sortir après le crépuscule ?

Matt fit la moue. Il hésita puis serra sa canne à pêche avant de dire lentement :

— Tu sais, je fais des rêves étranges depuis que je suis ici. Je rêve d'un... d'une créature mystérieuse qui me traque. Elle s'entoure d'ombres, et ressemble presque à la mort, mais ça n'est pas exactement ça, d'une certaine manière c'est pire. Je la sens maléfique, en colère, on dirait qu'elle produit de la peur, qu'elle la transmet. Et elle, ou plutôt il a un nom : le Raupéroden.

— Le Raupéroden ? répéta Tobias. Tu parles d'un nom !

— Le truc, c'est que je sens qu'il me pourchasse, et, comment t'expliquer ça... je sais que ce n'est pas seulement un rêve, que ça arrive vraiment. Tu te rappelles les échassiers à New York ?

— Tu parles ! Comment je pourrais les oublier ?

— Ils agissaient pour le compte de quelqu'un ou quelque chose et j'ai l'intuition que c'est pour lui. Un être informe, comme une très grande ombre.

— Attends une seconde ! s'exclama Tobias. Le... le site au nord, celui qui a été attaqué l'autre jour par une « forme noire », ça pourrait être ce Raupéroden !

— C'est exactement ce que je me suis dit. Et ces chauves-souris, je les ai bien observées la première fois que je les ai vues, j'ai cru qu'elles voulaient pénétrer dans un des manoirs pour nous sauter dessus, mais avec le recul je me demande si elles ne cherchaient pas quelqu'un. Depuis hier soir et leur attaque, j'ai le pressentiment que c'était moi. Ce sont des créatures de la nuit, inquiétantes comme peut l'être le Raupéroden. Il avait perdu ma trace lors de notre fuite, et voilà qu'il vient de me retrouver !

— Tu crois qu'elles sont ses – comment on dit déjà ? – émissaires ?

— On dirait bien. Sinon, pourquoi ont-elles déguerpi au moment où des filles de l'Hydre sont arrivées ? Elles auraient dû se jeter sur ces nouvelles victimes potentielles ! Tout ça me fait dire qu'il se rapproche d'ici, et qu'en plus des Cyniks, nous avons le Raupéroden sur le dos.

Tobias fixa son ami, la bouche entrouverte comme s'il n'osait dire ce qu'il pensait vraiment.

— Tu veux dire..., murmura-t-il, que *tu* as le Raupéroden sur le dos...

Matt l'observa, avant d'acquiescer doucement, soudain abattu.

— De toute façon je suis avec toi, quoi qu'il arrive. Je ne te laisse pas tomber, et s'il faut planter une flèche entre les deux yeux de ce… machin, tu sais que tu peux compter sur moi et mon adresse !

Tobias parvint à décrocher un sourire à son camarade.

— C'est vrai qu'avec toi et ton arc, je ne crains plus rien. C'est toi qui m'auras abattu en voulant dégommer le monstre !

Leur rire, déjà timide, se coupa net lorsque le dos d'un poisson creva la surface et glissa pendant cinq bonnes secondes, témoignant de son incroyable longueur.

— T'as vu ça ? s'affola Tobias. Il mesurait combien ? Au moins cinq ou six mètres de long ! Incroyable !

Instinctivement, il recula du bord du ponton.

— La nature a changé, constata Matt avec plus d'amertume que d'angoisse. Cette… *impulsion* a bouleversé la végétation et les animaux pour leur redonner une nouvelle chance de survivre à l'humanité. Maintenant, là-dehors, on n'est plus du tout au sommet de la chaîne alimentaire. C'est comme si la Terre s'était rendu compte que nous allions trop loin, que dès le départ elle nous avait offert un potentiel trop étoffé, au point de faire de simples singes des hommes bien trop ambitieux et que, soudain, elle venait de corriger cette erreur.

— T'entends comme tu parles ? Il y a encore six mois, jamais on n'aurait dit des trucs pareils, c'est comme si on était plus intelligents.

— Plus matures, tu veux dire ?

— Oui, c'est ça. On est obligés de se débrouiller, de s'organiser, de survivre, et on s'est adaptés, on a évolué, même dans notre langage je trouve.

Matt approuva et sonda leur seau.

— Il est assez plein, allez viens, on rentre au Kraken.

— Et si on parlait de tout ça à Carmichael ? proposa Tobias en se levant. C'est un vieux monsieur, un sage, il saura quoi nous conseiller, pour démasquer le traître et à propos de ce… Raupéroden.

— Il n'en sait pas plus que toi et moi à ce sujet, laisse-le donc là où il est. De toute façon, avec les adultes, quand il s'agit de résoudre des problèmes, on a vu où ça nous a conduits ! lança Matt en désignant le paysage sauvage qui les entourait.

En fin d'après-midi, ils croisèrent Mitch, le dessinateur, qui revenait du pont où il avait fait un croquis des berges. Ils échangèrent quelques banalités et Mitch, qui n'avait pas appris l'agression de Matt par les chauves-souris, s'inquiéta :

— Hier soir ? Dites donc, j'aurais pu me faire attaquer moi aussi, je suis resté dehors jusqu'à minuit !

— Ah bon, fit Matt, où ça ?

— À la rotonde, avec Rodney du Pégase ainsi que Lindsey et Caroline de l'Hydre.

Matt préféra ne pas lui demander ce qu'ils faisaient là-bas tous les quatre à une heure pareille pour se concentrer sur ce qui l'intéressait :

— Et les trois autres ? Ils sont rentrés sans souci ?

— Oui, je les ai vus ce matin, tout le monde va bien, aucune attaque de chauves-souris.

Un peu plus tard, une fois seuls, Matt résuma ses conclusions à Tobias :

— Plus aucun doute, c'est après moi qu'elles en avaient, ces fichues bestioles !

— Alors tu ne sors plus dès que le soleil se couche.

Ils dînèrent ensemble et montèrent dans la chambre de Tobias pour feuilleter quelques bandes dessinées que Doug leur avait confiées. À un moment, Tobias observa la nuit, le nez rivé aux carreaux.

— Je les vois, annonça-t-il sombrement. Des dizaines et des dizaines de chauves-souris, elles tournent dans le ciel.

— Au-dessus de la forêt ?

— Oui, non, attends… elles sont au nord, vers le Centaure.

Tobias remarqua également la fenêtre allumée de la chambre d'Ambre.

— Ambre ne dort pas, constata-t-il.

— Avec cette histoire d'altération et d'ultimatum, ça ne m'étonne pas d'elle. Et si tu veux tout savoir, moi non plus, je ne pourrai pas fermer l'œil tant que je ne trouverai pas un moyen de débusquer le salaud qui nous trahit.

Tobias tourna la tête vers Matt, surpris de l'entendre parler ainsi. Puis il revint à sa bande dessinée et poursuivit sa lecture.

Plus tard dans la nuit, à minuit passé, il retourna devant la fenêtre et remarqua que la lumière était éteinte chez Ambre.

— Finalement, elle s'est endormie on dirait.

Mais il ne prêta pas attention au ciel étoilé dans lequel ne volait plus aucune bête aux alentours de l'île.

Les chauves-souris avaient disparu.

41

Croyance réflexive

Ambre dut attendre que toutes les lampes soient éteintes pour sortir de sa chambre, puis de l'Hydre – heureusement, il ne restait plus aucun signe de ces chauves-souris belliqueuses – pour rejoindre le passage secret qui conduisait au manoir du Minotaure. Elle déambula un quart d'heure dans les couloirs avant de trouver le bon escalier, celui qui grimpait à l'observatoire, et, une fois au sommet, elle toqua timidement à la porte.

Une voix enrouée par la fatigue – ou par un trop long silence, Ambre ne sut le dire – répondit :

— Oui ? Entrez !

— Pardonnez-moi de venir si tard…

Dès qu'il l'aperçut, le vieux Carmichael se mit à sourire.

— Tu dois être Ambre, n'est-ce pas ? Je me demandais combien de temps tu attendrais avant de me rendre visite.

— Je ne vous dérange pas ? s'enquit-elle en constatant qu'il était emmitouflé dans une robe de chambre.

— Non, je somnolais. Tu sais, à mon âge, on ne dort jamais totalement. Je dis à Doug et Regie que j'aime être seul le soir pour qu'ils rentrent, sans quoi ils passeraient la nuit à me veiller ! Ces deux-là sont adorables.

Ambre lui renvoya un sourire poli et leva les yeux vers l'incroyable plafond et son télescope immense.

— Vous examinez encore les étoiles ?

— Plus que jamais, je m'assure qu'elles n'ont pas bougé. Enfin, pas elles directement mais…

— Pour être certain que la Terre n'a pas changé de position ou d'axe pendant la Tempête ?

Carmichael eut un rire sec.

— Oui, tu es vive. C'est ce que tes formidables hypothèses sur l'altération laissaient présager.

— J'avoue que… j'aimerais bien parler de tout ça avec vous.

— Viens t'asseoir, prends un biscuit si tu veux, je les ai faits moi-même, dit-il fièrement. Tiens, voilà un peu de thé, la thermos a dû le garder tiède.

Ambre s'installa dans un sofa et le vieux monsieur se servit un verre de bourbon.

— Croyez-vous qu'une autre sorte de Tempête puisse remettre les choses telles qu'elles étaient auparavant ? questionna Ambre sans préambule.

— En toute franchise : non. Comme je l'ai dit à tes deux amis : ça n'arrivera pas, parce que la Terre a réagi à notre présence devenue parasitaire, ce qui est fait est fait et, pour tout te dire, cela a dû lui demander un effort prodigieux qu'elle n'est pas près de réitérer.

— Quel genre d'effort ?

— Comme tu le sais, la Terre est probablement l'unique responsable de ce qui s'est produit et de ses conséquences, elle agit comme un être vivant, qu'elle est d'ailleurs. Bien entendu, je ne lui prête aucune conscience, aucune forme d'intelligence propre, pas au sens où nous l'entendons ; cela dit, elle a des mécanismes de défense, et ceux-ci se sont mis en branle lorsqu'elle s'est sentie menacée. Tout cela a été progressif, j'imagine, nous aurions dû lire ses réactions : la multiplication des tremblements de terre, des tsunamis, des éruptions volcaniques, et ainsi de suite. Pourtant, personne n'a réellement accepté ces manifestations comme une forme de langage. Alors, puisqu'on ne l'écoutait pas, elle n'a eu d'autre solution que de frapper à son tour, pour ne pas mourir étouffée. Ses défenses immunitaires se sont activées, il y a eu une sorte d'impulsion, comme un code, qui a altéré une partie de la génétique des végétaux et des animaux, hommes compris.

— Cette impulsion, vous croyez que c'était la Tempête ?

— Non, pas exactement. Plus j'y réfléchis et plus je pense que la Tempête avait un double rôle. D'abord, de porter cette impulsion ; de la cacher ? Peut-être. Ensuite la Tempête ressemblait à une sorte de camion de nettoyage qui venait passer son coup de balai après la grande fête, pour laisser la place propre. Je pense que l'impulsion a eu lieu *pendant*, sans même que nous nous en rendions compte. Sous quelle forme ? Je l'ignore et il m'est avis que cela dépasse nos connaissances scientifiques. Cette planète recèle tant de mystères malgré nos savoirs technologiques, que je ne serais pas surpris que l'impulsion soit une forme d'onde ou de magnétisme capable de transporter un message altérant la génétique tout en étant sélectif…

— J'ai peur de ne plus vous suivre, je suis désolée.

— Non, c'est moi qui le suis, j'oublie parfois que mes interlocuteurs sont des adolescents. Si doués soient-ils, s'empressa-t-il d'ajouter en voyant Ambre se vexer. Tout ça pour dire que nous avons été ignorants de ce qui se passait là sous nos yeux, sous nos pieds, tandis que la Terre nous lançait un tas d'avertissements.

— Peut-être que les baleines comprenaient ce langage terrestre, ça expliquerait qu'elles venaient s'échouer de plus en plus nombreuses sur les côtes ! Ou les dauphins, j'ai lu dans un magazine que leur cerveau était plus gros que le nôtre ! Ou alors… nous n'avons pas *voulu* entendre la Terre.

— Possible. Quoi qu'il en soit, le mal est fait. À nous désormais de vivre avec et de tout faire pour ne pas reproduire les erreurs du passé. Non, en fait, je devrais dire : à *vous* de le faire.

— Vous croyez qu'on est capables de s'en sortir ?

Carmichael la considéra un moment avant de répondre, pour s'assurer qu'elle pouvait encaisser une vérité faite d'incertitudes et non de promesses :

— La vie en société est difficile, vivre en harmonie encore plus, vous êtes des… enfants, et le modèle unique que vous avez eu était cruel et destructeur.

— Mais la Terre nous a épargnés.

— Parce qu'elle veut encore y croire, et pour ne pas lui prêter une conscience réflexive : elle n'élimine pas tous les parasites, car ils peuvent vivre en symbiose, en harmonie, mais elle les rappelle à l'ordre.

— C'est quoi une conscience réflexive ?

— C'est avoir conscience de ses propres pensées, comme si on se regardait soi-même de haut et qu'on s'écoutait penser. C'est une forme d'intelligence. Je dis bien « une forme ». C'est ce qui nous différencie de la Terre je suppose. Elle, elle n'a pas cette conscience réflexive, mais elle vit comme une plante couverte de bourgeons, de diverses mutations au gré des évolutions. Ils sont le fruit de ses entrailles, une part d'elle-même, nés pour évoluer à leur tour, mais si ces bourgeons, au lieu de donner de belles fleurs colorées, deviennent des plantes carnivores qui commencent à la ronger, alors elle réagit pour les calmer, elle tente de les modifier, car ils sont sur elle, dépendants d'elle. Mais s'ils se montrent trop envahissants et destructeurs, il y a fort à parier que notre plante trouvera une parade pour se débarrasser d'eux, même s'ils sont ses enfants. Néanmoins, j'imagine qu'elle fera tout, avant cela, pour préserver les bourgeons naissants et leur redonner une chance.

— Sans être *consciente* de tout ce qu'elle fait ?

Carmichael inspira en haussant les sourcils.

— Sans cette conscience réflexive certes, mais... elle agit et réagit à son environnement parce qu'elle est « programmée » comme ça, c'est le mystère de la vie et de la survie : chaque cellule d'un organisme, que ce soit une plante ou un animal, *doit* vivre. L'être qui rassemble ces milliards de cellules ne fait que répéter ce besoin, il *doit* vivre et fait tout pour, c'est son *instinct de survie*, une sorte de commandement suprême, à la base même de tout ce que nous sommes.

— D'où vient cette volonté de vivre, cette... dynamique ? C'est ça, Dieu ?

Carmichael pouffa légèrement.

— Peut-être, oui. Dieu n'est peut-être qu'un concept, pour définir l'énergie de la vie. Et si Dieu n'était qu'une étincelle, celle qui est au cœur de la vie, si Dieu était à l'image de la Terre : un être sans conscience réflexive, juste une énergie : cette électricité vitale à l'existence, le principe même de la vie ?

— Certaines religions disent que c'est un être vivant, à l'image de l'homme.

Carmichael continua de rire doucement :

— Ce serait plutôt l'inverse : l'homme serait à l'image de Dieu mais je vois ce que tu veux dire. Je ne sais que te répondre. Toute philosophie, toute doctrine se doit d'évoluer en même temps que l'homme évolue, que sa société change. Et si, pour s'adapter à la civilisation, la religion avait été obligée de transformer peu à peu ses principes ? Bien sûr, aujourd'hui, on te parlera du paradis et de l'enfer, mais tout ça ce sont des mots, du décor planté par les hommes eux-mêmes. La question qu'il faut se poser, à mon sens, serait surtout celle de l'essence de Dieu. Qu'est-il ? Les religions disent qu'il est partout, en toute chose. Moi, je réponds : cette énergie à la base même de la vie, elle pourrait être une représentation de Dieu.

— Alors vous croyez en Dieu.

Carmichael but une gorgée de bourbon et fit une grimace.

— Dois-je te répondre ? Je ne voudrais pas t'influencer. Eh bien, non, je n'y crois pas. Pour moi Dieu est un concept qui sert à rassurer les hommes. À moins d'être autorisé à définir mon propre Dieu, et d'affirmer que Dieu ne serait rien d'autre qu'un mot creux dans lequel mettre toutes nos questions sans réponse, nos prétentions et notre envie d'humilité, finalement Dieu serait la représentation de notre ignorance. Alors là, oui, j'y croirais, mais cela reviendrait à ne croire qu'en notre ignorance.

Ambre étouffa un bâillement et Carmichael en fut amusé.

— C'est pas très optimiste, remarqua la jeune fille.

— Je crois en la Vie, ça, c'est optimiste ! Uniquement en **elle**, et en une intelligence encore bien trop basique chez l'homme pour qu'il puisse pleinement saisir ce qu'elle est. Mais ça n'engage que moi, ma chère Ambre, et il ne faudrait surtout pas que mon discours puisse t'influencer. Si tu veux croire en Dieu, crois ! C'est au moins un luxe que nous devons nous permettre : le choix de nos croyances. Et je pense qu'il existe autant de religions afin de pleinement répondre à toutes les formes de personnalités. Crois en ce qui te plaira, mais n'en fais jamais trop, garde en toi ce principe de conscience réflexive et applique-le à ta croyance : une croyance réflexive, que tu sois toujours consciente d'être croyante, et d'avoir le recul sur ta propre religion, même s'il s'agit de ne pas croire en Dieu par exemple.

— Et la... l'altération ? Comment peut-on faire apparaître des étincelles rien qu'avec la pensée ? C'est incroyable ça ! Je n'ai aucune explication ! Je m'efforce de dire aux autres que ce n'est pas de la magie ou un rapport avec Dieu, mais parfois j'en viens à douter !

— Non, pas de la magie, car l'altération est bien réelle. Comment fonctionne-t-elle ? Je n'en sais encore rien. Mais je peux supposer que vos corps et vos cerveaux ont été rendus plus malléables par l'impulsion et que désormais vous parvenez à interagir avec l'infiniment petit.

— Petit... comme les microbes ?

— Plus encore ! s'amusa Carmichael. Tu sais que toute chose est faite avec de minuscules particules, les électrons et bien d'autres choses encore ! Partout, même dans l'air, tout est fait de ces particules si petites qu'elles sont invisibles. Sans entrer dans des détails scientifiques complexes, disons que vous parvenez à agir sur ces électrons grâce à votre cerveau. Pour créer des étincelles par exemple : un garçon qui aura développé son esprit dans ce but agira sur les électrons, grâce à son cerveau il engendrera un « frottement » d'électrons qui finira par produire les étincelles.

— Mais on ne sait pas comment on fait, on sait juste qu'il faut se concentrer !

— Quand tu respires, l'air que tu fais entrer dans tes poumons vient alimenter tout ton corps, tous tes organes, jusqu'au bout de tes pieds, et pourtant tu ne sais pas comment tu fais pour ça, c'est naturel, comme un réflexe. Eh bien, il en va de même avec l'altération !

— Elle est bien naturelle alors, je veux dire que c'est pas une mutation horrible ?

— Au contraire, c'est l'évolution ! Lorsque nos lointains ancêtres singes en ont eu marre de vivre dans la savane et de passer leur temps à se redresser pour voir au-dessus des hautes herbes, alors ils se sont mis à marcher sur deux pattes de plus en plus souvent. Leur corps s'est adapté à cette nouvelle position, leur squelette s'est transformé et ainsi de suite. C'est ce qui se passe aujourd'hui avec vos cerveaux, sauf que tout ça se fait en quelques mois au lieu de quelques millénaires ! À une autre différence près : l'évolution de l'espèce humaine a été jusqu'à présent conditionnée par notre milieu, notre survie, d'une certaine manière c'est nous qui l'avons choisie. Cette fois, c'est l'inverse ! L'impulsion est une sorte de contact direct avec l'essence même de la Terre, mère de toute évolution.

— C'est une mère qui a laissé ses enfants grandir sans jamais interférer, mais qui aujourd'hui se permet de leur mettre une claque parce qu'ils sont allés beaucoup trop loin, non ?

— Je n'aurais pas trouvé meilleure analogie ! Une mère d'une incroyable tolérance, mais que nous n'avons plus du tout respectée, et que nous avons même insultée.

— Alors cette altération, on n'a rien à en craindre ?

— Craindre l'altération ? Je ne pense pas. Il faut au contraire vous en servir ! La travailler jusqu'à la maîtriser parfaitement. Elle conditionnera votre avenir.

Ils discutèrent encore pendant plus d'une heure et le vieux monsieur décida qu'il était temps d'aller se coucher. Il remercia Ambre de sa visite et l'invita à revenir bientôt. De son côté, Ambre préféra ne pas aborder l'histoire de la trahison, et l'attaque imminente des Cyniks ; elle lisait en Carmichael une fatigue pour ces affaires bassement humaines, un désintérêt pour les conflits, et elle estima que de toute façon il ne pourrait rien y changer, sauf s'inquiéter pour ses petits-neveux.

Elle referma le passage secret derrière elle et sortit dans la fraîcheur de la nuit. En dehors des insectes nocturnes et d'une chouette lointaine, il n'y avait pas le moindre bruit. Une nuit reposante.

Ambre n'avait pas fait cinquante mètres qu'un bruissement puissant survint derrière elle. Elle se retourna et vit des dizaines et des dizaines de petits triangles noirs qui s'envolaient depuis le toit du Kraken et qui prenaient de l'altitude en tournoyant.

Puis ils fondirent sur elle.

42

Un plan

Toute l'île dormait. Même la lune avait disparu, laissant un ciel noir derrière elle.

— Psssst ! Psssst ! Matt… Matt, réveille-toi.

Matt ouvrit les yeux doucement, l'esprit englué par le sommeil.

Le visage d'Ambre se découpa peu à peu dans la pénombre, Matt la reconnut d'abord grâce à la chevelure, ensuite par l'odeur douce qui émanait de la jeune fille, penchée au-dessus de lui, à quelques centimètres seulement.

Matt se sentait totalement engourdi, comme s'il n'avait dormi qu'une heure à peine.

— Quelle… quelle heure est-il ? demanda-t-il.

— Il doit être une heure du matin.

— Qu'est-ce que tu fais là ?

— J'ai été attaquée par les chauves-souris, elles m'ont prise pour cible.

Pour le coup, Matt recouvra tous ses esprits. Dans le lit au milieu de la pièce, Tobias grogna et sortit son fragment de champignon lumineux de sa table de chevet. La lueur blanche se propagea dans la chambre.

— Ambre ? C'est toi ?

Elle acquiesça.

— Il faut que vous m'hébergiez pour la nuit, je ne peux pas rentrer à l'Hydre, les chauves-souris rôdent.

— Je… je croyais qu'elles ne s'en prenaient qu'à Matt !

— Je peux te garantir que non, répondit Ambre en levant son avant-bras gauche, fraîchement bandé. Je suis passée par l'infirmerie pour me panser, j'ai quelques entailles, peu profondes mais douloureuses. Je suis allée voir le vieux Carmichael cette nuit, j'ai attendu que tout le monde dorme pour monter, et quand je suis ressortie la voie m'a semblé libre. Croyez-le ou non, les chauves-souris attendaient sur le toit du Kraken, elles patientaient là, tranquillement. À peine dehors, elles m'ont foncé dessus, heureusement je les ai entendues venir, il était trop tard pour atteindre l'Hydre, mais j'ai eu le temps de courir ici avant qu'elles ne me mettent en pièces.

— Tu peux dormir dans le canapé-lit, à ma place, si tu veux, proposa Matt en faisant mine de se lever. Je vais dormir par terre.

— Ne sois pas idiot, il y a de la place pour deux là-dedans. Rendormez-vous, il faut se reposer, demain nous parlerons, et j'ai bien peur que nous n'ayons une rude journée.

Sur quoi Ambre demanda à Tobias de ranger son champignon lumineux pour se mettre plus à l'aise, en chemise. Elle entra sous les draps avec Matt qui s'allongea à l'opposé, à l'extrémité du matelas, assez mal à l'aise à l'idée qu'il puisse effleurer son corps pendant son sommeil. Cette fois, il était totalement réveillé.

Matt ne parvint à fermer les yeux qu'une heure avant l'aube. Et il se leva avant ses compagnons, réveillé par ses déductions nocturnes et le sentiment d'avoir fait des cauchemars, sans parvenir à s'en souvenir. Il lui semblait néanmoins que le Raupéroden avait rôdé, une fois encore, dans le sillage de ses songes.

Il descendit rassembler de quoi faire un petit déjeuner copieux et monta le plateau dans la chambre pour sortir ses camarades du sommeil. Il avait hâte de partager avec eux ses idées. Pourtant il préféra ne rien dire tout de suite, leur laisser le temps d'émerger. À vrai dire, il réalisa vite qu'il était effrayé de leur dévoiler son plan. Et s'il s'était trompé ? Alors il risquait de les envoyer sur une fausse piste qui leur coûterait la vie.

Allongés dans leurs lits, les membres de l'Alliance des Trois mangèrent en bavardant :

— Ambre, je dois te faire une confidence, avoua Matt.

Il lui raconta toute l'histoire du Raupéroden et de ses cauchemars récurrents.

— Tu crois vraiment qu'il existe ? insista la jeune fille.

— Mon instinct me dit que ce n'est pas seulement dans ma tête. Je suis convaincu que c'est lui qui a attaqué le site panesque tout au nord. Et il descend vers nous. Tôt ou tard, il nous trouvera, il attaquera ici.

— Que comptes-tu faire ?

Matt se frotta nerveusement la joue. Ses cernes étaient marqués.

— Je m'interroge. Dois-je rester et mettre tout le monde en danger ?

— Tu ne voudrais pas fuir tout de même ? s'indigna Tobias. Et nous alors ? Tu nous abandonnerais ?

— Peut-être que c'est le seul moyen de ne pas attirer le Raupéroden sur vous, justement.

Ambre fit taire tout le monde car elle sentait le ton monter :

— Pour le moment notre priorité est le traître.

Matt hocha la tête.

— J'y ai beaucoup pensé cette nuit, rapporta-t-il sans oser avouer qu'en réalité c'était la présence d'Ambre dans son lit qui l'avait tenu éveillé si longuement. Je crois que j'ai un plan.

Ses deux acolytes se figèrent, tartine et fruit en suspens, et furent encore plus stupéfaits de constater qu'il avait un petit sourire de triomphe au coin des lèvres.

— Un plan pour le démasquer ? insista Tobias.

— Oui, mais je vous préviens, c'est risqué. Ce sera quitte ou double. Si j'ai vu juste cette nuit, on peut lui tomber dessus. En revanche, si j'ai fait fausse route ou qu'on s'organise mal, alors, il nous massacre d'un seul coup.

— Arrête, tu te fiches de nous là ? s'indigna faussement Tobias. Tu n'as pas découvert qui était le traître au cours de la nuit tout de même ?

— Je peux me tromper mais… j'ai ma petite idée.

— Que doit-on faire ? demanda Ambre.

— Déjà, empêcher Ben d'aller explorer la forêt pour nous, ce ne sera plus nécessaire. Il faut également retenir Franklin, l'autre Long Marcheur, on aura besoin de tout le monde. (Matt prit un temps pour fixer ses amis, l'air grave, puis il prit son inspiration et lança :) Quant à nous, on va passer tout l'après-midi sur les quais sud, rien que nous trois.

43

Quatre flèches pour les meneurs

Avant la fin de la matinée, la nouvelle s'était propagée dans toute l'île : Ambre, Tobias et Matt avaient peut-être une idée pour accélérer le contrôle de l'altération, mais ils devaient finaliser leur plan avant de le communiquer. Pour cela, ils passeraient l'après-midi aux quais, avec le désir de n'être dérangés sous aucun prétexte. Personne ne devait s'approcher. Si le résultat était à la hauteur de leurs espérances, le soir même, tous les Pans en seraient informés lors d'une grande réunion spécialement programmée pour l'occasion.

L'endroit était idéal pour s'assurer de n'être espionné par personne puisque les pontons s'enfonçaient d'au moins dix mètres dans le fleuve, et qu'un cercle d'herbe, de saules et de fougères éparses séparait les quais de la forêt. Si on souhaitait les épier, il fallait se cacher derrière les arbres, à plus de vingt mètres d'eux.

L'inconvénient majeur de cet endroit isolé était sa largeur. Le croissant de végétation s'étalait sur plus de cinquante mètres et, s'il était impossible de les écouter ou de bien les voir sans s'approcher, il était en revanche facile de rester à la lisière et de leur tirer dessus par exemple, à condition d'être adroit.

L'Alliance des Trois avait donc privilégié le secret plutôt que la sécurité.

Assis tout au bout d'un quai, Matt avait les jambes pendantes au-dessus de l'eau. Ambre était à ses côtés, et Tobias – accroupi – se tenait dans leur dos. Ils discutaient avec passion, Tobias n'arrêtait pas de bouger, comme d'habitude, et Ambre se penchait vers Matt pour lui faire part de ses impressions. Ce dernier était le seul à rester calme. Il écoutait sans rien dire, plongé dans ses pensées. Il avait interdit à Plume de les accompagner, et la chienne était repartie la queue entre les jambes, vexée de n'être pas conviée.

Ils étaient là depuis presque deux heures, leur conversation s'était calmée, avait perdu du rythme, lorsqu'un individu se glissa derrière un tronc. Il ne pouvait plus s'approcher davantage sans devenir visible, cependant il était dans l'axe, à vingt mètres des trois adolescents.

Alors il prit son arc, planta cinq flèches dans la terre à ses pieds et en encocha une sixième avant de bander la corde et de prendre son temps pour viser.

Il fallait le faire. Tuer ces trois Pans avant qu'ils ne rendent l'île imprenable. Le traître n'était pas fier de lui, mais il le faisait pour son bien. Les Pans n'avaient aucune chance de survie face aux Cyniks. Il valait mieux choisir le camp des vainqueurs tant qu'il en était encore temps, et lui avait fait son choix.

C'était le hasard – il préférait dire : la chance – qui l'avait mis sur le chemin d'un groupe de quatre Cyniks alors qu'il ramassait du bois dans la forêt. Il était arrivé sur l'île deux mois avant et ne se sentait pas à sa place au milieu de tous ces adolescents capricieux. Ce matin-là, il était de corvée à l'extérieur de l'île, et les quatre Cyniks l'avaient surpris au détour d'une cuvette. Sur le coup, ils avaient failli l'attaquer mais il les avait suppliés de le laisser leur parler. Il était prêt à venir avec eux, il ne voulait plus être avec des adolescents et des enfants, il voulait intégrer les adultes, retrouver la sécurité qu'ils dégageaient. Après une longue hésitation, les Cyniks avaient parlé entre eux, et le traître avait bien senti qu'on débattait de son sort : l'écouter ou le tuer. Puis ils lui offrirent un marché : il n'allait pas venir avec eux, pas tout de suite, mais il allait leur servir d'espion. Car ils n'étaient pas là pour enlever des Pans, mais en éclaireurs, pour repérer des « nids » en prévision d'assauts futurs. S'il les servait bien, alors, une fois l'île conquise, il pourrait les rejoindre.

Le traître n'en avait pas demandé plus. Ils avaient trouvé un moyen original de communiquer et les éclaireurs lui avaient expliqué qu'ils resteraient dans la région pendant que d'autres Cyniks iraient chercher une petite armée. Tout cela allait prendre beaucoup de temps, plusieurs mois pour descendre au sud-est et remonter, mais, pendant cette période, sa mission serait de les tenir informés de ce qui se passait sur l'île et de préparer le terrain pour qu'ils puissent attaquer, une fois l'armée rassemblée. Il était convenu qu'ils attendraient son tour de garde au pont pour lancer l'assaut, de manière à ce qu'il leur ouvre l'accès à l'île pendant le sommeil des Pans.

Et juste au moment où l'armée était arrivée, voilà que les ennuis étaient apparus.

Ambre, Tobias et Matt avaient constitué une menace imprévue. Depuis qu'ils étaient ensemble, ils étaient parvenus à mettre un nom sur l'altération et pire : à habituer les Pans à s'en servir. Ils étaient dangereux pour le succès de l'invasion. Face à des Cyniks puissants et lourdement armés, les Pans n'avaient aucune chance. Mais s'ils contrôlaient leur altération alors c'était différent. Au début, le traître s'était dit qu'il était préférable d'attendre un peu, pour voir exactement ce qu'il en était, ne pas lancer l'armée des Cyniks dans un piège. Mais depuis deux jours, il avait pris conscience qu'il ne fallait plus attendre, le temps jouait en faveur des Pans, cette altération ne pouvait constituer une menace réelle en l'état. Cependant il fallait éliminer les trois meneurs, pour s'assurer qu'ils ne trouveraient pas un moyen de gêner les Cyniks pendant l'attaque. Ambre parce qu'elle était au cœur de ce travail sur l'altération, Matt parce qu'il la maîtrisait plutôt bien, comme il l'avait démontré lors de l'attentat manqué, et Tobias simplement parce qu'il était tout le temps fourré avec eux, il devait en savoir beaucoup trop.

Le traître repensa à l'attentat manqué avec le lustre. Son plan semblait pourtant au point. Il aurait pu se débarrasser de Doug une bonne fois pour toutes. Doug n'était pas une priorité dans ses cibles, mais à l'époque il était le Pan le plus dangereux, car le seul capable de rassembler tout le monde et de se faire écouter. L'éliminer aurait semé une confusion pratique pour simplifier l'invasion. Depuis que Matt avait démontré devant tout le monde sa capacité, son altération, le traître avait réalisé combien il était important de s'occuper de lui avant tout, et de ses deux acolytes.

Et voilà que l'occasion parfaite se présentait. Le trio voulait aller trop vite, il s'était installé ici pour que personne ne les entende, hélas pour eux, c'était un endroit pratique pour le traître. Et il ne comptait pas leur offrir les quelques heures dont ils avaient besoin pour mettre leur plan à exécution. L'altération resterait un mystère, les Cyniks pourraient surgir avant que les Pans la maîtrisent.

S'il parvenait à les tuer maintenant, alors il enverrait son message à l'armée.

Et ils triompheraient, sans aucun doute.

Il ajusta son tir, bloqua sa respiration – il avait toujours été doué au tir à l'arc depuis les colonies de vacances de son enfance – et ses doigts lâchèrent la corde.

La première flèche vint se planter dans le dos de Matt.

En plein après-midi, il ne portait pas son gilet en Kevlar et la flèche pénétra si profondément qu'elle put transpercer son cœur, et Matt tomba en avant.

La deuxième flèche siffla pour se ficher dans la poitrine d'Ambre, qui n'eut pas le temps de réagir sauf de porter la main à son sein gauche, et elle chuta à son tour, terrassée par le coup parfaitement ajusté.

La troisième flèche rasa Tobias qui, affolé, criait de toutes ses forces sur le bout du ponton. La quatrième le fit taire à jamais.

Il fut projeté en arrière et bascula également du haut du ponton.

En moins de vingt secondes, les trois corps avaient disparu.

L'Alliance des Trois n'était plus.

44

La conquête facile

Le merle vint se poser sur un piquet servant à suspendre les marmites au-dessus du feu. Pour l'heure, il n'y avait qu'un gros tas de cendres et la fonte était froide.

En face, un homme s'affairait à hisser un drapeau rouge et noir au sommet de son mât. Lorsqu'il eut terminé sa besogne, il se tourna et vit l'oiseau. Ses yeux bruns se mirent à briller et il songea aussitôt au petit rôti qu'il pourrait s'offrir à condition de pouvoir se saisir de ce merle téméraire.

Le Cynik s'approcha sous le regard intrigué du volatile, jusqu'à remarquer le petit anneau qui lui encerclait la patte.

Il lâcha une grimace de déception.

— Ah ! Un messager ! Je me disais aussi, c'est trop facile…

L'homme tendit la main pour prendre la bête et défit la bague qui dissimulait un rouleau de papier qu'il s'empressa d'apporter à son chef. Les tentes étaient faites de cuir tendu sur des piquets, et l'odeur à l'intérieur était très forte, d'autant que des fourrures d'ours, de chiens et même de chats servaient de moquette, de coussins ou d'oreillers. Le Cynik salua son supérieur et lui tendit le message :

— Ça vient tout juste d'arriver, sir Sawyer.

Un colosse chauve se leva et vint prendre le mot. Il avait des tatouages sur les bras et même sur la nuque, qui remontaient sur l'arrière de son crâne et s'enroulaient autour de ses oreilles.

Il lut à voix haute :

« *Les trois meneurs sont morts. Je serai de garde dans deux nuits, ce sera le moment d'attaquer. Le pont sera en place, attendez minuit, que tout le monde dorme pour entrer. Victoire !* »

— Dois-je sonner le rassemblement, sir ? demanda l'homme qui avait apporté le message.

Le grand chauve inspira profondément et fit tourner sa tête

d'une épaule à l'autre, sa nuque émit une série de craquements lugubres.

— Oui. Ce soir nous affûtons les armes, car demain nous levons le camp. Dans deux jours à cette même heure, nous serons en route pour rentrer chez nous. (Un odieux rictus lui souleva le coin droit des lèvres lorsqu'il ajouta :) Nos chariots pleins de Pans.

Le lendemain soir, sir Sawyer conduisait son armée à travers la forêt, chevauchant un grand cheval à la robe noire. Une centaine d'hommes marchaient derrière lui tandis que deux énormes cages de bambou sur roues fermaient la colonne, tractées chacune par quatre ours bruns. Ces étranges chariots étaient si grands – près de dix mètres de haut – que deux soldats étaient arrimés sur la façade avant et taillaient les branches à coups de machette afin d'assurer un passage aux cages.

Des lanternes étaient suspendues à des lances que tenaient certains guerriers, et d'autres pendaient depuis les chariots, la graisse animale brûlait en délivrant un halo jaunâtre sur la cohorte.

Tous les hommes portaient des armures d'ébène, grossièrement sculptées dans le bois, si bien qu'aucune ne ressemblait à une autre. Haches, épées, masses d'arme, tout l'arsenal moyenâgeux y passait. Il était évident qu'ils avaient entièrement assigné leur provision de minerai à la fabrication d'armes, le reste devant se contenter d'un artisanat improvisé avec les moyens du bord.

À l'approche de l'île, sir Sawyer descendit de son cheval pour contempler le fleuve et la cime des manoirs dont toutes les fenêtres étaient éteintes.

Le pont en pierre enjambait le bras d'eau ténébreuse dans laquelle se réfléchissait la lune. Leur espion avait fait glisser les troncs et posé la plaque de tôle pour leur ouvrir le passage.

— L'île est à nous, dit-il à son second qui marchait à ses côtés. Laissez les soldats à la traîne avec les chariots, tous les autres avec moi, nous allons conquérir ces petits châteaux, les uns après les autres. Si la résistance est trop forte, on sort les armes, mais n'oubliez pas de bien redonner la consigne à tous : on tente de faire le moins de dégâts possible ! La Reine veut pouvoir examiner la peau de tous les Pans, même s'ils sont morts !

Sir Sawyer posa le pied sur la plaque de tôle qui grinça sous son poids et bientôt ils furent une soixantaine à fouler la pierre du pont, passant au-dessus des arches et se rapprochant de leur objectif.

Ils étaient presque arrivés de l'autre côté lorsque sir Sawyer leva le bras pour immobiliser son cortège. Il renifla plusieurs fois en regardant autour de lui.

— Vous ne sentez pas ? demanda-t-il à son second qui se mit à renifler à son tour.

— Oui, comme… comme une odeur de… de dissolvant.

— De l'essence, imbécile. Ça sent l'essence. Je ne sais pas ce qu'ils fabriquent sur cette île mais je n'aime pas ça.

Il hésita un instant avant de se tourner vers ses hommes et d'un geste il leur ordonna de sortir leurs armes du fourreau.

— Quelque chose ne va pas, gronda-t-il. Je le sens. Tenez-vous prêts.

45

Flash-back

Les fougères qui tapissaient la lisière de la forêt constituaient une cachette formidable pour Matt et la soixantaine de Pans qui veillaient sur le pont de leur île. Même les deux Longs Marcheurs étaient présents. Ils ne faisaient pas un bruit, guettant la rive opposée avec anxiété. Il avait fallu enfermer Plume à triple tour pour l'empêcher de les suivre. Matt craignait pour sa sécurité et la chienne avait hurlé à la mort, à la trahison, pendant toute la soirée. Heureusement, de là où ils étaient, on ne pouvait plus l'entendre.

Lorsque les petits points lumineux apparurent à travers la frondaison des arbres, un murmure surfa sur la longue colonne de Pans avant qu'ils ne retournent au silence. Ils virent s'approcher une procession de soldats effrayants, la plupart avaient le visage dissimulé par un casque, dont certains étaient hérissés de pointes ou de cornes. Un second murmure collectif gronda lorsque surgirent les hautes lanternes des chariots aux cages géantes. Tout le monde se tut dès que le cavalier descendit de son cheval pour guider ses hommes sur le pont. Il ne fallait pas être repéré.

Matt était fier de lui ; jusqu'à présent, tout son plan avait fonctionné à merveille. Cette nuit de déductions s'était avérée payante. Et au milieu des buissons, des hautes herbes et des feuilles qui lui chatouillaient le visage, Matt repensa à cette poignée d'heures si capitales ; l'espace de quelques secondes, il se replongea dans ses doutes nocturnes, presque deux nuits plus tôt…

… L'agression d'Ambre le perturbait. Il s'était convaincu que les chauves-souris étaient liées au Raupéroden. Or, plus il y pensait, plus il était persuadé que le Raupéroden le cherchait lui, et personne d'autre. Alors que faisaient ces chauves-souris ici ? Pourquoi ne s'en prenaient-elles qu'à lui ou à Ambre ? Même si Tobias en était victime tôt ou tard, ça semblait plus que probable…

Était-ce un hasard si les trois meneurs que le traître voulait faire disparaître étaient justement attaqués par ces mammifères bien particuliers ?

Non, Matt ne croyait pas au hasard. Une connexion existait entre les deux. Le traître était derrière tout cela.

Pourtant personne ne peut contrôler *des chauves-souris !*

Et c'est alors que Matt comprit.

L'altération.

Le traître avait développé son altération, il était capable de communiquer avec les chauves-souris. Matt repensa à ce qu'Ambre leur avait expliqué : chacun nourrissait sa propre altération de son expérience. Plus on sollicitait une partie de notre cerveau ou de notre corps et plus l'altération se construisait dessus.

Le traître pouvait communiquer avec les chauves-souris parce qu'il était en contact avec elles tout le temps, jour après jour, depuis plusieurs mois. *Mais personne ne passe son temps avec des chauves-souris ? Elles vivent la nuit ou dans des cavernes… Personne ne passe ses journées avec des bestioles pareilles !*

Aussitôt, Matt se souvint de son professeur de mathématiques. Il leur disait tout le temps : « *Quand un problème vous semble insoluble, alors prenez de la hauteur. Ne regardez plus ce qui est petit, regardez l'ensemble, passez du micro au macro. Car si vous n'avez pas trouvé la solution de l'intérieur vous la trouverez de l'extérieur !* » Alors il cessa de penser micro : les chauves-souris, et tenta de penser macro : *À quoi ressemblent-elles ? Sont-elles apparentées à une espèce ?*

Les volatiles ! Le traître était au contact de volatiles toute la journée. Et il ne pouvait s'agir que d'une seule personne : Colin.

Colin s'occupait de la volière de l'île. Depuis son arrivée ici il était au milieu des oiseaux, il devait leur parler, heure après heure, jour après jour. C'était un solitaire qui restait la plupart de son temps enfermé avec ses compagnons volants. Son altération était née ainsi. Il avait développé une forme de communication primaire avec les volatiles.

Matt se retint de réveiller ses deux amis qui dormaient, il pouvait sentir la respiration chaude d'Ambre sur sa nuque depuis qu'elle s'était retournée et rapprochée pendant son sommeil.

Que devaient-ils faire maintenant ? Arrêter Colin au petit matin ? Et s'il s'était trompé ? *Je ne me trompe pas, c'est Colin !* Pourtant, il fallait prendre le temps de réfléchir à son analyse, être sûr qu'il n'avait pas oublié quelqu'un, qu'il n'était pas en train d'aller un peu vite… Si Matt commettait une erreur et que Colin était innocent, le vrai traître assisterait à son arrestation et, sentant le danger se rapprocher, enverrait son message aux Cyniks pour qu'ils attaquent. Non, on ne pouvait pas prendre ce risque ! Il fallait s'assurer que Colin était bien le traître, sans aucun doute possible. Et pour ça, Matt ne voyait qu'une seule option : lui tendre un piège. Lui offrir la chance dont il rêvait : se débarrasser des « trois meneurs ». S'il était pris sur le fait, alors ils seraient sûrs, Colin ne pourrait plus nier et on le forcerait à avouer tout ce qu'il savait.

Matt passa les heures suivantes à élaborer un stratagème pour le démasquer.

Pour mettre son plan à exécution, Matt eut besoin de Tobias dans la matinée pour aller chercher le mannequin qui leur avait fait peur, dans la remise du Minotaure. Ils l'habillèrent de vêtements portés par Matt et l'installèrent sur le bout du ponton. Le midi, Ambre enfila le gilet en Kevlar et Tobias parvint à superposer deux cottes de mailles prélevées sur les armures du Kraken. Pendant que ses amis donnaient l'illusion d'être trois, Matt fonça au Centaure pour surveiller Colin. Il ne tarda pas à en sortir discrètement, un arc et des flèches à la main et à marcher vers le sud de l'île. Il allait les attaquer comme il l'avait déjà fait avec Matt dans le cimetière : à distance, ce que Matt avait légitimement supposé, compte tenu des lieux. À cette distance il ne pouvait pas se rendre compte que le dos de Matt n'était que celui d'un mannequin et il était improbable qu'il vise la tête, du moins Matt l'espérait-il. Ne fallait-il pas l'arrêter tout de suite ? Non, car il pourrait encore tout nier, prétextant qu'il allait chasser… Matt voulait être absolument certain de sa culpabilité, il fallait le prendre en flagrant délit.

Les flèches fusèrent bien plus vite que Matt ne s'y était attendu, et pour ne pas se faire repérer il avait dû rester en retrait, le mannequin tomba en avant, suivit d'Ambre et de Tobias… qui s'affalèrent sur la vieille barque qu'ils avaient disposée sous le ponton juste avant, en la remplissant de couvertures pour amortir le choc. Avec le ponton pour les masquer, Colin avait cru qu'ils étaient tombés à l'eau. Matt s'était mis à courir dès la première flèche, et Colin, trop concentré, ne l'avait pas entendu venir. Bien que plus âgé et plus fort en apparence, Colin n'essaya même pas de se débattre et très vite ses yeux s'emplirent de larmes.

En le voyant aussi pitoyable, Matt se souvint de sa réaction le jour où Doug avait demandé des volontaires pour l'aider dans la volière avec les poules : Colin avait lourdement insisté pour qu'on ne touche pas aux oiseaux, qu'il soit le seul à s'en occuper.

Comme si la logique avait eu besoin également de certitude, c'est seulement à ce moment qu'elle s'embraya et tout s'emboîta : Colin se servait de ses oiseaux pour communiquer avec les Cyniks. Des messagers volants. Apprivoisés. À force de vivre avec eux, de leur parler, de les écouter, d'essayer de nouer un contact, l'esprit de Colin s'était altéré jusqu'à lui permettre de *sentir* les réactions des oiseaux, et probablement de leur faire passer des idées simples, telles qu'attaquer, peut-être en essayant de leur transmettre un visage par la pensée ou en leur montrant un morceau de vêtement appartenant à leur cible, Matt ignorait si les oiseaux avaient un odorat développé à la manière des chiens.

Et son écriture, celle sur le piège qu'il m'avait tendu ! se rappela Matt. *J'ai cru que c'était un jeune Pan parce que c'était maladroit et puéril, mais c'était parce que Colin n'est pas très vif ! Il s'exprime mal !*

Et les chauves-souris ne volaient pas au hasard ! Elles allaient toujours au-dessus du Centaure, au-dessus de la volière en réalité ! Où Colin devait les attendre pour tenter de communiquer avec elles. Cela avait dû lui prendre du temps… *Et l'oiseau étrange lors de l'expédition*, Matt l'avait remarqué et s'était étonné car il semblait le suivre ! En fait l'oiseau était envoyé par Colin et il cherchait l'humain à qui délivrer son message, un message que Matt avait aperçu dans les mains des Cyniks : un petit rouleau de papier ! Enfin, Ambre leur avait raconté combien Colin semblait nerveux lorsqu'il était venu la questionner sur l'altération… Toutes les pièces du puzzle s'assemblaient.

Colin se mit à sangloter en voyant Ambre et Tobias remonter de la berge et se frotter le torse, ils étaient bons pour de jolis hématomes.

Il avait tout avoué sans difficulté.

Et il termina avec un avertissement :

— Si je n'envoie pas de message bientôt, ils finiront de toute manière par attaquer, ils ne veulent plus attendre.

Le siège de l'île était inévitable.

Matt avait avancé la réunion du soir pour tout expliquer aux Pans. L'imminence d'une bataille dont l'enjeu n'était rien moins que leur liberté, peut-être même leur vie. Trois groupes furent formés. Le premier, sous le commandement d'Ambre, rassemblait les Pans qui parvenaient à se sentir à l'aise avec leur altération, ils allaient s'entraîner sans relâche jusqu'au dernier moment. Le second, mené par Matt, s'équiperait d'armes pour faire un maximum d'exercices en vue d'un affrontement physique. Le troisième, avec Doug, allait préparer le terrain pour repousser l'envahisseur. Tobias, quant à lui, serait avec les archers, refusant d'être leur capitaine parce qu'il s'estimait trop mauvais au tir. On désigna Mitch.

Colin se traîna à terre devant tout le monde, implorant qu'on l'épargne, et jura de tout faire pour se faire pardonner. Certains Pans, essentiellement les plus jeunes, proposèrent qu'on le tue pour lui faire payer, Matt s'y opposa fermement et, dès lors, Colin le suivit comme s'il était son esclave, lui offrant son aide pour tout. Colin accepta de rédiger un message dicté par Matt, pour attirer les Cyniks dans deux nuits. C'était court mais au moins ils s'assuraient ainsi de choisir l'heure de la bataille et d'avoir l'énorme avantage de la surprise.

Pendant vingt-quatre heures, tout le monde s'exerça pour se familiariser avec les armes ou pour parvenir à un résultat acceptable avec l'altération. Quelques heures avant l'assaut, tous les Pans allèrent se reposer ; épuisés, ils parvinrent à dormir malgré le stress qui les tétanisait, et à minuit ils étaient tous abrités dans la végétation, le cœur palpitant, tandis que les deux tiers de l'armée ennemie franchissaient leur pont...

... Matt sentit la sueur couler le long de sa colonne vertébrale. Il transpirait de peur et d'anxiété. Il fallait que son plan fonctionne. Sans quoi ils allaient se faire massacrer.

Tout le monde était à son poste et savait ce qu'il avait à faire.

Le cœur de Matt accélérait à mesure que se rapprochait l'instant où il allait devoir agir, en premier. À partir de là, ils ne pourraient plus reculer, si son plan n'était pas parfaitement pensé, ils seraient fichus.

Il continua de scruter le grand Cynik chauve et tatoué, son visage inquiétant, les yeux tellement enfoncés dans leurs orbites qu'ils semblaient noirs malgré les lanternes que ses soldats portaient.

Soudain, le chauve, le commandant, s'immobilisa en levant le bras. Il parla à voix basse, Matt ne put l'entendre, et d'un mouvement tous ses hommes sortirent leurs armes.

Matt avait le souffle court. Il devait se lever, ne plus attendre, même si tous les soldats n'étaient pas encore sur le pont, l'adolescent devinait qu'il allait se passer quelque chose d'imprévu, il ne pouvait prendre ce risque.

Le jeune garçon inspira longuement, ferma les paupières une seconde pour se concentrer, les mains sur la garde de son épée plantée dans la terre devant lui, puis il se redressa et d'un bond sortit de sa cachette pour se retrouver au sommet d'un petit rocher. De là il dominait le pont, face à l'armée.

Le grand chauve l'aperçut et inclina la tête à la manière d'un rapace qui surprend sa proie hors de son terrier.

— VOUS N'ÊTES PAS LES BIENVENUS ICI ! s'écria Matt. FAITES DEMI-TOUR TANT QUE VOUS LE POUVEZ, ET NOUS VOUS ÉPARGNERONS !

À ces mots, presque tous les Cyniks rirent en se moquant de

Matt. Certains levèrent leurs épées ou leurs haches avec un sourire cruel. Le petit avertissement n'avait pas marché. Le combat
était inévitable. Le sang allait couler. Matt ressentit toute la
peine qu'il avait éprouvée en enfonçant sa lame dans le ventre
d'un homme puis en tuant un Glouton. Toute cette violence
inutile. Ces Cyniks la provoquaient, ils étaient responsables de
ce qui allait suivre. Matt leur en voulut d'être aussi entêtés. Il
devrait se battre encore et cela le rendit mélancolique. *Ne le sois
pas !* s'ordonna-t-il en contemplant tous ces visages belliqueux.
*Ce sont eux qui viennent ici pour nous attaquer, ils sont coupables
de cette violence, ils la cherchent, et tu vas devoir y répondre pour
ne pas être tué. Ils porteront la responsabilité de leurs actes.* Et il
repensa à la Terre, à la pollution que les hommes entretenaient
et diffusaient tout en sachant qu'elle empoisonnait leur air, leur
eau, leur terre. L'adulte agissait parfois avec stupidité. Il était
temps de corriger ces erreurs, de montrer qu'une nouvelle géné-
ration d'hommes pouvait naître. Et s'il fallait le faire dans le
sang, c'était à cause des Cyniks. Matt et tous les Pans de l'île ne
l'avaient pas voulu.

Les sarcasmes des soldats donnèrent à Matt le courage de
ne pas faiblir, sa peur se transforma rapidement en colère. À
chaque rire gras, il se sentait différent, à chaque moquerie il
s'endurcissait en brisant l'empathie et la pitié. Bientôt, il ne
lui resta au cœur que du mépris pour ces crétins sanguinaires
qui ne désiraient que la guerre. Son visage s'assombrit d'un
coup. Puisque les Cyniks ne comprenaient que le langage
des armes, il allait leur répondre. Ses prunelles brillaient de
l'éclat de la rage, une rage froide et troublante, et les Cyniks
les plus proches cessèrent de rire. Plus les autres ironisaient,
plus Matt se sentait fort. Il les scruta avec la détermination du
guerrier qui sait le combat inévitable et qui s'affranchit de ses
angoisses.

Bientôt, face à cet adolescent au regard de tueur, souligné
par les cicatrices de son combat contre les chauves-souris, plus

aucune plaisanterie ne fusa. Matt reprit en criant, d'une voix ferme et pleine d'assurance, déterminé à aller jusqu'au bout :

— Nous avons des pouvoirs que vous n'imaginez pas. Avancez d'un pas et vous périrez tous !

Sur ces mots la soixantaine de Pans qui attendaient dans la forêt surgirent pour former une longue ligne de jeunes combattants visibles dans la pénombre de la rive. Ils portaient des épées, des masses, des haches, tout ce qu'ils avaient pu trouver sur l'île, quelques-uns arboraient des morceaux d'armures, d'autres des arcs, pour la plupart fraîchement fabriqués avec les ressources des bois.

Le grand chauve ne se laissa pas impressionner par cette démonstration de force, il serra les mâchoires et brandit une hache à double tranchant dans chaque main. Il fixa Matt et fit un pas vers lui en signe de défi. Matt leva son épée vers le ciel. Maintenant ils allaient savoir si son plan était une folie.

D'un même pas lourd, toute l'armée se mit à avancer vers lui.

46

Le pouvoir des Pans

Caché dans les roseaux au pied du pont, Sergio vit Matt faire le signal : l'épée tendue vers les étoiles. Alors il se concentra de toutes ses forces, comme il l'avait fait avec Ambre pendant ces vingt-quatre heures d'entraînement intensif. Il y était parvenu sur la fin, dans un état second dû à la fatigue, et maintenant que venaient à lui le stress et l'obligation de réussir, il se mit à douter. Pouvait-il créer des étincelles à distance, sans frotter aucune pierre ?

La distance était courte, à peine un mètre, mais elle lui semblait infinie. Il inspira par le nez et expira par la bouche, les paupières fermées. Il fit le vide dans son esprit, jusqu'à percevoir le souffle rythmé de sa respiration qui irradiait ses poumons. Son altération, Sergio la sentait habituellement au bout de ses doigts. Une chaleur douce et des picotements au moment de produire la décharge d'étincelles.

Le martèlement des pas sur le pont au-dessus de lui le déconcentra. Ils se rapprochaient...

Sergio remobilisa aussitôt sa concentration et fit le vide. Son souffle. Le fourmillement du sang sous sa peau. Ses mains. L'extrémité de ses doigts. Son cœur s'y transporta et se mit à battre au bout de ses phalanges. Sergio devina une chaleur en lui, une nappe d'électricité statique le couvrit, comme pour l'isoler du monde, et elle glissa jusqu'à ses doigts. Des picotements.

Sergio tendit les bras en direction du pont, là où l'essence était renversée, à un mètre à peine de lui. Il plongea dans son propre corps et la seconde suivante une effroyable décharge le renversa sur le côté, le laissant inconscient.

Dans le même temps, l'armée arrivait au bout du pont, le grand chauve avait même accéléré pour foncer sur Matt, lorsqu'une myriade d'étincelles crépita à leurs pieds. Dans un nuage de fumée, des flammes se soulevèrent de part et d'autre de l'ouvrage pour l'embraser. En moins de dix secondes, tout le pont fut gagné par un torrent de feu qui s'était allumé comme par magie.

Les Cyniks hurlèrent de peur – se pouvait-il que ces gamins aient vraiment des pouvoirs ? – et se jetèrent à l'eau sans attendre une mort atroce. À peine plongés dans l'eau noire du fleuve, ils commencèrent à couler, emportés par le poids de leurs armes vers le fond. Pour remonter à la surface et nager ils durent se débarrasser de tout ce qui était lourd. Ceux qui étaient tombés près des berges tentèrent de s'en approcher et c'est alors que le jeune Bill fendit les rangs pour s'accroupir près de l'eau et se concentrer à son tour. À douze ans, il était l'un des Pans les plus adroits avec son altération, il jouait avec tout le temps, même pendant les repas où il s'amusait à faire tourner l'eau dans les verres de ses camarades. Bill avait passé ses six mois sur l'île à pêcher, ou à construire de minuscules barrages sur les berges, et il avait un contact privilégié avec l'eau.

Très vite, les soldats qui cherchaient à s'approcher furent contraints de redoubler d'efforts face à un courant puissant qui les repoussait. Bill avait les yeux fermés et s'efforçait de rendre la nage impossible de leur côté du fleuve. L'adrénaline de la bataille se transformait en une formidable énergie qui décuplait l'altération. Bill se croyait incapable d'influer sur l'eau vive et voilà qu'il déviait... un fort courant sur plusieurs mètres ! Mais pas pour longtemps, sa tête se mit à tourner et l'instant d'après il s'effondrait dans l'herbe, totalement vidé par son prodigieux effort.

Sur l'autre rive, la quarantaine de Cyniks qui restait demeura sous le choc plusieurs minutes, avant de s'organiser. Une batterie d'archers prit position et prépara ses tirs. Les cordes de leurs arcs vibrèrent et une pluie de flèches dansa dans les airs avant de plonger sur les Pans. Cette fois ce fut au tour de Svetlana de s'illustrer en levant les mains au-dessus d'elle. Un léger courant d'air vint suffisamment fouetter les empennages pour dévier les flèches qui allèrent se perdre dans le fleuve et dans la forêt. Les archers cyniks, déstabilisés par ce phénomène incompréhensible, tentèrent une nouvelle salve qui subit le même sort. Svetlana se mit subitement à tituber, épuisée par l'effort qu'elle venait de fournir. Elle avait balayé les manoirs pendant six mois, préférant cette occupation solitaire à d'autres corvées, et pendant tout ce temps elle avait maudit les courants d'air qui emportaient la poussière qu'elle entassait en petits tas, elle avait rêvé des milliers de fois de pouvoir contrôler le vent dans les couloirs, de souffler sur les parquets rien qu'avec la pensée, jusqu'à ce que son rêve devienne réalité. Mais à l'image de Bill et Sergio qui étaient parvenus à des résultats exceptionnels ce soir grâce à la pression, elle s'était vidée en quelques secondes de toute force.

Ambre et Tobias suivaient la bataille et constataient que l'essentiel des soldats étaient emportés par les courants du fleuve, désarmés et en état de choc. De l'autre côté, les archers, désorientés à leur tour, ne savaient plus quoi faire de leur inutilité.

Maintenant que le premier assaut était repoussé Mitch estima qu'il était temps de répliquer avant qu'ils ne se réorganisent. Il voulait les pousser à fuir. Il ordonna à ses archers de se mettre en position et cria l'ordre de tir.

Tobias visa un Cynik mais sa flèche n'atteignit même pas l'autre rive. *C'est pour ça qu'ils tirent vers le haut! Pour aller plus loin!* Sa flèche suivante partit vers les étoiles et, lorsqu'elle redescendit, vint se planter aux pieds d'un soldat qui prit peur et recula. Des dizaines de traits fusèrent avant de cribler les archers cyniks dans leurs armures de bois.

Mitch suivait le déroulement de l'action, à la fois sur le pont où une poignée de téméraires avaient refusé de sauter à l'eau et sur la berge opposée. Son regard semblait si affûté qu'il pouvait tout analyser, sans rien omettre. Sa faculté à tout remarquer dans les moindres détails relevait du miracle. Ou plutôt de l'altération. Le dessinateur consciencieux qu'il était avait entraîné son sens de l'observation à outrance sans même s'en rendre compte, rien qu'en noircissant ses cahiers d'illustrations. Il pouvait suivre plusieurs scènes en même temps et ses ordres répondaient à tout.

C'est lui qui distingua la forme infernale qui surgissait du pont.

Matt surveillait l'assaut du haut de son rocher, attentif aux Cyniks qui émergeaient du fleuve de leur côté. Il aperçut Claudia qui tirait Bill pour le mettre à l'abri.

Le cri de Mitch jaillit par la droite:

— Matt! Devant toi!

Matt ne perdit pas la précieuse seconde qui lui restait à chercher le danger, il sauta de son perchoir pour s'éloigner et roula à terre avant de se redresser, l'épée dans les mains.

C'est seulement alors qu'il vit le grand chauve qui lui fonçait dessus, entièrement couvert de flammes. L'homme fit tournoyer ses haches en hurlant de douleur et de rage. L'apparition était si terrifiante que Matt eut un moment d'arrêt. Une courte hésitation.

Une de trop.

Les haches sifflèrent pour lui fendre la gorge.

Ambre et Tobias avaient suivi le cri de Mitch. Ils virent l'homme, presque un démon dans son manteau de feu, se jeter sur Matt. Tobias avait une flèche encochée et il n'eut qu'à pivoter pour changer de cible et tirer sur le commandant des Cyniks au moment où il allait décapiter Matt. Sa flèche fendit l'air avec l'ordre d'aller sauver Matt. Si le tir était manqué, leur ami serait coupé en deux.

La flèche ne fut pas assez précise.

Ambre cria de désespoir, la main tendue vers la scène, elle voulut de toutes ses forces que la flèche fasse mouche. Mais Tobias n'était pas parvenu à ajuster son tir. Matt allait mourir.

Alors, au dernier moment, conduite par la volonté de fer de la jeune fille, la flèche dévia de sa trajectoire et vint se planter dans le cou du Cynik. Ambre et Tobias se regardèrent, médusés. Aussitôt Tobias réarma son arc et tira à tout va, Ambre se concentrant sur chaque tir pour le guider avec son altération. En dix flèches ils formèrent le duo le plus redoutable de l'île.

Matt vit le trait transpercer la gorge de son assaillant. Ce fut le répit nécessaire pour qu'il réagisse : il plongea sur le côté, sentit le souffle d'une hache qui lui rasait le dos, et se redressa, prêt à l'attaque, les bras en arrière du corps. Sa lame se déplia et trancha la nuit. La main gauche du Cynik tomba au sol en même temps que la puissante hache. Le Cynik continuait de vociférer, insensible à une douleur de plus. Il balança un coup énorme en direction de Matt avec son bras vaillant et l'adolescent s'écarta d'un pas. Cette fois la hache passa si près de son nez que Matt crut sentir l'odeur du métal. Les flammes qui consumaient le colosse projetèrent une bouffée brûlante et aveuglèrent Matt.

Le Cynik frappait sans viser, avec la démence de celui qui se meurt dans d'atroces souffrances, et c'est ce qui sauva Matt tandis qu'il clignait les yeux pour distinguer son ennemi : la hache fila dix centimètres plus haut que son crâne, et trancha net une mèche de cheveux.

Matt attrapa son épée à la manière d'un pieu et profita de la garde ouverte de son adversaire pour y plonger la lame de toutes ses forces en hurlant avec le Cynik. Il hurlait parce qu'il fallut appuyer pour percer l'armure de bois, parce qu'il tuait un homme, même si celui-ci était mauvais. Il découpait des chairs pour prendre une vie.

Aussi vite, il tira l'épée et du sang vint lui asperger le visage. Matt redoubla son cri.

Le Cynik titubait au milieu de son tourbillon de flammes et s'effondra enfin dans un râle de soulagement.

Matt recula, hagard.

Un Cynik venait tout juste de sortir de l'eau, il ramassait un rondin pour s'en faire une arme. Matt le vit s'approcher comme dans un rêve : sans émotion, presque au ralenti. L'adolescent redressa sa lame et en deux pas il fut en position de frapper.

Le rondin de bois n'eut pas le temps de s'élever que déjà le sang maculait un peu plus Matt.

La poignée de soldats qui étaient parvenus à gagner l'île s'emparaient de tout ce qu'ils trouvaient pour attaquer les Pans. Matt en vit deux s'en prendre à Gwen, la pauvre tentait de leur envoyer des décharges électriques sans parvenir à maîtriser son altération. Matt se jeta sur eux. Il n'éprouva, à cet instant, aucune compassion, comme s'il était soudainement vidé de toute humanité. Ne persistait en lui qu'un soupçon d'amertume, celle des interrogations douloureuses : pourquoi faisaient-ils ça ? Pourquoi continuaient-ils d'attaquer alors que les Pans ne voulaient que se défendre ?

La lame vibra et frappa. Encore et encore.

47

Le dernier coup d'un traître

Les deux derniers soldats cyniks encore sur l'île virent Matt s'approcher après qu'il eut mis en pièces cinq des leurs ; ils s'observèrent brièvement puis se jetèrent à l'eau pour repartir d'où ils venaient.

Plus aucun homme n'était sur le pont toujours en feu ; sur la rive opposée, les archers s'étaient dispersés, terrorisés par les étranges pouvoirs qui rendaient ces enfants invincibles. Ceux que l'eau avait happés luttaient contre le courant pour se maintenir à flot. Deux poissons, longs de trois mètres, jouèrent avec la surface avant de plonger derrière les nageurs. Plusieurs Cyniks disparurent aussitôt, tirés par les pieds.

Les Pans contemplaient ce spectacle déchirant avec autant de fascination que de dégoût. Leur pont nourrissait de hautes flammes, les corps d'une dizaine de Cyniks jonchaient la berge.

Ils avaient triomphé. Mais à quel prix.

Au milieu des herbes, Matt se tenait immobile, considérant les cadavres qui l'entouraient. Il était couvert de sang tiède.

Ils l'avaient forcé à leur faire du mal. À les embrocher, les mutiler, pour finalement être obligé de les tuer. Matt ne parvenait pas à l'accepter. Son altération lui avait permis de frapper plus fort que certains adultes, et sa mobilité d'adolescent l'avait mis en position de force chaque fois. Il ne leur avait laissé aucune chance, parce qu'il avait lu dans leurs regards qu'ils ne s'arrêteraient pas. Ils étaient venus pour les enlever ou les massacrer s'ils résistaient. Il n'y avait aucune autre solution.

Matt regardait ces corps sans vie, saisis par la mort dans des positions grotesques, et il leur en voulut de l'avoir contraint à ce carnage. Tout ça était leur faute. Ils l'avaient forcé à les tuer. Pour survivre.

La triste loi du plus fort.

Matt avala péniblement sa salive. Il détestait les Cyniks. Une haine tenace venait de naître. À présent, Matt le savait, il ne serait plus jamais tout à fait le même. Il fixa l'incendie et attendit de se calmer.

Il ne sut pas combien de temps il était resté là mais il reprit contact avec la réalité lorsque Ambre s'agenouilla à ses côtés. Il était assis sur la berge humide, les pieds dans l'eau, sans se souvenir d'avoir bougé. Elle contempla longuement cette image avant de se pencher pour recueillir un peu d'eau dans ses mains et lui nettoyer le visage.

Matt se laissa faire, elle déchira un bout de son chemisier pour en faire un chiffon et frotta cette peau rougie par l'empreinte de la violence.

Tobias, en retrait, aidait les blessés à se relever pour les porter aux manoirs et les soigner, en compagnie de Svetlana, Bill et Sergio qui revenaient à eux avec un épouvantable mal de tête.

Doug s'approcha de Matt et Ambre. Il posa une main réconfortante sur l'épaule de l'adolescent.

— Tu nous as sauvés avec ton plan, lui dit-il avec beaucoup de douceur dans la voix, comme s'il pouvait lire la détresse de son camarade. Je… je t'ai vu affronter tous ces Cyniks. Tu as été brillant.

Matt se tourna pour le regarder dans les yeux.

— J'ai tué des hommes, Doug.

— Pour nous sauver. Ils allaient nous mettre en pièces.

— Il n'empêche. C'étaient des êtres humains. Et je leur ai pris la vie.

Doug risqua un bref coup d'œil vers Ambre et ne sut que répondre, sinon en hochant la tête lentement.

Regie se mit à crier au loin :

— Ne le touchez pas ! C'est mon oncle ! C'est mon oncle et il est gentil !

Doug sauta sur ses pieds, il courut vers son petit frère. Ambre et Matt le suivirent et découvrirent, stupéfaits, l'oncle Carmichael qui marchait difficilement sur le sentier, s'aidant d'une canne et transpirant de fatigue.

Doug s'élança pour l'aider au milieu de tous les Pans.

— Qu'est-ce que tu fais là ? s'écria-t-il, paniqué, guettant les réactions des autres.

Mais chacun était trop surpris pour dire ou faire quoi que ce soit.

— J'ai vu le feu depuis ma tour, j'ai aperçu les immenses chariots, je ne pouvais me résoudre à vous abandonner ainsi.

Le vieil homme était exténué par sa longue marche. Doug le fit asseoir sur une pierre. Ambre, Matt, Tobias et quelques autres s'approchèrent.

— Ils ont fui, mon oncle, le rassura Doug. La plupart sont morts dans le fleuve, les autres se sont dispersés dans la forêt, et ils ne sont plus assez nombreux pour revenir. Je pense qu'ils ont eu peur et désormais ils vont nous considérer autrement. Ils vont croire qu'on a des pouvoirs !

Carmichael ne partagea pas la joie de son neveu car il découvrait les corps des soldats, le sang dans l'herbe que la nuit rendait noire malgré le gigantesque incendie.

— Ils ne nous ont pas enlevés, et ils n'ont pas pris l'île ! ajouta Doug sur le même ton victorieux.

Carmichael leva vers lui des yeux pleins de larmes :

— Non, mais ils vous ont pris votre innocence.

Doug se renfrogna :

— Nous l'avions déjà perdue. La Tempête nous l'a prise.

— Détrompe-toi, c'est le contraire, mon petit, c'est le contraire. La Terre vous a offert une autre chance, elle a redonné au monde, aux enfants, leur innocence, et ces guerriers sont venus la souiller.

— Mais le plus important c'est que nous soyons sains et saufs ! conclut Doug.

Une voix que la frustration rendait chevrotante s'éleva dans leur dos :

— Ça, c'est pour m'avoir humilié ! cria Colin à l'intention de Matt, les pieds dans le fleuve et un arc bandé à la main.

La flèche partit si vite qu'elle devint invisible, mais tous surent qu'elle fonçait droit sur Matt pour lui transpercer le cœur. D'un geste d'une vivacité incroyable, Tobias poussa son ami et la flèche les frôla en passant entre eux.

Matt était tombé à terre et ne put s'empêcher de fixer Tobias. Sa réaction avait été d'une telle célérité que c'en était inhumain. Tobias avait développé une altération de vitesse. Matt n'en fut pas plus surpris que cela finalement. Quoi de plus logique pour un jeune garçon hyperactif, toujours en mouvement ?

Autour de lui il entendit des gémissements, des pleurs.

La flèche avait manqué Matt mais pas le vieux Carmichael. Elle était fichée dans sa poitrine.

Regie hurla :

— Non ! Non !

Doug restait figé. Il contempla, horrifié, le sang qui dessinait une fleur pourpre de plus en plus grosse sur la chemise de son oncle. Puis il fit volte-face vers Colin.

Celui-ci balbutiait d'inintelligibles paroles en découvrant ce qu'il avait fait. Tous les Pans dardaient sur lui un regard méprisant.

Doug se mit à marcher dans sa direction, et ce qui était le plus effrayant, c'était l'absence de larmes ou de colère sur son visage. Il ne montrait rien. Colin comprit qu'il fallait s'échapper. Doug allait le tuer. Il jeta l'arc et recula dans le fleuve, l'eau noire montait de plus en plus haut autour de lui. Lorsqu'il en eut jusqu'au nombril, il plongea.

Immédiatement, le dos rond et huileux d'un poisson géant apparut dans son sillage. Personne ne vit Colin remonter à la surface.

Doug était prêt à le suivre lorsque la voix sifflante de son oncle l'appela :

— Doug… Doug…

Le garçon serra les poings, il scruta une dernière fois le fleuve

et revint en courant au chevet du mourant. Le vieil homme lui
saisit la main, et l'unit à celle de Regie dans les siennes.

— Prenez soin l'un de l'autre, les garçons. Et… veillez… sur
cette communauté. (Il avait de plus en plus de mal à s'exprimer,
à garder les yeux ouverts.) N'oubliez pas… la doctrine de… la
vie… c'est : il n'y a pas de problèmes… rien que des… solu…
tions.

Ses yeux se fermèrent, et les muscles de son visage fatigué se
détendirent en un instant.

48

Le départ

L'oncle Carmichael fut enterré à l'entrée de l'île.

Lorsque tous les Pans apprirent qui il était et tous les conseils
qu'il avait donnés dans l'ombre afin d'organiser la vie sur l'île,
ils vinrent tous à son enterrement pour offrir à sa dépouille un
petit objet qui leur appartenait.

Doug et Regie pleuraient, Claudia et Arthur également, et
finalement, émus à la fois par l'homme et par son histoire, les
Pans trouvèrent un chagrin filial, qu'ils avaient soigneusement
oublié.

Svetlana appela ce moment « la rivière d'adieu » et on trouva
cela beau au point d'en faire l'unique cérémonie. Il y eut des
larmes pour lui dire qu'on l'aimait, pour lui dire au revoir, et pas
de prières. Tout était dit d'une certaine manière, par le langage
de l'eau.

L'incendie s'était éteint tout seul et le pont fuma encore
toute la matinée. La pierre était fragilisée mais il tenait encore.

L'après-midi, Ben et Franklin, les deux Longs Marcheurs,
organisèrent une sortie avec quelques Pans costauds, dont Ser-

gio, pour examiner les alentours. Les Cyniks avaient abandonné leurs chariots et ils purent les explorer tout en prenant garde aux ours qui ne semblaient pas dociles. Une fois les chariots vidés de leur contenu, il fut décidé de les pousser dans le fleuve après avoir libéré les ours qui s'enfuirent d'une démarche chaloupée.

Matt était resté presque toute la journée au sommet d'une tour du Minotaure, à contempler le paysage, sans dire un mot. Plume à ses côtés, comme si la chienne sentait qu'il avait besoin de soutien.

Ben vint les trouver, un rouleau de papier jaune à la main, semblable à du parchemin.

— Ça n'a pas l'air d'aller fort, on dirait, fit-il en arrivant au sommet, un peu essoufflé.

— Ça va, répliqua Matt sans grande conviction. Il faut du temps pour oublier. Je crois que je ne suis pas fait pour la violence.

Il portait encore une multitude de petites coupures au visage et sur les mains, souvenir des chauves-souris.

— Personne n'est fait pour ça, rappela Ben. Tu l'as fait pour sauver ta peau, la nôtre.

Le Long Marcheur parut hésiter, il se tapota l'intérieur de la paume avec le parchemin.

— Tu voulais me dire quelque chose ? interrogea Matt.

— Plutôt te montrer, mais... je ne sais pas si c'est le bon moment.

— Tant que ça me change les idées. C'est ce papier ?

Ben acquiesça et le lui tendit :

— Je l'ai trouvé dans un des chariots.

Matt le déroula et reçut un coup de poing dans la poitrine en découvrant son visage fidèlement reproduit à l'encre. Le texte qui l'accompagnait était tout aussi surprenant :

« Par ordre de la Reine, il est impératif, pour tout soldat qui croisera ce garçon, d'en rapporter toute information à son supérieur sans délai. Cette mission est prioritaire, au même titre que la Quête des

Peaux. On ignore son nom. Mais il doit être fait prisonnier et amené devant Son Altesse Sérénissime dans les plus brefs délais. »

— Qui est cette Reine ? demanda Matt sèchement.

— Aucune idée. Je suppose qu'avec la nuit nos assaillants ne t'avaient pas reconnu.

Des centaines de pensées se mirent à grouiller dans le crâne de Matt. Le Raupéroden qui le pourchassait et qui se rapprochait, du moins dans ses rêves, les Cyniks kidnappant tous les Pans dans d'immenses chariots, le ciel perpétuellement rouge au sud-est...

— Où habite cette Reine ? Au sud-est ?

Ben haussa les épaules.

— Je l'ignore, probablement, c'est en tout cas de là que viennent les Cyniks.

Matt considéra l'horizon au sud. D'ici il ne pouvait apercevoir ces cieux carmin.

— Tu veux que j'appelle Ambre ? Je sais que vous vous entendez bien tous les deux, tu as besoin de parler, de te confier et...

— Non, le coupa Matt. Pour l'instant j'ai besoin de réfléchir. Seul.

Le soir, une réunion fut organisée pour faire le point de la situation. Doug expliqua qu'il ne la présiderait pas entièrement, il ne s'en sentait pas encore capable et en profita pour saluer Matt et ce qu'il avait fait pour l'île.

— Je voudrais également envisager, reprit-il, la possibilité que Matt soit responsable à mes côtés, je pense que ce serait légitime, il est très perspicace et...

Matt, qui était exceptionnellement assis tout au fond, se leva et monta sur l'estrade.

— Je te remercie, Doug, mais je ne peux pas accepter car je vais quitter l'île.

Toute l'assemblée fut secouée d'une clameur indignée. Matt attendit que ça se calme pour poursuivre :

— Voici ce qui a été trouvé dans un chariot des Cyniks tout à l'heure.

Il brandit l'avis de recherche avec le dessin très fidèle de son visage. Nouvelle clameur, plus surprise cette fois.

— Ils ne sont pas venus pour moi mais ça ne tardera pas si je reste ici plus longtemps.

— Mais tu vas partir où ? répliqua Regie. Ce sera pareil partout, quel que soit le site panesque où tu iras !

— C'est pourquoi je ne vais pas rejoindre un autre site. Je pars au sud, au sud-est pour être plus précis.

La clameur se mua en brouhaha catastrophé. Matt leva la main pour obtenir le silence :

— Je ne vais pas vivre dans la peur, et dans l'attente d'être un jour enlevé pour qu'on me conduise devant cette Reine. Alors je prends les devants.

— Tu vas aller voir une Reine ? s'exclama le jeune Paco.

— Je ne sais pas, j'improviserai une fois là-bas, mais je dois y aller. Au moins entrer dans les terres des Cyniks pour découvrir ce qu'ils nous veulent, ce qu'ils *me* veulent.

Tobias se leva dans l'assistance.

— Tu n'iras nulle part sans moi ! s'écria-t-il.

— Vous êtes fous, les gars ! s'indigna Mitch. C'est dangereux là-dehors, vous n'atteindrez jamais le sud !

Matt coupa court à tout débat d'un tranchant :

— Ma décision est prise, rien ne me fera changer d'avis.

Lorsqu'il quitta l'estrade il accrocha le regard blessé d'Ambre. Il espéra un instant que c'était parce qu'il la quittait, bien qu'il sût en réalité qu'elle était vexée à mort de ne pas avoir été prévenue avant les autres. Il ne l'avait même pas consultée pour faire son choix.

Matt décida qu'il était inutile d'attendre, il programma son départ pour le lendemain matin et il passa la soirée à charger des provisions dans des sacoches que Plume porterait. Car il était évident qu'il ne la laissait pas derrière lui.

Ensuite il tenta de dissuader Tobias de l'accompagner et, bien entendu, ce dernier lui rappela l'essentiel :

— Qui je suis ? demanda Tobias.

— Comment ça ?

— Pour toi, qui je suis ?

— Eh bien… mon ami…

— Exactement. Alors tu ne me dis pas de rester et de t'oublier. Je serai là, avec toi, parce que nous sommes amis. Des vrais. Depuis longtemps.

Matt en eut les larmes aux yeux.

Avant de se coucher, il descendit dans la cave pour nettoyer le sang séché de son épée et pour l'aiguiser.

Il le fit avec d'autres larmes.

Lorsque le soleil se leva, Matt sortit du Kraken et chargea Plume de ses sacoches en cuir. Il eut un pincement au cœur de constater que toute l'île dormait. Il ne les reverrait peut-être jamais. Il était habillé avec les vêtements qu'il portait à son arrivée : chaussures de marche, jean, pull et manteau mi-long noirs, l'épée dans le dos, et sa besace en bandoulière. Ses cheveux rebiquaient au-dessus de ses oreilles et le vent vint les fouetter comme pour lui souhaiter bon courage.

Il referma la porte derrière lui, Tobias à ses côtés, et ils s'engagèrent en direction du pont.

Dans le dernier virage, tous les Pans de l'île apparurent, de part et d'autre du sentier, et tous, sans un mot, leur firent un signe de la main. Au bout de cette haie d'honneur, Doug, Regie, Ambre et les deux Longs Marcheurs les attendaient.

— Si vous changez d'avis, on sera fiers de vous accueillir à nouveau, prévint Doug.

— On ne changera pas d'avis, tu le sais, rétorqua Matt.

Franklin alla chercher son cheval qui était attaché à un arbre et les rejoignit.

— J'en profite pour partir aussi, dit-il. Je vais au nord, il y a peut-être des sites panesques qu'on n'a pas encore recensés.

— Sois prudent, de grands dangers rôdent au nord, l'avertit Matt.

— Ne t'en fais pas, je commence à avoir l'habitude.

Matt croisa le regard d'Ambre, elle était impassible.

— Donc, tu pars, c'est ta décision ? répéta-t-elle sur un ton qui inquiéta Matt.

— Oui.

— Bon, moi aussi je pars, ça tombe plutôt bien.

— Tu pars ? Mais où vas-tu ?

— Au sud-est, peut-être qu'on peut faire un bout de chemin ensemble ? lança-t-elle en ramassant son sac à ses pieds.

— Mais… tu… enfin…, bafouilla Matt sans trouver les mots.

— De toute façon, je ne peux pas te laisser avec Tobias, il ne sait pas tirer à l'arc sans moi !

Tobias pouffa dans son coin et Plume vint lécher la joue d'Ambre pour lui souhaiter la bienvenue dans l'équipe.

Lorsqu'ils furent au bout du pont, Franklin bifurqua vers la route du nord, cependant que les trois amis se tournaient une dernière fois pour saluer leurs compagnons d'aventure. Puis ils se remirent en marche et la forêt les avala.

— Tu sais par où on va passer ? questionna Ambre.

— J'ai pas mal discuté avec Ben hier à ce sujet. Il m'a donné des conseils pour l'orientation.

— L'orientation, c'est essentiel, mais sais-tu comment rejoindre la trouée de la Forêt Aveugle ? C'est l'unique voie connue pour passer au sud !

— On ne va pas aussi loin. Emprunter la trouée nous obligerait à marcher pendant presque un mois vers l'ouest et autant pour repiquer vers le sud-est. C'est hors de question, beaucoup trop long.

— Tu veux nous faire passer par la Forêt Aveugle ? s'exclama Tobias.

— C'est la seule solution pour ne pas gaspiller deux précieux mois.

— Pourquoi as-tu à ce point peur de perdre du temps ? interrogea Ambre.

— Je ne sais pas, mentit Matt. Je le *sens*, il faut se dépêcher.

Ne pas se faire rattraper, voulut-il ajouter. *Le Raupéroden approche, il n'est plus loin, j'en suis sûr.*

— Et que crois-tu qu'on va découvrir au sud ? demanda Tobias.

— Pourquoi les Cyniks enlèvent les Pans. Pourquoi cette Reine veut à tout prix me voir. Que font-ils ? Pourquoi le ciel est rouge là-bas, autant de questions qui me tracassent.

La vérité était qu'il n'en pouvait plus de se sentir traqué, il voulait savoir. Matt avait l'espoir fou, s'il descendait au sud, de vivre de certitudes et non plus d'angoisses.

Et ses deux amis l'accompagnaient dans cette quête improbable.

Suivis de près par un chien presque aussi haut qu'un poney.

C'est ainsi que l'Alliance des Trois quitta l'île Carmichael pour se diriger vers une gigantesque forêt peuplée de créatures étranges et dangereuses.

Trois amis.

49

La traque

Franklin avait chevauché toute la journée, il était fourbu et affamé. Avant que le crépuscule ne s'empare des ombres de la végétation, il s'arrêta, ôta la selle de son cheval et le brossa méthodiquement, avant de le laisser paître avec un licol d'une longueur suffisante.

Le Long Marcheur trouva une souche d'arbre pour se faire une table et il improvisa un tabouret avec un tronc échoué parmi les feuilles. Le plus important, quand on bivouaquait, était de s'isoler du sol pour ne pas que l'humidité et surtout le froid saisissent le corps.

Avec un peu d'application, il parvint à allumer un feu et ne tarda pas à faire cuire une poignée de pâtes dans son unique casserole.

Une fois rassasié, Franklin se prépara une couche en superposant deux épaisseurs de tapis de sol. La nuit était bien présente, la faune nocturne avait entamé son concerto.

Son cheval, qu'il avait baptisé LaTouf à cause de sa crinière impossible à peigner, se mit à hennir.

— Calme-toi, LaTouf, j'arrive ! Qu'est-ce qu'il y a encore ? Tu t'es fait une frayeur avec un serpent ?

Le cheval était très agité, Franklin ne l'avait jamais vu comme ça. Il frappait le sol de ses sabots et tournait en forçant sur son licol.

— Doucement ! Tu vas te faire mal !

Franklin n'osait s'approcher, craignant que LaTouf ne lui marche dessus ou ne l'envoie se casser un membre sur un des arbres.

Soudain, le nœud du licol se défit et le cheval fut libre. Franklin tenta de bondir sur la corde mais il ne fut pas assez rapide et LaTouf se précipita au galop entre les troncs.

Franklin lâcha une bordée de jurons. Il pouvait dire adieu à son repos tant espéré, il fallait d'abord remettre la main sur le cheval, sans lui son périple n'avait aucun sens.

Il faisait très sombre, il allait commencer par allumer une bougie.

Franklin repoussa une fougère pour regagner son bivouac et une silhouette noire encapuchonnée surgit devant lui.

L'adolescent sursauta et poussa un cri.

La silhouette était très haute et perchée sur des sortes d'échasses en peau blanche. Elle se mit à descendre à la manière d'un chariot élévateur pour avoir le capuchon à hauteur du visage de Franklin. Deux paupières s'ouvrirent sur des phares qui balayèrent le Long Marcheur.

— Hey ! s'écria-t-il, aveuglé.

L'échassier l'examina de son regard perçant, puis ses yeux s'éteignirent et il recula pour laisser passer Franklin.

— Qu'est-ce que c'est que ce truc ? murmura-t-il.

Un froissement attira son attention, et il découvrit, un peu plus loin, un grand drap de ténèbres qui flottait à un mètre du sol, ondulant sous un vent que lui seul semblait percevoir. Des bras et des mains apparurent comme si elles cherchaient à sortir de la soie. Le drap claqua dans l'air et glissa lentement vers Franklin.

Dans l'angle supérieur, une forme commença à émerger.

Une longue tête faite d'arêtes et de cavités, similaire à un crâne de squelette, avec des trous pour les yeux plus pointus que la normale. Son front semblait trop haut et ses arcades sourcilières proéminentes.

Une voix gutturale s'en échappa, accompagnée de sifflements :

— Où... est... l'enfant ?

Franklin fit un pas en arrière, de plus en plus mal à l'aise.

— De quel enfant vous parlez ? s'entendit-il articuler.

— Matt... l'enfant Matt.

La voix fit frissonner Franklin, elle provenait de très loin, les entrailles de cette chose n'étaient pas vraiment ici, dans ce drap étrange, mais bien plus loin... *Dans un autre monde*, songea Franklin.

— Je... je ne vois pas de qui vous voulez parler, mentit-il en devinant qu'il y avait là-dessous quelque mystère.

Avant même que Franklin puisse réagir, le Raupéroden fut sur lui, une douzaine de mains de soie avaient surgi pour le saisir et le soulever. Elles le firent monter pour que sa tête soit face à celle du Raupéroden.

— Où est... Matt ? redemanda la voix caverneuse.

Cette fois, Franklin sut qu'il était en grand danger. Il avait affronté des créatures lors de ses voyages mais jamais aussi terrifiantes que celle-ci.

— Il... il a quitté l'île, avoua Franklin. Il est parti pour... pour l'ouest !

La tête du Raupéroden pivota dans le sens des aiguilles d'une montre puis revint se positionner.

— Je sens... la peur, cracha-t-il. Je sens... le mensonge.

Deux bras se faufilèrent sous les vêtements du Long Marcheur pour lui toucher la peau. Le contact fut froid, celui de la glace.

Celui de la mort ! corrigea Franklin en sentant des sanglots de terreur monter dans sa gorge.

— Parle ou souffre, lui ordonna l'étrange tête de mort.

Face au silence de l'adolescent, le Raupéroden envoya ses deux bras plus loin encore sous les vêtements du garçon pour se poser sur son cœur. Le froid s'insinua dans sa poitrine et Franklin fut terrassé par une douleur atroce, il sentit le rythme de son cœur ralentir malgré l'angoisse, écrasé par une force invisible.

— Ils sont à l'ouest ! hurla Franklin. À l'ouest ! Arrêtez ! Arrêtez ça, c'est atroce !

— Mensonge !

Le froid se propagea plus loin dans son corps, grimpa dans sa gorge, et agrippa son cerveau d'un coup, l'enserrant dans ses griffes monstrueuses. La souffrance devint intolérable, Franklin sentit son cœur faiblir au point d'approcher la mort ; tandis que son esprit était empalé par la poigne glaciale, il eut l'impression qu'on lui enfonçait une dizaine d'aiguilles dans la cervelle. Il ne put en supporter davantage :

— Au sud ! s'écria Franklin, ils sont en route pour le sud ! Pitié, arrêtez ça ! Pitié !

— Au sud..., répéta le Raupéroden.

Il eut un moment d'hésitation, et Franklin crut qu'on allait le libérer. Puis le monstre l'aspira. Avant même qu'il puisse vider ses poumons en criant, Franklin avait disparu dans les draps noirs.

Le Raupéroden flotta quelques secondes au-dessus de l'herbe, il réfléchissait. Puis il dit de sa voix infernale :

— Au sud !

Et une vingtaine d'échassiers sortirent de sous les fougères, pour glisser ensemble, sans un bruit, en direction du sud.

Malronce

Prologue

La grande salle aux murs de pierre était à demi enterrée. D'étroites lucarnes ne suffisaient pas à laisser entrer la lumière du jour, des lanternes diffusaient une clarté chaude et mouvante en même temps qu'une odeur un peu rance, celle des graisses animales qui les alimentaient.

Un gros cierge surmontait chaque table ronde, planté dans un amas de cire fondue, toujours plus haut, comme un volcan dans sa lave pétrifiée.

Des grappes d'hommes s'agglutinaient dans le fond pour hurler, encourager, parier, autour de petites boîtes en fer rouillé dans lesquelles s'affrontaient des scorpions noirs.

Un peu à l'écart, trois individus, emmitouflés dans leurs manteaux d'un vert sombre, bavardaient calmement, une chope de bière à la main.

— Simon en a racheté *une* l'autre jour ! dit celui qui portait une barbe brune.

— C'est vrai ? Combien l'a-t-il payée ? demanda son acolyte.

Un kyste volumineux lui déformait la joue, comme s'il avait un morceau de pain coincé à l'intérieur de la bouche.

— Je ne sais pas, pas mal de pièces je pense, et des services en plus. Mais elle les vaut à ce que j'ai entendu dire !

Le troisième larron, plus discret, se pencha vers eux ; la flamme de la bougie lui éclairait le visage par en dessous. Plusieurs cicatrices récentes lui déformaient les traits.

— Quel âge a-t-elle ?

— Moins de dix ans. Simon l'a récupérée dès qu'elle a échoué au test.

— Elle supporte bien l'anneau ombilical ?

— Apparemment oui.

— Elle parle ? interrogea l'homme au kyste.

Barbe brune vida sa chope en terre cuite cerclée de bois.

— Qu'est-ce que j'en sais ? souffla-t-il en ponctuant sa phrase d'un rot sonore.

L'homme aux cicatrices enchaîna :

— Il paraît que les Ourscargots ramènent de plus en plus de ces gamins depuis le nord ; à ce rythme-là, la Quête sera bientôt achevée.

— Il paraît aussi que les gosses se sont rassemblés par endroits, et qu'ils résistent à nos patrouilles ! confia Barbe brune.

— Ils s'organisent ? s'étonna l'homme au kyste.

— Même à plusieurs, ça reste des mouflets ! Regarde, nous autres, il ne nous a pas fallu deux mois pour qu'on se retrouve tous !

— Parce que la Reine a émergé tout de suite, rappela l'homme au kyste, parce qu'elle a fait allumer les Brasiers du Rassemblement pour que la fumée nous guide !

— Trois mois plus tard, nous avions déjà mis en place un système de troc et de monnaie ! Nos villages sortaient des carrières et des bois ! Nous sommes évolués ! Pas comme ces petits sauvages !

— Sauf que personne n'est fichu de se souvenir de ce qui s'est passé avant le Cataclysme ! s'énerva l'homme au kyste. Une armée d'adultes amnésiques ! Tu trouves ça évolué, toi ? Et si les gamins savaient ? S'ils se souvenaient de qui nous sommes ? D'où nous venons ?

Les deux compagnons d'alcool n'eurent pas le temps de répondre : une silhouette, assise à la table d'à côté, se pencha vers eux.

Elle arborait une grande cape à large capuche, en velours épais d'un rouge écarlate.

— L'avenir est bel et bien dans ces enfants, fit une voix sèche et sûre d'elle au fond de la capuche. Mais pas dans ce qu'ils savent, dans ce qu'ils sont.

— Qui...

Deux mains fines et couvertes de veines noueuses surgirent de sous la cape pour rabattre le masque d'ombre. L'homme avait la cinquantaine, joues creusées, lèvres presque inexistantes et nez pointu. Des sourcils blancs et broussailleux durcissaient encore son regard et une plaque d'acier, parfaitement moulée à son crâne, remplaçait ses cheveux jusqu'à sa nuque.

— Ces enfants sont la cause de ce qui nous arrive, poursuivit-il. Ils sont la preuve de nos fautes passées, l'origine de nos maux ! Et pour cela ils ne méritent que notre colère !

— Qu'est-ce que tu en sais, vieil homme ? intervint le buveur aux cicatrices.

Le prêcheur entrouvrit sa cape pour dévoiler l'écusson rouge et noir sur son plastron de cuir, avec une pomme au centre. Le blason de la Reine.

Les trois amis se raidirent immédiatement et baissèrent le regard.

— Pardonnez-nous, fit l'homme au kyste, nous ne savions pas que vous étiez un soldat de la Reine !

— Un conseiller spirituel de Sa Majesté Malronce, messieurs, apprenez à reconnaître cette coiffe qui empêche nos pensées d'être lues. J'ai entendu votre conversation, et je vous trouve trop prompts à accorder à ces enfants une intelligence et une connaissance qu'ils n'ont pas. N'oubliez jamais qu'ils ne sont que vermine ! L'anarchie ! Nous nous sommes reconstruits en toute hâte sur un équilibre fragile, et ces enfants pourraient bien tout détruire. Aussi n'ayez pour eux aucune pitié !

Dans le fond de la salle, les paris prirent fin et des cris de joie et de colère retentirent. Le conseiller attendit un court instant que la clameur se dissipe, puis ajouta :

— Si ce n'était que moi, il n'y aurait aucun enfant esclave

dans nos rues ! Que ceux qui ne peuvent servir la Quête périssent également !

— Oui ! s'emporta l'homme aux cicatrices. Qu'on les écorche tous !

— Point de salut pour la jeune vermine, conclut le conseiller. En épargner un, même asservi, c'est épargner leur espoir.

Tous approuvèrent, conquis par le charisme inquiétant de l'individu.

Lorsqu'ils ressortirent, dans la tiédeur du soir, Barbe brune et l'homme aux cicatrices décidèrent de rallier une tente militaire, à la sortie du village, et ils s'engagèrent sur-le-champ dans l'armée de la Reine Malronce.

Il en allait ainsi, dans le royaume des hommes. Il suffisait de quelques certitudes et d'un ennemi désigné pour rassurer les esprits vides ou troublés par l'ignorance. Toutes les peurs se focalisaient alors sur cette cible à combattre.

Pour l'heure, capturer autant d'enfants que possible.

Pour servir la Quête.

Pour la Reine.

PREMIÈRE PARTIE

L'empire végétal

1

Une trop longue route

Le monde avait beaucoup changé en seulement six mois.

Matt Carter avait vécu les quatorze années de son existence dans l'immense ville de New York. Entre asphalte et structures d'acier et de verre, dans le cocon de la civilisation, le confort de l'électricité, des repas chauds et réguliers, sous la protection des adultes.

Les adultes.

Qu'étaient-ils devenus à présent, ceux qui avaient survécu à la Tempête ? Des créatures primaires et sanguinaires pour certains, les autres… des Cyniks. Des chasseurs d'enfants.

Dix jours déjà qu'il marchait vers le sud, en compagnie d'Ambre et Tobias. Matt était grand pour son âge, ses cheveux bruns, trop longs, lui fouettaient le visage à chaque coup de vent, barrant son regard sombre et déterminé. Ambre de son côté avait la peau aussi blanche que celle de Tobias était noire, des boucles blondes aux reflets roux sur un minois séduisant construit autour de ses grands yeux verts. Tobias au contraire de son ami d'enfance se trouvait trop petit, un fin duvet de poil commençait à lui dessiner une ébauche de moustache.

Ils formaient un groupe solidaire.

L'Alliance des Trois.

Plume, la chienne grande comme un poney, portait leurs sacoches. Les vivres manquaient. Pour l'eau, ils se ravitaillaient au gré des rivières qu'ils longeaient, mais viande séchée et plats lyophilisés n'occupaient guère plus qu'un fond de sac.

Dix jours qu'ils avaient quitté l'île des Manoirs, leur sanctuaire, le repaire de leurs amis, d'autres adolescents, des Pans comme ils se nommaient.

Dix jours à s'ouvrir une voie entre les hautes herbes, à traverser des bois, à gravir des collines pour les redescendre aussitôt.

Matt s'était attendu à découvrir une faune surprenante, et pourtant les animaux autour d'eux gardaient leurs distances : quelques cris mystérieux au crépuscule, des formes fugitives sous le couvert des fougères, rien de singulier pour un pays à ce point transformé.

La nature avait repris ses droits, avec plus de vigueur qu'elle n'en avait jamais manifesté. Les plantes recouvraient tout, les moindres vestiges de la société des hommes disparaissaient. Les bêtes s'étaient transformées ; plus fortes, plus dangereuses, des espèces avaient émergé de la Tempête, les humains redécouvraient la peur d'être une proie facile.

La journée touchait à sa fin quand le trio décida d'établir son bivouac dans une anfractuosité à flanc de coteau. Tobias, ancien scout, faisait office de préposé au feu tandis qu'Ambre préparait la nourriture et Matt le couchage.

— Nous n'avons plus de biscuits secs, avertit la jeune fille. Même en continuant le rationnement, nous ne tiendrons qu'un jour, peut-être deux.

— Je répète ce que je proposais hier : on s'arrête une journée entière pour poser des pièges, pour chasser, intervint Tobias qui disposait à ses pieds le bois qu'il venait de ramasser.

— Pas le temps, contra Matt.

— Mais enfin : qu'est-ce qui te pousse à nous imposer ce rythme ? voulut savoir Ambre.

— Mon instinct. Nous ne pouvons tarder. On nous suit de près.

Ambre échangea un regard inquiet avec Tobias.

— Cette chose…, dit-elle un ton plus bas, ce Raupéroden comme tu l'appelles, c'est ça que tu crains ?

— C'est ainsi qu'il s'appelle. Je l'ai su à travers mes rêves.

— Tu le dis toi-même, il s'agit de rêves, peut-être que c'est le fruit de tes angoisses et…

— Ne crois pas ça ! la contra-t-il immédiatement. Il existe. Souviens-toi, c'est lui qui a attaqué le village des Pans au nord, il me cherche. Il n'est pas vivant comme toi et moi, il est à cheval sur notre monde et… un univers différent, plus sombre. En tout cas il peut projeter des images, et même communiquer par les rêves. J'ignore pourquoi, mais je l'ai vécu. Et je *sens* qu'il est sur nos talons.

— Et pour les vivres, comment va-t-on faire ? interrogea Tobias. Faut bien qu'on mange !

— On trouvera.

Sur quoi Matt jeta son manteau sur les duvets qu'il venait d'installer et s'éloigna de l'abri.

Ambre et Tobias se regardèrent.

— Il n'a pas l'air de bien supporter ce voyage, tu ne trouves pas ? demanda Tobias.

— Il dort mal. Je l'entends gémir la nuit.

Tobias laissa paraître son étonnement. Comment Ambre pouvait-elle en savoir autant sur *son* ami ? Ils dormaient pourtant tous ensemble !

Décidément, ces deux-là sont faits pour s'entendre…

— Dis, Ambre, tu crois vraiment qu'on va la trouver cette Forêt Aveugle ?

— La trouver, ce n'est pas ce qui m'inquiète. Mais la traverser… Les rumeurs qui nous sont parvenues jusqu'à présent décrivent un lieu terrifiant, inextricable et peuplé de créatures abominables.

— Et si on parvient à traverser, que fera-t-on une fois au sud ?

— Traquer les réponses à nos questions : Que cherchent les

Cyniks en enlevant des Pans ? Pourquoi veulent-ils absolument Matt ? Tu étais d'accord pour venir, je te rappelle !

— Oui, je sais, c'est juste que… maintenant qu'on est là, épuisés, perdus, je m'interroge. Est-ce qu'on fait bien d'aller au-devant des problèmes ?

— Nous ne sommes pas perdus, nous descendons vers le sud. Tu regrettes d'être venu ?

Tobias prit le temps de réfléchir, il fixa ses chaussures pour répondre :

— Non, c'est mon ami ! Mais je continue de dire que c'est une erreur. Nous aurions dû rester sous la protection de l'île des Manoirs.

Une heure plus tard, les flammes léchaient le bois qui crépitait. La nuit tombait lentement autour du campement. Chaque jour, Tobias s'émerveillait de constater à quel point la planète avait changé. Le soir, les étoiles surgissaient du néant comme il ne les avait jamais vues : nombreuses, vives, d'un contraste saisissant. Au fil des siècles, les hommes avaient oublié à quoi pouvaient ressembler les cieux sans la lumière des villes, sans la pollution. Tobias se remémora ce que son chef scout lui disait : « Pour contempler les astres, la flamme d'une bougie à vingt-cinq kilomètres suffit à fausser notre perception ! » Désormais, Tobias pouvait admirer ce que ses lointains ancêtres craignaient et vénéraient tout à la fois : un pur écrin de ténèbres hanté de milliers d'âmes insaisissables.

Parce que le ciel c'est ça : les coulisses infinies de notre vie terrestre, l'écho quotidien de nos limites.

Ils étaient tous les trois blottis dans leurs duvets, autour des braises rougeoyantes, le ventre à moitié rempli seulement, et attendaient que le sommeil vienne les saisir. Plume s'étira en grognant et se laissa choir dans l'herbe en soufflant.

Comme chaque nuit depuis leur départ, les doutes et l'angoisse peuplaient leurs esprits, retardant sans cesse le moment de basculer dans l'inconscience.

Deux journées s'écoulèrent encore avant que leurs provisions ne s'épuisent.

Chemin faisant, ils longèrent des arbustes abritant de grosses baies brunes et orangées. Chaque fois qu'ils avaient découvert pareilles tentations, Ambre avait empêché ses compagnons de se servir, insistant sur leur méconnaissance des fruits comestibles et toxiques.

— Nous ne sommes pas des Longs Marcheurs, ces Pans qui vont de clan en clan pour faire circuler les informations, répéta-t-elle. Nous n'avons pas les connaissances pour prendre ce risque !

— Ah bon ? ironisa Tobias d'un air agacé. Je peux te demander ce qu'on va manger aujourd'hui ?

— Un peu de patience, ça va venir.

— Quand ? Demain ? Dans trois jours ? Quand on sera morts de faim ?

L'épuisement les rendait prompts à s'emporter. Matt calma tout le monde en levant les mains :

— Nous allons chasser. Je crois qu'on n'a plus le choix. Toby, peux-tu attraper quelque chose en une matinée ?

— Je vais essayer.

Pendant que ses deux amis installaient un campement sommaire, Tobias s'éloigna entre les buissons du bois pour poser des collets. Il prit soin de repérer ses pièges et rentra attendre ce qu'il espérait être une moisson de petit gibier.

Ambre et Matt parlaient de l'altération quand il les retrouva.

L'altération. Ce changement subtil et progressif qui avait transformé la vie de bien des Pans pour les doter de capacités quasi surnaturelles.

— Tu crois que les autres villages ont développé l'altération ? demanda Matt.

— Ce qui s'est passé chez nous s'est forcément produit ailleurs, à un autre rythme. Cela dit, je suis convaincue que bon nombre de Pans sont aujourd'hui capables de maîtriser leurs nouvelles capacités.

— J'ai posé cinq collets, il n'y a plus qu'à croiser les doigts, annonça Tobias.

Ils discutèrent, reposant leurs jambes lourdes. Cette halte venait au bon moment : les pieds meurtris, les cuisses et mollets douloureux, ils n'en pouvaient plus. Bien qu'il fût nerveux, Matt tentait de le dissimuler aux autres. Chaque minute qui passait sans couvrir de la distance était du temps perdu. Il craignait le Raupéroden.

Depuis leur départ, pas une nuit ne s'écoulait sans qu'il en rêve. Il voyait sa forme flottante au-dessus d'une clairière, les ombres de son visage osseux et effrayant se tourner vers lui et lui répéter de sa voix glaciale : « *Viens à moi, Matt. Je suis là. Viens. Viens en moi.* »

Malgré son angoisse, Matt sentait cette pause nécessaire. Ils ne pouvaient continuer à ce rythme sans ménager leur corps. D'autant que le pire restait à venir : traverser la Forêt Aveugle.

Soudain, Matt remarqua l'absence de sa chienne.

— Vous avez vu Plume ? Ça fait un moment qu'elle n'est plus là ! s'inquiéta-t-il.

— Non, c'est vrai, je l'avais oubliée, avoua Tobias.

Ambre, qui venait de s'entraîner à contrôler son altération – comme souvent après les repas –, releva la tête :

— Tu la connais, elle sait prendre soin d'elle-même, détends-toi. Elle doit être en train de chercher sa nourriture.

Le museau hirsute de la chienne fendit le rideau de fougères quelques minutes plus tard, tenant un petit lapin entre ses mâchoires. Elle déposa son offrande aux pieds de Matt.

— T'es vraiment une chienne exceptionnelle, tu le sais, n'est-ce pas ? Merci Plume !

La chasseuse s'ébroua et alla s'étendre à l'ombre, visiblement aussi épuisée que ses équipiers humains.

Tobias avait les yeux brillants à l'idée de manger de la viande fraîche.

— Et maintenant, comment on procède ? Je suppose qu'il ne faut pas cuire la fourrure ?

— Il faut le préparer, lança Ambre d'un ton plein de sous-entendus.

— Tu veux dire : lui arracher la peau, lui sortir les boyaux et le décapiter ? fit Tobias en grimaçant.

— Exactement. (Constatant que les deux garçons affichaient une moue de dégoût, elle soupira.) Très bien, j'ai compris. Je m'en charge, Tobias allume donc un feu.

Ils firent la sieste pour digérer et personne ne proposa de se remettre en route. Pas même Matt qui dormait, blotti contre le pelage soyeux de sa chienne.

En fin d'après-midi, Tobias alla vérifier ses pièges et revint bredouille et dépité.

Ils finirent le lapin, le soir même, et s'endormirent dans le ramage des rapaces nocturnes et le brouhaha des autres créatures nouvelles, tandis que, sous le vent, les feuillages bruissaient mollement.

Matt ouvrit les paupières lorsque la fraîcheur se fit plus pénétrante. Plume s'était éloignée dans la nuit, et il s'était serré contre Ambre sans s'en rendre compte, son nez contre sa nuque, enfoui dans les cheveux blond vénitien de la jeune fille qui lui couvraient une partie du visage. Malgré les douze jours de marche, sa peau sentait bon. *Heureusement qu'elle était là pour nous inciter à nous laver à chaque rivière qu'on croisait*, songea-t-il, l'esprit embué par le sommeil. *J'aime son odeur.*

Et si elle se réveillait maintenant ? Que penserait-elle ?

Matt se recula doucement, quitta la chaleur de son dos.

Il faisait encore nuit. Quelle heure pouvait-il être ? Deux heures du matin ? Plus tard ?

Les feuilles s'agitaient avec plus de vigueur que la veille. Les oiseaux s'étaient tus. *Et il fait étrangement frais.*

Matt se redressa. Il perçut un soupçon d'humidité sur son

front. *Il commence à pleuvoir ! Il ne manquait plus que ça !* Il avisa les environs, du moins ce qu'il en apercevait dans la pénombre. Aucun abri en vue.

Un flash blanc traversa la forêt.

Suivi de près par un long grondement caverneux.

Un orage approchait.

Aussitôt l'angoisse dévora la poitrine de Matt, creusant son ventre et serrant son cœur. *C'est lui !*

Il se précipita sur Ambre et Tobias qu'il réveilla sans ménagement :

— Debout ! Vite !

— Quoi ? Quoi ? Qu'est-ce qui se passe ? balbutia Tobias groggy malgré le début de panique.

— C'est le Raupéroden, il approche !

— Matt, calme-toi, dit Ambre, ce n'est qu'un orage.

— Non, tu ne comprends pas, il *est* l'orage. Je le sais, je le sens. Venez, partons.

— Et où veux-tu aller sous la pluie en pleine nuit ?

— Il faut continuer, ne pas se faire rattraper.

— Matt, tu délires, c'est d'un abri que nous avons besoin, c'est tout.

Tobias vola au secours d'Ambre :

— Elle a raison. Si j'ai bien retenu un truc de mes années chez les scouts, c'est qu'on ne va jamais plus vite qu'un orage.

Matt regarda ses amis ramasser leurs affaires en vitesse et sonder les environs en quête d'un rocher. Tobias siffla pour les faire venir à lui. Il tenait son morceau de champignon lumineux au-dessus de lui et désigna un gros tronc d'arbre renversé sur une énorme souche. L'ensemble constituait un excellent refuge cerné de hautes fougères. Ils s'y installèrent et Matt posa la main sur le champignon qui diffusait une lueur d'un blanc si pur qu'elle semblait spectrale.

— Range ça, on va nous repérer.

Tobias s'exécuta à contrecœur et ils se serrèrent les uns contre les autres, Plume servant de dossier.

La pluie se mit à ruisseler et les éclairs illuminèrent la cime des arbres. Le tonnerre roula si puissamment qu'il en fit trembler la terre sous le petit trio.

— Ouah ! lâcha Ambre. Ça file les jetons.

Dans la clarté subite et intense l'écorce grise des troncs luisait comme une peau de serpent. Les branches crochues se transformaient en mains squelettiques. Les feuilles frémissaient comme autant d'ailes. Tout l'environnement changeait d'aspect à mesure que l'orage le survolait.

La foudre tomba à dix mètres de Matt, accompagnée d'un vacarme assourdissant, et un châtaignier se fendit en deux. Les trois amis se recroquevillèrent contre Plume qui tremblait. Le déluge s'abattit autour d'eux. Des dizaines de rigoles boueuses ruisselèrent à toute vitesse sur la pente.

Les trois adolescents s'emmitouflèrent sous une couverture, les pieds encore au sec.

— Tu vois, c'est juste un orage, fit Ambre à l'attention de Matt.

— Il est sacrément violent en tout cas ! intervint Tobias.

— Moins fort ! commanda Matt, toujours peu rassuré.

— Qui veux-tu que je dérange avec un boucan pareil ? rétorqua Tobias en haussant le ton pour prouver à son camarade qu'il ne risquait rien.

Deux puissants phares jaillirent au-dessus d'eux, balayant les fourrés environnants. Tobias sursauta et demeura bouche bée de surprise autant que de peur.

— Un échassier ! murmura Matt en saisissant la poignée de son épée.

Les deux rayons blancs rasèrent le tronc qui les dissimulait et continuèrent à sonder le sol.

— Il ne nous a pas repérés ! chuchota Matt avec une pointe d'espoir.

— Qu'est-ce que c'est ? s'informa Ambre en frissonnant.

— La garde rapprochée du Raupéroden. Ce sont leurs yeux qui produisent cette lumière. Il ne faut pas qu'ils nous voient sinon ils nous encercleront en un instant. Chaque fois qu'on les a croisés, ils n'étaient jamais seuls. Restez là et ne bougez surtout pas !

Une silhouette haute de trois mètres surgit devant l'ouverture, enveloppée dans un long manteau noir à capuche. Elle posa l'une de ses échasses sur le sol, juste sous le nez des adolescents. Celle-ci était recouverte d'une épaisse peau laiteuse et se terminait par trois appendices semblables à des pouces qui s'enfoncèrent dans la terre pour se stabiliser.

Craignant qu'elle ne hurle, Matt couvrit la bouche d'Ambre de sa main.

Les projecteurs se posèrent sur les vestiges du feu qu'avait fait Tobias plus tôt dans la journée.

L'échassier émit un gémissement comme celui d'une baleine et on lui répondit au loin, par-delà le fracas de l'orage. Un deuxième échassier apparut à grandes enjambées, plus rapide qu'un homme au sprint, et fondit sur le campement. Une main aux doigts interminables s'élança depuis le manteau pour palper les bûches éteintes, son bras opalin s'avançait sans fin, mû par d'étranges mécanismes télescopiques.

— Sssssssch, là ! Sssssssssch… Il était là ! s'écria la créature d'une voix de gorge presque inaudible sous l'orage.

Trois éclairs consécutifs frappèrent le foyer éteint, projetant des gerbes d'étincelles de tous côtés. Soudain la pluie se fit moins violente et le vent diminua, les gouttes cessèrent brusquement. Un tapis de brume dévala la forêt, stagnant à un mètre au-dessus de l'herbe. Puis une forme se coula entre les arbres, longue et noire.

De là où ils étaient, aucun des trois amis ne pouvait la distinguer, pourtant Matt sut qu'il s'agissait du Raupéroden.

La brume s'enroula autour des échassiers et la forme vint flotter tout près de l'abri.

— Là… Seigneur ! Sssssssssssch, là… il était… là ! Sssss-sssch…

— Je le veux ! gronda une voix gutturale. Trouvez-le ! JE LE VEUX !

Son cri résonna dans la nuit et même la brume en sursauta.

Les deux échassiers se mirent en mouvement, explorant les recoins alentour de leurs yeux aveuglants.

Ils vont vers le sud, nota Matt.

Trois autres échassiers suivirent, puis encore deux.

La brume se mit à glisser à leur suite, et dans un claquement de drap mouillé, la forme noire fila dans l'obscurité.

La pluie réapparut instantanément, abondante et tourbillonnante sous la force du vent.

Matt soupira de soulagement.

— Ce n'est pas passé loin, dit-il.

2

Ravitaillement

L'orage dura encore une demi-heure puis s'éloigna vers le sud, laissant une nature trempée et odorante dans son sillage. L'aube délia les ombres de ses rubans clairs, et le vent se dissipa enfin.

— Je te présente mes excuses, dit Ambre à Matt. Pour ne pas t'avoir cru.

— Maintenant tu sais qu'*il* est à nos trousses. Allez, venez, il faut se mettre en route avant qu'ils ne fassent demi-tour.

Le trio équipa Plume de ses sacoches et ils sortirent de la forêt par le sommet d'une colline tandis que le soleil se levait à l'horizon. À une dizaine de kilomètres plus au sud, ils purent distinguer d'épais nuages noirs et des éclairs zébrant une prairie. La tempête se déplaçait en zigzaguant, elle cherchait son chemin, à l'image d'un prédateur reniflant la piste de sa proie.

— Je propose qu'on fasse un détour par la droite, annonça Matt. Tant pis pour le temps perdu. Au moins on sera à bonne distance et à couvert.

— Pourquoi n'irait-on pas tout droit, nous garderions un œil sur cette tempête ? intervint Tobias.

— Tôt ou tard, elle reviendra sur ses pas. Quand ils auront passé des heures à chercher sans succès des traces de notre passage, ils réaliseront que nous ne sommes pas devant mais derrière. Regarde comme elle bouge, cette tempête se comporte comme une meute en chasse. Ils finiront par comprendre qu'ils nous ont dépassés.

Personne ne trouva à redire, et ils marchèrent en lisière de forêt jusqu'à n'avoir d'autre choix que d'y pénétrer en direction du sud-ouest.

— Vous pensez qu'on est encore loin de la Forêt Aveugle ? s'enquit Tobias.

Ambre lui répondit :

— Si l'on en croit les rumeurs, nous ne manquerons pas de la reconnaître dès qu'elle sera en vue, encore un peu de patience.

— Ça va bientôt faire deux semaines qu'on est partis ! Je n'en peux plus, mes pieds vont tomber en morceaux !

— Sois fort, Toby, l'encouragea Matt, rappelle-toi le périple pour atteindre l'île des Manoirs.

— Ça te va bien de dire ça ! T'étais dans le coma, tiré par Plume ! Moi j'ai mis un mois avant de remarcher normalement !

Matt lui jeta un regard dur. Le genre de coup d'œil qu'un garçon de cet âge ne porte que très rarement sur un ami. *Tu savais dans quoi tu t'embarquais*, semblait-il dire. Et sa fatigue teintait le commentaire d'une pointe d'agacement.

En l'absence de piste, le trio était obligé de progresser au gré de la végétation, s'engageant dans les zones les plus clairsemées pour ne pas ralentir ; il leur était impossible d'avancer en ligne droite, ce qui leur donnait l'impression de s'épuiser inutilement.

Matt les guidait avec une boussole. Avant leur départ il avait appris auprès de Ben, le Long Marcheur, comment s'orienter en pleine nature, au cas où, et Ben en avait profité pour l'abreuver de conseils de survie. Un monde redoutable, voilà ce qu'était devenu ce pays, cette planète.

Qu'en savait-il au juste ? Et si l'Europe et l'Asie n'avaient pas été touchées ? Personne n'avait de nouvelles de ce qui se passait de l'autre côté de l'océan.

Matt rangea la boussole dans une des petites poches qui pendaient à sa ceinture.

La faim les tenaillait et leur réserve d'eau s'épuisait.

Ils ne pourraient continuer ainsi très longtemps.

Il leur fallait trouver une ville. Rapidement.

Après deux heures de marche silencieuse, ils débouchèrent hors de la forêt, au sommet d'une éminence qui dominait une longue plaine.

Les trois voyageurs s'arrêtèrent en même temps, imités par Plume.

Au loin, un mur noir coupait la moitié de l'horizon, barrant tout le sud.

La Forêt Aveugle.

Précédée d'un escalier d'arbres démesurés dont la cime s'élevait progressivement jusqu'à constituer un mur végétal. Au-delà, il ne s'agissait plus d'arbres. Le mot devenait dérisoire. Les silhouettes dépassaient le kilomètre d'altitude. La Forêt Aveugle était une chaîne de montagnes où les troncs remplaçaient la pierre et les feuilles la neige.

Cette vision écrasante rassura Matt sur un point : il ne s'était pas trompé de direction.

— On y est presque…, souffla Tobias entre fascination et frayeur.

— C'est parce qu'elle est incroyablement haute qu'on a l'impression d'y être, corrigea Ambre. Mais à mon avis on a encore au moins deux jours de marche.

La tempête du Raupéroden n'était plus en vue. Était-elle déjà trop loin ou juste tapie derrière le relief, à sonder chaque repli de la terre ?

— Oh non ! fit Tobias. Regardez en bas, dans la plaine !

Une procession de pylônes électriques encore intacts courait d'est en ouest. Il était possible de passer sous les câbles. Les lianes recouvraient leur structure et une constellation de petites formes allongées flottaient dans le vent, pendues aux fils.

Parmi les modifications qui surprenaient Matt depuis la Grande Tempête, il y avait la disparition de tout ce qui ressemblait à des sources de pollution, comme les voitures ou les usines. Il n'en avait plus croisé une seule. Elles n'avaient pas vraiment disparu, plutôt fondu. Les pylônes électriques avaient subi le même sort, pourtant il en subsistait tout de même une poignée, supportant des câbles devenus inutiles. Comme si la Terre, dans sa grande colère, avait oublié de frapper à certains endroits.

Matt savait que ces pylônes permettaient de localiser une grande ville, il suffisait de les suivre. Il savait aussi qu'autour rôdait une faune étrange et inquiétante. Ils en avaient croisé quelques spécimens six jours auparavant, pour découvrir, stupéfaits, des milliers de vers de toutes tailles, petits comme des limaces ou longs comme des concombres, suspendus aux câbles. Ambre en avait entendu parler. Les Longs Marcheurs les avaient nommés les Vers Solidaires. Si un seul se laissait tomber sur une proie, aussitôt des centaines d'autres l'imitaient jusqu'à la recouvrir totalement.

— Aucune chance que je marche là-dessous ! s'écria Tobias.

— Je suis d'accord avec toi, confia Matt.

— Sauf que la Forêt Aveugle est de l'autre côté, rappela Ambre, vous comptez traverser comment ?

— On ne traverse pas les pylônes, répliqua fermement Matt. On les longe. Jusqu'à la ville. Nous ne pouvons plus continuer ainsi, sans provisions, il faut faire le plein.

Tobias hocha vivement la tête. Ambre fixa Matt. Tous les trois savaient que les villes constituaient désormais le repaire de créatures sauvages, mais elles abritaient aussi les vestiges d'une consommation dont ils pouvaient se réapproprier quelques fragments.

— On les suit par la droite ou par la gauche ? interrogea Tobias.

— Vers l'est, je vois une tache importante, c'est peut-être une ruine.

Matt ajusta le baudrier de son épée sur ses épaules et s'élança le premier dans la pente.

Ils progressèrent à bonne distance des câbles électriques, guettant les vers, prêts à courir au moindre frémissement.

La plaine s'agitait autour du groupe, les rafales de vent creusaient des sillons en sifflant dans les hautes herbes avant de s'estomper. Tobias, qui avait fini par se débarrasser de son arc pour le mettre sur le dos de Plume, avec les sacoches et les duvets, s'approcha de la chienne pour s'équiper et encocher une flèche.

— Ambre, tu es avec moi ? dit-il tout bas.

La jeune fille sortit de sa torpeur de marcheuse fatiguée pour scruter son ami et sonder les alentours.

Un chevreuil était sorti de la forêt et gambadait entre les buissons, à moins de cinquante mètres.

— Attends un peu, avertit-elle, je n'aurai pas la puissance de guider ta flèche aussi loin.

— Je sais. Matt, reste ici avec Plume, on va se rapprocher tout doucement.

Matt obéit et tendit la main devant lui pour arrêter la chienne.

Tuer un chevreuil l'aurait rendu malade sept mois plus tôt, dans son autre vie de petit citadin new-yorkais. Désormais c'était un acte vital. Nécessaire pour survivre. Et maintenant qu'il n'existait plus de cheptels en batterie élevés dans l'unique but d'être envoyés à l'abattoir au nom de la consommation, Matt l'acceptait mieux. Ils ne chassaient que selon leurs besoins, sans excès.

Tobias et Ambre n'étaient plus qu'à une trentaine de mètres de l'animal lorsque le vent tourna. Le chevreuil releva la tête et vit les deux prédateurs. Il bondit en avant tandis que Tobias bandait son arc et décochait son tir.

Ambre se concentra brutalement, posant l'extrémité de ses doigts sur ses tempes.

Le tir n'était pas très ajusté, il manquait de puissance. Soudain le trait de bois se décala, comme emporté par une bourrasque, pour se diriger vers les flancs de la cible qui courait. L'animal avait autant de chance que s'il était menacé par un missile guidé par visée laser. Malgré ses changements de trajectoire, la flèche s'ajustait et allait se planter dans sa chair d'une seconde à l'autre.

C'est alors qu'elle perdit de sa vitesse et disparut dans les hautes herbes.

— Oh, non! soupira Ambre. Je n'arrive pas à garder le contrôle sur de longues distances.

L'animal était déjà loin.

Matt les rejoignit et leur tapota amicalement l'épaule:

— Ce n'est pas grave, on va se perfectionner avec le temps. L'altération ne demande qu'à être maîtrisée, pas vrai?

— Pas par là! s'écria Tobias.

Le chevreuil se rapprochait des pylônes. Un des vers chuta de son fil juste au moment où la proie passait en dessous, aussitôt imité par des dizaines d'autres. En un instant, la pauvre bête fut recouverte de formes noires qui enfoncèrent leur bouche crochue pour s'arrimer. Ensevelie sous les corps spongieux qui se mirent à aspirer, elle tituba puis disparut.

— J'en ai assez vu, fit Ambre en reprenant sa marche.

Ils continuèrent en silence, retrouvant la cadence hypnotisante du marcheur tiraillé entre l'épuisement et la faim.

Les nuages gris finirent par s'entrouvrir sur les rayons du soleil avant de peu à peu se désagréger au fil de l'après-midi.

Les arbres devinrent de moins en moins épars, formant des bosquets, puis de petits bois. La forêt se dressait au loin, face au groupe. Matt fut pris d'un espoir. Trois grandes formes rondes jaillissaient devant eux, enveloppées dans un entrelacs de branches et de lianes, ce pouvait être des immeubles. Ils pressèrent le pas sans se concerter, mus par la douce conviction de bientôt faire un repas complet.

Troncs lisses, feuillages clairsemés. Puis un mur de lierre et un toit noyé sous la mousse. Une habitation ! Et une autre un peu plus loin.

— C'est une ville ! s'exclama Tobias. On va pouvoir manger !

Ambre empêcha les garçons de se précipiter vers les premières maisons et les incita plutôt à repérer une épicerie pour un ravitaillement digne de ce nom.

Ils continuèrent à remonter ce qui devait être l'ancienne rue principale : un trait parfaitement rectiligne d'herbes qui filait à travers la forêt en direction d'un amas de végétation encore plus dense qui ressemblait au centre-ville.

Matt repéra une immense clairière remplie de fougères ensoleillées. Une masse compacte disparaissait en son centre sous les lianes et les branches.

— On dirait un supermarché, dit-il, venez.

Ils fendirent le lac de fougères et mirent cinq minutes à trouver l'entrée sous la cascade de feuilles vertes.

— Un centre commercial ! triompha Ambre. C'est parfait !

L'intérieur était tout noir, les dômes de verre au plafond étaient trop couverts de mousse pour que la lumière du jour parvienne à s'infiltrer. Tobias sortit son morceau de champignon lumineux et le tint devant lui. Une lueur blanche, presque argentée, les encercla.

Ils se tenaient dans un vaste hall au sol partiellement dissimulé sous un tapis de feuilles et de ronces. Deux escalators grimpaient vers l'étage supérieur. Le trio n'eut aucun mal à les atteindre et ils déambulèrent entre les vitrines de magasins. Principalement des boutiques de vêtements. Matt remarqua que beaucoup de portes demeuraient ouvertes, il aperçut des présentoirs renversés sans toutefois s'en approcher. Le corridor qu'ils longeaient s'ouvrit sur une mezzanine d'où ils surplombèrent les étages inférieurs.

Ambre s'écarta du groupe et s'immobilisa devant une vitrine

poussiéreuse. Dans la pénombre, des dizaines de disques se devinaient sur des étagères, sous les affiches de remises exceptionnelles. Les deux garçons s'empressèrent de la rejoindre.

— La musique me manque, confia-t-elle. J'aimerais tellement écouter un CD.

— Moi c'est Internet, avoua Tobias en scrutant les ténèbres.

— Tobias, appela Matt, éclaire par ici, s'il te plaît.

La lueur se rapprocha du grand garçon aux cheveux bruns, vers l'entrée d'un magasin de sports. Matt s'avançait entre plusieurs tapis roulants et appareils de musculation et s'arrêta devant des trottinettes au format adulte. Il s'empara d'un modèle et l'essaya sur la moquette de l'allée en décrivant de larges cercles.

— Prenez-en une, on ira plus vite comme ça !

Ambre et Tobias se regardèrent, amusés, puis se jetèrent chacun sur une trottinette en riant.

Ils en oublièrent la faim et les courbatures, un bref instant, pour se tourner autour et se rentrer dedans.

Plume, restée assise sur le seuil de l'échoppe, les sortit de leur récréation en grognant.

Matt et Ambre freinèrent en même temps et s'immobilisèrent côte à côte, pendant que Tobias s'encastrait dans un rayonnage de baskets.

— Chut ! intimèrent de concert Ambre et Matt.

— J'ai pas fait expr…

— Silence ! le coupa Ambre.

Ils tendaient l'oreille mais ne percevaient rien. Plume fixait le couloir central du centre commercial, elle ne grondait plus. Matt s'approcha d'elle et la caressa doucement.

— Tout va bien, ma belle ?

La chienne scrutait un point au loin que la vision humaine ne pouvait discerner. Elle se passa la langue sur le nez et jeta un regard à son jeune maître.

— Alors ? demanda Ambre en les rejoignant.

— Je ne sais pas, elle n'a pas l'air de paniquer, peut-être un renard ou un truc de ce genre.

— On devrait pouvoir trouver un plan avec la liste des commerces, proposa Tobias. Venez !

Matt voulut l'inciter à plus de prudence mais n'en eut pas le temps ; il dut s'élancer à son tour sur sa trottinette pour ne pas rester dans le noir. Tobias ouvrait la chevauchée en poussant sur une jambe, le champignon formait une bulle rassurante au milieu de ce dédale de couloirs sur deux étages. Tobias découvrit un grand plan en couleur du centre et stoppa devant. Plume fermait la marche en trottant. Elle posa son arrière-train en soupirant, dos au plan, comme pour monter la garde.

— Nous sommes ici et…, commenta Tobias. Et toute la zone alimentaire est au sous-sol, mince ! Ce sont des fast-foods, les réserves de surgelés sont déjà pourries depuis longtemps. Il y a bien un restaurant là-bas, à notre niveau, en fouillant dans les stocks on trouvera forcément des conserves.

— C'est l'endroit que Plume fixait en grognant tout à l'heure, intervint Matt.

— Regardez ! dit Ambre. Un supermarché ! Et c'est à l'opposé !

— Génial, fit Matt. On fonce.

Les trois trottinettes remontèrent à toute vitesse vers le nord du complexe et descendirent au rez-de-chaussée pour pénétrer dans l'immense surface du supermarché. Des téléviseurs à écrans plats occupaient tout l'espace de l'entrée. En quelques coups de pied ils roulèrent jusqu'aux comestibles et saisirent tout ce qu'ils pouvaient de biscuits secs et de barres chocolatées, avant d'investir le rayon des boîtes de conserve et de remplir leurs sacs à dos et les sacoches de Plume.

— Il faut être plus méthodique, tempéra Ambre, n'emportons pas n'importe quoi. Uniquement des produits non périmés et simples à cuisiner.

— Doug m'a appris que les conserves se gardaient éternellement, contra Tobias.

— Ça m'étonnerait. De toute façon nous n'avons pas le choix, prends tout ce qui est petits pois, flageolets, et laisse les cœurs de palmier en bocaux, ils ont une sale couleur. Il nous faut aussi dévaliser l'étagère des nouilles chinoises, c'est léger et simple à préparer.

— Je ne sais pas vous, mais moi je n'en peux plus de voir toute cette bouffe ! fit savoir Matt. Tobias, tu veux bien sortir ton réchaud à gaz ?

Ils s'installèrent au milieu de la grande surface et firent chauffer deux boîtes de haricots blancs à la sauce tomate qu'ils engloutirent avec des morceaux de biscottes. Une fois repus, ils se vautrèrent sur leur manteau, entre les emballages de gâteaux et les canettes de soda vides. Plume, à peine débarrassée de ses sacoches, avait disparu, *peut-être*, songea Matt, *pour aller se chasser un petit gibier*.

Ils bavardèrent et se reposèrent pendant plus d'une heure avant de reprendre la collecte d'aliments. Matt trouva des bâtons lumineux semblables à ceux qu'ils avaient depuis New York et il en craqua un. La réaction chimique produisit une lumière jaune assez forte pour leur permettre de se repérer. Ambre en fit autant et chacun put déambuler au gré de ses envies parmi les étals.

Matt parcourait les rayons de DVD, puis de jeux vidéo, éprouvant une nostalgie poignante face à tous ces souvenirs d'une vie qui semblait lointaine. *Dire qu'à l'époque je trouvais la vie pleine d'incertitudes !*

Il parvint face à des rangées de livres et s'arrêta devant le rayon « Science-fiction ». La lumière jaunâtre atténuait les contrastes des couvertures, les rendant effrayantes. Il envisagea un instant d'en choisir un, pour s'évader de temps en temps lors de leurs bivouacs, mais se ravisa. Il n'éprouvait plus la même fascination pour ces récits. L'aventure il la vivait tous les jours, et à bien y réfléchir, ça n'avait rien de palpitant.

Matt avait accroché le tube lumineux autour de son cou, avec un bout de ficelle ; il attrapa une bande dessinée *Comics* et la tint devant lui pour éclairer les pages qu'il feuilletait.

Une main surgit brusquement par-dessus son épaule pour attraper son éclairage et Matt sursauta.

Les cheveux d'Ambre lui caressèrent les joues et il se calma aussitôt, sans que son cœur cesse pour autant de battre la chamade. Que faisait-elle dans son dos ? Allait-elle l'embrasser ?

Soudain Matt se demanda comment il devait réagir. Souhaitait-il qu'elle l'embrasse ? Il la trouvait douce, jolie et très fortiche, mais avait-il vraiment…

Elle l'attira en arrière et le força à s'accroupir.

— Qu'est-ce qui te prend ? s'inquiéta-t-il en pivotant.

Elle lui posa la main sur la bouche pour le faire taire tout en tirant un coup sec sur la ficelle et fit disparaître le tube dans la poche de son pantalon en Nylon. Une toute petite lueur traversait les fibres, juste assez pour que Matt distingue l'expression apeurée de son visage.

Ambre le libéra de son étreinte.

— Quelque chose est entré dans le supermarché, chuchota-t-elle le plus bas possible.

— Quoi donc ?

— Je l'ignore, mais c'est gros et ça flaire notre piste.

Sur quoi elle lui prit le menton et le guida vers l'entrée de l'espace culturel.

Dans l'obscurité, Matt ne voyait presque rien. Un halo spectral descendait des grandes lucarnes du plafond.

Il distingua néanmoins une forme à moins de dix mètres : énorme, se déplaçant lentement, et ce qui devait être une tête, penchée sur le sol – elle reniflait bruyamment. Une substance se répandait en même temps… Une importante quantité de bave !

Ce n'était pas Plume, la créature était bien plus grosse. Haute comme un cheval.

Et malgré sa corpulence impressionnante, elle se mouvait sans un bruit.

— Elle ne t'a pas vue ? murmura Matt.

— Non, mais je n'ai pas trouvé Tobias. Si elle lui tombe dessus avant nous, j'ai peur de ce qui pourrait suivre.

— Viens.

Il la prit par la main et l'entraîna vers l'extrémité de l'allée.

Matt était aussi mal à l'aise qu'en colère contre lui-même pour avoir laissé son épée avec leur matériel, autour du réchaud à gaz. Ils n'avaient aucune arme.

Ils suivirent la créature par une allée parallèle, séparés d'elle par des linéaires. Ils l'observèrent qui pressait le pas jusqu'à leurs affaires qu'elle renifla longuement.

Puis une lueur argentée apparut.

— Tobias…, lâcha Matt entre ses dents.

Il remonta vers les bouteilles d'eau de source et de soda pour se rapprocher du monstre.

À genoux, il se pencha pour distinguer son ami.

Tobias avançait lentement en poussant un caddie dont dépassait un télescope. Il tenait son champignon d'une main et lisait attentivement une notice.

Il allait droit sur la créature sans même y prêter attention tandis qu'elle le fixait avec avidité. La lumière l'éclairait de plus en plus.

Elle n'avait plus aucun poil, sa peau laiteuse la faisait ressembler à un grizzli albinos, plus d'oreilles non plus, rien que des trous noirs. Ses babines se retroussaient sur une gueule hérissée de crocs pleins de bave, et ses pattes se terminaient par d'impressionnantes griffes jaunes.

— Il faut agir tout de suite ou bien Tobias est mort, lança Ambre.

— Je ne peux pas atteindre mon épée, elle est sous ce… ce machin ! Est-ce que tu peux la faire venir jusqu'ici ?

— Je vais essayer.

— Il va falloir être rapide. Dès que l'arme bougera, l'ours, ou quoi que ce soit, va le sentir.

Matt savait qu'il n'aurait pas deux occasions de porter ses coups. Si la créature répliquait, il serait taillé en pièces instantanément. Il fallait viser. Et frapper fort.

Son cœur s'emballait. Il avait le souffle court alors qu'il n'avait pas encore porté le moindre assaut.

Ambre était concentrée.

Soudain l'épée se déplaça, d'abord de quelques centimètres, puis d'un mètre. Elle glissait sur le sol.

— Elle est trop lourde, gémit Ambre en grimaçant.

L'ours perçut le mouvement entre ses pattes et sauta de côté tout en scrutant l'objet. Puis ses pupilles rouges se levèrent sur l'obscurité qui l'entourait. Elles se posèrent sur Ambre et enfin sur Matt.

Un grondement guttural fit trembler l'air.

Matt en eut la chair de poule. Il lui semblait que l'ours riait. Un rire cruel.

3

La Féroce Team

Les pattes s'agitèrent, les muscles roulaient sous la peau blanche, il allait bondir.

On est foutus ! hurla Matt dans sa tête. Il sonda la pénombre à la recherche d'une arme improvisée. Rien.

Tobias s'était arrêté, médusé par l'apparition monstrueuse.

Puis un cri de guerre retentit.

Suivi par des dizaines de hurlements rageurs.

Plusieurs sifflements fendirent l'allée principale et des traits noirs se plantèrent dans le flanc de l'ours albinos qui rugit, révélant deux rangées de dents successives dans sa gueule béante, à l'instar d'un requin blanc.

Il oublia aussitôt Ambre et Matt pour s'élancer vers les cris. Son pas lourd se mit à faire vaciller les étagères, son beuglement résonna dans tout le centre commercial.

Matt vit une flamme rouge surgir et une torche fumigène traversa l'air pour échouer entre les pattes du monstre.

— LA TÊTE ! s'écria quelqu'un.

Les sifflements reprirent pendant une seconde et l'ours dévia de sa trajectoire pour venir s'empaler dans une tête de gondole en produisant un choc assourdissant. Des kyrielles de boîtes de thon s'envolèrent puis roulèrent dans toutes les directions tandis que la créature rendait un dernier râle.

Matt était stupéfait. Tout était allé si vite qu'il ne savait pas ce qui s'était passé.

Il aperçut une douzaine de flèches plantées dans l'ours, et son esprit percuta.

Deux lanternes à huile s'illuminèrent et dix silhouettes difformes apparurent.

— On l'a eu ! triompha une voix d'enfant.

— Personne n'est blessé ? demanda un autre assez fort pour que Matt comprenne qu'on s'adressait à eux.

Ambre sortit la première, suivie par Matt. Tobias demeurait en retrait, encore sous le choc.

Les dix Pans qui leur faisaient face portaient des armures faites avec des épaulières de football américain, des jambières de gardien de but et des casques de hockey. Ils tenaient des arbalètes, des battes de base-ball et un tout jeune était armé d'un club de golf.

— Vous êtes sains et saufs ? interrogea le plus grand.

Ambre hocha la tête.

— Je crois, balbutia Tobias dans leur dos.

Le grand retira son casque et dévoila ses traits d'adolescent, quinze ou seize ans, noir, un bandana vert noué sur les cheveux.

— Je suis Terrell, dit-il en s'approchant de Matt, de la Féroce Team. Et vous ?

— Je m'appelle Ambre, voici Matt et là-bas, c'est Tobias. Ça va, Toby ?

L'intéressé acquiesça mollement et se rapprocha.

Terrell ignorait Ambre et semblait vouloir converser avec Matt.

— Nous sommes sur la trace du Grand Blanc depuis deux jours, expliqua-t-il, nous venions de le perdre lorsqu'on vous a vus entrer ici, pas eu le temps de venir vous accueillir qu'il pointait le bout de sa truffe. Ils sont sacrément rusés, les Grands Blancs !

— Parce qu'il n'est pas seul ? fit Ambre, interloquée.

Ignorant la question, Terrell poursuivit :

— Désolé, on s'est un peu servis de vous comme appât, mais nous n'avions pas le choix. Tous les ours de la région ont muté en ces... machins dégueus pendant la Tempête. D'où est-ce que vous venez ?

— Du nord, l'île Carmichael, ou l'île des Manoirs, répondit Matt. Vous avez reçu la visite de Longs Marcheurs ?

— Un, en effet, il y a quatre mois, et rien depuis. On ne sait même pas s'il nous a référencés, s'il y a d'autres clans de Pans pas trop loin, plus aucune nouvelle !

Le petit, qui n'avait pas dix ans, approcha de la carcasse de l'ours et tâta les blessures de son club de golf.

— Oh, on l'a pas raté ! commenta-t-il entre amusement et fascination.

La fumée de la torche fumigène commençait à empester et à noyer les lieux. Terrell désigna le Grand Blanc :

— Récupérez vos flèches, on viendra chercher sa viande plus tard, il faut rentrer, il va bientôt faire nuit. (Puis, se tournant vers le trio de nouveaux venus, il ajouta :) Vous devez nous suivre, le coin est dangereux à la nuit tombée.

L'Alliance des Trois ramassa ses affaires et Terrell conduisit toute la bande au sous-sol. Chemin faisant, il tira Matt par la manche pour l'écarter des autres.

— Cette femelle, tu peux garantir qu'elle n'est pas une menace ?

— De qui tu parles comme ça ? De Ambre ? C'est mon amie ! Bien sûr que je peux le garantir !

— Très bien, alors garde un œil sur elle. Tu en es responsable.

Matt le regarda s'éloigner pour reprendre la tête du groupe, sidéré.

Ils passèrent sous la marquise d'un cinéma pour pénétrer dans un hall feutré.

Matt se pencha vers Tobias :

— Ils sont bizarres ! Si tu savais ce qu'il vient de me dire !

— T'as vu le monstre que c'était cet ours ? J'en tremble encore…

Ambre se rapprocha :

— Pourquoi ils m'ignorent tous ? demanda-t-elle. Vous avez remarqué ? Ils font comme si je n'étais pas là.

Matt préféra ne pas alerter la jeune fille, il changea de sujet :

— Je suis inquiet pour Plume, je n'aime pas la laisser ainsi derrière nous.

— T'en fais pas, elle flairera notre piste jusqu'ici lorsqu'elle décidera de nous rejoindre.

Terrell tapa trois fois contre une lourde porte à double battant qui s'ouvrit aussitôt sur le couloir desservant les salles de projection.

Des lanternes à huile étaient accrochées au plafond et diffusaient une lumière tamisée dans le long corridor où s'entassaient des racks métalliques pleins de boîtes de conserve, de packs d'eau minérale, de couvertures, et un bric-à-brac d'objets de bricolage, de jeux ou d'armes blanches.

Plusieurs enfants et adolescents circulaient parmi ces réserves pour se diriger vers la salle n° 1 lorsque Terrell et son équipe apparurent. Immédiatement, tous se précipitèrent vers lui pour le submerger de questions avant qu'ils ne remarquent la présence des trois inconnus. Le silence tomba d'un coup.

— Ce sont des visiteurs, exposa Terrell.

— Vous êtes des Longs Marcheurs ? demanda une fillette. Vous allez nous donner des nouvelles de nos parents ?

Ambre se mordit la lèvre en secouant doucement la tête.

— Non, je suis désolée, dit-elle. Nous venons du nord, d'une île à environ deux semaines de marche.

— Deux semaines ! s'exclama une voix.

— C'est pas loin, répliqua une autre.

— Tu rigoles ? C'est *super* loin ! contra une troisième.

Un petit garçon de sept ou huit ans s'approcha et scruta Matt.

— Vous nous apportez quelque chose ? questionna-t-il.

— Euh… non, fit Matt, gêné. Nous sommes en pleine quête.

— Une quête pour quoi ? voulut savoir Terrell, très intrigué.

— Pour obtenir des réponses. Vous ne le savez peut-être pas, mais tous les adultes qui ont survécu à la Tempête, ceux qui n'ont pas été transformés en Gloutons, les Cyniks comme on les appelle maintenant, sont désormais au sud. Ils ont établi une sorte de royaume, dirigé par une reine. On dit que sur son territoire les cieux sont rouges, et ils chassent les Pans.

— Pourquoi ils nous chassent ? On n'a rien fait de mal ! s'étonna le jeune garçon qui se tenait à côté de Matt.

— Je l'ignore, mais nous avons trouvé un message qui mentionnait une « Quête des Peaux ». C'est pour cela que nous descendons, pour savoir.

Matt se garda bien de mentionner l'avis de recherche avec son portrait qu'ils avaient découvert dans les affaires des Cyniks quelques semaines auparavant.

— C'est dangereux ! s'affola le jeune. Vous allez vous faire attraper !

— Je ne l'espère pas, intervint Ambre.

Terrell leva les bras devant l'assemblée et tous se turent.

— Nous revenons d'un périple épuisant, nos visiteurs sont fatigués, alors je propose qu'on aille tous dîner, nous discuterons de tout cela en mangeant.

Ils investirent la salle de cinéma nᵒ 1, une grande pièce au plafond disparaissant dans les ténèbres. Des dizaines de bougies brûlaient sur les marches et d'autres lampes à huile éclairaient l'espace devant l'immense écran que la pénombre rendait gris. Plusieurs marmites bouillaient sur des réchauds à gaz, diffusant une odeur de tomate.

— Soupe aux vermicelles ce soir ! s'enthousiasma quelqu'un.

Une vingtaine de Pans s'étaient rassemblés, de sept à quinze ou seize ans, estima Matt. Ils firent la queue pour se servir de la soupe dans des assiettes creuses et tout le monde s'installa sur les sièges pour déguster le repas.

Un garçon roux, avec des lunettes rafistolées au scotch, vint s'asseoir près de Matt et Tobias.

— Salut ! Je m'appelle Mike. Ce qu'il nous manque ce sont les connaissances pour faire du pain, et aussi apprendre à faire des cultures, pour le long terme, quand on aura épuisé toutes les réserves de la ville. Vous pourriez nous aider ?

— Hélas, on ne sait pas non plus, avoua Tobias, mais un Long Marcheur nous a expliqué que c'était en cours ailleurs, des Pans sont parvenus à se lancer dans l'agriculture ! Vous avez entendu parler d'Eden ?

— Non. Qu'est-ce que c'est ?

— Une ville ! Des dizaines et des dizaines de clans de Pans qui viennent de partout, et qui se rassemblent pour être plus forts, pour bâtir une cité ! Ils sont à l'origine de la plupart des innovations.

— Génial ! Et c'est où Eden ?

— Au cœur du pays, d'après ce que je sais, pas loin de là où se situait Saint-Louis avant que la Tempête ne change tout.

Matt se pencha vers le rouquin :

— Combien êtes-vous ?

— Vingt-six. On s'est rassemblés juste après la Tempête, d'abord dans un dépôt de bus du centre-ville et puis on a élu domicile ici. Au départ on était plus nombreux mais... Depuis on s'est organisés et on ne s'en sort pas trop mal. Il faut juste respecter certaines règles et tout va bien.

— Quelles règles ?

— En premier lieu, se laver les dents quotidiennement, plusieurs fois. Parce qu'on a eu un copain qui a eu des caries, et sans dentiste, c'est vite devenu horrible pour lui, c'était insupportable. On devait augmenter les doses de médicaments pour la douleur presque tous les jours.

— Comment l'avez-vous soigné ?

Mike plongea son regard dans sa soupe.

— On ne l'a pas soigné. Il est mort, à cause des médicaments. Il en a trop pris.

Un silence gêné tomba sur les trois adolescents. Ambre, qui était restée un peu à l'écart, s'approcha pour demander :

— Vous dormez où ?

Mike la sonda comme si elle avait dit quelque chose d'inacceptable.

— Dans la salle 2 pour les garçons, la 3 pour les filles, dit-il d'un air craintif.

— Tiens, c'est comme sur notre île ! s'amusa Ambre. Les filles d'un côté, les gars de l'autre. C'est drôle qu'on fasse tous ça !

Mike fit une grimace pour approuver, incapable de contrôler le malaise qu'il éprouvait face à Ambre. Il se leva, salua Matt et Tobias puis s'éloigna.

— Qu'est-ce que j'ai fait ? s'attrista Ambre.

— Je ne crois pas que ce soit contre toi, fit Matt en détaillant tous les visages qui les observaient en commentant tout bas, par petits groupes.

Après le repas, Terrell rassembla ses troupes autour du trio de visiteurs et le jeu des questions-réponses débuta. Pour une question que posait Matt ou Tobias, ils en recevaient trois en retour. Ambre comprit très vite qu'elle n'était pas la bienvenue et qu'il était inutile qu'elle se mêle aux conversations. Elle croisa ses bras sous sa poitrine et se contenta d'écouter, le cœur serré par cette injustice.

Ce que devenait le monde extérieur était au centre de leurs préoccupations. Comment s'organisaient les autres communautés de Pans, étaient-ils nombreux ? Matt et Tobias y répondaient du mieux qu'ils pouvaient, faisant ressurgir les souvenirs de discours entendus de la bouche des Longs Marcheurs passés par l'île Carmichael.

— Pourquoi aucun Long Marcheur ne s'est plus arrêté chez nous ? voulut savoir un jeune garçon.

— Je l'ignore, avoua Matt. C'est très difficile pour eux de localiser des sites panesques, ils doivent observer avec soin les abords de chaque ville qu'ils traversent, pour relever des traces.

Mais la plupart des clans se cachent, effrayés par les prédateurs, les Gloutons et les Cyniks.

— Comment font les Longs Marcheurs pour trouver les villages Pans ? insista un autre enfant.

— Je ne sais pas.

Ambre, malgré son vœu de silence, intervint sur ce sujet qui la passionnait :

— Ils commencent par chercher des épiceries ou des supermarchés et vérifient s'il y a des signes d'activités humaines. Ensuite ils tournent autour des zones de vergers naturels, les fruits frais sont vitaux pour la santé des Pans, et les Longs Marcheurs le savent. S'ils notent la marque d'une activité régulière, alors ils ont de fortes chances d'être dans un secteur habité. Ne reste plus qu'à guetter la fumée des feux, ou tenter de suivre une piste fraîche. Il faut de la détermination, beaucoup de courage et une dose de réussite. Mais soyez sûrs que tôt ou tard un Long Marcheur passera par ici et vous serez à nouveau recensés, et que les nouvelles viendront à vous, c'est une question de temps.

Tout le monde l'avait écoutée avec attention et méfiance. Dès qu'elle eut terminé, les visages se détournèrent d'elle.

Tobias enchaîna :

— Vous maîtrisez l'altération ?

— La quoi ? fit un grand couvert de taches de rousseur.

— L'altération. C'est comme ça qu'on appelle nos pouvoirs. Vous avez bien constaté des changements dans vos corps ces derniers mois, n'est-ce pas ? Certains sont plus rapides qu'avant, d'autres plus forts, peut-être que l'un d'entre vous peut allumer un feu rien qu'avec son doigt ou déplacer des objets par la pensée, rien de tout ça ?

Terrell reprit la parole :

— Personne ici n'est capable de choses pareilles, maintenant, tant que vous serez chez nous, n'abordez plus ce sujet, tout ce qui peut nous changer est mauvais.

— Mais…

— Respecte nos règles ! le coupa sèchement Terrell.

Matt profita du flottement pour enchaîner et révéler leur plan :

— Nous n'allons pas poursuivre vers l'ouest afin de trouver un passage dans la Forêt Aveugle, nous comptons la traverser, ici, dès que nous l'aurons atteinte.

— La traverser ? répéta une fillette. C'est plein de monstres !

— Liz a raison, insista Terrell, vous ne pouvez pas vous engager dans la Forêt Aveugle ! Nous y avons déjà fait une incursion et nous n'y retournerons plus jamais ! Le premier rideau est impressionnant, il y a des arbres de plus de cent mètres, et quand vous pénétrerez le cœur de la Forêt Aveugle, ça deviendra impossible ! Les troncs grimpent à un kilomètre de haut, au moins ! Leur feuillage est si dense que la lumière du jour ne parvient pas jusqu'au sol, vous serez dans le noir en permanence, encerclés par une faune aussi improbable que terrifiante ! Et nul ne sait quelle est la profondeur de cet endroit, combien de jours de marche avant de pouvoir ressortir de l'autre côté. Vous ne devez pas passer par là !

— Notre décision est pourtant prise, annonça Matt. De la même manière que nous ne pouvons nous attarder ici. Le temps nous est compté.

— Rien ne presse, au contraire, soyez chez vous, on a tout ce qu'il faut, réfléchissez-y.

Matt ne voulait pas mentionner le Raupéroden et sa crainte de le voir les rattraper. Il déclara :

— Des Pans se font enlever tous les jours, ils sont kidnappés dans d'énormes chariots en bambou tirés par des ours et conduits vers le sud, chez les Cyniks. Nous devons savoir pourquoi et trouver un moyen d'arrêter ces enlèvements. Il n'y a pas de temps à perdre. Dès demain, nous partirons.

Matt vit à l'expression de Tobias que celui-ci serait bien resté un peu plus longtemps. Ambre ne disait rien, elle semblait bouder. Matt ne comprenait pas cette méfiance à l'égard de son amie. Soudain, il réalisa qu'il ne voyait aucune adolescente. Des fillettes, mais aucune fille de plus de onze ou douze ans.

— Vous n'avez pas d'adolescentes dans votre communauté ? interrogea-t-il.

Terrell parut ennuyé. Il guetta la réaction d'Ambre.

— Non, dit-il. C'est trop risqué.

Cette fois, Ambre sortit de sa réserve :

— Risqué ? Quel risque ? Pour quoi nous prenez-vous ?

— Les Pans ne restent pas Pans toute leur vie ! Ils se transforment forcément en adultes un jour, des Cyniks. Chez les filles ça commence dès qu'elles deviennent femmes.

— Comment ça ? voulut savoir Tobias. Vous croyez qu'en grandissant on peut trahir nos amis ?

— C'est certain ! Lorsqu'un adolescent bascule de l'autre côté, lorsqu'il devient adulte, vient un moment où il ne se sent plus à l'aise parmi nous, il est attiré par les Cyniks. Il a des pensées de Cyniks, des réactions de Cyniks, et il finit par nous trahir ! C'est arrivé déjà deux fois ici ! Le premier a essayé de nous vendre à une patrouille cynik qui passait par notre ville, nous nous sommes battus pour survivre. La seconde fois, c'était une fille, elle a fui notre camp avec tout ce qu'elle pouvait prendre. Nous avons dû changer d'abri pour ne pas courir le risque qu'elle rejoigne les Cyniks et leur donne notre position.

— Alors ça c'est incroyable ! fit Tobias. Maintenant je comprends mieux ! Sur notre île, nous aussi on a eu un traître ! C'était le plus âgé de notre clan. Il s'appelait Colin ! Mais alors… ça veut dire qu'on va tous devenir des Cyniks un jour ?

— C'est comme ça, on n'y peut rien, assura Terrell d'un air sombre. C'est pourquoi nous instaurons des lois, pour la sécurité du plus grand nombre. Dès qu'une fille a ses règles, nous la chassons.

— Quoi ? s'indigna Ambre. Mais c'est absurde !

— Seules, elles n'ont aucune chance là-dehors, affirma Matt.

— Pour les garçons, continua Terrell, nous avons des interdits. Des choses à ne surtout pas faire.

— Comme quoi ? demanda Ambre, pleine de colère.

— Des trucs de garçons ! On ne doit pas y penser.

— Et toi ? Tu n'es plus très jeune pour un Pan, lança Ambre. Qu'est-ce qui prouve que tu ne vas pas trahir bientôt ?

— Nous nous sommes fixé un âge maximum. Dix-sept ans. Je les aurai dans six mois. Je devrai partir à ce moment-là, quitter cette ville et ne jamais plus y revenir.

— C'est atroce ! s'énerva Ambre en se levant. Vous ne vous conduisez pas mieux que les Cyniks eux-mêmes !

— Que peut-on faire d'autre ? s'emporta Terrell. En grandissant, nous allons de toute façon devenir adultes ! On ne peut rien contre ça !

— Peut-être qu'il existe un moyen ! Peut-être qu'on peut rester comme nous sommes en vieillissant ! Il faut essayer ! Au moins y croire !

Les larmes aux yeux, Ambre sauta par-dessus la rangée de sièges devant elle et remonta les marches pour sortir de la salle.

Matt retrouva son amie recroquevillée entre des machines de pop-corn vides. Il s'agenouilla en face d'elle.

— Ils ne sont pas mauvais, tu sais, dit-il. Ils font ça parce qu'ils sont effrayés.

— Nous le sommes tous, répondit-elle tout bas. Ce n'est pas une raison.

Percevant la profonde peine qu'éprouvait Ambre, Matt voulut la serrer dans ses bras. Il n'osa pas. Il chercha à la réconforter avec des mots :

— Ils peuvent se tromper, ce n'est pas parce que Colin l'a fait aussi chez nous que c'est vrai, c'est peut-être le hasard…

Les larmes envahirent les yeux de la jeune fille, son menton se froissa sous l'émotion, elle lutta pour parvenir à confier :

— Je suis une femme, Matt, c'était déjà le cas avant la Tempête, mais je ne suis pas mauvaise ! Je me sens proche de toi, de Toby, je suis une Pan ! Et je ne veux pas que ça change !

Matt déglutit, ne sachant d'un coup plus du tout quoi répondre.

— Je ne veux pas perdre ce que je suis aujourd'hui, continua Ambre.

— Je veillerai sur toi, je te le jure, je t'empêcherai de changer.

Ambre le fixa avec une émotion débordante.

— Je ne suis pas sûre qu'on puisse l'empêcher, souffla-t-elle.

Soudain prêt, Matt se lança et posa sa main sur celle d'Ambre.

La jeune fille frissonna. Puis elle le repoussa.

— J'ai besoin d'être seule, Matt, je suis désolée.

L'adolescent reçut ce refus comme un coup de poignard en plein cœur.

Il se redressa, tourna le dos à son amie et s'éloigna dans le couloir mal éclairé.

4

Une respiration bienvenue

Matt ouvrit les yeux sans savoir s'il était tôt ou tard dans la matinée. En l'absence de montre qui fonctionnait et de fenêtre, il était incapable de connaître l'heure.

Il sortit de la salle n° 5 qu'il avait occupée avec Tobias – qui dormait encore – et rejoignit le hall du cinéma. Il croisa deux Pans qui grignotaient des biscuits en riant.

Matt se fit ouvrir la porte principale et regagna le rez-de-chaussée avant de sortir.

Le soleil était levé depuis au moins deux heures. Il devait être plus de huit heures.

Matt sonda la clairière de fougères dans l'espoir d'y apercevoir Plume mais ne vit rien.

Il s'interrogea sur leur position exacte. L'île Carmichael se trouvait à l'ouest de Philadelphie. Treize jours de marche plus au sud, jusqu'où étaient-ils allés ? Richmond ? Washington était déjà dans leur dos, ils l'avaient dépassé, ils n'avaient pas dû passer bien loin et pour autant ne s'en étaient pas rendu compte. Et l'océan Atlantique ? À combien de kilomètres était-il ? À peine une centaine, probablement. Matt se demanda ce qu'il pouvait être devenu. Y avait-il toujours des poissons ? L'océan avait-il changé de couleur ?

Il fut arraché à ses pensées par un coup de tonnerre lointain qui lui hérissa les cheveux. Il était sorti avec son seul couteau de chasse, sans son épée. C'était imprudent et il s'en voulut aussitôt.

De gros nuages noirs surgirent au loin, vers l'est. Un simple orage ou bien…

Dis-le, allez ! Pourtant Matt ne put formuler le nom de cette créature qui le traquait.

Je n'en ai pas rêvé cette nuit, c'est déjà un bon point !

Il demeura assis à l'entrée du centre commercial à guetter les cieux menaçants, jusqu'à ce qu'il soit convaincu que l'orage prenait la direction du nord et qu'il les éviterait. En se relevant, il sentit les muscles de son corps ankylosés. Le pire était au niveau des pieds. Les ampoules s'étaient estompées, remplacées par plusieurs crevasses rouges, et la plante était sensible. Jamais il n'avait pensé que marcher intensément pendant deux semaines pouvait être si violent pour l'organisme.

Quelques jours de repos parmi la Féroce Team seraient les bienvenus.

Impossible ! Je ne prendrai pas ce risque. Il ne faut pas s'attarder, pas tant qu'il est sur nos traces.

Et puis il n'aimait pas les regards que tous lançaient à Ambre. Il sentait que ça pourrait vite déraper. Comment allait-elle ce matin ? Elle avait dormi seule dans une des grandes salles de projection. Matt considéra la clairière et se résigna à rentrer.

De retour au sous-sol, il fit chauffer de l'eau et prospecta parmi les racks de vivres pour constituer le panier du petit déjeuner qu'il apporta à la dernière salle. Il frappa puis entra.

Ambre était assise sur son duvet, une lampe à huile allumée à ses côtés, elle se concentrait sur un crayon à papier qu'elle faisait glisser trois mètres plus loin.

— Bonjour, fit Matt. Je t'apporte le petit déjeuner.

Le visage d'Ambre, concentré et sévère, se détendit et s'illumina en voyant son compagnon entrer dans la lumière.

— Merci, Matt, c'est très gentil de ta part. Je faisais des exercices.

— Ça marche ?

— Oui. Le poids des objets est décidément un élément majeur dans l'utilisation de mon altération. Je n'arrive pas encore à déplacer ce qui est lourd, en tout cas pas sans une concentration totale et pour un très court instant seulement.

Matt lui tendit une pomme et une tasse de thé fumante.

— Ils n'ont que ça comme fruit, j'espère que ça t'ira.

— C'est parfait. (Ambre changea de ton.) Matt, je voulais te dire, pour hier soir, je suis désolée, je...

Le jeune garçon leva la main en signe de paix.

— Ne t'en fais pas, c'est oublié, mentit-il.

Curieusement, il se sentait incapable d'exprimer cette tristesse qu'il avait ressentie la veille au soir. Il préférait l'enfouir dans un coin de son cœur et ne plus l'aborder, encore moins avec la principale intéressée.

— Je ne voudrais pas que tu croies...

— Je ne crois rien, la coupa-t-il, tu es mon amie, c'est tout ce qui compte. L'Alliance des Trois, tu te rappelles ?

Elle acquiesça en souriant.

La porte s'ouvrit sur Tobias qui s'exclama en dévalant les marches :

— Ah ! Vous êtes là ! Je vous cherchais ! Oh bah, vous ne vous refusez rien ! Et vous ne venez même pas me chercher pour votre festin ?

— J'allais venir, annonça Matt qui s'éloigna d'Ambre pour ne pas paraître trop intime.

— Je ne sais pas vous, mais moi je suis complètement vanné, enchaîna Tobias en piochant des gâteaux dans le panier. Peut-être qu'on pourrait se reposer ici un jour ou deux, juste le temps de récupérer, pour tenir la distance.

Ambre toisa Matt.

— Non, fit ce dernier, j'ai vu un orage au loin ce matin, je ne veux pas risquer d'être repris par le… Par *Lui*.

— Ça se trouve il a définitivement perdu notre piste ! s'emballa Tobias. Le monde est vaste, il peut errer pendant un moment ! Tiens, est-ce que tu as rêvé de lui dernièrement ?

— Pas cette nuit.

— Alors il ne se rapproche pas.

— Pourquoi tu dis ça ? s'étonna Matt.

Tobias, jamais avare en commentaires singuliers, exposa :

— J'ai l'impression que le Raupéroden retrouve notre trace quand il fouille ton esprit pendant ton sommeil. Si tu ne rêves pas de lui, c'est qu'il ne parvient pas à sonder ton âme, et tant qu'il n'y arrive pas, il ne peut pas nous retrouver.

Ambre éclata de rire.

— Toby, je ne sais toujours pas si tu es doué d'une imagination prodigieuse ou du don de clairvoyance !

Mais Matt ne riait pas, il trouvait l'idée pertinente.

— Moi, dit Tobias, je vote pour deux jours de repos. Et toi, Ambre ?

Celle-ci reporta son attention sur Matt.

— J'ai décidé de vous suivre dans votre quête, alors je m'en remets à vos décisions, en tout cas pour ce qui est de notre rythme.

Matt pesait le pour et le contre. Il avait du mal à se décider.

— Mais j'avoue que je ne serais pas contre une pause, ajouta Ambre.

— Une fois dans la Forêt Aveugle, il est possible qu'on ne puisse plus s'arrêter, intervint Matt. Il faut donc qu'on y pénètre en pleine forme. Va pour une journée supplémentaire avec ces Pans. Mais pour plus de sûreté, je préférerais que nous ne nous séparions pas. Je n'ai pas un très bon feeling avec Terrell.

Tobias leva le poing en signe de victoire.

Matt passa une large partie de la matinée à guetter Plume au-dehors. Il fit passer le mot, un chien grand comme un poney était leur compagnon de route. À ces mots, plusieurs membres de la Féroce Team se regardèrent, amusés. Ils avaient déjà aperçu un très grand chien, un mois plus tôt, qui furetait dans le centre-ville. Ça ne pouvait pas être Plume, aussi Matt les questionna-t-il longuement sur sa taille, sa description et son comportement. Aussi impressionnant que sa propre chienne, apparemment pas agressif. Ils en avaient perdu la trace après quelques jours.

Plume n'était pas la seule de son espèce.

Certains chiens errants s'étaient regroupés en meute depuis la Tempête, ceux-là tout le monde savait qu'il fallait les éviter à tout prix, mais l'existence d'un autre canidé surdimensionné intrigua Matt.

Le ciel était parfaitement dégagé, bleu saphir, et la chaleur s'intensifia au fil des heures. À midi, le soleil cognait si fort que Matt se félicita d'avoir différé leur départ d'une journée.

Après le déjeuner, Terrell vint voir l'Alliance des Trois pour leur proposer une aventure un peu particulière :

— Il fait chaud dehors, c'est l'occasion d'aller prendre un bain et de vous détendre. Prenez vos armes et venez.

Vingt membres de la Féroce Team formèrent un convoi vers l'étage du centre commercial pour emmener le trio choisir un maillot de bain. Puis ils quittèrent les lieux et s'enfoncèrent dans la forêt.

Terrell les conduisit jusqu'à une petite rivière bordée de plantes aux feuilles immenses, assez grandes pour faire des couvertures, et ils gagnèrent un minuscule étang encadré par un mur de roseaux.

Une cascade de quinze mètres se déversait du haut d'une falaise creusée de trous et bordée par une épaisse mousse verte.

— C'est notre salle de bains estivale ! s'écria-t-il par-dessus le vacarme.

Tout le monde se déshabilla et sauta dans l'eau fraîche en criant.

Matt remarqua aussitôt que les filles allaient d'un côté, les garçons de l'autre. Ambre observa la séparation en soupirant.

Matt lui posa la main sur l'épaule :

— De toute façon on sera dans la même eau au final, non ?

Ambre hocha la tête sans conviction et rejoignit le groupe de filles. Ces dernières l'étudiaient avec appréhension. Le désir d'approcher cette « grande » était palpable, mais la peur qu'elle puisse être du côté des Cyniks les en empêchait.

Matt et Tobias nagèrent en riant, jouant avec la boue de la rive, puis à se couler. Un concours de plongeon fut organisé et un Pan répondant au nom de Diego le remporta à l'unanimité. Il finit par confier à Tobias qu'il était dans une équipe de natation *avant*. Évoquer leur ancienne vie mit un coup au moral de l'adolescent qui grimpa se sécher au soleil. Les Pans parlaient peu de leur existence d'avant la Tempête, et Tobias savait pourquoi. Cela les rendait nostalgiques.

Matt, voyant Ambre s'ennuyer dans son coin, décida qu'il en avait plus que marre d'obéir à des règles idiotes et il nagea vers le groupe de filles. Toutes se dépêchèrent de s'éloigner, sauf Ambre qui l'accompagna dans sa brasse.

Profitant qu'ils étaient à bonne distance de toute oreille indiscrète, Ambre confia à Matt :

— La petite Liz est venue me parler tout à l'heure, elle m'a inondée de questions à propos de l'altération. À croire que j'ai le don pour qu'on vienne m'en parler !

— Est-elle affectée ?

— Oui, elle est terrorisée dans le noir et figure-toi qu'elle me dit être capable de produire de la lumière sous ses ongles ! Une faible phosphorescence mais c'est déjà un début. C'est Terrell qui leur interdit d'en parler, il leur ordonne d'étouffer tout changement en eux, pour ne pas devenir plus vite un Cynik. Il se trompe ! Il faut le leur dire !

— Nous ne pouvons pas débarquer et semer la pagaille, Ambre. Nous ne sommes là que deux jours, eux vont devoir vivre avec les doutes qu'on laissera derrière nous, c'est dangereux pour leur équilibre, ils ont survécu par miracle jusqu'ici.

— Je sais, mais c'est important qu'ils acceptent ce qu'ils sont devenus avec la Tempête !

— Laisse faire le temps. Lorsqu'un nouveau Long Marcheur parviendra jusqu'à eux, qu'il les informera du développement de l'altération un peu partout, ils finiront par en avoir moins peur et ils changeront.

Ambre regretta cette attitude qu'elle considérait un peu lâche, mais n'insista plus.

Ils sillonnèrent l'étang ensemble pendant un long moment avant de regagner leurs serviettes.

En fin d'après-midi, de retour au centre commercial, Matt passa à nouveau une heure à appeler Plume sans succès.

Le soir, il informa toute la communauté que leur trio repartirait le lendemain. Terrell tenta de les dissuader une fois encore d'aller dans la Forêt Aveugle, toutefois, lorsqu'il comprit que c'était peine perdue, il annonça qu'un groupe les accompagnerait jusqu'à la lisière du premier rempart.

Cette nuit-là, Ambre vint frapper à la porte de la salle n° 5 où dormaient Tobias et Matt. Elle ne voulait plus être seule dans une si grande salle, pas ici. Les deux garçons l'accueillirent avec le sourire, surtout Matt.

Ils se réveillèrent au petit matin, mangèrent en silence, vérifièrent qu'ils ne manquaient de rien pour leur voyage, que leurs sacs étaient bien remplis et prirent la direction de la sortie.

Tous les Pans de la Féroce Team s'entassaient dans le hall.

On les salua, leur fit promettre de parler d'eux s'ils croisaient un Long Marcheur ou allaient un jour à Eden, puis Terrell et six autres garçons surgirent. Ils étaient vêtus de leurs équipements de football américain et de hockey, armés d'arbalètes de compétition tout en carbone, couteaux aux ceintures et sacs à dos aux épaules.

Dès qu'ils furent au-dehors, Matt chercha Plume du regard, persuadé qu'elle serait là, prête pour le départ.

Mais il n'y avait aucune trace de la chienne.

Il ne se résignait pas à partir sans elle.

Elle a du flair, elle saura suivre notre piste, nous rattraper.

Cela lui déchirait le cœur de s'en aller sans savoir si elle allait bien. *Où qu'elle soit, si elle en est capable, elle nous retrouvera. Je la connais, j'en suis certain.*

Terrell attendait pour lancer l'expédition.

Matt fit signe qu'ils étaient prêts.

Il contempla une dernière fois la clairière de fougères et se mit en route.

5

Du soleil et des ombres

Le soleil est le pire ennemi du marcheur.

À mesure qu'il gagnait en altitude dans le ciel, son rayonnement plombait l'atmosphère d'une chape étouffante, la température grimpait sans cesse, et à midi il faisait aussi chaud que sur une plage d'été, le vent en moins.

Matt capitula, il ôta le gilet en Kevlar qu'il portait sous son manteau et l'accrocha à son sac à dos.

Le groupe s'efforçait de rester à l'ombre autant que possible, la Féroce Team avait retiré ses casques qui pendaient aux sacs à dos, longeant les lisières des bois, préférant se ralentir en passant par une forêt plutôt que par une plaine brûlante. Les collines de l'après-midi étourdirent les voyageurs, alternant les montées ardues à gravir et les pentes ensoleillées qu'ils dévalaient. Chaque ruisseau, chaque mare, devint propice à une halte prolongée.

Terrell estimait à trois jours le périple jusqu'aux contreforts de la Forêt Aveugle. Dans ces conditions, ce serait trois jours d'enfer.

À plusieurs reprises, Matt crut apercevoir une silhouette ou un mouvement lointain, au sommet d'un escarpement ou à l'entrée d'un bosquet, mais chaque fois qu'il s'attardait pour en discerner davantage, il n'y avait plus rien.

Le soir ils bivouaquèrent à l'abri d'un immense rocher, dans l'anfractuosité ouverte à son pied comme une niche. Melvin, un Pan d'environ treize ans, s'occupa d'allumer un feu avec une grande dextérité, pendant que chacun étalait son duvet ou ses couvertures en cercle autour des flammes.

Un des garçons sortit de son sac des lamelles de viande fraîche qu'ils firent cuire et dévorèrent. Lorsque Tobias demanda de quoi il s'agissait et qu'il apprit que c'était le Grand Blanc tué deux jours plus tôt, il apprécia moins son repas. Le souvenir de l'ours albinos continuait de le faire frissonner.

Tandis qu'ils digéraient sous les crépitements du foyer, Terrell demanda à Matt :

— Qu'est-ce que c'est, d'après toi, cette « Quête des Peaux » ?

Matt haussa les épaules, en appui sur ses coudes.

— Quand je pense aux Pans que les Cyniks enlèvent dans ces grands chariots, dit-il, j'imagine le pire.

— Tu crois qu'ils... arrachent la peau des Pans ? Pour quoi faire ?

Plusieurs garçons émirent des petits cris horrifiés.

— Je ne sais pas, ça semble très important, c'est tout ce que je peux vous dire. On compte bien l'apprendre.

— Mais une fois en territoire ennemi, si vous y parvenez, comment ferez-vous pour ne pas vous faire remarquer ?

— D'ici, c'est impossible à dire, nous improviserons sur place. Déjà en restant à bonne distance des patrouilles cyniks. J'espère que nous parviendrons jusqu'à l'un de leurs camps, et qu'en observant nous pourrons comprendre de quoi il retourne. Sinon…

Comme il se taisait, Terrell le relança :

— Sinon quoi ?

— Sinon il faudra prendre des risques pour voler des informations. On verra bien. Vous en voyez souvent par ici ?

— Non, presque jamais, heureusement. Par contre il y a pas mal de Gloutons.

À l'évocation de ces créatures sauvages, autrefois humaines, Matt fut pris d'un malaise.

— Beaucoup ont survécu ? demanda-t-il. Parce qu'ils sont tellement… stupides, je pensais que la plupart ne passeraient pas la fin de l'hiver.

— Hélas oui, répondit Terrell. Ils sont parvenus à s'adapter, ils se sont même regroupés, ils vivent dans des grottes ou des trous qu'ils recouvrent de branches, il ne faut pas les sous-estimer ; les Gloutons sont devenus dangereux. Ils chassent les petits animaux mais dès que l'opportunité d'avoir plus gros dans leur marmite se présente, ils ne ratent pas l'occasion. Nous avons eu des soucis avec eux il y a trois semaines de ça.

— Vous utilisez aussi le mot Glouton, s'étonna Tobias, c'est le Long Marcheur qui vous l'a communiqué ?

— Exactement. Il nous a laissé tout le lexique utilisé par les Pans, tout ce qu'il savait. Ça date un peu maintenant, j'imagine qu'il y a eu beaucoup de nouveautés.

— Pas tant que ça, modéra Tobias. Et les Scararmées, vous en avez dans la région ?

— Qu'est-ce que c'est ?

— Les millions de scarabées qui avancent sur les anciennes autoroutes. Vous n'en avez jamais vu ?

— Non.

— C'est un sacré spectacle ! Ils produisent une lumière avec leur ventre, bleu d'un côté et rouge de l'autre, ils ne se mélangent pas, des millions et des millions !

— Que font-ils ? demanda, fasciné, Melvin.

— Personne ne sait. Ils circulent, c'est tout. On ne sait pas d'où ils viennent ni où ils vont, c'est juste superimpressionnant à contempler !

— J'aimerais bien en voir un jour, dit Melvin, les yeux brillants de rêves.

Ils finirent par s'endormir et la fraîcheur de la nuit contrasta avec la journée suffocante qu'ils avaient encaissée.

Le lendemain, Matt se sentait nauséeux. Il avait des gargouillis dans le ventre et devina qu'il risquait d'être malade. Il suspecta l'eau des mares d'en être responsable. Il parvint néanmoins à suivre le rythme et cette deuxième journée fut moins chaude que la précédente. En milieu d'après-midi ils remarquèrent la fumée d'un feu à l'ouest, un panache fin qui ne s'épaissit pas au fil de l'heure. Ce n'était donc pas un feu de forêt. Il fut décrété qu'on n'approcherait pas pour voir de quoi il s'agissait, craignant une patrouille cynik, bien que Terrell soutenait que même les Gloutons étaient parvenus à faire du feu.

Le soir, par sécurité, ils n'allumèrent pas de brasier, et mangèrent des boîtes de sardines à l'huile avec des biscottes.

Matt, Tobias et Ambre dormaient côte à côte, la jeune adolescente entre les deux garçons.

Le lendemain matin, lorsque Matt ouvrit les yeux, il sentit les cheveux d'Ambre dans sa main, le poids de son corps contre le sien. Il n'osa bouger, et resta un moment ainsi, à apprécier sa présence chaude contre lui.

Lorsqu'il ouvrit les yeux, il s'aperçut que ce n'était pas Ambre.

Plume dormait profondément.

Matt sauta de joie et serra la chienne contre lui, celle-ci souleva ses paupières difficilement, comme si elle n'avait pas assez dormi, et lâcha un long soupir.

Cette troisième journée fut plus agréable pour Matt, le retour de Plume lui mit du baume au cœur et le rassurait sur cette silhouette qu'il croyait avoir aperçue dans leur sillage, nul doute que ce devait être elle.

Depuis qu'ils avaient franchi les collines, le premier jour, la Forêt Aveugle étendait sa masse noire, gigantesque, sur l'horizon. Elle écrasait toute perspective.

Maintenant qu'ils en étaient tout proches, Matt put distinguer clairement les contreforts, ce que Terrell appelait le premier rideau. Il s'agissait d'une bande d'arbres immenses, que Matt trouvait encore plus volumineux que les séquoias de son ancienne vie. Le premier rideau s'enfonçait sur plusieurs kilomètres de profondeur et sa cime montait au fur et à mesure, dressant un toit pentu vers la véritable Forêt Aveugle. En comparaison de celle-ci, les contreforts paraissaient minuscules. Dans le ciel surgissaient des troncs hauts comme des montagnes, larges comme plusieurs terrains de football.

Comment la nature avait-elle pu produire un mur pareil ?

En seulement sept mois.

Depuis la Tempête, non seulement la végétation s'était réapproprié les villes, mais elle poussait à une vitesse alarmante, plus rapide qu'une forêt tropicale, et ses mutations ne cessaient de surprendre.

Le groupe traversa une longue plaine, parcourant quinze kilomètres en moins de quatre heures, pour atteindre les premières flaques de fougères, les bosquets de peupliers et de chênes.

Matt comprit que, ce soir, ils dormiraient au pied de la Forêt Aveugle et, pour la première fois depuis son départ de l'île Carmichael, il fut saisi d'un doute. Était-il vraiment judicieux de passer par ici ? Cet endroit semblait appartenir à un autre monde, il n'avait aucune idée de ce qui pouvait les y attendre.

Tandis qu'il réfléchissait, Matt prit un peu de retard sur la marche. Il vit ses camarades, devant lui, avançant en silence, déterminés.

Il était trop tard pour faire demi-tour.

Le campement du soir fut établi à moins d'un kilomètre des contreforts, sous un chêne majestueux. Tobias attrapa ses jumelles et profita de la fin du jour pour faire de l'observation ornithologique. Matt avait oublié qu'autrefois son ami se passionnait pour les oiseaux.

— Ne t'éloigne pas ! lui lança-t-il, inquiet.

— Oui papa ! ironisa Tobias en grimpant sur un rocher.

Tous se reposèrent sur leur duvet, se massant les pieds, se mouillant le visage à l'eau fraîche d'un ruisselet ou s'allongeant simplement à l'ombre des branches. Plume s'en alla chasser son dîner et revint une heure plus tard pour aller se vautrer contre le sac de Matt et dormir en ronflant doucement.

Matt sortit une pierre à aiguiser d'une des pochettes en cuir de sa ceinture et entreprit de l'humidifier légèrement pour la frotter contre le tranchant de son épée.

Chaque fois qu'il répétait ce geste, les sensations de sa lame pénétrant les chairs de ses adversaires lui revenaient en mémoire. Tout d'abord un frémissement, presque imperceptible, tandis que la pointe perfore les vêtements et la peau, puis une résistance qu'il faut forcer, et enfin l'impression d'enfoncer un grand couteau dans du beurre tendre. Jamais, avant de vivre cette expérience, il n'aurait pu imaginer qu'elle était à ce point traumatisante.

Non seulement il avait mutilé des corps d'êtres vivants, parfois même des êtres humains, mais en plus il leur avait pris la vie.

Il avait tué.

Pour survivre, pour protéger.

Mais il avait tué tout de même.

Il fallait vivre avec ce sentiment de culpabilité, avec le souvenir des assauts, des blessures mortelles infligées, des mises à mort. Le sang, les gémissements, les râles des agonisants.

Tobias finit par descendre de son observatoire et s'agenouilla face à Matt.

— Il faut que tu viennes voir ça, dit-il tout bas.

À l'air anxieux qu'il affichait, Matt comprit que c'était important.

Ils montèrent au sommet du rocher et Tobias lui tendit les jumelles.

— Tu vois ce groupe d'oiseaux là-bas, qui forment un V dans le ciel ? Suis-les avec les jumelles.

Matt s'exécuta et pointa l'objectif. Le grossissement n'était pas suffisant pour étudier en détail l'espèce dont il pouvait s'agir, aussi Matt se demanda-t-il ce que Tobias cherchait à démontrer.

— Je suis supposé remarquer un truc insolite ?

— Suis-les, c'est tout.

La formation se dirigeait vers la Forêt Aveugle. Avec les jumelles, les troncs jaillissaient avec encore plus de démesure, plus larges que des gratte-ciel. Les oiseaux s'apprêtaient-ils à disparaître dans la Forêt Aveugle ?

Ils prirent de l'altitude, juste avant d'entrer dans l'obscurité des arbres, puis ils décrivirent un large cercle et les battements d'ailes redoublèrent tandis qu'ils s'élevaient au fil de leur spirale.

C'est alors que quelque chose surgit des ténèbres et happa l'un des oiseaux. C'était allé si vite que Matt n'avait rien pu distinguer.

Un autre oiseau fut arraché à son ascension. Puis encore un.

Soudain Matt aperçut ce qui ressemblait à une langue fine et interminable, qui fouetta l'air pour saisir l'un des imprudents voyageurs et l'engloutir parmi les branches.

— Oh ! la vache ! s'exclama Matt sans lâcher les jumelles.

— T'as vu ? C'est flippant, pas vrai ? Je n'ai pas réussi à voir ce que c'était, ça ressemble à une sorte de gros lézard.

— Vu la distance et ce qu'on voit de la langue, je pense que c'est une créature énorme, conclut Matt, la voix tremblante. Colossale.

En trente secondes il n'y eut plus aucun survivant.

Matt rendit les jumelles à son ami et se laissa tomber sur la pierre.

— J'espère que ce machin vit uniquement dans les hauteurs, dit-il.

Tobias s'assit près de lui.

— Ce n'est pas tout. J'ai vu le feuillage bouger plusieurs fois, et ce n'était pas le vent ! Un truc énorme, qui produisait une lueur rouge, pas très forte, ça a palpité pendant une minute et puis plus rien. Et il y a aussi des sortes de libellules géantes ! Je te le jure ! Vraiment, je me demande si on fait bien de s'y aventurer.

Matt voulut faire part de ses propres doutes, mais il se ravisa. C'était lui qui sentait l'urgence de ne pas perdre du temps, lui qui les guidait, qui insufflait à leur trio la détermination en se montrant sûr et volontaire. S'il doutait, ils seraient moins forts.

Et à la veille de se faufiler dans la Forêt Aveugle, ils ne pouvaient pas se le permettre.

Matt ravala ses angoisses et s'ordonna d'être confiant, d'être rassurant.

Il pouvait tenir le coup.

Mais pour combien de temps ?

6

Miel, spores et chitine

Le soleil se levait à peine et déjà Terrell vérifiait l'état de ses troupes. Les sacs sanglés, les gourdes remplies au ruisselet ; ils étaient prêts.

Le grand garçon s'approcha de Matt :

— C'est l'heure de se dire adieu.

— Et pourquoi pas au revoir ?

Terrell tendit la main vers Matt.

— Peut-être.

Matt et Tobias le saluèrent, mais quand vint le tour d'Ambre, Terrell fit comme si elle n'existait pas. Il montra les contreforts de la Forêt Aveugle :

— Plein sud, bon courage, ne soyez pas trop bruyants, ne faites pas de feu, pas de lumière vive, bref, restez toujours discrets. (Se penchant vers Matt et dressant le pouce vers Ambre, il ajouta tout bas :) Et garde un œil sur elle, c'est une femme maintenant, elle te jettera de mauvaises idées en tête et elle fera de toi un Cynik avant même que tu ne t'en rendes compte.

Matt allait répliquer quelque chose de cinglant lorsque aucun mot ne lui vint. Il voulait défendre Ambre, pourtant il ne savait que dire. C'était une fille bien, il n'avait rien à craindre d'elle.

Terrell et sa bande s'enfoncèrent dans les hautes herbes et, sur un signe de la main, ils disparurent derrière un bosquet.

— À nous de jouer, fit Matt en enfilant son sac à dos sur ses épaules, par-dessus le baudrier de son épée.

— Je commençais à m'habituer à eux, déplora Tobias, ça va nous faire bizarre de n'être plus qu'entre nous. Je crois même qu'ils vont me manquer.

— Pas à moi ! lança Ambre en ouvrant la marche.

La lumière tomba en moins de vingt minutes, tandis qu'ils approchaient de l'orée du premier rideau. Le soleil du matin semblait prisonnier derrière un voile opaque et Matt comprit d'un coup pourquoi le nom « rideau » allait si bien à cette forêt.

Ils slalomèrent entre les herbes leur arrivant à la taille et entre les énormes marguerites aux pétales soyeux, grandes comme des roues de voiture.

Puis ce fut le moment tant redouté.

Rien que pour pénétrer le premier rideau, l'Alliance des Trois dut escalader une racine haute de deux mètres, puis ils progressèrent sur un entrelacs de gigantesques souches avant de retrouver la terre ferme. Toutes les plantes qui poussaient entre les arbres étaient surdimensionnées, leurs feuilles dépassaient parfois la taille d'une planche de surf. Et plus le trio s'enfonçait dans la forêt, plus les arbres étaient volumineux. Après une heure de marche, Matt ne pouvait plus en distinguer le sommet.

La lumière avait décliné, ils redoublèrent d'attention pour s'assurer de ne pas mettre le pied dans un terrier, il n'y aurait rien de pire que de se tordre la cheville.

Lorsqu'ils passèrent devant des arbustes couverts de baies multicolores, Ambre dut insister une fois de plus pour que les garçons n'y goûtent pas.

Plume les suivait sans peine, bondissant lorsqu'il fallait escalader un talus, et abandonnant quelques touffes de poils dans les ronces quand ils franchissaient des remparts en se faufilant.

Toute la matinée, ils cheminèrent lentement, contournant les plantes trop étranges, longeant des troncs larges comme des maisons, escaladant des talus escarpés ou faisant un détour pour ne pas avoir à descendre dans une cuvette au fond tapis de brume.

Ils mangèrent peu le midi, pas très rassurés, et se remirent en route rapidement.

Même Plume semblait aux aguets, la truffe au vent, tournant brusquement la gueule dans la direction de chaque bruit suspect, ce qui inquiétait d'autant plus les trois voyageurs qu'elle incarnait habituellement la sérénité.

Ce fut Tobias qui remarqua les premières coulures.

Ils marchaient parmi de curieuses plantes, ressemblant à des artichauts de cinq mètres de hauteur dont certains, entaillés, libéraient un fluide épais et ambré. Tobias s'approcha de cette sève collante et fut intrigué par l'odeur sucrée qui s'en dégageait. Avant même que Ambre puisse l'en empêcher il trempa son index dedans et porta le liquide pâteux à ses narines. Le parfum était attirant. Familier.

Il plongea son doigt dans sa bouche.

— C'est du miel ! s'écria-t-il.

Matt vint à son niveau et prit un petit morceau qu'il avala à son tour.

— Il est drôlement bon en plus ! se réjouit-il.

— Vous êtes fous ? protesta Ambre. Vous vous rendez compte que ça pourrait vous tuer ? Et si cette nuit vous vous tordez de douleur, comment je fais, toute seule au milieu de cet endroit ?

Matt ne la laissa pas continuer, il lui étala une large dose de miel sur les lèvres avec sa main. Ambre fut trop estomaquée pour crier, elle se contenta de le fixer, hallucinée par l'affront. Puis sa langue effleura le miel et elle changea d'attitude.

— C'est vrai qu'il est bon, avoua-t-elle.

— On remplit nos gourdes vides ! déclara Matt.

Ils se chargèrent chacun de deux litres de ce nectar et, pendant qu'ils le recueillaient, Tobias se pencha vers l'entaille.

— Vous croyez que c'est naturel ces encoches ? demanda-t-il.

— Maintenant que tu le dis…, répondit Ambre, non, on dirait bien des traces, et il y a ces encoches parallèles, au-dessus et en dessous.

— Des coups de griffes, révéla Matt.

— Tu crois ? fit Tobias, sceptique.

— Certain, répliqua l'adolescent d'une voix blanche.

— Et si c'était…

Tobias s'interrompit en constatant que son ami désignait du doigt le sol. Une empreinte dans la terre meuble. Le double de celles qu'aurait laissées un éléphant, avec quatre sillons sur le devant, comme de puissantes griffes.

— Je crois qu'il vaut mieux filer en vitesse, conclut Ambre en rangeant sa gourde pleine.

Ils s'élancèrent d'un pas pressé, multipliant les regards alentour. Cela faisait à peine cinq minutes qu'ils avaient quitté les grands artichauts à miel lorsqu'un spectacle magnifique se découvrit à eux.

Les rares rayons du soleil qui parvenaient à traverser les cimes faisaient miroiter des milliers de bourgeons dorés le long de plantes plafonnant à trente ou quarante mètres et qui ressemblaient à d'immenses tulipes mauves.

Sans s'en rendre compte, l'Alliance des Trois se mit à ralentir sous ce plafond brillant. À bien y regarder, il s'agissait de spores jaunes en forme de petite ancre, pas plus grandes qu'un piolet d'escalade. Ils se mirent à frémir, Matt supposa que c'était à cause du vent.

Puis une spore se décrocha du poil transparent qui la reliait à la plante. Elle chuta lentement, et plusieurs autres furent également emportées par le vent. En quelques secondes, une centaine de ces spores dérivèrent en direction du sol.

Les premiers tombèrent aux pieds du trio tandis que Plume bondissait dans les fougères, effrayée par ce ballet.

— C'est beau, s'émerveilla Ambre.

Tobias approuva :

— On dirait ces fleurs sur lesquelles il faut souffler pour que des dizaines de particules s'envolent comme des grappes de poussière !

Une des spores effleura Ambre qui l'attrapa au vol.

— Beurk ! fit-elle. C'est collant !

Elle se débattit pour parvenir à se détacher de la spore, et, ce faisant, ne prêta pas attention à toutes les autres qui se déposaient sur ses épaules, ses bras et son dos.

Soudain, les cinq spores qui s'étaient agrippées à elle se relevèrent et commencèrent à remonter en sens inverse.

— Qu'est-ce que…, balbutia Tobias. Ambre ! Tu… tu es accrochée !

L'extrémité des spores s'était fichée dans ses vêtements et tenait bon, à l'instar de petits hameçons.

— Des fils ! remarqua Matt. Ils sont reliés à des fils presque invisibles !

Les fils se tendirent et Ambre décolla du sol en criant.

Tobias releva la tête vers les hauteurs. Deux énormes capsules surgirent et s'ouvrirent sur ce qui ressemblait à des bouches roses et huileuses.

— UNE PLANTE CARNIVORE ! hurla Tobias en courant entre les spores pour rejoindre Plume et son arc.

Ambre était entraînée vers les bouches qui sécrétaient un liquide de digestion.

Matt s'empara du pommeau de son épée et la sortit de son baudrier dorsal. Il bondit sur un rocher et sa lame se mit à chanter en fendant l'air.

Les cinq fils tranchés, Ambre tomba au sol et se rattrapa à Matt. Elle se serra contre lui.

Deux spores venaient de s'accrocher à son sac à dos et tentaient de le tracter à son tour. Ambre lui prit l'épée des mains et les sectionna.

La corde de l'arc trembla.

Tobias visait les bouches qui s'agitaient dans les airs mais ses flèches ne montaient pas assez haut.

— On se tire ! cria Matt en les entraînant à sa suite.

Ils zigzaguèrent entre les petits harpons dorés et coururent jusqu'à ce qu'un point de côté les oblige à ralentir, le souffle coupé.

Aucune spore n'était en vue.

— Quelle saleté de plante ! pesta Matt en reprenant sa respiration.

Ambre posa les mains sur ses genoux, haletante.

— Ça commence bien pour un premier jour ! dit-elle.

Lorsqu'ils furent remis, ils reprirent leur périple, jusqu'à un petit étang à l'eau noire. Ils décidèrent de s'arrêter là pour la nuit, fourbus. Ambre proposa qu'ils se lavent dans l'étang mais Matt et Tobias refusèrent. Après l'épisode des spores ils ne voulaient plus risquer d'autres mauvaises surprises. Malgré les protestations des deux garçons, Ambre s'agenouilla sur la rive boueuse. Quand elle se trouva face à face avec la gueule d'un poisson énorme, elle se précipita vers le campement et il fut décrété qu'ils ne se laveraient pas durant toute la traversée de la Forêt Aveugle à moins de trouver une eau claire.

Selon les conseils de Terrell, ils ne firent pas de feu et mangèrent froid, du thon et du maïs en boîte ainsi que des gâteaux en guise de dessert. La nuit tomba encore plus vite qu'à l'extérieur des contreforts.

À mesure que l'obscurité s'intensifiait, des lueurs blanches apparurent dans les fourrés environnants. Immobiles.

Matt saisit son épée et s'approcha de la plus proche.

Il écarta les feuilles d'un buisson, la source de luminosité était assez imposante.

Un insecte géant.

Sur le coup, son cœur bondit, il s'apprêtait à frapper avec la pointe de son arme lorsqu'il s'aperçut que la créature était morte.

Vide.

Il ne s'agissait que de la carapace d'une fourmi. Vivante, elle devait avoir la longueur d'un labrador. Ses pattes avaient disparu, il ne restait qu'un corps lisse et rigide en plusieurs tronçons.

— Qu'est-ce que c'est ? demanda Tobias pardessus son épaule.

— Vous pouvez venir, c'est une fourmi morte.

— Ce qu'elle est grosse ! s'exclama Ambre.

— C'est sa chitine qui est phosphorescente comme ça ? Incroyable !

— Sa chitine ? répéta Matt.

— Oui, sa peau si tu préfères. Dis donc elle a l'air résistante.

Tobias donna des petits coups dessus qui sonnèrent creux.

— Solide, révéla-t-il. Faudrait pas tomber sur un nid de ces engins vivants !

— Il y en a partout dans cette direction, constata Ambre. Aucune ne bouge, elles sont toutes mortes ?

Matt alla inspecter d'autres lueurs et revint en hochant la tête.

— On dirait une sorte de champ de bataille.

— Ou un cimetière, ajouta Tobias. Ce qui signifie qu'elles peuvent revenir.

Matt ne s'attarda pas :

— Retournons au camp, je fais confiance à Plume pour sentir l'approche d'un danger pendant que nous dormons, et au moins on les verra arriver de loin ces fourmis !

Plus tard, Ambre s'était endormie contre la chienne. Mais ni Tobias ni Matt ne parvenaient à en faire autant. Le lieu les rendait nerveux.

Tous les squelettes de fourmis brillaient dans la nuit, comme autant de fantômes scellés à la terre.

Les deux garçons bavardèrent un moment, en chuchotant.

Puis l'épuisement prit le dessus et leurs paupières se fermèrent.

Ils ne virent pas la brume qui coulait entre les troncs, à toute vitesse, comme une vague.

Leur souffle était celui du dormeur.

Elle encercla le campement.

7

Songes et réalité

Sa silhouette avait la finesse d'un drap et pourtant il abritait tout un monde de ténèbres. Son corps était une porte vers l'au-delà, une terre sans vie, aride et obscure, abritant son âme.

Et ainsi séparé, son être avait tout du monstre.

Rapide, puissant, impitoyable.

Le Raupéroden filait d'arbre en arbre, entouré par son manteau de brume et son escorte d'échassiers.

Il avait fait taire l'orage et progressait moins vite mais avec plus de discrétion. Ses membres claquaient au vent tandis qu'il changeait sans cesse de direction.

Il se rapprochait, il le savait.

Le garçon était tout proche.

Il pouvait presque le flairer.

L'âme du Raupéroden tournoyait sur elle-même, au cœur de cette lande de roche noire, excitée, impatiente.

Il fallait établir le contact, le localiser.

Le Raupéroden se concentra. Quelque part, dans ce territoire qui était le sien, se trouvaient des puits bourdonnants, des trappes vers des plans éloignés, des passages vers des formes différentes de conscience et d'inconscience. Il chercha celui qui affleurait la réalité du monde, cette couche fragile et invisible qui reliait chaque être non par ce qu'il sait, mais par ce qu'il ignore. Un minuscule fil, impalpable, comme un tourbillon s'échappant de la face cachée de son esprit.

L'inconscient de tout être était constitué d'un réseau fait d'ombres et de désirs refoulés. De tabous.

Le Raupéroden plongea son âme dans ce maillage complexe et sonda, plus vif qu'un courant électrique dans un câble, tout ce qui circulait.

Les rêves et les cauchemars étiraient leurs formes jusqu'à prendre assez d'élasticité pour fuir hors du rêveur, pour se répandre, parfois même se partager avec d'autres.

Le Raupéroden fouillait ces bribes de rêves, ces scories de pensées, se précipitant vers chaque image, chaque mot qui flottait sur ce plan.

Cela lui prit un long moment pour sentir qu'il se rapprochait de Matt. Le garçon dormait, et il rêvait. Il était là, tout proche, il pouvait presque percevoir la saveur si caractéristique de ses rêves.

Et tout d'un coup, il fut là.

Le Raupéroden identifia le tourbillon qu'il traquait et le remonta, lentement, tout doucement, pour ne pas risquer de réveiller le garçon.

Puis il fut sur le seuil de son âme.

Faite de deux formes siamoises.

Sa conscience brillait d'une lueur palpitante, sur un rythme calme, en partie inactive. L'inconscient, lui, émettait au contraire une lumière puissante, en mouvement, puisant dans sa jumelle endormie une énergie qu'il transformait pour s'alimenter.

Le Raupéroden s'insinua à l'intérieur, il n'avait plus de temps à perdre, il ne fallait surtout pas que le garçon lui échappe.

Il était à deux doigts de lire enfin ses pensées.

L'inconscient réagit à la présence étrangère par des flashes violents qui altérèrent aussitôt les rêves du garçon.

Le Raupéroden sut qu'il devait agir vite.

Il enfonça ses sondes, comme autant de forets perçant la matière cérébrale, et se mit à sucer les informations.

Le garçon cauchemardait à présent.

Il pouvait voir le Raupéroden l'encercler.

Prêt à l'absorber.

Le Raupéroden réussit à obtenir ce qu'il cherchait. Le garçon était localisé, il mémorisait le chemin qu'il avait suivi.

D'autres pensées se bousculaient mais il ne parvenait pas encore à les lire.

Cheveux blonds… garçon à la peau noire… animal hirsute…

Un flash surpuissant repoussa le Raupéroden et, brusquement, l'inconscient du garçon baissa en intensité tandis que sa conscience s'illuminait.

Une explosion de lumière l'aveugla, douloureuse, et brutalement l'âme du Raupéroden fut repoussée dans le puits, renvoyée dans son monde froid et inhospitalier.

Matt sursauta et aspira un grand bol d'air, la gorge sifflante, la sueur aux tempes.

Pendant les premières secondes du réveil, il chercha où il était.

Et en même temps que lui revenait le souvenir de cette forêt, jaillissait celui du Raupéroden dans son sommeil.

Non seulement la forme noire qui l'avait encerclé en murmurant, mais aussi sa nature abominable : une créature capable de percer la barrière de son crâne pour venir lire dans son cerveau.

Matt comprit ce qui venait de se passer et surtout ce que cela impliquait.

Il faisait encore très sombre, mais une lueur bleutée parvenait depuis les cimes lointaines. Le soleil allait se lever.

Tout autour du campement, le brouillard formait un nid blême dont Matt n'aurait su dire s'il fallait le craindre ou s'en féliciter car il les dissimulait.

Il tendit la main vers Tobias, puis vers Ambre, pour les réveiller.

— Il nous a retrouvés ! dit-il tout bas.

— Quoi ? Qui ça ? fit Tobias tout ensuqué.

— Lui… Le… Le Raupéroden.

Cette fois Tobias se redressa, parfaitement lucide.

— Tu en as rêvé ?

— Oui. Et cette fois, il… C'était différent.

— Comment ça ? voulut savoir Ambre.

Matt s'assit dans son duvet qu'il remonta jusqu'à son cou pour se protéger de la fraîcheur du petit matin.

— Je crois qu'il a pris moins de précautions que d'habitude, je… je ne sais pas l'expliquer mais c'était comme s'il était pressé, ou peut-être inquiet de ne pas pouvoir établir le contact, il s'est précipité.

— Tu veux dire que tu l'as senti… *en* toi ? demanda la jeune fille.

— Oui, c'est ça. Tobias, tu avais raison, il y a un lien entre mes rêves et le Raupéroden, il s'en sert pour nous atteindre. Il sait où nous sommes. Il se rapproche.

Matt fronça les sourcils.

— Ça ne va pas ? s'inquiéta Ambre.

— Si… C'est… Je crois qu'en allant trop vite, il a laissé quelque chose d'ouvert, je… Pendant qu'il me… fouillait, j'ai aussi pu voir des choses en lui. Son cœur, ou plutôt ce qui ressemble à son âme, elle n'est pas dans le même monde que nous, il la porte en lui, son corps est un passage vers cette âme qu'il cache. Vers un endroit… C'est… c'est flippant ! On dirait une sorte de purgatoire, où les gens peuvent être enfermés, ils sont enchaînés à lui, ils le servent, et il se nourrit d'eux.

— Il t'a laissé voir tout ça ? s'étonna Tobias.

— Non, il ne l'a pas fait exprès, j'ai même le sentiment qu'il l'ignore. En tout cas il n'y a pas une seconde à perdre, il faut se mettre en route, il est sur nos talons.

— Encore loin ? interrogea Ambre.

— Je ne sais pas, peut-être un jour ou deux, je n'arrive pas à comprendre ce que j'ai pu ressentir, c'était une sorte de câble entre nous, et nous pouvions plonger l'un dans l'autre. Une sensation très désagréable.

— Tout de même, j'aimerais bien savoir ce qu'il peut bien te vouloir ! avoua Tobias.

— Rien de bon, j'en ai peur.

Matt fit la grimace et se leva, en caleçon. Ambre tourna la tête. Il sauta dans son jean, enfila son pull et cette fois mit son gilet en Kevlar avant de manger quelques céréales qu'ils avaient emportées. Ambre s'habilla directement à l'intérieur de son duvet.

— Je commence à en avoir marre de ces céréales, pesta Tobias, elles sont déjà toutes molles, et puis les dates seront bientôt dépassées, faudrait pas tomber malade !

— C'est toi qui dis ça ? releva Ambre en se brossant les cheveux. D'habitude tu es prêt à manger n'importe quoi !

— Oui mais là ce sont des céréales ! Le petit déjeuner c'est important !

Ambre pouffa.

— Ne t'en fais pas, si tu veux mon avis, tu ne risques rien.

Matt se dépêcha de se brosser les dents, ne sachant quand il retomberait sur une source d'eau potable, il se rationna et se rinça la bouche avec une seule gorgée. Puis il rassembla ses affaires et referma son sac à dos.

Une fois Plume sanglée de ses sacoches, tout le groupe put repartir pour une nouvelle journée.

Aujourd'hui, ils le savaient, ils allaient pénétrer dans le cœur de la Forêt Aveugle.

L'Alliance des Trois franchissait une colline couverte de cèdres plus hauts que des immeubles de New York, et dont la circonférence dépassait les trente mètres. Il se dégageait de ces masses spectaculaires un parfum légèrement amer, pas désagréable.

Le brouillard s'était dissipé au fil des heures.

Mais une difficulté en remplaçant une autre, depuis la fin de matinée le trio devait veiller à ne pas se prendre les pieds dans les ronces ou sombrer dans quelque trou tant la lumière du jour s'affaiblissait, prisonnière du plafond végétal.

Ils parvenaient au sommet d'une butte quand Plume, en tête, s'immobilisa et émit un bref aboiement surpris en levant la gueule.

Si la végétation leur avait, jusqu'à présent, semblé démesurée, cette fois ils en restèrent abasourdis.

Ils se tenaient au pied d'un rempart titanesque.

Les racines des arbres s'emmêlaient en une nasse de gigantesques vers inertes grimpant à plus de cent mètres. Au-dessus partaient les troncs colossaux, dont les branchages se perdaient dans le ciel.

L'Alliance des Trois semblait miniaturisée, ils n'étaient pas plus grands que des fourmis.

— J'ai l'impression d'être au pied d'une montagne, souffla Ambre, pleine d'une déférence craintive.

— Cette forêt a l'air si… énorme ! On dirait qu'elle est là depuis la nuit des temps ! ajouta Tobias.

Plume elle aussi la contemplait avec un respect mêlé de peur.

Lorsque Matt avança sans un mot pour y pénétrer, la chienne émit une longue protestation à son attention.

L'adolescent guida le groupe vers ce qui ressemblait à un passage entre les hautes racines. Ils durent en escalader plusieurs pour franchir des paliers et enfin s'enfoncer dans la Forêt Aveugle.

Ils n'avaient pas parcouru un kilomètre que la lumière du

jour disparut. Le paysage face à eux était plongé dans un noir d'encre.

Tobias sortit son champignon lumineux et le planta au bout de son bâton de marche.

— Tu devrais porter ton arc, l'avertit Matt.

— Il me fait mal, la corde frotte contre mon épaule à chaque foulée.

— On te coudra une pièce de cuir sur l'épaule ce soir, si tu veux, mais ce lieu ne me dit rien qui vaille, je pense qu'il serait plus prudent que tu sois armé.

Tobias approuva à contrecœur et prit son arc et son carquois sur le dos de Plume. Se tournant vers Ambre, Matt demanda :

— Au fait, as-tu une arme ?

— J'ai ce poignard que j'ai pris sur l'île lors de notre départ.

— C'est tout ?

— C'est déjà assez, de toute façon je ne sais même pas m'en servir, nous formons un binôme avec Tobias, ne l'oublie pas.

— Je sais mais… Je préfère que nous soyons prêts. Au cas où.

— Ne t'en fais pas, dit-elle en lui posant une main amicale sur le bras avant de repartir.

Tobias s'approcha d'elle et, après une longue hésitation, il lui chuchota :

— C'est quoi un binôme ?

— Un groupe formé de deux partenaires.

— Ah.

Tobias parut un peu déçu, comme s'il s'était imaginé quelque chose de plus excitant.

Ils progressaient dans un labyrinthe d'écorce, passant sous les arches naturelles de souches énormes ; ils gravissaient des murs de bois, franchissaient des cuvettes insondables sur un tronc renversé, et durent même ramper dans un boyau humide sous une racine si volumineuse qu'elle était infranchissable à moins de se lancer dans une escalade dangereuse.

Après trois heures à ce rythme, éreintés, ils firent enfin

une pause pour se désaltérer. Ce qui les surprenait le plus était de trouver également toute une végétation à leur taille : des champs de fougères, d'arbustes et de buissons. Et au-dessus, ces colosses comme les piliers de quelque palais des dieux.

La forêt résonnait de bruits particuliers, des ululements lointains, des cris aigus provenant des hauteurs, des plaintes graves semblables à celles de baleines, ou des ricanements de singes. Pourtant, s'ils apercevaient de temps à autre une petite ombre sautant de branche en branche ou une autre s'envoler, jamais ils ne virent distinctement d'animaux. Le champignon de Tobias ouvrait un cône de moins de dix mètres de circonférence, tout le reste n'était qu'un mur de ténèbres bruyantes ; ils avaient le sentiment d'évoluer au fond d'un abysse.

Matt consultait sa boussole régulièrement, craignant de dévier du bon chemin, et l'absence de repère temporel commençait à l'embarrasser. Comment sauraient-ils quand il serait temps de manger, de dormir ? Fallait-il faire confiance à leur corps ?

Matt se rassura en se répétant qu'ils s'habituaient peu à peu à ce rythme, au fil des jours. À l'instinct, ils sauraient quand s'arrêter.

Une lueur apparut soudain, à travers les frondaisons basses. Blanche et relativement intense.

— Vous croyez que des gens habitent ici ? s'enhardit Tobias.

— Va savoir…, fit Matt.

— Non, trancha Ambre. Et je propose qu'on la contourne.

— Ça pourrait être une source d'éclairage supplémentaire pour nous, contra Matt.

— Ou un danger de plus !

— Je vote pour qu'on s'en approche. Et toi Tobias ?

— Euh… Je sais pas. Oui, d'accord, on jette un œil et si ça craint, on fait le tour.

Ambre soupira et leva les mains au ciel.

— Pourquoi je fais équipe avec deux mecs !

La lueur n'était pas si proche qu'ils l'avaient cru, et lorsqu'ils l'atteignirent enfin, ils furent surpris de découvrir une minuscule clairière de terre, et ce qui ressemblait à une lanterne suspendue à dix mètres de hauteur.

Sa lumière dévoilait les premières branches, des feuilles de taille normale, et Matt supposa qu'elles grossissaient à mesure que la branche prenait de l'altitude. Au sommet, chaque feuille devait être de la dimension d'une piscine olympique.

— Qu'est-ce que c'est ? réfléchit Tobias tout haut.

Ambre se pencha pour mieux voir et répondit :

— On dirait un globe lumineux, comme un plafonnier.

— Peut-être qu'en tirant dessus, il y aurait moyen de le décrocher. Je me demande s'il fonctionnerait encore au sol.

Tobias attrapa son arc et encocha une flèche. Matt lui fit signe d'attendre :

— Il y a quelque chose là-haut, on dirait que ton plafonnier est relié à… une sorte de perche.

Matt saisit une bûche et la lança dans la clairière, juste sous le globe.

Aussitôt les épais buissons en face du trio s'écartèrent et une vaste gueule pleine de crocs luisants surgit, surmontée de gros yeux noirs.

Un monstre dont chaque croc était aussi grand que Matt.

8

Des étoiles très filantes

Une langue poisseuse et couverte de pustules énormes lécha la bûche lancée par Matt. Elle la recracha aussitôt et réintégra l'abri de la gueule monstrueuse.

Les globes noirs s'agitèrent, deux fentes qui servaient de narines palpitèrent.

La créature cherchait sa proie.

Matt attrapa ses deux compagnons et les serra contre lui pour leur intimer de ne pas bouger.

Rien que la tête de cette horreur dépassait de loin, en taille, toute forme de vie que Matt avait pu voir jusqu'à présent. Il n'osait pas imaginer la dimension de son corps. Qu'était-ce ? Une sorte de ver ? L'étrange plafonnier était relié à son crâne par une antenne jaunâtre, et il ressemblait à un poisson que Matt avait déjà vu à la télé, dans un documentaire sur la faune des abysses.

— Il ne nous a pas vus, murmura Tobias qui posait un pied en arrière pour fuir.

Matt le retint.

— Attends ! Il guette…

Après plusieurs secondes, l'incroyable visage recula parmi les buissons et retourna à sa cachette, laissant la clairière sous le piège de l'éclairage.

— Maintenant, chuchota Matt.

Ils reculèrent prudemment et, lorsqu'ils furent assez éloignés, ils pressèrent l'allure pour mettre un maximum de distance entre eux et le monstre.

— Peut-être que la prochaine fois vous m'écouterez, conclut Ambre. Il n'y a rien de bon à espérer de cet endroit, rien. Plus vite nous traverserons, mieux ce sera.

— On ne sait pas combien de temps ça nous prendra, n'est-ce pas ? questionna Tobias.

— Non. Quelques jours au moins.

Ils se forcèrent, malgré l'épuisement, à continuer pendant trois heures – personne n'était prêt à dormir à proximité d'un tel danger – et finirent par établir leur bivouac à l'abri d'une voûte formée par le pied d'un arbre. Une caverne d'écorce recouverte d'une épaisse mousse verte leur offrit un certain confort.

Ils mangèrent à nouveau un repas froid, et lorsqu'il vit Plume partir pour chasser sa pitance, Matt eut un pincement au cœur. Elle s'éloignait craintivement. Il hésita à la rappeler, à partager avec elle ses vivres, mais il n'en fit rien. Elle était assez grande pour se débrouiller, elle ne prendrait pas de risques inutiles, et puis mangerait-elle des haricots froids ? Il devait de toute façon économiser ses provisions, ils n'en auraient peut-être pas assez pour tenir tout le voyage, comment feraient-ils s'ils venaient à manquer au milieu de cette forêt ?

Matt veilla jusqu'à ce que Plume rentre, et put enfin fermer les yeux lorsqu'elle se coucha contre lui.

En s'endormant, il songea au Raupéroden. Et s'il revenait sonder son esprit dans la nuit ? Il n'était pas loin, c'était fort possible.

Matt chercha à se rassurer, il pourrait lui-même en profiter pour l'explorer, s'il laissait encore la porte ouverte… Mais il rechignait à cette idée. Il n'avait pas envie de ressentir tout ce qu'il abritait. Matt avait effleuré la désolation de cette terre où tournoyait son âme, il avait perçu le malaise, la tristesse, la rage et toutes les peurs qui tapissaient le lieu, et il fallait s'estimer chanceux si aucun de ces sentiments ne s'était jeté sur lui. Car maintenant qu'il y pensait, il lui semblait que tout cela *vivait* dans le Raupéroden, comme une meute cherchant sa proie.

Peut-être qu'en fermant son esprit, il pourrait somnoler tranquillement, en s'empêchant de rêver ou bien en…

Matt s'était endormi.

La forme noire claquait dans le vent et la brume. Fusant à toute vitesse autour de Matt, en quête d'une brèche pour s'y engouffrer. Bien qu'il ne parvienne pas à agir, Matt détectait la présence maléfique autour de lui. Son sommeil était comme un chalet avec quelques fenêtres et une porte qu'il devait vérifier en permanence, pour s'assurer qu'aucune intrusion ne survenait. Le Raupéroden tournait autour, dans la forêt, de plus en plus vite, se précipitant vers chaque vitre pour la tester, sur la serrure pour la forcer, sans y parvenir. Pour l'instant.

Matt courait d'une pièce à l'autre.

Et si l'un des accès venait à céder, il lui faudrait aller vite. Bondir vers le placard, le dernier abri qui lui resterait.

Toute la nuit, le Raupéroden chercha à entrer.

Matt tint bon.

Tobias dut insister pour le réveiller.

— Ambre et moi n'arrivons plus à roupiller, c'est qu'il doit être tard, prévint-il, on a attendu pour te réveiller mais ça commence à faire un moment.

— D'accord…, fit Matt en s'étirant.

Il se sentait exténué. Sa nuit n'avait rien eu de reposant.

Au-delà de leur abri, il faisait parfaitement noir. Matt ne s'habituait pas à cette obscurité permanente, déstabilisante.

— Tu as rêvé de *lui* ? voulut savoir Tobias.

— Oui. Il a voulu entrer en moi et… il s'est passé quelque chose hier, lorsque j'ai pu distinguer ce qu'il était. J'ai compris des mécanismes, je ne saurais pas l'expliquer clairement… Mais cette nuit il n'a pas pu me… pénétrer.

— C'est pour ça que tu as une tronche pareille ? T'as l'air exténué !

— Ça va aller.

Cette nouvelle journée de marche fut plus difficile encore que la précédente. La cloche de ténèbres qui les coiffait en permanence commençait à user leurs nerfs. Le terrain, de plus en plus accidenté, les contraignit souvent à faire demi-tour pour tenter de débusquer un autre passage, plus loin, mais chaque arbre à contourner leur prenait une heure.

Des appels étranges surgirent des hauteurs, stridents et puissants, une sorte de mugissements qui d'un coup vrillaient dans les aigus pour devenir frénétiques.

Puis un cri de paon répondit derrière l'Alliance des Trois. Et le feuillage se mit à trembler, un bruissement spectaculaire, si impressionnant que le trio se jeta à terre tandis que Plume rampait sous un massif de fleurs transparentes.

Quelque chose passa juste au-dessus de leur tête.

Tobias se dépêcha d'attraper le champignon lumineux et de l'enfermer dans sa poche pour les plonger dans l'obscurité.

Le bruissement se rapprocha et tout d'un coup, la forêt entière sembla se soulever. Des centaines de formes filèrent ensemble dans le feuillage, semblables à un banc de poissons ; le vacarme devint si assourdissant que les trois voyageurs allongés, les mains sur le crâne pour se protéger, eurent le sentiment que des milliers de bêtes se ruaient dans les feuillages qui pleuvaient sur eux, déchiquetés.

Et aussi vite qu'il était apparu, le vol s'éloigna vers le sud-est, laissant dans son sillage un parterre de branches mutilées.

Tobias ressortit le champignon et ils purent contempler les dégâts. Mais au-dessus d'eux, la végétation demeurait si dense qu'elle paraissait intacte.

Le soir, défiant le conseil de Terrell, ils firent un petit feu, ils n'en pouvaient plus de manger des boîtes de conserve froides. Leur plat à peine tiède, ils éteignirent la flamme pour ne pas attirer une faune de prédateurs.

Matt appréhendait le moment de dormir.

Il avait besoin de repos, cependant il craignait le Raupéroden.

Le sommeil l'emporta en quelques petites minutes, grâce à l'épuisement.

Pendant qu'ils rêvaient, la Forêt Aveugle continuait de vivre, dans cette nuit permanente. De petits êtres glissèrent le long des ramures pour venir sentir ces odeurs nouvelles, d'étranges sons circulèrent, que jamais oreille humaine n'avait entendus.

Des lueurs rouges, orange, puis jaunes palpitèrent loin dans les hauteurs.

L'Alliance des Trois dormait depuis seulement cinq heures lorsque Matt se releva d'un coup, le souffle court.

Il se précipita sur Tobias pour le secouer et leur agitation réveilla Ambre.

— Il est tout proche ! Vite ! s'écriait Matt. Levez-vous ! Il faut fuir !

— Calme-toi ! lança Ambre. Comment le sais-tu ? N'est-ce pas un mauvais rêve ?

— Non, j'en suis certain, je l'ai senti, il est là, tout près, allons-y, il n'y a pas une seconde à perdre !

Ils rangèrent leurs affaires en toute hâte et Matt vérifia le sud sur sa boussole pour les guider.

Après un temps de marche, le sol devint moins ferme, et ils traversèrent une zone marécageuse, pleine de clapotis angoissants, dont ils s'extirpèrent en franchissant une longue pente escarpée.

Parfois l'écorce des gigantesques arbres dessinait des escaliers ou des rampes sur lesquels Matt hésitait à s'aventurer ; il semblait possible de grimper dans leur cime par ce passage, mais pour quoi faire ? Existait-il un moyen de circuler de branche en branche ? Était-ce pour autant plus sûr ?

Matt ne prit pas le risque.

Il conduisait le groupe à vive allure, observant peu de pauses. Si, comme il le pensait, le Raupéroden était si proche, alors ils ne pouvaient se permettre de ralentir.

Il leur faudrait pourtant se reposer, manger, dormir !

Matt éluda la question, ils se sustenteraient debout, et pour le sommeil… ils verraient bien.

Cependant, au fil des heures, la cadence diminua. Même Plume tirait la langue.

— Nous ne pouvons plus continuer, Matt, prévint Ambre, lucide.

— Encore un peu, juste un peu…

— Tu dis ça depuis un moment, nous sommes lessivés, il faut faire une halte.

Matt capitula devant l'insistance de la jeune fille et ils s'assirent sur des champignons en guise de tabourets pour grignoter des biscuits secs et des carrés de chocolat.

— Je boirais bien du lait, murmura Tobias. Ça me manque du bon lait frais !

— On a le miel ! s'exclama Ambre en sortant l'une de ses gourdes.

Le liquide épais et sucré leur fit du bien au moral.

Ils reprirent la marche peu après, Matt jetant des coups d'œil derrière lui, comme s'il était capable de voir au-delà du mur d'obscurité qui les encerclait en permanence.

Ils s'engagèrent dans un rideau d'herbes qui les dépassait, pensant que ce n'était que pour quelques pas, avant de comprendre qu'ils entraient dans un champ interminable. Ils avançaient les bras et les mains entaillés par les bords tranchants de ces brins aussi longs qu'un pied de maïs adulte. Pour ne pas finir écorchés de partout, ils durent ralentir.

Deux heures plus tard, quand ils en sortirent enfin, ce fut pour tomber sur plusieurs crottes fraîches, vertes, et du volume d'un ballon de rugby.

— Je ne sais pas ce qui a laissé ça, commenta Tobias, mais je n'ai pas du tout envie de le rencontrer.

Ils redoublèrent de prudence pour continuer, veillant à ne pas écraser de branches sèches et à garder le silence.

Matt supposait qu'ils approchaient la fin d'après-midi, il n'en pouvait plus. Même sa crainte du Raupéroden ne suffisait plus à le faire avancer. Il devait prendre une décision.

Le jeune garçon défit les sangles de son sac à dos et le laissa choir parmi les petits champignons marron qui les entouraient.

— C'est fini pour aujourd'hui, décida-t-il, nous n'arriverons pas à aller plus loin.

Ambre et Tobias soupirèrent de soulagement autant que d'épuisement et s'effondrèrent sur la mousse.

— J'ai cru que j'allais mourir ! gémit Tobias.

Ils se reposèrent ainsi pendant une demi-heure, sans même sortir leurs affaires, juste pour reprendre quelque force avant de manger.

Les deux yeux blancs, aveuglants, jaillirent de la nuit dans leur dos, à moins de dix mètres.

À peine le rayon lumineux passa-t-il sur eux qu'une longue

plainte aiguë traversa la forêt, aussitôt reprise par d'autres guetteurs.

— Des échassiers ! s'écria Matt, la peur au ventre.

Il attrapa son sac à dos et se précipita vers Tobias pour l'aider à enfiler le sien avant de courir. Dans la panique, Tobias ne remarqua pas qu'il allait de plus en plus vite, ses jambes multipliaient les appuis et il distançait avec une facilité déconcertante ses deux amis.

Mais le champignon lumineux qu'il tenait au bout de son bâton filait avec lui, laissant les ténèbres recouvrir progressivement Ambre et Matt ainsi que Plume qui ne lâchait pas son maître.

— Tobias ! hurla ce dernier déjà à court de souffle. Attends-... nous !

La terreur rendait Tobias sourd. Il n'avait plus qu'une seule idée, une seule pensée : fuir. Vite et loin.

Et son altération semblait gagner en puissance, il allait désormais aussi vite qu'un sprinter de haut niveau. Les feuilles lui griffaient le visage sans qu'il s'en préoccupe. Le souvenir de ces échassiers qu'ils avaient affrontés à New York suffisait à étouffer en lui toute douleur.

Ambre, Matt et la chienne furent soudain plongés dans l'obscurité totale.

Matt saisit la main de son amie.

— Je vais... prendre un... bâton de lumière, souffla-t-il.

Les échassiers fusaient tout autour, ils se rapprochaient. Matt comprit tout à coup qu'il n'aurait pas le temps d'ouvrir son sac et de chercher le cylindre en plastique.

Il était trop tard.

Il préféra repousser Ambre derrière lui et brandit son épée.

— Je ne les laisserai pas te prendre, affirma-t-il.

— Peut-être qu'on peut leur parler, trouver un compromis ?

— Non, ce sont les soldats du Raupéroden, et je sais qu'il me veut. Je sens aussi que c'est une... *chose* maléfique. Tiens-toi prête, lorsque ça commencera, mets-toi à genoux et protège-toi.

Matt remarqua alors les dizaines d'étoiles qui les surplombaient. Des lueurs blanches, minuscules dans la cime de ces arbres sans fin.

Il en vit une qui glissait dans le ciel de feuilles noires, petite étoile filante qui disparut derrière les branches. Qu'étaient-elles en réalité ? Des vers luisants suspendus à cent mètres de hauteur ?

Le premier guetteur sauta face à Matt, éclairant l'adolescent de ses deux projecteurs. Matt se couvrit les yeux de son bras.

Il devina un mouvement devant lui et aperçut, malgré la clarté éblouissante, un bras de peau opaline qui s'avançait dans sa direction. Les immenses doigts se déplièrent pour le saisir.

Matt fouetta l'air de sa lame et sentit une résistance tandis qu'il tranchait les premières phalanges.

Le guetteur lança un cri strident, abominable pour les tympans humains.

Ambre et Matt hurlèrent à leur tour.

Un autre guetteur surgit par le côté, puis un troisième.

Matt fit tournoyer son épée devant lui et tenta de trancher tout ce qui les approchait. Plume bondit sur une des hautes silhouettes spectrales et la mordit en grognant, la faisant reculer.

Les grandes mains des échassiers avançaient et reculaient, tentant des feintes. Les autres accouraient déjà et Matt pouvait distinguer les phares d'une dizaine de ces créatures.

Ne pas se faire prendre !

Il le savait, s'il était capturé, ce serait pire que la mort. Il devait tout tenter, tout risquer plutôt que de terminer dans les bras du Raupéroden. Mieux valait mourir en combattant que de le subir.

La lame sifflait, parfois entaillait les membres sans chair de leurs agresseurs, et Matt tenait bon. Plume faisait tout son possible pour les retarder, sautant et mordant.

Matt vit une pierre décoller juste devant lui et se projeter à toute vitesse vers la tête d'un des guetteurs. Elle percuta l'un de ses yeux qui s'éteignit sous le coup dans un hurlement aigu.

Ambre !

À deux, peut-être avaient-ils une chance de les repousser…

Plume voulut renverser l'un des échassiers qui se précipitait vers Matt mais la chienne encaissa un violent coup d'échasse qui l'envoya rouler dans les buissons. Aussitôt, les guetteurs redoublèrent de violence.

Matt comprit que c'était peine perdue. Ils étaient trop nombreux, trop mobiles et malins.

C'était fini. Tout espoir s'effondrait.

Quand il entendit le claquement de drap au loin, son cœur se recroquevilla dans sa poitrine.

Il était là.

Soudain, craignant une autre manœuvre fourbe des guetteurs, Matt leva la tête au-dessus de lui.

Les étoiles bougeaient.

Grossissant à vue d'œil.

Elles descendent ! Elles vont s'écraser ici ! Sur nous !

Distrait, Matt ne vit pas le guetteur dans son dos et une main lui encercla le torse, immobilisant son bras armé.

— Non ! Non ! s'époumona-t-il. Cours, Ambre ! Fuis !

Un autre guetteur s'empara de l'adolescente avant même qu'elle puisse se relever.

Les étoiles filantes giclèrent littéralement de la mer de feuilles et une gerbe d'éclairs s'abattit sur les guetteurs.

Dans un concert de crépitements et de râles aigus les étoiles lançaient des pics de foudre qui repoussèrent les créatures en quelques secondes. L'une d'elles s'approcha de Matt et l'arracha des bras de l'échassier qui titubait, transpercé par une flèche électrique.

Aussitôt, l'étoile se mit à remonter, si rapidement que Matt eut l'impression que ses organes s'écrasaient dans le bas de son corps.

Il en eut le souffle coupé.

Sa conscience vacilla, il tenta de lutter mais c'était trop violent, et pendant qu'il s'envolait dans les hauteurs de la Forêt Aveugle, il perdit connaissance.

9

Vert !

Quand Matt revint à lui, il se crut pendant un instant encore en plein rêve, allongé dans une sphère étroite en compagnie d'un être étrange, vêtu d'une tenue futuriste.

Il referma les paupières, se concentra puis les ouvrit à nouveau.

L'individu était toujours présent. Son plastron rigide, blanc, son casque et ses jambières brillaient dans le noir, illuminant l'intérieur de cette sphère en bois tressé.

Elle tremblait, parfois même s'agitait brutalement en heurtant quelque chose qui craquait contre ses parois.

Matt comprit qu'ils étaient en mouvement. Les chatouillis dans ses membres et la sensation de vertige se prolongeaient.

Nous montons. C'est un ascenseur ! Et à en croire mon ventre, on grimpe à toute vitesse !

Malgré la lueur que diffusait l'armure, Matt ne parvenait pas à distinguer les traits de celui qui se cachait dessous. Il avait les cheveux longs, semblait costaud, et se cramponnait aux poignées au-dessus de sa tête pour ne pas tomber à chaque heurt.

L'épée, le sac à dos, sa besace et son manteau étaient à ses pieds mais Matt portait encore son gilet en Kevlar.

La remontée dura longtemps, plusieurs minutes, estima-t-il.

Soudain, la sphère ralentit et s'immobilisa avec une série de déclics extérieurs.

Matt entendait des échos, des voix, comme si la sphère venait de parvenir dans un vaste hangar. Le bois se remit à craquer pendant que des mains s'affairaient dessus et une trappe s'ouvrit sur le côté. On aida Matt à sortir, aussitôt suivi par l'étrange guerrier.

C'était une grande pièce toute en longueur, au sol, aux murs et au plafond en planches, sans fenêtre, entièrement éclairée par des lanternes contenant une substance molle qui produisait une lumière blanche. Les parois émettaient des craquements et des grincements comme si elle se trouvait au fond d'un bateau.

Matt se tenait au pied d'une grande roue sur laquelle s'enroulaient des centaines de mètres d'une corde noire.

Le guerrier se dressa devant Matt.

Son casque était un crâne de fourmi géante.

Matt réalisa enfin ce qui s'était passé.

Il n'y avait pas d'étoiles filantes, mais plusieurs hommes revêtus d'armures en chitine de fourmis, celles-là mêmes dont l'Alliance des Trois avait aperçu un cimetière. Des armures qui émettaient une clarté argentée.

Étaient-ils suspendus aux arbres ? Par des filins ?

Tous les regards se braquaient sur lui.

Matt vit alors qu'il s'agissait de Pans.

Aucun adulte, rien que des enfants et des adolescents.

Différents.

Leurs yeux semblaient refléter la lumière à la manière d'un chat capturé par les phares d'une voiture. Des iris verts brillaient autour de ces minuscules miroirs ronds. Leur chevelure également était curieuse, verte aussi.

— Quelle tribu t'a rejeté ? Quel a été ton crime ? lui demanda le garçon qui venait de le sauver.

— Une tribu ? Non, dit Matt, je n'en ai pas. Je… Je m'appelle Matt, je viens du nord et nous traversons la Forêt Aveugle pour…

— La Forêt Aveugle ? De quoi parles-tu ?

— Et mes amis ? Vous avez trouvé une fille, blonde, enfin un peu rousse aussi, et un gars, de mon âge, la peau noire, il…

— Enfermez-le ! ordonna une voix dans le dos de Matt. Nous verrons plus tard ce qu'on en fait, pour l'heure il faut se remettre en route.

Matt protesta mais fut aussitôt conduit dans un couloir étroit et poussé sans ménagement dans une toute petite pièce avec un seau en bois et un broc d'eau accroché au mur.

Les pas s'éloignèrent et Matt s'effondra par terre, désespéré.

Et si Ambre et Tobias n'avaient pas été secourus ? Comment les retrouverait-il ?

Il faudrait déjà que je puisse sortir d'ici, je ne sais même pas où je suis !

Une voix familière traversa les interstices des planches.

— Matt ? C'est toi ?

Le cœur du garçon s'emballa.

— Ambre ?

— Oui ! Oh ! ce que je suis contente que tu sois là ! Tobias aussi est avec nous, dans la cellule à ma gauche !

— Toby ?

Matt lâcha un soupir interminable, brutalement interrompu par l'image de sa chienne.

— Et Plume ? demanda-t-il, paniqué.

— Non, Matt, je ne l'ai pas vue, ni entendue.

Nouveau soupir, triste cette fois.

— On est où ? Vous avez une idée ? interrogea-t-il.

— Nous sommes montés, ça j'en suis certaine ! Et j'ai entendu le mot « navire » dans la bouche d'un des… Pans.

— Navire ? C'est impossible, il ne peut pas y avoir d'eau au sommet de la Forêt Aveugle !

— Matt, tu as vu comme ils sont bizarres ? Leurs yeux…

— Oui, ils ne sont pas comme nous. Il faut qu'on sorte d'ici.

— Et comment ? Les portes sont fermées par un loquet ! J'ai déjà essayé.

— Utilise ton altération ! Tu devrais pouvoir le lever, non ?

— Je ne le vois pas, et je n'arrive pas à agir sur ce que je ne vois pas.

Matt pesta.

— Dans ce cas, je vais essayer, dit-il, si j'ai assez de force pour enfoncer la porte.

— Ne fais pas ça. Nous ne savons pas qui ils sont, ce qu'ils nous veulent et de quoi ils sont capables. Attends.

— Ils nous ont enfermés !

— Ils nous ont aussi sauvés des guetteurs ! Soyons patients, lorsque nous aurons une idée plus claire de la situation, nous pourrons agir. Profitons-en pour nous reposer, je suis exténuée et Tobias aussi.

— Comment va-t-il ?

— Bien.

— Au moins nous sommes sains et saufs.

Toute la structure en bois qui les entourait se mit à grincer et Matt devina qu'elle se mettait en mouvement.

Ça ressemble vraiment à un bateau ! Où est-ce qu'on peut être ?

Matt se désaltéra et réfléchit à ce qu'Ambre lui proposait. Elle n'avait pas tort, après tout, c'était l'occasion de souffler un peu.

Après une bonne heure, on vint les chercher. Ambre, Tobias et Matt se retrouvèrent dans la petite coursive et s'enlacèrent brièvement, avant qu'on ne les sépare.

Ils furent conduits à travers un dédale de couloirs jusque dans une longue salle meublée d'une table interminable et d'une vingtaine de chaises disposées tout autour. Assises au fond, trois adolescentes discutaient à voix basse, quand l'Alliance des Trois fut introduite par les cinq Pans armés de couteaux et de hachettes qui les encadraient. On les fit asseoir en face des jeunes filles, deux garçons étaient installés sur un banc, derrière elles.

Tous arboraient une chevelure d'un vert aussi éclatant que celui de l'herbe sous le soleil et le même regard perçant couleur d'émeraude.

— Vous êtes à bord du Vaisseau-Matrice, annonça l'une des filles. Nous en sommes les capitaines. Quelle est votre tribu ?

— Aucune, répondit Matt. Nous sommes des Pans libres.

— Nul ne peut survivre sans sa communauté ici ! répliqua la plus grande des trois capitaines.

Ambre se pencha pour intervenir :

— Nous ne venons pas d'ici, nous sommes des voyageurs, nous ne souhaitons que passer la Forêt Aveugle vers le sud.

— Qu'appelez-vous la Forêt Aveugle ? demanda celle qui avait de grosses joues.

Matt remarqua que tous les Pans à bord avaient également les lèvres très claires, et les ongles étrangement bruns.

— Eh bien, cet endroit, expliqua Ambre, cette forêt gigantesque et si haute que la lumière du jour ne filtre pas jusqu'au sol.

— C'est la mer Sèche. C'est ainsi que nous l'appelons. Et vous étiez perdus dans ses abysses lorsque nous vous avons trouvés. Vos cris ont alerté nos hommes. Une chance pour vous qu'ils aient été en plongée proche.

— Nous n'étions pas perdus ! précisa Matt.

La plus grande des capitaines enchaîna aussitôt :

— Il faut être égaré soi-même ou fou pour parcourir la mer Sèche par ses entrailles plutôt que par sa surface !

— Vous voulez dire que nous sommes *dessus* ? bredouilla Ambre.

— En effet, nous flottons. Alors vous n'êtes vraiment pas d'ici ? Il y a d'autres survivants au-delà de la mer ? Êtes-vous nombreux ?

— Oui, des centaines, des milliers probablement.

La surprise se lut sur le visage des trois capitaines.

Un des deux garçons sur le banc se tourna vers elles.

— C'est peut-être une ruse ! Pour endormir notre vigilance et saboter nos défenses ! Le clan des Becs en est capable !

La grande, qui semblait la plus autoritaire, secoua la tête :

— Il faudrait être idiot pour sacrifier trois de ses membres en les envoyant dans les abysses et en comptant sur la chance pour qu'on les trouve ; impossible ! Et nous avons examiné leur équipement, ils ont beaucoup d'objets du passé, aucun clan ici n'en a autant.

— Il faut nous croire, insista Ambre, tout ce que nous voulons c'est traverser la Forêt, pardon, la mer Sèche.

Matt prit la parole pour demander :

— Pendant le sauvetage, vous n'auriez pas remonté une grande chienne ? Très grande en fait.

On lui répondit non d'un signe de tête et Matt inspira profondément pour étouffer la peine qui lui creusait la poitrine. Plume était perdue.

C'est une chienne pas comme les autres, elle saura se débrouiller, elle trouvera la sortie de la forêt !

Pourtant, au fond de lui, il n'en était pas sûr. Cet endroit était pire qu'une jungle, Plume avait très peu de chance d'y survivre plus de quelques jours.

Une des capitaines s'inclina vers ses deux acolytes pour chuchoter :

— Leur existence même pourrait remettre en cause la croyance de l'Arbre de vie ! C'est dangereux pour l'équilibre de notre communauté !

— Non, fit une autre, il n'y a qu'à les regarder, ils ne sont pas comme nous.

Matt, qui entendait tout, déclara :

— Faites-nous confiance, nous avons beaucoup à vous apprendre sur ce que le monde, en dehors de cette mer, est devenu. Nous ne vous voulons pas de mal !

Les capitaines se levèrent pour se concerter avec les deux garçons puis revinrent annoncer :

— Nous vous ramenons avec nous jusqu'au Nid, notre cité flottante. Là, le conseil des Femmes décidera quoi faire.

— Quoi faire ? répéta Tobias, qui était resté muet depuis le début.

— Oui, si vous êtes nos prisonniers, nos invités ou si vous devez être bannis dans les profondeurs.

— Et on y sera quand, à votre Nid ?

— Demain dans la matinée si les vents nous portent. En attendant, vous serez passagers sur ce navire, vous n'êtes pas aux fers, mais ne circulez pas seuls sinon vous serez attachés. Un repas va vous être servi. D'ici à votre entrevue avec le conseil, tâchez d'être discrets, pour votre bien.

Les trois adolescentes et les deux garçons sortirent en laissant trois gardes du corps pour les surveiller.

— Nous flottons ! s'enthousiasma Ambre. Je suis impatiente de voir au-dehors à quoi ça ressemble !

— Ne t'emballe pas, modéra Matt, pour l'heure, nous ne sommes pas considérés comme bienvenus.

— Je leur fais confiance, ils ont l'air drôlement intelligents !

— C'est parce que ce sont des filles qui commandent, ça te plaît ! s'esclaffa Tobias.

— Ne dis pas de sottises !

La porte s'ouvrit à nouveau et on leur apporta à chacun un grand bol de soupe chaude avec des morceaux de viande blanche, et un petit pain tiède tout vert.

— Du pain ! s'émerveilla Tobias. Je n'en peux plus de manger des biscottes rassises !

Ils engloutirent leur dîner avant d'être conduits dans les étages supérieurs jusqu'à une chambre avec un lit et deux hamacs suspendus entre les poutres. Une grande fenêtre occupait le fond, rendue parfaitement opaque par la nuit. Ambre se précipita dessus.

— C'est une vraie baie vitrée ! Je veux dire que c'est de la récup ! Les montants sont en aluminium contrairement à tout le bateau qui semble en bois.

Voyant qu'elle abaissait la gâchette pour l'ouvrir, Matt intervint :

— Tu ne devrais pas faire ça, on ignore tout de ce qu'il y a dehors !

Sans écouter le conseil, Ambre fit coulisser la fenêtre et l'air frais du dehors s'engouffra dans la petite pièce.

— Je ne vois rien ! s'écria-t-elle. Oh ! Si ! Attendez, c'est... c'est l'océan !

La lune ouvrait un œilleton entre les nuages, permettant de distinguer un horizon sombre, relativement plat. Le vent soufflait dans les cheveux d'Ambre.

Matt la tira à l'intérieur et referma la fenêtre.

— C'est dangereux ! gronda-t-il. Tu cherches à te faire happer par l'une des créatures qui vivent là-dessous ?

Ambre maugréa pour la forme avant de remarquer leurs sacs à dos. Toutes leurs affaires, sauf les armes, leur avaient été rendues.

Les deux garçons attribuèrent le lit à Ambre et chacun installa des couvertures dans son hamac pour le rendre plus douillet.

Ambre tira le rideau qui fermait un coin pour découvrir une chaise à trou en guise de toilettes, une bassine en fer et un robinet au-dessus.

— Ce qu'ils sont ingénieux ! admira-t-elle.

— Ce qu'ils sont louches tu veux dire ! répliqua Tobias en lui tournant le dos. Ils sont verts ! Leurs cheveux, leurs yeux et même leurs lèvres sont d'un vert pas normal !

Tobias s'intéressait en même temps à l'une des deux lanternes en verre. La substance molle à l'intérieur projetait sa lueur argentée sans émettre de chaleur.

— On dirait de la gelée, dit-il.

Matt observait la porte, les mains sur les hanches.

— Ils ont fermé à clé, rapporta-t-il. Nous sommes des passagers sous surveillance. Et si nous tentions une petite sortie nocturne, comme lorsque nous étions sur l'île Carmichael ?

Ambre répondit par la négative :

— Si tu trahis leur confiance dès le premier jour, comment veux-tu qu'ils nous acceptent ensuite ? Non, dormons et demain nous en apprendrons davantage sur eux.

Matt ne partageait pas l'excitation de son amie mais il n'insista pas. Il profita du coin d'eau pour faire sa toilette, il n'y avait pas beaucoup de pression au robinet cependant l'eau claire lui fit du bien ; et il sauta dans son hamac vêtu d'un caleçon et d'un tee-shirt.

Tobias l'imita tandis que Ambre passa plus de temps derrière le rideau tiré. Elle leur demanda de tourner la tête lorsqu'elle sortit pour aller se coucher et Tobias fit remarquer qu'ils n'avaient pas « éteint » les lampes à substance molle. Il chercha un moyen de neutraliser la phosphorescence – interrupteur, produit, cache – sans rien trouver. En désespoir de cause, il osa toucher la curieuse matière et la sortit de son globe en verre pour la déposer dans une petite malle.

— Beurk, c'est dégoûtant ! C'est tout visqueux et froid !

Il répéta l'opération avec la seconde et put se recoucher.

La lune entrait par la fenêtre, soulignant les traits fatigués des trois compagnons. Dehors, quelques mètres plus bas, une mer noire et étrangement silencieuse encerclait l'embarcation.

— Et dire qu'on flotte à mille mètres d'altitude, s'émerveilla Ambre.

— Tu crois que ce sont eux qui l'ont construit ? fit Tobias. Il a l'air vraiment grand ce bateau.

— En tout cas je suis impatiente de le visiter et de faire la connaissance de ce peuple. Nous avons tant de choses à nous dire !

— T'as l'air drôlement joyeuse, je te rappelle qu'on est enfermés !

— Ils se protègent, c'est normal.

Matt se mêla à la conversation :

— Demain, les amis, demain nous saurons s'ils sont nos alliés ou nos ennemis.

Ils discutèrent longuement et le balancement lancinant du navire finit par clore les paupières d'Ambre et de Tobias.

Matt, lui, resta à scruter le plafond dans l'obscurité.

Il songeait à Plume.

La peine le garda éveillé longtemps.

10

Soleil et grand air

La lumière du soleil ne cessait d'augmenter, toujours plus aveuglante.

Après plusieurs jours plongés dans les ténèbres, l'Alliance des Trois éprouvait ce matin-là le plus grand mal à ouvrir les yeux dans cette cabine baignée de rayons dorés. Ils y passèrent une demi-heure avant de pouvoir se lever.

Le petit déjeuner leur fut apporté bien plus tard et Matt comprit qu'ils s'étaient réveillés très tôt.

Le plateau comportait ce qui ressemblait à des fruits, bien qu'il n'en ait jamais vu de semblables auparavant, et un pichet de liquide blanc qu'il estima être du lait de coco. Ils savourèrent chaque bouchée de ce repas frais et sucré.

En milieu de matinée, on vint les chercher pour les conduire sur le pont principal. De coursives en escaliers étroits, ils parvinrent au grand air par une écoutille, au pied d'un gros mât sanglé de cordages.

Les trois voyageurs en eurent le souffle coupé.

Ils naviguaient à bord d'un énorme voilier. Quatre mâts, sur lesquels de gros ballons en cuir brun étaient accrochés par grappes, portaient tout le bateau à la manière d'une nacelle de montgolfière. Matt compta six à dix ballons par mât, et fut pris de vertige lorsqu'il vit un garçon circuler en hauteur sur une minuscule passerelle pour vérifier le maillage des cordes tendues.

Plus haut encore, au sommet du grand mât avant, un poste de vigie était installé. Assez spacieux pour contenir plusieurs personnes.

Matt distingua des silhouettes en train de s'activer et de tirer sur des filins en direction de ce qu'il avait d'abord pris pour des nuages.

Des voiles immenses tractaient le voilier ; arrimées au bastingage par d'autres câbles interminables elles opéraient à l'instar de cerfs-volants, loin dans le ciel, gonflées par le vent.

Sonné par la démesure de l'ouvrage, Matt reprit ses esprits peu à peu, alors qu'il n'en finissait plus de constater le génie de ces Pans.

Le pont principal faisait quinze mètres de large ; les châteaux de proue et de poupe s'élevaient au-dessus comme des immeubles de deux étages. Et rien qu'à leur niveau, une ving-

taine de personnes s'activaient à briquer le plancher, faire ou
défaire des nœuds, ou à grimper aux mâts le long des haubans
qui tissaient une toile d'araignée autour du navire.

À la lumière du jour, la couleur de leurs cheveux était plus
vive, leurs regards plus pénétrants encore et Matt s'aperçut que
leurs ongles n'étaient pas bruns comme il l'avait cru la veille
sous l'éclairage des niveaux inférieurs, mais bien verdâtres également. Certains avaient les lèvres pâles, d'autres foncées, mais
toujours vertes. Le garçon en conclut qu'ils s'étaient développés
au cœur de cette forêt absorbant une partie des essences qui la
constituaient, avec le choc de la Tempête.

— Hey ! Faut avancer ! cria l'un de leurs gardes du corps.

Ils suivirent leur guide jusqu'à l'escalier du château arrière
et montèrent sur son toit où les attendaient les trois capitaines
entourées de plusieurs membres d'équipage. Un grand poste de
pilotage ouvert aux vents trônait au centre, avec une table et
une boussole incrustée sur le côté.

— C'est vous qui avez construit ce navire ? demanda Ambre.

— Oui. Il est achevé depuis seulement un mois. Nous y
avons consacré toutes nos ressources et notre énergie, répondit
la grande capitaine. Je suis Orlandia.

La plus jeune s'avança :

— Clémantis.

— Faellis, ajouta la troisième.

Ambre fit les présentations à son tour pour enchaîner sur
une autre question :

— Comment avez-vous fait ? C'est un travail de titans qui
demande des connaissances précises !

— Nous ne sommes pas comme vous, expliqua Orlandia
dont les yeux brillaient avec l'intensité d'une pierre précieuse.
Nous avons des *capacités* spéciales.

Ambre et Matt s'observèrent brièvement.

— Comme quoi ? s'enquit ce dernier.

— Nous réfléchissons vite, certains sont capables de mémoriser des livres entiers rien qu'en les feuilletant, quelques-uns

produisent des petits éclairs comme les guerriers qui vous ont sauvés, d'autres sont plus forts qu'un bison, et nous avons autour de notre Nid des matériaux à profusion. Malgré tout, la construction du Vaisseau-Matrice nous a pris cinq mois.

Nouveau coup d'œil d'Ambre vers Matt.

Orlandia faisait allusion à l'altération. Ici aussi, ils en ressentaient les effets. Toutefois, ils semblaient bien la contrôler, comme s'ils en avaient cerné les possibilités bien plus tôt que les Pans de la terre ferme.

— Whouah ! s'exclama Tobias.

Tous se tournèrent dans sa direction. Il se tenait contre le bastingage et admirait la vue.

Une mer d'un vert foncé à l'infini. Les creux et les vagues semblaient figés, à peine tremblaient-ils sous l'effet du vent.

Ils flottaient au-dessus de la cime des arbres.

— Vous ne connaissez rien à la mer Sèche ? s'enquit Clémantis.

— Non, c'est la première fois que nous la contemplons, admit Ambre.

— C'est le sommet d'une forêt profonde de plus d'un kilomètre. Le feuillage est d'une telle densité que par endroits on peut flotter à la surface. Nous sommes obligés d'utiliser des poids pour plonger lorsque nous opérons des expéditions dans les abysses.

— C'est ce que vous faisiez hier, lorsque vous nous avez secourus ?

— En effet. Dans la cale-hangar du Vaisseau-Matrice, se trouve une trappe par laquelle nous faisons descendre une sphère de bois tressée. Elle est reliée à un câble pour la remonter. Nos cultivateurs entrent dans la sphère et sont conduits le plus bas possible.

— Des cultivateurs ?

— En effet, il existe de nombreuses racines comestibles, plantes médicamenteuses et substances aux propriétés pratiques dans les profondeurs de la mer Sèche.

— C'est incroyable ! s'écria Ambre, tout excitée.

— Parlez-nous du territoire d'où vous venez.

— Ce n'est pas vraiment un territoire, c'est un pays tout entier ! Enfin, ce qu'il en reste.

— La mer Sèche n'a pas tout recouvert alors ?

— Non, je crois même pouvoir affirmer qu'elle n'est qu'une petite partie du pays.

— Les survivants, en bas, sont tous jeunes ? Il n'y a pas d'adultes ? intervint un des garçons en retrait.

— Euh… si, il y a des adultes, avoua Ambre, l'air plus sombre.

Elle se lança alors dans de longues explications sur ce qu'était devenue la vie entre les Pans, les Gloutons et les Cyniks, puis elle aborda leur propre histoire, l'île Carmichael, et expliqua qu'ils étaient partis dans une Quête vers le sud, pour découvrir ce que manigançaient les Cyniks.

Ambre parla pendant près d'une heure, sans interruption.

— Comment se fait-il que les adultes soient tous agressifs ? s'étonna Faellis. Vous avez essayé de leur parler, de faire la paix ?

— Il n'y a pas moyen, affirma Tobias. Ce sont des brutes désormais. Et tout ce qu'ils veulent, c'est nous emprisonner dans leurs gigantesques chariots tirés par des ours.

— Notre Quête est de savoir ce qu'ils font des Pans enlevés, répéta Ambre, comment ils se sont organisés, et qui est leur Reine.

Et de comprendre pourquoi cette Reine veut à tout prix me capturer ! songea Matt. *Et encore, je passe sur le Raupéroden !*

— C'est un joli nom, Pan, fit remarquer Clémantis. Nous nous appelons le peuple Gaïa.

— Gaïa ? articula Tobias. Ça veut dire quoi ?

— Gaïa, à l'origine, est une divinité grecque. C'est le symbole de la Terre toute-puissante, son âme. C'est elle qui a déclenché la Tempête, pour punir les hommes de leurs excès. Elle nous a épargnés et nous a transformés pour que soyons plus en harmonie avec elle, plus respectueux. Avant, nous étions tous…

— Clémantis! la coupa Orlandia.

Matt perçut un malaise entre les deux capitaines. Faellis enchaîna:

— Il n'y a qu'à nous regarder, la chlorophylle a impacté nos cellules, nous sommes plus proches de la nature maintenant, nous pouvons sentir des choses, le frémissement d'un arbre par exemple, le vent nous chante des chansons lorsqu'on s'arrête pour l'écouter. Nos vies sont bouleversées.

Matt posa la question qui lui brûlait les lèvres depuis un moment:

— Hier, vous nous avez pris pour les membres d'une tribu, de quoi s'agit-il?

— D'autres enfants, des Pans comme vous dites. Ils ont survécu à la Tempête, mais ne sont pas comme nous, ils vous ressemblent, ils n'ont pas reçu la bénédiction de Gaïa. Ils sont disséminés sur la mer Sèche, ils forment de petites tribus qui tentent de nous piller.

— Vous voulez dire qu'ils sont vos ennemis? déplora Ambre.

— Oui, ils sont jaloux de nous, de tout ce que nous accomplissons depuis la Tempête.

Matt considéra les représentants du peuple de Gaïa qui se tenaient en face d'eux. Que s'était-il passé pour qu'ils soient tous modifiés en même temps et de cette manière? Pourquoi les autres Pans de la Forêt Aveugle n'avaient-ils pas subi cette modification?

— Savez-vous ce qui a entraîné votre... ce changement chez vous, demanda-t-il, cette sensibilité à la chlorophylle?

— C'est Gaïa, c'est son choix.

— Il y a certainement une explication plus réaliste, vous ne croyez pas?

Un des garçons fit un pas vers lui et d'un geste rapide dégaina une longue tige, comme un fleuret d'escrime, avec une pointe recouverte d'une substance rose ressemblant à du chewing-gum écrasé.

La pointe fouetta l'air et s'arrêta juste sous le nez de Matt.

— Du respect pour la Mère-Gaïa ! s'écria-t-il, plein de morgue.

Matt recula et cet incident mit un terme à la conversation. On installa l'Alliance des Trois sur un banc à l'arrière, dans une alcôve surplombant le vide d'où ils pouvaient admirer le paysage.

Le ciel s'était dégagé et de rares nuages isolés stagnaient sous ce plafond bleu. L'équipage s'activait, vérifiant les ballons, lançant des ordres depuis les haubans, et de temps en temps une des capitaines sortait du poste de pilotage pour aller inspecter les manœuvres. Matt avait remarqué la présence de tubes se terminant par un cornet dans lesquels parlaient les officiers. Tout un système de communication entre le pont principal et la vigie, quarante mètres plus haut. Les trois capitaines étaient les seules femmes à bord, Matt comprit que les adolescents les plus âgés avaient la sécurité en charge, avec leurs fleurets en bois à la ceinture, les plus frêles servaient d'officiers et se reconnaissaient à leur casque en demi-coquille de noix géante, tous les autres constituaient la bordée de quart.

— Ils sont sacrément susceptibles sur la question de leur origine ! souligna Tobias.

— Ils cachent quelque chose, affirma Ambre. Lorsque Clémantis a failli nous en dire trop, vous avez vu comme Orlandia l'a reprise ?

— Je n'aime pas ça, avoua Matt. Pourquoi les Pans qui habitent sur la mer Sèche veulent-ils leur faire la guerre ? Ça n'a aucun sens, ils devraient tous s'entraider. C'est louche.

— Nous sommes les premiers Pans de la terre à les rencontrer, réalisa alors Tobias. Nous sommes des explorateurs ! Et ça nous donne le droit de leur choisir le nom qu'on veut ! C'est nul, le peuple Gaïa, je propose qu'on les appelle les Kloropanphylles avec un K parce qu'ils sont spéciaux !

Matt ricana.

— Si tu veux, dit-il.

Une sirène retentit soudain, Matt vit un des garçons de la sécurité qui soufflait de toutes ses forces dans un cor.

— Qu'est-ce qui se passe ? s'inquiéta Tobias.

Plusieurs Kloropanphylles jaillirent des ponts inférieurs, équipés de leur armure blanche en chitine de fourmi, et brandirent des arcs pendant que d'autres sortaient en hâte du château avant quatre grosses arbalètes sur roues pour les aligner sur le flanc tribord.

L'Alliance des Trois se colla au parapet pour observer sans gêner la manœuvre.

Des bras pointaient l'horizon et Matt suivit la direction du regard.

Une lumière rouge palpitait sous la frondaison, à moins de cent mètres. Elle clignotait comme un gyrophare.

Avisant la présence d'Orlandia, Matt l'interpella :

— Qu'est-ce qui se passe ?

— C'est un Requiem-rouge !

— Et c'est dangereux ?

Orlandia tourna la tête pour plonger son regard dans le sien. Elle était paniquée.

— Il n'y a rien de pire dans toute la mer Sèche.

11

Le bannissement

Tobias frissonnait.

— C'est un monstre puissant, c'est ça ?

Orlandia déglutit avec peine, partageant son attention entre la lumière qui venait dans leur direction, son équipage et l'Alliance des Trois.

— Une sorte de pieuvre géante qui enroule ses tentacules de branche en branche pour avancer, expliqua-t-elle. La palpitation marque son excitation, plus elle s'intensifie, plus elle est prête à combattre. Si elle s'approche à moins de cinquante mètres, nous n'aurons plus le choix.

— Et c'est difficile à tuer ce truc ? demanda Tobias.

— Si le combat s'engage, tout ce que nous pourrons faire, c'est gagner du temps, avant qu'elle ne nous détruise ou qu'elle se fatigue. On ne peut pas la tuer, elle est beaucoup trop puissante.

La cadence des illuminations s'accélérait.

— Armez les arbalitres ! hurla quelqu'un.

Matt vit qu'ils chargeaient chaque arbalète d'une longue flèche creuse. Ils la remplirent de plusieurs litres d'un liquide épais et brun et refermèrent la partie coulissante.

— C'est un poison extrêmement puissant qu'on tire d'une variété d'arbres, expliqua Orlandia qui avait suivi le regard de Matt.

Matt la remercia d'un signe de tête. Pour la première fois, et malgré les circonstances, il se surprit à la trouver jolie.

L'énorme clignotement devint frénétique.

Il était à moins de soixante-dix mètres et se rapprochait encore.

Tout l'équipage restait figé, les poings serrés, ou se tenant fermement à une balustrade. Plus personne ne bougeait, tous les regards scrutaient l'horizon avec anxiété.

Soudain, le Requiem-rouge cessa de clignoter, il était maintenant à moins de cinquante mètres, la lumière écarlate qui provenait de sous la frondaison s'éteignit avant de rejaillir plus intense. Celui qui commandait les soldats kloropanphylles leva un bras en direction des arbalitres et fit signe d'attendre.

Plusieurs arbres s'agitèrent, Matt crut distinguer un corps spongieux entre les branches mais le Requiem-rouge disparut dans les profondeurs en soulevant un nuage de feuilles et de branchages qui vinrent s'échouer jusque sur le pont principal. Le Vaisseau-Matrice, qui flottait à quelques mètres de la cime, ne bougea pas tandis qu'au-dessous, des hectares de forêt grinçaient en s'agitant telle une mer en furie.

Le silence revint tout d'un coup.

Un soupir collectif traversa le bateau.

Tobias émit un long sifflement de soulagement ponctué d'un :

— Je dois avouer que j'ai eu la trouille !

— Cette créature est ce qu'il y a de pire chez nous, exposa Orlandia, priez pour ne jamais plus en recroiser un, car bien des nôtres sont morts entre leurs bras.

Sur quoi elle retourna, l'air sombre, au poste de pilotage.

En fin de matinée, le navire s'anima et Matt perçut une excitation nouvelle à bord. Il comprit en apercevant le récif vers lequel il se dirigeait.

À mesure qu'ils s'en rapprochaient, Matt entendit plusieurs fois le mot « nid » parmi les marins à présent joyeux.

Cinq énormes troncs surgissaient de la surface, reliés entre eux par des passerelles de planches et de cordes tendues qui tissaient un maillage de rues et de terrasses.

Matt repéra également une sorte de quai, un grand débarcadère qui s'étalait sur la mer Sèche.

Le bateau entama alors son approche finale, une quarantaine de Kloropanphylles investirent les mâts pendant que la plupart des voiles s'affalaient, ne laissant flotter que quelques carrés de toile loin dans le ciel. Matt fut stupéfait par la dextérité des hommes d'équipage, suspendus si haut. Ils enroulèrent les immenses rectangles blancs sur les vergues supérieures. Le Vaisseau-Matrice ralentit.

Le Nid se révéla beaucoup plus grand que ce que Matt avait d'abord pensé. Les chênes dépassaient la hauteur du grand mât, ce qui n'était pas peu dire. Et s'il existait bien un réseau complexe de passerelles suspendues entre chaque arbre, Matt remarqua aussi le plancher qui encadrait chaque chêne et qui les reliait entre eux par de larges jetées prenant appui quelque part sous les frondaisons vertes. Des bâtiments en bois s'agglutinaient au pied des chênes, dans l'ombre. Matt vit également plusieurs formes rectangulaires qui pouvaient être des habitations dans les feuillages.

Derrière le Nid, une masse de verdure s'agitait, que Matt ne put distinguer clairement.

Trois navires, sans comparaison possible avec le Vaisseau-Matrice, plutôt de frêles embarcations, étaient amarrés à l'extrémité ouest du Nid, leurs ballons dégonflés les faisaient reposer directement sur la surface du feuillage dans lequel ils s'enfonçaient de deux bons mètres.

La foule se précipita sur le quai principal pour admirer la manœuvre d'accostage, et durant plus d'une heure, l'Alliance des Trois put observer longuement les visages et les silhouettes.

Tous étaient empreints du sceau de la chlorophylle, chevelure éclatante, regard perçant.

— Ils sont supernombreux ! constata Tobias, stupéfait.

— Je dirais… au moins cinq cents, estima Matt.

— Au moins !

Le navire à quai, Orlandia ordonna qu'on « coupe la nourriture du Souffleur ». Après quoi, l'équipage niché dans les mâts s'attaqua aux rangées de ballons et en tirant sur des cordages les marins libérèrent l'air chaud emprisonné à l'intérieur.

En quelques minutes tout le Vaisseau-Matrice descendit de plusieurs mètres jusqu'à s'enfoncer à micoque dans l'épais feuillage de la surface.

Sur le quai, un groupe de Kloropanphylles fit rouler une passerelle en bois pour l'emboîter dans le pont principal, par un trou dans le bastingage qui venait d'être démonté.

L'équipage dévala la pente pour se précipiter dans les bras de leurs compagnons dans une clameur enthousiaste.

Clémantis s'approcha de l'Alliance des Trois :

— Vous allez m'accompagner, je vais vous présenter.

Le tumulte joyeux retomba d'un coup lorsqu'un cor puissant résonna depuis le chêne central.

Tobias paniqua un instant, craignant le retour du Requiemrouge, avant de comprendre qu'il n'en était rien.

Tous les Kloropanphylles se tenaient droit, calmes. Ils s'écartèrent pour ouvrir un chemin au milieu du quai.

Une silhouette surgit de la pénombre sous l'arbre massif, hésitante. Deux soldats en armure de chitine le poussèrent de la pointe de leurs lances. Contraint, l'homme reprit sa marche sur le quai et Matt crut discerner de la peur dans son attitude.

Que craignait-il ? Il s'agissait pourtant d'un Kloropanphylle, sans doute possible, ses cheveux verts en témoignaient.

Matt fut soudain alerté par le silence pesant qui s'était abattu sur la ville et sur le bateau. Tous guettaient le malheureux, sans un mot.

Matt se pencha vers Clémantis pour lui demander :

— Qu'est-ce qui se passe ?

— Apparemment c'est un bannissement.

— Un des vôtres ?

— Oui, je le reconnais, il s'appelle Paléos.

— Si vous le bannissez, que va-t-il devenir ?

— Il est chassé du Nid, sans espoir de retour. Il doit s'enfoncer dans les abysses de la mer Sèche.

— Mais… il va mourir ?

— Très certainement. C'est la sanction la plus dramatique qui existe. Il faut avoir commis un crime ou un acte de haute trahison pour être banni. Le conseil des Femmes ne prononce presque jamais cette peine, car c'est ce qui peut arriver de pire. J'ignore ce que Paléos a pu faire pour mériter pareil sort.

Tous les regards se portaient sur le pauvre garçon qui trébuchait, les jambes tremblantes. La foule s'écartait à mesure qu'il avançait comme si tous évitaient de le toucher.

À l'extrémité du quai, Paléos se tourna vers le Nid et ses habitants. Il était grand, musclé et beau garçon, malgré la peur qui envahissait chaque parcelle de son corps.

— Vous… vous savez que cela nous arrivera à tous, dit-il.

— Le conseil des Femmes a prononcé un jugement, il est définitif ! répliqua l'un des soldats. Pars, maintenant.

L'autre garde en armure tendit un sac et un long couteau à

Paléos qui les prit avant de poser un pied sur la première marche du petit escalier qui terminait le quai. Étroit, il s'enfonçait dans un trou entre les feuillages.

— Je ne suis pas un criminel ! s'écria-t-il.

Puis il disparut dans l'épaisseur de la mer Sèche.

La consternation plomba le débarquement qui suivit, les rires et les tapes dans le dos du début étaient remplacés par des soupirs et des regards bas.

Les trois capitaines descendirent parmi les derniers, accompagnées par l'Alliance des Trois et une petite escorte. Tous les Kloropanphylles reculèrent sur leur passage, échangeant des murmures inquiets.

— Vous êtes conduit au conseil des Femmes pour statuer sur votre sort, expliqua Orlandia.

— Les filles commandent votre communauté ? demanda Ambre.

— Oui. Nous sommes plus sages et moins impulsives que les garçons. Ils sont nos conseillers, ils savent analyser une situation, mais nous prenons les décisions.

— Et les garçons acceptent ?

— Ils sont ainsi débarrassés de toute pression, inclus dans le processus sans pour autant avoir à gérer les choix, personne ne s'en plaint.

Au pied du grand chêne, ils gravirent un chemin fait de planches et de cordes qui épousait son écorce sur toute la circonférence, montant en pente douce dans les hauteurs.

Pendant l'ascension, Tobias se glissa entre Ambre et Matt pour demander à voix basse :

— Qu'est-ce qu'on fait s'ils ne veulent pas de nous ?

— Il faut les convaincre de nous aider, répliqua Ambre, nous l'avons bien vu, la Forêt Aveugle est trop grande et dangereuse pour qu'on puisse espérer la traverser sans leur aide. S'ils nous renvoient en bas, nous sommes...

— Morts ? fit Tobias, pas vraiment rassuré par la franchise d'Ambre. À bien réfléchir, je préfère quand tu me mens !

— S'ils refusent de nous assister, dit Matt, alors qu'ils nous rendent nos armes et quelques provisions, on se débrouillera.

Ambre l'attrapa par le bras :

— Matt, ne t'obstine pas, la Forêt Aveugle finira par avoir notre peau, tu as vu sa taille ? Elle s'étend dans toutes les directions, vaste comme un océan. Jamais nous n'en sortirons vivants en passant par ses profondeurs !

Tobias approuva, terrifié.

— Elle n'a pas tort ! Les convaincre, par tous les moyens, je ne vois que ça.

— Je ne saurais l'expliquer, continua Ambre, mais j'ai un bon feeling avec eux, certes ils sont parfois... étranges, néanmoins j'ai confiance. Il faut tout faire pour qu'ils nous aident. Nous avons besoin de repos, de vivres et d'un moyen de transport jusqu'à l'extrémité sud de cette mer Sèche. Matt, promets-moi de ne pas t'entêter contre eux.

— Je ne les sens pas. Ils cachent quelque chose.

— Parce qu'ils sont différents, c'est tout.

À plus de vingt mètres, ils atteignirent une longue plate-forme occupée en partie par une maison recouverte de mousse verte. À l'intérieur, accrochées aux parois, des soucoupes en bois accueillant un morceau de substance molle projetaient un éclairage blanc sur des bancs et des tapis bruns. Clémantis fit signe à l'Alliance des Trois de s'asseoir pour patienter pendant que Faellis et Orlandia s'éclipsaient par une porte à double battant.

Profitant de cet instant, Ambre interrogea Clémantis d'un air innocent :

— Ce matin, j'ai cru comprendre que vous vouliez nous parler, je me trompe ?

— Ce n'est rien.

— Pourquoi nous le cacher alors ?

Clémantis lui jeta un regard mal à l'aise avant de guetter la grande porte.

— Je n'ai pas le droit d'évoquer ce sujet, vous êtes des étrangers.

— Ne serait-ce pas justement l'occasion de faire de nous des amis ?

Clémantis parut touchée par cette remarque et avisa Ambre.

Orlandia réapparut à cet instant, en s'écriant :

— Le conseil va nous recevoir. Préparez-vous !

Tandis que ses deux compagnons se levaient, Ambre chuchota à Clémantis :

— Doit-on les craindre ?

Après une hésitation, Clémantis répondit sur le même ton de conspirateur :

— Elles ne sont pas toutes commodes, si elles considèrent que vous pouvez représenter la moindre menace pour nous, alors elles n'hésiteront pas à vous bannir. Soyez francs. Et surtout, que vos deux amis ne manifestent aucune forme d'agressivité !

Toute la bande s'engagea dans une salle voûtée, dont un des murs était l'écorce même du chêne. Un trou de trois mètres de large s'ouvrait sur l'intérieur de l'arbre, un escalier taillé à même l'aubier, irradié par d'autres lampes à substance molle, montait vers le sommet.

Guidée par Orlandia, la petite troupe se mit en marche vers le conseil des Femmes.

12

Conseil sous les étoiles

Ambre, Matt et Tobias furent installés dans une petite pièce circulaire où on leur apporta de quoi manger. Ils avaient tellement gravi de marches qu'il leur semblait avoir atteint le sommet de l'arbre. Leurs cuisses et leurs mollets étaient en feu.

— Nous ne devons pas rencontrer le conseil ? s'étonna
Ambre.

— Si, toutefois vous devez prendre des forces avant, expliqua Clémantis, pour ne pas être épuisés.

— Épuisés ? répéta Matt. Quel genre de conseil est-ce donc ?
Un combat ou je ne sais quoi ?

Clémantis s'amusa de sa question.

— Non, dit-elle en souriant. Pour que le conseil puisse
prendre la meilleure décision, ses membres auront besoin d'un
maximum de précisions, et c'est ce que vous allez devoir leur
fournir cet après-midi.

— Et quand verrons-nous les membres du conseil ? s'enquit
Tobias.

— Ce soir. Le conseil ne se rassemble qu'à la nuit tombée.

Ils mangèrent ensemble un repas chaud, de la viande
blanche ressemblant au poulet et une purée de pomme de terre
qui sentait la terre mouillée. Ensuite, Clémantis et Orlandia
les saluèrent et laissèrent la place à une douzaine de garçons de
tous les âges. Le plus jeune ne devait pas avoir plus de huit ans
et le plus âgé seize. Ils s'assirent à table, en face de l'Alliance des
Trois et le plus grand lança :

— Faellis nous a expliqué les circonstances de votre rencontre, et tout ce que vous lui avez dit à propos de votre monde.

— C'est *notre* monde à tous, intervint Matt, la Forêt Aveu…
pardon, la mer Sèche en fait partie !

L'adolescent ne sembla pas apprécier la précision, il toisa
Matt longuement avant de poursuivre :

— Ce qui compte, c'est que vous êtes désormais ici, au Nid,
et que nous avons des règles strictes. Nous allons donc devoir
débattre pour savoir si vous êtes les bienvenus ou si vous consti-
tuez un danger potentiel.

Cette fois, aucun membre de l'Alliance des Trois n'osa lui
couper la parole, même si l'envie d'affirmer qu'ils n'étaient nullement une menace les démangeait.

— Nous nous sommes reconstruits grâce à l'Arbre de vie,

reprit l'adolescent, vous devez vous engager à le respecter, lui et nos croyances.

Ambre hocha la tête en signe d'acceptation, bientôt imitée par Tobias puis Matt.

— Très bien, je m'appelle Torshan. Commençons par le faire couler dans vos veines, venez.

Torshan et ses compagnons se levèrent pour emmener les trois nouveaux dans un couloir étroit, creusé à l'intérieur de l'aubier. Ils descendirent quelques marches et s'arrêtèrent dans une sorte de grotte blanche au centre de laquelle se dressait une colonne de bois. Un liquide épais et ambré s'écoulait très lentement d'une profonde entaille qui semblait naturelle.

— Voici la sève de l'Arbre de vie, annonça Torshan en plongeant un petit gobelet dans la saignée. Vous devez boire son sang.

— Qu'est-ce que… qu'est-ce que ça va nous faire ? demanda Tobias.

— Absorber le sang de l'Arbre de vie c'est faire partie de notre tribu. Si après cela vous nous mentez, alors il n'y aura aucun doute possible, vous serez nos ennemis. Nul n'a le droit de mentir lorsque coule en lui le sang de notre Arbre sacré.

Il tendit le gobelet à Tobias qui le saisit après une courte hésitation. Ses yeux cherchèrent le soutien d'Ambre et de Matt qui l'encouragèrent d'un signe. Tobias but une gorgée avant de passer le gobelet à Ambre. La sève avait un goût amer ; collante, elle était difficile à avaler. Tous l'imitèrent et Torshan laissa éclater son soulagement :

— Vous êtes, au moins pour un temps, les enfants de l'Arbre de vie. Allons-y, débutons notre rencontre.

L'Alliance des Trois fut assaillie de questions. Des heures durant, ils répondirent à tout : d'où ils venaient précisément, ce qu'ils faisaient dans les abysses de la mer Sèche, comment ils s'étaient connus, ce qu'ils savaient des autres tribus ; l'interrogatoire se prolongeait, sans fin, chaque réponse amenant une nouvelle question. Les garçons le conduisaient avec gentillesse et respect ; toutefois, Matt nota une distance entre eux : leurs sourires et le ton amical n'étaient que simple politesse.

Matt eut le cœur serré lorsqu'il mentionna Plume et sa disparition. Sa chienne lui manquait terriblement.

Torshan dirigeait les débats bien qu'il laissât énormément de liberté aux autres dans le choix des questions. Bientôt, il fut évident que chacun y allait de ses préoccupations personnelles, le plus jeune était moins subtil mais ne s'embarrassait d'aucune manière, tandis que Torshan progressait avec beaucoup plus de malice, questionnant sans en avoir l'air.

Lorsque Matt fut interrogé sur la nature des choses qui les agressaient au moment du sauvetage, il hésita. Son réflexe premier était de n'en pas parler, garder pour lui l'existence du Raupéroden. Cependant, il savait qu'il n'avait pas le droit de mentir. S'il se faisait prendre, ils seraient aussitôt bannis, sans seconde chance.

Comment pourraient-ils savoir que je mens ?

Matt hésitait.

— Eh bien ? s'impatienta le Kloropanphylle en face de lui. Savez-vous par quoi vous étiez attaqués et pour quelle raison ?

— Par des échassiers, lâcha Matt à la grande surprise de Tobias.

Ambre lui jeta un regard complice, et Matt crut un instant y lire de la fierté.

— Plus connus sous le nom de guetteurs, compléta-t-il. Ils sont l'armée d'une créature puissante et très dangereuse, le Raupéroden.

— J'ignore tout de pareille bête, peut-être l'appelons-nous autrement, décrivez-la-nous.

— C'est inutile, je peux vous assurer que vous ne l'avez jamais vu, il vient du nord et il… il me traque.

— Pourquoi vous ?

— Je l'ignore. Je le sens, c'est tout. Comme si mon instinct percevait tout le mal qui est en lui, la soif de destruction, et je suis certain que je ne dois surtout pas tomber entre ses mains. En nous sauvant hier, et en nous remontant à bord du Vaisseau-Matrice, vous avez mis entre lui et moi une bonne distance, il n'est pas près de me retrouver, je vous en remercie.

Torshan le contempla un moment avant que Matt ne reprenne la parole. Il raconta l'essentiel : pourquoi ils allaient vers le sud – pour fuir le Raupéroden mais aussi pour en savoir plus sur les Cyniks et les Pans enlevés – et pour comprendre ce qu'un avis de recherche avec son portrait faisait dans les affaires d'un bataillon de soldats.

— Il semblerait que vous soyez quelqu'un de très prisé, Matt Carter, fit Torshan.

— Je ne vous mentirai pas, ma présence parmi vous peut être source d'ennuis à long terme. Mes amis et moi ne voulons pas rester, seulement nous repos…

Torshan le coupa en levant une paume devant lui :

— Vous exprimerez vos souhaits en temps et en heure, nous ne nous soucions pas de ce que vous voulez, mais avant tout de ce que vous êtes.

Les questions s'enchaînèrent jusqu'au soir, jusqu'à ce que les trois adolescents soient épuisés avec un mal de crâne épouvantable.

Les garçons les laissèrent alors seuls, le temps d'un nouveau repas, et d'un repos bienvenu pendant lequel l'Alliance des Trois médita en silence sur tout ce qui s'était déroulé depuis la veille.

On vint les chercher bien plus tard. Matt soupçonna même qu'il était une heure avancée de la nuit, il somnolait lorsque Torshan entra dans la pièce pour les inviter à le suivre.

Ils furent conduits vers un autre escalier et montèrent encore pour parvenir à une cour, sous les étoiles.

Six coupelles recueillaient la substance molle qui diffusait une clarté argentée. Il n'y avait aucune porte, rien qu'un mur circulaire de trois mètres de hauteur.

Soudain Matt se sentit mal à l'aise, avec l'impression d'être au centre d'une arène comme dans la Rome antique, attendant qu'on lâche les lions affamés.

Une voix féminine descendit des ombres surplombant le mur, comme s'il existait là un balcon. Matt tenta vainement de percer le voile d'obscurité, il n'aperçut que les dernières branches du chêne avant le ciel. La voix se cachait parmi le feuillage.

— Vous êtes devant le conseil des Femmes.

Une autre voix, toute proche de la première, poursuivit :

— Nous avons écouté nos conseillers relater vos réponses.

— Voici venue l'heure des décisions, annonça une troisième, beaucoup plus jeune.

— Au regard de ce qui nous a été présenté, fit la première, nous estimons qu'il est de notre devoir de vous offrir l'hospitalité. L'Arbre de vie nous a assistées, il ne nous appartient pas, et toute vie qui souhaitera s'y abriter doit pouvoir le faire, si son intention est pure, sans arrière-pensées. Vous êtes donc ici chez vous, comme nous le sommes.

— Torshan est nommé pour faciliter votre installation, il trouvera également comment vous pourrez aider au mieux la communauté en fonction de vos compétences.

Ambre leva la main, comme à l'école.

— Nous t'écoutons, lui dit une fille.

— Vous devez savoir que nous ne demandons pas l'hospitalité pour… Nous ne souhaitons pas rester en fait, nous voudrions nous reposer parmi vous avant de repartir. Et pour cela, nous sollicitons votre aide.

— Nul ne part du Nid s'il n'y est contraint.

— Pourtant, comme il a dû vous être relaté, nous sommes en mission, en quelque sorte. Et nous ne pouvons nous attarder longtemps ici sans mettre en péril votre quiétude.

— Cette créature qui vous traque ne pourra remonter depuis les abysses toute seule, soyez confiants, même si elle survit aux dangers qui rôdent en bas, elle ne retrouvera pas votre trace ici.

Matt grimaça. Il ne partageait pas cet optimisme, ce n'était qu'une question de temps, jours, semaines, peut-être même mois, mais le Raupéroden réussirait à renouer le contact, et donc à localiser Matt en fouillant ses pensées.

— Nous devons poursuivre notre voyage, il en va peut-être de la survie de notre peuple, les Pans, clama-t-il pour bien se faire entendre.

Le silence tomba sur la fosse.

— Tout ce que nous demandons, reprit Matt, c'est votre aide pour atteindre le bord sud de la mer Sèche.

— C'est un long voyage ! s'affola une quatrième voix.

— En effet, reprit la première, un très long voyage, à la mesure du temps qu'il faut prendre avant d'opter pour une décision, quelle qu'elle soit. Vous semblez compétents, notre prospérité repose sur des êtres comme vous. Rester au Nid c'est vous impliquer dans notre projet d'avenir. Nous avons tous besoin les uns des autres.

— Ma sœur dit vrai, vous autres, voyageurs, prenez le temps de vivre ici, et de réfléchir à votre quête. D'ici à cinq nuits, vous reviendrez nous faire part de votre envie de rester ou bien de poursuivre. Et si tel doit être le cas, il faudra nous convaincre, car nous ne risquerons pas nos vies pour vous accompagner loin de chez nous sans une très bonne raison.

— Tout à fait : une excellente raison ! Sans quoi vous resterez ici, pour votre sécurité, et pour la nôtre.

Un froissement d'étoffe leur parvint, tandis que le conseil des Femmes quittait les lieux.

Matt observa ses deux amis.

Ils le regardaient avec la même inquiétude.

Tous trois s'interrogeaient. Cet endroit commençait à ressembler à une douce et belle cage.

Mais une prison tout de même.

13

Visite guidée

Le lendemain matin, Matt fut réveillé par des petits coups frappés contre sa porte. Son lit était le plus confortable qu'il ait eu depuis son ancienne vie, avant la Tempête. Il avait sombré, la veille au soir, dans un sommeil de plomb, sans rêves.

La lumière du jour perçait les épais rideaux qui imitaient le velours. Il disposait d'une chambre rien que pour lui, **tout** comme Tobias et Ambre. Cela avait plu à la jeune fille, **alors** que les deux garçons y voyaient surtout un moyen de les séparer, de les affaiblir.

Matt se leva, encore endormi, et ouvrit la porte à Torshan qui lui expliqua où se rendre pour prendre le petit déjeuner.

Ils se retrouvèrent tous les quatre sur une terrasse, à **une** vingtaine de mètres d'altitude. Malgré le feuillage, ils pouvaient admirer la vue sur les quais, les grands hangars, et plusieurs passerelles de cordes entre les cinq chênes du Nid. De nombreuses autres terrasses accueillaient des petites maisons rondes ou rectangulaires dans les hauteurs. Le Nid était déjà en pleine activité, on hissait des tonneaux et des caisses par des poulies, on transportait de longues planches sur les quais vers une zone de constructions, et Matt distingua un groupe qui montait à bord du Vaisseau-Matrice pour l'inspecter.

— Combien êtes-vous ? demanda-t-il à Torshan.

— Six cent douze. Pardon, six cent onze maintenant.

— Vous faites allusion au bannissement de Paléos, n'est-ce pas ?

Torshan fut surpris et toisa le jeune garçon.

— Effectivement.

— Qu'a-t-il fait ?

Torshan prit un moment avant de répondre, mal à l'aise :

— Il a commis « l'acte odieux ». C'est… vous savez, **avec** une fille…

— Il a... *couché* avec une fille ? souligna Tobias entre stupeur et admiration.

— C'est absolument interdit ! lança Torshan en se reprenant.

— Alors la fille aussi a été bannie ? s'inquiéta Tobias.

— Non, car elle a avoué son crime, et elle a expliqué qu'elle s'était laissé convaincre par Paléos parce qu'elle était amoureuse de lui. Le conseil lui a pardonné et lui donne une seconde chance.

— Pourquoi est-ce interdit ? intervint Ambre. C'est pourtant... naturel, et vous vous affirmez proches de la vie, de la nature !

— Si l'Arbre de vie a décidé de ne sauver que nous, de nous offrir cette différence, ce n'est pas un hasard ! répliqua Torshan avec un soupçon d'agressivité. Il n'y a plus d'adultes ou alors ils sont mauvais à vous entendre. L'Arbre de vie commande, et s'il voulait qu'il y ait de nouveaux enfants, il aurait sauvé aussi des adultes ! Nous sommes des enfants, ou des adolescents, et nous devons le rester !

— Et vous croyez qu'en évitant tout rapport sexuel vous resterez jeunes ? gloussa Ambre.

— Rappelez-vous votre engagement d'hier ! s'énerva Torshan. Vous devez respecter nos croyances !

Ambre allait répliquer mais elle s'abstint, se contenta de secouer la tête et s'enfonça dans son siège en bois et bambou tressé.

Matt et Tobias la regardaient, estomaqués et admiratifs en même temps. Non seulement elle savait tenir tête, mais voilà qu'en plus elle abordait un sujet tabou sans aucune honte.

La fin du petit déjeuner s'effectua dans un silence gêné. Torshan leur indiqua où laver leurs couverts tout en expliquant que le système d'eau qui alimentait le Nid provenait de grands réservoirs au sommet des arbres, l'eau de pluie s'y déversait et il suffisait d'ouvrir les robinets pour que la différence de niveau génère une certaine pression. Il en allait de même avec le

Vaisseau-Matrice dont les réservoirs en forme de sphères occupaient tout un côté du bateau.

— Comment avez-vous récupéré les robinets, les fenêtres, et tout ce qui provient de notre ancienne vie ? questionna Ambre.

Torshan lui jeta un regard perçant.

— Des expéditions dans les abysses. Il reste encore des ruines de cet ancien monde.

— Vous descendez souvent ?

— Parfois. C'est tellement dangereux qu'on évite.

— Et cette mer Sèche, intervint Tobias, c'est vrai qu'on peut flotter dessus ?

Torshan hocha la tête.

— Le feuillage en surface est si dense qu'il porte les corps, voire nos navires ! Par contre il faut se méfier des trous noirs.

— Des trous noirs ? Qu'est-ce que c'est ?

— Des zones plus ou moins étendues où le feuillage est épars, si vous tentez de nager sur la mer Sèche, vous verrez que c'est possible, pas agréable mais possible ; en revanche, si d'un coup vous parvenez à un trou noir, alors il n'y aura plus assez de feuilles pour vous porter, et vous chuterez.

— Jusqu'en bas ? s'alarma Tobias.

— Ça arrive.

— C'est pour ça que vos navires disposent de ballons, fit remarquer Matt. Pour planer au-dessus de la surface, ne pas prendre le risque de tomber dans un trou noir.

— Tout à fait.

Ce fut à Ambre de rebondir :

— Comment alimentez-vous les ballons en air chaud ?

— Par des Souffleurs. Ce sont de grosses limaces, vraiment très grosses pour certaines. Dès qu'elles mangent, elles produisent une chaleur très forte, et comme elles dévorent des feuilles, ce n'est pas difficile à nourrir ! Il suffit de les capturer, de les stocker dans une cale, les enfermer dans des boîtes en fer reliées aux ballons par des tuyaux, et le tour est joué !

Tobias siffla d'admiration.

— Et comment avez-vous construit cet endroit, le Nid ? demanda-t-il.

— Je comprends que vous ayez envie de tout savoir, venez, je vais commencer par vous faire visiter.

Torshan les guida de passerelles en terrasses, d'escaliers dans les troncs en rampes arrimées à l'extérieur, sur l'écorce. Partout où ils passaient, les Kloropanphylles s'interrompaient dans leurs travaux pour examiner les trois visiteurs.

— C'est parce que d'habitude, les gens normaux, comme vous, sont des ennemis, expliqua Torshan. Jamais ils ne peuvent se promener librement ainsi. Vous êtes les premiers.

— Pourquoi est-ce la guerre entre eux et vous ?

— Nous sommes ingénieux, débrouillards, et comme vous pouvez le constater, nous nous sommes bâti une cité confortable. Ils veulent nous la prendre.

— Vous pourriez vous entraider !

— Ils sont différents, ils n'adhèrent pas à la croyance de l'Arbre de vie, parce qu'il ne les a pas transformés. Ils se sentent humiliés. Et pour tout vous dire, si l'Arbre de vie ne les a pas choisis, c'est qu'ils n'en sont pas dignes !

— Alors pour vous, nous trois, nous sommes des êtres inférieurs ? c'est ça ?

Face à la colère grandissante d'Ambre, Torshan fit preuve de sagesse et prit un ton plus humble et amical :

— Vous venez d'en bas, c'est différent chez vous. Ici nous avons nos règles, notre fonctionnement, c'est encore un autre monde.

Il ne laissa pas le temps à Ambre de poursuivre et les entraîna dans une nouvelle direction pour leur montrer les ateliers de confection : ici toutes les fibres végétales exploitables étaient transformées soit en pelotes soit en étoffes, pour faire les vêtements, tapis, draps, rideaux, cordes, voiles, tout ce qui pouvait servir à la vie quotidienne. Ensuite, l'Alliance des Trois fut guidée derrière le Nid, où poussait une forêt de bambou.

— C'était déjà ainsi lorsque nous nous sommes installés, c'est une sorte de gigantesque racine qui affleure la surface sur laquelle pousse toute cette végétation. Il y a nos vergers sur le côté est, la plupart des fruits que vous mangez en proviennent, nous récoltons aussi les tubercules de branches, ça a le goût de pomme de terre.

— Et qu'est-ce qu'il y a dans cette forêt de bambou, au bout de ce chemin ? demanda Matt.

— Vous le saurez ce soir. Allons, poursuivons, il reste beaucoup à voir.

Torshan leur montra les quais, les navires servaient parfois à l'exploration et principalement à la chasse, toute la viande qu'ils absorbaient provenait de ces pêches aussi dangereuses que nécessaires. Chemin faisant, Ambre le questionna sur leurs noms étranges et il avoua qu'ils en avaient tous choisi un nouveau après la Tempête. Lorsqu'elle voulut en savoir plus sur cet épisode, il demeura évasif et éluda le sujet en les poussant vers une échelle de cordes difficile à gravir pour gagner un poste d'observation avec longue-vue.

— Pour prévenir de tout danger ! lança-t-il. Attaque ennemie ou créature affamée. Plusieurs postes sont disséminés sur les arbres du Nid.

La vigie les salua avec la même méfiance que tous les autres Kloropanphylles.

Puis ils passèrent par les cuisines, équipées de grands fours à bois taillés dans la pierre, la salle d'armes où s'entraînaient des guerriers en armure de chitine, et enfin la bibliothèque.

Cette dernière était creusée dans la base du chêne principal, trente mètres de diamètre, percée de trous en hauteur pour laisser passer la lumière du soleil. Ses parois étaient tapissées de tranches multicolores. Des milliers de livres. Cinq tables immenses encadrées de bancs en occupaient le centre, de quoi y asseoir près de deux cents personnes. Il régnait là un silence quasi religieux. Les quatre visiteurs déambulèrent en chuchotant pour ne pas troubler la concentration de la petite centaine de lecteurs présents.

En passant non loin d'une table, Tobias désigna les coupelles disposées tous les trois mètres et dont la substance molle brillait doucement.

— Comment ça marche ce truc ? J'ai essayé de l'éteindre l'autre jour, sans réussir !

— Nous la récupérons dans les abysses, elle réagit aux vibrations. Marcher dans un couloir suffit à les activer, parler également. Si vous restez immobile, sans un mot, après quelques minutes elle cesse d'entrer en résonance et s'éteint.

— Ouah ! C'est génial !

Ambre se pencha vers Torshan pour ne pas avoir à élever la voix :

— Je vois qu'ils lisent vite, tous, est-ce que ça fait partie des changements que vous avez subis ?

— Oui. Certains d'entre nous peuvent lire vite, et surtout ils retiennent tout ! C'est grâce à eux que nous avons pu exprimer autant d'ingéniosité ici et construire le Vaisseau-Matrice.

— Pourquoi ce nom ? interrogea Matt.

— Parce que grâce à ce navire, nous allons pouvoir explorer plus loin, tenter des plongées plus longues, plus profondes, et nous garantir nourriture et matériaux nécessaires à notre survie. Il sera la matrice de notre développement.

Tobias désigna une lourde porte à grosse serrure en bois en son centre. Une tête de mort était sculptée au-dessus.

— Qu'est-ce que c'est ?

— Rien, s'empressa de répondre Torshan en les poussant dans la direction opposée, oubliez cet endroit.

Le cor résonna à l'extérieur et tous les Kloropanphylles levèrent la tête avant de ranger leurs affaires.

— C'est l'heure du repas, avertit leur guide. Chacun passe par les cuisines pour recevoir sa ration, ensuite vous pouvez aller où bon vous semble, avec qui vous voulez, pour partager ce moment. Je vais vous laisser réfléchir à tout ça, je serai près du grand hangar sur les quais si vous avez besoin de moi. Tout le monde est prévenu de votre intégration, soyez un peu patients, cela prendra plusieurs jours pour que les regards deviennent plus amicaux, vous devez comprendre qu'ici, votre différence fait peur. Réfléchissez au rôle que vous voudriez tenir pour vous épanouir dans notre communauté. On se retrouve ce soir !

Torshan les accompagna jusqu'aux cuisines où un repas chaud leur fut servi dans une écuelle en bois, puis l'Alliance des Trois alla se poser sur une plate-forme à quelques mètres de hauteur.

— Pas de risque que je finisse dans cette bibliothèque ! commenta Ambre.

— Et moi alors ! se plaignit Tobias. Si toi tu es la cérébrale du groupe et Matt le bras armé qui l'enverra avec les guerriers du Nid, où vais-je finir moi ? Aux cuisines ?

— Ne t'en fais pas, personne ne finira nulle part sur cette… île, intervint Matt.

— Notez que je ne dis pas que cet endroit est désagréable, précisa Tobias, ils ont tout, c'est vachement beau et à la longue je suis certain qu'on peut devenir copains. À bien y réfléchir, ça pourrait même devenir un petit paradis pour nous trois. Ici, je doute que le Raupéroden puisse te retrouver et les Cyniks encore moins !

— Il ne faut pas se laisser endormir, rappela Ambre. Nous ne sommes pas partis vers le sud seulement pour Matt, mais aussi pour en apprendre plus sur cette reine et ses agissements !

Tobias écarquilla les yeux :

— Je te rappelle qu'au début, tu devais nous accompagner pour faire un bout de chemin, pas plus, c'est ce que tu avais dit !

Ambre roula les yeux de dépit :

— C'était une excuse pour me joindre à vous, Toby, rien qu'une excuse.

— Quoi qu'il en soit, enchaîna Matt, nous disposons de cinq

jours pour convaincre le conseil des Femmes de nous emmener au bord de la mer Sèche. Au-delà, il faudra non seulement se débrouiller seuls, mais certainement fuir cet endroit.

— Et tu comptes t'y prendre comment ? demanda Tobias.

— Je ne sais pas encore, j'ai été le plus honnête possible avec eux, je leur ai tout dit sur nous, mais je n'ai pas le sentiment qu'ils soient aussi francs en retour.

— Ça, je suis bien d'accord ! Ils cachent quelque chose !

— Matt, tu n'as pas *tout* dit, tu n'as jamais mentionné l'altération, fit remarquer Ambre.

— Disons que je m'en suis gardé un peu sous le coude, au cas où…

— Alors on fait quoi pour les convaincre ?

— C'est de la politique, affirma Matt. Et dans ce genre de débat, plus tu en sais sur ton adversaire, mieux c'est. Il va falloir percer leurs secrets, découvrir ce qu'ils ne veulent pas nous montrer ou nous dire.

— Et si on leur faisait confiance ? proposa Ambre. C'est vrai qu'ils sont un peu cachottiers, cela dit, ça peut se comprendre, il leur faut du temps pour nous accepter ! Je ne suis pas sûre qu'agir dans leur dos soit le meilleur moyen de gagner leur respect.

— Matt a raison, contre-attaqua Tobias, on ne peut pas se permettre d'attendre les bras croisés. (Se tournant vers son ami, il bomba le torse :) Alors, comment s'y prend-on ?

— Torshan nous a dit d'oublier cette porte dans la bibliothèque, je pense que c'est justement par là que nous pouvons commencer. Nous disposons de cinq jours pour trouver un moyen d'y entrer.

Les regards des deux garçons se fixèrent sur Ambre.

— Oh non ! protesta-t-elle. Je vous vois venir tous les deux ! C'est hors de question !

— Tu as de véritables qualités intellectuelles, ils te donneront accès à la bibliothèque, insista Matt.

— C'est une très mauvaise idée !

— Ambre, c'est important, si dans cinq jours ils refusent de nous laisser partir, nous serons dans une impasse, ils nous surveilleront pour qu'on ne leur fausse pas compagnie ou qu'on fasse une bêtise. C'est maintenant qu'il faut agir !

La jeune femme poussa un profond soupir de contrariété.

Matt tendit la main devant lui. Tobias, puis Ambre, après une hésitation, joignirent la leur et ensemble ils s'écrièrent :

— L'Alliance des Trois !

14

Secret de famille

Dans l'après-midi, Ambre alla trouver Torshan pour lui indiquer que son choix était fait. Elle souhaitait travailler à la bibliothèque, mettre à profit son esprit pour le développement de la communauté.

Pendant ce temps, Matt et Tobias sillonnèrent le Nid à la recherche d'un plan. Il fut décrété que Matt rejoindrait le groupe des guerriers, pour étudier les défenses et la sécurité des Kloropanphylles, tandis que Tobias ne parvenait pas à se décider pour un poste.

— Apprends à naviguer sur un de ces navires, proposa Matt. On ne sait jamais.

— Tu crois que j'en suis capable ?

— Pourquoi pas ?

— C'est juste que des fois j'ai l'impression de…

— Eh bien quoi ?

— Tu sais, à côté de vous deux, je passe un peu pour l'idiot du groupe.

Matt attrapa son ami par les épaules.

— Ne dis pas ça, Toby, Ambre est fortiche quand il s'agit de raisonner, c'est vrai, moi je suis costaud maintenant, mais toi tu es notre ciment. Un peu de tout à la fois. Il faut simplement que tu apprennes à concilier analyse et action, et crois-moi, tu seras le plus doué de nous trois !

Tobias lâcha un sourire gêné.

— C'est gentil...

— Allez, viens, nous n'avons que cinq jours pour savoir qui sont vraiment ces gens et comment les convaincre de nous aider.

Matt prétexta certaines aptitudes au combat et Tobias se proclama doué en orientation et curieux de découvrir les mécanismes des voiliers. Ils se firent présenter à leurs nouveaux camarades et passèrent le reste de l'après-midi à observer et écouter pour être opérationnels dès le lendemain.

Le soir, ils se retrouvèrent avec Ambre pour le dîner, mais à peine avaient-ils commencé à bavarder que Torshan les rejoignait dans l'habitation qu'ils occupaient.

— Cette nuit vous êtes conviés à la cérémonie de l'Arbre, annonça-t-il. Vous verrez, il faut le vivre pour le croire. En attendant, mangeons !

La nuit tomba rapidement sur la mer Sèche et des dizaines de lumières argentées brillèrent partout dans les chênes du Nid.

Une fois le repas achevé, Torshan offrit à chacun un manteau tressé de feuilles longues, en forme de cape d'un brun foncé, et les emmena à l'extérieur, sur les quais.

Tous les Kloropanphylles descendaient des arbres pour prendre la même direction : la forêt de bambou.

Une brise fraîche s'était levée avec le coucher du soleil et Ambre s'emmitoufla dans sa cape après en avoir relevé la capuche. Ce cocon la rassurait.

Les bambous s'entrechoquaient dans le vent, produisant une mélopée rythmée de sons creux qui accompagnait le bruissement de leurs feuilles.

Des lampes à bougie remplies de substance molle éclairaient

le chemin d'écorce jusqu'à la clairière où le bois avait été creusé pour ouvrir un amphithéâtre. Tout en bas, au centre, une boule de lumière de trois mètres de diamètre tournoyait lentement au-dessus du sol, à l'instar d'une planète.

— Oh mon Dieu! s'exclama Ambre. Qu'est-ce que c'est?

— L'âme de l'Arbre de vie, expliqua Torshan.

Tous les Kloropanphylles prirent place dans l'amphithéâtre qui fut rapidement plein, et la cérémonie débuta.

Un garçon aux cheveux longs s'approcha de la boule de lumière et tendit la main vers elle.

Torshan se pencha vers l'Alliance des Trois et murmura :

— Chaque fois, c'est quelqu'un de différent qui a le privilège de renouer le contact. Il va réveiller l'âme afin qu'elle s'adresse à nous. Regardez!

À mesure que la main du garçon s'approchait de la boule, celle-ci accélérait sa vitesse de rotation et un petit sifflement cristallin en jaillit. Soudain, les doigts du jeune garçon effleurèrent la lumière et un vent surgi de la forêt de bambou vint balayer les bancs de l'amphithéâtre, soulevant les cheveux, plaquant les vêtements aux corps et forçant les spectateurs à se tenir les uns aux autres pour ne pas ployer.

Le ciel se mit à gronder, puis rapidement des flashes illuminèrent les nuages noirs. Le tonnerre résonna depuis les confins de la nuit.

Et comme si la tempête s'était déplacée en un battement de cils, une douzaine d'éclairs s'abattirent autour de la forêt de bambou.

Ambre avait sursauté et Tobias se tenait contre elle.

Brusquement, la boule de lumière s'immobilisa et des rubans de vapeurs s'enroulèrent autour du bras tendu du garçon dont la main disparaissait dans la lumière vive. Des arabesques de fumée glissèrent sous ses manches, surgirent par le col pour lui palper le visage, et bientôt l'enfant ne fut plus qu'une forme vaporeuse où palpitait une lueur blanche.

Ambre perçut des picotements sur ses avant-bras et un poids

contre son flanc gauche. Tobias était complètement recroque-villé sur elle.

Une vague de chaleur émana alors de la boule avec un sif-flement aigu et lorsqu'elle toucha l'Alliance des Trois, Ambre se sentit totalement électrisée. Elle distinguait avec peine ce qui ressemblait à un clignotement bleu et rouge au centre de la boule, puis une explosion verte jaillit à l'intérieur du mur de brume. L'odeur de la forêt après une bonne pluie lui parvint aux narines.

Parfums d'humus, de plantes aromatiques, menthe et basilic devina Ambre, ainsi qu'une fragrance plus puissante : la sève chaude.

La jeune fille eut tout à coup l'impression que la boule de lumière lui parlait, lui racontait une histoire faite de sens, de couleurs, d'odeurs, et de frémissements. Hélas, le contact fut si bref qu'Ambre n'eut pas le temps d'étudier cette multitude d'émotions.

Un sentiment de bien-être lui tournait doucement la tête.

Le nuage qui entourait le garçon fut aspiré par la boule et celle-ci se remit à tourner tandis que le ciel grondait au loin, et que l'orage s'éloignait.

Tout le monde clignait des paupières, le regard perdu. Cer-tains étaient extatiques, d'autres plus réservés, mais tous avaient ressenti la puissance euphorisante de la boule de lumière.

— Oh ! ça file les jetons ! lança Tobias. Vous avez vu comme ça nous rentre à l'intérieur, j'ai cru qu'elle pénétrait dans ma cervelle ! C'était à la fois flippant et fantastique !

— C'est l'âme de l'Arbre de vie, annonça fièrement Torshan. Celui qui a le privilège de pouvoir le toucher voit la vie, le passé, le futur, intimement mélangés. Nous autres specta-teurs ne ressentons que l'onde de choc de ce voyage.

— Ce doit être enivrant comme expérience, avança Matt.

— C'est l'émotion la plus incroyable que je connaisse, avoua Torshan.

Ambre se pencha vers le groupe de garçons :

— Il m'a semblé que cette… « âme », comme vous l'appelez, était vivante, et qu'elle me sondait.

— Moi aussi ! répliqua aussitôt Tobias.

— Elle est vivante ! confirma Torshan avec enthousiasme. C'est l'âme de notre arbre. Lorsque nous sommes arrivés ici, et que nous l'avons découverte, nous avons de suite su qu'elle nous attendait, que ce serait notre Nid.

— Comment avez-vous atterri ici ? demanda Ambre. D'où viennent autant d'adolescents et d'enfants ?

Torshan parut gêné, il haussa les épaules :

— Nous étions tous liés, et avant la Tempête, nous étions les faibles de ce monde. La Tempête a tout changé, elle a inversé la donne, et désormais nous sommes le peuple de Gaïa, fier et puissant !

— Je ne comprends pas, vous étiez tous ensemble *avant* que notre monde bascule ?

Torshan chassa l'air devant lui d'un geste de la main :

— C'est de l'histoire ancienne, le présent est plus important.

Ambre répliqua aussitôt :

— Comprendre qui nous sommes et d'où nous venons nous permet d'appréhender plus facilement le chemin à venir !

— Alors considère que notre histoire est un secret de famille, et que nous ne souhaitons pas l'étaler !

Sur quoi Torshan tourna les talons et s'en alla vers la foule qui quittait l'amphithéâtre dans le brouhaha des commentaires.

L'Alliance des Trois attendit que l'arène soit déserte pour se lever.

— J'aimerais beaucoup tenter l'expérience, dit Ambre en fixant la boule qui tournait lentement sur elle-même.

— Pas maintenant, lança Matt en observant le haut de l'amphithéâtre. Ils nous surveillent.

Faellis, la capitaine aux grosses joues, veillait sur eux, à bonne distance, mais accompagnée par quatre soldats en armure de chitine.

— Peut-être que si tu en fais la demande, ils accepteront que ce soit toi la prochaine, fit Tobias, confiant.

— Il ne faut pas rêver, nous sommes des étrangers, rappela Matt.

Ambre, sur le ton de la confidence, demanda :

— Vous avez remarqué comme Torshan est mal à l'aise lorsqu'on évoque leur passé ? J'ai peine à croire qu'ils se connaissaient tous avant la Tempête.

— La porte dans la bibliothèque, affirma Matt. Il avait la même expression troublée lorsqu'on l'a interrogé à ce sujet. S'ils cachent un secret de famille, c'est derrière cette porte qu'il se trouve. Rentrons nous coucher, attendons que tout le monde dorme et nous pourrons y aller !

— Trop dangereux ! protesta Ambre. Nous ne savons rien de ce lieu, de sa sécurité. Laissez-moi au moins une ou deux journées pour travailler dans la bibliothèque et observer, glaner des infos. Ensuite nous passerons à l'action.

À contrecœur, Matt approuva.

— Venez, dit Ambre en jetant un rapide coup d'œil à Faellis et à sa garde rapprochée, n'éveillons pas les soupçons, il est temps de rentrer.

Le trio remonta vers le chemin qui traversait la forêt de bambou pendant que Faellis et les siens les suivaient à bonne distance, tout en ramassant une à une les lampes à substance molle.

Lorsqu'ils furent de retour au Nid, Faellis se tourna vers la forêt devenue obscure. Elle porta un sifflet à ses lèvres et souffla dedans.

Un étrange son creux résonna et aussitôt toute la forêt de bambou se mit à frémir. Le feuillage s'agita à toute vitesse.

Pourtant, Ambre en était certaine, il n'y avait pas de vent.

15

Plus de temps à perdre

Matt était en garde, le fleuret devant lui, prêt à fouetter son adversaire.

La grande salle d'armes sentait le bois de santal. Tous les regards convergeaient vers le combat qui se préparait.

Pour le tester, le chef des guerriers l'avait fait affronter deux garçons pas maladroits que Matt avait vaincus facilement et rapidement. Les deux garçons avaient la même tactique : se servir de leur force, frapper un coup sec à la base du fleuret pour l'écarter puis profiter de la surprise pour fondre sur leur proie et la toucher de leur lame en bois. Sauf que Matt n'avait pas bronché. Le coup brutal sur son arme ne l'avait nullement perturbé, et avait encore moins ouvert sa garde, la stratégie s'était même retournée contre les deux guerriers qui, emportés par leur élan, étaient venus s'embrocher sur Matt.

Depuis la Tempête il n'était assurément plus le même. Il ne se reconnaissait pas, à vrai dire. Téméraire, efficace et prompt à s'adapter aux situations de stress, lui qui s'était rêvé ainsi dans ses parties de jeux de rôles mais qui craignait les brutes de son collège, sa personnalité s'était métamorphosée. Il se souvenait des premiers jours après la Tempête, la peur, les pleurs, la fuite de New York, la violence, loin des scènes épiques de ses jeux de rôles qu'il affectionnait tant à l'époque. Il s'interrogeait souvent sur la nature de ce changement, était-ce la Tempête qui l'avait révélé ou l'avait-elle totalement transformé ?

À présent, Matt devait faire preuve d'intelligence. Il ne pouvait poursuivre sur cette voie sans éveiller les soupçons sur sa force anormale et, dans le même temps, il ne souhaitait pas perdre cet affrontement. Il savait qu'une partie du respect de l'assemblée se gagnerait là. S'il était admiré et craint, il serait plus vite accepté ou en tout cas obtiendrait plus facilement renseignements et aide.

Le bretteur en face de lui, qui répondait au doux nom de Butrax, fit des moulinets avec son fleuret, promenant la pointe dans les airs, exerçant son jeu de jambes, sans que Matt sache si c'était pour l'impressionner ou pour se jeter sur lui au moment voulu. Matt ne voyait pas très bien avec le casque qu'il était obligé de porter, une sorte de noix géante, ouverte d'un côté, dans laquelle des trous étaient percés pour les yeux.

Soudain Butrax lança sa jambe en avant et poussa sur l'autre pour tenter une fente, le bras tendu, la pointe filant à toute vitesse vers le torse de Matt. Celui-ci eut tout juste le temps d'esquiver d'un rapide mouvement du bassin et, tandis qu'il préparait sa riposte vers les flancs de Butrax, il sentit une grosse main lui attraper le bas du casque et le repousser en arrière.

Déstabilisé, Matt voulut reprendre son équilibre mais sa cheville fut aussitôt accrochée et il bascula sur le dos. Butrax n'obéissait à aucune règle, il venait de lui faire un croc-en-jambe. Le souffle coupé par la chute, Matt s'attendait à voir son adversaire reculer en s'excusant, au lieu de quoi il leva son fleuret pour l'abattre violemment vers lui.

Matt roula sur plusieurs mètres, des coups de fouet cla-quèrent pendant que Butrax terrassait le parquet de ses puis-sants assauts qui manquaient Matt de peu. Butrax perdit de précieuses secondes à ajuster son casque afin de mieux viser. Matt se redressa sur un genou, para l'assaut suivant, faisant racler les deux lames de bois jusqu'aux gardes rondes qui s'entrechoquèrent, puis il allait se relever totalement lorsque Butrax lui colla une claque monumentale qui résonna dans tout le casque. Matt chancela, le fleuret ennemi se souleva dans les airs, tournoya et s'abattit en sifflant, droit vers le visage de Matt.

Sans réfléchir, le jeune adolescent brandit son arme de toutes ses forces pour parer le coup. Le fleuret de Butrax se brisa net sous l'impact, et celui de Matt vint se casser contre le casque du bonhomme qu'il fendit en deux. Ce qui restait de la lame de Matt craqua contre le front de Butrax, entaillant la peau et ouvrant une longue estafilade sanglante.

Matt lâcha aussitôt son épée et se précipita vers lui en s'excusant.

Le chef des guerriers repoussa Matt.

— Il n'a que ce qu'il mérite ! aboya-t-il. Recule ! Tu es sacrément costaud dis donc ! Comment fais-tu ?

— Je... j'ai eu peur, c'est tout.

Le chef lui lança un regard soupçonneux puis hocha mollement la tête.

— Si tu le dis. Quoi qu'il en soit tu n'es pas maladroit, il te manque de la technique, mais tu as l'agilité et la force pour toi. Viens, je vais t'apprendre des bottes.

Le chef attrapa un fleuret en bois dans le râtelier et le lança à Matt.

— Où as-tu appris à te battre ? demanda celui-ci.

— Je pratiquais l'escrime avant.

— Avant ? Tu veux dire, avant la Tempête ?

Le chef haussa les épaules, mal à l'aise.

— Allez, mets-toi en garde ! ordonna-t-il.

Matt le jaugea quelques secondes : un grand garçon d'environ seize ans, cheveux verts et regard d'émeraude d'où aucune émotion ne transparaissait. Difficile de dire s'il fallait espérer son assistance ou s'en méfier. Puis il se mit en position.

Matt retrouva Tobias devant les cuisines où il patientait pour se faire servir son déjeuner. Ambre les rejoignit un peu plus tard et ils allèrent s'installer à l'extrémité d'un quai, sous l'ombre d'un navire flottant sur la cime de la forêt.

— J'ai du nouveau, annonça Ambre aussitôt. À propos de cette porte dans la bibliothèque. Personne ne souhaite en parler, c'est un sujet tabou, et ils ont bien insisté pour que non seulement je change de sujet mais que je ne l'approche pas !

Seule une des filles, la plus bavarde, a accepté de m'en dire un peu plus : c'est là qu'ils entreposent leur secret !

— Raison de plus pour y aller ! affirma Matt.

— Il y a un problème, continua Ambre. Apparemment, il y aurait une sorte de gardien.

— Comment ça une sorte ? intervint Tobias. Quel genre de gardien ?

— Je l'ignore, elle est restée évasive, sauf que j'ai bien vu la chair de poule sur ses bras quand elle a prononcé le mot « gardien » ! C'est alors que j'ai repensé à hier soir, lorsque nous avons quitté la forêt de bambou, Faellis a porté un sifflet à ses lèvres et lorsqu'elle l'a actionné, toute la forêt a changé ! Quelque chose s'est mis à y bouger, comme une surveillance ! Je pense que c'est le même genre de gardien.

— Il nous faut ce sifflet, annonça Matt.

Tobias roula des yeux, nettement moins déterminé que son ami :

— Et s'il n'a aucun rapport avec le gardien de la porte ?

— Je doute qu'ils en aient plusieurs, c'est certainement la même créature, de toute façon nous ne pouvons plus attendre.

Ambre avala sa bouchée de viande qui ressemblait à du thon mi-cuit et leva devant elle la cuillère en bois avec laquelle elle mangeait :

— Toute expérience est enrichissante, nous avons beaucoup à apprendre parmi les Kloropanphylles.

— Nous devons nous organiser pour quitter cet endroit, insista Matt en se penchant. Ce soir, nous prendrons le sifflet à Faellis !

— Ce n'est pas comme ça qu'on se fera accepter et aider ! protesta Ambre.

— Qui a dit qu'ils le sauraient ? Nous allons nous introduire dans sa chambre, lui emprunter le sifflet et avant qu'elle ne se réveille il sera de retour, ni vu, ni connu !

Ambre ne dissimula pas son manque d'enthousiasme pour ce

plan. Elle termina son repas en silence et retourna travailler à la bibliothèque, rongée par le doute.

Ce plan n'était pas bon.

Le soir, ils dînèrent en compagnie de Torshan qui leur posa mille questions sur leur première journée d'indépendants parmi la communauté. Si Ambre et Matt répondirent évasivement, préférant savourer leur repas chaud, Tobias lui, manifesta un enthousiasme non feint. Il connaissait déjà par cœur le nom des mâts, les différentes parties d'un navire, et se proposa même de faire la démonstration des nœuds qu'il avait retenus.

Satisfait, Torshan embrassa tout le paysage qui s'étendait depuis la terrasse de leur habitation :

— Vous allez rapidement vous rendre compte qu'il n'y a aucune raison de quitter le Nid une fois qu'on y est !

— Sauf si ça n'est pas chez nous, ne put s'empêcher de dire Ambre.

Torshan afficha une mine circonspecte.

— Existe-t-il encore un lieu sur cette Terre que vous puissiez appeler ainsi ? Je ne le crois pas.

— Là où sont nos amis.

— En avez-vous seulement ?

Ambre prit un air vexé :

— Qu'est-ce que vous croyez ? Que tous les Pans qui ne sont pas comme vous sont des sauvages ? Que nous sommes dénués de bonté et d'intérêt ? Le monde est grand, les survivants s'organisent de mieux en mieux au fil des mois. Enfermés dans votre tour d'ivoire vous ignorez tout de ce qui se déroule à vos pieds.

Cette tirade moucha Torshan pour la soirée. Il ne tarda pas à les laisser enfin seuls.

À peine sa silhouette disparue au bout de la passerelle, Matt se pencha par-dessus la table avec son air de conspirateur :

— Il faut attendre que tout le monde dorme, je crois que j'ai repéré tous les postes de surveillance, ils sont essentiellement tournés vers l'extérieur du Nid, nous ne devrions pas avoir de problème pour atteindre la chambre de Faellis.

— Je continue de penser que c'est une mauvaise idée, protesta Ambre, nous ne devrions pas foncer tête baissée !

— Mon instinct me dit de nous méfier d'eux, ils cachent quelque chose ! S'ils étaient si sympas et ouverts que ça ils nous auraient déjà rendu nos armes ! Je n'attendrai pas une nuit de plus.

C'est ainsi qu'à minuit passé ils arpentaient les escaliers et les terrasses du Nid pour s'approcher des appartements de Faellis. Dans l'après-midi Matt avait visité tous les points de contrôle pour se familiariser avec la sécurité du Nid et il prit soin de les contourner. À l'intérieur des arbres, la substance molle se mettait à briller dès qu'ils approchaient, les vibrations de leurs pas les activant instantanément. Ils s'arrêtèrent devant une porte ronde.

— Je crois que c'est ici, expliqua Matt, du moins c'est là que je l'ai vue entrer.

— Tu l'as suivie ? s'étonna Ambre.

— Rapidement, en fin d'après-midi.

— Mieux vaut t'avoir pour ami que pour ennemi, lâcha la jeune fille en haussant les sourcils.

Matt posa la main sur la poignée, le cœur cognant contre sa poitrine. Il la tourna et poussa doucement.

La porte n'était pas fermée à clé, elle tourna sur ses gonds.

Matt se tordit le cou pour inspecter la pièce. La lumière du couloir lançait une lueur argentée sur un grand bureau, une armoire grossière et ce qui ressemblait à un pied de lit.

Il entra pour découvrir la forme de Faellis entortillée sous ses draps.

Le sifflet, il faut que je trouve ce fichu sifflet !

Matt se faufila derrière le bureau en guettant les réactions de Faellis. Elle ne bougeait pas. *Ouvrir les tiroirs risque de faire du bruit!* pesta-t-il en silence. Derrière lui, Tobias s'engageait dans l'appartement à son tour. Ensemble ils inspectèrent le bureau, les étagères et Matt approchait de l'armoire lorsque Tobias lui tapota l'épaule pour lui montrer la table de chevet.

Le sifflet y était posé.

Tobias allait s'élancer quand Matt le saisit par le bras pour l'en empêcher. À son tour il pointa du doigt un petit morceau de substance molle dans une coupelle posée sur la tablette. S'ils s'approchaient à moins de deux mètres les vibrations risquaient de l'activer.

— On ne peut pas avancer davantage, murmura Matt à l'oreille de son compagnon.

Tobias se tourna vers le seuil et fit signe à Ambre de venir. Celle-ci obtempéra en faisant la moue.

— Peux-tu guider le sifflet jusqu'à nous? demanda-t-il tout bas.

Ambre prit son inspiration et se concentra.

Le sifflet se souleva lentement et commença à traverser la pièce dans leur direction.

Matt présenta sa paume et le sifflet s'y déposa.

Il afficha un sourire triomphant.

Ils redescendirent et entrèrent dans la grande bibliothèque. De nuit, la salle était impressionnante avec la lune qui entrait par les hautes fenêtres et ses longues tables de travail. Le trio s'immobilisa devant la porte à tête de mort.

— Comment peut-on sculpter une chose aussi laide? s'indigna Ambre.

— Ils ne l'ont pas choisie au hasard, fit Tobias. Une tête de mort c'est le symbole du danger, non? Nous nous apprêtons peut-être à faire une énorme bêtise…

— C'est le symbole de la mort, forcément, ajouta Ambre.

Matt s'agenouilla devant la serrure en bois.

— Ambre, crois-tu que tu pourrais actionner les systèmes à l'intérieur?

— Si je peux les distinguer, certainement. Laisse-moi regarder… Ah ! Je ne vois rien. Il va nous falloir de la lumière.

Tobias se précipita vers les tables et avant même qu'il ait pu se saisir d'une des coupelles de substance molle, celle-ci entra en résonance avec son déplacement et s'illumina. Il la porta jusqu'à la jeune fille qui put reprendre son inspection.

— Je ne sais pas comment faire mais je suppose que si je pousse tous les loquets dans un sens, ça devrait marcher…

Il y eut plusieurs clics successifs et soudain la porte s'entrouvrit.

Les trois visages s'observèrent sous la lumière spectrale de la substance molle.

— Le moment de vérité, dit Matt avec moins d'assurance qu'il ne l'aurait voulu.

16

Le secret des Kloropanphylles

L'Alliance des Trois avançait dans un couloir étroit, Matt en premier.

— Quand est-ce qu'il faut utiliser le sifflet ? s'inquiéta Tobias.

— Je pense qu'on le saura en le voyant, répondit Matt sans ralentir.

Ils entrèrent dans une pièce au cœur de l'arbre ouverte en son milieu d'un grand trou sur la forêt. Un système complexe de poulies, de molettes, et une interminable bobine de cordage plus haute que Matt occupait le tiers arrière de la salle.

Tobias se pencha au-dessus du puits.

— Oh ! fit-il en se reculant aussitôt. Ça file tout droit vers les profondeurs on dirait !

La corde retenait une petite nacelle en bois, à peine de quoi y tenir à trois. Ambre secoua vivement la tête :

— Je ne descends pas là-dedans !

— Il va bien falloir, pourtant, annonça Matt sans l'ombre d'une hésitation.

La nacelle craqua de toute part lorsqu'il monta dedans en écartant le battant mobile qui servait de porte.

— Peut-être qu'on ferait bien de revenir avec des armes, proposa Tobias.

Matt toisa ses amis.

— Vous vous êtes passé le mot ou quoi ? Allez ! Nous n'aurons peut-être pas de seconde chance !

Sur quoi il commença à défaire le nœud de corde qui arrimait la nacelle contre le bord du puits.

Tobias grimpa en se tenant fermement aux rebords et il s'assit immédiatement sur le banc circulaire.

Ambre soupira. Matt lui tendit la main.

— Allez, viens, tu sais que sans toi on est des gamins paumés, pas vrai ?

— Si tu crois m'avoir avec ton charme puéril, je te le dis tout de suite : je monte parce que je ne supporterais pas d'ignorer ce qu'il s'est passé si vous ne remontez jamais !

Matt eut un pincement au cœur. Qu'entendait-elle par « charme puéril » ? Le mot ne lui plaisait pas du tout. Mais ayant plus important et urgent à régler il finit de libérer les amarres et s'assit avec ses compagnons avant d'actionner l'unique levier de commande.

Les mécanismes dans leurs dos lancèrent des cliquetis et les rouages s'ébranlèrent tandis que la frêle embarcation se mit à descendre. Elle sortit du tronc gigantesque par le cœur de ses racines, sous la cime de la mer Sèche.

Tobias tenait la coupelle de substance molle devant lui, tel un trésor. Ce fut seulement à cet instant qu'il réalisa que la forêt en dessous d'eux était éclairée.

— Regardez ! s'écria-t-il. Il y a des centaines de lumières partout !

— Ce n'est pas de la substance molle en tout cas, remarqua Ambre.

Des glands de la taille de ballons de rugby diffusaient une clarté verdâtre très vive.

Les trois adolescents contemplaient l'incroyable spectacle : des milliers de branches dessinant un gouffre sans fin, circulaire, de plus de dix mètres de diamètre, jalonné par ces gousses éclairantes.

Soudain les murs de feuilles s'agitèrent, un frémissement parcourut la forêt et quelque chose glissa le long d'une racine pour s'enfoncer en même temps que la nacelle.

— J'ai vu une forme là ! cria Tobias. Une créature énorme ! Siffle, Matt, siffle !

Matt prit le sifflet dans sa poche et l'observa un instant. Taillé dans le bois il était fin et long, presque comme une flûte.

Le feuillage fut secoué, tout près des trois explorateurs.

Matt porta le sifflet à ses lèvres et souffla dedans. Un son léger, creux, s'envola et aussitôt les mouvements dans la forêt s'interrompirent.

Les épaules de Tobias se décontractèrent et il s'épongea le front à l'aide de son bras.

— D'habitude je suis curieux, avoua-t-il, mais cette fois je vais me réjouir de ne pas savoir de quoi il s'agit !

La nacelle continua sa descente, de plus en plus vite, la vitesse leur projetait les cheveux en arrière et ils se cramponnaient au banc.

— Il y a un moyen de ralentir ? s'écria Ambre par-dessus le vent.

Matt abaissa le levier de moitié et la nacelle perdit de la vitesse.

Le puits semblait sans fin. Lorsque Matt leva la tête, il ne distingua plus l'immense arbre dont il venait, rien d'autre qu'une cheminée gigantesque délimitée par les fruits lumineux et palpitants.

Puis, avant que Matt ne commande quoi que ce soit, la nacelle se mit à freiner jusqu'à s'immobiliser brusquement.

Aucun gland lumineux ne brillait plus depuis une centaine de mètres, seule la substance molle apportée par Tobias les éclairait. Matt se leva et inspecta la corde qui les retenait, parfaitement tendue.

— Elle s'est coincée ? demanda Ambre, anxieuse.

— Je ne crois pas. Toby, éclaire par là, tu veux bien ?

Une branche apparut tandis que le jeune garçon s'exécutait. Puis le sol, moins d'un mètre plus bas.

— Nous y sommes ! s'exclama-t-il. Nous sommes arrivés tout en bas ! Non mais vous imaginez la longueur et la résistance de cette corde ?

— J'imagine surtout les dangers qui nous guettent, répliqua Ambre. J'ignore comment ce truc fonctionne mais il serait bon de s'y intéresser pour remonter…

Matt ouvrit la porte battante et se laissa tomber sur la terre ferme.

— Les Kloropanphylles n'ont pas construit tout ça pour rien, venez on va faire le tour des environs.

Avant que Ambre puisse protester à nouveau Tobias avait sauté pour rejoindre son ami, et elle n'eut d'autre choix que de les suivre pour ne pas rester seule dans le noir.

Matt craignait de ne pouvoir progresser bien loin à cause de la végétation et fut surpris de la constater légère.

— Vous sentez le sol ? demanda Ambre. Il n'est pas normal !

Tobias s'agenouilla et fouilla la terre du bout des doigts pour révéler une croûte de béton.

— En effet, quelque chose existait ici avant la Tempête, quelque chose qui n'a pas complètement disparu.

— Éclaire un peu par là, fit Matt.

Tobias approcha son cube de lumière et un mur apparut, dans lequel s'ouvrait une porte en bois haute de plus de cinq mètres.

Un bâtiment colossal s'enfonçait dans les branches et les feuilles noires, enseveli sous une épaisse chevelure inextricable.

— C'est ça le secret qu'ils cherchent à tout prix à protéger ? s'étonna Tobias.

— Entrons, commanda Matt en poussant le battant qui grinça.

Ils traversèrent un immense hall de marbre couvert de poussière et de terre, où un escalier tout aussi démesuré faisait courir ses arabesques de part et d'autre de la salle.

— Impressionnant ! commenta Tobias sur le même ton respectueux qu'il aurait eu pour une cathédrale. Où est-ce qu'on est ?

Une dizaine de vers luisants volants surgirent des étages pour plonger autour des trois adolescents, formant un bouquet de petites diodes bourdonnantes avant de disparaître à toute vitesse dans les coursives latérales.

Matt marcha jusqu'à l'escalier. Il gagna l'étage lentement, en prenant soin de demeurer silencieux. Du balcon, il ne distinguait plus le rez-de-chaussée maintenant que Tobias était à ses côtés, alors il s'engagea dans un long couloir de baie vitrée. Au-delà du verre régnaient les ténèbres. Parfois quelques ronces noires plaquées sur les vitres comme des tentacules cherchaient à pénétrer les lieux. Ils découvrirent une enfilade de salles désertes, puis ce qui ressemblait à des chambres. Les sommiers ne portaient plus de matelas et les armoires étaient vides.

— Au moins on sait où ils s'approvisionnent en matériel, commenta Matt.

Ambre approuva et ajouta :

— Cet endroit me fait penser à une école, avec son internat.

Oubliant un instant les nouvelles règles de politesse, Tobias se tourna vers la jeune fille :

— Tu étais dans un internat, toi ?

À la grande surprise du garçon, Ambre répondit :

— Oui, c'est même moi qui l'ai demandé.

— T'as voulu aller en internat ? Mais pourquoi ?

— Crois-moi, lorsque tu réalises que ta mère ne quittera jamais l'épave qui lui sert de compagnon malgré sa violence, tu deviens prêt à tout ! Je détestais mon beau-père...

Tobias scruta la jeune fille dans la pénombre. Elle était en colère.

— Ce n'est pas une école, affirma Matt. Regardez.

Il posa son index sur une plaque dans le couloir. Une succession de lettres et de flèches se superposaient entre deux fenêtres. « Admission », « salle de repos », « salle de jeux », « salle des parents », et plus bas : « infirmerie A2 », « infirmerie A3 », « Bloc opératoire »...

— C'est un hôpital, ajouta-t-il. Un hôpital pour enfants.

— Mais oui ! s'écria Ambre. Bien sûr ! Torshan nous en a parlé ! « Nous étions les faibles, a-t-il dit ! Et la Tempête a changé tout cela. »

— C'est ça leur secret ? répéta Tobias, déçu.

— C'est pour ça qu'ils se connaissaient tous avant la Tempête.

— Et l'hôpital les a transformés en Kloropanphylles ?

Ambre secoua la tête tandis que l'escadrille de vers luisants tournoyait à nouveau derrière eux.

— Des organismes vulnérables, très sensibles, voilà ce qu'ils étaient, les effets de la Tempête ont été plus puissants sur eux que sur nous.

— La Tempête a bouleversé la génétique de la végétation, rappela Matt, pour qu'elle se développe plus vite, qu'elle soit plus forte, pour lui rendre sa place. Au passage notre propre génétique a pris du grade, pour accélérer notre développement, nous donner une chance de survie, c'est l'altération. Il faut croire que les enfants malades ont été si réceptifs qu'ils ont pris un peu des deux.

— En quoi c'est un secret ? Ils devraient plutôt en être fiers ! s'étonna Tobias.

— J'imagine qu'ils ne veulent pas évoquer leur passé de malades, déclara Ambre. Avant la Tempête ils étaient à part et fragiles, maintenant ils sont encore à part mais puissants. Ils sont en phase avec la nature, beaucoup plus que nous ne le sommes, rappelez-vous ce qu'ils racontent, ils ont l'impression d'avoir été choisis. Parler de leur passé serait avouer leur ancienne faiblesse, ce doit être douloureux.

Matt avait ramassé des documents jaunis qui traînaient sur le sol ; il les leva devant lui :

— C'était l'un des plus grands hôpitaux pour enfants du monde ! C'est pour ça qu'ils sont si nombreux au Nid. Non mais vous imaginez plus de six cents Pans en phase avec le vent, avec les arbres, capables de prouesses physiques et intellectuelles hors normes ! Quel avantage ça pourrait nous donner contre les Cyniks !

Tobias ricana :

— Ah, eh bien là tu peux toujours rêver ! Déjà qu'ils ne veulent pas nous laisser repartir, si tu crois pouvoir les convaincre de venir se battre pour nous protéger, tu te fourres le doigt dans l'œil !

— Toby a raison, fit Ambre. L'inverse serait mieux : il faudrait que tous les Pans puissent venir au Nid, pour être en sécurité, loin des Cyniks.

— C'est trop petit et jamais les Kloropanphylles ne nous accepteraient ! modéra Matt. Ils sont un peu spéciaux, faut le reconnaître. À se croire les élus de l'Arbre ou je ne sais quoi…

— N'empêche qu'ils ont la drôle de boule de lumière ! dit Tobias. Peut-être qu'ils sont *vraiment* les élus.

— Élus de quoi ? Ne te laisse pas abuser par leur folklore ! Personne n'est élu, il n'y a que des poignées de survivants qui ont encaissé les effets surpuissants de la Tempête à leur manière : les adultes, les enfants et la nature qui reprend ses droits.

Les vers luisants s'immobilisèrent brusquement puis filèrent vers le plafond pour disparaître dans une profonde fissure.

L'Alliance des Trois demeura en alerte, surpris par cette fuite brutale.

— On dirait que quelque chose est entré dans le bâtiment, murmura Ambre.

— Moi aussi j'ai cru l'entendre, avoua Tobias.

— OK, on sort ! lança Matt en se précipitant vers le couloir.

— S'ils se sont rendu compte qu'on leur a volé le sifflet, protesta Ambre, ce sera fichu pour la confiance !

Ils se dirigèrent vers le balcon et ralentirent sur les derniers mètres. Aucune lumière ne brillait en bas.

— Pourtant je vous jure que j'ai entendu du bruit, insista Ambre en chuchotant.

Tobias se pencha par-dessus la rambarde de pierre, le bras tendu dans le vide pour illuminer le hall avec la substance molle.

Sur le coup, il ne vit rien de particulier, le marbre couvert de poussière, la grande porte d'entrée... puis il leva son regard.

Deux gigantesques araignées, aussi volumineuses que des voitures, étaient suspendues dans les lustres. Elles attendaient, à la même hauteur que l'Alliance des Trois, leurs gueules monstrueuses bavaient, leurs six yeux globuleux et visqueux les fixaient, passionnés par ce spectacle appétissant. Les chélicères s'entrouvrirent pour laisser apparaître des bouches pleines de filaments.

La substance molle se mit à trembler de plus en plus et soudain la coupelle glissa des mains de Tobias.

Leur unique source de lumière commença à disparaître, plongeant les trois adolescents dans les ténèbres en compagnie des créatures terrifiantes.

Puis le cube de lumière argentée s'immobilisa dans les airs tandis que la coupelle se brisait bruyamment dans le hall, avant de faire le chemin inverse, à toute vitesse, jusque dans la main d'Ambre.

Ce fut le déclic. Matt attrapa Tobias par le manteau et le tira pour sprinter. Aussitôt, les deux araignées bondirent sur le balcon et le jeune garçon comprit qu'elles étaient juste dans son dos en percevant le bruit mou de leurs corps flasques contre le sol. Matt courait aussi vite qu'il le pouvait, bientôt dépassé par Tobias. Ambre un mètre derrière.

Les pattes des araignées s'agitaient tout près, martelant le sol sur un rythme infernal.

Matt n'avait aucune arme.

Ils ne tiendraient pas longtemps avant d'être des proies. Il avisa son environnement, sous l'éclairage agité que tenait Ambre.

Lance d'incendie. Placards rouges. Portes des chambres.

Placards rouges !

Matt se précipita dessus, planta son coude dans le verre Sécurit et s'empara de la hache d'incendie qu'il leva devant lui en faisant face aux deux abominations.

La première se jeta immédiatement sur lui.

Matt frappa aussi fort qu'il put.

L'acier s'enfonça dans les chairs tendres, trancha les cartilages et vint cogner contre le carrelage en tintant.

Une odeur nauséabonde s'échappa du corps fendu en deux.

La seconde araignée, plus prudente, tenta de saisir Matt avec la griffe qui terminait ses pattes velues. Le garçon sauta en arrière et para avec la hache. L'extrémité de la patte fut sectionnée net.

Le monstre émit une longue plainte aiguë, pleine de rage et de souffrance. Ambre se tenait en retrait par rapport à Matt et celui-ci avait des difficultés à distinguer les mouvements de la chose qui reculait dans l'obscurité.

Toutefois, lorsqu'elle plia ses articulations, Matt comprit ce qui allait suivre : il plia les bras à son tour, l'arme contre l'épaule, et lorsqu'elle se déploya pour lui tomber dessus, chélicères ouvertes, prête à mordre, la hache siffla aussi vite qu'un carreau d'arbalète et se planta entre les yeux du monstre. La force développée par Matt fut telle que l'impact stoppa net l'araignée qui malgré son poids s'effondra non sur lui mais à ses pieds.

Matt en eut le souffle coupé.

Tous ses muscles tétanisés par l'effort.

— Oh mon Dieu ! gémit Ambre.

Matt releva la tête pour apercevoir de l'agitation au bout du couloir. Le hall était envahi d'araignées. Les cris de leurs congénères les avaient alertées.

Il y en avait tellement que, pendant une seconde, Matt crut que les murs bougeaient.

Et toutes se précipitaient sur eux.

17

Action et conséquences

Matt lâcha la hache et ils se remirent à courir aussi vite que possible glissant dans les virages, sautant les marches, enfonçant les portes coupe-feu plus qu'ils ne les poussaient. Tobias dérapait sur le carrelage pour prendre un virage lorsqu'une fenêtre toute proche explosa et que deux longues pattes surgirent pour tenter de le saisir. Il parvint à éviter les griffes en roulant au sol.

Le plafond se mit à grincer. Elles les suivaient également par l'étage supérieur. Elles étaient partout.

Ils débouchèrent dans une vaste salle pleine d'étagères à moitié vides : la bibliothèque. Ils n'eurent pas le temps de reprendre leur souffle qu'une araignée, bientôt imitée par d'autres, jaillissait sur les rayonnages qui commencèrent à basculer. Les unes après les autres, toutes les rangées s'écroulèrent comme un jeu de dominos géants. Ambre, Tobias et Matt fusaient vers le centre de la pièce en essayant d'aller plus vite que les meubles qui vacillaient de part et d'autre. Les araignées bondissaient dans les hauteurs, nullement gênées par le mouvement des bibliothèques qui se propageait telle une vague.

Plusieurs fenêtres volèrent en éclats.

Matt comprit qu'ils ne pourraient aller plus loin. Ils allaient se faire encercler. Il fallait combattre.

Il y en a trop ! Jamais on ne pourra toutes les repousser !

Les trois adolescents ralentirent et se mirent dos à dos pour faire face au danger. Il était partout. Au plafond, sur les murs, dans les allées : des dizaines d'araignées approchaient en même temps, stridulantes.

Quelque chose fendit l'air et l'une des créatures s'effondra, terrassée sur le coup. Puis une autre.

Un groupe de guerriers kloropanphylles se tenait près des fenêtres brisées, arcs tendus et lances en main. Matt fut stupéfait. Ils étaient si bien organisés qu'une demi-douzaine d'entre eux parvenaient à tenir en respect vingt, puis trente araignées. Torshan était parmi eux, il leur fit signe d'accourir. Une fois à leur niveau, Ambre voulut s'excuser :

— Nous sommes vraiment désolés, nous ne voulions…

— Ce n'est pas le moment, venez, suivez-moi !

Il les entraîna par les fenêtres du premier étage jusqu'à un large balcon. Plusieurs sphères de bois semblables à celles qui les avaient remontés la première fois flottaient au niveau de la balustrade. Sous la protection des guerriers kloropanphylles, ils se hissèrent à l'intérieur et en moins d'une minute toute l'unité fut évacuée.

Le bruit de l'ascension détendit Matt, le frottement des branches, la sensation de vertige et les craquements de la sphère, tout cela le rassura. Il se tourna vers Torshan qui partageait leur nacelle :

— Merci, dit-il.

Torshan se contenta de lui tendre la main. Matt y déposa le sifflet, très embarrassé.

— Nous ne pensions pas à mal, vous le savez, continua-t-il. C'était juste pour… savoir qui vous êtes vraiment. Vous ne nous aviez pas tout dit !

Torshan l'ignora, le regard fixé dans le vide, et Matt comprit qu'il ne servait à rien d'insister.

Ils retrouvèrent le navire amiral des Kloropanphylles, le Vaisseau-Matrice d'où les nacelles étaient lancées, puis furent débarqués sur le quai où les attendaient plus de cinquante personnes au visage fermé.

Brusquement, Matt réalisa que les gardes autour d'eux n'étaient plus là pour les protéger mais pour les escorter. La foule s'écarta et Orlandia, la grande capitaine, apparut. Expression dure et regard de braise.

— Vous avez commis un acte de trahison, lança-t-elle. Aussi êtes-vous désormais nos prisonniers. Le conseil des Femmes se réunira demain soir pour statuer sur votre sort. Gardes, emmenez-les.

Avant que Ambre puisse répondre, les soldats en armure de chitine les poussaient brutalement vers les hauteurs jusqu'à une série de petites pièces en bois suspendues par des cordes au-dessus du vide. Les trois furent séparés, chacun dans sa cellule, avant que les gardes ne s'éloignent.

— Et voilà ! soupira Ambre à travers les barreaux de la porte.

— Bon, d'accord, dit Tobias, on a fait une bêtise, mais ils ne vont pas nous laisser là-dedans jusqu'à demain soir tout de même ?

— Qu'est-ce qu'ils vont faire de nous d'après vous ? demanda Matt.

Tobias, l'imagination toujours fertile, fut le plus prompt à proposer :

— Nous donner à manger à l'une des créatures immondes qui vivent sous la mer Sèche ? Sans blague, vous croyez qu'ils vont nous tuer ?

— Ce n'est pas leur genre, répliqua Ambre. Par contre ils pourraient nous bannir. Comme ce garçon que nous avons vu le premier jour.

— Ce serait nous condamner à mort, fit Matt d'un ton lugubre. Nous le savons désormais, la Forêt Aveugle est impossible à traverser par le bas, trop dangereux. Je crois qu'il faut se préparer à plaider notre cause. Que sait-on de plus qui pourrait nous servir ?

— Nous savons que nous avons été trop loin, déclara Ambre, que nous n'avons pas voulu leur faire confiance alors qu'ils nous ouvraient leurs portes, nous les avons trahis ! Franchement, il n'y a aucune excuse à se chercher ! C'était une mauvaise idée depuis le début et je le savais !

— Alors on fait quoi ? demanda Tobias, tout penaud.

— Plus rien ! s'énerva Ambre. Ils vont nous bannir et ils auront bien raison !

Du fond de son cachot de bois, Matt secoua la tête.

— Je ne redescends pas dans cette forêt, dit-il, nous n'y tiendrons pas deux jours. Il faut trouver une solution.

— Je n'en ai pas à vous proposer, lâcha Ambre, agacée. Je crois que nous avons suffisamment agi bêtement.

Ils se turent. Chacun garda le silence et s'allongea sur la paillasse qui leur servait de lit. Malgré l'heure tardive, aucun d'eux ne trouva le sommeil.

Ils songeaient à ce qu'ils avaient fait et plus encore à ce qu'ils allaient devenir.

Au petit matin, l'agitation du Nid les réveilla, courbaturés et encore épuisés. On leur apporta un repas constitué de fruits et d'un bouillon épais, sans un mot. La journée ne leur offrit aucune visite. Et lorsque le soleil vint se coucher sur l'horizon de la mer Sèche, l'Alliance des Trois songea au conseil des Femmes qui se rassemblait au même moment pour décider de leur sort.

Les lumières argentées illuminèrent la ville dans et autour des grands arbres, puis peu à peu, elles s'éteignirent pour plonger le Nid dans la torpeur de la nuit.

Soudain, une lanterne apparut au bout de la passerelle et une silhouette enveloppée d'un grand manteau à capuche se glissa jusqu'aux cachots. Elle s'accroupit à leur hauteur et chuchota :

— Vous serez bannis demain matin. Je vous ai défendus contre mes sœurs mais c'était peine perdue.

Le halo de la lanterne caressa les traits de son visage. Clémantis.

— Vont-ils nous rendre notre matériel, nos armes ? demanda Matt.

— Je l'ignore. Vous serez obligés de descendre dans les profondeurs.

— Alors nous allons mourir, n'est-ce pas ? fit Tobias d'une petite voix craintive.

Clémantis ne répondit pas. Elle garda le silence un moment, puis ajouta :

— Je sais que vous n'avez pas agi en pensant à mal, hélas, le conseil a décidé qu'on ne pouvait plus vous faire confiance, que vous étiez une menace pour notre équilibre et notre sécurité.

Ambre sortit de sa réserve pour dire :

— Je comprends. Vous nous avez ouvert vos portes et nous avons enfoncé celles qui ne devaient s'ouvrir qu'avec le temps, rien que pour satisfaire notre curiosité. Notre comportement est inacceptable. Et pourtant vous avez pris des risques en venant nous chercher en bas.

— Jusqu'au conseil de ce soir, vous faisiez partie de notre communauté, et nous ne laissons jamais tomber les nôtres. (Elle hésita avant d'ajouter :) Il y a une dernière chose que vous devez savoir. Si par miracle vous survivez dans les abysses, abandonnez votre idée de rejoindre les terres du Sud.

— Pourquoi cela ? interrogea Matt dont la curiosité était soudain en alerte.

— La vérité est que nous connaissons cette reine. C'est un secret bien gardé ici, une poignée seulement est au courant pour ne pas semer la confusion et la panique. Il y a plusieurs semaines, nous avons eu un contact, l'une de nos patrouilles est descendue de la mer Sèche, par son bord sud. Pour voir ce qui s'étendait au-delà. Elle s'est fait aborder par des hommes, des adultes en armures noires, avec des étendards rouges. Ils ont voulu nous emprisonner, au nom de leur reine Malronce, c'est ainsi qu'ils l'appellent. Elle est mauvaise, tout comme ses hommes. Notre patrouille s'est enfuie, mais trois d'entre nous l'ont payé de leur vie. Il ne faut pas aller au sud. C'est un lieu dangereux. Ces gens sont cruels. Si vous le pouvez, rentrez chez vous, le monde a changé, nous ne pouvons plus compter sur les adultes, et regardez, même entre nous, les différences nous poussent à tant de méfiance, nous ne sommes pas encore prêts. À présent je dois vous laisser, je n'ai pas le droit de vous parler.

— Non ! Attendez ! implora Matt. Cette reine, Malronce, que veut-elle ? Pourquoi ordonne-t-elle d'enlever tous les enfants ?

— Je l'ignore. Quoi qu'ils en fassent c'est assurément abominable. Maintenant vous savez ce qui vous attend, vous avez la nuit pour vous y préparer. Adieu.

Clémantis se redressa et disparut rapidement dans le dédale des couloirs.

— On ne peut attendre ici sans rien faire, lança Matt, il faut sortir de ces cages !

— Et après ? demanda Tobias.

— Je crois savoir où se trouve notre équipement, il y a une grande réserve près de la salle d'armes où je me suis entraîné. Tobias, tu penses pouvoir manœuvrer l'un de leurs navires ?

— Cette nuit ? Non ! Je connais à peine le nom et l'utilité de chaque instrument, je serais bien incapable de le faire naviguer !

— Tant pis, il faut tenter notre chance.

Ambre intervint sèchement :

— Les Kloropanphylles nous ont accueillis, nous les avons trahis, et maintenant vous voulez leur piquer un de leurs bateaux ? Vous ne croyez pas que nous avons assez fait de dégâts comme ça ?

— Si on ne fait rien, demain matin nous serons condamnés à redescendre là-dessous ! pesta Matt en tendant le bras entre les barreaux pour montrer la cime de la forêt. Autant dire que nous serons morts avant le coucher du soleil !

— Je me demande si je n'ai pas fait une erreur…, marmonna Ambre.

— En nous suivant, c'est ça ? Trop tard pour les regrets, nous sortons cette nuit, et nous sortons tous les trois, je ne laisse personne derrière. Si tu ne veux pas, alors nous serons bannis ensemble, nous sommes l'Alliance des Trois. Tous ensemble quoi qu'il arrive. C'est toi qui décides.

Ambre se rapprocha de la cellule de Matt.

— Si on sort d'ici je voudrais que vous me promettiez de ne plus agir comme… comme des mecs ! Vous êtes trop impulsifs ! Ça finira mal ! Le plan d'hier je ne le sentais pas mais vous n'avez pas voulu m'écouter !

— C'est promis, répondit Tobias aussitôt, sur le ton des excuses. Tu as raison, nous ne t'avons pas écoutée.

Matt marmotta quelque chose qui ressemblait à un assentiment.

Puis il attrapa les barreaux en bois de sa porte et commença à tirer dessus, de plus en plus fort. Il y eut un craquement sec avant même que l'adolescent n'ait à user de toutes ses forces ; il avait arraché une partie de la grille. Il se faufila à l'extérieur et délivra ses compagnons de la même manière.

— Je fonce à la réserve pour essayer de récupérer notre matériel et nos armes, dit-il, pendant ce temps Tobias tu vas préparer le bateau et Ambre tu fais le plein de provisions aux cuisines, ça vous va ?

— Je ne crois pas que je pourrai faire partir le bateau, avoua Tobias.

— Tu *dois* y parvenir.

Matt descendit de son côté dans les entrailles du chêne principal et n'eut pas à forcer la porte de la réserve qui était ouverte. Leurs sacs, leurs armes et tout ce qu'ils possédaient y était entreposé dans un coin. Matt se harnacha et fila dans les couloirs les bras pleins, croulant sous le poids de leur équipement.

Tobias leur avait indiqué sur quel navire il avait débuté sa formation et il traversa le quai en silence pour y embarquer. Le poste de vigie le plus près était trop haut pour pouvoir le distinguer à moins que le garde ne se penche. Matt avait le ventre noué par la tension. Il suffisait d'un bruit ou d'un insomniaque pour donner l'alerte. Qu'adviendrait-il d'eux ensuite ?

Matt trouva Tobias dans la cale principale, affairé à remplir deux grandes cages en verre de feuillage.

— Je nourris les Souffleurs pour qu'ils produisent de l'air chaud et gonflent les ballons ! expliqua-t-il.

— Et ça va prendre longtemps ?

— Absolument aucune idée !

— Tobias, faut qu'on parte avant le lever du jour.

— Je sais, je sais !

Tobias courait pour entasser le plus de feuilles possibles pour les limaces, puis il suivit du doigt les tuyaux qui partaient des aquariums jusqu'à atteindre les molettes. Il les tourna toutes et remonta sur le pont.

Matt était inquiet pour Ambre qui n'était toujours par revenue.

— Aide-moi ! commanda Tobias. Défais toutes les cordes accrochées là-bas. On va libérer les ballons.

Matt s'exécuta tout en jetant des coups d'œil réguliers vers les quais espérant voir Ambre apparaître.

— Les vigies vont nous voir quand on quittera le Nid, n'est-ce pas ? questionna Tobias.

— La lune est en partie masquée par les nuages, avec un peu de chance, on passera inaperçus si on n'allume aucune lumière. Au pire, nous aurons un peu d'avance le temps qu'ils donnent l'alerte et qu'ils préparent un bateau pour nous pourchasser.

— Tu crois qu'ils feraient ça ?

— Pas pour nous, Tobias, mais pour récupérer ce qu'on leur vole ! Tu imagines un peu le temps et l'énergie que ça leur a pris de construire ce voilier ?

Les ballons commençaient à se gonfler au-dessus d'eux. L'opération allait prendre bien moins de temps que Matt ne l'avait craint. Il aida Tobias à préparer les voiles. Ce dernier se débrouillait bien mieux qu'il ne l'affirmait, même s'il faisait et refaisait parfois trois fois le même nœud sans parvenir à se décider s'il fallait ou non attacher telles et telles cordes ensemble.

Après une heure, le navire, long comme un wagon, commença à se soulever. Les amarres qui le maintenaient à quai se tendirent et grincèrent affreusement.

— Tobias ! s'alarma Matt entre ses dents. Il faut les défaire tout de suite avant qu'ils ne réveillent le Nid !

— Si on fait ça je ne saurai pas maintenir le bateau à quai ! Tant que Ambre n'est pas à bord on ne peut pas !

Les cordes se tendaient de plus belle, et tout le bâbord se pencha en arrachant une plainte à la coque.

— Coupe-les ! ordonna Matt en attrapant une longue gaffe.

Il se servit du crochet à l'extrémité de la perche pour agripper les planches du quai. Tobias trancha les amarres avec son couteau de chasse, une par une, en grimaçant sous l'effort. Soudain, le navire libéré retrouva son équilibre et allait s'éloigner du Nid lorsque Matt tira sur la gaffe pour le garder contre la jetée. Les planches craquèrent. La première se fendit, puis la seconde.

— Ambre ! fit Tobias. Elle arrive !

Matt serrait de toutes ses forces la perche de bois, mais le poids du bateau était trop important. Il ne tiendrait plus longtemps.

Ambre lança plusieurs sacs à bord, puis de lourdes gourdes avant de se hisser avec l'aide de Tobias.

La troisième et dernière planche céda et Matt s'effondra sur le dos.

— Il faut faire monter les voiles ! prévint Tobias. Et vite ! Sans ça on n'avancera pas !

— Et s'il n'y a pas de vent ? s'alarma Matt en se relevant.

— N'oublie pas que nous sommes à près de mille mètres d'altitude, il y en a toujours. Allez, venez, je n'y arriverai pas tout seul.

Suivant les instructions de Tobias, ils firent prendre le vent à trois cerfs-volants de grande taille qui eux-mêmes entraînèrent d'autres voiles plus nombreuses, et plus celles-ci prenaient de la hauteur et se gonflaient, plus elles tiraient sur de nouvelles voiles de plus en plus grandes. En un quart d'heure il y avait assez de voilure dans le ciel, à l'avant du navire, pour tracter la tonne de bois au-dessus du feuillage.

— Je vais faire descendre le gouvernail dans la cime ! s'écria Tobias dès qu'ils furent à une centaine de mètres du Nid.

Matt s'approcha d'Ambre.

— Tout s'est bien passé ? Tu as été sacrément longue et j'avoue m'être un peu angoissé.

— Oui.

La réponse était trop laconique. Matt s'interrogea : lui en voulait-elle pour les avoir mis dans ce pétrin ou lui cachait-elle quelque chose ?

— Quelle direction on prend ? demanda Tobias depuis l'arrière.

Matt observa Ambre un instant avant de partir rejoindre leur pilote, une boussole à la main.

— Le sud ! L'extrémité sud de la Forêt Aveugle. En route pour le pays cynik et pour les terres de cette Malronce.

Matt jeta un dernier coup d'œil à Ambre. Elle guettait le Nid et ses dernières lueurs.

18

La mort en rouge

L'Alliance des Trois navigua sur la mer Sèche toute la nuit, Tobias aux commandes, Matt obéissant à ses directives pour aller tirer sur tel ou tel cordage afin de ramener certaines voiles au fil des vents. Finalement, le pilotage s'avérait moins insurmontable que prévu.

Ambre s'était endormie dans la grande cabine.

L'est se mit à blanchir lentement.

— Tu crois que Ambre nous en veut vraiment ? demanda Tobias.

— Probablement.

— C'est vrai qu'on a été idiots sur ce coup.

— Je ne regrette pas, avoua Matt, déterminé. Les Kloropanphylles sont mystérieux, ils cultivent le secret : le conseil des Femmes est masqué, leur histoire, leurs origines sont taboues, je sentais qu'ils ne nous disaient pas tout, regarde, ils savaient pour la Reine des Cyniks !

— Faut les comprendre, les seuls Pans qu'ils ont croisés ont essayé de les attaquer !

Matt haussa les épaules.

— Je reconnais que j'ai été un peu impatient et paranoïaque, dit-il après avoir pris le temps de trouver les mots justes.

Tobias savoura le vent frais qui lui caressait les cheveux. Cela faisait plusieurs mois qu'il ne les avait coupés et ils prenaient peu à peu la forme et le volume d'un casque arrondi.

— C'est quoi le plan maintenant ? demanda-t-il.

— Trouver des Cyniks, et s'il est impossible de les aborder sans que cela se transforme en guerre, alors les suivre pour voir ce qu'ils font de tous les Pans qu'ils enlèvent. Au final je suis certain qu'on parviendra à en savoir plus sur cette Malronce et ses ambitions. Et puis sur l'avis de recherche qui me concerne.

Voyant que Matt était préoccupé, Tobias lui tapota l'épaule. Comme il lui semblait qu'un bon ami devait faire dans ces circonstances.

Ils demeurèrent silencieux pendant l'aurore, la fatigue commençait à peser sur leurs paupières, leurs membres ankylosés, leur esprit embrumé. Ils maintenaient le cap et avançaient à bonne vitesse au-dessus de la cime, l'imposant gouvernail fait de bois et de morceaux d'acier récupérés était leur seul contact avec la forêt, laissant une piste de branchages cassés dans leur sillage. Matt tendit la main dans sa direction :

— Je n'avais pas pensé à ça ! pesta-t-il. Ils vont pouvoir nous suivre facilement !

— Tu crois qu'ils vont vraiment chercher à le faire ?

— Le contraire m'étonnerait.

Ambre se leva en milieu de matinée, toute fraîche et souriante.

— Si vous m'expliquez comment ça marche je vais vous remplacer pour que vous preniez un peu de repos.

Tobias ne se fit pas prier, il lui apprit à suivre le cap en jouant à la fois sur le gouvernail et la voilure, et insista pour qu'elle s'assure régulièrement que les Souffleurs disposaient de feuillage pour maintenir l'air chaud dans les ballons. Après quoi il fonça dans la cabine en bâillant. Matt resta aux côtés de l'adolescente. Il l'observait pendant qu'elle barrait.

Elle était très jolie ainsi assise dans la lumière de midi. Le soleil ciselait ses taches de rousseur.

— Je voudrais m'excuser, dit-il après plusieurs minutes d'hésitation. Tu as raison, nous devons t'écouter davantage.

Ambre ne répondit pas.

Agacé, Matt la relança :

— Je t'ai dit que j'étais désolé !

— J'ai bien entendu, et j'en suis très contente, mais il faut que cela nous serve de leçon. Un jour il se pourrait bien que nous n'ayons pas de seconde chance.

Ce qu'elle pouvait parfois l'énerver ! Il faisait l'effort de reconnaître ses torts et plutôt que de l'en féliciter, elle s'en servait pour lui faire la morale ! Il allait s'éloigner lorsqu'elle ajouta :

— C'est intelligent de ta part de te remettre en question. Je ne l'ai pas vraiment pensé cette nuit, quand j'ai dit que je regrettais d'être venue.

— Je sais. Allez, on fait la paix ! plaisanta Matt en lui tendant la main.

Elle se fendit d'un sourire et serra la main tendue. Un peu plus longtemps que nécessaire. Ils se regardaient. Le contact était agréable.

Puis Ambre lâcha la main de Matt. Il s'assura qu'elle ne manquait de rien puis alla se coucher à son tour.

Ils se retrouvèrent en milieu d'après-midi, Ambre était toujours aux commandes. Matt se servit d'un grand filet au bout d'une perche pour reconstituer les réserves des Souffleurs, et ramassa de grandes quantités de feuillages qu'il fit tomber dans la cale par l'écoutille ouverte. Ils mangèrent en fin de journée et la nuit tomba rapidement.

Pendant la soirée, qu'ils passèrent tous les trois à l'arrière, près du gouvernail, Ambre remarqua une source lumineuse au loin, vers le nord.

— Tu as tes jumelles ? demanda-t-elle à Tobias.

Celui-ci les attrapa dans son sac à dos et les lui tendit.

— C'est bien ce qu'il me semblait, dit-elle après avoir sondé l'horizon. Un bateau nous suit. Et il est très grand.

— Le Vaisseau-Matrice, firent en chœur Tobias et Matt.

— S'ils nous rattrapent, on n'a aucune chance face à leurs arbalètres ! ajouta Tobias.

— Ils chercheront à nous aborder, corrigea Matt, ce qu'ils veulent, c'est récupérer leur navire. En revanche, je ne serai pas étonné qu'ils nous passent par-dessus bord si nous sommes capturés, après tout ce qu'on leur a fait… Toby, tu as un moyen d'aller plus vite ?

Le garçon secoua la tête.

— On est déjà au maximum.

Ambre désigna le cube de substance molle qui les éclairait au milieu de la dunette.

— Si on peut les voir, alors ils en font autant, peut-être devrions-nous l'éteindre, vous ne croyez pas ?

— Il faut pouvoir garder le cap au sud, rappela Matt. De toute façon, notre gouvernail laisse un sillon derrière nous, ils n'ont aucune difficulté à nous suivre. Non, notre seule chance c'est d'arriver au bord de la mer Sèche rapidement. Si nous le pouvons, nous laisserons le navire pour qu'ils puissent le récupérer et nous rejoindrons la terre ferme.

Durant la nuit, ils se remplacèrent au poste de pilotage.

Au petit matin, l'ombre du Vaisseau-Matrice se découpait sur le paysage, plus près que jamais. À ce rythme-là, l'Alliance des Trois serait abordée avant la prochaine nuit.

Toute la journée, ils guettèrent la silhouette imposante qui gagnait lentement du terrain. Au crépuscule, le navire amiral de la flotte kloropanphylle se tenait à cinq cents mètres. Matt pouvait distinguer les têtes se pencher par-dessus le bastingage pour les observer.

Devant eux, la mer Sèche semblait se poursuivre à l'infini.

Il fallait trouver une solution miraculeuse s'ils voulaient espérer s'en sortir.

— Tobias, fit Matt, à ton avis, si on nourrit les Souffleurs sans arrêt, des quantités toujours plus grandes de feuillages, est-ce que le bateau va prendre de l'altitude ? A-t-on une chance de pouvoir passer au-dessus du Vaisseau-Matrice ?

— Non, on est déjà presque au maximum, le volume des ballons est calculé selon le poids qu'ils doivent soulever, ils sont déjà saturés d'air chaud, on ne pourra pas faire plus. À moins de perdre beaucoup de poids…

Matt se précipita dans les cales pour estimer ce qu'ils pouvaient jeter et revint, déçu.

— Faut trouver une autre idée. Et vite !

Avant même qu'ils puissent faire une proposition, une imposante lumière rouge surgit des profondeurs de la mer Sèche.

La forêt s'agita sur plusieurs hectares, et le clignotement rouge s'intensifia.

— Un Requiem rouge ! hurla Ambre.

— Oh, non ! fit Tobias en serrant le gouvernail.

Aussitôt, de gigantesques tentacules jaillirent de la végétation en arrachant des branches au passage, ils tournoyèrent dans les airs, à vingt mètres de hauteur, projetant une lumière rouge palpitante.

Tout le monde à bord retint son souffle, attendant de voir ce qu'allait faire la créature réputée pour être ce qu'il y avait de pire dans toute la Forêt Aveugle. Le clignotement rouge était si rapide qu'il ne laissait aucun doute sur l'état d'excitation qui l'animait : elle chassait. Les tentacules projetaient la végétation dans tous les sens, puis soudain elle se figea. Les pseudopodes se rétractèrent et la lumière rouge disparut.

Lorsqu'elle se ralluma, encore plus vive, le Requiem rouge fonça vers le Vaisseau-Matrice.

Sous la lune éclairant ce spectacle sinistre, l'Alliance des Trois vit l'imposant navire effectuer une manœuvre spectaculaire en tournant brusquement, une volée de carreaux d'arbalitres s'envola pour plonger vers le monstre. Les premières secondes, le Requiem ne sembla pas encaisser le moindre dommage, avant de subitement ralentir pour virer et prendre de la distance.

L'accalmie fut de courte durée. Le Requiem prit en chasse le Vaisseau-Matrice par l'arrière, il était si furieux que la lumière rouge était maintenant fixe, puissante comme sa détermination à détruire sa cible.

Les arbalitres firent feu à nouveau, depuis le château arrière, moins nombreuses, et moins précises. Le Requiem gagnait du terrain. Il y eut soudain des flammes dans le ciel, elles provenaient du Vaisseau-Matrice, et semblèrent freiner le prédateur, mais il revint à la charge.

Après plusieurs minutes, l'Alliance des Trois ne vit plus que les lueurs argentées du Vaisseau-Matrice, le carmin sous la frondaison et les jets flamboyants qui illuminaient le ciel par intermittence.

— S'ils se font détruire par notre faute, je ne me le pardonnerai jamais, déclara Ambre.

— Je crois qu'ils ont réussi à le faire reculer avec le feu, ils devraient s'en sortir, affirma Matt.

Au bout d'un moment, tout danger avait disparu, ils s'étaient éloignés et tout le monde retrouva un semblant de calme. Ils se relayèrent comme la veille pour piloter.

Le lendemain midi, Matt contemplait la mer Sèche depuis la proue de l'embarcation.

Combien de temps encore allaient-ils naviguer ?

Le cri d'Ambre le tira de ses réflexions, il se précipita à la poupe. Elle pointait du doigt la lumière rouge qui se rapprochait par le nord.

— C'est à nouveau le Requiem rouge, il nous a retrouvés ! s'écria-t-elle.

— Il faut absolument gagner de la vitesse ! s'affola Tobias. Jetez tout ce que vous pouvez par-dessus bord, et s'il y a assez de draps, essayez de les accrocher ensemble avec de la corde légère pour faire des voiles supplémentaires !

Ambre et Matt firent rapidement quelques allers-retours pour balancer les meubles inutiles : tabourets, tables, caisses vides... Puis ils se hâtèrent de rassembler les draps du bord pour les coudre avec le nécessaire de survie que Ambre transportait pour soigner les blessures.

— Voilà ! fit-elle après une heure de labeur. Ça ne résistera pas à une tempête mais c'est mieux que rien.

Ils firent monter leur voile improvisée à l'aide de cerfs-volants, sur le même modèle que ceux qui équipaient déjà le bateau, et gagnèrent quelques mètres carrés de voilure.

Le Requiem était de plus en plus près, à moins d'un kilomètre désormais.

Lorsqu'il ne fut plus qu'à cinq cents mètres, une heure plus tard, et qu'il ne faisait plus aucun doute qu'il allait les rattraper, Matt avertit ses camarades :

— Mettez votre équipement, qu'on soit prêts à quitter le pont si nécessaire. Nous ne pourrons pas lutter contre lui, s'il attaque, il faudra s'enfuir par la Forêt Aveugle et espérer le semer dans la végétation.

Matt retrouva son gilet en Kevlar qu'il n'avait plus porté

depuis presque une semaine, son épée, et son grand sac à dos. Ambre se précipita dans la cabine pour en revenir avec des provisions qu'elle enfourna dans leurs affaires, les gourdes pleines.

Le Requiem était maintenant à deux cents mètres et fonçait en soulevant un nuage de verdure.

Il devenait de plus en plus évident qu'aucune autre solution ne les sauverait. Matt hésitait. S'ils attendaient trop, le Requiem serait sur eux en un rien de temps, mais s'ils sautaient maintenant, la vitesse risquait de les blesser.

Il s'approcha du bord. Le feuillage était épais. Suffisamment pour amortir le choc.

— Vous êtes prêts ? interrogea-t-il.

Ambre et Tobias acquiescèrent mollement.

Matt enjamba le bastingage.

— Il faut sauter tous en même temps, sinon on va se perdre là-dessous ! avertit-il.

Tobias saisit son bras pour le retenir, une main tendue vers l'avant.

— Regardez ! s'écria-t-il d'une voix tremblante où la peur et l'espoir se mêlaient.

La mer Sèche s'interrompait d'un coup. À moins d'un kilomètre, le ciel semblait descendre sous la ligne d'horizon.

Cette vision leur redonna la force d'y croire. Ils se précipitèrent à la proue pour tenter d'apercevoir ce qu'il y avait au-delà, sans rien distinguer. Et si c'était le vide ? Matt supposa qu'ils resteraient à flotter dans les airs grâce aux ballons. Il suffirait alors de réduire le débit d'air chaud avec les molettes pour progressivement regagner le plancher des vaches.

Ils avaient une chance de s'en sortir !

Matt avisa la distance qui les séparait du Requiem.

Une bonne centaine de mètres. Combien de temps avant qu'ils ne soient à portée de tentacule ? Cinq minutes ?

Le bord de la mer Sèche se rapprochait.

Tout comme le Requiem rouge.

Et alors qu'ils franchissaient les derniers arbres, le panorama se dévoila : la forêt retombait en pente abrupte vers une immense plaine. En moins de cinq kilomètres, la Forêt Aveugle se transformait en lisière spectaculaire puis en bois modeste.

Le Requiem rouge fut sur eux.

Le bateau vola au-dessus du vide pendant qu'un tentacule énorme se dépliait pour venir les frapper. Matt aperçut les ventouses et comprit qu'ils allaient être aspirés en arrière. Le Requiem allait les couler pour les dévorer.

Mais le monstre, surpris par la fin soudaine de son environnement, enroula ses membres autour des derniers troncs et stoppa brutalement sa course folle. Le tentacule vint frapper l'embarcation avec une violence phénoménale, arrachant toute la cale, éventrant la frêle construction. Ambre, Tobias et Matt furent balayés par le choc. Tobias se cramponnait avec une telle énergie qu'il resta sur place mais Ambre et Matt s'envolèrent et allaient passer par-dessus bord lorsque Matt se rattrapa à la rambarde et put saisir Ambre par son sac à dos.

Le Requiem glissa en arrière, et sa masse spongieuse repartit dans les entrailles de son monde de ténèbres.

Mais le navire était amputé de tout son tiers inférieur. Les cages des Souffleurs avaient disparu, et un sifflement inquiétant monta de la coque endommagée.

Matt tira sur son bras qui soutenait Ambre pour parvenir à la hisser sur le pont et ils roulèrent sur le plancher. Elle avait les yeux exorbités, frappée de terreur. Elle s'était vue mourir.

Le bateau se mit à chuter.

Les cordages retenant les ballons se rompirent les uns après les autres, libérant l'air chaud au passage.

Tout le navire plongea et vint heurter la cime des arbres en contrebas. Les voiles continuaient de les entraîner et ils se mirent à dévaler la pente à toute vitesse, les faîtes des hauts sapins arrachant un peu plus de la coque à chaque choc. L'étrave se désagrégeait de seconde en seconde, ce qui restait du gouvernail fut arraché, l'écoutille du pont se souleva et s'envola, sectionnant au passage d'autres haubans qui retenaient les ballons et manquant décapiter Tobias.

Et puis le plancher se disloqua, les derniers ballons se dégagèrent et la dunette arrière où se tenait l'Alliance des Trois vint s'encastrer dans une butte en projetant ses occupants sur plusieurs mètres.

Un nuage de poussière dessina un champignon au-dessus de l'épave tandis que les voiles continuaient de voler sans aucune charge au bout des cordages. Elles prirent de l'altitude et devinrent rapidement des points sur le ciel bleu.

Les trois adolescents étaient étendus, inconscients.

Au pied des contreforts sud de la Forêt Aveugle.

Sur les terres de Malronce.

DEUXIÈME PARTIE

Le royaume urbain

19

Filature

Tobias revint à lui à cause de la douleur.

Son flanc gauche l'élançait vivement. Il ouvrit les yeux et constata tout d'abord qu'il n'était plus dans l'embarcation. Ce qu'il en restait gisait dix mètres plus loin, répandu parmi les rochers. Ambre et Matt étaient invisibles.

Il allait se relever lorsqu'une vive douleur lui arracha un gémissement.

Un long morceau de bois était planté au-dessus de sa hanche. Tobias manqua de s'évanouir en le voyant pendre ainsi avec l'auréole de sang qui maculait ses vêtements ; il parvint à se reprendre en respirant profondément. D'une main il tira sur le pieu et de l'autre il appuya sur la plaie. La pointe très effilée était heureusement peu enfoncée. Il lui fallait néanmoins nettoyer la blessure.

D'abord les copains !

Tobias laissa son sac à dos sur place et fouilla les débris à la recherche de ses deux amis. Il trouva Matt inconscient, dans l'herbe, et Ambre un peu plus loin, tous deux couverts d'ecchymoses et de griffures. Ils reprirent leurs esprits tandis qu'il leur faisait couler un peu d'eau sur le visage, et chacun de constater les dégâts.

— Une sacrée veine qu'on s'en soit sortis avec trois fois rien ! s'étonna Matt.

Tobias souleva son tee-shirt et dévoila la vilaine plaie qui saignait beaucoup.

— Parlez pour vous ! Je crois que je vais m'évanouir !

Matt examina la blessure et se rassura en constatant qu'elle n'était que superficielle.

— Ambre, tu peux me passer la trousse d'urgence ? dit-il. Il ne faudrait pas que cela s'infecte.

Il terminait à peine de poser le pansement, quand Ambre désigna une colonne de fumée dans le ciel.

— On dirait qu'il se passe quelque chose derrière cette colline.

— Restez là, je vais aller jeter un coup d'œil.

Pendant que Matt gravissait le monticule à grandes enjambées, Tobias et Ambre rassemblèrent leurs affaires.

Ils virent Matt redescendre à toute vitesse.

— Nous avons de la visite ! Une patrouille cynik, faut vite se planquer ! lança-t-il.

Ils eurent le temps de courir à l'abri d'un massif de ronces et de s'enfoncer dessous en rampant. Sous un pareil labyrinthe d'épines, personne ne pouvait les remarquer.

— Qui était le dernier ? demanda Tobias. C'était toi Matt, non ? Tu as pensé à effacer les traces au sol ? Qu'ils ne nous suivent pas jusqu'ici !

— T'en fais pas.

Cinq cavaliers noirs surgirent, lances à la main. Ils sillonnèrent toute la zone de l'accident en sondant les débris.

— On dirait bien un bateau ! s'exclama l'un d'eux.

— Qu'est-ce qu'il fait ici ? Il n'y a pas de rivière à moins de dix kilomètres !

— Il n'est pas entier, ce sont des fragments ! s'étonna un troisième. C'est un de ces navires qui volent ! Comme celui qu'une patrouille a croisé le mois dernier ! Ces satanés gamins aux cheveux verts et aux yeux étranges. Les démons de la forêt !

— Où sont les corps alors ? S'il s'est écrasé, il y a forcément des corps ! Ils n'ont pas pu survivre tout de même ?

— Qu'est-ce que j'en sais moi ? T'as qu'à descendre de ton cheval et explorer ce qui reste de l'épave ! Les autres, avec moi !

On va faire le tour par le sommet de la colline, et vérifier qu'ils ne sont pas tombés dans la plaine, allez !

Les chevaux se lancèrent au galop pendant que le soldat cynik fouillait les décombres. Ses compagnons ne tardèrent pas à le rejoindre.

— Personne de ce côté. Viens, on retourne à la caravane.

— C'est tout ? Peut-être qu'ils sont dans les contreforts de la forêt, si on se dépêche on pourra les rattraper !

— Pas le temps, il faut rentrer à Babylone avec notre cargaison.

Sur quoi il éperonna son cheval et avec ses hommes rebroussa chemin.

Lorsqu'ils eurent disparu, l'Alliance des Trois rampa hors de sa cachette en s'époussetant.

— Si nous les suivons, à bonne distance bien sûr, ils nous conduiront à l'une de leurs villes, proposa Ambre.

— C'est drôlement risqué ! fit Tobias en frissonnant.

Matt approuvait déjà l'idée de la jeune femme et il se mit en route aussitôt.

Parvenus de l'autre côté de la colline, ils virent toute une caravane de chevaux, de chariots tirés par des ours et une cinquantaine d'hommes à pied. Des étendards noir et rouge flottaient au-dessus des roulottes pleines de ballots. Après une minute, les Cyniks se remirent en route, soulevant dans leur sillage un long panache de poussière brune.

L'Alliance des Trois attendit que la caravane ne soit plus qu'une ligne noire au loin, puis ils se lancèrent à sa suite, se servant de l'empreinte éphémère laissée dans le ciel comme d'un guide. Leurs corps étaient douloureux, les maux de tête s'intensifièrent avec les heures de marche, cependant aucun des adolescents ne se plaignit, trop concentrés qu'ils étaient sur l'horizon.

La surprise fut grande lorsqu'ils entrèrent dans un champ de coquelicots flamboyants qui couraient sans fin, l'écume rouge de cette mer dansant avec le vent sous l'azur des cieux ; c'était un spectacle somptueux qu'ils ne s'étaient pas attendus à voir sur des terres qu'ils imaginaient mornes et arides.

À vrai dire, ils ignoraient tout de cet endroit, des mœurs de ces adultes barbares. Vivaient-ils dans des cités ou des campements ? Étaient-ils seulement capables d'ingéniosité hors du domaine de la guerre ? Y avait-il des femmes parmi eux ? Des… enfants ?

En fin de journée la caravane s'immobilisa et plusieurs feux apparurent pour le bivouac. L'Alliance des Trois s'installa à son tour, sur le flanc d'un coteau, à l'abri d'une dépression. Ainsi protégés, ils purent eux aussi allumer un feu et cuire un peu de viande qu'ils avaient pris au Nid.

À la lueur des flammes, ils reprisèrent leurs vêtements déchirés par le crash. Tobias nettoya sa blessure, et Matt en profita pour ôter son gilet en Kevlar qui lui pesait. Au moment de se coucher, l'absence de Plume se fit plus vive encore. Matt aimait s'endormir et se blottir contre sa chienne au cœur de la nuit. Il se demanda si le vide qu'elle laissait disparaîtrait un jour, s'il parviendrait à l'oublier. Il ferma les paupières en écoutant hululer un hibou tout proche.

C'était leur première nuit en pleine nature après une semaine de lits confortables, et malgré leurs duvets moelleux, le sol dur et l'humidité nocturne perturbèrent leur repos.

Au petit matin, Ambre s'était absentée, elle revint déçue de n'avoir trouvé aucun point d'eau pour ses ablutions et ils reprirent leur marche dès que la colonne de fumée apparut dans le ciel.

En fin de matinée, leurs pieds les faisaient souffrir et leurs sacs à dos semblaient peser une tonne sous le soleil étincelant. Ils s'étaient habitués à la température fraîche du Nid, tout là-haut au sommet de la Forêt Aveugle, oubliant que dans la plaine c'était l'été. Ils suaient abondamment, buvaient beaucoup, et les réserves d'eau s'épuisaient.

Depuis plusieurs kilomètres ils marchaient sur ce qui ressemblait à une piste : l'herbe était écrasée quand elle n'était pas remplacée par de la terre craquelée. De fréquents passages avaient creusé un mince sillon qui traversait des bois, des plaines de hautes fougères et grimpait à flanc de colline. La variété des fleurs éblouissait la petite troupe, étincelantes de couleurs vives au spectre large, toutes les nuances du cyan, du bleu-vert au violet, s'égrenaient au fil de leur marche, mélangées au pourpre, au jaune et à l'orange ; une vraie palette de peintre lançait ses arômes doux que le soleil intensifiait encore.

Tobias avançait en tête, les pouces sous les sangles de son sac à dos, une brindille coincée entre les lèvres, l'arc se balançant derrière lui au rythme des foulées. Comme le bon petit scout qu'il avait été autrefois. Matt enviait son détachement apparent, presque de la nonchalance.

C'est une façade, songea-t-il, *Toby est un anxieux de nature… Il avait tout pour être bien sur l'île Carmichael, et pourtant il est là, dans cette galère avec moi, parce que je suis son ami, parce que je suis tout ce qu'il lui reste de son ancienne vie rassurante…*

Matt prit soudain conscience que s'il venait à disparaître, Tobias n'aurait plus rien. Il se rattachait à lui comme à une bouée au milieu de cet océan gigantesque où il se savait perdu.

Si je meurs, que fera-t-il ?

Matt ne songeait pas souvent à la mort. Encore moins à la sienne. C'était étrange à vrai dire. S'imaginer mourir encore, mais mort ! Fini, le néant… *Et s'il y avait une vie après ? Un paradis, un enfer ? Non…* Il n'y croyait pas. La vision de la Bible lui semblait bien trop simpliste pour ce monde si complexe. Elle n'était qu'un moyen de canaliser les peurs de vivre, et de mourir. Comment disaient les adultes déjà ? *Un anxiolytique ! Voilà ce que c'est !*

Pourtant, maintenant qu'il y réfléchissait, Matt réalisait que l'humanité, en créant ses civilisations, avait évolué, jusqu'à élaborer une mémoire et une projection de l'avenir. Et donc un but. *Alors c'est l'homme qui a donné un sens à sa vie, pas Dieu !*

Matt ne parvenait pas à imaginer qu'un Dieu puisse avoir tout préparé, depuis le singe jusqu'à aujourd'hui. *Quel gâchis ce serait pour toutes les générations qui ont été avant l'avènement de la civilisation…*

Puis il songea à l'héroïsme qu'il aimait tant.

C'était exactement cela. Donner un but à son existence. Être prêt à tous les sacrifices pour accomplir sa quête. L'héroïsme était-il une autre réponse de l'homme face au vide de son existence ? Une autre solution alternative à la religion ? Bien que compatible également…

Que s'était-il passé ce jour de décembre où tout avait basculé ? Un Dieu était-il derrière tout cela ? L'hypothèse de la Nature toute-puissante lui plaisait. Il se souvint tout à coup d'Ambre sur l'île, qui lui avait demandé d'être plus respectueux des croyances de chacun.

Je crois que c'est elle qui a raison. La Terre nous a donné naissance d'une certaine manière, nous étions une sorte de… d'expérience, un véhicule pour propager ce qu'elle est par essence : la vie. Et lorsque nous nous sommes mis à dévier de ce pour quoi nous étions faits, lorsque nous nous sommes mis à devenir une menace pour la vie plus qu'un moyen de la répandre, alors la Terre, la Nature, nous a corrigés violemment. Il y a eu des avertissements, les changements climatiques, les catastrophes naturelles à répétition. Nous n'avons pas écouté. Elle s'est énervée une bonne fois pour toutes. Maintenant, il faut repartir sur de bonnes bases, nous avons une seconde chance, il ne faut pas la manquer !

Soudain il se demanda ce qu'il adviendrait de l'humanité, du moins ce qu'il en restait, si la guerre entre Cyniks et Pans persistait ?

Et si c'était une sorte de gigantesque test ?

Ne pas parvenir à s'entendre signifierait une autre Tempête. La dernière.

Matt en était là de ses interrogations, absorbé par ses pensées et par la marche forcée, lorsque Tobias s'immobilisa tout net avant de se précipiter vers ses camarades pour les pousser sur le bas-côté.

— Planquez-vous ! s'écria-t-il en sautant dans un fourré.

À peine étaient-ils dissimulés que deux chevaux surgissaient du virage au galop, portant des soldats en armures noires. Tobias attendit une bonne minute après leur passage pour ressortir.

— Je crois qu'il y a une ville derrière cette forêt, venez !

Il retourna au sommet de la butte d'où il avait aperçu le danger et pointa du doigt la vallée.

— Incroyable ! s'exclama-t-il. Incroyable !

Ambre et Matt le rejoignirent pour contempler une rivière traversée par un pont de pierre.

Une cité faite de torchis blanc et de bois s'étendait au-delà, des habitations basses à l'exception d'un complexe néogothique qui ressemblait à plusieurs églises.

— C'était une université, pensa Ambre à voix haute. Avant la Tempête. Les Cyniks ont bâti leur cité autour.

Une seconde rivière, plus large que la première, coupait la ville en deux. Un grand bateau mouillait au port. De son côté, la plus haute tour de l'université avait été modifiée pour y ajouter de longues structures en bois ressemblant à des quais suspendus dans les airs.

Les Cyniks étaient bien plus inventifs qu'ils ne l'avaient imaginé.

Et partout sur la ville, flottait le drapeau noir et rouge de la Reine Malronce.

20

Un plan qui divise

Ambre, Tobias et Matt avaient fait le plein d'eau au bord de la rivière et avaient attendu qu'il n'y ait plus personne en vue pour traverser le pont de pierre en direction de la cité. À moins de cinq cents mètres ils débusquèrent un poste d'observation idéal. Aussi s'installèrent-ils dans un large trou, entre des racines et des arbustes en fleurs. De là ils pouvaient surveiller l'accès principal à la ville.

Les Cyniks avaient sorti de terre cet endroit avec beaucoup de célérité et d'application. Un mur d'enceinte haut de cinq mètres la protégeait totalement. Matt supposait que c'était davantage un rempart contre les prédateurs que pour se mettre à l'abri d'une guerre. Les maisons, pour ce qu'il en avait aperçu, étaient étroites et hautes, des façades blanches aux poutres de la structure apparentes, coiffées de toits pointus et garnis de cheminées. Tout cela ressemblait beaucoup à une ville du Moyen Âge.

Des gardes discutaient sous l'arche de l'entrée, ne prêtant pas de réelle attention aux gens qui circulaient dans les deux sens, pas plus qu'aux marchandises transportées par des carrioles grinçantes tractées par des ânes, des chevaux et parfois des ours.

— Il faut trouver un autre endroit pour entrer, fit Matt, c'est trop risqué, même s'ils ne sont pas vigilants.

Ambre le considéra attentivement.

— Matt, je peux te demander ce que tu espères trouver ici ? demanda-t-elle.

— Des réponses à nos questions.

— Mais nous sommes des Pans ! Jamais ils ne nous laisseront approcher !

— Nous sommes assez grands pour passer pour des adultes, il suffira de dissimuler nos visages sous nos capuches.

— Rappelez-vous Colin, intervint Tobias, c'était un Pan et pourtant les Cyniks l'ont accepté.

— Les adolescents qui sont sur le point de devenir adultes, dit Matt, les Cyniks les acceptent certainement.

— Tu crois qu'en grandissant on va tous devenir des Cyniks ? s'angoissa soudain Tobias.

— Je n'espère pas !

Ambre se pencha pour mieux distinguer les portes de la ville :

— Regardez ! Des Pans !

Cinq petites silhouettes portant des seaux de bois sortaient, la démarche traînante, accompagnées par un Cynik. Quelque chose dans leur attitude clochait. L'absence de vie dans leur regard, les expressions figées de leurs traits, ils ne se comportaient pas comme des enfants prisonniers, mais plutôt comme des marionnettes dociles.

Matt remarqua alors la chaînette qui reliait la ceinture du Cynik à chacun des enfants et disparaissait dans les plis de leurs chemises sales.

Ils passèrent non loin de l'Alliance des Trois et allèrent remplir leurs seaux à la rivière avant de revenir, sous l'œil attentif de leur geôlier. Le dernier Pan n'avançait pas très vite et cela déplut fortement au Cynik qui s'approcha de lui en soupirant.

— Tu vas encore geindre ? s'énerva-t-il. Avance, fichu gamin !

Sur quoi il lui décocha une gifle sur l'arrière du crâne que l'enfant encaissa sans broncher.

Matt se redressa, tous les muscles de son corps prêts au combat. Il allait mettre ce Cynik en pièces.

Tobias et Ambre l'attrapèrent pour le ramener sous la protection des feuillages.

— Ça ne va pas ! s'emporta Ambre. Tu veux nous faire tuer ? Les gardes pourraient entendre !

Sa colère retomba aussitôt et il réalisa qu'il avait perdu tout contrôle. La violence du Cynik l'avait rendu ivre de rage, lui qui avait désormais la force de leur tenir tête. Cela lui fit peur. Était-ce la rançon de tout le sang qu'il avait versé ? La violence dont il avait dû faire preuve pour se défendre au fil des semaines l'avait-elle contaminé ?

Non, je suis fatigué et un peu impulsif, c'est tout..., tenta-t-il de se rassurer.

Ils restèrent là à observer, une heure durant, avant d'établir leur stratégie : attendre l'aube pour entrer couverts de leur manteau à la capuche relevée. Avec la chaleur de l'après-midi, ils ne pouvaient se vêtir ainsi sans éveiller la méfiance des gardes. Si par malheur ils étaient interrogés, ils prétexteraient être de nouveaux Cyniks ayant trahi leur clan Pan. Il fallait croiser les doigts pour que ce plan fonctionne.

Profitant de cette pause inespérée, chacun se reposa, se massant les pieds, mangeant un morceau de viande séchée ou ce qui ressemblait à du pain de couleur verte. La nuit tomba et sa fraîcheur bienvenue leur permit de s'endormir rapidement.

Au petit matin, avant même que l'est ne blanchisse, Ambre réveilla ses compagnons. Ensemble, ils se rapprochèrent par la forêt qui cernait le rempart pour n'être plus qu'à quelques dizaines de mètres de la guérite d'entrée.

Les portes étaient ouvertes, encadrées par deux gardes de faction dont un qui semblait somnoler sur un tabouret.

Tandis qu'ils attendaient les premiers rayons du soleil, Ambre finit par remarquer les affiches jaunies qui ornaient l'arche sous le rempart. À cette distance, elle ne pouvait les distinguer clairement, aussi se concentra-t-elle sur son altération. Elle se savait capable de le faire. Lorsque Tobias tirait ses flèches, elle réussissait à les guider sur de bonnes distances. Sauf que cette fois il fallait procéder en sens inverse, parvenir à *percevoir* un objet à distance pour le faire venir à elle, ce qui n'était pas une mince affaire.

Après plusieurs minutes de focalisation et d'essais infructueux, elle parvint à décoller un coin, puis un autre, de l'affiche qui glissa le long du mur jusqu'au sol. Personne autour ne l'avait remarqué.

Au prix d'un nouvel effort, elle la fit flotter laborieusement entre les jambes d'un garde, jusque dans l'herbe. Les trente derniers mètres furent brusquement plus faciles et l'affiche traversa au ras du sol jusqu'à venir se poser dans la main ouverte d'Ambre.

— Pourquoi tu ne m'as pas demandé mes jumelles ? s'exclama Tobias.

— Comment veux-tu que je progresse avec mon altération si je ne m'entraîne pas ?

— Qu'est-ce que c'est ? s'enquit Matt.

— Je l'ignore mais il y en a plein les murs de l'entrée, dit-elle en déroulant le papier parcheminé.

Le visage de Matt apparut en noir et blanc. Un dessin très réaliste accompagné d'un texte manuscrit :

« Par ordre de la Reine, il est déclaré que toute personne qui croisera ce garçon devra en faire rapport aussitôt aux autorités de Son Altesse Sérénissime. Quiconque apportera le moyen de le localiser sera généreusement récompensé. »

— Mince, pesta Tobias, ça se complique.

Matt secoua la tête.

— C'est fichu ! Je ne peux pas entrer avec ça placardé en ville !

— On ne change rien au plan sinon que tu nous attends là, annonça Ambre.

Matt commença à faire signe qu'il n'était pas d'accord et Ambre pointa sur lui un doigt menaçant en ajoutant d'un ton autoritaire :

— Vous m'avez promis de m'écouter, alors je vous le dis : cette ville est en effet l'occasion d'en apprendre plus, avant de pouvoir rentrer chez nous. Ici, nous pourrons glaner toutes les informations que nous espérons. Tobias et moi allons nous y rendre, pendant ce temps, tu vas nous attendre et nous promettre de ne rien faire d'idiot !

— Je ne suis plus un gamin, répliqua Matt, vexé, inutile de me dire ce que je dois faire.

Tobias sentit la tension monter et préféra ne pas se mêler de la conversation qui, de toute façon, en resta là. Ils patientèrent une heure encore. Les lanternes furent éteintes, des lampes alimentées par de la graisse animale, qui produisait une flamme d'un jaune tirant sur le rouge. Les premiers passants apparurent dans la fraîcheur de l'aube : un homme tirant une vache fatiguée, puis deux types poussant des brouettes en bois.

Ambre et Tobias enfilèrent leurs manteaux à capuche et Ambre s'adressa à Matt :

— On se retrouve là où nous avons dormi, tu y seras plus

en sécurité. Attends-nous jusqu'à ce soir. Si nous ne sommes pas revenus d'ici là, c'est que nous sommes capturés ou pire. Ne tente rien pour nous, mieux vaut deux pertes que trois.

— Ne dis pas ça.

Ambre le fixa un instant, sans que Matt puisse déterminer le sentiment qui animait la jeune fille. Puis elle s'élança dans la lumière blanche des premiers rayons du jour, aussitôt talonnée par Tobias qui eut à peine le temps de saluer son ami.

Matt les vit approcher les grandes portes sous le regard méfiant d'un soldat. Ils allaient entrer lorsque celui-ci s'approcha d'eux.

Son baudrier se décrocha tout seul au même moment et s'effondra sur ses pieds, lui arrachant un cri de douleur tout autant que de colère. Le soldat s'accroupit et du coup les ignora pendant qu'ils franchissaient l'arche.

C'est un coup d'Ambre ça, j'en suis certain ! se félicita Matt.

Ambre et Tobias étaient dans la place forte.

Ce fut tout ce qu'il put voir avant qu'ils ne disparaissent dans le dédale des rues.

21

Une boutique pas comme les autres

Les rues, bien qu'étroites, étaient occupées par des étals que des marchands recouvraient de fruits, d'objets travaillés dans le cuir ou le bois, et de vêtements tressés. Le marché s'installait avec le soleil qui remplaçait progressivement les lanternes à graisse. L'odeur de viande grillée se répandait dans les ruelles puis celle plus sucrée du miel chaud. Les vendeurs constituaient encore l'essentiel de la population à cette heure matinale et ils discutaient fort entre leurs présentoirs, riant ou râlant pour un rien.

Ambre et Tobias progressaient avec précaution au milieu de cette foire de bruits et d'odeurs. Voir les Cyniks ainsi était rassurant, sans leurs armures d'ébène et leur obsession de capturer ou tuer les Pans. Pendant un moment, les deux adolescents auraient pu croire qu'ils étaient des adultes normaux, un jour de marché, et que tout allait finalement s'arranger.

Puis ils virent une femme, la première depuis la Tempête, et cela leur fit un choc. Plus grand encore lorsqu'ils la virent tenir en laisse un enfant de dix ans à peine. Plutôt qu'une vraie laisse en corde, c'était une chaînette en acier, reliée à un bracelet de cuir au poignet de la femme. La chaîne s'enfonçait sous la blouse de l'enfant, et, tandis qu'il marchait, celle-ci s'ouvrit un peu au niveau de son ventre. Les deux Pans contemplèrent l'horreur.

La chaînette se terminait par un anneau noir qui mordait les chairs au niveau du nombril tout gonflé.

Était-ce ce qui les rendait si amorphes ?

La femme faisait ses courses et tout ce qu'elle achetait elle le donnait à porter à l'enfant qui tendait les bras sans réaction.

— On dirait un petit zombie, fit Tobias tout bas en frissonnant.

— Viens, ne restons pas là, ça me dégoûte.

Les rues commençaient à se remplir, Ambre et Tobias se sentaient de mieux en mieux, ainsi noyés par la foule. Plusieurs fois, ils croisèrent des affiches à l'effigie de Matt. N'y tenant plus, Tobias arrêta un passant, lui désigna le portrait et demanda d'une voix qu'il tenta de rendre plus grave :

— Hé ! Sais-tu ce qu'elle lui veut, la Reine, à ce garçon ?

L'homme fronça les sourcils, et tenta d'apercevoir le visage qui lui parlait sous cette capuche obscure.

— C'est la Reine, non ? répondit-il en levant les épaules. Elle fait ce qu'elle veut !

Tobias lança un grognement qui se voulait une approbation et ils s'éloignèrent, bien trop tremblants pour insister.

— Nous allons finir par nous faire repérer, augura Tobias.

— Pas si nous nous en tenons au plan ! Tiens-toi droit et masque la peur dans ta voix. Il faut trouver une auberge ou un établissement de ce genre, pour écouter les conversations.

— Et comment on paiera ? Tu as vu, ils s'échangent des petites pièces ! Ils ont déjà mis au point toute une économie avec de l'argent !

— Et ça te surprend venant des adultes ? Pour l'auberge, suffira de ne pas consommer. Allez, viens.

Ils marchaient en direction de l'université depuis cinq minutes à peine quand Tobias trouva encore à se plaindre :

— N'empêche, on aurait dû laisser nos sacs à Matt, on n'est pas discrets ! Et puis mon arc, ça fait une arme, je sens que ça ne leur plaît pas…

— Tais-toi un peu, tu veux ? Et n'oublie pas que nous sommes des voyageurs, notre équipement contribue au rôle !

— Désolé, c'est quand je stresse, je parle beaucoup.

Une corne de brume résonna dans toute la ville et une partie des promeneurs prit la même direction, que Ambre et Tobias décidèrent de suivre. Ils parvinrent à une grande place pavée où plus de trois cents personnes s'étaient rassemblées. Une avenue partait en direction d'une haute porte dans l'enceinte extérieure. Trois immenses cages en bambou venaient de passer entre les murs de la muraille pour remonter en direction de la place. Des dizaines d'ours tiraient ces étranges charrettes s'élevant à près de dix mètres. Tobias et Ambre reconnurent les cages à Pans. Rondes et remplies d'enfants apeurés.

— Les Ourscargots ! s'enthousiasma la foule. Les Ourscargots !

Une cinquantaine de soldats en armure noire les encadraient.

Le convoi s'immobilisa au milieu de la foule et les cages furent ouvertes par les militaires qui forcèrent les enfants à entrer dans un grand bâtiment sans fenêtre – sa façade s'ornait des mêmes drapeaux rouge et noir que partout en ville avec en plus une pomme argentée au centre. Parmi les Pans, il y avait des fillettes de moins de cinq ans, des garçons qui pleuraient à chaudes larmes et même quelques-uns qui semblaient méchamment blessés. Et pourtant nul ne s'en souciait. On les poussait sans ménagement dans ce lieu éclairé par des lanternes malodorantes avant que la porte ne se referme brutalement.

Combien y en avait-il ? se demandait Tobias. *Au moins cent prisonniers !*

Comme la foule ne semblait pas bouger, attendant autre chose, Ambre et Tobias firent de même. La porte finit par se rouvrir après de longues minutes et les enfants ressortirent, un par un, entièrement nus, en sanglotant. On les conduisit sur l'estrade qui surplombait la place et là débuta une vente aux enchères pour acquérir chaque Pan.

Ambre et Tobias étaient écœurés.

Une trentaine d'enfants de cinq à treize ans furent ainsi partagés dans la foule. On les présentait comme du bétail, vantant leur jeune âge qui garantissait des années de bons services, leur force, leur gabarit frêle pour des travaux particuliers, jusqu'à ce que le dernier soit attribué.

Le pire restait à venir.

Une fois payé, chaque esclave était amené de force vers une roulotte d'où s'échappaient une fumée grise et une odeur de soufre. Là, deux hommes musclés et gras le tenaient fermement pendant qu'un troisième, aux dents pourries, venait enfoncer une longue pince brûlante dans le nombril de l'enfant. Les pinces se refermaient d'un coup et plantaient un petit anneau noir dans les chairs sous les cris de souffrance de la pauvre victime.

Curieusement, les râles s'interrompaient dans la minute, avec la pose de l'anneau. La vie semblait quitter le petit visage déformé par la peur et la douleur et les larmes cessaient. Une chaînette était clipsée dans l'anneau et le propriétaire repartait avec son domestique au bout de sa laisse.

Le Cynik qui opérait comme commissaire-priseur termina la vente par :

— C'est tout pour aujourd'hui, les autres doivent rester pour de plus amples analyses afin de servir la Quête des Peaux. Je vous invite à revenir demain matin, et gloire à notre Reine Malronce !

Une bonne partie de la foule rassemblée reprit « Gloire à notre Reine » en chœur avant de se dissiper.

— Je crois que je vais vomir, murmura Ambre en s'éloignant.

— Ils sont devenus fous. Totalement déments, conclut Tobias en séchant discrètement ses joues humides.

Ils approchaient d'une zone très fréquentée lorsque Tobias demanda à Ambre :

— C'est quoi la Quête des Peaux d'après toi ?

— Avec ce que j'ai vu ce matin, j'imagine le pire. Trouvons une auberge et quittons cet endroit de malheur !

Ils finirent par repérer une enseigne en lettres enchevêtrées *Taverne Mousse&bœuf* cependant Tobias s'arrêta au milieu de la rue.

— Qu'est-ce qui ne va pas ? s'alarma Ambre.

Tobias bifurqua vers une devanture poussiéreuse aux vitrines opacifiées par la crasse.

— Je connais cette boutique ! dit-il, presque joyeux.

— *Au Bazar de Balthazar*, lut Ambre tout haut.

— J'y suis déjà allé ! À New York ! Avec Matt et Newton ! Viens, il faut vérifier si c'est bien le même !

Un an plus tôt Tobias aurait donné tout ce qu'il possédait pour ne pas avoir à franchir cette porte et voilà qu'aujourd'hui il s'empressait d'y pénétrer, plein d'espoir. D'une certaine manière, l'échoppe constituait un lien avec son passé. Une preuve que cette autre vie n'était pas un rêve, qu'elle avait bien existé, *avant*.

Tobias entra le premier, il reconnut cette atmosphère mystérieuse et cette odeur de renfermé. Les rayonnages avaient changé, tout comme les articles en vente, il y avait beaucoup de vieux livres désormais, et énormément d'objets d'autrefois : briquets, pochettes d'allumettes, lunettes en tout genre, couteaux de toutes tailles, couvertures, vaisselle, un lavabo en porcelaine, des fenêtres en aluminium, des caisses à outils remplies... Partout où il posait les yeux, Tobias découvrait des fragments de leur ancienne existence.

Balthazar était au fond de son échoppe, accoudé à un comptoir en zinc. Il releva la tête vers ces deux clients encapuchonnés et ses sourcils broussailleux se contractèrent.

C'était toujours le même. Avec son visage creusé, ses touffes de cheveux blancs au-dessus des oreilles, son long nez fin et son regard perçant au travers de vieilles lunettes.

En le voyant, Tobias songea à une expression que Newton, son ami, employait tout le temps dans ce genre de situation : « T'as pas une gueule de porte-bonheur ! » qui faisait référence à l'un de leurs films préférés : *Predator*. Cela l'amusa avant que la mélancolie ne l'envahisse.

Qu'était-il advenu de Newton depuis la Tempête ? Était-il vraiment... mort ? s'interrogea Tobias.

— C'est pour quoi ? voulut savoir Balthazar de sa voix éraillée.

Tobias approcha assez près pour ne pas avoir à crier mais resta assez loin pour que son visage soit flou dans la pénombre. Pour une fois, il trouvait la couleur de sa peau bien pratique.

— Vous êtes le vieux Balthazar qui était à New York, pas vrai ?

— New York ? Qu'est-ce que c'est ? fit le vieux bonhomme.

Tobias et Ambre échangèrent un bref regard. Les Cyniks avaient-ils perdu la mémoire de leur ancienne vie ?

— Avant d'avoir votre boutique ici, où étiez-vous ? insista Tobias.

— J'ai toujours été ici, depuis le Cataclysme ! Qui êtes-vous pour poser pareille question ?

— Pardonnez-nous, nous ne sommes pas de cette région.

Nous venons de l'Ouest, improvisa Tobias. Et nous souhaitons nous rallier à vous.

— Vous n'avez pas vu les Brasiers du Rassemblement ?

— Non, de quoi s'agit-il ?

— Environ deux mois après le Cataclysme, d'immenses colonnes de fumée sont apparues dans le ciel, pendant plusieurs semaines. Chaque survivant ou groupe de rescapés du Cataclysme s'est dirigé vers ces feux. C'était la Reine Malronce qui les avait allumés. C'est elle qui nous a guidés. Ça ne vous dit rien ?

— Non, nous ne savons rien de tout cela dans l'Ouest, inventa Tobias.

Le vieillard, content d'enfin partager quelques mots, enchaîna :

— Elle nous a expliqué qu'un terrible mal nous avait frappés à cause de nos erreurs passées, de nos péchés. Elle nous a montré la voie à suivre pour survivre. C'est elle qui nous a révélé que les enfants étaient la cause de nos maux !

— Les enfants ? répéta Ambre incrédule. Comment ça ?

— C'est par leur faute que tout ça s'est produit ! Leur insouciance, leurs caprices, leurs excès ! Tout cela nous a menés vers le chaos ! Pour plaire à nos enfants, nous avons toujours voulu plus, toujours fait plus, jusqu'à aboutir au Cataclysme !

— Mais les enfants n'y sont pour rien ! s'indigna Ambre.

— Bien sûr que si ! La Reine le sait ! Elle fait des rêves vous savez… Elle a vu l'avenir.

— Quel avenir ? La Quête des Peaux, c'est ça ? voulut savoir Tobias.

Balthazar parut tout à coup méfiant. Il pencha la tête pour mieux distinguer ses visiteurs.

— Dites-moi, quel âge avez-vous ? demanda-t-il, soupçonneux.

Ambre ne se démonta pas et fit un pas en avant en abaissant sa capuche pour dévoiler son visage.

— Je vais sur mes seize ans, dit-elle. Mais soyez rassuré, nous ne sommes pas comme tous ces enfants, nous avons décidé de nous joindre à vous, car vous êtes dans le vrai. Il n'y a pas de futur à rester parmi les Pans.

Balthazar acquiesça largement.

— Ah! Vous avez atteint l'âge de raison! C'est une bonne chose, n'est-ce pas, que de recouvrer la vue après une longue période d'aveuglement!

— C'est quoi l'âge de raison? interrogea Tobias avec moins d'assurance que Ambre.

— Ce que tu viens de vivre, garçon! Quand un adolescent prend enfin conscience des enjeux de la vie, il franchit un cap, il prend ses responsabilités et devient l'un des nôtres. Chaque semaine, des jeunes hommes et des jeunes filles comme vous parviennent jusqu'à nous, trahissant leur clan, en ouvrant enfin les yeux.

— Colin…, murmura Tobias.

Balthazar semblait capable de prouesses extraordinaires car il releva malgré la distance:

— Colin? Oui, je connais un jeune garçon de ce nom qui a récemment quitté son clan.

Ambre et Tobias se jetèrent un nouveau coup d'œil furtif.

— Un châtain aux cheveux longs avec plein de boutons? fit Tobias.

— Je crois que cette courte description lui correspond bien!

— Ah oui? Et vous savez où on peut le trouver? questionna Ambre.

— Pour être accepté parmi nous, vous devrez prouver votre utilité. Lui a promis qu'il livrerait tout un clan à nos troupes. Il a échoué aussi il aurait dû être banni, pourtant un homme dans cette ville prend sous son aile les adolescents refusés.

— Comment s'appelle-t-il?

— Vous ne devriez pas l'approcher, croyez-moi, c'est un personnage que nul ne devrait côtoyer! Nous l'avons surnommé le Buveur d'Innocence. Il vit dans la haute tour de pierre, au centre de la ville. Mais si c'est Colin que vous cherchez, allez donc à la taverne en face, il s'y trouve presque tous les jours quand le Buveur n'est pas en ville.

Tobias s'approcha à son tour :

— Vous n'avez vraiment aucun souvenir de votre passé ?

Balthazar se frotta les mains sous le menton, intrigué par ce curieux promeneur.

— Pourquoi donc, mon petit ?

— Je… Je me demande, c'est tout.

— Non, aucun souvenir. Maintenant sortez de ma boutique. Vous êtes nouveaux en ville, des jeunes de surcroît, vous devez aller vous signaler au Ministère de la Reine dès à présent, c'est une obligation sans quoi vous pourriez être arrêtés. C'est au cœur de la ville, les vieux bâtiments, ceux qui ressemblent à un château.

Ambre le remercia et tira Tobias en arrière pour le faire sortir. Sur le seuil, le vieux Balthazar leur lança :

— Je devrais rapporter aux autorités votre présence en ville, vous savez ! Mais je n'en ferai rien. Je vous fais confiance. Maintenant hâtez-vous de légaliser votre situation ou fuyez cet endroit !

Et tandis qu'ils sortaient dans la rue, Tobias crut voir les yeux du vieil homme devenir jaunes, avec une longue pupille noire verticale, comme un serpent ! Il leur adressa un clin d'œil et la porte se referma.

22

Une vieille connaissance

Ambre était assise sur un banc en pierre, l'air dévastée.

— C'est inéluctable, dit-elle d'un ton triste. En grandissant, nous allons tous changer jusqu'à rejoindre le camp des Cyniks.

Tobias se laissa choir à côté d'elle et se permit de la prendre par les épaules :

— C'est pas sûr ! Regarde-nous, malgré tout ce que nous traversons, nous ne nous sentons pas du tout proches d'eux ! Et pourtant, je pense pouvoir affirmer que côté maturité nous ne sommes pas les derniers !

— Si tu veux mon avis ça va plus loin que la maturité, c'est aussi… physique.

— Comment ça ?

— L'attirance, Toby ! Le désir ! Ces choses qui commencent à nous tirailler, j'ai peur que cela nous éloigne des autres Pans, plus jeunes, et qu'on finisse par ne plus se sentir en harmonie avec eux. La sexualité bouleverse notre équilibre interne, et si les hormones nous font peu à peu dévier vers les Cyniks alors il n'y a aucun espoir parce qu'on ne peut lutter contre cette évolution normale de chacun de nous !

— Je ne crois pas que ce soit seulement ça, parce que… moi par exemple, il m'arrive des fois de faire des rêves un peu… tu vois ce que je veux dire ? Eh bien c'est un truc de garçon, ça fait déjà pas mal de temps que j'y pense tu vois ? Et… euh… enfin je n'ai pas l'impression que ça me fait virer du mauvais côté, tu comprends ?

Ambre hocha la tête doucement.

— Et puis, ajouta Tobias, on dit bien que certains adultes sont de grands gamins ! Si on cultive cette insouciance, peut-être qu'on pourra se préserver ! Franchement, tu te sens proche des Cyniks, toi ? Tiens, on va se faire une promesse, si l'un des membres de l'Alliance des Trois commence à basculer, les autres devront le remettre sur le droit chemin ! OK ? Allez, reprends-toi, ça ne te ressemble pas d'être aussi abattue ! Je crois que nous devrions aller trouver Colin pour lui parler.

— C'est risqué, il nous a déjà trahis une fois, il pourrait recommencer.

— Oh, sois certaine que jamais plus je ne lui ferai confiance ! Il a tué l'oncle Carmichael ! Et il a fomenté l'assaut de l'île avec les Cyniks, rien que pour ça je préférerais le savoir mort ! Mais si on peut s'en servir pour en apprendre davantage, ça me va, allez en route !

Ils entrèrent dans la taverne qui empestait la transpiration et le tabac. Les fenêtres n'étaient que de minuscules lucarnes, aussi des lanternes à graisse diffusaient-elles une clarté ondoyante en même temps qu'une odeur rance. Les trois quarts de l'établissement étaient occupés par des hommes affalés aux tables ou jouant aux cartes en parlant bruyamment. Tobias n'eut aucun mal à repérer Colin assis tout seul face à un pichet en terre cuite. Son regard se perdait dans le vin comme si ses prunelles ne faisaient plus qu'un avec l'ivresse pourpre. Il avait toujours ses longs cheveux châtains, son acné dévorante et ses dents jaunes.

— Surprise, fit Tobias en s'asseyant en face de lui.

Colin se redressa mollement puis, lorsque sa mémoire se réactiva, il voulut se relever pour fuir mais Ambre, qui se tenait dans son dos, le plaqua à sa chaise en le tenant par les épaules.

— Tout doux, dit-elle, nous ne sommes plus là en ennemis. C'est toi qui avais raison.

— Oui, nous te devons des excuses, enchaîna Tobias, ces idiots de Pans ne méritent pas qu'on se batte pour eux. L'avenir est ici, avec les adultes !

Colin fut soulagé et lâcha un long soupir ponctué d'un rot sonore.

— Vous m'avez fichu une de ces trouilles ! avoua-t-il en se resservant du vin.

— J'avoue avoir cru à un fantôme en entrant ici, gloussa Ambre. Nous qui pensions que tu t'étais noyé !

— Oh j'ai bien failli ! Les soldats ou ce qui en restait se faisaient bouffer par tous les poissons du fleuve, c'était un enfer ! J'ai tellement bu de flotte cette nuit-là que jamais plus je ne pourrai en avaler ! lança-t-il en levant son verre pour le vider d'une traite.

L'image des soldats blessés se faisant happer par les créatures des profondeurs arracha un frisson de dégoût à Tobias. Cette violence le rendait malade encore aujourd'hui.

— Comment t'es-tu retrouvé ici ? demanda Ambre.

— À Babylone ? Oh, plus par chance à vrai dire, j'ai erré dans une forêt pendant une semaine, j'ai failli me faire dévorer vif par des Gloutons et finalement j'ai marché jusqu'à la fumée d'un campement cynik qui patrouillait dans le secteur. Ce sont eux qui m'ont ramené ici.

— Et tu as été accepté ?

Colin plongea à nouveau dans son verre.

— Pas vraiment.

— Alors comment as-tu fait pour rester ?

— J'ai un protecteur.

Nouvelle rasade. L'expression qu'il affichait fit soudain de la peine à Tobias. Il semblait hanté par quelque chose. Quel que fût son protecteur, sa simple évocation le faisait boire plus que de raison.

— Ce n'est pas notre cas, exposa Ambre, alors nous sommes un peu paumés dans cette ville, peut-être pourrais-tu nous aider ?

— Oui, surenchérit Tobias, par exemple, qu'est-ce qu'ils font aux Pans qui débarquent en ville avec cette espèce de piercing au nombril ?

— C'est l'anneau ombilical. Au début, les soldats se livraient à toutes sortes d'expériences sur les enfants qu'ils capturaient. Un jour, un peu par hasard, ils ont découvert que planter dans le nombril un anneau de leur alliage spécial avec lequel ils fabriquent leurs armes rendait les Pans totalement dociles. Maintenant tous les esclaves en ont un.

— Toi, tu n'en as pas ? interrogea Tobias.

— Je ne suis pas un esclave ! s'écria Colin en postillonnant. Je suis venu de ma propre initiative ! Je suis volontaire pour rejoindre l'armée de Malronce !

Plusieurs regards pivotèrent dans leur direction. Ambre se rapprocha de Colin pour l'inciter à baisser d'un ton :

— Et qui est-elle cette reine ?

— C'est elle qui va nous guider vers l'avenir, vers la rédemption. Sans elle, nous ne sommes que des sauvages. Elle, elle a la
connaissance, elle *sait* !

— Elle sait quoi ? demanda Tobias qui ne voyait pas où
Colin voulait en venir.

— Tout ! Ce qui nous est arrivé, et comment défaire cette
malédiction qui pèse sur nos épaules ! C'est pour ça que tout le
monde l'adore et la sert !

— Sais-tu pourquoi elle veut capturer Matt ? Nous avons vu
les avis de recherche en ville.

Colin se renfrogna en constatant qu'il avait fini son pichet
de vin.

— Non, sais pas, balbutia-t-il, seule la Reine le sait.

— Et as-tu…, commença Ambre.

— Trop de questions ! l'interrompit Colin en gémissant.
Vous posez trop de questions ! D'abord, vous êtes-vous déclarés
au Ministère en arrivant en ville ?

— Oui, bien sûr, mentit Ambre avec aplomb.

— Alors faites voir vos bracelets ! Tous les jeunes qui sont
acceptés ont un bracelet du Ministère pour prouver qu'ils sont
enrôlés !

En voyant leurs mines défaites, Colin eut un rictus cruel.

— Je le savais. Vous n'y êtes pas encore allés. (Il se redressa
péniblement et se mit à tituber.) Je vais aller vous dénoncer, ça
me rapportera un peu de crédit !

Ambre et Tobias le suivirent jusqu'à la sortie en tâchant
d'être les plus discrets possibles puis, une fois dans la rue, Ambre
se plaça devant lui :

— Ne fais pas ça, nous venons tout juste d'arriver, cela pourrait nuire à notre intégration.

— C'est… pas mon… problème, bafouilla-t-il, visiblement
très éméché. Poussez-vous…

Une ombre passa sur son visage.

Et sur toute la rue. Puis sur le quartier tout entier.

Un immense ballon dirigeable survolait la ville à basse altitude. La nacelle était vaste comme un trois-mâts et sa voilure avait... Tobias cligna des paupières plusieurs fois pour s'assurer qu'il ne rêvait pas.

La voilure était constituée d'une très longue enveloppe rosâtre aux reflets violets, striés par des veines bleues. Elle palpitait et frémissait, agitant une corolle blanche d'où sortaient des centaines de filaments translucides au bout desquels s'arrimait la nacelle.

Le dirigeable était en fait une gigantesque méduse oblongue.

Tobias perçut alors une odeur acide et remarqua que Colin venait de s'uriner dessus.

— Oh ! non, il rentre plus tôt que prévu, dit-il, plein de peur. Je dois rentrer, je dois rentrer !

Il semblait avoir dessaoulé pour le coup.

— Qui est-ce ? demanda Ambre.

Colin se mit à courir en direction de l'ancienne université.

— Le Buveur d'Innocence, hurlait-il, le Buveur d'Innocence !

23

Périr pour l'amour d'une bête

La matinée était interminable pour Matt.

Assis au fond de son trou, il attendait le retour de ses amis en se persuadant qu'il ne pouvait rien leur arriver de grave. Personne ne les connaissait, leurs têtes n'étaient pas mises à prix comme c'était le cas pour la sienne, et donc il n'y avait aucune raison d'envisager le pire.

Si vraiment quelques Cyniks tiquaient sur leur jeune âge, ils pourraient se faire passer pour des traîtres Pans venus grossir les rangs de l'armée de Malronce.

Oui, plus il y réfléchissait, et plus Matt se rassurait. Ils ne couraient pas de risque majeur.

Mais tout de même! Le soleil était presque à son zénith, il était midi et toujours aucune nouvelle...

De temps à autre, il remontait la pente pour aller espionner la piste qui conduisait à l'entrée de la cité. Il y avait plus de circulation qu'il ne l'avait imaginé, beaucoup de gens partaient en forêt chasser, parfois en groupes entiers armés d'arcs, d'autres revenaient avec de lourds fagots ficelés sur le dos des ânes, d'autres encore rapportaient des bambous. Et au milieu de ces allées et venues: ni Ambre ni Tobias.

Il est encore tôt, se répétait-il en boucle. *Ils m'ont donné jusqu'à ce soir. J'ai promis de ne rien faire en attendant. Patience...*

Il n'y tenait plus. C'était insupportable de ne pas savoir comment ils allaient, s'ils n'étaient pas en danger, s'ils n'avaient pas besoin de lui à cet instant précis!

Il jeta un regard vers la porte. Deux gardes en poste. Et deux autres un peu plus loin. Une chance qu'il n'y ait aucun vigile au sommet des remparts! Pouvait-il escalader ces murs?

Il n'y a pas de prises, et je suis nul en escalade!

Il songea à faire le tour de la cité, inspecter les différents points de passage et peut-être envisager de s'introduire par le fleuve qui coupait la cité en deux... Tout cela était idiot, il risquait de se faire prendre ou du moins d'attirer l'attention et de ne pas être au point de rendez-vous si ses deux compagnons rentraient d'ici là! C'était complètement idiot même et il avait promis de ne rien faire de tel en leur absence.

Matt se morfondait. Il prit une lamelle de viande séchée pour tuer le temps et mâchouilla.

Un énorme dirigeable était arrivé plus tôt dans la matinée, ça c'était un sacré spectacle, bien qu'il n'ait duré que quelques minutes. Matt l'avait suivi du regard avant d'aller grimper dans un arbre pour le voir s'arrimer à la plus haute tour de la ville, celle avec des quais suspendus.

Et plus rien d'intéressant depuis.

Tout en terminant sa viande, il pensa aux rêves qu'il ne faisait plus, ou plutôt aux cauchemars ! Le Raupéroden… La Forêt Aveugle avait certainement mis un sacré coup d'arrêt à sa traque ! Matt s'interrogea sur sa mortalité… Le Raupéroden pouvait-il avoir été tué par l'une des nombreuses créatures de la forêt ? En tout cas si c'était possible, alors il fallait croiser les doigts pour que ce soit arrivé…

Ses pensées voguèrent vers l'île Carmichael qu'ils avaient quittée depuis un mois déjà. Cela lui semblait peu et en même temps il avait vécu tant de choses depuis. Que devenaient les frères Doug et Regie ?

Puis le visage de ses parents apparut. Sa poitrine se serra. Au fil des mois, il avait appris à ne plus y penser, à se protéger contre la peine. Au fond de lui, il savait qu'il ne les reverrait jamais plus. Comme des millions de gens, ils avaient été désintégrés par la Tempête.

Il ne demeurait qu'une poignée de rescapés, des adultes cruels et barbares et des enfants abandonnés.

Matt chassa ces idées tristes d'une gorgée d'eau fraîche.

Il s'allongea sur la terre, sur ses affaires, et croisa les mains sous sa nuque pour contempler le ciel. Ses paupières se firent plus lourdes, jusqu'à se clore.

Il rêva de Plume, bien qu'aucune image précise ne lui revînt en mémoire quand il se réveilla, sinon le cri distant de ses jappements malheureux.

Matt se dégourdit les jambes en faisant quelques pas et soudain tout son corps se raidit.

Il entendait bien des jappements de chien au loin. Ce n'était pas un rêve.

Matt alla s'allonger au sommet du trou et scruta l'horizon.

Une caravane approchait, bien plus modeste que celle qu'ils avaient suivie, seulement deux chariots et une dizaine de gardes en tout. Les charrettes transportaient des cages remplies d'animaux. Les jappements du chien provenaient de l'une d'elles.

Le convoi passa sous les yeux de Matt et il fallut qu'il enfonce ses doigts dans la terre pour se retenir de foncer lorsqu'il aperçut une très grande cage avec un chien gigantesque à l'intérieur.

Plume !

Comment était-ce possible ? Dans un monde aussi vaste, qu'elle se retrouve juste ici, sous ses yeux, était inouï.

Si c'est possible ! tenta de se convaincre Matt. *Elle a continué la traversée seule, dans la même direction jusqu'au sud ! Peut-être a-t-elle flairé ma trace jusque-là ! Ou bien une patrouille cynik l'a faite prisonnière pour la ramener ici, leur cité la plus au nord !*

La chienne pleurait.

C'est elle ! Aucun doute ! C'est bien elle ! Elle a survécu à la Forêt Aveugle ! Elle est vivante !

Matt n'en pouvait plus. Il exultait.

Un des gardes, lassé par les couinements de l'animal, prit un bâton et alla cogner contre les barreaux :

— La ferme ! hurla-t-il.

Matt le fixa, furieux.

Encore cinquante mètres et le premier chariot serait en vue pour les gardes de la ville. Qu'allait-il advenir de Plume ? En feraient-ils un animal de trait ? Une bête de foire ? Pouvaient-ils aller jusqu'à la… manger ?

Matt refusait l'idée de la perdre une seconde fois. La retrouver maintenant était inespéré, il savait qu'il n'aurait pas une deuxième chance. Il fallait agir.

Treize gardes tout de même, compta-t-il.

Avec l'effet de surprise c'est possible.

Matt sangla son gilet de Kevlar au plus près de son corps, attrapa son épée et se faufila entre les fougères et les arbres.

— Mais tu vas te taire ! s'écria le garde en enfonçant son bâton dans les flancs de la chienne qui émit un gémissement de douleur.

C'en était trop pour Matt. Ses phalanges blanchirent sur la poignée de l'épée et il fendit les derniers branchages en surgissant face au soldat.

Ce dernier vit un éclair d'argent dans le ciel puis la douleur fut sienne. Un flot bouillonnant de couleur rouge l'aveugla et il s'effondra en criant sa souffrance.

Matt ne laissa aucune chance au guerrier cynik suivant, il lui sectionna le bras d'un moulinet du poignet et prépara sa garde pour enchaîner. Les Cyniks ne comprenaient pas encore ce qui leur arrivait, Matt sauta sur le chariot pour frapper de toutes ses forces la cage qui vola en éclats. Plume releva la truffe et ses yeux s'agrandirent quand elle reconnut Matt.

Mais deux Cyniks montaient à bord, armés d'une hache et d'une masse.

Matt fit volte-face en brandissant sa lame que les deux hommes voulurent parer de leurs armes lourdes.

Jamais ils n'auraient pu deviner qu'un adolescent puisse développer une force pareille.

Ils décollèrent du chariot sous la puissance du coup et roulèrent au sol tandis que la masse du second vint écraser le visage du premier en retombant.

Matt avait déjà bondi sur la terre ferme pour affronter un nouveau soldat qu'il terrassa en deux coups d'épée. Sa force prodigieuse lui permit d'en désarmer un autre, et ceux qui assistaient au spectacle commencèrent à comprendre que quelque chose d'anormal se produisait avec ce garçon. Ils se regroupèrent pour avancer sur lui, arme au poing.

Matt attrapa la hache devant lui et la lança sur le premier avec une telle puissance que sa cible n'eut pas le temps de l'esquiver et prit le manche en pleine tête ; le second fut transpercé de part en part par l'épée qui sifflait en dansant dans les airs ; le troisième eut la mâchoire déboîtée par un coup de poing phénoménal, les deux autres reculaient en brandissant leurs épées comme des boucliers.

Matt était aveuglé par la colère.

Chaque fois qu'il se battait face à des Cyniks, il éprouvait la même rage. Ils le contraignaient à cette violence en refusant d'être pacifiques et en se dressant contre les Pans. Ils avaient choisi d'être des ennemis plutôt que des alliés.

Chaque fois que l'acier qui prolongeait son bras pénétrait des tissus humains, il savait que le souvenir de ce geste hanterait ces nuits à venir, que tout le sang répandu viendrait se déverser sur sa conscience. Et cela le rendait ivre de rage.

Il ne pouvait se montrer hésitant, frapper doucement. Il l'avait appris à ses dépens : l'affrontement ne pouvait qu'être entier. Il fallait s'engager totalement pour triompher, sans demi-mesure. Et répandre le sang.

Ils l'obligeaient à cela.

Parce qu'il n'existait aucune autre solution alternative.

L'adolescent ne vit pas les deux Cyniks qui l'avaient contourné avec des gourdins et des poignards. Leurs armes se levèrent et soudain un rugissement féroce couvrit les gémissements des blessés tandis que Plume bondissait sur le dos des assaillants. En deux coups de gueule elle leur brisa les bras.

Matt et Plume se retournèrent vers la forêt pour fuir lorsqu'ils avisèrent dix soldats qui venaient d'accourir de la cité, essoufflés et surpris par un tel champ de bataille.

— C'est le gamin qui a fait ça ? lâcha un des Cyniks, estomaqué.

— Qu'est-ce qui te prend, garçon ? s'écria celui qui semblait commander le groupe. Tu n'as pas fait tout cela pour cet animal quand même !

— Ôtez-vous de mon chemin ! ordonna Matt.

— Ne sois pas idiot, tu n'as aucune chance, tu ne vas pas périr pour une bête !

Trois Cyniks foncèrent sur lui avant qu'il puisse répondre. Matt cueillit le premier par la pointe de sa lame, en lui tranchant la joue. Il pivota sur lui-même pour donner plus d'élan à son arme et entailla le deuxième au niveau des épaules tandis que le troisième arrivait si vite que Matt ne put tourner l'épée pour présenter le fil de la lame au moment du contact, mais il cogna si dur avec le plat qu'il entendit les os du crâne se briser.

Le Cynik tomba à la renverse raide comme une planche.

Plus d'une douzaine d'hommes gisaient à ses pieds, certains morts, d'autres agonisants.

Néanmoins ils s'entêtaient, épuisant le garçon coups après coups. Plume en renversa son lot, elle mordit et griffa tout ce qui approchait.

Soudain la chienne fut éperonnée par une lance qui lui enfonça les flancs. Le cri de la chienne blessée décupla les forces de Matt qui écrasa son adversaire comme une mouche.

Il se mit à courir pour secourir sa chienne qui tentait d'arracher la lance.

Il ne remarqua pas les deux cavaliers qui jaillirent avec un grand filet.

Matt pulvérisa le casque du Cynik qui lui barrait le passage et allait prendre la défense de Plume quand le filet lui tomba dessus en le déséquilibrant.

Il roula et perdit sa lame dans la chute pendant que les mailles s'entortillaient autour de ses membres. Au moment de se relever il perdit à nouveau l'équilibre et poussa un cri de désespoir en saisissant le filet pour le déchirer à mains nues.

Le chanvre craqua sous les regards éberlués des soldats.

Un officier se jeta sur Matt et commença à le rouer de coups avec son gourdin. Matt répliqua d'un direct du droit et les dents se brisèrent.

Un autre guerrier accourut, puis un autre. Ils furent bientôt huit à l'éreinter à coups de bâton.

Après trente secondes, le garçon, recroquevillé sur lui-même, ne bougeait plus.

Inconscient.

La chienne gémissait, prisonnière d'un autre filet.

L'un des gardes se pencha pour ausculter Matt et s'esclaffa :

— Je crois bien qu'on l'a eu ce fumier ! Il est mort !

Il cracha par terre, l'air satisfait.

Puis il vit les corps de ses camarades mutilés et perdit son sourire.

Près d'une vingtaine des siens étaient tombés sous les coups de ce gamin.

24

Une bien longue journée

En début d'après-midi, la ville était en pleine effervescence, les petits porteurs d'eau enchaînaient les allers-retours avec le fleuve qui traversait la cité, les livreurs de fagots empilaient les tas de bois devant les portes des maisons et les fours à pain se réactivèrent pour préparer la fournée du soir.

Ambre et Tobias sillonnaient les rues en laissant traîner les oreilles, pour glaner un maximum d'informations.

Ils apprirent ainsi que Malronce demeurait loin au sud, sous un ciel rouge, entourée de terres hantées, dans un lieu que les Cyniks appelaient : Wyrd'Lon-Deis. Rien que le nom déplaisait fortement à Tobias. Les Cyniks s'étaient dotés d'un drapeau rouge et noir pour bannière, et lorsque celui-ci comportait une pomme argentée en son centre, ils surent qu'il s'agissait des autorités de la Reine, la pomme étant son emblème. Un peu plus tard, ils surprirent une conversation : chaque homme qui s'enrôlait dans l'armée de Malronce se voyait offrir une bonne paye et parfois même des terres cultivables dans l'Ouest. Ils apprirent aussi que les femmes géraient les constructions des maisons et que plus une famille disposait d'esclaves Pans, plus elle était riche.

— Les mêmes bons vieux travers qu'autrefois ! pestait Ambre.

Il devint également évident après quelques heures que les Cyniks avaient totalement perdu la mémoire de leur vie d'avant la Tempête qu'eux-mêmes nommaient Cataclysme.

Le dirigeable de méduse ne cessait d'impressionner Tobias qui l'admirait aussi souvent qu'il le pouvait entre la perspective des façades.

En définitive, ils n'avaient pas abordé les environs de l'ancienne université car il fallait pour cela traverser le pont qui enjambait le fleuve vert et la présence de gardes des deux côtés les en avait dissuadés. Maintenant qu'ils savaient pour les bracelets, leur plan semblait plus risqué.

— Au pire, si on nous coince, on pourra toujours dire qu'on était justement en train de chercher le Ministère ! avait dit Ambre à Tobias qui souhaitait quitter la ville.

La faim commençait à se faire pressante, d'autant plus que les fragrances de volaille rôtie et de pain chaud flottaient perpétuellement dans les rues.

— Ça me rappelle New York, révéla Tobias. Partout dans les rues, ça sent le graillon ! Cette odeur me manque…

Depuis un moment déjà ils croisaient de plus en plus de patrouilles.

— C'est moi, ou ça s'est intensifié ? demanda Tobias en désignant les gardes.

— En effet, on dirait qu'ils ont redoublé de vigilance.

— Je n'aime pas ça. Viens, il est temps de sortir, on a déjà appris pas mal de choses.

Ils regagnèrent la rue principale et approchaient de la grande porte quand ils remarquèrent un attroupement de gardes en armure d'ébène. Tobias poussa Ambre sous l'ombre de l'encorbellement d'une maison, le temps que les militaires les dépassent. Deux chariots transportaient des cages.

— Il faut le brûler ! hurlait la foule. Qu'on fasse un bûcher pour exposer son corps !

— Oui ! Lui mettre le feu ! Pour avoir tué nos maris ! s'écria une femme.

Tobias et Ambre virent alors Matt allongé sur une cage, et leurs deux cœurs s'arrêtèrent de battre. Plume était dans la cage.

L'officier sur le chariot s'époumonait à donner des ordres :

— Toutes les gardes sont doublées et les contrôles renforcés ! Je vais prévenir le conseiller que nous avons une possible intrusion !

Tobias, d'un petit coup de coude, attira l'attention d'Ambre sur la porte : huit soldats en barraient l'accès pour dévisager chaque personne entrant ou sortant. Ils fouillaient même les carrioles, enfonçant leur lance dans la paille ou donnant des coups de pied dans les ballots de marchandises.

— Toby, dis-moi qu'il n'est pas mort.

— Matt ? Impossible ! Il ne peut pas mourir.

— Il avait pourtant l'air mal en point. Viens, il faut les suivre, savoir où ils l'emmènent.

Tobias jeta un dernier regard à la porte de sortie.

— De toute façon, c'est fichu pour fuir ce satané endroit ! dit-il tout bas.

Prenant soin de garder une bonne distance de sécurité, ils marchaient derrière le groupe de soldats qui encadraient le corps de Matt. Tobias remarqua alors que le second chariot était rempli de cadavres cyniks.

— Y a pas de doute, ils se sont frottés à Matt, murmura Tobias pour lui-même.

Le convoi se sépara sur la grande place où avait eu lieu la vente aux enchères du matin, et Matt fut transporté à l'intérieur de l'édifice avec les drapeaux à pomme.

— Ça sent le roussi, fit Tobias. Un bâtiment de la Reine. Ils l'ont sûrement reconnu !

— Peut-être pas, ils vont le déshabiller pour leur inspection, pour la Quête des Peaux. Si tu veux mon avis, il ne bougera pas de cet endroit avant au moins demain matin. Ça nous laisse du temps.

— Du temps pour quoi faire ?

— Nous organiser, viens !

Ambre retourna dans le dédale de ruelles sinueuses qui quadrillaient le nord-est de la ville et chercha parmi les terrains vagues un tas de planches et de gravats. Elle prit toutes leurs affaires encombrantes, y compris l'arc de Tobias, et les dissimula en dessous, ne gardant que le minimum sous son manteau à capuche.

— Nous attirerons moins l'attention ainsi, commenta-t-elle pendant que Tobias vérifiait l'état de son couteau de chasse.

— Tu as vu, fit Tobias, il y avait Plume ! Elle est en vie ! Si Matt l'apprend, il sera fou de joie !

— Je serais surprise qu'il ne le sache pas. Voire qu'il se soit fait capturer en essayant de la libérer.

Tobias approuva, c'était logique et ressemblait bien à ce que son ami était capable de faire.

— Je me demandais, dit-il après un silence : pourquoi les Pans capturés ne se servent-ils pas de leur altération pour fuir ?

— J'imagine que la plupart ne la maîtrisent pas, c'est encore une force étrangère, probablement effrayante. Et une fois qu'ils ont l'anneau ombilical, de toute façon, ils sont soumis. Ce truc semble les priver de tout libre arbitre. Rien que d'y penser ça me donne la nausée. Tobias, promets-moi que, quoi qu'il arrive, jamais tu ne me laisseras avec une chose pareille ! Je préfère encore mourir.

— T'en fais pas. Ils ne nous auront pas.

Avant de repartir, Tobias désigna les deux sacs à dos :

— Tu as gardé quelques provisions ?

— Non, j'ai tout laissé à Matt avant que nous entrions en ville, pour m'alléger.

Tobias fit la grimace.

— Pareil pour moi ! Faut que je mange, je ne tiendrai pas sinon.

— Nous allons trouver une solution.

— Mais on n'a pas d'argent !

Sans répondre, Ambre le tira par le bras jusqu'à rejoindre les bords du fleuve où les rôtisseries et les marchands de légumes s'entassaient. Elle attendit le bon moment, et lorsqu'il n'y eut plus aucun client et personne pour surveiller les étalages, elle se concentra sur un des poulets grillés et le souleva à distance pour le faire venir jusqu'à eux. Leur larcin en main, ils se précipitèrent dans une contre-allée pour dévorer leur repas.

Ils terminaient à peine qu'une silhouette massive surgit.

Le propriétaire de la rôtisserie se tenait face à eux, un hachoir à la main.

— Je le savais ! tonna-t-il.

Il se précipita vers eux mais Tobias fut nettement plus rapide, il lui jeta la carcasse de poulet au visage et eut le temps de frapper un coup à l'estomac avant même que le gros bonhomme ne puisse comprendre ce qui lui arrivait.

Les deux adolescents s'enfuirent par l'autre bout de l'allée et quand le rôtisseur apparut sur leurs talons, Ambre déclencha l'ouverture d'une porte pour qu'il s'y encastre, ce qui termina de sonner leur poursuivant.

Ils se réfugièrent sur la terrasse d'une maison à toit plat et s'assurèrent qu'ils n'étaient plus traqués pour enfin se détendre.

— Nous ne tiendrons pas longtemps avant d'être repérés dans cette ville, confia Tobias.

— C'est pourquoi on ne bouge plus jusqu'à ce soir. Connaissant les adultes, la nuit ils seront dans les rues à boire leur vin, la vigilance retombera.

Ils somnolèrent jusqu'au crépuscule, sursautant au moindre passage dans la rue en contrebas. Tobias pansa à nouveau sa blessure qui l'élançait.

Les lanternes à graisse s'allumaient pour chasser la noirceur de la nuit, et rapidement des centaines de lueurs dansèrent au milieu de l'obscurité.

De leur cachette, Ambre et Tobias pouvaient discerner l'autre côté du fleuve, l'ancienne université et ses bâtisses en pierre salies par le temps, ses hautes fenêtres pointues, ses arches et ses gargouilles. Le drapeau à la pomme flottait au-dessus de la plus grande des constructions, le Ministère de la Reine. Plus haut, se dressait la tour du Buveur d'Innocence au sommet de laquelle ondulait la gigantesque méduse. Tobias admirait le spectacle, s'interrogeant sur la nature des ombres qu'il voyait parfois passer derrière les fenêtres illuminées.

Un grand parc qui semblait sauvage, presque un bois, encadrait l'université, avant que la ville ne se poursuive jusqu'à l'enceinte ouest.

En voyant tout cela, Tobias prit conscience que les Cyniks

étaient bien plus évolués que les Pans ne l'estimaient. Et plus nombreux *a priori*.

S'ils décidaient de tous se mettre en marche, aucun clan panesque ne pourrait leur résister.

Tobias frissonna.

— Il est temps de descendre, l'avertit Ambre.

Capuche sur la tête, ils retournèrent sur la grande place et se postèrent en face de l'endroit où était retenu prisonnier Matt.

— Et maintenant ? demanda Tobias.

— Maintenant on entre et on libère notre ami.

25

Maux de tête et crâne d'acier

Les sons traversaient un long tunnel qui les déformait, les voix paraissaient plus graves, les mots plus hachés.

Il faisait tour à tour trop chaud puis trop froid.

Il fallut du temps avant que Matt puisse comprendre un mot, puis un autre, que les phrases s'assemblent.

Quelqu'un parlait fort, très fort, trop fort :

— Alors, où est-il ? Ah, le voici ! Montrez-moi son visage. Oui ! C'est lui ! Aucun doute ! Vous êtes certain qu'il n'est pas mort ?

— Catégorique, monsieur le Conseiller, l'officier qui l'a examiné n'est pas très compétent. Il n'a pas su trouver son pouls mais je l'ai ausculté moi-même et puis vous garantir qu'il est en vie. Ce curieux gilet lui a probablement sauvé la vie. Il reviendra à lui bientôt.

— Et ce qu'on m'a rapporté à propos de sa force prodigieuse, est-ce vrai ?

— Je le crains, monsieur, à ce qu'on m'a dit, peu d'hommes

sur nos terres seraient capables de rivaliser avec la sienne ! C'est incroyable !

— Sait-on pourquoi il a agressé nos troupes ?

— Pour libérer un chien ; oui, je sais, c'est étrange. Il faut dire que c'est un chien un peu singulier, il fait plus d'un mètre cinquante au garrot.

— Vous avez trouvé ses affaires, c'est ce sac ?

— En effet, il n'avait pas grand-chose sur lui, mais en sondant les environs, nous avons découvert ceci.

— Très bien. Je les prends. Ainsi que le chien, s'il avait de l'importance pour lui, je veux l'avoir avec moi.

— Je ne l'ai pas encore déshabillé pour la Quête des Peaux, dois-je le faire ?

— Inutile, nous verrons cela en haut lieu. Je vais me détendre un peu, prévenez-moi dès qu'il reviendra à lui.

Matt entendit des pas s'éloigner, des portes claquer et la sensation de chaud-froid reprit de plus belle.

Il alterna les somnolences et les épisodes de semi-conscience au cours desquels il ne parvenait pas à bouger mais pouvait entendre et sentir. Tout était calme. Une odeur huileuse, assez désagréable, flottait autour de lui.

Il parvint enfin à ouvrir les paupières, il se trouvait sur une table au centre d'une grande pièce éclairée par des lanternes à graisse qui produisaient cette odeur nauséabonde.

Son corps était très douloureux. Il avait l'impression que son cerveau palpitait contre l'intérieur de sa boîte crânienne.

— Ah, je vois que tu reviens à toi, c'est très bien. Tu veux un peu d'eau peut-être ? Il faut boire, ne pas te déshydrater.

Un quadragénaire aux cheveux hirsutes et à la barbe fournie lui redressa la tête en lui portant un gobelet d'eau claire aux lèvres.

Quand il tourna le dos, Matt voulut se lever et constata qu'il était attaché à la table. De larges sangles en cuir. Même en donnant le meilleur de lui, il ne pouvait les déchirer. Ses épaules, ses côtes et ses bras l'élancèrent vivement, aussi abandonna-t-il tout effort pour ne pas reperdre connaissance, il se sentait très faible.

L'homme n'était plus dans la pièce. Il revint accompagné d'une autre personne enveloppée dans une grande cape en velours rouge. Un homme d'une cinquantaine d'années, visage sec et aride, regard de rapace sous une broussaille de sourcils blancs. Une plaque d'acier moulait parfaitement son crâne.

— Quel est ton nom ? demanda-t-il sans aucune douceur.

Matt parvint à déglutir, mais pas à parler.

L'homme saisit le poignet de Matt et le tordit d'un coup, arrachant une vive douleur à l'adolescent qui poussa un cri perçant.

— Alors ? insista le tortionnaire.

— Matt..., gémit l'adolescent. Matt Carter.

— Que fais-tu ici ?

— Je... je...

Comme il parlait doucement, l'homme dut se pencher pour entendre :

— Je cherche à... cracher dans l'oreille du Cynik le plus stupide que je croiserai, dit Matt en crachant le peu de salive qu'il avait.

L'homme se redressa lentement, il alla chercher un morceau d'étoffe avec lequel il s'essuya puis il se posta au-dessus de Matt.

D'un coup, il frappa l'abdomen du garçon, juste là où ses ecchymoses étaient les plus vives.

Puis, l'homme recommença, encore plus fort.

Matt hurla.

— Je disais donc : que fais-tu ici ?

Matt tenta de reprendre son souffle, le cœur palpitant de douleur.

— Je me suis perdu, lança-t-il entre deux hoquets.

L'homme serra le poing, menaçant à nouveau.

— Je vous le jure ! insista Matt. Je cherchais un passage vers le Sud et je me suis retrouvé ici !

— Pourquoi vers le Sud ?

— Pour rencontrer Malronce, votre Reine.

L'homme accusa le coup, un de ses épais sourcils relevé.

— Que lui veux-tu ?

— C'est plutôt à moi de lui demander ce qu'elle me veut, j'ai vu les avis de recherche avec mon portrait, expliqua Matt des larmes plein les yeux.

L'homme le scrutait attentivement, cherchant à séparer le vrai du faux.

— Très bien, dit-il en s'éloignant. Qu'on le transporte sur mon navire. Mon garçon, je vais exaucer ton vœu. Tu vas rencontrer Malronce. (Il fit une grimace où se mêlaient dégoût et cruauté :) Mais je ne pense pas que ça va te plaire.

26

Cambriolage

Les chauves-souris tournoyaient au-dessus de la ville ; virevoltantes, elles rasaient les murs et les toits avant d'aller se nicher dans d'obscures cachettes, le temps d'avaler les moucherons qu'elles venaient d'attraper.

Tobias guettait ce ballet en songeant à Colin. Lui qui savait communiquer avec les oiseaux. Sa réaction plus tôt dans la journée en apercevant le retour de celui qu'il considérait comme son protecteur avait été si violente que Tobias doutait que le mot fût approprié. Il terrorisait Colin plus qu'il ne le protégeait.

Tobias reporta son attention sur le bâtiment où était retenu Matt. Quelques secondes avant qu'ils ne s'élancent pour y pénétrer, un imposant cortège militaire avait surgi du pont pour y entrer, guidé par un individu caché sous une cape écarlate.

Ambre avait décidé de différer l'intrusion.

— Ils ne sont pas là pour Matt tout de même ! s'impatienta

Tobias. Moi je propose qu'on s'introduise maintenant à l'intérieur, et si vraiment on ne peut pas l'approcher, alors on se planque pour intervenir dans la nuit.

Ambre secoua la tête sans répondre.

Tobias soupira et croisa les bras sur son torse.

Il était allé reprendre son arc dans leur cachette et se sentait frustré de devoir attendre sans rien faire.

Cinq ivrognes passèrent sur la place en chantant, s'arrimant les uns aux autres dans un équilibre précaire.

Soudain, les soldats ressortirent pour franchir le fleuve en sens inverse en direction du Ministère de la Reine.

— Le type avec sa cape n'est plus avec eux, nota Ambre.

— Ce n'est pas lui qui m'angoisse, mais plutôt tous ces mecs en armures ! Cette fois, la voie est libre, allez !

Mais Ambre le retint par le bras.

Une grande porte cochère s'ouvrait sur le côté de la longue maison. Un carrosse tiré par deux chevaux s'élança vers le pont et tandis qu'il passait tout près d'Ambre et de Tobias, la jeune fille distingua l'intérieur fugitivement.

L'homme à la cape rouge et Matt à ses côtés, inconscient.

— Viens ! s'écria-t-elle par-dessus le vacarme des sabots sur le pavé. Il ne faut pas les perdre !

En se rapprochant du pont, ils virent les gardes qui en réglementaient l'accès. Ambre poussa brusquement Tobias juste avant qu'ils ne se fassent repérer et, emporté par son élan, il alla s'écraser contre une pile de cageots sentant le chou.

Par chance, le fracas fut couvert par le galop des chevaux et les gardes ne cillèrent pas.

— Bon sang ! s'énerva Ambre, si on perd sa trace c'est fichu !

Elle cherchait une solution, sondant les quais et les façades des maisons qui surplombaient le fleuve.

Sur l'autre berge, le carrosse s'arrêta face à un grand trois-mâts battant pavillon royal.

Malgré la distance, Ambre aperçut deux gardes qui portaient Matt pour le hisser à bord.

— Ils l'ont reconnu, comprit-elle. Ils vont le descendre vers le Sud, pour l'apporter à la Reine Malronce !

— Oh non, fit Tobias l'air sévère. Nous allons le sortir de là.

— Il faut atteindre l'autre rive.

Tobias lui désigna les gardes sur le pont du navire :

— Ils surveillent ! Impossible d'approcher sans se faire repérer, il y a au moins cinquante mètres de découvert sur les quais avant d'arriver à la passerelle ! Et l'abordage côté fleuve est à oublier : ils sont encore plus attentifs de ce côté-ci, on dirait.

— Commençons par trouver un moyen de traverser, fit Ambre en se relevant.

— Où vas-tu ?

— Je ne connais qu'un endroit où nous avons une chance de débusquer du matériel !

Tobias s'empressa de la suivre.

— Non, ne me dis pas que tu penses à cambrioler… le *Bazar de Balthazar* ?

— Exactement !

— Non, non, non ! s'emporta Tobias. Tu ne sais pas ce dont ce type est capable ! C'est une très mauvaise idée ! La pire que tu aies jamais eue ! Et pourtant tu en as eu des drôles !

— Et elles ont toujours fonctionné n'est-ce pas ?

— Cette fois c'est autre chose… Balthazar c'est un peu une sorte de… d'ogre, tu vois ? À New York, tous les gamins savaient qu'il était mauvais, que ce mec n'était pas normal, et je peux t'assurer qu'il était déjà bizarre *avant* la Tempête ! Il est louche !

— Raison de plus pour aller y faire un tour.

Tobias était à court d'arguments.

— Tu réagis comme Matt, déplora-t-il. Ça c'est typiquement le genre de décision téméraire qu'il aurait prise.

— Faut croire qu'il me manque assez pour que je prenne sa place.

Tobias poursuivit en silence, réfléchissant à cette dernière remarque et à ce qu'Ambre voulait dire.

Le *Bazar de Balthazar* était plongé dans l'obscurité. Seules deux fenêtres au-dessus de la vitrine étaient illuminées.

— À tous les coups c'est lui qui habite à l'étage ! avertit Tobias.

— Je vais tenter de crocheter la serrure, tu as de la substance molle sur toi ?

— Je l'ai laissée dans mon sac, mais j'ai mieux.

Tobias sortit le morceau de champignon lumineux qui ne quittait jamais ses poches.

— Parfait ! s'exclama Ambre en prenant la direction de la boutique après s'être assurée qu'ils étaient seuls sur la petite place.

Tobias se posta à l'angle de la rue pour faire le guet.

Armée du champignon, Ambre s'agenouilla face à la serrure qui, comme beaucoup de choses reconstruites dans la précipitation par les Cyniks, n'était pas très complexe. Avec un peu de concentration, d'observation et de déduction elle parvint à faire tourner le mécanisme jusqu'à produire un déclic sonore de bon augure. Elle saisit la poignée et ouvrit la porte.

Tobias accourut et ils refermèrent derrière eux.

La pièce était impressionnante, de nuit, sous le minuscule éclairage du champignon blanc.

— On cherche quoi au juste ? demanda l'adolescent.

— N'importe quoi qui pourrait nous aider à franchir le fleuve, gilets de sauvetage, canoë, ou de quoi se faire un radeau de fortune.

Collés l'un à l'autre, ils déambulaient parmi les allées mal rangées, soulevant des bâches, repoussant des piles de chaises pliantes ou sondant des caisses en plastique afin de tout inspecter.

— Il n'y a rien, conclut Tobias après avoir fouillé attentivement. Tout ça pour rien.

— Allons, courage, s'il faut explorer tous les recoins de cette fichue ville nous le ferons, viens.

Ils approchaient de la sortie lorsque le halo du champignon

révéla une paire de pantoufles et une longue robe de chambre barrant la porte.

Balthazar les toisait de ses yeux brillants. Ses rides se creusèrent d'un coup et ses prunelles s'allongèrent pour devenir des pupilles verticales tandis que le blanc de l'œil jaunissait.

Une langue de serpent, fine et frémissante, jaillit d'entre ses lèvres et il dit :

— J'ai toujours détesté les fouineurs !

27

Confidences inattendues

Balthazar tenait une lourde canne dans les mains.

Tobias était bien trop près pour sortir l'arc.

Ambre leva les mains devant elle en signe d'excuses :

— Nous sommes vraiment navrés, monsieur Balthazar, nous vous aurions laissé un mot si nous avions pris quelque chose, pour vous expliquer et vous présenter nos excuses...

— Vous ne vous êtes pas déclarés au Ministère, lança-t-il, vous êtes des criminels !

Tobias posa une main sur le manche de son couteau de chasse, sous son manteau.

— Nous allons le faire ! mentit Ambre. Nous avons juste peur des réactions, laissez-nous un peu de temps !

— Pour que vous cambrioliez ma boutique ? s'énerva le vieil homme.

— C'était pour dormir ! Nous cherchons un endroit à l'abri de l'humidité !

Les mâchoires de Balthazar roulèrent sous ses joues. Ses yeux de serpent étaient effrayants, énormes, ils passaient d'Ambre à Tobias à toute vitesse.

— Vous me mentez, jeune fille, dit-il plus bas. Mais je vais vous laisser une chance de me dire la vérité, toute la vérité. Et alors, nous verrons ce que je ferai de vous.

Ambre et Tobias étaient assis dans l'arrière-boutique, à une table usée, un bol de lait chaud devant eux. Si Balthazar était en colère contre eux, il était au moins attentionné. Son visage avait repris aspect humain et il se tenait à l'autre bout de la table, dans un gros fauteuil matelassé, les fixant.

— Alors ? dit-il lorsqu'ils eurent trempé leurs lèvres dans le lait chaud.

Ambre et Tobias échangèrent un regard furtif, embarrassé.

— Nous avons un ami qui est ici, commença Ambre sous le regard stupéfait de Tobias. Il a été fait prisonnier par les soldats de la Reine et il va être emporté loin de nous. C'est notre ami, et il n'a rien fait !

— Si la Reine le veut, alors soyez certains qu'elle a une bonne raison ! répliqua Balthazar.

— Vous allez nous dénoncer ! déplora Tobias d'un ton accablé.

— Pourquoi le ferais-je ?

Ce n'était pas la réponse qu'attendait Tobias, il se redressa un peu sur sa chaise.

— Parce que… vous êtes un Cynik ?

— Un Cynik ? C'est ainsi que vous nous appelez dans le Nord ? Des Cyniks ! Ah !

Et Balthazar se mit à rire bruyamment avant de se reprendre.

Ambre et Tobias ne savaient plus comment réagir, ils ne comprenaient pas qui était en face d'eux.

Il dégageait une malice particulière que les Cyniks n'avaient jamais manifestée jusqu'à présent. Et comme pour le confirmer il enchaîna :

— Vos parents à tous étaient-ils à ce point indifférents pour que vous ayez une si mauvaise image des adultes ? Cela dit, je ne peux vous en blâmer... quand on constate le manque de curiosité intellectuelle dont ils font preuve désormais ! Ils ne lisent pas ! Sauf les conseillers spirituels et leurs bibles... Malgré tous les ouvrages riches de savoirs qui sont à notre disposition, personne ne les ouvre ! Ils sont bien trop obsédés par leur rédemption et par les discours de Malronce !

— S'ils n'ont plus de mémoire et qu'ils ne lisent pas, comment font-ils pour bâtir des villes ou faire des armes ? s'interrogea Ambre.

— Oh pour ça, nous sommes forts ! Les souvenirs ont disparu, pas les savoir-faire : les maçons, les ferronniers ou tout simplement les bons bricoleurs sont devenus des stars ! Ils ignorent tout de leur identité, de leur vie passée, par contre pour ce qui est de tailler des pierres, ça ne pose pas de problème. C'est une partie très précise de la mémoire qui s'est évaporée !

Soudain, Ambre comprit :

— Vous vous souvenez, n'est-ce pas ? Votre mémoire n'a pas été effacée par la Tempête, pardon, je veux dire par le Cataclysme !

Balthazar se fendit d'un rictus admiratif.

— Jolie et pertinente avec cela ! dit-il.

— Comment est-ce possible ? s'étonna Tobias. Oh ! Je sais ! Vous faites de la magie ! Tout ce qu'on racontait sur vous à New York était donc vrai !

Balthazar rit à nouveau, il en parut presque sympathique.

— J'avais si mauvaise réputation ? s'amusa-t-il. Mes enfants, je vous propose un marché : mon histoire en échange de la vôtre ? Cela vous convient-il ? (Ambre et Tobias acquiescèrent après s'être consultés brièvement.) Très bien. Disons que depuis toujours, je suis un passionné de ce qui est caché. Je suis devenu neurologue bien avant que vos parents ne naissent, pour très vite m'intéresser à cette grande partie du cerveau dont on ne sait pas se servir. Mes recherches m'ont emmené un peu partout dans le monde, j'ai beaucoup travaillé avec des anthropologues auprès de tribus indiennes, chamans d'Amazonie, d'Asie, d'Indonésie et même d'Australie. Figurez-vous qu'en ayant une autre culture, une autre approche de l'existence, certains peuples ont modelé l'usage de leur cerveau autrement, ils ont des perceptions différentes des nôtres ! En définitive, je me suis convaincu qu'il était possible d'utiliser la plasticité de notre cerveau pour en explorer des zones nouvelles, pour en faire un usage différent.

— Alors ce n'est pas de la magie ? dit Tobias, déçu.

— Certainement pas ! L'homme au quotidien n'exploite qu'une infime partie des capacités de son cerveau, ce que j'ai fait consiste à élaborer une gymnastique quotidienne pour améliorer ce rapport. Un peu comme si nous habitions un château mais que nous n'utilisions que les pièces centrales, mes travaux ont consisté à retrouver les portes et les couloirs cachés derrière des meubles et dans des recoins oubliés qui mènent dans d'autres pièces encore plus grandes !

— Et vous êtes capable de lire dans les pensées maintenant ? s'enthousiasma Tobias. Et de voyager avec votre esprit ?

— Non, fit le vieil homme avec un sourire, rien de tout cela. Ma pratique m'a ouvert l'esprit, j'ai acquis une perception différente de mon univers.

— Quoi ? C'est tout ?

Balthazar observa Tobias longuement avant de répondre.

— Ma sensibilité aux gens, aux interactions, et surtout à la nature m'a permis de survivre au Cataclysme ! C'est déjà bien, tu ne crois pas ?

Tobias haussa les épaules, pas tellement convaincu. Soudain, il fronça les sourcils.

— Vous ne dites pas tout ! Vous êtes capable de vous transformer en serpent !

Nouveau sourire du vieil homme.

— À New York, je pouvais créer une forte pression sur tes perceptions pour te le faire croire. L'environnement, la force de l'esprit et du regard...

— Non, non ! protesta Tobias. Je vous ai vu tout à l'heure,

ce n'était pas de l'autosuggestion ! C'était pour de vrai ! Vos yeux ! Votre langue !

Balthazar approuva vivement.

— Les choses ont changé avec le Cataclysme, dit-il. J'avais une autre passion, avant, les serpents. Je passais des heures avec eux enroulés autour de mes bras ou de mes jambes. Ils m'aidaient à me concentrer, à percevoir leurs vibrations… Lorsque l'étrange tempête a frappé, cette nuit-là, de grands bouleversements génétiques se sont produits. Au petit matin, non seulement l'ouragan m'avait arraché à ma ville pour me transporter sur des centaines de kilomètres jusqu'ici, mais en plus j'étais… différent. Mes serpents n'étaient plus là. Ils étaient en moi.

— Vous avez… fusionné ? balbutia Ambre.

Le vieil homme hocha la tête.

— C'est dégoûtant ! commenta Tobias sans délicatesse.

— À présent je suis un peu eux et ils sont un peu moi, expliqua Balthazar.

— C'est pour ça que vous n'êtes pas semblable aux autres Cyniks, conclut Ambre.

— C'est à cause de la mémoire, corrigea-t-il. Ils ne savent plus rien de ce qu'ils sont. Ils sont perdus, habités de peurs et de colères que la Reine a su apaiser en leur promettant la rédemption et en pointant du doigt les coupables : vous, les enfants.

— Tout ça parce qu'ils n'ont plus de mémoire ? s'étonna Tobias.

— La mémoire est ton identité, tes valeurs, et la connaissance qu'ils n'ont plus les a transformés en coquilles vides. Malronce n'a eu qu'à les remplir de certitudes rassurantes pour en faire ses marionnettes.

— Vous ne semblez pas d'accord, remarqua Ambre.

— J'ai gardé la connaissance. Je ne suis pas une coquille vide qu'on remplit à loisir pour servir et obéir.

Tobias retrouva un peu d'espoir et lâcha spontanément :

— Alors vous n'allez pas nous dénoncer ?

Balthazar se racla la gorge et s'enfonça dans son siège.

— Si vous ne me mentez plus, je vais y réfléchir. Maintenant c'est à vous de me raconter qui vous êtes.

Ambre commença, sans entrer dans les détails et sans faire mention de l'altération ; elle raconta leur traversée de la Forêt Aveugle et comment ils avaient atterri ici à Babylone. Matt s'était fait capturer sans qu'ils sachent pourquoi. Lorsqu'elle évoqua l'homme en cape rouge, Balthazar se contracta :

— C'est un conseiller spirituel de la Reine, précisa-t-il. Il s'appelle Erik, il est cruel et fanatique. S'il emporte votre ami avec lui jusqu'à Wyrd'Lon-Deis, vous pouvez lui dire adieu dès à présent.

— C'est le royaume de la Reine, n'est-ce pas ? demanda Ambre.

— Malronce a choisi ce nom, c'est là que se trouvent les mines où travaillent les enfants les plus résistants et les mutants. Le ciel est rouge, encombré par la fumée noire des grandes forges qui produisent des armes. Malronce y possède son domaine, on le dit hanté. Là-bas, elle sait qu'elle est en sécurité, personne n'oserait l'approcher.

Ambre se leva :

— Matt ne doit pas partir pour le Sud. Vous n'êtes pas comme eux, je le vois bien, vous devez nous faire confiance, il ne faut pas nous dénoncer, les Cyniks ne feront qu'une bouchée de nous, je vous en prie, ne vous comportez pas comm…

— Du calme ma petite ! Du calme ! Je n'ai jamais eu l'intention de vous livrer en pâture. J'avoue avoir joué un jeu cruel pour mieux vous tirer les vers du nez… Quand vous êtes passés me voir hier, j'ai eu un doute, j'ignorais si vous étiez bien les *traîtres* que vous affirmiez être ou des rôdeurs suicidaires ! Je vous ai même incités à quitter la ville tant que vous le pouviez encore. Vous n'avez rien à craindre de moi.

Tobias remit son couteau de chasse dans son étui, sous la table. Il s'était préparé à toute éventualité. Balthazar poursuivait :

— Je suis peut-être un adulte, toutefois je m'estime très différent de tous ces moutons crédules.

— Vous pourriez rejoindre les forces Pans, proposa Tobias. Nous aurions bien besoin de quelqu'un de votre trempe.

— J'ai déjà bien assez à faire ici ! Tout ce que je demande c'est qu'on me laisse en paix. Je suis un observateur si tu préfères. Je vais regarder ce que je peux faire pour vous aider à fuir Babylone, en attendant vous pourrez dormir à l'étage.

— Nous ne partirons pas sans Matt, opposa Ambre aussitôt.

— Il est à bord du navire du conseiller, vous ne pouvez plus rien faire.

— Je n'abandonnerai pas. Ne cherchez pas à nous en dissuader, nous sommes l'Alliance des Trois et rien ni personne ne saurait nous séparer !

— Je crois que tu ne comprends pas bien : c'est déjà trop tard. Votre ami est dans les mains d'Erik, et…

— Ne gaspillez plus votre salive, monsieur, le coupa Ambre, déterminée comme jamais. Nous ne laisserons pas Matt derrière nous.

Balthazar était contrarié.

— Vous êtes têtus ! (Il secoua la tête d'un air dépité.) Et quand souhaitez-vous sauter dans la gueule du loup ?

— Cette nuit même, répliqua Ambre. Je n'attendrai pas que le navire appareille. Cette nuit même.

28

Limon, lichen et libellule

Balthazar avait conduit Ambre et Tobias dans un petit hangar jouxtant son échoppe.

— Voilà, c'est là que j'entrepose le surplus, les commandes spéciales et tout ce que je n'ai pas la place d'exposer en boutique, dit-il.

— Où est-ce que vous trouvez tout cela ? demanda Tobias en contemplant les matelas, meubles, et toutes les caisses pleines de souvenirs de la vie avant la Tempête.

— J'ai mes petits secrets, confia-t-il mystérieusement. Alors, de quoi auriez-vous besoin ?

— D'un moyen de traverser le fleuve, exposa Ambre.

Balthazar tiqua.

— Le fleuve ? répéta-t-il avec une grimace comme si le mot même était désagréable. C'est dangereux ! Cette eau est pleine de choses visqueuses et redoutables !

— Tant pis, à moins que vous puissiez nous faire passer le pont ?

— Hélas non, depuis la capture de votre ami, les gardes ont été doublées et les soldats ne laissent plus rien passer sans une inspection attentive, encore plus aux abords du Ministère.

— Et si nous nous présentions comme des traîtres Pans ? proposa Tobias. Et on demande à rejoindre le Ministère pour nous faire accepter !

— Surtout pas ! objecta Balthazar. Vous seriez aussitôt escortés jusqu'au bâtiment pour y recevoir une batterie de tests, c'est presque un lavage de cerveau ! J'ai vu des adolescents dans votre genre y entrer pleins de doutes et ressortir prêts à égorger leurs anciens copains ! Vous y passeriez plusieurs jours et le navire du conseiller serait déjà loin quand vous en ressortiriez !

Balthazar s'enfonça entre de hautes étagères et fouilla longuement l'intérieur de grandes malles avant de revenir avec un morceau de caoutchouc jaune.

— C'est un bateau gonflable, dit-il, certes pas ce qui existe de mieux, c'est hélas tout ce que j'ai.

— Ce sera parfait, répondit Ambre en inspectant l'embarcation.

— Et une fois de l'autre côté ? demanda Tobias. Ça ne résout toujours pas le problème pour s'introduire à bord ! On ne fera pas dix mètres sur les quais avant d'être repérés ! Il n'y a aucune cachette !

— Les égouts, intervint Balthazar. Du fleuve, vous pouvez entrer dans les collecteurs principaux, il suffira de patauger jusqu'à trouver une grille proche du navire pour remonter, il y en a partout pour recueillir l'eau. Ils datent d'avant le Cataclysme, c'est le meilleur moyen.

Ambre se frotta les mains.

— Et voilà, Tobias, nous avons désormais un plan !

Des nuages noirs passèrent devant la lune, plongeant momentanément Ambre, Tobias et Balthazar dans l'obscurité.

Ils terminaient de remplir d'air le canot jaune à l'aide d'un gonfleur qui s'actionnait au pied. Tobias avait usé de sa célérité aussi souvent que Balthazar ne regardait pas dans sa direction pour accélérer l'opération. Une pellicule de sueur maculait le front du jeune garçon et il savoura la fraîcheur nocturne.

La nuit était déjà bien avancée, presque toutes les lumières de la ville étaient éteintes, mises à part les lanternes des gardes et les hautes fenêtres étroites au sommet de la grande tour où était arrimé le dirigeable.

— Qui est-ce, le Buveur d'Innocence ? s'informa Tobias en admirant l'ombre gigantesque de la méduse qui flottait au-dessus de l'ancienne université.

Balthazar se crispa.

— Vous avez eu affaire à lui ? demanda-t-il aussitôt d'un ton effrayé.

— Non, c'est juste que je suis curieux.

— Il n'y a rien à savoir sinon qu'il ne faut pas l'approcher.

— C'est un proche de la Reine ?

— Non, certainement pas, le Buveur d'Innocence ne travaille que pour lui-même. Il fait alliance parce que ça l'arrange, bien qu'il n'aime pas la Reine.

— Alors lui aussi a encore sa mémoire ? supposa Ambre.

— Je ne pense pas, mais il existe d'autres choses que la connaissance et la mémoire pour ne pas être une coquille vide.

— Comme quoi ?

Balthazar prit une profonde inspiration avant de répondre du bout des lèvres :

— La perversion. Un être rempli de vices n'est pas une enveloppe que l'on peut remplir aisément avec autre chose, ses vices prennent trop de place et sont tenaces. Le Buveur d'Innocence est de ce genre-là. Ne l'approchez pas !

Tobias insista, trop intrigué par cet étrange personnage qui possédait une tour si grande et un dirigeable aussi singulier :

— C'est un homme puissant, n'est-ce pas ? Comment fait-il s'il n'est pas au service de Malronce ?

— C'est un rat d'influence, il connaît tout le monde, rend des services, et lorsque vous lui êtes redevable, soyez sûr qu'il saura un jour vous faire payer en retour ! Quiconque a besoin de quelque chose qu'il n'obtient pas vient le voir et il trouve toujours un arrangement.

— Il pourrait libérer Matt pour nous ? demanda Ambre.

— Non ! s'écria Balthazar bien trop fort.

Les deux adolescents se jetèrent à terre et tous les trois attendirent une longue minute avant d'être assurés qu'aucune patrouille ne les avait entendus.

— Non, répéta Balthazar plus bas, le prix à payer serait bien trop élevé ! Et personne ne gagne jamais en définitive avec le Buveur d'Innocence.

Le canot était prêt, ils attendirent que la lune revienne et ensemble ils le lancèrent à l'eau en le gardant accroché par une cordelette.

— Encore une fois, je vous le dis : renoncez ! insista Balthazar. Vous êtes libres, vous pouvez encore quitter cette ville !

— Pas sans Matt, fit Tobias en s'engageant sur l'échelle à barreaux qui descendait au niveau du fleuve, trois mètres plus bas.

Ambre se posta devant le vieil homme :

— Je suis désolée pour le cambriolage de cette nuit. Merci pour votre aide. Je ne crois pas que nous nous reverrons.

Balthazar prit la main de la jeune fille entre les siennes.

— Si d'aventure vous avez besoin d'un lieu pour vous cacher, vous savez où me trouver. Bonne chance !

Une fois les deux Pans installés dans le canot, Balthazar leur lança la cordelette qui les maintenait à quai et ils saisirent les rames pour pagayer dans les eaux troubles du fleuve.

Une pellicule sombre et poisseuse ne tarda pas à recouvrir l'extrémité des rames, et Tobias constata que toute la surface du fleuve était recouverte d'un limon épais.

— Il ne doit pas y avoir beaucoup de poissons avec ce truc ! fit-il d'un air dégoûté.

— Seuls les plus gros et les plus résistants doivent survivre ! Pas un bon point pour nous.

Le courant était heureusement moins fort qu'ils ne l'avaient craint, et ils parvenaient à ne pas trop dériver. Ils s'étaient élancés du point le plus au nord en espérant atteindre l'autre berge avant d'être emportés au niveau du pont où ils craignaient d'être repérés par les gardes.

— Une fois que nous aurons récupéré Matt, on saute dans le canot et on se laisse porter par le courant jusqu'à la sortie de la ville, tout au sud ! exposa Tobias.

— Il faudra que ce soit avant le lever du jour ! Regarde, il y a des tours de vigies à l'entrée et à la sortie du fleuve dans la ville. Ils nous verront certainement passer et donneront l'alerte.

— Peux-tu soulever le canot ou au moins le faire aller plus vite avec ton altération ?

— C'est trop volumineux et surtout très lourd, au mieux je tiendrais sur quelques mètres, pas plus.

Tobias haussa les épaules.

— Alors tant pis, on improvisera !

De temps à autre de sinistres formes affleuraient la surface en émettant des bruits humides. Tobias préférait les ignorer.

Le vieux Balthazar se tenait encore dans l'ombre des façades, il les suivait du regard. Tobias eut un pincement au cœur en songeant à ce personnage atypique, à sa solitude. Et dire qu'à New York ils le prenaient pour un tyran…

Pendant vingt minutes ils pagayèrent le plus vite possible en direction de la terre ferme et lorsque le quai fut à portée de bras, Tobias se sentit nettement plus rassuré. Ils n'avaient affronté aucune attaque monstrueuse.

Avisant la bouche ronde d'un collecteur d'égout, Ambre se servit de sa rame comme d'un gouvernail pour les rapprocher de l'œil noir qui sourdait de la maçonnerie. Avec quelques figures d'équilibre ils parvinrent à se hisser à l'intérieur et Tobias trouva même un clou qui dépassait pour nouer la cordelette de leur embarcation.

Le garçon sortit son champignon lumineux de sa poche et le leva devant lui.

Le collecteur faisait deux mètres de diamètre et ses parois étaient couvertes d'un lichen vert et jaune qui ressemblait à une toison emmêlée.

— Ne pose pas tes mains là-dessus, avertit Ambre, un Long Marcheur m'a raconté une fois que certains lichens des souterrains sont devenus encore plus urticants que le pire des sumacs vénéneux !

Tobias s'écarta vivement des parois.

Ils n'étaient pas très bien armés pour une opération commando, songea-t-il. Il n'avait que son arc et son couteau de chasse et Ambre ne disposait probablement que d'un canif, c'était peu pour résister à des épées, des haches et des masses !

Avec notre altération, cela peut faire la différence, tenta-t-il de se rassurer.

Un résidu d'eau croupie stagnait au milieu du tunnel et, pour éviter tout contact avec le lichen, ils étaient obligés de marcher dedans, produisant des éclaboussures tout de même plus bruyantes que ce qu'ils auraient souhaité.

Un bourdonnement sourd résonna dans le réseau de galeries.

Puis il s'intensifia, et pendant un moment Tobias pensa

même qu'il pouvait s'agir du métro avant que les vibrations se rapprochent assez pour qu'il n'ait plus aucun doute :

— C'est animal ! releva-t-il. Et ça vient droit sur nous !

Tout d'un coup, un nuage s'abattit sur eux, des centaines de créatures se jetèrent contre leur corps, s'agrippant à leurs cheveux ou leurs vêtements. Ambre agitait les bras, paniquée tandis que Tobias se protégeait la bouche et le nez de crainte que les bêtes n'entrent en lui.

Sous la lueur du champignon, il put détailler les insectes. Longs, munis de deux paires d'ailes… *Des libellules ! C'est juste des libellules !*

La nuée ne s'attarda pas sur eux et poursuivit sa route, à peine ralentie, pour jaillir à l'extérieur et disparaître au-dessus du fleuve.

Tobias rassura Ambre en lui expliquant que ce n'étaient que de grosses libellules, mais cela n'eut pas l'air de lui plaire davantage.

Ils prirent à gauche à la première bifurcation pour être certains de longer les quais et Tobias reprit confiance en apercevant des grilles tous les vingt-cinq mètres qui laissaient pénétrer un rayon de lune. Ils en comptèrent sept et décidèrent de grimper pour vérifier leur position.

Tobias poussa de toutes ses forces sur la trappe d'acier qui se souleva en tintant et il remonta doucement la tête.

Le navire du conseiller royal, le *Charon*, se dressait à seulement trente mètres.

Il redescendit et s'élança vers le puits d'accès suivant.

— Nous y sommes presque, déclara-t-il.

Ils se faufilèrent par la grille suivante à la surface. Ils n'avaient plus qu'une demi-douzaine de pas à parcourir pour atteindre la passerelle d'embarquement…

— Il y a un truc qui cloche, comprit Tobias aussitôt.

— Quoi donc ?

— La passerelle ! Elle n'est plus à quai !

Ils virent alors que les amarres étaient jetées, et les grandes voiles baissées.

— Ils partent ! s'alarma Tobias en se relevant.

Le navire s'éloignait lentement du quai.

Défiant toute prudence, Tobias se tenait debout à découvert, constatant avec la plus grande détresse que Matt leur échappait.

Il partait pour le Sud.

Dans les griffes de Malronce.

29

Une arme secrète

Les voiles produisaient un son agréable en se gorgeant de vent. Un feulement qui respirait le grand air. Avec la douceur de la nuit, c'était un moment magique pour Roger.

Il se tenait agenouillé sur la hune du mât de misaine, à douze mètres de haut, surplombant le pont principal et s'offrant ainsi une vue parfaite sur les quais et le rempart extérieur, le temps que le navire sorte de la ville.

En tant que second du capitaine et chef de la sécurité, il aimait prendre de la hauteur lors des manœuvres un peu délicates.

Pendant quelques secondes il crut discerner un individu sur les quais, avec ce qui ressemblait à un arc accroché dans le dos. Puis la silhouette se dissipa dans la pénombre et Roger l'oublia. Il n'y avait pas à s'en faire pour ça maintenant qu'ils quittaient Babylone.

Sur ce navire, ils étaient en sécurité.

Roger en connaissait les moindres recoins par cœur, ses hommes également, ils disposaient d'armes en grande quantité, et il souhaitait bon courage à quiconque tenterait de les aborder !

Toutefois, Roger fut saisi par un doute. Pourquoi diable envisageait-il le pire ? Pourquoi penser à une attaque ? Ce n'était jamais arrivé…

— À cause de notre précieuse cargaison, dit-il tout haut.

Cette fois, ce n'était pas un voyage comme les autres. Ils transportaient un passager particulier.

Roger attrapa le hauban et descendit sur le pont principal pour s'assurer que tout était en ordre. Ils allaient passer les tours de vigilance qui encadraient la sortie sud du fleuve et qui délimitaient l'extrémité de la ville.

Un des gardes de la tour la plus proche se pencha par-dessus les créneaux et agita une lanterne pour leur souhaiter bonne route.

Tout allait pour le mieux, se félicita Roger. Comme d'habitude.

Il devait se départir de ce sentiment d'anxiété. La présence à bord de ce gamin n'allait rien changer à leur croisière.

Le conseiller spirituel de la Reine apparut sur le pont. Avec sa longue robe noire et la plaque de métal moulée sur son crâne, il ne passait pas inaperçu.

— Belle nuit pour un départ, Conseiller, fit Roger pour engager la conversation.

— Le départ m'importe peu, je suis bien trop impatient d'arriver à Wyrd'Lon-Deis pour offrir à notre Reine cet enfant qu'elle recherche tant ! Serons-nous plus rapides qu'à l'aller ?

— Dans le sens du courant, c'est certain, monsieur. Moins de trois jours pour atteindre Hénok, sauf si nous ne pouvons y être avant le crépuscule, vous savez pour les Mangeombres, dans ce cas, nous attendrons une nuit de plus avant d'approcher. Ensuite il faut compter douze à vingt-quatre heures pour faire transiter le navire par les Hautes-Écluses. Cinq jours plus tard nous serons aux pieds de Sa Majesté.

— Neuf jours ! Bon sang que c'est long !

— Ce garçon, monsieur, c'est bien celui qu'on cherchait ?

— Cela ne fait aucun doute.

— Et il est aussi important qu'on le dit ?

— C'est l'affaire de la Reine, je ne peux rien te dire.

— C'est pour la Quête des Peaux ?

— Tu es bien curieux pour une fois, Roger, que t'arrive-t-il ?

— Rien monsieur, des rumeurs circulent à bord, c'est tout.

— Quel genre de rumeur ?

— Eh bien, il se dit que cet enfant pourrait bien nous offrir la rédemption tant attendue. Alors nous ne voudrions pas le perdre.

— Sois certain que cela n'arrivera pas ! Toi et tes hommes allez redoubler de méfiance et de prudence, ne nous faites pas passer par les régions les plus sauvages, évitez les Marais Infectés aux approches de Wyrd'Lon-Deis, tant pis pour la perte de temps.

— Comptez sur nous.

— Et le chien, il est dans les cales ?

— À l'avant, dans une grande cage, il se lèche sans arrêt, il a une blessure au flanc.

— Faites le nécessaire pour le soigner, je ne veux pas qu'il meure ; on ne sait jamais, si le gamin a risqué sa vie pour lui, il se pourrait qu'il ait de l'importance, la Reine en jugera.

Constatant que le navire remontait d'un bon mètre par rapport au niveau du fleuve, Roger informa son supérieur :

— Le lombric de quille vient de sortir, nous allons prendre de la vitesse, monsieur, je vais faire remonter les voiles, vous pouvez aller vous reposer, dans une minute nous irons plus vite que tous les bateaux du monde !

— Parfait. Que personne n'entre dans la cabine de l'enfant.

Roger salua son supérieur et allait s'occuper des manœuvres lorsque le conseiller l'appela :

— Roger ! Détends-toi. Cet enfant n'est pas une menace pour ce bateau. Bien au contraire. Tout ce que je peux te dire c'est qu'avec lui, nous serons bientôt en mesure d'écraser tous les Pans de cette terre. Il est une sorte d'arme secrète si tu préfères...

Ces mots rassurèrent Roger qui retrouva le sourire.

Une arme secrète.

Cette idée lui plaisait bien.

30

Un pacte avec le diable

L'aurore pointait son nimbe blanc au-dessus de l'horizon de toits et de cheminées.

Ambre et Tobias se sentaient fourbus. Après un sommeil agité et trop court, ils avaient somnolé dans leur canot à la sortie des égouts, au milieu des odeurs et du lichen, incapables de retraverser le fleuve plus tôt dans la nuit pour rentrer chez Balthazar.

N'avoir pu rejoindre Matt leur était un véritable accablement.

Tobias se réveilla tenaillé par la faim et le désespoir.

Il vit Ambre, les yeux grands ouverts, qui contemplait les maisons sur la rive opposée.

— On ne va pas pouvoir rester là plus longtemps, dit-elle, des gens pourraient nous voir d'en face.

— Alors on fait quoi ? Il n'y a que des petits bateaux amarrés, même si on parvient à les piloter, jamais nous ne pourrons rivaliser de vitesse avec un trois-mâts !

— J'ai mon idée.

Tobias retrouva un peu d'entrain et se redressa. Ambre avait le visage fermé, l'air préoccupé.

— Alors ! s'impatienta Tobias, à quoi tu penses ?

— Nous allons frapper à la porte de la grande tour, demander à Colin qu'il nous introduise auprès du Buveur d'Innocence.

— Quoi ? Tu n'as pas entendu les mises en garde de Balthazar ? Il ne faut surtout pas approcher ce type !

— C'est le seul capable de nous aider. Quoi qu'il veuille, nous trouverons bien un moyen de le convaincre.

— Et s'il nous vend aux Cyniks ?

— C'est un risque à courir. De toute façon, nous n'avons plus d'autre option. C'est ça ou nous abandonnons Matt à Malronce.

— Plutôt crever !

— Alors c'est parti.

Ambre monta les trois marches de pierre du perron et prit à deux mains l'imposant heurtoir en bronze qui ornait la porte de la tour.

Les deux coups résonnèrent lourdement dans l'édifice.

Il fallut presque trois minutes pour que l'un des battants s'ouvre enfin sur le visage gibbeux de Colin.

— Nous avons besoin de ton aide, dit Ambre en guise de salut. Pour solliciter une entrevue avec le Buveur d'Innocence.

Colin fronça les sourcils.

— Pour quoi faire ?

— Nous avons un marché à lui proposer.

Colin regarda furtivement par-dessus son épaule et fit un pas au-dehors.

— Ne faites pas ça, dit-il plus bas. N'entrez pas ici, vous n'avez rien à y gagner, croyez-moi !

— Nous n'avons plus le choix, il faut vraiment que tu nous emmènes à lui.

Colin les observa longuement.

— Vous devez être dans une situation désespérée pour en arriver là. Si c'est parce que les Cyniks vous ont refusés, vous feriez mieux de repartir dans la forêt.

— Nous venons de notre plein gré, insista Tobias.

— Alors c'est que vous êtes devenus fous !

Il s'écarta pour les laisser entrer à contrecœur et les accompagna vers un large escalier blanc. Ils franchirent plusieurs paliers et, à chaque fois, l'ambiance des étages surprit le duo de visiteurs. Les murs étaient roses, pêche, marron clair ou vert d'eau, des tapis jaunes, orange et bleus ajoutaient encore plus de couleurs à la décoration pourtant déjà acidulée. Il y avait même des bocaux de verre remplis de friandises dans des alcôves. Tobias s'empressa de piocher dans l'un d'eux et partagea aussitôt sa joie avec Ambre :

— Ils sont encore bons ! C'est génial cet endroit !

Mais Ambre ne se départait pas de sa méfiance :

— Moi ça me fait penser aux contes pour enfants, tu sais la maison en pain d'épice et la sorcière qui attend ses proies à l'intérieur, ce genre de truc flippant.

Au dernier étage, ils avaient les cuisses en feu et le souffle coupé. Colin les fit patienter sur un banc recouvert de mousse bleue et il se faufila derrière une grande porte.

— De quelle monnaie d'échange dispose-t-on ? demanda Tobias. Parce que je ne vois pas bien ce qu'on va pouvoir lui proposer !

Ambre avait toujours l'air préoccupé.

— Ne t'en fais pas pour ça, répondit-elle mystérieusement.

La porte s'ouvrit sur Colin qui leur fit signe de le rejoindre :

— Il est prêt à vous accorder une audience.

Ils pénétrèrent dans une longue pièce couverte de velours violet et de coutures aux reflets dorés au fond de laquelle trônaient une petite table et un grand fauteuil dont le dossier s'élevait à plus de trois mètres.

Un homme tout sec y était vautré, une fine moustache blanche au-dessus de la lèvre supérieure, des yeux très rapprochés par un nez beaucoup trop fin, un front haut qu'arrêtait une coiffe rouge semblable au chapeau des cardinaux.

— Les voici, maître, fit Colin en se courbant.

La tête du Buveur d'Innocence se dressa au bout d'un cou étroit avec un certain dédain pour ces deux visiteurs.

— Approchez ! ordonna-t-il. Que je vous voie mieux.

En découvrant Ambre et Tobias, deux adolescents, sa raideur se dissipa et le soupçon d'un sourire parvint même à ses lèvres.

— Qui vous envoie ? demanda-t-il.

— Personne, répondit Ambre. Nous venons de nous-mêmes pour vous demander un service. Il nous a été dit en ville que vous étiez ce genre de personnage, capable de tout arranger.

— C'est en effet ce qu'on dit de moi. Et que peuvent souhaiter deux jeunes gens ici, à Babylone ?

— Notre ami a été emporté sur un navire cette nuit, il fait route vers le Sud et nous devons le retrouver au plus vite.

Le sourire du Buveur d'Innocence se contracta.

— Rien que ça ? Un seul navire a pu partir dans la nuit, c'est le *Charon*, celui du conseiller spirituel Erik. Ce n'est pas une poursuite qui s'engage à la légère !

— Il transporte avec lui notre ami, et c'est le garçon dont le visage est placardé partout en ville ! Celui-là même que la Reine Malronce recherche activement.

— En quoi devrais-je être concerné ?

— Pour que la Reine le veuille à ce point, il a forcément de l'importance ! Ne voudriez-vous pas le rencontrer avant que la Reine ne l'enferme ?

Le Buveur d'Innocence se gratta le menton en plissant les lèvres.

Tobias en profita pour se pencher vers Ambre et lui chuchoter :

— Que fais-tu ? On ne va pas refiler Matt à ce dingue ?

— Chaque problème en son temps, répliqua-t-elle sur le même ton de conspirateur. Déjà il faut que nous reprenions Matt aux soldats cyniks !

— Que me proposez-vous ? demanda le Buveur d'Innocence.

— Si vous…, commença Ambre.

— Stop ! la coupa-t-il. Déposez sur cette table devant vous, ce que vous m'offrez en échange de mon aide. C'est ainsi que je procède. C'est la table des offrandes. La table des pactes.

Ambre parut décontenancée, elle hésita puis se reprit et, ignorant la table, elle expliqua :

— Vous nous aidez à rejoindre le bateau et à récupérer Matt, ensuite nous répondrons à toutes vos questions, ce sera autant de renseignements précieux que vous pourrez monnayer en ville !

— Et me déclarer ouvertement contre Malronce ? Ah ! Quelle brillante idée ! ironisa-t-il.

— C'est tout ce que nous avons ! Mais si la Reine le veut tellement, c'est bien qu'il sait quelque chose, n'est-ce pas ?

Le Buveur d'Innocence fit une grimace de déception.

— Je ne prends pas de si gros risques sans garantie.

— Nous n'avons rien d'autre…, fit Ambre d'un ton implorant.

Soudain le Buveur d'Innocence bondit de son trône et approcha des deux adolescents qu'il contourna en les jaugeant comme de la marchandise. Puis, vif et déterminé, il attrapa Ambre qu'il assit sur la table.

— Voilà qui est bien mieux ! triompha-t-il.

— Quoi ? paniqua Ambre. Moi ? Vous me voulez moi ? Comme esclave ?

— Non ! Bien sûr ! Je ne propose que des marchés qui peuvent être conclus, je ne suis pas stupide ! Je vous propose mon aide pour retrouver votre ami en échange de… vous.

— Qu'est-ce que ça veut dire ? s'énerva Tobias en approchant du Buveur d'Innocence.

— Allons, allons, mon garçon, insista l'homme, tout mielleux, tu n'as qu'à sortir, Colin va te faire visiter la tour pendant que ton amie et moi trouvons un terrain d'entente.

— Je ne la quitte pas…

Ambre pivota vers Tobias. Elle avala sa salive avec difficulté, les mains tremblantes.

— Laisse-nous, Toby, dit-elle la voix chargée d'émotion.

— Non! Certainement pas!

— Nous n'avons plus le choix.

— Mais tu ne vas tout de même pas…

— C'est ça ou Matt est condamné! s'énerva-t-elle. Maintenant sors! Ne t'en fais pas, je te retrouve tout à l'heure.

Tobias n'était pas dupe, il apercevait la panique en elle malgré ses efforts pour paraître rassurante.

— S'il te plaît, Toby, ajouta-t-elle les yeux rougis.

Tobias comprit alors qu'il ne fallait pas rendre ce moment encore plus insurmontable qu'il ne l'était déjà.

Ils étaient acculés, ils n'avaient plus le choix.

Il fallait respecter la décision d'Ambre.

Tobias secoua la tête, serra les mâchoires pour ne pas pleurer et suivit Colin vers la grande porte.

31

Haïssable héroïsme

Tobias expérimenta la relativité.

Chaque seconde dura une heure. Tous les sons: grincements de porte, vent contre les fenêtres, craquements de bois, lui redonnaient espoir, avant que le silence ne revienne le torturer.

Que se passait-il tout là-haut, au sommet de cette tour maudite où le langage pouvait sceller bien des malheurs?

Ambre souffrait-elle?

Tobias avait bien son idée mais il refusait de l'admettre.

Colin lui proposa un verre d'orangeade, il le refusa sèchement.

— Vous n'êtes pas vraiment là pour trahir les Pans, comprit Colin. Pas vrai?

Tobias l'ignora. Il n'en pouvait plus d'attendre. Il ne rêvait que d'enfoncer la porte et tirer son amie des griffes de cet odieux bonhomme.

Cela signifiait abandonner Matt.

Alors pour sauver l'un d'entre nous, nous sommes prêts à sacri-
fier une part de notre innocence ? Ce qui fait encore de nous des
Pans…

Après cela, Ambre allait-elle changer ? Devenir une Cynik petit à petit ?

Tobias préférait ne pas y penser, c'était trop abominable.

Puis la grande porte se déverrouilla, le déclic descendit dans l'escalier jusqu'à l'étage où s'impatientait Tobias. Il se précipita.

Ambre était sur le seuil, les bras croisés comme pour se pro-téger. Elle n'exprimait rien. Ni peine, ni joie.

Tobias chercha une raison d'être soulagé en la scrutant, il croisa son regard mais elle baissa les yeux.

Alors le cœur de Tobias se serra, s'enfonça tout au fond de sa poitrine, comme dans un petit coffre trop étroit.

Il se sentit mieux immédiatement. Moins vulnérable.

Moins proche d'Ambre aussi.

Le Buveur d'Innocence approcha, tout sourires :

— Je vais vous aider, dit-il, il n'y a pas de temps à perdre si nous voulons rattraper le bateau d'Erik, je vais préparer le dirigeable. Colin va s'occuper de vous !

Sur quoi il se coula dans une autre petite tour.

Tobias voulut poser sa main sur l'épaule d'Ambre pour la réconforter mais celle-ci se dégagea aussitôt.

— Comment te sens-tu ? demanda-t-il. Tu veux en parler ?

— Nous n'en parlerons pas, nous n'en parlerons jamais, et à partir de maintenant toi et moi allons considérer qu'il ne s'est rien passé. C'est compris ?

Tobias acquiesça doucement.

Peut-être avait-elle raison ? C'était mieux ainsi, ne plus évo-quer le sujet… Pourtant il lui semblait qu'enterrer ce genre de malaise c'était compromettre la terre sur laquelle Ambre allait se construire, et tout ce qu'elle sèmerait ensuite à cet endroit de sa personnalité risquait de … pourrir.

C'est son choix, je ne peux rien décider pour elle, regretta-t-il avant de constater que le coffre qui protégeait son cœur fonctionnait assez bien.

— Alors nous partons en chasse ? dit-il. Pour retrouver Matt !

Ambre se fendit d'un sourire qui sonnait faux.

Les préparatifs ne prirent pas plus d'une heure, puis Colin les conduisit jusqu'au sommet de la tour, sous un toit pentu, vers des passerelles suspendues au-dessus du vide.

Le vent soufflait assez fort, renforçant la sensation de vertige.

Au bout des planches, la nacelle du dirigeable flottait, accrochée par des dizaines de filaments translucides à la longue méduse qui flottait dans le ciel. De près elle évoquait le *Nautilus* à Tobias ; contrairement à ses camarades de classe, il avait toujours adoré les romans de Jules Verne qu'il trouvait passionnants. Trente mètres de long, de larges fenêtres rondes et une forme profilée, elle ressemblait à un sous-marin.

— Cette créature produit de l'air chaud dans son ventre pour se tenir à température élevée, et comme celui-ci est creux et immense, elle vole en permanence ! expliqua le Buveur d'Innocence en criant par-dessus les rafales. À l'instar d'une montgolfière !

Ils prirent place dans la cabine de pilotage à l'avant, face à une grande baie vitrée qui leur donna l'impression de marcher au-dessus de la ville.

Colin terminait de charger les affaires. Il avait couru à l'autre bout de Babylone à la demande des deux adolescents pour récupérer leurs sacs à dos et transpirait abondamment.

— Comment obligez-vous la méduse à prendre la direction de votre choix ? s'informa Tobias, désireux de comprendre.

Le Buveur d'Innocence tapota sur une grosse boussole puis désigna plusieurs manettes en bois et en cuir devant lui :

— Il suffit de choisir un cap et ensuite ces instruments permettent d'effectuer différentes pressions sur les filaments principaux, à droite, et elle vire à tribord, à gauche, et elle tourne à bâbord. Cette molette ouvre un clapet au niveau de son ventre et dégaze de l'air chaud qui fait chuter l'altitude. Celui-là la stimule et elle produit davantage d'air chaud pour grimper dans les airs, et enfin ici, je peux tirer pour exercer une force sur l'avant de son corps, ce qui la fait ralentir. Il n'existe par contre aucun moyen de la faire aller plus vite, elle se déplace à une vitesse constante.

Tobias était admiratif, il en oubliait toute méfiance.

— Bien entendu, c'est moi qui ai tout conçu, ajouta l'homme fièrement.

— Elle se nourrit comment ?

— Je te montrerai pendant le voyage, c'est assez impressionnant. À présent installez-vous, nous allons partir. Colin ! Libère les amarres et ferme la porte !

Colin obéit, après quoi le Buveur d'Innocence actionna diverses manettes et toute la nacelle craqua tandis qu'ils se mirent à avancer.

Le spectacle par la grande baie était magnifique. La tour s'éloigna d'un coup ; rapidement, ils survolèrent les remparts, puis le fleuve et en un instant la ville fut derrière eux.

— Qu'y a-t-il à bord ? interrogea Tobias après avoir admiré la vue.

— Ce poste de conduite, un vaste salon puis quatre chambres et le hangar à l'arrière. Bien assez pour nous quatre.

— Combien de temps avant de rattraper le navire qui détient Matt ? demanda Ambre sèchement.

— Difficile à dire, ils ont une douzaine d'heures d'avance…

— Nous sommes bien plus rapides que ce bateau, n'est-ce pas ? supposa Tobias.

— Ce n'est pas un véritable voilier, le vent ne sert que pour les manœuvres délicates et pour reposer le lombric de quille.

— Qu'est-ce que c'est un *lombric de quille* ?

— Un immense ver marin qui vit dans la cale et qui est déployé pour parvenir à la vitesse de croisière, ce monstre nage bien, mange peu et parvient à tracter sur son dos de grands poids. C'est le seul que nous ayons réussi à capturer. Tant que le lombric de quille les propulse, je crains que nous ne puissions pas gagner du terrain, cependant, cette bestiole doit se reposer plusieurs fois par jour, alors, si les vents ne sont pas propices, ils n'auront que le courant pour leur faire descendre le fleuve. Si la chance est avec nous, nous les rejoindrons avant Hénok.

Tobias avait espéré une poursuite plus aisée.

— C'est loin cette cité ? demanda-t-il.

— Trois jours à peu près ; notre limite. Si nous ne les interceptons pas avant, alors il sera trop tard ! Car nous ne pourrons stationner à Hénok plus de quelques heures, avant que la nuit tombe.

— Pour quelle raison ? C'est encore plus surveillé ?

— Dans cette région, la nuit, les Mangeombres sortent chasser, c'est pour ça que la ville est enterrée. Personne ne peut sortir à la tombée du jour. De toute façon, au-delà de Hénok, commence Wyrd'Lon-Deis, et je ne m'y aventurerai jamais. Personne ne le fera pour vous aider. Nous devons retrouver votre ami avant Hénok, sinon ce sera perdu.

— Et si on parvient au bateau, c'est quoi le plan ?

Le Buveur d'Innocence toisa Tobias avec un rictus méprisant.

— C'est votre ami, non ? dit-il. À vous de vous débrouiller ! Moi je ne fais que le chauffeur !

Tobias se laissa tomber dans son siège, face au paysage qu'ils engloutissaient sous la baie vitrée.

Sauver Matt n'allait pas être facile.

Et pour la première fois, il se mit à douter. Il ignorait tout de ces dangers et obstacles qu'évoquait leur pilote.

N'étaient-ils pas en train de voler vers leur propre perte ?

Il observa Ambre qui fixait l'horizon, déterminée.

Elle est loin à l'intérieur d'elle-même, songea Tobias, *tentant par tous les moyens de vivre avec son sacrifice.*

L'aventure n'avait décidément rien d'euphorisant.

À trois cents mètres d'altitude, par une vitesse de trente nœuds, Tobias fit une constatation terrible.

Si les héros existaient bel et bien dans cette réalité, alors leur vie était un enfer.

TROISIÈME PARTIE

D'air et d'eau

32

Une prison sur le fleuve

Matt avait dormi longtemps.

Étaient-ce les onguents et les potions dont ils l'avaient gavé de force depuis la veille qui l'avaient assommé ?

Quelle heure pouvait-il bien être ? Tard, assurément…

Matt écarta les draps et découvrit avec horreur qu'il était couvert de cataplasmes suintants qu'il s'empressa d'arracher avec les bandages. Toutes ses ecchymoses, ses bosses et ses entailles – heureusement superficielles – apparurent. Le mal de crâne se réveilla également.

Ils ne l'avaient pas raté.

Étourdi, il s'assit sur sa couche pour reprendre ses esprits et examiner la pièce.

Il était toujours sur le bateau. En direction du Sud.

Vers les terres de Malronce.

Avisant ses vêtements posés sur une chaise, Matt s'habilla et vint inspecter les fenêtres. Impossibles à ouvrir. Au-dehors, la lumière du jour était vive. L'après-midi probablement.

La douleur palpitait entre ses tempes, Matt alla se servir un verre d'eau qu'il avala d'une traite. Dehors, la berge la plus proche était à plus de cent mètres. Avec le courant et la faune, il était plus que probable qu'il ne puisse jamais la rejoindre. Ils voguaient au milieu d'un immense fleuve, bien plus large qu'il ne l'était en ville.

Et Plume ? Qu'ont-ils fait d'elle ? S'ils ont touché un poil de ma chienne, je jure de tous les tuer avant de fuir ce maudit rafiot !

Matt prit alors conscience de la violence qui l'habitait. Plus il combattait les Cyniks, plus il était obligé de verser leur sang, et plus les barrières de sa morale reculaient. Il ne devait pas se laisser corrompre.

L'altération lui avait donné une force prodigieuse, il pouvait désormais rivaliser avec les Cyniks les plus costauds. Chaque fois, l'effet de surprise jouait en sa faveur, combiné avec sa souplesse, sa détermination et des rudiments d'escrime, Matt terrassait ses adversaires.

Ce n'était pas une raison pour se laisser gagner par la facilité de la violence. Il ne pouvait la brandir comme réponse à chacun de ses problèmes, de ses frustrations.

Sinon qu'adviendrait-il de lui à courte échéance ?

Un Cynik ! Voilà ce que je vais devenir !

Il s'élança vers la porte.

— Plutôt mourir, dit-il tout bas.

Elle était verrouillée de l'extérieur.

Que faire ? Même s'il parvenait à quitter sa chambre, pouvait-il se jeter à l'eau et espérer rejoindre la rive ? Pour tenir combien de temps en pleine nature, sans équipement ? Du suicide !

Pas si je débusque les ruines d'une ville sur le chemin…

Restait le plus difficile : comment retrouverait-il ses amis ? Qu'étaient-ils devenus ? L'attendraient-ils en ville ? Rentreraient-ils auprès des Pans ?

Si seulement ils savaient que je suis ici ! Je suis sûr qu'ils trouveraient un moyen de me suivre…

Des pas lourds approchèrent dans le couloir et la porte s'ouvrit sur l'homme en robe noire et rouge et à la plaque d'acier sur le crâne.

— Pourquoi as-tu retiré tes fomentations ? demanda-t-il en désignant les plaques boueuses et les bandages sur le plancher.

— Vous vous souciez de ma santé maintenant ?

— Je préfère te présenter en bonne santé à la Reine.

— Comment a-t-elle vu mon visage pour établir le portrait des avis de recherche ?

— Elle fait des rêves.

La nouvelle estomaqua Matt. Lui aussi rêvait. Du Raupéroden…

— Et je suis dans ses songes, c'est ça ? Que me veut-elle ?

— La Reine voit notre avenir dans son sommeil, elle est guidée par une force supérieure, tu saisis ? Elle est notre guide, notre messie !

— Pourquoi moi ? insista Matt.

Le conseiller spirituel éluda la question.

— Je vais t'autoriser à monter sur le pont principal, pour que tu prennes l'air, je ne veux pas d'un garçon ramolli et anémié devant Notre Majesté ! Mais sache que si tu te jettes à l'eau, les crocoanhas te dévoreront en un instant !

Matt imagina des nuées de crocodiles mutants sillonnant les eaux troubles du fleuve.

— Et si tu fais quoi que ce soit d'intrépide à bord, sache que le chien que tu aimes tant en paiera les conséquences !

Plume ! Elle était à bord !

— C'est une chienne, corrigea Matt. Je voudrais la voir.

— Si tu te comportes bien, j'envisagerai cette option.

Le conseiller spirituel guida Matt dans les coursives pour atteindre le pont principal où l'air du début d'après-midi l'enveloppa d'une fraîcheur bienvenue.

De jour, Matt prenait la pleine mesure du trois-mâts : un impressionnant bâtiment de transport mais aussi de guerre. Massif, avec un équipage de soldats, des vigies au sommet de chaque mât, et seulement deux canots à bord. Il semblait impossible d'en manipuler un sans éveiller l'attention du personnel. Était-ce plus calme la nuit ?

Probablement, mais pas moins bien gardé ! s'énerva le jeune garçon.

Il remarqua alors qu'aucune voile n'était déployée. Comment se propulsaient-ils ?

— Il est temps que tu m'en dises plus sur ton voyage, annonça le conseiller spirituel. D'où venais-tu précisément ?

— Vous vous rappelez, tout à l'heure, vous avez dit que vous me vouliez en bonne santé et présentant bien devant votre reine… Ce qui signifie que vous ne me frapperez plus pour avoir vos réponses. Alors je vous le dis : allez vous faire voir, je ne répondrai à aucune question.

L'œil mauvais du conseiller s'enflamma d'une colère silencieuse.

— Toi oui, ton chien c'est différent. À chacune de mes questions laissée sans réponse, je ferai fouetter dix fois cette bête ! Dois-je commencer dès à présent ?

La colère changea de bord, cette fois elle envahit Matt des orteils aux cheveux. Il serra les poings pour se retenir d'agir.

— Espèce d'enfoiré ! lâcha Matt entre ses mâchoires serrées.

— Dois-je ordonner *vingt* coups de fouet ?

— Je venais d'un clan de Pans à plusieurs jours de marche de la Forêt Aveugle.

— J'imagine que la Forêt Aveugle est votre nom pour ce que nous appelons les Montagnes Végétales ? Combien êtes-vous dans ce clan ? Je te préviens : ne me mens pas, nous avons beaucoup de renseignements de nos patrouilles, je le saurai. Pense à ta chienne…

Matt devait se décider très rapidement : mentir pour protéger le clan de l'île Carmichael ou préserver Plume ?

— Une vingtaine seulement, mentit-il.

Avant que le Cynik ne puisse recouper les informations, Matt espérait avoir quitté ce navire avec Plume.

— Et comment as-tu su que tu étais recherché par notre Reine ?

Matt mit à profit cette conversation pour errer sur le pont et étudier les différentes sécurités.

— Une de vos patrouilles nous a attaqués, nous sommes parvenus à déjouer leurs ruses et nous enfuir après avoir volé leurs affaires. Il y avait un avis de recherche avec mon visage à l'intérieur du sac.

— Et cela t'a suffi pour rejoindre la Passe des Loups ?

— Qu'est-ce que c'est la Passe des Loups ?

— Le seul moyen de passer du nord au sud sans avoir à traverser les Montagnes Végétales, un goulet de trente kilomètres franchissables entre les arbres, tu l'as forcément emprunté pour descendre sur nos terres. C'est d'ailleurs surprenant puisque nous en gardons l'accès et que notre citadelle est presque achevée !

— Je suis passé par la Forêt Aveugle.

Le conseiller se mit à rire avant que celui-ci ne se fige en constatant que Matt était sérieux.

— Non, personne ne peut franchir ce mur d'arbres !

— C'est pourtant par là que je suis venu. Vous le dites vous-même : la Passe des Loups est sous votre contrôle ! Comment l'aurais-je traversée sans me faire repérer ?

— Tu es décidément un garçon plein de ressources. Tu vas m'en dire un peu plus sur cette Forêt Aveugle…

Matt en avait assez vu. Il y avait des gardes partout. Une vingtaine au moins, sans compter tous ceux qui ne manquaient pas d'occuper les niveaux inférieurs. Quitter le bateau serait très difficile.

À bien y réfléchir, il ne voyait absolument pas comment faire. Nombreux et armés, ils ne pouvaient être défaits en combat régulier.

Finalement, c'était peut-être une chance que Ambre et Tobias ne soient pas à leurs trousses.

Car contre une pareille armada, ils n'auraient eu aucune chance.

— J'ai à nouveau très mal au crâne, avoua-t-il, je voudrais descendre dans ma cabine.

Matt devait se rendre à l'évidence : il ne pourrait jamais fuir le bateau, il fallait attendre une escale ou leur destination finale.

33

La Quête des Peaux

Le soleil de fin de journée venait se refléter sur la peau de la méduse, la créature brillait comme un fragment de miroir à la dérive dans le ciel.

Tobias détendit la corde de son arc en la détachant pour reposer le bois, et rangea ses affaires dans son sac. C'était son rituel rassurant, s'assurer qu'il ne manquait de rien, qu'il était paré à toute éventualité.

La cabine n'était pas très spacieuse mais confortable. Aussi rebutant que pouvait être le Buveur d'Innocence, il avait su faire de cet endroit un luxueux moyen de transport.

On toqua à sa porte.

— Oui ?

— C'est moi, Ambre.

Tobias alla ouvrir et la jeune fille se glissa à l'intérieur avant même d'y être invitée.

— Je voudrais te demander un service, dit-elle. Serais-tu d'accord pour qu'on dorme ensemble ? Je n'ai pas confiance, et je crois que ce serait plus prudent.

Ambre prisait tant son intimité que cette requête éveilla la méfiance de Tobias. Elle devait se sentir particulièrement menacée pour en arriver là.

— Pas de problème.

— Tu veux bien m'aider à transporter mon matelas jusque-là ? Je dormirai par terre.

— Non, tu n'auras qu'à prendre ma couchette, ça ne me dérange pas du…

— Je m'impose, je dors au sol, oublie la galanterie, je crois que nous sommes bien au-dessus de ça maintenant.

Ils portèrent le matelas de la jeune fille qu'ils posèrent contre le lit de Tobias. Pendant qu'elle remettait les draps, Tobias se pencha pour se confier :

— Je crois que ça va être difficile de récupérer Matt.

— Je sais.

— Et ensuite, qu'est-ce qu'on fera ? Nous sommes descendus sur les terres cyniks pour en apprendre plus, mais on ne va pas rester indéfiniment ici, n'est-ce pas ?

— J'imagine que nous rentrerons à l'île Carmichael, pour partager ce que nous aurons appris. La mémoire effacée des Cyniks, l'anneau ombilical, la Reine Malronce…

— Il faudra qu'un Long Marcheur se présente pour diffuser les informations aux autres Pans, et à Eden.

Ambre acquiesça, pensive. Puis, après une hésitation, elle avoua :

— J'aurai seize ans dans trois mois, à ce moment, je me rendrai à Eden, pour devenir un Long Marcheur à mon tour, j'aurai l'âge légal.

— Tu nous quitteras ? s'étonna Tobias comme s'il parlait d'un crime odieux.

— J'en rêve depuis le début. Et puis… nous ne pourrons pas faire toute notre vie ensemble, pas vrai ?

— Mais… et l'Alliance des Trois ?

— Elle existera encore, à distance, et peut-être comme un souvenir de ce que nous avons été.

— Tu es amoureuse de Ben, c'est ça ? comprit soudain Tobias. Je me souviens, chaque fois que je t'ai vue en sa compagnie tu buvais ses paroles et le mangeais du regard !

— Non ! Pas du tout ! Être Long Marcheur est une aventure solitaire ! Ça n'a rien à voir ! Tu as trop d'imagination, Toby ! Je veux juste sillonner notre pays pour rassembler les Pans, pour partager les avancées des uns et les découvertes des autres, participer à la cartographie du monde, produire une encyclopédie des plantes et des animaux nouveaux, bref, je veux me sentir utile !

— Et nous ? Qu'est-ce qu'on deviendra ?

— Chacun doit trouver sa place, nous ne pouvons vivre tous les trois toute notre vie…

— Je croyais pourtant que c'était la promesse qu'on s'était faite avec l'Alliance des Trois.

Ambre eut un regard embarrassé.

— Je suis désolée, Toby.

— Dans trois mois, c'est ça ? Bon, ça nous laisse encore le temps de te convaincre de ne pas le faire, lança Tobias avec un regain d'espoir. Et puis Long Marcheur, c'est un peu ce qu'on fait depuis le début de cette aventure !

— C'est aussi pour ça que je suis venue avec vous. Toutes les informations que nous rassemblerons sur les Cyniks pourront nous servir plus tard.

Ambre alla chercher son sac à dos et s'aménagea un petit coin à elle dans un angle de la cabine. Comme elle voulait se changer, Tobias la laissa et se rendit dans le salon de la nacelle.

La pièce était entièrement recouverte de moquette rouge, du sol au plafond. Deux immenses hublots de part et d'autre du dirigeable dévoilaient le paysage étourdissant, et Tobias alla s'asseoir dans un des canapés pour admirer la vue.

La porte s'ouvrit sur le Buveur d'Innocence qui proposa à Tobias de le suivre. Ils grimpèrent par une échelle au milieu de la coursive principale pour soulever une trappe et gagner le toit de la nacelle.

Le vent y soufflait fort et Tobias fut rassuré de trouver des rambardes sur tout le tour de la terrasse. La méduse les surplombait de quelques mètres, violette, bleu et rose. Elle dansait dans les airs pour avancer.

Tobias nota la présence des dizaines de filaments translucides qui servaient de cordage. Chacun s'arrimait à la nacelle par une boucle de fer. Tobias s'approcha et voulut en toucher un lorsque la main du Buveur d'Innocence l'arrêta brusquement.

— Bien que le spectacle puisse être amusant, je doute que tu apprécierais, l'avertit-il. Regarde !

Le Buveur d'Innocence pointa du doigt un oiseau qui venait

de s'accrocher à un filament. Celui-ci avait en fait les propriétés de la soie d'araignée, collant et visqueux. L'oiseau se débattit avant qu'une petite fumée ne s'élève de son plumage. La pauvre bête se mit à piailler tandis que son corps était entraîné vers le haut, vers la méduse. Il fumait de plus en plus et bientôt une de ses ailes se détacha pour être absorbée par le filament.

— Non seulement ça colle mais en plus les acides du système digestif de la méduse te rongent, révéla le Buveur d'Innocence. Tout ce qui passe à sa portée est ainsi avalé. Moucherons, mouches et oiseaux principalement, mais si un mammifère commet l'erreur d'effleurer ces filaments il subit le même sort. Redoutable.

— Dégoûtant ! répliqua Tobias.

— Tu n'imagines pas le travail qu'il a fallu pour attraper cette créature ! Et encore moins pour la domestiquer !

L'homme se caressait la moustache en parlant. Tobias le guettait du coin de l'œil, intrigué par ce personnage aussi répugnant que mystérieux.

— C'est votre nom, le Buveur d'Innocence ? Je veux dire : vous n'en avez pas d'autre ?

L'homme leva un sourcil et scruta Tobias.

— C'est le surnom qui m'a été donné à Babylone. Toutefois, tu peux m'appeler Bill si tu préfères.

— Bill ? répéta Tobias.

Pour le coup, ce n'était pas du tout effrayant ! Savoir que le Buveur d'Innocence s'appelait en réalité Bill apaisa aussitôt l'adolescent qui se sentit moins impressionné.

— C'était mon nom, *avant*.

— Avant ? Vous voulez parler du Cataclysme ? Vous vous souvenez de votre ancienne vie ?

— Quelques souvenirs seulement.

— Je croyais que tous les Cyniks avaient perdu la mémoire !

— Il faut croire que non.

Soudain Tobias se rappela l'avertissement de Balthazar. Certains adultes, remplis de perversions, étaient tellement obsédés par leurs vices que ceux-ci les avaient en quelque sorte protégés, trop chevillés à leurs esprits qu'ils étaient. La perversion, omniprésente chez certains, avait fonctionné à la manière d'un bouclier, préservant des parcelles de mémoire. Tobias repensa alors au tout premier Cynik qu'il avait rencontré : Johnny. L'homme avait tenté de l'agresser, et Matt l'avait tué pour les protéger. Johnny aussi avait une partie de sa mémoire.

Quel monde avons-nous, où seuls les plus infâmes ont gardé leur personnalité et tous les autres sont devenus sauvages et violents !

— Viens, il y a trop de vent ici pour s'entendre, dit le Buveur d'Innocence avant de redescendre.

Une fois de retour dans le salon, l'homme se servit un verre de ce qui ressemblait à du whisky.

— Vous travaillez avec les soldats de la Reine parfois ? s'enquit Tobias.

— Non. Cependant, j'assiste aux mises à nu.

— Qu'est-ce que c'est ?

— Lorsque les soldats rapportent leur cargaison d'enfants, ils sont exposés dans un hangar, totalement nus, et l'on compare leur peau au dessin donné par la Reine : le Grand Plan.

— C'est ça la Quête des Peaux ?

— Exactement. La Reine fait des rêves étranges, et par leur biais, elle nous guide vers la rédemption. Dès le début, elle a vu ce Grand Plan, il lui revenait sans cesse, alors elle l'a dessiné. Puis elle a compris. C'était un message divin. Nous devions trouver l'enfant qui portait sur sa peau ce dessin.

— Pour quoi faire ?

— La Reine a établi son repaire autour d'une étrange table sur laquelle elle s'est réveillée après le Cataclysme. Cette table est une carte du monde. Et dans son rêve, si la peau de l'enfant est posée sur cette table, alors l'emplacement du Paradis Perdu apparaîtra.

— Mais c'est horrible ! Ça veut dire qu'il faut… tuer l'enfant !

Un sourire écœurant fendit le visage du Buveur d'Innocence.

— En effet, dit-il d'un ton doucereux.

Alors Tobias eut une révélation. Si Matt avait autant d'importance pour Malronce, c'était parce qu'il était cet enfant.

Les Cyniks allaient l'écorcher vif.

34

D'une divine nature

La table du conseiller spirituel était bien garnie.

Pâté en croûte, terrine, poulet rôti et nombreux fruits s'accumulaient face à Matt. Pourtant l'odeur rance des lanternes à graisse lui coupait l'appétit.

Matt avait tout d'abord voulu se soustraire au dîner en prétextant que ses blessures le faisaient souffrir, avant que le conseiller n'insiste en menaçant de faire battre Plume.

— Votre reine, dit Matt qui tentait de diriger la conversation, elle a des raisons de me connaître ?

— Tu dis cela à cause des avis de recherche ? Je te l'ai dit : elle rêve de toi.

— Comme une sorte de message onirique ?

— En effet.

— Qui proviendrait d'où ?

Étant lui-même hanté par les rêves du Rauphéroden, il espérait glaner quelques explications sur la nature de ces rêves.

— Mais enfin ! De Dieu !

Matt manqua de s'étrangler avec le morceau de viande qu'il venait d'avaler.

— Dieu ? répéta-t-il, incrédule.

— Bien entendu ! C'est lui qui guide notre Reine, elle est notre messie désormais, pour laver nos péchés.

— Quels péchés ?

— La démesure, les vices et… vous ! hurla le conseiller. Tous les enfants sont le fruit de nos péchés anciens, ceux qui nous ont valu la colère divine !

— Nous n'avons rien fait !

— Nous sommes tous les enfants de pécheurs plus anciens qui nous ont transmis leur malédiction ! Avec Malronce, cela va s'arrêter ! Nous allons démontrer à Dieu, s'il le veut bien, que nous méritons son pardon ! Le Cataclysme était un signal pour le changement ! Parce que le premier couple a péché, tous leurs descendants ont dû en payer le prix, eh bien ce sera bientôt révolu ! En traquant le fruit de nos errances, nous allons nous affranchir de nos erreurs passées !

— En tuant vos enfants ? s'indigna Matt. Cela n'a aucun sens, vous êtes tous fous !

— Les enfants sont mauvais, nous le constatons tous aujourd'hui, ils sont donc le symbole de cette erreur, nous avons péché !

— Qui a dit que nous étions mauvais ? C'est n'importe quoi ! Nous ne demandions qu'à être avec vous !

— C'est faux ! Si chaque adulte se sent si oppressé, si mal à l'aise et plein de rage en présence d'un enfant, c'est qu'ils sont maléfiques ! Il n'y a qu'avec un anneau ombilical que vous devenez contrôlables, sinon vous passez votre temps à tout remettre en question, à tout vouloir changer ! Vous êtes l'inconstance !

— C'est idiot ce que vous dites ! Vous êtes comme des machines, vous obéissez bêtement, vous ne réfléchissez pas, vous avez peur de tout ce que vous ignorez, et nous au contraire nous avons soif de savoir, d'exploration, de découverte, nous évoluons en permanence !

— Vous êtes l'anarchie !

— À quoi bon vivre si c'est pour tuer sa progéniture ? L'humanité disparaîtra bientôt !

— Pas si cela attire la miséricorde de Dieu, si par cette preuve d'amour il nous pardonne nos péchés d'autrefois, alors il nous ouvrira les portes de la vie éternelle !

— Vous êtes fou…

Le conseiller, obnubilé par sa litanie, ne releva pas, il enchaîna :

— Désormais, il nous faut accepter que les enfants ne servent plus qu'à mener notre Quête des Peaux, pour nous montrer dignes, nous faire pardonner en les détruisant tous, en effaçant de cette terre toute trace de notre erreur. Et un de ces enfants, un seul, nous conduira, par sa peau, au sanctuaire, là où le pardon est possible, là où nous redeviendrons des êtres complets. La Reine le sait, la Reine s'est réveillée avec cette certitude, celle que quelque part, au pied d'un pommier, se cache notre rédemption. C'est parce qu'elle est la seule adulte à avoir eu un souvenir, une certitude à son réveil, qu'elle est notre Reine. Et voilà pourquoi la pomme est son emblème. Malronce l'a vu dans ses rêves ! (Il sortit alors des replis de sa robe une petite Bible qu'il lança sur la table.) Ce livre est partout dans les ruines, nous en avons retrouvé absolument partout ! Il est le transmetteur de notre passé vers notre avenir. Et la Reine nous le décrypte !

Des fanatiques ! songea Matt. *Voilà ce qui dirige les Cyniks ! Une poignée d'illuminés qui suivent aveuglément une femme folle qui s'est autoproclamée reine ! Il faut que je me sorte de là avant que ça ne finisse mal…*

Et comme pour le lui confirmer, le conseiller spirituel s'empara d'un couteau qu'il planta dans une cuisse de poulet en déclarant :

— Bientôt, toi aussi tu croiras, lorsque la Reine t'aura ouvert les yeux, tu croiras comme nous tous !

Dans les airs, la nuit était tombée sur la méduse, et les lampes à graisse illuminaient les fenêtres de la nacelle.

— C'est quoi le Paradis Perdu dont vous avez parlé tout à l'heure ? demanda Tobias.

— Le repos et le pardon éternels. L'Éden dont nous avons été chassés il y a bien longtemps à cause du péché !

— Le truc avec Adam et Ève ? Vous vous souvenez encore de ça après le Cataclysme ?

— Une poignée d'hommes et de femmes, des guides spirituels, profondément ancrés dans la religion ont également des fragments de mémoire ! En tout cas ils ont des Bibles pour nous guider.

De mieux en mieux ! pesta Tobias *in petto. Les pervers et les fanatiques sont les seuls à avoir encore un peu de mémoire ! À croire que le mal est plus tenace que le bien ! Sauf si… les excès sont une forme d'aveuglement, à tel point qu'ils peuvent résister à bien des nettoyages…*

— Il y a quelque chose que je n'ai jamais compris à propos de cette histoire de péché originel, enchaîna Tobias, c'est pourquoi nous sommes supposés vivre avec le poids de ce que nos ancêtres auraient commis ? Je veux dire : c'est aussi bête que de mettre un enfant en prison sous prétexte que ses parents sont des criminels !

Le Buveur d'Innocence pointa un index menaçant en direction de l'adolescent :

— Tu es bien effronté ! dit-il sans réelle colère. Les conseillers spirituels te feraient brûler pour cette défiance !

— C'est juste une question que je me pose…

— Malronce affirme que c'est justement le moment de nous affranchir du péché originel. De renier nos enfants, de les sacrifier à Dieu. Car c'est lui qui lui envoie ses rêves.

— Et s'il n'y avait pas de dieu derrière tout cela ?

— Que veux-tu dire ?

— Et si cette incroyable tempête était une sorte de réaction de la Terre contre nous ? Ambre a une théorie superintéressante à ce sujet ! Elle pense que la nature est guidée par une énergie dont le but unique est de propager la vie. Nous, l'espèce humaine, étions devenus un transporteur parfait, fruit d'une évolution telle que nous allions propager la vie ailleurs que sur Terre, dans le cosmos. Mais trop d'abus, trop de pollution, de déforestation, bref, aucun respect pour notre environnement aurait eu raison de la planète à moyen terme. Alors pour nous corriger, la nature se serait rebellée avec le Cataclysme. Puissant pour nous remettre en question mais pas totalement destructeur pour nous laisser une nouvelle chance, avec la conscience, cette fois, de prendre garde à la manière dont nous évoluons.

— Continue, dit le Buveur d'Innocence lorsque Tobias s'arrêta pour avaler sa salive.

— Pour permettre à la vie animale et végétale de survivre à notre règne, la Tempête aurait été chargée d'une puissance colossale, au point d'altérer la génétique, pour rendre les espèces plus fortes, plus résistantes. Au passage, les quelques enfants assez forts pour survivre au Cataclysme auraient été modifiés pour se développer plus vite, pour qu'ils aient aussi une chance. D'ailleurs, j'ai lu une fois dans un livre que l'évolution procède souvent par bonds, et non selon une courbe constante. Cette Tempête serait un de ces bonds majeurs.

— Pourquoi avoir séparé adultes et enfants dans ce cas ?

— Euh…

— Pour nous rendre plus autonomes, pour stimuler nos capacités d'adaptation, expliqua Ambre en entrant dans le salon. Ou pour un test grandeur nature.

— Quel test ? interrogea le Buveur d'Innocence.

— L'homme est-il réellement digne de survivre ? Est-il assez digne de poursuivre sa mission pour transmettre la vie ? Va-t-il s'entre-tuer comme il en a l'habitude ou parvenir à s'entendre pour mettre à profit ses nouvelles facultés ?

— La Reine fait des rêves ! Elle ne les invente pas !

— En altérant notre génétique, la Tempête a pu aussi enfouir des images dans l'esprit de certains, ou bien rendre cette femme plus sensible à son environnement, au point de *sentir* l'agencement atomique de l'univers, et d'en trouver un sens. Bien sûr, ce ne sont que des suppositions.

Le Buveur d'Innocence se massa le menton, manifestement captivé par le discours des deux adolescents :

— Derrière cette tempête, à vous écouter, existe une volonté précise, un plan ; donc une forme de toute-puissance. Un dieu !

— Non, pas un dieu au sens d'une personnalité omnisciente, contra Ambre, plutôt une forme originelle d'existence, une énergie : la vie. Et celle-ci gouverne les mécanismes essentiels de l'univers, sans arrière-pensées, rien qu'un système d'actions et réactions, qui glisse en avant, sans cesse, aussi simplement qu'une goutte d'eau subit l'attraction terrestre si vous la lâchez du haut d'une montagne !

Le Buveur d'Innocence croisa les bras sur sa poitrine :

— Alors je te pose la question autrement : qui a créé cette goutte d'eau ? Qui l'a lâchée du sommet de la montagne et pourquoi ? Il y a là la place pour l'existence de Dieu !

— Peut-être, admit Ambre en haussant les épaules, je ne le nie pas, je cherche juste à démontrer l'existence d'une autre théorie. La possibilité d'une harmonie naturelle, que l'homme envisage d'être ce qu'il est, sans s'enfermer dans des barrières morales douteuses qui l'affaiblissent plutôt que de l'épanouir ! Ma théorie ne réfute pas l'existence même de Dieu, mais elle le place ailleurs, plus distant.

— Dieu n'est pas un self-service où l'on pioche ce que l'on veut ! sermonna le Buveur d'Innocence, vous ne pouvez sélectionner un peu de-ci et un peu de ça, pour vous faire un dieu à la carte !

— C'est ce qu'il y a d'ennuyeux avec vous autres adultes : les choses doivent être bien ordonnées, vous ne laissez pas la place à la fantaisie, à l'imagination, au bien-être ! Parce que si vous voulez mon avis, c'est tout cela à la fois Dieu !

Tobias sentait que l'homme perdait patience, alors il changea de sujet :

— Le Grand Plan que vous avez mentionné, c'est quoi au juste ?

Le Buveur d'Innocence toisa longuement Ambre avant de répondre à Tobias :

— Il s'agit d'un dessin particulier formé par les grains de beauté d'un enfant. Malronce a distribué une copie de ce dessin à Babylone. Tous les Pans capturés sont exposés nus dans une salle et l'on compare l'agencement de leurs grains de beauté avec le Grand Plan. Le jour où nous trouverons l'enfant, il faudra l'expédier à Malronce.

— Pour l'écorcher, insista Tobias.

— Car sa peau, reprit le Buveur d'Innocence, une fois superposée à la table sur laquelle Malronce s'est réveillée après le Cataclysme, montrera l'emplacement du Paradis Perdu.

— Cette table, intervint Ambre, elle ressemble à quoi ?

— C'est un morceau de pierre noire, une carte du monde. Nous l'appelons le Testament de roche.

— Comment savez-vous tout cela ? demanda Tobias.

— J'assiste aux mises à nu des Pans. C'est mon... hobby.

— Pour quoi faire ?

Le Buveur d'Innocence se fendit d'un rictus qui mit Tobias mal à l'aise.

— Disons que j'aime beaucoup la compagnie des enfants. Dès qu'il est confirmé qu'ils ne sont pas la carte, les Pans sont vendus aux enchères pour servir d'esclaves. J'en fais collection. Voilà tout.

— Mais nous n'avons vu que Colin chez vous ? s'étonna Tobias qui ne comprenait pas.

— Oui... en effet. Les autres... eh bien les autres ne sont que de passage, voilà tout.

Le Buveur d'Innocence émit un rire gras, qui dégoûta Tobias, et se leva pour prendre la direction du poste de pilotage.

— Je vais voir où nous en sommes, vous deux, servez-vous donc à manger, je vous rejoindrai plus tard.

Dès qu'il eut disparu, Ambre sauta sur le canapé à côté de Tobias :

— Les grains de beauté ! s'exclama-t-elle. J'ai toujours cru qu'ils étaient disposés au hasard ! Mais non, bien entendu ! Ils ont une signification ! La nature est trop bien faite pour laisser cela au hasard ! Chaque grain de beauté est une forme de communication bien sûr !

— Ça veut dire qu'on naît avec une sorte de message ?

— Peut-être un nom donné par la nature, peut-être un emplacement où se rendre pour être en harmonie, ou bien le morceau d'une phrase qu'il faudrait assembler avec tous les autres êtres humains pour faire un livre de peau et de grains de beauté racontant la vie ; je ne sais pas ! Mais c'est extraordinaire.

— J'ai quand même du mal à croire que l'un d'entre nous est né avec une carte sur le corps !

— Et pourquoi pas ? Chaque cellule de notre corps contient toute notre génétique, et ce n'est rien de moins qu'un formidable livre de recettes pour nous fabriquer ! La nature est trop parfaite pour produire des éléments inutiles, et les grains de beauté sont une forme de communication. Cette « carte » que Malronce recherche, c'est assurément l'emplacement de quelque chose de primordial !

— Tu ne crois pas à la théorie du Paradis Perdu ?

— Si le Paradis Perdu est un moyen d'être en harmonie avec la nature, avec cette Terre, pourquoi pas ?

— Tu crois que c'est une sorte de clé vers l'essence même de la Terre ?

— Réfléchis, si la nature cache cet endroit avec autant de soin, c'est que c'est essentiel. Quelque chose lié à nos corps, à nos existences. C'est fondamental et pourtant mystérieux. Je crois que c'est la source même de la vie !

Tobias était bouche bée. Tellement stupéfait qu'il en oublia son langage :

— Oh merde, dit-il. Tu imagines si les Cyniks mettent la main dessus ?

Il ouvrit le buffet pour saisir une pomme.

— C'est une option que nous ne pouvons envisager, corrigea Ambre.

— Il faut que Matt l'apprenne ! Il faut que tous les Pans le sachent ! s'excita Tobias en portant la pomme à sa bouche.

Ambre l'empêcha de croquer dans le fruit :

— Si j'étais toi, j'éviterais de manger ce qui vient du Buveur d'Innocence. Les enfants qui entrent chez lui n'en ressortent jamais, tu te rappelles ?

35

Et deux mètres qui en disent long…

Ambre réveilla Tobias.

Sa main lui secouait doucement l'épaule mais ce fut son souffle chaud qui sortit le jeune garçon de ses songes. La proximité avec Ambre l'emplit aussitôt d'une énergie étrange, à la fois euphorisante et électrisante.

— Toby ! Allez, lève-toi !

— Qu'est-ce qui se passe ? demanda-t-il tout embrumé.

— Je voudrais que nous vérifiions quelque chose.

Ambre tenait le champignon lumineux dans la main, et Tobias vit que le hublot était encore tout noir.

— Maintenant ? protesta-t-il.

— Oui, le Buveur d'Innocence dort, allez, debout !

Tobias s'exécuta et enfila son pantalon pendant que Ambre faisait le guet, la tête dans le couloir.

— Tu veux vérifier quoi au juste ? insista l'adolescent.

— Cet après-midi, lorsque tu discutais avec le Buveur d'Innocence sur le toit, j'ai fait un tour dans le hangar et j'ai remarqué qu'il manquait deux mètres.

— Deux mètres ? Je ne comprends rien !

— Le hangar est trop petit par rapport à ma chambre ! Le mur de ma chambre dans le couloir fait au moins six mètres de long alors qu'elle n'en fait que quatre à l'intérieur ! Et je suis allée dans le hangar, les deux mètres n'y sont pas ! Ça veut dire qu'il existe une pièce entre ma chambre et le hangar !

— T'as découvert tout ça en vingt minutes ?

— Je n'ai eu le temps de réellement explorer le hangar, j'avais trop peur que vous redescendiez.

— Ambre, je ne sais pas si je dois te féliciter pour ton sens de l'observation ou m'inquiéter pour ton obsession de toujours tout inspecter !

— Je suis comme ça, que veux-tu. Allez viens, la voie est libre, Colin est au poste de pilotage et l'autre vicieux dort.

Ils se glissèrent dans la coursive et prirent le plus grand soin de ne pas faire un bruit en passant devant la chambre du Buveur d'Innocence et enfin atteindre le hangar.

Tobias s'empara de son champignon lumineux et passa en premier.

La pièce courait sur huit mètres, avec quelques caisses en bois et une ouverture tout au fond.

— C'est de ce côté, indiqua Ambre en pointant le doigt sur une paroi couverte de cordages.

Tobias s'agenouilla et inspecta attentivement le sol avec son champignon.

— Tu as raison, fit-il après une minute, il y a bien une rainure verticale ici, comme une porte ou… Attends, je crois que c'est un bouton…

— Ne l'actionne pas !

Mais Tobias avait déjà pressé dessus et la paroi s'écarta du mur avec un déclic métallique.

— Tu crois qu'*il* l'a entendu ? s'alarma Tobias.

— Nous n'allons pas tarder à le savoir…

Aucun mouvement suspect ne survint à bord et Tobias se décida à ouvrir le battant.

De l'autre côté, ils posèrent le regard sur une cellule sans fenêtre, mais avec des chaînes rivées aux murs.

— Oh ! mon Dieu ! s'exclama Ambre en portant ses mains à sa bouche.

— Qu'est-ce que c'est ? Il voyage avec des prisonniers ?

Ambre désigna la minuscule paillasse :

— Des enfants, Tobias ! Des enfants…

— Le Buveur d'Innocence… alors c'est vrai ce qu'on raconte sur lui ?

— Il ne faut pas lui faire confiance, tu saisis ?

— Tu… avec ce que tu as fait, il devrait nous aider, non ?

Ambre secoua la tête :

— Non, Toby, non. Viens, je crois qu'il est temps d'avoir une conversation avec Colin.

Colin dormait lorsque les deux adolescents pénétrèrent dans le poste de pilotage. Immédiatement, il vérifia la boussole, corrigea un peu le cap et cligna des paupières pour chasser le sommeil.

Ambre s'installa sur le siège à côté de lui pendant que Tobias se tenait dans son dos. Colin n'aimait pas ça.

— Qu'est-ce que vous faites là ?

— Nous n'arrivons pas à dormir, fit Ambre.

Tobias désigna un incroyable bandeau de lumières bleues et rouges qui serpentait à plusieurs kilomètres sur leur droite.

— C'est quoi ? On dirait des milliers de gyrophares de police !

— Tu ne reconnais pas ? se moqua Colin. Les Scararmées !

— Sans déc ? Dis donc, de haut c'est impressionnant !

— Ils traversent le pays sur les anciennes autoroutes, ils sont des milliards et des milliards ! Bleus d'un côté, rouges de l'autre et…

— Je sais, j'en ai déjà vu de près ! le coupa Tobias. Sauf qu'à cette altitude c'est assez magique !

— Personne ne sait ce qu'ils font exactement.

— Même pas les Cyniks ?

— Encore moins les Cyniks ! Ils se contrefichent de ces scarabées lumineux !

— Quand je serai Long Marcheur, intervint Ambre, je les suivrai jusqu'à la source.

— Tu suivras lesquels ? demanda Tobias. Les bleus ou les rouges ?

— Quelle différence puisqu'ils marchent tous vers le sud ?

— Non, révéla Colin. J'en ai vu aussi, sur une autre autoroute, qui remontaient vers le nord. Bleus et rouges également.

— Il y a forcément une raison, un sens à leur présence, déclara Ambre. J'aimerais bien creuser la question.

Finalement, Colin appréciait leur compagnie et encore plus l'effort qu'ils faisaient pour lui parler malgré leurs antagonismes, toutefois il ne souhaitait pas s'attirer d'ennuis, alors il leur fit signe de partir :

— Maintenant retournez à vos cabines, le maître n'aime pas qu'on sorte la nuit, s'il vous surprend ça va barder ! Lui et moi uniquement pouvons circuler à bord !

— Pour qu'il puisse maltraiter des enfants, c'est ça ? compléta Ambre d'un ton soudain inamical.

— Écoutez, je vous avais prévenus, c'est vous qui êtes venus le voir !

— Pourquoi tu restes avec lui ? voulut savoir Tobias.

— Et quel choix ai-je ? Tu veux bien me le dire ? Les Cyniks m'ont rejeté parce que la prise de l'île a échoué et que leurs hommes sont morts ! Il n'y a que lui pour me recueillir ! Vous préféreriez que j'aille où ? Seul dans la forêt ? Pour me faire bouffer par les Gloutons ?

— Rester à le servir c'est vendre son âme au diable !

— Au moins le diable, il me protège et me nourrit, lui !

— Après tout, tu n'as que ce que tu mérites, pesta Tobias.

Ambre intervint avant que les deux garçons n'en viennent aux mains :

— Colin, tu as toujours ton altération ? Tu peux encore communiquer avec les oiseaux ?

L'adolescent boutonneux se mordit les lèvres.

— Difficilement, avoua-t-il. Je perds ma faculté avec le temps. Je crois que c'est ça grandir : perdre ce qui fait qu'on est un peu spécial pour rentrer dans le moule.

— Tu ne pourrais pas guider un oiseau vers un point précis ? insista Ambre.

— Peut-être, avec beaucoup d'efforts, et si la distance est courte.

— Comment ça marche, tu leur parles ? s'enquit Tobias.

Colin ricana bêtement, pour se moquer de la remarque qu'il jugeait idiote.

— Bien sûr que non ! Je me concentre pour visualiser une image, et je l'envoie à l'oiseau, avec un ordre simple. Par exemple je regarde un oiseau et insiste jusqu'à sentir son cœur, sa chaleur. Ensuite je force son esprit pour lui envoyer le souvenir que j'ai d'une personne, et j'essaye de me représenter l'endroit où elle se trouve. De là, l'oiseau s'envole et part dans la direction indiquée pour retrouver la personne que je lui ai montrée. Voilà tout.

— Si on rattrape le navire de Matt, tu pourrais y guider un oiseau porteur d'un message ?

— Je peux essayer, mais je vous préviens : le maître ne voudra pas ! Il déteste les facultés des Pans, ça lui fait peur ! C'est parce que je suis presque adulte qu'il ne m'a pas posé un anneau ombilical, sinon je vous garantis que ça n'aurait pas traîné !

— Inutile de le lui dire, l'avertit Ambre.

— Mais c'est mon maîtr…

— Écoute, fit la jeune fille sûre d'elle, il va y avoir des dégâts dans cette intervention, ton maître pourrait bien devenir un adversaire de Malronce, es-tu certain de vouloir servir l'ennemi public numéro un ? Si tu nous aides, alors tu pourras rentrer avec nous, nous plaiderons en ta faveur auprès des Pans.

— C'est ta chance de te faire pardonner, ajouta Tobias.

Colin déglutit difficilement. Il fixait le paysage obscur par la baie vitrée face à lui.

— C'est quoi votre plan ? dit-il.

Ambre et Tobias se penchèrent vers lui et commencèrent à lui expliquer.

36

Entre chien et rapace

Le fleuve ondulait à travers les plaines, les collines et les forêts, étalant son vert insondable d'une rive à l'autre, un interminable serpentin qui buvait les ombres et renvoyait le soleil.

À bord du *Charon*, les matelots s'activaient dans les haubans, tandis que les voiles se déployaient. Le lombric de quille venait d'être remonté pour qu'il se repose et, rapidement, le navire perdit de la vitesse.

Matt assistait aux manœuvres depuis la dunette arrière, au milieu des officiers de bord qui surveillaient les opérations. Le conseiller spirituel demeurait dans sa cabine et déjà Matt avait remarqué que les officiers lui prêtaient moins d'attention. Ils savaient qu'il ne pouvait sauter par-dessus bord, c'était suicidaire, alors ils ne se souciaient pas vraiment de ses faits et gestes.

Les voiles ouvertes exigeaient plus de travail et durant trois à quatre heures chacun ne se préoccupait plus que de son poste.

Le moment était venu d'agir.

Matt avait repéré l'écoutille avant et il voulait commencer l'exploration du bateau par là. Il faudrait être discret et ne pas traîner, autant il ne risquait pas grand-chose, autant Plume pouvait souffrir à cause de lui. Cela lui était insupportable et il avait décidé, tôt ce matin-là, de localiser la chienne.

S'il devait s'enfuir, ce serait avec elle ou rien.

Des ponts inférieurs, Matt ne connaissait que l'arrière, les cabines : la sienne, juste à côté de celle du conseiller Erik. Puis celles des officiers. Il était peu probable que Plume soit enfermée de ce côté. Plusieurs fois, Matt avait aperçu la grande écoutille principale ouverte avec, tout au fond, des cales pleines de caisses et de vivres. Pour ce qu'il en avait vu, Plume n'y était pas non plus mais cela appelait une inspection plus minutieuse.

Aussi souhaitait-il débuter par l'avant, la partie dont il ignorait tout.

Matt fit mine de vouloir se dégourdir les jambes et descendit sur le pont principal pour errer parmi les amas de cordages. Les officiers étaient en pleine discussion sur la profondeur du fleuve et Matt en profita pour pousser l'écoutille avant et s'y faufiler.

Il n'avait pas beaucoup de temps.

Pour vaincre l'obscurité, il s'empara d'un paquet d'allumettes posé à côté d'une lampe à graisse et enflamma la mèche.

Les parquets et les parois de planches grinçaient peu à cette vitesse, Matt ne devait faire aucun bruit.

Tant pis, je n'ai plus le choix maintenant !

Il s'élança vers la première porte, fermée à clé.

— Ça commence mal, chuchota-t-il.

La suivante s'ouvrait sur une réserve d'outils et des malles de matériel. Il allait prendre l'escalier pour descendre d'un niveau lorsque quelqu'un toussa en approchant.

Paniqué, Matt revint sur ses pas et entra dans la réserve pour se cacher sous la voile pliée. Il souffla sur sa lampe et maudit aussitôt la graisse animale de produire une odeur aussi forte. Si l'homme entrait, il trouverait Matt.

Les pas résonnèrent devant la porte.

Puis s'éloignèrent.

Matt soupira longuement.

Une cloche lointaine sonna deux fois.

Le changement de quart, comprit l'adolescent.

Il faut que je remonte, le conseiller vient souvent inspecter le changement de quart!

Pourtant il poursuivit sa visite vers deux larges vantaux en bois qui devaient s'ouvrir sur la contre-étrave. Matt s'y introduisit et l'odeur caractéristique de sa chienne lui fit battre le cœur à toute vitesse.

— Plume? dit-il tout bas.

Une forme imposante se déplaça dans le fond de la pièce. Matt leva la lampe et se précipita.

Plume était enfermée dans une cage en bambou, un gros bandage beige lui encerclant les flancs.

— Au moins ils te soignent! fit Matt les larmes aux yeux. Si tu savais comme tu m'as manqué!

La chienne lui donnait des coups de langue comme s'il s'agissait d'une glace succulente. Des voix se mirent à crier au-dessus sans que Matt puisse en interpréter le sens.

— Je dois filer, dit-il, mais je jure que je vais te sortir de là.

La chienne se mit à gémir et Matt la caressa et embrassa sa truffe humide.

— Je ne peux pas rester, je suis désolé; s'ils me trouvent ici, c'est contre toi qu'ils vont se retourner!

Il gratta la tête de la chienne une dernière fois et allait s'en aller lorsqu'il reconnut la poignée de son épée dans un coin. Tout son équipement était entreposé là! Son premier réflexe fut de saisir l'arme avant de la lâcher aussitôt. Jamais il ne pourrait la dissimuler, et s'il se faisait prendre avec, les Cyniks comprendraient qu'il avait localisé Plume. À contrecœur il renonça à sa seconde peau.

Il ne pouvait pas remonter par où il était venu, c'était trop risqué, si on l'apercevait en train de sortir de l'écoutille avant, Plume aurait des ennuis…

Matt rejoignit la cale principale et de là, traversa pour parvenir aux cabines arrière. Il déposa sa lampe et remonta en prenant un air décontracté.

À peine sortait-il à la lumière du jour qu'une poigne ferme le saisit par le col.

— Où étais-tu ? s'écria le soldat.

Matt prit l'air le plus surpris qu'il put malgré la pression sur sa gorge :

— J'étais dans ma cabine !

— Ne mens pas ! clama la voix du conseiller spirituel plus loin. J'y suis passé il y a une minute !

— J'étais aux toilettes ! mentit Matt avec aplomb. J'ai bien le droit, non ?

Le conseiller se rapprocha :

— Si tu essayes de nous duper, n'oublie pas que c'est ta chienne qui paiera pour toi !

La main gantée le relâcha et Matt se massa la gorge pour faire passer la sensation d'étranglement.

— De toute façon où voulez-vous que j'aille ? répliqua Matt, énervé par la douleur.

Et il s'écarta pour aller s'asseoir sur un tonneau d'où il contempla les berges couvertes d'une végétation luxuriante.

Plume était bien vivante, c'était un bon point.

Restait à trouver comment fuir.

Le soir, après le dîner, Matt prenait le vent sous les étoiles, assis sur le bastingage. Les repas avec le conseiller spirituel devenaient intenables. Il était bombardé de questions sur les Pans, leur organisation, et si Matt mentait le plus souvent, il était parfois obligé de lâcher quelques réponses vraies pour ne pas prendre trop de risques avec la vie de Plume. Tant qu'ils étaient sur le fleuve, c'était jouable, le conseiller ne pouvait pas recouper les mensonges avec les informations de ses espions, mais tôt ou tard, le mur d'invention que bâtissait Matt s'effondrerait.

Le temps lui était donc compté.

Et puis cela l'épuisait, il fallait une concentration optimale pour mentir autant sans se contredire plus tard, il devait tout mémoriser.

Par chance, le conseiller lui octroyait une petite heure à l'extérieur après le dîner, pour digérer.

Matt ignorait tout de ce que Malronce lui voulait, mais il était sûr d'une chose : elle le souhaitait en bonne santé, le conseiller y veillait.

Si c'est pour me tuer de sa propre main, ça ne me rassure pas vraiment…

Deux officiers discutaient tout bas à la barre. Matt tendit l'oreille :

— Demain ? demanda celui qui portait un chapeau.

— Oui, reste à savoir quand ! Si c'est en début d'après-midi, ils nous ouvriront l'écluse, si c'est à l'approche de la nuit, alors c'est fichu ! Il vaut mieux ne pas prendre le risque d'approcher la ville dans ce cas-là !

— Toi, t'en as déjà vu des Mangeombres ?

— Ça va pas ? Jamais je ne suis sorti de Hénok à la tombée du jour ! Les téméraires, ceux qui se prenaient pour des chasseurs exceptionnels, je vais te dire : ce sont leurs têtes qui ornent les grottes des Mangeombres !

Matt sauta de son banc improvisé pour approcher les deux hommes :

— C'est quoi un Mangeombre ? demanda-t-il.

Les deux officiers l'observèrent avec méfiance.

— Tu as peur de la nuit ? interrogea en retour celui qui barrait.

— Pas trop.

— Les Mangeombres, c'est une bonne raison d'avoir peur de la nuit !

Sur quoi il émit un rire gras qui entraîna son compagnon.

Le conseiller spirituel se tenait au sommet de l'escalier. Comme à son habitude, il s'était déplacé sans bruit.

— Les Mangeombres sont des monstres qui vivent dans les grottes au-dessus de Hénok, dit-il tandis que les rires se taisaient aussitôt. Ils ne sortent qu'au crépuscule, et se nourrissent des ombres de tous les êtres vivants qu'ils rencontrent. Ils chassent en meute, sont rapides, cruels et très efficaces.

— Ils mangent les… *ombres* ? répéta Matt.

— Crois-moi, un être sans ombre n'est pas joli à voir, alors voici une raison de plus de rester auprès de nous ! Seul au-dehors, sans abri, tu ne leur échapperais guère longtemps.

— Alors les habitants de Hénok se barricadent ?

— C'est une ville en grande partie enterrée, les sas sont fermés au soleil couchant, et personne n'entre ni ne sort jusqu'à l'aube. C'est pourquoi le *Charon* s'immobilisera une nuit de plus à bonne distance, si nous ne pouvons parvenir à Hénok bien avant le crépuscule. Les Mangeombres craignent la lumière du jour, ils ne s'éloignent jamais beaucoup de leur nid.

— Ce sont des vampires en quelque sorte…

— Non, les Mangeombres sont bien pires !

Le conseiller spirituel s'éloigna et s'installa en retrait pour fumer son cigare du soir. Matt savait qu'il avait une heure avant qu'on ne l'enferme dans sa chambre pour dormir.

La situation se complexifiait. Il ne pouvait fuir le navire en pleine croisière mais une fois en ville, il ne pourrait s'échapper que pendant le jour !

Matt vérifiait régulièrement la boussole de bord et depuis le début ils descendaient le fleuve vers le sud. Au moins il savait que pour rentrer auprès des Pans la direction serait simple : plein nord.

Mais en savait-il assez ? Le conseiller refusait de répondre à ses questions, et les hommes n'étaient pas très bavards avec lui.

S'il voulait vraiment obtenir des informations intéressantes, il devait poursuivre ce périple jusqu'à son terme.

Face à Malronce, les réponses tomberaient.

Mais à quel prix ? Et pourrais-je seulement la fuir ensuite ?

Il y eut un bruit que Matt prit d'abord pour un coup de vent dans les voiles avant de se souvenir qu'elles n'étaient pas hissées, le Lombric de quille était en plein effort. Il se retourna et se trouva face à face avec un hibou aux grands yeux jaunes et noirs.

Craignant d'être attaqué par le rapace, Matt recula.

De quoi pouvaient bien être capables les hiboux depuis la Tempête ?

Pourtant l'animal ne paraissait pas agressif, il fixait Matt avec énormément d'intensité.

L'adolescent opta alors pour une autre approche. Il avait conservé une pomme de son dîner, pour une petite faim nocturne. Il en préleva un morceau avec les ongles et le tendit au hibou qui ne broncha pas.

Matt aperçut soudain le petit rouleau de papier accroché autour de sa patte.

Je reconnais cette méthode ! C'est un truc de Cynik ! C'est un fichu message !

Il vérifia que personne n'avait encore remarqué l'oiseau et s'en approcha. S'il l'effrayait, il s'enfuirait certainement et le message serait perdu, toujours ça de gagné pour ennuyer les Cyniks…

Sauf qu'au lieu de lever les mains pour faire peur au rapace, il se figea.

Non, ce n'est pas digne des Cyniks ! Ils communiquaient ainsi pour attaquer l'île Carmichael parce que Colin était de mèche avec eux et que son altération lui permettait de guider les oiseaux !

Et si Colin était désormais une sorte de manipulateur d'oiseaux à la solde des Cyniks ?

Impossible, il est mort !

Matt effleura le message du bout des doigts. Il craignait de se prendre un coup de bec.

Le rouleau se détacha et l'adolescent se rapprocha d'une lanterne à graisse pour le lire.

« *Nous sommes derrière toi, prépare-toi à fuir. Dès que nous le pouvons, nous intervenons. Ambre et Tobias.* »

Incroyable. Ils étaient parvenus à le suivre !

Mais la joie de Matt disparut dès qu'il songea aux forces présentes à bord. Aux soldats en armes. Il devait avertir ses amis.

Ne rien tenter maintenant.

Matt chercha de quoi écrire, vainement. Il ne pouvait se rendre dans sa cabine et revenir sans déclencher la méfiance du conseiller. Et puis le hibou risquait de partir ou d'être capturé par les Cyniks pour s'en faire un rôti !

Non, il fallait improviser avec les moyens du bord. Matt s'approcha près d'un clou qui dépassait du plancher, il l'avait repéré plus tôt en manquant de trébucher dessus. Il s'agenouilla pour y enfoncer son index, sous l'ongle. La douleur fut vive et le sang perla.

Avec le bout de son doigt, il rédigea une courte réponse en lettre rouge :

« *Non ! Navire trop protégé. Je fuirai une fois à Hénok, préparez un moyen de quitter la cité. Bon de vous savoir là !* »

Il enroula le mot autour de la patte du hibou, remit l'élastique par-dessus pour bien le tenir et poussa le hibou pour que celui-ci s'envole.

Ses grandes ailes s'ouvrirent et il grimpa dans le ciel obscur.

Restait à espérer qu'il apporterait bien son message à ses amis.

37

Chasseurs nocturnes

Le *Charon* naviguait au milieu du fleuve, laissant une écume blanche dans son sillage, et pendant une seconde, il sembla à Tobias qu'il apercevait une forme longiligne *sous* le trois-mâts. Quelque chose d'immense.

Il reposa la longue-vue.

— Nous sommes à moins de deux kilomètres, estima-t-il en frissonnant.

— Les vigies ont agité des drapeaux rouges ? demanda le Buveur d'Innocence.

— Non, pourquoi ?

— C'est qu'ils ne nous ont pas encore repérés. De toute façon ils croiront que je suis en route vers Hénok pour une de mes affaires.

— Et c'est quoi vos affaires ? interrogea Ambre.

— Je rends des services, je trouve ce que les gens recherchent, je transporte des marchandises avec mon dirigeable, ce genre de choses.

Et j'aime maltraiter des enfants ! M'en prendre à plus faible que moi, pour me sentir tout-puissant ! pensa Ambre avec colère. *Tu n'es qu'un infect pervers, oui !*

Brusquement la nacelle fut secouée et se mit à perdre de l'altitude.

— Qu'est-ce qui se passe ? s'inquiéta Tobias.

— C'est la méduse, elle a soif.

— Ne pouvez-vous la contraindre à reprendre de la hauteur ?

Paniqué à l'idée de s'écraser, Tobias se cramponnait si fort au siège que ses articulations blanchissaient.

— Au contraire, nous allons la laisser, elle n'en sera que plus réactive ensuite. Et puis cela nous permettra de faire le plein d'eau nous aussi !

Le Buveur d'Innocence veilla à ce que l'approche se fasse en douceur et ils finirent par s'immobiliser à dix mètres du fleuve. Des dizaines de filaments plongèrent sous la surface et le Buveur d'Innocence en profita pour rejoindre le hangar d'où il actionna un système de poulies pour faire tomber deux tonneaux dans l'eau verte. Il les fit remonter, pleins à ras bords.

Après deux heures, la méduse se remit en marche, elle effectua plusieurs kilomètres en flirtant avec le fleuve avant de regagner progressivement de l'altitude.

Le *Charon* avait étendu son avance sur eux, il n'était plus qu'une tache brune sur un ruban d'émeraude.

— Vous pouvez passer devant le navire ? s'enquit Tobias.

— Le dépasser ? Je croyais que vous souhaitiez libérer votre ami le plus vite possible ! Quel est votre plan ?

— Nous n'en avons pas vraiment, enchaîna Ambre, c'est pour avoir le temps d'y réfléchir justement. Si nous arrivons à Hénok les premiers, ce sera mieux.

— Je vais voir ce que je peux faire ; si nous passons directement au-dessus de ces collines au loin, ça doit être envisageable. Mais je vous préviens : je ne vais pas au-delà ! Si, à Hénok, vous n'avez pas récupéré votre ami, c'en sera terminé de notre entente ! Je rentrerai à Babylone.

Mais en fin d'après-midi, pendant que Ambre et Tobias finissaient de manger les provisions qu'ils prenaient soin de retirer de leurs sacs et non de la réserve du bord, le Buveur d'Innocence vint leur expliquer qu'il faudrait patienter une nuit de plus :

— Nous ne serons pas arrivés avant la tombée de la nuit, je ne peux prendre le risque d'accoster trop tard avec les Mangeombres !

— C'est quoi au juste les Mangeombres ? questionna Tobias.

— Aimes-tu les histoires horribles ?

— Pas trop…

— Alors tu ne vas pas aimer les Mangeombres ! Si tu es toujours curieux ce soir, rejoins-moi sur le toit au coucher du soleil.

Quelques heures plus tard, Tobias ne résista pas à la curiosité d'en savoir plus et, malgré son instinct qui lui disait de ne surtout pas y aller, il monta rejoindre le Buveur d'Innocence.

Le vent ne soufflait presque pas, il faisait doux pendant que les derniers rayons du soleil s'effaçaient peu à peu à l'ouest, sur des hectares de forêt à perte de vue.

Le Buveur d'Innocence lui tendit la longue-vue et pointa le nord du doigt :

— Regarde l'anse du fleuve.

Tobias s'exécuta et discerna le *Charon*, ancre mouillée,

qui allait passer la nuit derrière eux, à plusieurs kilomètres de Hénok.

— Nous ne craignons rien ici ? s'inquiéta le jeune garçon.

— Non, nous sommes bien assez haut et l'ombre de la méduse est trop grosse pour intéresser les Mangeombres. Maintenant, viens de ce côté et admire Hénok !

Tobias fut stupéfait en découvrant le paysage qui s'étendait au sud. Tout d'abord le pic escarpé qui surgissait au milieu des arbres lançait ses falaises et ses pitons rocheux vers les nuages. Le sommet pointu dépassait l'altitude du dirigeable. À son pied, le fleuve s'élargissait encore et se séparait en deux. L'un des bras entrait dans une immense grotte sous le pic tandis que le second, le plus large, disparaissait dans un mur de brume blanche.

Au-delà, c'était comme si le monde s'arrêtait subitement.

Les terres qui couraient ensuite vers le sud s'étaient enfoncées de plus de cinq cents mètres, un bassin interminable à l'abri d'un aplomb naturel infranchissable.

Tobias comprit alors ce qu'était la brume blanche : une gigantesque chute d'eau !

La forêt s'interrompait au bord de ce précipice qui courait aussi loin que la vue portait, d'est en ouest, les collines également s'interrompaient et tous les cours d'eau que Tobias devinait.

Sur ces terres encaissées, le relief semblait plus torturé, la végétation plus sombre, et Tobias eut soudain l'impression qu'un second soleil se couchait sur cet horizon, avant de comprendre que c'était autre chose.

— Que se passe-t-il tout là-bas ? s'enquit-il.

— C'est la demeure de Malronce, le cœur même de Wyrd'Lon-Deis. Le ciel y est perpétuellement rouge. J'ignore pourquoi, certains clament que c'est le sang de Dieu qui coule de tristesse pour noyer nos péchés mais je ne suis jamais allé voir !

— Et où est Hénok, je ne la vois pas ?

— Sous le pic devant toi, la grotte dans laquelle pénètre le fleuve est une des entrées. C'est une ville enterrée.

En portant la longue-vue à son œil Tobias remarqua des petites ouvertures dans la paroi, au pied du mont. Puis il vit plusieurs constructions sans fenêtre, et des escaliers s'enfonçant dans la pierre.

Une demi-douzaine de silhouettes s'empressaient de fermer les portes des maisons qui servaient en fait de hangars. Elles se mirent à courir pour rester dans le halo du soleil couchant.

Plus loin, deux bergers faisaient entrer leurs moutons dans la montagne par une trappe. Ils donnaient des coups de bâton aux retardataires pour les faire accélérer.

Tous les accès du pic s'étaient refermés, tout le monde était rentré. Le nimbe flamboyant du soleil quitta le versant en quelques secondes et l'astre disparut pour de bon.

Tobias fut ébahi par le silence qui s'ensuivit.

Plus aucun oiseau, plus de vent.

La nature tout entière semblait retenir sa respiration.

Alors ils sortirent de leurs trous.

Dans la pénombre du crépuscule, les Mangeombres jaillirent de leur nid au sommet du pic pour dévaler la pente à toute vitesse, comme s'il s'agissait d'une course pour la survie. Des formes triangulaires, un peu plus grandes qu'un homme. Tobias réalisa qu'elles ne glissaient pas au-dessus du sol, elles *planaient* ! Les ailes se rétractèrent et les Mangeombres se posèrent, minces et immobiles comme des troncs d'arbres morts. Seules leurs têtes blanches trahissaient leur nature vivante. Crâne sans un poil, grands yeux jaunes, et une fente gigantesque en guise de bouche. Dans le cercle de la longue-vue, Tobias les trouva cauchemardesques.

Qu'est-ce que ça doit être en vrai !

— Ah ! Le spectacle va devenir intéressant, se réjouit le Buveur d'Innocence.

Un mouton qui n'avait pas été assez rapide attendait devant une des trappes en grattant la terre.

Les Mangeombres l'avaient flairé et de longues griffes apparurent à leurs pieds pour les soulever légèrement et les faire descendre vers leur proie.

— Il fait quasiment nuit, releva Tobias, le mouton n'a plus d'ombre, alors pourquoi on les appelle Mangeombres ?

— Tu ne vas pas tarder à le découvrir, fit le Buveur d'Innocence avec l'intonation de celui qui s'épanouit dans le malheur des autres.

D'autres Mangeombres, plus loin sur le mont, se laissèrent tomber dans la pente avant de déployer leurs membranes pour planer à toute vitesse en direction du mouton.

Tout d'un coup, la pauvre bête fut encerclée ; sentant le danger elle gratta la terre encore plus fort sous la trappe.

Les Mangeombres se rapprochaient, rétrécissant de plus en plus le cercle.

L'un d'eux s'éleva sur ses griffes et son front se mit à bouger : les plis disparurent, les rides s'écartèrent sur un œil blanc, presque transparent. Un flash en jaillit et la fente qui servait de lèvres s'ouvrit sur des rangées de dents jaunes et acérées. Les Mangeombres bavaient.

Un autre flash depuis l'œil blanc et tous les Mangeombres se jetèrent sur l'ombre fugitive du mouton. À chaque nouveau flash Tobias constata que les Mangeombres s'acharnaient sur l'ombre, tandis que le mouton semblait terrorisé.

Après un long moment, les flashes cessèrent et le mouton gisait sur le flanc, la bouche ouverte. Les Mangeombres, repus, s'éloignèrent.

— Qu'est-ce qu'il a ce mouton ? demanda Tobias.

— On raconte que lorsque les Mangeombres prennent l'ombre d'une personne, celle-ci est condamnée à vivre à jamais dans leur esprit collectif, car il semble bien qu'ils soient animés par le même et unique cerveau, ils agissent ensemble, et traînent ensemble. Se faire dévorer l'ombre par un Mangeombre c'est la damnation éternelle !

— C'est dégoûtant !

Le Buveur d'Innocence gloussa.

Tobias allait faire demi-tour lorsqu'une lueur au loin capta son attention. À cinq kilomètres de Hénok, tout en bas dans le bassin, une lumière brillait timidement. Il se servit de la longue-vue et détailla une petite forteresse érigée sur un éperon calcaire. Un feu brûlait en guise de phare au sommet de son donjon.

— C'est quoi le château dans la vallée ?

— La citadelle de la première armée. Il y en a partout dans Wyrd'Lon-Deis. C'est l'armée de Malronce.

Tobias secoua la tête. C'était bien une idée de Cynik que de construire des forteresses et bâtir des armées en priorité !

Dans un monde qui réclamait des ponts et des mains tendues, les Cyniks s'entouraient de murs et préparaient la guerre.

Il faut croire qu'on ne refait pas l'homme, se dit Tobias avec amertume.

38

Hénok

Les moquettes rouges du salon du dirigeable s'embrasaient avec l'aurore. Tobias retendit la corde de son arc et s'assura qu'il avait assez de flèches.

— Je suis prêt, dit-il.

Ambre se posta devant le grand hublot.

— Nous allons pouvoir nous approcher, les Mangeombres sont rentrés se coucher.

— Si seulement tu avais vu comment ils ont dévoré ce pauvre mouton ! fit Tobias.

— Ce que tu m'en as raconté me suffit.

Le Buveur d'Innocence entra en terminant de nouer la robe

de chambre en soie noire qu'il portait sur ses vêtements. Il n'arborait pas son bonnet de feutrine et ses touffes de cheveux blancs se dressaient, hirsute comme celui qui vient de sortir de son lit.

— Eh bien ? Que se prépare-t-il ici ? s'étonna-t-il.

— Nous allons descendre en ville, expliqua Tobias. Nous avons un plan, et soyez rassuré : vous n'aurez pas besoin de vous en mêler !

— C'est-à-dire ?

— Colin vient avec nous, pour ne pas éveiller les soupçons, il tiendra ces chaînettes que nous accrocherons à nos ceintures pour faire croire que nous avons un anneau ombilical.

Le Buveur d'Innocence tendit la main vers les chaînes :

— Où avez-vous pris cela ? s'emporta-t-il.

— Dans le hangar, exposa Ambre.

— Vous... Vous avez fouillé dans mes affaires ?

L'adolescente soutint son regard furieux :

— Il le fallait bien, pour préparer un plan sans compter sur vous !

Ambre fit signe à Tobias qu'ils partaient mais le Buveur d'Innocence attrapa la jeune fille par le bras :

— Une seconde ! Où croyez-vous aller comme cela ? Vous n'imaginez pas filer tous les trois tout de même ? Je veux une garantie que vous reviendrez à bord, que je pourrai interroger votre ami !

— Et comment pourrions-nous quitter Hénok ? répliqua Ambre. Il n'y a que vous et votre dirigeable pour nous ramener au nord !

— Je ne suis pas du genre confiant ; aussi, toi, jeune demoiselle, tu vas rester ici avec moi pendant que ton ami noir va remplir sa mission.

— Il y a un problème avec la couleur de ma peau ? releva Tobias.

— Non, mais tu es bien noir, n'est-ce pas ?

— Et vous vous êtes détestable, mais je ne relève pas, alors épargnez-nous les évidences si elles ne servent à rien !

Tobias et Ambre voulurent sortir mais la poigne du Buveur d'Innocence retenait toujours l'adolescente.

— Elle reste à bord ou personne ne descend, insista l'homme avec une colère contenue qui fit trembler Tobias.

— Je ne…

Le Buveur d'Innocence coupa Tobias en haussant la voix :

— C'est non négociable ! Sinon je fais demi-tour de suite !

Ambre se mordit la lèvre inférieure, puis elle avisa Tobias et d'un signe dépité, elle accepta.

Le dirigeable s'immobilisa au-dessus d'un groupe de granges et d'une tour en bois où Colin jeta les cordes. En bas, trois hommes se hâtèrent de les attacher à de lourds rochers et la nacelle commença à se rapprocher du sol. À quinze mètres, le sas d'entrée et le sommet de la tour furent au même niveau et l'on accrocha une autre amarre. Au moment de quitter l'appareil, Tobias déposa son arc et son carquois au pied d'Ambre.

— Que fais-tu ? s'alarma cette dernière.

— Sans toi, ça ne me sera pas très utile.

— Ne dis pas ça.

— Il faut être honnête, je suis peut-être rapide mais je ne sais pas viser !

— Prends-les, et fais-toi confiance.

— Je me connais, sans toi je suis une catastrophe !

— Prends-les je te dis.

Ambre déposa le matériel dans ses mains et ajouta, plus bas :

— Je compte sur toi, ne me laisse pas ici toute seule avec lui trop longtemps, d'accord ?

— C'est promis.

Elle se pencha pour lui déposer une bise sur la joue et Tobias en fut tout ragaillardi.

Colin saisit la chaînette comme pour tenir Tobias en laisse et ils sortirent au grand jour.

En bas de la tour, les Cyniks les accueillirent avec des regards curieux. Un grand blond s'approcha et désigna Tobias du doigt :

— Tu nous apportes un esclave ? C'est qu'on en aurait bien besoin par ici !

— Ah oui ! surenchérit un autre homme en se grattant l'énorme ventre qui saillait de sous sa chemise de toile. De la main-d'œuvre !

— Il est déjà réservé ! trancha Colin en approchant d'un escalier qui s'enfonçait dans le pic.

À l'intérieur, des lanternes à graisse suspendues à des crochets tous les dix mètres diffusaient leur odeur caractéristique. L'escalier, taillé à même la roche, plongeait dans les profondeurs du mont sur plusieurs centaines de mètres.

Soudain la paroi de droite disparut, remplacée par une simple corde, et Hénok surgit en contrebas, lovée contre un lac noir, à l'abri d'une grotte prodigieuse.

Des maisons blanches aux toits-terrasses ou en forme de dômes, des rues sinueuses et étroites, des arches, des patios à profusion, des fontaines au milieu de petites places rondes, un marché couvert, et partout des lanternes étincelaient comme une voie lactée. La cité ressemblait à ces villages marocains que Tobias voyait en photos chez un ami à lui avant la Tempête. Un village marocain plongé dans une nuit éternelle.

— C'est incroyable…, dit-il en contemplant le panorama. Les Cyniks l'ont construite ?

— Oui. Quand ils le veulent, ils sont capables de belles prouesses, pas vrai ? Elle vient juste d'être achevée. Et le plus impressionnant est caché ! Un tunnel énorme au bout du lac, où les bateaux sont accrochés par des chaînes comme tu n'en as jamais vu ! Se servant de la force de l'eau qui tombe dans la vallée tout en bas, un savant mécanisme de roues crantées et de poulies permet de descendre ou de remonter les navires le long du tunnel en pente. C'est par là que va passer le *Charon*.

— Combien de temps ça prend ?

— Au moins trois ou quatre heures pour l'accrocher et je pense autant pour le transport dans la galerie. En général cela se passe dans la nuit.

— Et que deviennent les passagers pendant ce temps ?

— Ils empruntent un passage parallèle, un escalier interminable, rendu très dangereux par l'humidité, il faut plus de deux heures pour le dévaler ! On l'appelle l'escalier des souffrances tellement c'est une épreuve physique !

— D'accord. Guide-moi vers le parcours qu'empruntera Matt, je veux tout voir, depuis le débarquement jusqu'à ces escaliers.

Ils finirent de rejoindre la ville et, avant de croiser d'autres Cyniks, Colin, qui portait l'arc de Tobias pour ne pas éveiller les soupçons, rappela :

— N'oublie pas qu'avec un anneau ombilical tu es amorphe, tu ne prends aucune initiative, tu parles peu, et tu obéis. C'est très important ! Les gens haïssent ou craignent les Pans ; s'ils ne se sentent pas en sécurité avec toi, ils comprendront que c'est du bidon.

— Que se passe-t-il quand on retire l'anneau ombilical à un Pan ?

— À ce que j'ai entendu dire, il redevient autonome, mais il n'est plus le même, un peu comme un fantôme, il lui manque une part de lui et devient dépressif. Les Cyniks ont fait des expériences et la moitié des Pans à qui on prélève l'anneau se suicident peu de temps après !

— C'est épouvantable ! Comment ils peuvent faire des abominations pareilles ?

— Que crois-tu ? Que les grandes découvertes s'effectuent sans dégâts ? C'est ça aussi le progrès !

Tobias lui jeta un regard mauvais :

— Pas de doute, ils t'ont bien corrompu !

— C'est ce qui me dérange chez vous les Pans, vous êtes tellement naïfs… Allez, viens.

Ils passèrent devant un groupe de femmes qui portaient des cageots de légumes et de fruits qu'elles avaient cueillis à l'extérieur.

L'une d'elles interpella Colin :

— Hé, toi ! Tu ne veux pas demander à ton esclave de nous aider à remonter toutes ces caisses chez nous ?

— Je suis désolé, madame, il est attendu par son maître, bonne journée !

Colin pressa le pas et Tobias suivit comme un bon petit chien.

Il détestait cette mascarade. Comment pouvait-on en être arrivé là ? Même Colin semblait trouver cela normal ! Il serait difficile de lui faire à nouveau une place parmi les Pans, surtout avec ce qu'il avait fait sur l'île Carmichael... Il avait tout de même tué le vieil oncle !

Ambre et moi lui avons promis de plaider pour lui. S'il y met du sien, peut-être qu'il se trouvera un coin et une occupation qui lui conviendront...

Le marché était simple : il les aidait à libérer Matt et lorsque viendrait le moment de fuir le Buveur d'Innocence, il se joindrait à eux. Sa vie chez les Cyniks était un tel fiasco qu'il n'avait pas hésité longtemps. Depuis qu'il vivait parmi les adultes, le garçon aux longs cheveux gras avait gagné en maturité. Il paraissait moins benêt qu'il n'était sur l'île Carmichael.

Colin entraîna Tobias sur le port, ou du moins ce qui en faisait office, un long quai de pierre blanche, et il désigna un vaste trou au loin, de l'autre côté du lac, vers une autre grotte.

— Là-bas, dit-il, c'est le début du tunnel. Cependant, Matt et les autres soldats seront débarqués ici avant que le bateau soit envoyé pour la descente. Il est possible qu'ils viennent se reposer à l'auberge que tu vois à l'angle de la rue, c'est un bouge très fréquenté par les gens de passage.

— Emmène-moi y faire un tour.

En début de matinée, l'établissement était quasiment vide,

à l'exception de trois ivrognes et du patron qui passait le balai dans la grande salle. Les odeurs de sueur, de tabac, de graisse brûlée et de vin formaient un remugle qui retourna l'estomac de Tobias dès l'entrée. Au prix d'un effort douloureux il parvint néanmoins à se contenir et prit un air neutre.

— Qu'est-ce que tu fais là avec ton jouet, garçon ? demanda le patron d'un air inquisiteur.

— Je voudrais une bière. Le voyage a été long et j'ai besoin de me désaltérer avant de livrer mon colis, répondit-il en soulevant la chaînette de Tobias.

Le patron revint un instant plus tard avec une bouteille de bière toute mouillée qu'il décapsula devant son client.

— D'où tu viens comme ça ?

— De Babylone.

— Ah. Et quelles nouvelles du Nord ?

— Pas grand-chose. Tout le monde s'organise, le mur d'enceinte vient d'être achevé.

— Chez nous c'est le funiculaire qui vient d'être terminé !

— C'est quoi ?

— Un système de wagon pour s'épargner l'escalier des souffrances ! Plus rapide et plus pratique.

— Je ne savais pas.

— À qui tu vas le livrer ton petit homme ?

— C'est confidentiel, je n'ai pas le droit de vous le dire.

— Ah ! se gaussa le patron. C'est la meilleure ça ! Il y a des gens qui prisent le secret maintenant à Hénok !

— Ce n'est pas moi qui fixe les règles.

— Je m'en doute. Ça fera cinq pièces, s'il te plaît.

— Tant que ça ? protesta Colin.

— Les explorateurs en ramènent de moins en moins, les réserves se vident et nos champs ne seront pas récoltés avant encore deux mois ! Sans compter le temps qu'il faudra pour la fermentation ! Alors les prix montent !

À contrecœur, Colin paya les cinq pièces que Tobias devina

être presque toute sa fortune. Lorsque les hommes de l'auberge furent à nouveau occupés, Colin se pencha vers Tobias :

— Il y a des chambres à l'étage et les passagers peuvent y passer la nuit pendant que leur navire est acheminé dans la vallée de Wyrd'Lon-Deis.

— Il sera difficile d'intervenir ici pendant leur sommeil s'ils sont nombreux. Montre-moi la suite.

Colin prit le temps de boire sa bière en l'appréciant, ce qui stupéfia Tobias qui avait déjà goûté le fond d'une bouteille de son père un jour et qui avait trouvé cela tellement amer qu'aimer un breuvage pareil relevait pour lui du masochisme.

Ils quittèrent la ville par son extrémité sud, plus chichement éclairée, avec une route pavée pour toute construction. La grotte s'arrêtait là, face à une porte de la taille d'un immeuble. Sur leur droite, le lac s'écoulait par un tunnel assez grand pour y faire passer un paquebot, estima Tobias. Ce passage était pentu, et tout ce qu'il put en distinguer se résumait en de colossales poulies. Le fracas d'une cascade noyait tous les autres sons.

— Derrière cette porte, s'écria Colin pour se faire entendre dans le vacarme, il y a l'escalier des souffrances !

— Je veux y jeter un œil ! Voir à quoi ressemble ce funiculaire !

Colin fit la grimace.

— J'étais sûr que tu allais dire ça. Viens, on va essayer de passer par la trappe au bas de la porte.

Ils réussirent sans mal à s'introduire de l'autre côté des battants monumentaux et ils se faufilèrent entre les bobines de chaînes et les hautes roues qui tournaient avec la force de l'eau fusant dans de profondes rigoles.

Tobias approcha du sommet de l'escalier et fut soudain saisi de vertige.

Des milliers de marches au milieu d'une perspective fuyante : la galerie s'enfonçait vers les profondeurs de la terre en pente abrupte, rectiligne et sans fin. De part et d'autre de l'escalier, des canaux déversaient des millions de litres à la minute, poussant sur des sceaux accrochés à des chaînes et entraînant tout un mécanisme complexe. Tobias devina qu'il s'agissait d'un moyen de faire monter les wagons du funiculaire. Outre le fracas qui cognait aux oreilles de l'adolescent, il ne se sentait pas à l'aise pour respirer. Toute cette humidité pesait sur ses poumons.

Comme dirait Matt, je n'ai jamais eu d'asthme, se répéta-t-il pour se rassurer. *C'est rien... c'est normal... ce n'est pas de l'asthme...*

Les flammes des lanternes elles-mêmes peinaient à rester vigoureuses.

Les marches étaient couvertes de gouttelettes. Il n'osait imaginer ce qui adviendrait s'il venait à glisser... une chute interminable, les os brisés, la mort brutale assurée.

La présence de deux Cyniks, une centaine de mètres plus bas, le tira de ses rêveries. Trop absorbés à gratter la mousse des marches à l'aide de pelles, ils ne les avaient pas remarqués.

— Faut pas rester là, dit Colin.

— Libérer Matt ne sera pas possible, lança subitement Tobias. Pas comme ça. Pas ici, c'est trop dangereux. Et à l'auberge il y aura probablement tous les soldats du *Charon*. À deux nous n'y arriverons jamais. Il faut penser à autre chose. Et vite !

— Il n'y a rien d'autre, ils passeront par là, c'est tout !

— Tu ne comprends pas ? On va se faire massacrer si on intervient ici ! Même si l'un de nous deux fait diversion, ça laisse l'autre tout seul pour récupérer Matt, impossible !

Colin posa ses mains sur ses hanches et contempla la perspective qui coulait à ses pieds.

— Et si je te trouve quelqu'un pour nous aider ?

— Il faudrait qu'il soit exceptionnel !

— Oh pour ça, Jon est exceptionnel, tu peux me croire. Reste à le trouver !

— La ville n'est pas très grande...

— Je ne parle pas de le trouver physiquement, mais mentalement.

39

Couper le cordon

Colin avait conduit Tobias jusqu'à un four à pain, puis vers des hangars où des Cyniks s'activaient pour ranger des ballots de paille, avant d'approcher un petit lavoir au bord du lac.

L'eau y était noire et mousseuse, elle sentait la lessive tandis qu'une dizaine de Pans lavaient des vêtements au rythme des coups de battoirs.

— Les voilà ! se réjouit enfin Colin.

Un garde cynik somnolait sur un tabouret le dos contre le muret près de l'entrée. Colin et Tobias le contournèrent et durent marcher dans l'eau froide pour approcher le lavoir. Les Pans n'y prêtèrent pas la moindre attention, occupés à leurs travaux, et les deux intrus enjambèrent les chaînettes de leurs anneaux ombilicaux qui traînaient à même la pierre du sol.

— C'est vraiment des zombies, commenta Tobias qui ne s'en remettait pas.

Ils avaient entre neuf et quinze ans, supposa-t-il, une majorité de garçons. Colin s'agenouilla à côté d'un rouquin d'environ treize ou quatorze ans.

— Jon, c'est moi Colin, tu te rappelles ?

Jon cessa de battre le pantalon en lin qu'il tenait et fixa son interlocuteur. Aucune réaction. Puis il se remit à l'ouvrage.

— Jon ! insista Colin tout bas pour ne pas réveiller le garde. Regarde-moi ! Je sais que tu te souviens de moi, allez, fais un effort !

Le rouquin recommença à dévisager celui qui l'appelait avant de reprendre le travail.

— C'est lui le grand stratège qui doit nous aider ? se moqua Tobias. On n'est pas tirés d'affaire !

Vexé, Colin attrapa Jon par les épaules pour le contraindre à lui faire face.

— Hey ! Jon ! Laisse ton autre toi remonter à la surface !
Faut que tu te réveilles ! Allez mon vieux !

Le rouquin cligna des paupières et brusquement se dégagea
de l'emprise de Colin.

— Qu'est-ce qui te prend ? gronda-t-il tout fort.

Colin se précipita pour le bâillonner.

— Chut ! Un garde est juste derrière le mur !

Jon retira la main et protesta un ton plus bas :

— Qu'est-ce que tu me veux ? Et c'est qui lui ?

Tobias était surpris de cette réaction, l'anneau ombilical ne
faisait plus du tout d'effet. Il le salua d'un signe amical :

— Je m'appelle Tobias.

— Vous êtes seuls ? Pas de Cyniks avec vous ?

— Rien que nous deux, approuva Colin.

— Comment ça se fait ?

— Nous allons libérer un copain retenu prisonnier. C'est
peut-être ta chance de te joindre à nous !

— Pour de vrai ? Quitter cet endroit ? Comment vous allez
faire ?

— Nous avons un moyen de transport à l'extérieur de la
ville, intervint Tobias. Assez grand pour toi et tes potes.

Le regard du rouquin se chargea de tristesse lorsqu'il posa les
yeux sur les autres blanchisseurs qui continuaient leur labeur.

— Pour eux c'est différent, ils ne sont pas comme moi.
Jamais leur véritable personnalité ne revient à la surface.

— Et toi alors, comment tu fais ?

Jon ricana.

— Moi c'est différent ! J'étais déjà un peu… siphonné
avant !

— Siphonné ? Tu veux dire fou ?

— Mes parents m'ont collé dans une clinique pendant six
mois après que je me suis fait virer de l'école ! Il paraît que j'ai
une *double personnalité* ! Deux *moi* différents à l'intérieur de mon
esprit ! C'est pas génial ça ? Et ce fichu anneau ombilical n'en
paralyse qu'un seul !

— Et tu peux contrôler celle de tes personnalités qui est aux commandes ?

Le visage de Jon s'assombrit.

— Pas toujours. La plupart du temps, avec l'anneau, je suis un légume comme les autres. Et puis de temps en temps... (Brusquement son front se plissa et ses sourcils se contractèrent.) Au fait, ton patron, Colin, il est pas dans le coin ?

— Si, il est là...

L'agacement et une pointe de colère saisirent le rouquin qui cracha dans l'eau.

— Celui-là, si je le croise !

Colin s'adressa à Tobias :

— C'est mon maître qui a acheté Jon aux enchères. Mais Jon a fait une crise de dédoublement de personnalité et ça lui a filé les jetons, il l'a aussitôt revendu ici.

— Il voulait me faire des trucs louches ! ajouta Jon. Un vrai pervers, ce gusse !

— Bon alors, tu en es ? le pressa Colin.

— Une occasion de quitter ce trou, tu penses si j'en suis !

— Dans tes moments de lucidité tu n'as jamais essayé de retirer ton anneau ? demanda Tobias.

— Sûrement pas sans un bon plan ! La douleur que c'est quand ils te le mettent, jamais plus je ne voudrais revivre ça ! C'est le pire qu'on puisse te faire ! Et puis il paraît qu'on peut en mourir ! De toute façon j'aurais fait quoi ensuite ? Impossible de fuir d'ici tout seul, sans moyen de locomotion !

— Nous t'offrons ce billet pour le Nord, pour rentrer sur les terres des Pans, affirma Tobias. Hélas, il va falloir prendre le risque d'ôter ton anneau, faudrait pas que ta personnalité soumise reprenne le contrôle au moment d'agir !

— Pareil pour les autres, dit Colin. Nous aurons besoin de tout le monde.

Tout d'un coup, le doute s'insinua en Tobias.

— Et s'ils meurent pendant qu'on leur retire l'anneau ? s'angoissa-t-il.

— Franchement, ça ne peut pas être pire que maintenant ! souligna Jon. À partir du moment où vous disposez d'une solution pour fuir, ça mérite tous les risques !

— On va prendre la décision pour eux ?

— Moi je sais ce que c'est que de vivre avec cette horreur plantée dans le nombril ! Je la prends en leur nom ! Quoi qu'il arrive, ce sera une libération pour chacun !

Ils s'organisèrent très vite et Colin sortit, armé d'une grosse pierre qu'il fracassa sur le crâne du Cynik. Celui-ci dégringola de son tabouret, un filet de sang sortit de sous son casque.

Colin lui prit l'épée courte qui ornait sa ceinture et fit signe que la voie était libre.

— Dès qu'ils vont se rendre compte de votre absence, la ville entière sera en panique ! protesta Tobias.

— Justement, ils commenceront par fouiller au-dehors, ils supposeront que nous voulons partir vers le nord. Pendant ce temps les rues seront moins surveillées. Je connais une bonne cachette un peu plus haut, j'y viens parfois la nuit quand je me réveille.

Jon s'empara des chaînettes des neuf autres Pans qui du coup lui obéirent docilement. Il prit la tête de la file indienne et s'attarda en chemin devant un petit établi d'où il sortit des pinces et une scie à métaux.

— Du matériel pour l'ablation !

Une heure plus tard, ils étaient installés sur une corniche dominant la ville en contrebas et la grotte.

Jon tendit ses outils à Colin et Tobias.

— Vous allez commencer par moi. Si ça se passe mal, vous saurez quoi faire pour les autres.

— Je ne sais pas si je vais pouvoir…, hésita Tobias.

Jon l'attrapa par la nuque et vint coller son front contre le sien :

— Mec, c'est toi qui es venu jusqu'à moi, maintenant prouve que j'ai eu raison de vous faire confiance !

— Oui… c'est vrai… Tu… Tu peux compter sur nous, balbutia Tobias.

— J'espère bien !

Jon s'allongea et remonta son tee-shirt sale. L'anneau était planté dans les chairs boursouflées du nombril.

— Ah, c'est dégueu ! lâcha Tobias en se cramponnant à la pince.

— Faut le scier, expliqua Colin, aide-moi en le tenant droit.

À chaque coup de lame, l'anneau glissait entre les doigts moites de Tobias et des perles de sang jaillissaient du bourrelet rose où l'objet s'enfonçait dans le ventre. Jon serrait les dents, courageux et déterminé.

L'anneau céda enfin et Tobias en saisit l'extrémité dans les mâchoires de la pince pendant que Colin retenait l'autre et chacun tira.

Jon se mit à gémir et la sueur inonda son front.

L'anneau s'ouvrit suffisamment pour le glisser hors de la plaie et la tentative arracha des plaintes étouffées à Jon qui n'en pouvait plus.

Puis il fut libéré.

Le petit rouquin se recroquevilla dans un coin pour respirer profondément et faire passer la douleur.

Il se tenait le ventre.

— Un de fait, annonça Colin, plus que neuf.

L'opération sembla plus aisée sur la suivante car elle ne se débattait pas, ne gesticulait pas et n'émettait aucune plainte. Elle semblait ne rien ressentir.

Pourtant au moment de retirer l'anneau, la chair de poule apparut sur ses bras.

— Je crois qu'elle commence à réagir, dit Tobias, livide.

— Continuez, c'est normal, répondit Jon en s'épongeant le front. La vie revient en elle.

Et lorsqu'ils ôtèrent l'anneau de son nombril ils durent se jeter sur elle pour masquer le cri d'animal blessé qu'expulsa sa gorge.

Elle pleurait et tremblait. Jon la prit contre lui et commença à la rassurer.

— Je crois que ton ami entre en ville, lança Colin en désignant le lac.

Le *Charon* venait d'apparaître dans la grotte, la lumière du soleil s'accrochait encore dans ses hautes voiles, tandis qu'il fendait les eaux obscures en direction du quai. Le sommet du grand mât touchait presque le plafond rocheux.

— Plus une seconde à perdre, déclara Tobias.

Il n'avait plus très envie de poursuivre mais il n'avait pas le choix. Après deux autres libérations, il se sentit un peu plus serein.

Le cinquième Pan fut pris de convulsions, il se cambra et ses muscles devinrent durs comme de la pierre.

— Il avale sa langue ! s'affola Colin.

Ils tentèrent tout d'abord de le maintenir au sol pour qu'il ne passe pas par-dessus le bord de la corniche avant de glisser un bout de bois entre ses dents d'où sortait une écume blanche de mauvais augure.

Incapables de stopper les convulsions, ils le virent se trémousser dans tous les sens avant de se figer brusquement.

Colin l'inspecta minutieusement avant de secouer la tête.

— Il est mort, dit-il.

— Oh non, fit Tobias.

Ils restèrent ainsi à couver son corps du regard comme s'il pouvait reprendre vie, avant que Tobias ne dise, la voix cassée par la peine et la culpabilité :

— Comment s'appelait-il ?

— Je l'ignore, je ne le connaissais pas, avoua Jon. Une fois l'anneau posé, nous n'avons plus de nom ; à quoi ça servirait quand on n'a plus aucune personnalité ?

— Il est mort à cause de nous.

— Non, répliqua Jon, il est mort à cause des Cyniks ! Ne vous arrêtez pas, il faut rendre aux autres leur dignité.

Tobias posa la main sur les paupières du mort.

— Je suis désolé, dit-il tout bas.

40

Le précieux document

Entrer dans les ténèbres demandait un temps d'adaptation.

Matt avait reçu l'autorisation d'assister à l'approche de Hénok depuis le pont principal. Ils avaient changé de cap au dernier moment pour quitter le bras le plus large du fleuve afin de s'engager sur un bras secondaire, entre les branches basses, en direction d'un pic escarpé.

La rivière s'enfonçait dans une grotte aux proportions démesurées, le *Charon* pivota pour suivre le coude naturel pendant que les matelots couraient allumer les lanternes. Soudain, les parois s'écartèrent et Matt se crut face à un trésor titanesque, dont l'or reflétait leurs propres lumières.

Ses yeux s'habituèrent et les joyaux brillant de mille feux devinrent flammes et feux, les coffres prirent des contours plus nets, et une ville construite sous la montagne se profila.

Durant sa croisière forcée, Matt avait appris à connaître les personnalités les plus importantes du bord. Bien sûr le conseiller spirituel, mais également le capitaine, et surtout son second, le chef de la sécurité, un certain Roger. C'était lui qui veillait le plus souvent à ce que Matt ne puisse rien tenter. Il commandait les soldats et son regard trahissait la méfiance qu'il entretenait pour les Pans.

Curieusement, ni le conseiller spirituel ni Roger n'étaient en vue. C'était pourtant une manœuvre cruciale, Matt supposait qu'ils débarqueraient en ville, et leur absence le titillait.

Et s'ils s'en prenaient à Plume maintenant qu'ils touchaient au but ?

Non, ils n'oseraient pas… elle est leur garantie que je vais sagement attendre qu'on me dise quoi faire, que je vais répondre à toutes les questions, la supprimer serait stupide !

Et si le conseiller était cruel, il n'était pas idiot.

Matt étudia le garde chargé de sa surveillance. L'homme était tout absorbé par la contemplation de la ville.

Discrètement, l'adolescent s'approcha de la porte conduisant aux cabines sous la dunette arrière et se coula sans un bruit à l'intérieur.

Sa survie dépendant en grande partie de sa capacité à anticiper les faits et gestes de l'ennemi, plus il en saurait sur le conseiller, plus il pourrait tenir dans ses mensonges et ainsi gagner du temps.

Il n'avait plus reçu de réponse du hibou depuis le premier message et craignait que ses amis ne soient plus à ses trousses. Que ferait-il si c'était le cas ? Et comment pénétrer dans cette grotte et la ville ? Sa libération lui semblait de plus en plus compromise.

Il ne devait compter que sur lui-même.

Saisir la moindre opportunité pour récupérer Plume et fuir le plus loin possible de cet infernal navire.

Matt colla son oreille contre la porte du salon et, comme il n'entendait rien, s'orienta vers les cabines. Des voix provenaient de la chambre du conseiller.

Matt posa un genou sur le plancher et scruta la pièce par le trou de la serrure. Il ne voyait que les manches amples du conseiller.

— ... le garçon avec moi, disait-il. La Reine le veut dans les plus brefs délais. Il nous conférera un avantage décisif !

— Pourquoi voulez-vous me débarquer ici dans ce cas ? Je serai plus utile à veiller sur lui !

Matt reconnut la voix immédiatement, il s'agissait bien de Roger, le chef de la sécurité.

— J'ai une mission très importante à te confier, mon cher. Tu vas apporter ceci à la citadelle de la première armée.

Matt se tortilla dans tous les sens pour tenter d'apercevoir ce que le conseiller tenait dans les mains.

— Qu'est-ce que c'est ? demanda Roger.

— La stratégie que nos généraux vont devoir préparer pour

la grande invasion. Malronce et ses conseillers militaires ont tout élaboré, et lorsque le signal sera donné, il faudra que nos troupes sachent exactement quoi faire. La première armée va coordonner l'ensemble, apporte ce document au général Golding qui fera suivre à chacune des autres armées. Qu'ils se tiennent prêts.

Matt avait le souffle court.

Une invasion ? De quoi parlait-il ?

— C'est pour bientôt, Conseiller ?

— Tout dépendra de la Reine, mais je pense qu'avec l'enfant que nous lui apportons, nous interviendrons rapidement. Le temps de lever les troupes, et d'acheminer les dernières cargaisons d'armes, je mettrais ma main à couper qu'il n'y aura plus aucun Pan libre d'ici à l'hiver !

Le cœur de Matt tressauta dans sa poitrine. Une guerre ! Contre les Pans ! Les Cyniks préparaient leurs armées pour asservir tous les clans d'enfants !

— Je serai digne de votre confiance, monsieur !

— Conserve ce document comme si ta vie en dépendait. Car c'est le cas.

Il fallait agir, Matt ne pouvait garder une information si capitale pour lui-même. Eden devait en être informée.

Ambre et Toby, j'ai besoin de vous, envoyez-moi votre oiseau maintenant !

La porte du couloir s'ouvrit et quelqu'un entra à toute vitesse.

Ça c'est pour moi !

Matt se précipita vers les latrines mitoyennes à sa cabine et s'y enferma au moment où le conseiller spirituel sortait, alerté par la cavalcade.

Matt prit une profonde inspiration pour se calmer et s'élança.

— Toi ! hurla le garde. Je te cherche partout !

Le regard du conseiller passa de son soldat à l'adolescent, les braises de sa méchanceté s'illuminant au passage.

— Que fais-tu là ? s'écria-t-il.

Matt se para de son expression la plus innocente, chercha à semer la confusion.

— Moi ? Mais… rien, dit-il en désignant les toilettes dans son dos.

Il passa devant la cabine du conseiller et y jeta un coup d'œil furtif. Roger était en retrait, il tenait une boîte en bois similaire à un coffret pour faire brûler de l'encens. Matt ajouta, narquois :

— Je suis désolé, j'ai une toute petite vessie.

Les trois quarts de l'équipage débarquèrent sur le quai blanc, au milieu des tonneaux et des caisses. Constatant que Plume n'y était pas, Matt interpella le conseiller :

— Et ma chienne ?

— Le voyage n'est pas fini, elle reste à bord, mais ne t'en fais pas, tu la rejoindras dès demain. Avance !

Pas moins d'une vingtaine de soldats les encadraient, accompagnés par Roger. Ils investirent une auberge et Matt vit des sourires se profiler sur les visages de ses gardes. Il fut conduit au deuxième étage et enfermé dans une petite chambre où il demeura jusqu'au soir.

Pour le dîner, le conseiller spirituel et lui partagèrent une table ronde dans un angle de la grande salle. Un ragoût de mouton, de pommes de terre et de carottes leur fut servi avec un pichet de vin. Matt préféra ne rien boire et termina son bouillon à la place.

Les soldats colonisaient une bonne partie des lieux, buvant et riant allégrement. Lorsqu'ils furent bien éméchés pour la plupart, le conseiller spirituel poussa Matt :

— C'est l'heure pour toi d'aller dormir. Demain nous nous réveillerons très tôt.

Matt fut reconduit par deux gardes et Roger en personne qui semblait abattu.

Tandis qu'ils montaient les marches, Matt lui demanda :

— Je vous gâche la fête, n'est-ce pas ?

— Ne t'en fais pas pour nous.

— Le conseiller vous a demandé de rester avec moi ? Vous savez, je ne risque pas d'aller bien loin, vous devriez redescendre avec vos amis.

Roger l'attrapa par le col et le plaqua au mur :

— Arrête de nous prendre pour des imbéciles ! Le Conseiller est peut-être tendre avec toi, mais moi je n'ai pas sa patience ! Si tu fais quoi que ce soit qui me dérange cette nuit, je te découpe les oreilles ! Tu as compris ? Je suis certain que, même sans les oreilles, la Reine sera contente de te mettre la main dessus !

Il relâcha la pression et Matt crut recevoir un second coup lorsqu'il croisa Colin dans le couloir. Il tenait une chaînette avec… Tobias ! Ce dernier marchait comme s'il était déprimé ; comprenant aussitôt qu'il s'agissait d'une ruse, Matt ne réagit pas.

Tobias trébucha brusquement et s'effondra contre Matt, les deux adolescents roulèrent au sol et Colin se précipita devant les gardes en jurant.

Profitant de ces quelques secondes, Tobias chuchota dans le cou de son ami :

— Tiens-toi prêt pour cette nuit.

Matt agita les bras pour faire mine de vouloir se relever et de ne pas y parvenir à cause du poids mort qui pesait sur lui :

— Laisse-moi un tout petit peu de temps avant, répondit-il. Faites apporter du vin à la chambre collée à la mienne. Et lancez votre plan en fin de nuit.

— Pousse-toi ! grogna Roger en dégageant Colin avant d'attraper Tobias sous les bras et de le projeter contre le mur. Et toi, debout ! Dépêche-toi !

Matt obtempéra et fut enfermé à clé aussitôt. Il entendit Roger rouspéter en claquant la porte de sa chambre. Les gardes étaient dans le couloir, barrant sa porte.

Impossible de ressortir par là.

Matt attendit un quart d'heure et il perçut des bruits de pas.

On toqua à la porte de Roger. Les cloisons, fines, ne retenaient pas les voix :

— Du vin pour vous, fit une femme. De la part de vos camarades en bas.

— Merci. Ne donnez rien aux gardes dans le couloir par contre !

Formidable, le plan fonctionnait ! Non seulement Tobias était ici en ville, mais en plus il n'était pas seul, Colin au moins était de la partie. À bien y réfléchir, ce dernier point n'était pas pour le rassurer. D'abord il le croyait mort et ensuite c'était une ordure de traître ! Comment Tobias et Ambre étaient-ils parvenus à s'en faire un allié ?

Le lit de Roger grinça quand il s'y jeta avec sa bouteille et Matt patienta, le temps que l'alcool fasse son œuvre.

La clameur qui provenait du rez-de-chaussée gagna peu à peu les étages à mesure que les soldats montaient, fin soûls. Puis le silence se fit.

Dehors, par la fenêtre, Matt vit que la plupart des lanternes étaient éteintes. Il n'y avait plus personne dans les rues.

Il attendit encore une heure, en luttant lui-même contre le sommeil, avant de passer à l'action.

L'oreille collée contre la porte, il entendit l'un des gardes soupirer, ils échangeaient quelques mots de temps en temps. Il fila à la fenêtre et l'ouvrit. Ils étaient au second étage, à plus de sept mètres de hauteur. Sans lame pour découper ses draps, il serait difficile d'improviser une corde assez longue.

Je verrai ça plus tard, ce qui compte c'est la chambre de Roger !

Matt se pencha pour chercher des appuis. Une fine corniche encadrait toute la façade, c'était jouable.

Il enjamba le rebord et se retrouva suspendu au-dessus du vide.

S'il n'a pas laissé sa fenêtre ouverte je suis fichu !

Il faisait chaud dans la grotte. Très chaud.

Avec le vin en plus, il aura eu besoin d'un peu d'air…

Matt rampait à la verticale sur un étroit rebord de pierre dont il n'avait aucune idée de la résistance.

Il pouvait voir la fenêtre de Roger.

Entrouverte.

J'y suis presque ! Encore un petit effort...

Son pied trébucha et pendant un instant il crut qu'il allait basculer, mais son pouce gauche s'était enfoncé dans une petite anfractuosité et cela suffisait à le maintenir en équilibre précaire.

Il toucha enfin la fenêtre et se hissa à l'intérieur.

Roger ronflait sur son matelas, une bouteille de vin vide contre lui. La pièce était chichement meublée, Matt n'en avait pas pour longtemps. Il s'intéressa tout d'abord à l'armoire. Vide. Matt jeta un œil à ce qui servait de bureau, rien non plus.

Un plastron en cuir avec une besace gisait au pied du lit.

Bien sûr ! Ce document est tellement important qu'il ne s'en séparera pas !

Il s'empara de la boîte, un sourire de triomphe aux lèvres. Il ne pouvait l'emporter avec lui, les Cyniks changeraient tous leurs plans s'ils savaient qu'il y avait une fuite. Il fallait le lire et le mémoriser.

Matt ouvrit la boîte et déroula la feuille couverte de notes. Il se posta à la fenêtre pour bénéficier de la lumière d'une lanterne de la rue.

C'était bien une campagne sans précédent que Malronce s'apprêtait à lancer contre les Pans. Une conquête totale. Cinq armées. Plus de quinze mille soldats. Des chariots de guerre. Des armes et des armures à profusion.

Le plan de bataille y était détaillé, et Matt le relut plusieurs fois pour n'omettre aucun élément.

La Passe des Loups.

Les Cinq armées.

La manœuvre de diversion de la troisième armée.

La prise d'Eden.

Le ratissage pour faire tomber clan par clan.

Matt comprit soudain qu'il était inutile de poursuivre.

Les Pans n'avaient aucune chance. Même en sachant à l'avance ce qu'allaient faire les Cyniks, c'était un combat perdu.

Quinze mille hommes !

Eden était de loin la plus grande ville panesque, et combien étaient-ils ? Mille au départ, peut-être le double ou le triple depuis, mais c'était bien insuffisant. Et même s'ils rassemblaient tous les clans, ils n'arriveraient jamais à la cheville d'un tel déploiement de forces.

C'était déjà le cas sur l'île Carmichael ! Et nous avons tenu bon !

Cette fois, il dut s'avouer que c'était différent. Cinq armées très bien organisées. Aucun moyen de rivaliser.

Nous pourrons fuir ! Si Eden est prévenue, les Longs Marcheurs alerteront tous les autres clans et nous pourrons partir encore plus au nord…

Mais jusqu'où iraient-ils ?

Matt ravala son désespoir, ce n'était pas à lui de juger pour les autres. Le plus urgent était de transmettre ces informations à Eden.

Une fois qu'il eut la certitude de bien connaître le plan, Matt s'empressa de ranger le document comme il l'avait trouvé et hésita en découvrant un long couteau.

Il pouvait lui rendre de précieux services pour fuir.

Mais Roger risque de comprendre que je suis passé par sa chambre ! Ils pourraient deviner que leur stratégie est compromise et la changer.

Il ne prit rien et abandonna même l'idée de fuir par la porte, les gardes étaient juste à côté.

De retour sur sa corniche, Matt avait perdu son assurance. Ses mains n'avaient plus la même sûreté et dans l'effort son corps lui faisait encore mal, pas totalement remis des coups reçus trois jours plus tôt. Il mit cinq longues minutes à rallier sa chambre et il transpirait abondamment quand il enjamba la rambarde.

La forme surgit de l'ombre d'un coup, fondant sur lui si rapidement qu'il n'eut pas le temps de se protéger ou même de reculer.

Les mains du conseiller spirituel s'abattirent sur ses épaules et le projetèrent contre le mur.

— Tu crois que tu peux nous échapper aussi facilement ? hurla-t-il, fou de rage. Que je n'ai pas verrouillé cet endroit avec mes hommes ? Ils sont partout ! Même dans la rue autour de l'auberge ! Alors la prochaine fois que tu joues au funambule, assure-toi que tu n'es pas repéré ! C'est une chance que tu ne sois pas tombé !

Six soldats remplissaient la petite pièce et aucun n'avait l'air ivre. Matt comprit qu'il n'avait vu que la partie émergée de l'iceberg.

Par chance, personne ne semblait se douter de ce qu'il était réellement allé faire.

— Nous allons doubler les gardes, assura un officier.

Roger arriva, réveillé par le bruit, l'expression à la fois inquiète et ensuquée.

— Ce sera inutile, vous partez avec le prisonnier ! révéla le conseiller. Puisque vous êtes sur pieds, rejoignez le funiculaire de suite ! Vous passerez le reste de la nuit à bord du *Charon*.

Cette fois, Matt réalisa qu'il n'avait plus aucun espoir de fuite par lui-même.

Pire, il venait de faire échouer le plan de ses amis.

41

Monstres

Plus tôt dans la soirée, Tobias exposait sa tactique à Colin, Jon et les huit autres Pans, hagards, qui l'observaient curieusement :

— Colin et moi prendrons une chambre à l'auberge, si Matt y passe la nuit, nous attendrons que tout le monde dorme…

— En général les matelots profitent de l'escale pour boire, compléta Colin, ils sont ivres avant minuit.

— Nous descendrons vous ouvrir la porte de service, deux feront diversion auprès des gardes qui ne manqueront pas de surveiller l'étage où Matt sera retenu. Pendant ce temps les autres investiront les lieux pour trouver le copain. Jon nous a rapporté assez de filets de pêche pour ligoter tous les Cyniks des chambres environnantes. Le temps qu'ils s'en tirent pour sonner l'alerte, nous serons déjà loin !

— Et comment on quitte la ville ? demanda un Pan qui répondait au nom de Stu.

— On file par le funiculaire, un dirigeable nous attendra en bas.

Colin fixa Tobias.

— Il nous attend sur le pic, corrigea-t-il.

— Justement, c'est la suite du plan, pour ne pas avoir à sortir en pleine nuit avec les Mangeombres, nous allons emprunter le funiculaire. Le temps de descendre le soleil se lèvera et les Cyniks ne penseront pas à fouiller par là en premier.

— Mais le dirigeable n'est pas dans la vallée en bas, il est au-dessus de nos têtes ! insista Colin.

Tobias se leva.

— Je sais, c'est pourquoi j'ai besoin de toi. Mais d'abord, il faut prévenir Matt.

À l'auberge, Tobias fit son petit cinéma pour échanger deux phrases avec Matt. Le revoir lui fit un bien incommensurable. Non seulement il n'était pas mort, mais en plus il semblait lui-même prêt à s'échapper. Le délai qu'il avait demandé ne posa pas de problème à Tobias puisqu'il comptait intervenir très tard dans la nuit. Colin réserva une chambre et ils repartirent au pas de charge.

Tobias le savait, le timing serait serré et ils n'avaient pas une minute à perdre.

Lorsque Tobias s'engagea dans le long escalier qui remontait vers la trappe empruntée à l'aller, Colin s'arrêta tout net.

— Non ! Tu es fou, il fait déjà nuit ! Les Mangeombres sont en chasse !

— Il le faut ! Cinq minutes, pas plus, pour attirer un oiseau à nous et envoyer un message à Ambre.

— Je ne sors pas ! Je ne veux pas me faire dévorer l'ombre !

— C'est ça ou nous serons bientôt tous des pantins avec un anneau dans le nombril !

— Je crois que je préfère encore ça aux Mangeombres…

Tobias vint se coller face à lui, il était si proche qu'il pouvait sentir l'odeur rance de sa transpiration :

— Colin, l'un des nôtres est mort tout à l'heure ! Si tu abandonnes, il aura perdu la vie pour rien !

— Je ne suis pas l'un des vôtres, répondit Colin tout bas.

Tobias recula d'un pas.

— Tu me dégoûtes, dit-il en reprenant son arc et son carquois. Retrouve les autres, et attendez-moi, j'en ai pour une heure.

— Qu'est-ce que tu vas faire ?

— Tu ne me laisses pas le choix : je vais courir jusqu'au dirigeable !

Et Tobias disparut dans les marches.

La peur tétanisait Tobias. Il posa une main sur la trappe. Il avait défait les verrous et n'avait plus qu'à la pousser pour sortir sous la lune.

Ce n'est pas le moment de paniquer, je vais avoir besoin de tous mes moyens. Courir vite. Ne pas se retourner. Foncer jusqu'à la tour.

En espérant que le dirigeable soit encore là.

Soudain Tobias réalisa que le Buveur d'Innocence n'était pas du genre imprudent. Il n'avait pas laissé sa nacelle à portée des Mangeombres !

La méduse ne craint rien et il aura fermé tous les accès. Ces monstres ne sont pas capables d'ouvrir une porte ou une fenêtre sinon Hénok aurait été dévastée depuis longtemps ! Même gravir la tour leur est sûrement impossible avec leurs griffes à la place de pieds ! J'ai une bonne chance de trouver le dirigeable !

De toute manière, il devait s'en assurer par lui-même.

Tobias déposa son arc et tout son matériel pour ne pas s'alourdir inutilement et d'un coup d'épaule poussa le battant qui s'écarta sur la nuit.

Les étoiles brillaient sur le fleuve en bas d'une longue pente jalonnée de hauts conifères. Il y avait là trois hangars et la tour de bois.

Le dirigeable flottait à côté en silence.

C'est parti !

Tobias se faufila dans les herbes, il n'apercevait pas les Mangeombres et cela l'angoissa. Il aurait préféré les localiser.

Une centaine de mètres seulement avant la tour.

Il n'aimait pas ce silence. Où étaient ces monstres ?

Ils ne s'éloignent jamais de leur nid car ils craignent le soleil, ça signifie qu'ils peuvent être sur l'autre versant tout de même… Tobias se rassurait au mieux.

Cinquante mètres.

Après tout, les Mangeombres n'étaient pas infaillibles ; bien que redoutables ils demeuraient rien de plus qu'une forme de vie avec ses défauts. Ils n'étaient pas assurés de repérer toute proie se déplaçant sur leur montagne… Penser ainsi libérait Tobias d'un certain poids, il se sentait plus léger, plus fluide dans ses mouvements.

Il parvint au pied de la tour qu'il gravit en maudissant les grincements des marches. Avant même de réaliser ce qu'il venait d'accomplir, Tobias refermait le sas de la nacelle derrière lui.

Tout était éteint à bord. Tobias gagna la cabine d'Ambre et actionna la poignée lentement. Quelque chose bloqua la porte.

Elle a mis une chaise derrière !

— Pssssst ! dit-il tout bas. Ambre ! C'est moi, Toby !
Réveille-toi !

Il s'attendait à y passer un moment, mais la chaise disparut
immédiatement et Ambre le fit entrer.

— Tu es seul ? s'étonna-t-elle.

— Oui. Nous allons récupérer Matt cette nuit et pour cela je
vais avoir besoin de toi. Il faut que tu pilotes le dirigeable pour
le positionner de l'autre côté des falaises, tout en bas dans la
vallée. Nous y serons pour le lever du soleil. Tu crois que tu vas
en être capable ?

— Je me souviens des explications du Buveur d'Innocence,
ça n'avait pas l'air bien compliqué.

Tobias hésita, puis se lança :

— Tu vas sûrement devoir l'enfermer, tu sais.

— Ne t'en fais pas pour moi.

— Il ne t'a rien fait ? Il n'a pas essayé au moins ?

— Je l'évite depuis que tu es parti. Mais je n'arrive pas à
dormir. Fais ce que tu as à faire, je m'occupe du dirigeable.

Tobias acquiesça énergiquement.

— L'Alliance des Trois, pas vrai ?

— Oui, répondit Ambre avec moins d'entrain. Si tout se
passe bien, demain matin, nous serons à nouveau réunis.

Tobias s'empressa de redescendre de la tour pour remonter
parmi les hautes herbes.

Ils étaient juste là, deux cents mètres au-dessus de la trappe.
Une vingtaine de silhouettes maigres, des épouvantails à tête
blanche.

Leurs yeux jaunes le fixaient et Tobias crut voir la fente qui
leur servait de lèvres se relever en un sourire affamé.

— Oh non ! Pas eux ! Pas maintenant !

À pleine course, personne ne pouvait atteindre la trappe
avant eux. C'était impossible.

Je cours vite si je le veux. Très vite.

Suffisamment pour jouer sa vie ?

Comme un seul homme, tous les Mangeombres se laissèrent

tomber dans la pente avant de planer à quelques centimètres au-dessus des buissons. Ils décapitaient les fleurs sur leur passage.

Tobias n'avait plus le choix. Il poussa sur ses jambes et commença à sprinter.

Il était dans le sens de la montée et ne parvenait pas à allonger ses foulées.

Néanmoins la vitesse à laquelle il enchaînait les pas était étourdissante. L'enfant hyperactif avait donné naissance à une altération surprenante.

Il craignait cependant que cela ne suffise pas.

Les Mangeombres étaient presque à hauteur de la trappe.

Tobias serra les dents et força sur ses cuisses, le souffle court.

Le rectangle de ténèbre salvateur se rapprochait.

Tout comme les monstres.

Puis il sut qu'il allait être en retard sur eux et se prépara à plonger.

Les Mangeombres se redressèrent d'un coup pour se poser tout autour. Tobias sauta dans la trappe, s'étala contre la paroi et ignorant toute douleur il bondit sur ses pieds pour attraper le battant tandis que les premiers flashes surgissaient.

Il eut tout de même le temps d'apercevoir les gencives rouges et les dents pointues lui foncer dessus.

Et les Mangeombres s'écrasèrent sur la trappe refermée.

42

Improvisation de dernière minute

L'évasion de Matt était sur le point de se concrétiser.

Tobias patientait depuis quatre bonnes heures dans la chambre de l'auberge en compagnie de Colin. Depuis l'épisode des escaliers et des Mangeombres, les deux garçons ne se parlaient plus beaucoup. Tobias avait refait le bandage de sa blessure au flanc, celle-ci s'était remise à saigner avec l'effort de sa course.

Jon et les autres Pans étaient cachés dans une bergerie toute proche avec vue sur l'entrée de service de l'auberge. Tobias n'attendait plus que le *bon moment*.

Et le plus difficile, découvrait-il, était justement d'évaluer ce bon moment. L'établissement était parfaitement silencieux depuis déjà longtemps mais cela ne lui suffisait pas. Il préférait agir tard, très tard, pour être certain que le soleil serait levé une fois le funiculaire descendu. S'ils étaient pris en chasse, il fallait pouvoir quitter la grotte et gagner le dirigeable.

Tobias avait échappé de justesse aux Mangeombres, son cœur s'en remettait à peine, il ne comptait pas recommencer !

Les réactions de ses nouveaux camarades l'inquiétaient également. Depuis qu'ils n'avaient plus leur anneau, les Pans réagissaient étrangement, presque avec un temps de retard, comme si leur cerveau était loin, très loin au fond de leur corps. Et aucun enthousiasme, pas même lorsque Tobias leur annonça qu'ils étaient libérés de toute emprise et qu'ils allaient s'enfuir s'ils l'aidaient.

L'anneau leur avait pris une part d'eux-mêmes, la spontanéité.

Jon avait raison, une profonde dépression était un symptôme prononcé. Ces anneaux étaient probablement ce que l'homme avait inventé de pire.

Avec la bombe atomique, peut-être…, songea le jeune garçon.

Tobias avait interrogé chaque Pan pour connaître son identité et le contexte de sa capture par les Cyniks. Ce fut pendant ce questionnaire oral que Tobias comprit qu'il ne fallait pas compter sur eux. Ils assureraient tant qu'on leur dirait quoi faire.

Il espérait que cet effet secondaire de l'anneau se dissiperait avec le temps. Ne plus avoir d'esprit d'initiative devait être abominable. Surtout pour lui qui en avait toujours trop, quitte à parfois se mettre dans des situations embarrassantes.

— Alors, on y va ? demanda Colin.

— Pas encore, c'est trop tôt.

— Tout le monde dort !

— Pas encore, je te dis !

Colin soupira.

Dix minutes plus tard, Tobias luttait contre la somnolence lorsqu'il y eut de l'animation dans un couloir à l'étage du dessus. Colin sauta sur ses pieds.

— Je vais voir !

Il revint rapidement, l'air catastrophé.

— Ils s'en vont ! Je ne sais pas ce qui s'est passé, mais Matt est emmené vers le funiculaire !

— Bon sang ! On fonce ! Nous avons le temps qu'ils rassemblent leurs affaires pour être là-bas les premiers.

Dehors, Tobias fit de grands gestes en direction de la bergerie et neuf silhouettes accoururent.

— Changement de programme, confia Tobias. Il va falloir se battre.

— Tant mieux, j'ai quelques comptes à régler, déclara Jon.

Les autres visages ne partageaient pas cet enthousiasme. Ils étaient armés de filets de pêche, de harpons, de bêches et de pioches subtilisés dans les remises de la ville.

Colin et Tobias en tête de groupe s'empressèrent de sortir des ruelles tout en prenant soin d'éviter les deux patrouilles qui sillonnaient les rues à la recherche des dix esclaves perdus, pour gagner l'extrémité de la grotte et l'immense portail du funiculaire. À genoux, ils empruntèrent la trappe de service et se faufilèrent parmi les bobines et les chaînes.

— Et maintenant ? s'enquit Colin.

— On sabote le funiculaire pour les obliger à passer par l'escalier des souffrances, et là, on les attaque.

— À onze contre toute l'escorte ? On va se faire écrabouiller ! T'as vu l'état de nos troupes ?

En étudiant les mines des Pans chichement armés, Tobias

donna raison à Colin. Il ne fallait pas en attendre des prouesses héroïques.

— Hé, mais au fait ! s'exclama Tobias, quelle est votre altération à chacun ?

— Altération ? reprit Jon.

— Oui, votre faculté spéciale, votre pouvoir si tu préfères ! Colin secoua la tête.

— Tu perds ton temps, ils n'en ont plus ! L'anneau détruit ça aussi.

— C'est vraiment l'horreur, ce machin !

S'ils ne pouvaient combattre, il fallait au moins utiliser leurs bras pour semer la zizanie chez l'ennemi.

— Je sais comment nous allons procéder : Stu, tu vas faire le guet à l'entrée, les autres, venez.

Il les entraîna vers une longue baraque à toit plat qui abritait les wagons du funiculaire et, après avoir rapidement étudié le système qui les retenait arrimés à leur chaîne, Tobias demanda à tout le monde de l'aider.

— Tirez de votre côté pour soulever chaque wagon, ça devrait suffire à le désolidariser de sa base ! Ensuite poussez !

Et joignant le geste à la parole, Tobias projeta son wagon vers le sommet de la pente qui l'aspira aussitôt.

Bientôt, tous les wagons dévalaient l'interminable tunnel. Un vacarme métallique traversa le brouhaha des torrents après plusieurs minutes.

— Je crois que ça au moins, c'est réglé, se réjouit Tobias.

Stu arriva en courant :

— Ils sortent de la ville ! Au moins douze soldats !

— Seulement douze ? s'étonna Colin.

— Les autres suivront au petit matin, supposa Tobias. Dans combien de temps seront-ils ici ?

— Moins de cinq minutes !

— Aidez-moi à prendre ces tonneaux, il faut les approcher du bord de l'escalier, et en descendre au moins un, un peu plus bas dans les marches.

— Nous allons vraiment les attaquer ? demanda Jon.

— J'espère que vous êtes adroits.

— Pourquoi ?

— Parce qu'il faudra viser juste pour que Matt puisse s'en sortir. En espérant qu'il remarquera l'indice que je vais lui laisser.

43

Le Buveur d'Innocence

Ambre ne quittait pas le ciel obscur des yeux. Elle sondait chaque altération dans la luminosité à l'est, guettant la trajectoire de la lune et comptant les heures.

Quand elle n'y tint plus, elle sortit furtivement dans la coursive et fouilla le hangar à la recherche d'un moyen d'enfermer le Buveur d'Innocence dans sa cabine. Elle aurait pu aller lui expliquer qu'il fallait déplacer le dirigeable ; après tout, s'il voulait réellement les aider pour ensuite questionner Matt, il accepterait. Cependant son instinct lui disait d'agir sans lui, de ne surtout pas lui faire confiance.

Ambre trouva son bonheur en un étau fixé sur une planche.

Elle coinça la poignée de la cabine dans les mâchoires de l'étau qu'elle serra de toutes ses forces. La planche barrait la porte. Dès qu'il tirerait pour l'ouvrir, la planche serait retenue par les murs de part et d'autre.

Puis elle fila dans le sas. Il fallait couper les amarres.

Elle scruta la nuit par le petit hublot. Rien que la passerelle en bois pour entrer dans la tour. Pas de formes cauchemardesques.

Elle leva la clenche et sortit armée d'un couteau. Une fois libérée, la méduse commença à reprendre de l'altitude tout doucement. Ambre se précipita sur la passerelle et sauta à bord avant qu'elle ne soit trop haute.

Puis elle s'installa au poste de pilotage.

Il n'y avait pas beaucoup de manettes et de molettes, et elle se concentra pour se souvenir de ce qu'avait expliqué le Buveur d'Innocence.

— Là c'est pour aller à droite, ici à gauche, celle-ci c'est pour grimper… Oui, je crois que ça me revient. Je peux le faire. Allez, courage, Ambre, tu vas t'en sortir !

Il y eut un choc sourd à l'arrière.

Le mouvement de la nacelle l'a réveillé.

Un autre coup violent contre la porte. Combien de temps avant qu'il ne l'enfonce ?

Ambre tenta de ne pas y penser, elle se concentra sur les commandes et poussa un levier. La méduse vira sur la gauche comme prévu.

Mais Ambre n'eut pas le temps de se féliciter que le Buveur d'Innocence fit irruption dans son dos.

— Que fais-tu ? Tu as perdu la raison ! Tu vas nous tuer !

— Tobias et Matt nous attendent en bas dans la vallée, il faut les rejoindre !

— C'est pour ça que tu m'as enfermé ? Petite garce, lâche les commandes.

Ambre se cramponnait, et le Buveur d'Innocence dut user de la force pour l'arracher au siège. Il stabilisa la nacelle et, s'apercevant que Ambre tentait de fuir, il la plaqua contre le mur.

— C'est moi qui commande à bord ! hurla-t-il en lui postillonnant au visage.

— Vous voulez toujours récupérer ce garçon que la Reine cherche tant ? C'est maintenant !

Le Buveur d'Innocence s'esclaffa :

— Ah ! Tu es bien gourde, ma pauvre !

— Vous avez promis de nous aider !

— Voilà ce que j'aime chez vous autres, cette candeur, cette douce innocence.

— Mais… Je… Je me suis déshabillée devant vous !

— Oh oui, fit-il avec un sourire vicieux. Et je t'en remercie grandement ! Si seulement tu savais à quel point tu m'as fait plaisir !

Ambre, furieuse et blessée, lui envoya son genou entre les jambes. Le Buveur d'Innocence cria, mais ne la lâcha pas. Ambre tenta de se défaire de sa poigne et il lui tordit le bras violemment.

— Trop, c'est trop ! Je suis certain que l'anneau n'altérera pas ta valeur ! Viens, petite peste !

Il la força à avancer vers l'arrière du dirigeable, lui pliant le bras, la tirant par les cheveux, il la fit entrer dans la cellule cachée. Il l'enchaîna au mur et ouvrit une mallette en acier pour y puiser une longue pince crochue, un poinçon et un anneau ombilical.

— Voilà qui devrait te calmer une bonne fois pour toutes !

— Non ! Ne faites pas ça ! Je vous en supplie !

— Il fallait y penser plus tôt !

D'un geste brutal il déchira le bas de son chemisier pour faire apparaître son nombril et voulut y planter sa pince sans y parvenir, tant l'adolescente se débattait en hurlant.

— Tu vas cesser de bouger !

Il lui donna une claque si forte que Ambre n'entendit plus rien pendant quelques secondes. Cependant, lorsqu'elle aperçut le poinçon prêt à lui perforer les chairs, elle donna un coup de hanche qui fit reculer le Buveur d'Innocence.

— Je perds patience avec toi ! s'écria-t-il.

Une nouvelle claque s'abattit sur elle, puis une autre. Mais l'envie de vivre la maintenait consciente. Elle lança un coup de pied, puis un coup de coude et le Buveur d'Innocence la frappa en retour.

Presque sourde, les joues en feu, Ambre continua de se défendre.

Pourtant, ses forces déclinaient, l'épuisement la gagnait, et peu à peu elle commença à sombrer.

Lorsqu'elle ne fut plus capable de pousser le moindre gémissement, de donner le moindre coup, elle le vit reprendre ses instruments de malheur et se pencher sur son nombril.

Alors elle repensa à tous les avertissements qu'elle avait reçus à propos du Buveur d'Innocence.

Personne ne gagnait jamais contre lui.

Un être maléfique.

Qu'elle n'aurait jamais dû approcher.

44

Deux mille marches et du sang

Chaque soldat portait lance, épée et une armure d'ébène. Même avec sa force, Matt estima ses chances nulles. Douze contre un à mains nues, c'était un combat qu'il ne pouvait mener.

Ils ont pour consigne de ne pas me faire du mal, voilà un avantage dont je peux tirer parti !

Sauf qu'ils préféreraient l'embrocher que d'annoncer au conseiller spirituel que le garçon s'était échappé !

Son absence était d'ailleurs inquiétante. Juste avant de quitter l'auberge, Matt l'avait surpris en pleine conversation avec Roger. Le dirigeable du Buveur d'Innocence était en ville et il souhaitait s'entretenir avec lui en urgence. Le plan ne changeait pas pour Roger, il transporterait le précieux ordre de stratégie à la citadelle de la première armée dès l'aube, cependant il devait confier à son meilleur officier l'escorte de Matt.

Qui était le Buveur d'Innocence ?

Matt n'aimait pas ça.

Les gardes pénétrèrent dans un vaste tunnel plein d'échos et Matt eut le souffle coupé en découvrant l'escalier de souffrances. Pas même une main-courante pour se retenir, rien qu'un piquet de temps en temps pour y accrocher une lanterne à graisse, il fallait être prudent.

— Il n'y a plus de wagons ! s'écria l'un des soldats partis en éclaireurs. Peut-être que si on attend ils vont…

— Non, nous passons par les marches, tant pis ! le coupa l'officier en charge de l'escorte.

Matt envisagea rapidement une fuite éventuelle. Pousser un garde dans la pente, et courir… Mais où ? Il ne pouvait remonter, et le moindre croche-pied ou dérapage entraînerait une chute mortelle ! C'était bien trop risqué.

Matt entama ce qui s'annonçait comme une fastidieuse descente, encadré de ses baby-sitters en armes. Les torrents qui dévalaient les rampes de chaque côté des marches produisaient une bruine rafraîchissante qui se déposait sur la pierre de la caverne. De la mousse s'était développée sur les parois et les marches glissaient affreusement.

Chacun était concentré sur sa progression, Matt également. Les jurons des premiers gardes, quelques mètres plus bas, ne lui firent pas quitter ses pieds du regard.

— Faites attention, il y a un tonneau en plein milieu ! cria-t-on.

— Tu n'as qu'à le pousser, tant pis pour celui qui l'a mis là !

— Et si c'est important ?

— Notre mission est plus importante !

— Quelque chose est gravé dessus ! « L'Alliance… des… Trois » !

À ces mots, l'adolescent se redressa, les sens aux aguets.

Ambre et Tobias !

Matt vérifia la position de ses geôliers. Six devant et six derrière. Impossible de passer sur les côtés sans tomber dans les torrents surpuissants qui ne manqueraient pas de le broyer bien avant qu'il touche le sol.

Quelqu'un siffla depuis le sommet de l'escalier.

C'était Tobias, son arc bandé.
Une dizaine de silhouettes surgirent avec lui.

Tobias tremblait, tellement il était stressé. Il n'avait qu'une seule chance. La pointe de sa flèche visait le tonneau tout près de Matt.

Il fit le vide dans sa tête, le vide dans ses poumons.

Ses épaules se stabilisèrent. Il ajusta un peu son tir en levant le coude.

Les Pans poussèrent les premiers tonneaux dans les marches et Tobias relâcha la pression entre ses doigts.

Et tandis que sa flèche fusait en entraînant la corde qui lui était attachée, Tobias fut pris de panique. Sans Ambre pour corriger la trajectoire, il ne toucherait pas son but, il était bien trop maladroit pour cela !

La pointe de fer se ficha dans le bois du fût, en plein milieu.

Je l'ai eu ! Je l'ai eu !

Cependant le temps n'était pas au triomphe, des tonneaux dévalaient les marches à toute vitesse, les soldats se mirent à crier et les premiers tentèrent de sauter par-dessus, mais furent entraînés dans la pente. Les suivants bondirent de côté pour tomber dans les canaux chargés d'écume, ils s'accrochèrent aux chaînes mais ne tinrent pas longtemps sous la terrible pression.

Matt allait se faire emporter à son tour lorsqu'il comprit le plan de Tobias et se jeta sur la corde. Un garde, au visage strié de cicatrices, en fit autant, repoussant Matt qui lui décocha un coup de poing rageur. L'homme s'effondra, assommé et aussitôt écrasé par une lourde barrique que Matt esquiva en se jetant dans le torrent le plus proche.

La corde émit un bruit de fouet en se tendant au maximum.

— Il faut le hisser ! ordonna Tobias. Vite ! Avant que l'eau ne l'entraîne !

Trois Pans se joignirent à lui pendant que les autres poussaient d'autres tonneaux dans l'escalier.

Plus bas les soldats hurlaient, rebondissaient encore et encore, se brisant les os à chaque rebond, arrachant les piquets des lanternes, rien ne pouvait plus les arrêter. D'autres avaient déjà disparu dans les canaux, projetés plusieurs centaines de mètres en contrebas dans les toboggans mortels, noyés par la férocité du courant.

Tobias et ses compagnons tirèrent sur la corde et Matt réapparut au milieu du bouillonnement, cherchant sa respiration. Encore deux tractions et le garçon sortit de la fosse pour remonter sur l'escalier, le souffle coupé, les membres tétanisés par la violence de l'eau. Il demeura allongé, perclus par l'effort et la douleur.

Il ne devait sa vie qu'à sa force exceptionnelle qui lui avait permis de tenir bon la corde.

Les tonneaux se fracassaient les uns après les autres à force de frapper l'arête des marches, et toute la garde rapprochée du jeune garçon s'était dissoute. Des corps brisés reposaient cinquante, cent, voire deux cents mètres plus bas.

Tobias accourut auprès de son ami pour l'aider à se relever.

— Matt ! Ça va ? Tu respires ?

Matt fit signe qu'il allait bien, ses cheveux trop longs lui recouvrant une partie du visage. Il reprenait son souffle.

Soudain une sirène rugissante retentit dans le tunnel.

Jon fit volte-face et hurla à l'attention de Matt et Tobias :

— Deux gardes !

Colin en tête, tous se mirent à descendre les marches pour rejoindre les deux adolescents. Le cor continuait de sonner l'alerte.

— Probablement deux retardataires ! lança Colin. Faut pas traîner, dans cinq minutes ça va grouiller de Cyniks pas commodes !

Tous s'élancèrent dans la vertigineuse pente.

Après seulement cinq minutes, les mollets commençaient à tirer et l'enchaînement des marches les étourdissait.

À peine plus bas, ils ralentirent pour ne pas perdre l'équilibre.

Les premières flèches fusèrent.

Les deux gardes cyniks les avaient suivis, arc au poing, et, profitant de leur proximité, ils tiraient à toute volée.

Jordan, l'un des plus jeunes Pans, prit une flèche dans les reins. Avant même que ses camarades puissent le saisir, il disparut dans le torrent avec un regard terrifié.

Tout avait été si rapide qu'ils en restèrent bouche bée.

Une flèche ricocha aux pieds de Jon et ils sortirent de leur stupeur pour reprendre la descente à toute vitesse.

Ils n'avaient pas fait dix foulées que Mia, une autre Pan, s'effondra à son tour en poussant un cri, une flèche dans la cuisse. Deux garçons la soulevèrent par les bras et l'aidèrent à continuer.

— Tobias, couvre-nous avec ton arc ! lança Matt.

— Je n'ai pas la portée, ils sont plus haut et trop loin !

— Donne-le-moi !

Matt s'arrêta, laissa passer le cortège et visa les deux soldats en armure. Il tendit la corde jusqu'à ce que le bois craque et décocha son tir qui fusa entre les deux hommes. Une deuxième puis une troisième flèche, même si elles manquaient leur cible, ralentirent leurs poursuivants.

Matt se précipita pour rejoindre les autres.

Les soldats ne cherchaient plus à s'approcher, ils conservaient une distance de sécurité.

Un quart d'heure plus tard, les Pans se relayèrent pour accompagner Mia qui grimaçait en luttant avec courage contre la douleur.

Mais le marathon avait eu raison de leur résistance. Jon trébucha et ne dut son salut qu'aux réflexes de Tobias.

— Il faut... faire... une pause, sollicita Jon, tout essoufflé.

— Les gardes ont ralenti, ils se sont même assis tout à l'heure, rapporta Colin, si on n'en fait pas autant, jamais nous ne parviendrons en bas sains et saufs !

À contrecœur, Tobias acquiesça et tous se laissèrent choir sur les marches glissantes. Les deux Cyniks n'étaient plus que deux taches sombres loin au-dessus.

— Cinq minutes, pas plus, avertit Matt.

Il se pencha sur la cuisse de Mia et examina sa blessure.

— Il faudrait te retirer la flèche.

— Non ! Pas maintenant, supplia-t-elle. Ça fait déjà bien assez mal comme ça !

Matt observa les huit Pans qui accompagnaient Tobias et Colin.

— Ambre est en sécurité ?

— Elle s'occupe de notre moyen de transport, révéla Tobias.

— Merci d'être venus à mon secours, dit Matt, un peu gêné, à toute la troupe.

— C'est vrai que tu vas nous sauver ? demanda une jeune Pan.

— Nous quittons cet endroit, pas vrai ? fit un autre.

Matt bégaya quelques mots et Tobias intervint :

— Si tout se passe bien, il y aura un dirigeable en bas dans la plaine pour nous ramener chez nous. (Il pivota vers Matt pour ajouter :) Désolé, je crois que le périple chez les Cyniks s'arrête ici pour nous, il est grand temps de remonter dans le Nord, tu ne crois pas ?

— Je suis venu ici pour obtenir des réponses et je les ai eues. Ce ne sont pas celles que j'attendais, cependant il faut que j'aille à Eden sans plus tarder. C'est une question de survie !

Tobias parut soulagé.

— Je suis content que pour une fois tu saches t'arrêter ! J'ai cru que tu voudrais aller jusqu'au bout, voir cette Malronce de malheur !

— Tout compte fait, c'est une très mauvaise idée.

— Tu n'imagines pas à quel point ! Dès qu'on sera à l'abri sur le dirigeable, je dois te parler de quelque chose de très important qui te concerne.

— Avant cela je remonte à bord du *Charon*, prévint Matt.

Je ne laisse pas Plume avec les Cyniks. Au fait, et ce dirigeable il vient d'où ?

— C'est une histoire qui attendra un peu !

Matt pointa son pouce vers Colin :

— Et lui ?

— Il nous aide.

— Es-tu sûr qu'on peut lui faire confiance ? Aux dernières nouvelles, c'était un traître mort noyé !

— Je pense que sa vie a beaucoup changé. Sans lui, je n'aurais jamais pu te sortir de là.

— J'espère que nous n'aurons pas à le regretter.

Jon se pencha entre eux :

— Les deux types se rapprochent, il faut y aller !

Ils mirent une heure de plus pour atteindre le bas du tunnel, fourbus, moites et hypnotisés par la cadence répétitive de la descente.

Cinq wagons étaient parvenus jusqu'ici pour s'écraser contre un mur, répandant des débris de métal partout.

Un peu plus loin, une longue jetée de pierre courait au milieu d'un lac souterrain ; le *Charon* y était amarré. La grotte était aussi grande que celle de la ville, avec une ouverture béante à son extrémité. Il faisait encore nuit.

Colin montra une porte massive tout au bout du quai :

— C'est une sortie vers la plaine !

— Très bien, fit Matt, attendez-nous là-bas, le temps que le soleil se lève. Si nous ne sommes pas redescendus du *Charon* à l'aube, sortez et foncez vers le dirigeable. Tobias, tu m'accompagnes ?

— Je viens tout juste de te retrouver, ce n'est pas pour t'abandonner maintenant !

Les deux garçons se faufilèrent sur la passerelle du navire. Le pont était désert, trois lanternes brûlaient, et Matt distingua un matelot sur la dunette arrière, endormi sur un tabouret.

— C'est à l'avant, prévint-il en se glissant par l'écoutille.

Plume était là où il l'avait laissée la dernière fois. La chienne le couvrit de coups de langue et se frotta à lui lorsqu'il entra dans la cage.

— C'est fini, ma chienne, tu quittes cet endroit infâme.

Tobias fut la cible de longues retrouvailles pendant que Matt s'équipait avec ses affaires enfin retrouvées.

Ils remontaient sur le pont principal lorsqu'un matelot croisa leur chemin dans une coursive. Il s'immobilisa en voyant les adolescents et ses yeux se remplirent de terreur en constatant qu'ils étaient suivis par un chien remplissant tout le couloir.

— Alerte ! hurla-t-il. Alerte !

Matt bondit sur lui et le fit taire d'un coup de lanterne sur le crâne.

— Je crois que c'est trop tard, fit Tobias inquiet.

À peine jaillissaient-ils sur le pont que cinq autres hommes d'équipage accouraient à leur tour. Deux tenaient de longs couteaux et un troisième une gaffe pointue. Matt sortit son épée et serra les paumes sur le cuir de sa poignée. Cette sensation lui avait manqué, se rendit-il compte.

Avec sa lame, il se sentait plus fort.

Deux matelots approchèrent, il trancha en deux la gaffe du premier et perfora le pied du second alors qu'il visait la cuisse.

Il allait se faire embrocher par le flanc lorsqu'une flèche décochée par Tobias coupa la course d'un troisième assaillant.

Plume sauta sur les deux derniers, les crocs en avant, et ils roulèrent sur le plancher en hurlant de peur.

Matt dégagea son épée du pied de sa victime et d'un puissant coup de coude en pleine tempe, l'envoya rouler sur un tas de cordages.

Celui qui tenait la gaffe réduite à un simple bâton les contemplait avec incrédulité. Il recula et courut s'enfermer dans une cabine.

Plume suscita des réactions très partagées parmi les Pans quand Matt et Tobias les rejoignirent à la porte, avant que tout le monde comprenne qu'ils n'avaient rien à craindre.

— Il fait toujours nuit ! s'affola Colin en désignant l'extrémité du lac.

— Personne ne sort sans le soleil, dit Tobias. Les Mangeombres ne feraient qu'une bouchée de nous.

— Ils viennent jusqu'en bas des falaises ? s'étonna Matt.

— Je l'ignore, mais je ne prendrai pas le risque d'aller vérifier.

Jon fixait le bas du tunnel du funiculaire.

— Tu en es sûr ? Parce que je crois bien qu'on va avoir de la visite !

Des lanternes s'agitaient en enfilade dans l'escalier, et le cliquetis de nombreux hommes en armures se mêlait au tumulte des eaux farouches.

45

Les miracles n'existent pas

Une soixantaine de guerriers cyniks se tenaient sur le quai.

Prostrés tout au bout contre la porte, Matt, Tobias et les Pans comptaient les minutes avant d'être repérés.

— Il faut sortir, dit Matt.

— Impossible ! contra Colin. Les Mangeombres vont nous dévorer !

— Tu crois que nous tiendrons longtemps face aux soldats ?

— Moi je préfère mourir plutôt que d'avoir à nouveau un anneau dans le ventre ! protesta l'un des Pans qui aidait Mia à marcher.

— Pareil pour moi ! confia-t-elle.

Les autres approuvèrent largement. La fuite leur avait redonné plus d'entrain et de dynamisme.

Matt prit la grosse poignée d'acier dans une main.

— À mon signal, vous foncez le plus vite possible, dit-il.

— Cherchez le dirigeable, ajouta Tobias.

Le vantail grinça et attira l'attention des Cyniks qui se mirent à charger.

— Maintenant ! s'écria Matt.

La nuit était lourde sans les embruns des chutes d'eau. Sous les étoiles nombreuses, il ne faisait pas aussi sombre que dans la grotte. Les Pans s'écartèrent de la falaise, contournant un goulet étroit et débouchèrent sur un promontoire dominant le fleuve. Une forêt de sapins s'étendait sous leurs pieds, recouvrant la colline jusqu'à la berge. Derrière eux, l'impressionnante falaise les coupait du monde, le pic les écrasant de sa masse colossale.

— Où est le dirigeable ? cria Colin. Tobias, tu es certain qu'Ambre a eu ton message ?

— Catégorique. Je flaire plutôt un sale coup du Buveur d'Innocence !

Ils pouvaient entendre la troupe avancer dans leur dos, hésitant à les poursuivre à l'extérieur.

— À quelle heure est le rendez-vous ? demanda Matt.

— À l'aube !

— Alors rien n'est perdu, regardez, le ciel blanchit à l'est, elle ne va plus tarder.

— De toute façon, avec la paroi si proche, jamais le dirigeable ne pourra nous récupérer ici, prévint Colin. Il faut descendre vers cette clairière au bord du fleuve.

Des cris étranges, aigus comme ceux d'un rapace et s'achevant par une sorte de ricanement, s'élevèrent de la falaise.

Des formes longilignes sortaient de cavités obscures.

— Les Mangeombres ! s'écria Colin. Courez !

À peine s'étaient-ils élancés que les créatures planaient à toute vitesse au-dessus des rocs.

Matt fermait la marche, leur situation lui sauta aux yeux : jamais Mia et ses deux porteurs n'atteindraient la clairière. Il siffla pour appeler Plume et aida la jeune fille à se hisser sur son dos. Ainsi, tous pouvaient donner le meilleur d'eux-mêmes pour espérer échapper aux monstres à tête blanche.

— Et si le dirigeable… ne vient pas ? fit Jon, haletant.

— L'aube se lève… il faudra les repousser jusqu'à ce que le soleil nous vienne en aide ! répliqua Matt, également essoufflé.

Les Mangeombres dévalaient l'escarpement, ils seraient bientôt là. Matt multipliait les coups d'œil par-dessus son épaule pour se préparer au pire : le combat.

Dès qu'ils passèrent sous les branches des sapins, Matt se sentit plus rassuré, les Mangeombres ne pourraient plus planer sans risquer de percuter un tronc.

Pourtant les premiers continuèrent leur vol en pénétrant dans la forêt ; Matt en vit deux qui se rapprochaient dangereusement.

Il lâcha le groupe et se tourna, le premier Mangeombre ne s'attendant pas à pareil mouvement, se redressa trop tard et Matt le décapita tout net lorsqu'il passa à son niveau.

Le second referma ses petites ailes et sortit ses griffes pour se poser. D'un moulinet, Matt découpa un méchant sillon dans ce qui devait être le torse de l'animal. Plusieurs couches de peaux noires se détachèrent et un fluide épais s'envola. Le sang du Mangeombre sortait de son corps comme s'il était en apesanteur ou dans l'eau, un nuage sombre se répandait dans l'atmosphère.

Les crocs du monstre se dévoilèrent et il se ramassa sur lui-même pour se préparer à bondir sur sa proie.

Matt l'accueillit avec la pointe de son épée qui lui traversa le crâne.

Des cris de douleur montèrent de la forêt.

Ils sont télépathes ? s'étonna le garçon avec un frisson glacé le long de l'échine.

Matt se dégagea péniblement du Mangeombre qui l'écrasait et se remit à courir, l'épée au poing.

Ses camarades venaient à peine d'arriver dans la clairière, le fleuve coulait derrière une barrière de roseaux et de fougères.

Est-ce que les Mangeombres savaient nager ? Matt n'était pas très confiant en cette idée, mais s'ils n'avaient plus le choix, ils pourraient toujours se jeter à l'eau.

Le groupe forma un cercle tandis que des ombres s'affolaient à l'orée de la clairière, entre les sapins et les pins.

Le ciel blanchissait de plus en plus à l'est. Mais pas assez vite pour redonner espoir aux Pans qui se recroquevillaient les uns contre les autres.

Les Mangeombres sortirent des ténèbres, se déplaçant sur leurs longues griffes, protégés par leurs ailes qui formaient une sorte de manteau.

Tobias pointa son doigt vers le plus proche et Matt vit le front du monstre s'ouvrir sur un œil translucide.

— C'est lui qui va nous flasher ! Pour mettre nos ombres en évidence !

Matt sortit du cercle pour faire face au flasheur. Deux autres Mangeombres accoururent en se léchant les babines d'une langue gluante et noire.

Le premier flash aveugla Matt. Les Mangeombres se jetèrent sur lui et furent reçus par deux coups de lame. Un des deux ne se releva pas.

Second flash. Matt sentit une violente douleur dans le dos, comme si on lui arrachait la peau. Il hurla.

La flèche de Tobias cueillit le Mangeombre dans ce qui lui servait de nuque. Il tomba raide mort aussitôt.

À bout portant, l'adolescent était un bien meilleur tireur.

— Ne les laisse pas approcher de ton ombre ! prévint-il.

Libéré de sa souffrance, Matt sauta vers le flasheur et l'empala par l'œil transparent. Le même sang vaporeux s'échappa de la blessure mortelle tandis que d'autres Mangeombres surgissaient un peu partout.

— Ils sont trop nombreux ! hurla Mia depuis le dos de Plume.

Matt se rapprocha de Tobias.

— Tu es prêt à foncer vers le fleuve ?

— Si on fait ça nous serons forcément séparés et le dirigeable ne nous trouvera pas !

— Une meilleure idée ?

Colin se mit à crier comme un fou :

— Le voilà ! Le voilà ! La nacelle du maître !

La méduse fendit la brume développée par l'immense chute d'eau, cinq cents mètres au-dessus de leurs têtes.

— Aide-moi à les tenir à distance, demanda Matt à Tobias.

Plusieurs flèches fusèrent pour effrayer les Mangeombres et Matt faisait tournoyer son épée devant lui. Mais les créatures se rapprochaient toujours.

Un autre flasheur s'avança et cette fois Matt ne put l'approcher car trois Mangeombres l'encadraient. Les flashes reprirent. Matt coupait et tranchait tout ce qui passait à portée de bras ; des coups de griffes l'écorchèrent, il pouvait même sentir l'haleine putride des créatures.

Il en venait de partout à la fois, deux nouveaux remplaçaient chaque Mangeombre abattu.

Une fille hurla dans le dos de Matt alors que deux assaillants s'activaient sur son ombre. Matt prit une pierre et la lança de toutes ses forces pour tenter d'en assommer un et il manqua son coup.

Plume s'abattit sur eux, et d'un coup de mâchoires sectionna une aile avant d'écraser le second.

Stu, de son côté, eut à peine le temps de crier qu'il fut happé et entraîné dans un gros buisson par trois Mangeombres. Trois flashes s'en échappèrent et les jambes du pauvre garçon cessèrent de tressauter.

Le carnage ne faisait que commencer, comprit Matt, désespéré.

Soudain une échelle de corde tomba du ciel.

L'énorme masse gélatineuse les dominait, ondulant sans un bruit.

Reprenant espoir, Matt et Tobias redoublèrent d'efforts pour protéger autant que possible la retraite de leurs compagnons et ils se retrouvèrent bientôt seuls avec Plume et Mia. Tous les autres étaient parvenus à bord du dirigeable. Un filin, terminé par deux lanières en cuir large, suspendu à une poulie, flottait au-dessus des trois derniers adolescents.

Tobias fit des grands signes vers la nacelle :

— Plus bas ! Plus bas !

Pendant ce temps Matt donnait des coups d'épée tandis que des flashes les enveloppaient de toutes parts. Les Mangeombres se rapprochaient encore, esquivant les coups de lame et cherchant à bondir sur l'ombre de leurs proies.

Le dirigeable concéda encore un peu d'altitude et Tobias s'empara des lanières pour sangler Plume. La chienne s'envola brusquement. Tobias soutint Mia qui était incapable de poser sa jambe à terre.

— Nous ne pourrons jamais remonter par l'échelle, avoua-t-il. Les Mangeombres sont trop rapides !

— Ne les laisse pas me prendre ! le supplia la jeune fille.

Deux gros tonneaux chutèrent par le hangar du dirigeable et Tobias reconnut le système d'alimentation en eau.

— Matt ! s'époumona-t-il. Saute dans les tonneaux !

Le dirigeable commençait à s'éloigner.

Tobias attrapa la première barrique au passage et renversa Mia à l'intérieur en se hissant par-dessus.

Matt perfora un Mangeombre qui tentait de sucer son ombre et, d'un bond, plongea à son tour sur le second tonneau.

Aussitôt, le dirigeable prit de l'altitude et les trois Pans se balancèrent dans le vide.

Ils furent remontés à mesure que le dirigeable s'éloignait et que le soleil naissant recouvrait la clairière de ses premiers pétales flamboyants.

Les Mangeombres gémirent, un long ululement triste, et disparurent dans la forêt.

Une fois hissés à bord, Matt et Tobias roulèrent hors des tonneaux, épuisés.

Ils avaient quelques écorchures, de belles ecchymoses, mais rien de grave.

Quelqu'un se mit à applaudir dans le hangar et Matt se redressa, surpris.

Le conseiller spirituel se tenait en face de lui, tout sourires, frappant dans ses mains. Un autre type à fine moustache blanche se tenait à ses côtés, et quatre gardes armés.

— Spectaculaire cette petite évasion ! Mais je crains qu'elle n'ait pas servi à grand-chose. Bill, mettez le cap au sud. Notre Reine nous attend !

46

Combinaison des trois altérations

Matt et Tobias furent ligotés et jetés dans la cellule du hangar où s'entassaient déjà les sept autres Pans et une forme allongée.

Le Buveur d'Innocence attrapa Colin par l'oreille :

— Et toi, quelle mouche t'a piqué d'aller avec eux ?

— Je croyais que vous seriez content ! protesta le grand adolescent en grimaçant.

— Depuis quand t'autorises-tu à *penser* ce que je veux ? Je devrais te jeter par-dessus bord !

— Non, maître ! Je vous en supplie, je ferai tout ce que vous demanderez ! Pitié ! Pitié !

Le Buveur d'Innocence le lança contre le mur.

— Nous verrons cela plus tard ! Fais-toi discret d'ici là ! Je ne veux plus te voir !

La porte de la cellule se referma, plongeant les Pans dans le noir.

Tobias se démena pour sortir son morceau de champignon

lumineux de sa poche et une clarté argentée illumina la petite pièce.

Ils étaient collés les uns contre les autres.

La forme allongée gesticulait en se débattant sous la couverture.

Jon, les mains liées dans le dos, parvint à attraper le bout de tissu et à le tirer.

Ambre était ficelée, bâillonnée et ses yeux étaient recouverts d'un morceau de voile.

— Ambre ! s'exclama Matt en rampant vers elle.

Jon tira sur le bâillon pour lui permettre de s'exprimer :

— Matt ? Toby ? C'est vous ?

— Oui ! Nous sommes là !

— Je suis désolée ! J'ai complètement échoué.

— Il ne t'a pas fait de mal au moins ? s'angoissa Tobias qui connaissait le Buveur d'Innocence.

— Il... Il a essayé de me poser un anneau ombilical. (Un murmure accompagné d'un frisson collectif parcourut les prisonniers.) J'ai bien cru que c'était fini pour moi... Et puis, dans un dernier sursaut, je suis parvenue à me concentrer pour utiliser mon altération et projeter l'anneau de l'autre côté du hangar. Ça l'a calmé aussitôt ! Il était fou de rage et je voyais bien qu'il me craignait en même temps ! Il a peur de l'altération ! Il a finalement renoncé et m'a attachée ici.

— Tu l'as échappé belle ! la félicita Tobias.

— À cause de moi, nous en sommes là ! s'énerva-t-elle.

— Le conseiller spirituel nous emmène à Wyrd'Lon-Deis, lui rapporta Tobias.

— Qu'est-ce que vous savez de cet endroit ? demanda Matt.

Jon répondit en premier, avec la spontanéité de celui qui craint les mots qu'il emploie :

— Le cœur des terres cyniks, royaume de la Reine Malronce, on dit que sa forteresse est hantée, protégée par des marais dangereux et des créatures terrifiantes !

— C'est aussi là-bas que sont les mines et les forges qui produisent les armes, précisa Ambre, et une partie de son armée.

— Autant dire que si on y entre prisonniers, jamais on n'en sort, fit Tobias.

— Nous n'irons pas, trancha Matt. Jon, est-ce que si je viens vers toi, tu peux défaire mes liens ? Je pourrais forcer la serrure ensuite.

— Il n'y en a pas, l'informa Ambre. La porte ne peut s'ouvrir que de l'extérieur et elle est très lourde, tu ne pourras pas l'enfoncer. Dites, est-ce que quelqu'un pourrait m'ôter ce que j'ai sur les yeux ?

Jon la libéra de son foulard aveuglant et s'occupa de Matt.

— Je n'y arrive pas, avoua-t-il après des essais infructueux, le nœud est trop petit et trop serré.

Quelqu'un se mit à gémir dans un angle.

— C'est Mia, rapporta Perez, un grand Pan avec un duvet noir sur le visage. Elle dort, mais la flèche est encore dans sa cuisse et elle saigne beaucoup.

Matt se leva tant bien que mal et cogna la porte de l'épaule. N'obtenant pas de réponse, il insista, de plus en plus fort.

La voix d'un garde parvint, étouffée, de l'autre côté :

— Oh ! C'est fini là-dedans ?

— Nous avons une blessée ! s'écria Matt. Elle a besoin de soins ! Tout de suite !

Le garde répondit par des grognements de mécontentement et revint avec le Buveur d'Innocence.

— Qui est blessé ? voulut-il savoir.

— Mia, une fille parmi nous, si vous voulez qu'elle survive au voyage, il faut la soigner !

La porte s'ouvrit et Tobias se coucha sur son champignon pour le dissimuler.

— Fais-moi voir son visage ! commanda le Buveur d'Innocence.

Perez écarta les cheveux de Mia comme il put et le Buveur d'Innocence la jaugea avec un peu d'hésitation.

Dans son dos, Matt aperçut Plume au fond du hangar, retenue par une longe.

— Qu'est-ce que vous faites ? s'indigna Jon.

— Je regarde si elle vaut la peine que je fasse un effort ! Oui, elle est mignonne. Il y aura quelque chose à en tirer. Gardes ! Prenez cette fille et amenez-la-moi dans ma cabine, je vais m'occuper de sa plaie.

Mia disparut et la porte se referma aussitôt.

— Je ne suis pas sûre que ce soit une bonne idée de la laisser seule avec lui, fit remarquer Ambre.

— C'était ça ou la mort à échéance, répliqua Matt.

— Alors, comment on sort ? intervint Tobias.

Matt soupira.

— Je l'ignore. Mais il faut trouver. Et vite.

Les heures passaient et Matt n'entrevoyait qu'une seule option.

Compter sur l'aide de l'extérieur.

Colin n'était manifestement pas enclin à trahir une seconde fois son maître.

— Ambre, tu pourrais te servir de ton altération sur un mécanisme à dix mètres environ ?

— Si c'est une manœuvre simple et que je vois le mécanisme, c'est possible, à quoi tu penses ?

— Plume est au fond du hangar. Si tu peux déclipser la longe qui la contraint, je suis sûr qu'elle nous aidera.

— Pour ça la porte doit être ouverte !

— J'en fais mon affaire. Toby, lorsque le garde va entrer, je vais le retenir aussi longtemps que possible, mais tu devras sauter sur la porte pour la maintenir ouverte, d'accord ?

— Je m'en charge.

Matt se mit à cogner avec son épaule une nouvelle fois, le garde ne tarda pas à revenir, toujours aussi peu aimable :

— Silence ! Si vous ne vous calmez pas, je rosse la chienne ! C'est compris ?

— Il fait beaucoup trop chaud là-dedans ! s'écria Matt. Nous étouffons !

— Pas mon problème !

— S'il vous plaît ! Donnez-nous au moins un peu d'eau ! Si nous sommes tous morts à l'arrivée, c'est vous qui aurez des ennuis !

Cet argument sembla toucher une corde sensible, le garde revint ouvrir pour poser un seau d'eau tiède au milieu de la cellule.

Matt se jeta sur l'homme de toutes ses forces pour l'écraser contre le mur opposé. Aussitôt, Tobias jaillit, à une vitesse folle, il repoussa le battant de la porte qui vint cogner contre une caisse.

Ambre focalisa son regard sur la longe, puis le mousqueton qui retenait Plume prisonnière.

Matt, qui avait encore les mains attachées dans le dos, reçut un crochet dans l'estomac, tout l'air de ses poumons s'échappa et il tituba. Le garde saisit Tobias par les cheveux pour le repousser au fond de la cellule et donna un coup de pied dans le seau d'eau qui se renversa :

— Ça vous apprendra à jouer avec moi ! dit-il avec méchanceté. Les gamins, je les mate !

Il allait les enfermer à nouveau lorsque Plume l'envoya, d'un mouvement des pattes arrière, s'assommer contre la paroi.

Matt s'empara du couteau à sa ceinture et trancha les liens de Tobias qui put à son tour libérer tout le monde.

Ils ligotèrent le garde dans la cellule et, avant de sortir, Matt lui lança :

— Tu n'es pas tombé sur les bons gamins, on dirait !

Dans le couloir, deux autres gardes approchaient avec méfiance, alertés par le bruit. L'un tenait son épée à deux mains.

En se retrouvant face à face avec la troupe de Pans, les deux Cyniks marquèrent une courte hésitation.

Qui suffit à Ambre pour contrôler l'épée et l'écraser sur le visage du premier, lui brisant le nez avec le plat de la lame pendant que Tobias lançait quatre boîtes de conserve débusquées dans le hangar en moins de trois secondes pour faire trébucher le second.

Les autres Pans sautèrent sur eux pour les attacher et les enfermer dans la cellule à leur tour.

— Nous avons besoin de nos armes, dit Matt. Il est grand ce dirigeable ?

— Plutôt. J'ai peur que notre équipement soit avec le reste des Cyniks, certainement dans le salon, dit Tobias. S'ils n'ont rien entendu, avec nos trois pouvoirs combinés on peut les avoir facilement.

— Nous sommes avec vous ! firent deux voix en chœur.

Jon s'empara d'un filet et Perez de l'épée du garde. Les autres restèrent en retrait.

Ils remontaient la coursive en direction du salon lorsque des mains surgirent du plafond pour arracher Ambre au sol en la tenant par les cheveux et les épaules. La jeune fille cria et disparut sur le toit de la nacelle.

L'ennemi venait de se constituer un otage.

47

Duel dans les nuages

Matt avait bondi à l'échelle pour jaillir sur le toit de la nacelle.

Le conseiller spirituel arracha Ambre aux bras de son garde et lui posa la pointe d'un couteau sur la gorge.

— Vous n'arrêterez jamais ? s'énerva-t-il en toisant Matt.

— Vous avez oublié notre surnom ? lui demanda Matt. Les

Pans, fils de Peter Pan, les enfants qui ne veulent pas grandir et qui sont épris de… liberté ! Ça vous surprend que nous refusions d'être enchaînés et enfermés ?

— Ne fais pas le sot. Malronce te traitera bien, tu n'images pas à quel point tu seras bien reçu !

— Il sera dépecé ! clama Tobias. Pour poser sa peau sur le Testament de roche !

Le conseiller fusilla Tobias du regard.

Brusquement il força la lame contre la peau d'Ambre qui s'ouvrit pour laisser passer un filet de sang.

— Reculez ! hurla-t-il. Reculez tous ou c'est elle que j'écorche vive !

Ambre paniquait, tentait de desserrer la pression sur son cou sans y parvenir.

Jon et Perez parvinrent sur le toit à leur tour.

Le garde avait pris un arc et le braquait vers les Pans, la pointe de sa flèche tremblait à cause du stress.

— Posez vos armes ! hurla le conseiller spirituel.

Matt secoua la tête.

— Prenez-moi en échange.

— Recule, je t'ai dit ! Il n'y a pas d'échange, vous allez tous vous rendre et vous allonger sinon votre amie va se vider de son sang comme un cochon !

Les mâchoires de Matt se contractèrent.

— Ne vous en prenez pas à elle, avertit-il.

— De quel droit me donnes-tu des ordres !

Il s'affolait, Matt pouvait le sentir. La situation lui échappait totalement et le Cynik perdait le contrôle de ses nerfs. C'était à la fois dangereux pour Ambre, il risquait de l'égorger, et en même temps un bon point car cela allait diminuer sa vitesse de réaction.

Matt se basait sur sa propre expérience, aussi courte fût-elle.

Tu n'aurais pas dû t'en prendre à Ambre ! s'entendit-il penser avec colère.

Matt tenait un poignard subtilisé à l'un des gardes.

S'il y mettait la force, il transpercerait le conseiller spirituel.

Sauf qu'il n'avait pas l'agilité pour toucher sa cible.

Il chercha le regard d'Ambre.

— Ambre ! dit-il. Fais avec moi ce que tu fais avec Tobias !

La jeune fille cligna des paupières et Matt prit cela pour un oui.

J'espère qu'on s'est bien compris toi et moi !

Cependant le garde le devança, crispé par la tension, la corde de son arc lui échappa et la flèche passa entre Matt et Jon pour se planter dans Perez qui tituba avant de passer par-dessus bord.

Tobias se jeta sur la rambarde pour le retenir.

Perez était déjà trois mètres plus bas, dans le vide. Il disparut brutalement dans la cime d'une forêt.

Matt propulsa le poignard de toutes ses forces.

L'arme tournoya en fonçant droit sur Ambre.

Puis la trajectoire s'altéra sensiblement et remonta pour venir frapper le conseiller en plein visage.

Le manche cogna contre sa joue et l'emprise autour d'Ambre se défit immédiatement. Le conseiller trébucha, cracha deux dents et du sang et, avant qu'il puisse saisir à nouveau Ambre par les cheveux, Matt se tenait devant lui.

L'adolescent lui décocha un coup de pied avec une telle fureur que les côtes du Cynik se brisèrent et il décolla du sol.

Emporté par son élan il allait passer par-dessus bord à son tour lorsque ses mains saisirent un des filaments qui retenaient la nacelle.

Pendant ce temps, Jon avait lancé son filet sur le garde et le rouait de coups avec l'aide de Tobias. L'homme tomba à genoux en se recroquevillant.

Ambre se jeta dans les bras de Matt. Les cheveux blonds et roux de l'adolescente, balayés par les vents, fouettèrent les traits du garçon qui regardait le conseiller se débattre avec le filament dans lequel il était empêtré.

Il criait et couinait et une petite fumée blanche s'échappait de ses mains. Puis les filaments commencèrent à l'absorber, il était entraîné vers le corps de la méduse.

Il n'y avait rien à faire pour sauver le conseiller d'une mort abominable.

Matt se demanda alors s'il en avait vraiment envie. Les hurlements insupportables du Cynik le firent douter. Il ne pouvait le laisser souffrir ainsi. Il n'était pas comme eux.

Tobias devait en penser autant car il s'était emparé de l'arc et tira une première flèche qui manqua sa cible. La seconde, guidée par Ambre, se planta en plein cœur.

Tel un pantin désarticulé qui quitte la scène, le conseiller continua d'être remonté par le filament avant que la masse gélatineuse de la méduse ne l'absorbe progressivement.

Colin et le Buveur d'Innocence s'étaient enfermés dans le poste de pilotage. Matt força le passage et avant même que le Buveur d'Innocence puisse s'emparer de sa dague, Matt le frappa si fort au visage que l'adulte vacilla.

Colin leva les mains pour se rendre.

— Je suis avec vous ! sanglota-t-il. C'est lui qui m'a forcé !

Matt l'attrapa sans ménagement par le bras et Tobias prit la défense du blond aux traits ingrats :

— Rappelle-toi que sans lui nous n'aurions pas pu te sauver.

— Oui, c'est vrai ! gémit Colin. C'est moi qui lui ai présenté Jon et sa bande ! Je suis de votre côté !

Matt l'étudia avec une intensité troublante dans le regard.

— Très bien, tu rentres avec nous, le conseil d'Eden décidera de ton sort !

Ambre s'était installée aux commandes :

— À basse altitude je pense y arriver mais là, si haut, avec les vents, je ne garantis pas de pouvoir nous conduire !

— Moi je le peux ! s'écria Colin.

Matt hésita puis lui fit signe de s'asseoir.

— Quelle direction je prends ? demanda Colin.

— Le nord. Nous rentrons chez nous.

48

Voyage vers le nord

Pendant tout l'après-midi, Colin forma Ambre et Jon au pilotage et ce dernier était en poste en fin de journée lorsque Matt rassembla tous les Pans dans le hangar.

Le Buveur d'Innocence et les quatre gardes étaient à l'arrière, ligotés et bâillonnés.

— Est-ce que quelqu'un s'oppose à ce que nous nous débarrassions d'eux ? sonda Matt.

— Certainement pas ! fit une Pan du nom de Nournia.

— Nous allons les jeter dans le fleuve, à eux de se débrouiller ensuite.

— Pourquoi pas les tuer ? fit Mia qui boitait et souffrait de sa blessure bandée.

— Assez de sang a déjà été versé ! s'opposa Matt.

— Perez, Jordan et Stu sont morts à cause des Cyniks !

— Et un autre Pan dont nous n'avons jamais su le nom, compléta Tobias en repensant à l'extraction de l'anneau ombilical qui avait mal tourné.

— Je ne tuerai personne de sang-froid ! s'indigna Matt. Nous ne deviendrons pas comme eux !

Il souleva la trappe du hangar qui dévoila trente mètres de vide au-dessus des eaux vertes du fleuve. Les Cyniks se mirent à protester et à gesticuler. Un par un, Matt les tira vers le vide. Il leur coupa les liens afin qu'ils puissent nager et les poussa sans ménagement.

Colin assistait au spectacle avec horreur, s'imaginant probablement à deux doigts d'être condamné au même châtiment.

Vint le tour du Buveur d'Innocence.

Ambre s'approcha et demanda le couteau à Matt qui le lui donna.

Pourtant au moment de le faire tomber, Ambre ne lui libéra pas les mains.

Les yeux du Cynik s'agrandirent quand il comprit, il cria sous son bâillon et Ambre posa un pied dans son dos, prête à le pousser :

— Pour toutes les perversions commises, je laisse le fleuve décider si vous devez vivre ou périr, dit-elle sans émotion.

Son pied projeta le Buveur d'Innocence dans le vide.

La silhouette du Cynik se tortilla pendant la courte chute, avant de heurter les eaux limoneuses et de s'y enfoncer.

Tous les Pans à bord observaient Ambre, avec crainte, et parfois admiration.

Elle ignora leurs regards et quitta la pièce.

Le soir, durant le dîner dans le grand salon, Matt exposa à l'assemblée toute leur histoire pendant que Ambre pilotait le dirigeable. Leur traversée de la Forêt Aveugle, son portrait sur les avis de recherche de la Reine Malronce, et leur mission pour découvrir ce qu'il advenait de tous les Pans capturés ; il n'omit aucun détail, allant jusqu'à raconter qu'il était pourchassé par une créature terrifiante, bien plus menaçante que tous les Mangeombres du monde : le Raupéroden.

— S'il se déplace dans un orage, comme tu le prétends, releva Colin, alors il est facile de lui échapper !

— Non parce qu'il surgit très vite, et que nul Pan ne court plus vite qu'une tempête ! Et si l'orage est son véhicule comme je le suppose, il n'est pas obligé de voyager avec, c'est juste une parure ! Nous l'avons semé grâce à la Forêt Aveugle, hélas, je sais qu'il ne lâchera pas aussi facilement. C'est comme si j'étais une… une obsession !

— As-tu essayé de communiquer avec lui ? Peut-être n'est-il pas si méchant ! Peut-être qu'une alliance est possible !

— Il a ravagé tout un village au nord de l'île où nous habitions, crois-moi, il n'a rien d'amical et il ne souhaite pas discuter.

— Alors que veut-il ? Pourquoi te pourchasse-t-il ? insista Mia.

— Je l'ignore, probablement la même chose que Malronce.

— Moi je sais ! intervint Tobias avec une pointe de fierté. C'est la Quête des Peaux ! C'est une sorte de prophétie que Malronce se plaît à répéter à ses ouailles. Les grains de beauté ne sont pas disposés au hasard sur la peau, ils sont un langage, et la peau d'un enfant doit révéler l'emplacement de ce que nous pensons être la source de toute vie.

— La source de toute vie ? reprit Nournia, incrédule.

— Oui, enfin c'est ce que nous en avons déduit. Et cette peau très particulière, c'est celle de Matt.

Toute l'attention convergea vers l'adolescent qui s'enfonça doucement dans son siège.

— Moi ? Pourquoi moi ?

— C'est comme ça, il n'y a peut-être pas de raison, en tout cas si tu es tant recherché par le Raupéroden et par Malronce, c'est à cause du message sur ton corps.

— Tu veux dire le plan ? corrigea Colin.

— Oui, c'est ça, une sorte de plan.

— Ouah ! s'exclama Jon. Tu m'étonnes qu'ils te veuillent tous !

— Et comment on le lit ce plan ? insista Matt.

— En posant... ta peau sur une table spéciale, que les Cyniks appellent le Testament de roche. Malronce se serait réveillée dessus après la Tempête.

— Très bien, cela les regarde, fit Jon, à partir du moment où ils ne mettent pas la main sur Matt, ce n'est pas notre problème !

— Oh ! mais nous en avons un de problème, enchaîna Matt. Et un gros ! Les Cyniks s'apprêtent à nous envahir. Ils vont nous déclarer la guerre d'ici peu de temps. Je connais toute leur stratégie, c'est pour ça que nous devons gagner Eden au plus vite.

Cette fois personne ne broncha. Tous ici avaient eu un aperçu des forces cyniks et savaient de quoi les adultes étaient capables.

Ils mesuraient pleinement ce qu'une invasion impliquait.

Les Pans venaient de devenir une espèce en voie d'extinction.

Lorsque tout le monde sortit pour aller se coucher, Matt entraîna Tobias un peu à l'écart.

— Dis, tu sais ce qu'il se passe avec Ambre ? Je la trouve un peu… bizarre. Ce qu'elle a fait avec le Buveur d'Innocence ne lui ressemble pas !

Tobias se mordit les lèvres et soupira.

— Écoute, je ne devrais pas te le dire, elle m'a fait promettre, mais je crois que c'est bien trop grave… Pour pouvoir suivre le *Charon*, nous avons pactisé avec le Buveur d'Innocence. Et Ambre est restée un petit moment en tête à tête avec lui.

— Que s'est-il passé ?

Tobias haussa les épaules, préférant ne pas partager ses doutes sur la nature exacte de ce que le Buveur d'Innocence avait pris à Ambre.

— En tout cas elle n'est plus tout à fait la même depuis, avoua-t-il.

— Je vais essayer de lui parler.

— Non, pas maintenant ! le coupa Tobias en lui prenant le poignet. Laisse-lui un peu de temps. Elle a besoin d'être seule.

Matt acquiesça et finit par prendre son copain par les épaules.

— Il s'en est passé des choses depuis la Tempête, pas vrai ?

— Ouais. On a pas mal changé.

— Toi surtout !

— Non, toi aussi, tu… tu t'es affirmé.

— Pourquoi tu dis ça ?

Tobias désigna la pièce où s'était déroulée leur assemblée :

— Tu n'hésites plus à prendre les décisions, tu fais preuve

d'un esprit de commandement, bref, t'es définitivement une sorte de… leader !

Matt se mit à rire et Tobias le suivit, moins enthousiaste, car il pensait vraiment ce qu'il venait de dire.

Portés par des vents favorables, ils survolèrent la Forêt Aveugle seulement deux jours plus tard. Ambre et Jon se remplaçaient dans la journée tandis que Colin effectuait le pilotage de nuit, plus subtil avait-il expliqué.

Le paysage ne changea alors plus beaucoup pendant plusieurs jours, une mer végétale à perte de vue.

Après quatre journées, Ambre se demanda s'ils en verraient un jour le bout.

Elle ne pouvait se douter qu'ils n'avançaient que de moitié. Chaque nuit, Colin opérait de larges cercles, ne s'occupant plus du tout d'aller vers le nord.

Il cherchait quelque chose.

Qu'il trouva lors de leur septième nuit à bord.

49

Où Colin trouve sa place

Tobias avait le sommeil léger à bord. Même depuis le départ du Buveur d'Innocence il ne parvenait pas à dormir sans angoisses.

Il se réveilla avec le sentiment d'être malade.

J'ai l'estomac qui tourne…

Les flashes qui entraient dans sa cabine par le hublot lui soulevèrent le cœur avant qu'il comprenne qu'il ne s'agissait pas des Mangeombres mais juste d'un orage.

Il se leva en silence, il pouvait entendre la respiration assoupie de Matt.

Le nez collé à la petite vitre ronde, il vit des éclairs illuminer de gros nuages noirs.

Pourquoi on se dirige droit dessus ? Il faut les contourner ! Qu'est-ce qui lui prend à Colin ?

Tobias enfila son pantalon et son tee-shirt et sortit en direction du poste de pilotage. Il toqua à la porte et ne recevant pas de réponse entra.

Colin était concentré sur ses commandes, l'œil brillant.

— Même si nous sommes pressés, commença Tobias, il est préférable de faire le tour de cet…

Tobias remarqua que Colin tenait une partie des leviers dans les mains, arrachés.

— Qu'est-ce qui s'est passé ?

Colin, le regard fourbe, s'éloigna brusquement de Tobias.

— Je n'ai pas le choix ! dit-il sur le ton de la jérémiade. Tôt ou tard, vous finirez par me réserver le même sort qu'à mon maître !

— De quoi tu parles ?

— Je le vois bien avec Matt, il ne m'aime pas, personne chez vous ne m'aimera jamais ! Il n'y aura pas plus de place chez vous que chez les Cyniks pour un garçon comme moi !

— Oh non, fit Tobias en réalisant qu'il venait de se passer quelque chose de grave. Qu'as-tu fait ?

— Le monde est bien fait, pas vrai ? Alors j'ai forcément ma place quelque part !

Colin délirait, pris d'une bouffée de folie, et Tobias avisa le pupitre des commandes.

— Tu as tout saboté ! Comment va-t-on continuer ?

— Je dois me confronter à lui ! Tu comprends ? Peut-être que c'est auprès de lui que je trouverai ma place !

Tobias usa de sa vitesse pour bondir sur Colin et le gifler en espérant le réveiller :

— Mais de qui tu parles ?

Colin se tut, hagard. Puis il pivota vers la baie vitrée et l'orage.

— De lui, enfin ! Du Raupéroden ! J'ai écouté Matt en parler, j'ai tout essayé, il n'y a que cette entité pour me comprendre !

Tobias se figea. Les éclairs se multipliaient à toute vitesse, il n'avait pas pris le temps de l'observer auparavant, pourtant des griffes électriques serpentaient horizontalement, et il se déplaçait à contre vent.

Le Raupéroden !

Avant que Tobias ne puisse ressortir du poste de pilotage, ils étaient dans la tourmente de l'orage. Colin verrouilla la porte et attrapa Tobias par-derrière pour le plaquer contre la console.

— Viens avec moi ! Viens ! hurlait-il par-dessus le vent qui cognait contre la nacelle.

Tobias tenta de se dégager et reçut un violent coup sur le côté du crâne qui l'étourdit. Il se rattrapa à l'un des sièges pour ne pas s'effondrer et chercha à reprendre son souffle.

La porte enfoncée quelques jours plus tôt avait été réparée avec les moyens du bord, et elle semblait plus solide qu'auparavant car les coups se mirent à pleuvoir dessus sans qu'elle cède.

Colin fracassa la baie vitrée avec des morceaux de levier et la pluie s'engouffra à l'intérieur.

— Raupéroden ! hurlait-il dans les vents. Raupéroden !

Tobias se redressa juste à temps pour voir le sommet d'un sapin surgir. Ils n'étaient probablement plus au-dessus de la Forêt Aveugle, et volaient à basse altitude. La nacelle s'encastra dans l'arbre et le brisa en grinçant de toute part. Les aiguilles vertes flottaient dans le cockpit et Colin continuait de s'époumoner.

Des phares puissants balayaient le ciel depuis le sol et Tobias reconnut les échassiers. Deux paires de lumières se braquèrent sur la méduse puis sur la petite nef suspendue en dessous.

Tout d'un coup, une rafale d'éclairs vint frapper le dirigeable et la tempête se calma brusquement. Une forme noire flottait devant eux, un long drap de ténèbres ondulant dans l'absence de vent.

Un visage surgit en relief, une mâchoire agressive et un front interminable au-dessus d'orbites creuses.

Le Raupéroden les guettait.

— Approche, fit une voix gutturale et sifflante.

Colin, effrayé, monta timidement sur la console.

— Je… Je veux vous proposer… mon aide, balbutia-t-il. Si vous me prenez avec vous, je peux vous livrer Matt… le Matt que vous cherchez !

Les puits de ténèbres qui servaient d'yeux au Raupéroden s'élargirent et sa bouche s'ouvrit en grand. Le drap se plaqua contre Colin et il eut à peine le temps de hurler qu'il fut aspiré à l'intérieur.

Tobias cligna des paupières, Colin venait de disparaître *dans* le Raupéroden. Dévoré en un instant.

Il ne pouvait pas rester là.

Soudain la porte céda et Matt apparut avec Jon et Ambre.

La terrible voix résonna dans l'habitacle :

— Matt ! L'enfant Matt ! Viens à moi !

Avant que l'intéressé ne puisse réagir, la forme obscure se précipita à l'intérieur pour tenter de l'avaler.

Tobias sortit de son recoin et sauta vers eux, repoussant *in extremis* Matt et les autres dans le couloir.

Le Raupéroden se coula dans son dos et des mains jaillirent du drap noir pour soulever Tobias et l'enfourner dans la gigantesque mâchoire qui remplissait presque toute la surface du rectangle de tissu.

Tobias tendit la main vers Matt.

— Aidez-moi ! hurla-t-il. Aidez-moi !

Mais tout alla trop vite, la seconde suivante le drap se refermait sur lui et le Raupéroden l'engloutit dans le néant de son être.

Apercevant Matt, la créature frissonna, des éclairs fendirent le ciel, et touchèrent la méduse qui se contracta soudain. Une réaction électrique se propagea dans toute sa masse gélatineuse et, brusquement, elle grimpa vers les cieux, projetant le Raupéroden à l'extérieur.

La vitesse renversa tous les passagers de la nacelle, la méduse traversa les nuages et l'orage et fusa en direction des étoiles.

Puis des particules de sa substance molle se détachèrent et l'animal, blessé, fonça vers le nord en zigzaguant.

Elle se déplaçait plus rapidement qu'un cheval au galop, survola des collines, des lacs et même les lumières d'un village de Pans avant de perdre de plus en plus d'altitude.

À bord, personne ne parvenait à bouger, l'accélération les avait plaqués au plancher.

Un grand peuplier perfora la proue de la nacelle avant que le sommet d'un rocher l'éventre sur le flanc tribord. Des filaments se rompirent et la construction de bois se mit à flotter avant de venir percuter le sol dans une clairière. Elle éclata, et ce qui restait partit en tonneau pour finir sa course contre une butte.

La méduse était tout illuminée par l'électricité, transpercée par des éclairs bleus qui la déchiraient.

Puis elle s'échoua en soulevant un nuage de poussière.

Elle resta à briller d'une lueur bleue une longue minute, puis elle mourut à son tour.

50

Confidences sous les flammes

Le dirigeable avait pris feu et les débris fumaient encore une heure après le crash.

Une forme humanoïde s'approchait pour les sonder avec précaution. Elle repéra deux corps et s'agenouilla pour constater qu'ils étaient morts. Des adolescents.

Un animal qu'elle prit tout d'abord pour un cheval attira son attention. En s'apercevant que c'était un chien gigantesque, la silhouette se crispa et sortit sa hachette pour se préparer au pire.

Le chien léchait le visage d'un troisième garçon.

— Tu n'as pas l'air très agressif, pas vrai ? fit l'individu en s'approchant lentement.

Le chien l'ignorait totalement et il put ausculter brièvement le garçon. Il respirait encore.

— Hé, fit la forme, réveille-toi ! Allez ! Reviens à toi !

Matt ouvrit les yeux, sonné et paralysé par la douleur.

— Où suis-je ? murmura-t-il.

— Tiens, bois un peu d'eau. Je m'appelle Floyd, je suis un Long Marcheur. Je vous ai vus vous écraser au loin.

— Les autres…, comment vont-ils ?

— J'ai bien peur que tu sois le seul survivant.

— Non, c'est impossible, ils ne peuvent pas…

Matt se redressa en deux temps, la tête lui tournait et ses membres l'élançaient. Par chance, il n'avait rien de cassé, seulement des coupures et des bosses sur tout le corps. Plume le regardait en haletant, l'œil vif et rassuré. Elle ne semblait pas avoir trop souffert de l'accident.

Matt erra parmi les décombres et aperçut les dépouilles des deux Pans qui accompagnaient Jon, puis une troisième un peu plus loin. Puis Mia, recouverte par un morceau de cloison, l'épaule transpercée par une tige de fer. Floyd et Matt la dégagèrent et cela la réveilla, elle se mit à hurler et le Long Marcheur s'empressa de lui faire respirer une petite fleur qu'il transportait dans sa besace. Mia s'endormit immédiatement.

— Voilà qui devrait l'apaiser un moment.

Jon et Nournia titubèrent jusqu'à eux, les vêtements en lambeaux.

— Xian et Vernon sont morts, dit Jon les larmes aux yeux.

— Je sais, répondit Matt. Le garçon aux cheveux rasés aussi.

— Harold. Comment va Mia ?

— Elle a besoin de soins. Vous n'avez pas vu Ambre ?

Ils secouèrent la tête et Matt repartit sonder l'épave.

Il repéra la main de la jeune fille sous un bout de moquette roulée et la sortit de là en toute hâte. Elle respirait faiblement.

Matt ne savait pas comment s'y prendre, il avait déjà vu mille fois les secours à la télévision faire du bouche-à-bouche et un massage cardiaque et se demanda s'il ne fallait pas faire de même. Non ! Le cœur battait encore, sa poitrine se soulevait. Peut-être n'avait-elle pas assez d'air ?

Il se décida enfin à agir, mieux valait faire quelque chose que de la regarder mourir sous ses yeux !

Il colla ses lèvres sur celle de la jeune fille et insuffla de l'air.

Ambre toussa et se réveilla immédiatement.

— Oh ! ce que je suis content de te voir ! s'exclama Matt.

L'adolescente regarda autour d'elle sans comprendre ce paysage d'apocalypse.

— Pourquoi je suis dans tes bras ? questionna-t-elle doucement.

— Tu as mal quelque part ?

— Partout je crois.

Elle parvint néanmoins à bouger chaque membre, se rassurant sur son état général.

— Et Toby ? fit-elle soudain.

Matt avala sa salive péniblement.

Les larmes envahirent son regard.

— Le Raupéroden, chuchota-t-il, incapable de parler plus fort sans que sa voix se casse. Le Raupéroden l'a eu.

Ils étaient cinq rescapés dont Mia qui n'était pas vaillante.

Le soleil se levait, blanchissant l'horizon et chassant progressivement les étoiles. Aucun signe d'orage au loin.

Matt demanda à Floyd :

— Tu as vu une tempête dans le coin ?

— Non, rien. Il y avait des éclairs cette nuit, mais c'était loin au sud.

Ambre s'assit à côté de Matt et se serra contre lui pour chasser les frissons de froid, de fatigue et d'angoisse.

— Qu'est-ce qu'on fait ?

— Il faut rallier Eden, fit-il sombrement. Nous n'avons pas d'autre choix.

— Et… Toby ?

Matt serra les poings. Soudain, ce fut trop pour lui. Les larmes coulèrent sur ses joues tandis qu'il revoyait son ami se jeter pour les protéger et se faire avaler par le Raupéroden.

Ambre le prit dans ses bras et Matt pleura longuement.

Lorsque les sanglots se dissipèrent, Matt fit face à l'aube et lança une promesse :

— Quoi qu'il soit, je jure d'un jour le retrouver et de le détruire.

En fouillant toute la zone du crash, les Pans mirent la main sur une bonne partie de leurs affaires, sacs à dos et armes. Certains sacs s'étaient éventrés et plusieurs lames s'étaient brisées. Matt débusqua la sienne, intacte, et la rangea avec soin dans son baudrier qu'il enfila sur son dos.

Un jour viendrait où cette épée trancherait le voile noir du Raupéroden. Il en était certain.

Floyd avait fait un bandage à l'épaule de Mia, mais il n'était pas très optimiste :

— Il est impératif qu'elle soit soignée par des gens plus compétents !

— À quelle distance se trouve le village le plus proche ?

— Deux jours de marche.

— Et Eden ?

— Eden ? répéta le Long Marcheur, surpris. À quatre jours environ.

— Nous ne pouvons perdre plus de temps, guide-nous vers Eden.

— Mia doit être soignée ! Le village le plus près est…

— Nous allons à Eden, la survie de notre peuple est en jeu.

Floyd ne posa plus de questions. Ces curieux voyageurs qui venaient de s'écraser à bord d'un dirigeable-méduse semblaient en savoir bien plus que lui.

Ils marchèrent en transportant Mia sur le dos de Plume, ils s'arrêtaient peu et Matt ne cessait de guetter le sud dans la crainte d'y apercevoir un orage. Le ciel était clair. Le premier soir, il ne put dormir, il écoutait la nuit et sa faune, guettant un éventuel coup de tonnerre.

Lorsqu'il fut trop épuisé pour tenir, dans la lucidité d'un esprit qui n'a plus assez de force pour s'inventer des histoires, il comprit que ce n'était pas la peur qui le faisait attendre l'orage.

Mais l'esprit de revanche.

L'absence d'orage était en fait sa frustration.

Il voulait affronter le Raupéroden.

Finalement incapable de s'assoupir, Matt nettoya son épée sous les reflets du feu de camp, aiguisant la lame avec sa pierre et polissant l'acier froid en songeant à ce combat. Un jour. Il s'en était fait la promesse.

Même s'il fallait qu'il traque le Raupéroden toute son existence pour cela.

Mais au fond de lui, il savait qu'il n'aurait pas à patienter bien longtemps.

Le Raupéroden viendrait à lui.

Le soir du troisième bivouac, Floyd était très inquiet pour la santé de Mia. La jeune fille divaguait, assommée par de fortes fièvres. Jon s'allongea à côté d'elle pour la veiller toute la nuit.

Ambre et Matt bavardaient un peu à l'écart, profitant des dernières braises.

— Que comptes-tu faire à Eden ? demanda-t-elle.

— Rassembler le conseil et les informer de la menace qui pèse sur nous. L'imminence d'une guerre. Il faut s'y préparer.

— Quelle chance avons-nous d'y survivre ?

— À quinze mille adultes entraînés et lourdement armés contre une poignée de Pans ? Franchement, aucune. Sauf que je connais leurs plans. Et puis… nous avons peut-être un atout majeur, à condition d'en comprendre l'utilité.

— Que veux-tu dire ?

— La Quête des Peaux ! Malronce veut à tout prix mettre la main sur l'enfant qui porte sur lui la carte. D'après Tobias, il se pourrait que je sois ce Pan, c'est pour ça qu'elle me cherche partout.

Ambre secoua la tête.

— Non, Matt. Tobias s'est trompé.

L'adolescent pivota pour contempler son amie.

— Comment ça ?

Ambre ramena ses jambes contre elle et entoura ses genoux avec ses bras, dans une position réconfortante.

— Le Buveur d'Innocence travaille à la Quête des Peaux, dit-elle, il est présent chaque jour ou presque, pour participer aux vérifications. À force de voir le Grand Plan, le dessin des grains de beauté recherché, il le connaît par cœur.

— Eh bien ?

Ambre déglutit péniblement et ajouta tout bas :

— Le Buveur d'Innocence n'a pas accepté de nous aider à te retrouver par hasard. Il a vu que j'étais cette carte. Il a reconnu tout de suite le Grand Plan sur moi.

— Toi ? répéta Matt, incrédule.

— Oui. J'ai naïvement pensé qu'il souhaiterait en tirer avantage en temps et en heure pour lui-même, qu'il voudrait d'abord mettre la main sur toi, alors je n'ai rien dit, pensant bêtement qu'il serait toujours possible de lui fausser compagnie une fois l'Alliance des Trois réunie. Hélas, tout ce qu'il voulait c'était nous livrer à Malronce ! C'était son idée depuis le début, rejoindre le conseiller spirituel pour le prévenir, pour monnayer sa trouvaille !

— Et tu… tu as sur toi la carte pour aller jusqu'au centre de la vie ?

— Nous ne savons pas vraiment ce que c'est, j'ai supposé que c'était quelque chose dans ce registre mais je peux me tromper. Quoi qu'il en soit, je n'aimerais pas que les Cyniks mettent la main dessus.

— Il faut en informer le conseil d'Eden.

Ambre acquiesça, l'air songeuse.

— Lorsque nous étions avec la Féroce Team, je t'ai confié que j'avais peur de vieillir, de devenir un jour une Cynik, tu te rappelles ? Tu m'as fait une promesse ce jour-là.

— Que je veillerai sur toi, et je vais la tenir, sois-en sûre !

Ambre lui prit la main et eut du mal à contenir les sanglots qui l'envahissaient :

— Je ne sais pas ce que tout ça signifie, dit-elle avec difficulté, j'aimerais ne pas être cette carte, je ne veux pas grandir et devenir une adulte si cela fait de moi une Cynik ! Je ne veux pas aller avec eux !

— Hé, rassure-toi, ça n'arrivera pas ! Je serai là pour te protéger, pour t'aider à rester celle que tu es !

— Ils sont capables de tant d'horreurs, je ne veux pas de ça...

Matt fit alors quelque chose dont il ne se serait jamais cru capable : il déposa un baiser sur le front de la jeune fille.

— Tu n'es pas seule, je suis avec toi.

Ils demeurèrent plusieurs minutes ainsi, tout proches.

Brusquement, à force de réfléchir à tout ce qui venait de se dire, une évidence se forma dans l'esprit de Matt, il se mit à bouillir :

— Attends une seconde ! Tu veux dire que le Buveur d'Innocence t'a vue toute...

Ambre serra la main de Matt.

— Il m'a forcée à me déshabiller, mais lorsqu'il a reconnu le Grand Plan, il n'a pas posé la main sur moi. Il a aussitôt accepté de nous aider.

— Quelle ordure, ce type ! Si j'avais su, jamais je ne l'aurais laissé filer !

— Le fleuve a peut-être eu raison de lui, dit-elle doucement. Il ne méritait pas que tu salisses ta conscience, crois-moi.

— Ambre, je suis désolé, tout ça à cause de moi, c'est…

Elle lui posa l'index sur la bouche pour le faire taire.

— Tu te rappelles les premiers mots que tu as eus pour moi ? demanda-t-elle après un long silence.

Matt se souvenait de son coma, et de l'apparition d'un ange. Ses joues s'empourprèrent.

— Je crois bien…, dit-il tout honteux.

— « Ambre, sois mon ciel. » Qu'est-ce que tu voulais dire par là ?

— Euh… je ne sais pas, mentit-il, embarrassé, c'était sûrement la fièvre.

— Ah. D'accord. Je comprends.

Leurs mains se quittèrent.

Gêné par le silence, Matt revint à l'une de leurs premières préoccupations :

— Demain, nous serons à Eden. Il faudra tout leur expliquer. La Quête des Peaux, la guerre…

— Il reste une question de taille, fit remarquer la jeune fille. Ce que tu es, toi ! Car si je suis la carte qu'ils recherchent, alors pourquoi c'est ton visage qui est placardé partout au royaume de Malronce ?

Matt prit une profonde inspiration.

Il réalisa qu'après tout ce périple, la principale question qui avait motivé cette quête demeurait sans réponse.

Parce que je ne suis pas descendu jusqu'à la seule personne capable de me répondre.

En prisonnier, il savait qu'il ne serait jamais ressorti des geôles de la Reine. Il n'y avait qu'en homme libre qu'il pouvait s'y rendre et obtenir ses réponses.

Il balaya aussitôt cette éventualité.

— Il faut dormir, demain sera une longue journée, dit-il en se relevant.

Le lendemain, en fin de matinée, ils parvinrent au sommet d'une colline. Des champs de blé d'un jaune aveuglant s'étendaient en contrebas.

Et une ville, posée tout au bout, dans son écrin doré.

Une grande cité de maisons et de tentes, traversée par un fleuve aux vaguelettes miroitant sous le soleil.

Une cité avec une place au centre, occupée par un arbre formidable, déployant ses branches au-dessus de la plupart des quartiers, tel un gardien millénaire.

De vastes jardins aux vergers colorés se partageaient une partie de la ville et, déjà, des centaines de petites silhouettes s'activaient pour en cueillir les fruits.

Un petit paradis perdu au milieu de nulle part.

Eden.

Épilogue

Une brise glaciale traversait la grande salle. Les fenêtres, hautes et étroites, ne laissaient entrer que très peu de cette lumière rouge qui provenait de l'extérieur si bien que des torchères rivées aux murs servaient à l'éclairage.

Un homme entra, portant un diadème de pierres précieuses sur un coussin pourpre. Il traversa la pièce, longeant les tentures dissimulées par la pénombre, pour venir poser un genou au pied des marches conduisant au trône.

À côté de lui, la silhouette massive du général Twain l'effrayait. Il le connaissait de réputation, un homme sans pitié, cruel et violent. Le bras droit de la Reine.

Twain s'approcha et son armure se mit en action. On la disait constituée de mille pièces, chaque partie coulissait ou s'emboîtait parfaitement, et chaque fois qu'il se déplaçait, la carapace semblait se déplacer sur sa peau, telle une armée d'insectes noirs.

— Qu'apportes-tu, Ralph ? demanda-t-il.

Ralph fut un peu surpris, la voix n'était pas aussi terrifiante que le physique le laissait penser. Ce n'était pas une voix d'outre-tombe, plutôt celle d'un homme ordinaire.

— Un présent pour notre Reine, de la part de mon seigneur.

Et Ralph leva le coussin en direction du trône.

Il n'y voyait pas grand-chose dans ce vaste hall froid et mal éclairé. Pourtant la Reine était bien assise là-haut, dans l'obscurité. Il pouvait apercevoir le bas de sa robe.

— En quel honneur ? s'enquit le général Twain.

— Mon seigneur souhaiterait inviter Sa Majesté pour un dîner.

— Rentre donc chez toi, Ralph, répliqua aussitôt Twain. Et dis à ton seigneur que Malronce n'est pas de ces femmes ! La Reine Vierge elle est, l'a-t-il oublié ?

Cette fois, Ralph ne se sentit pas bien du tout. À bien y réfléchir la voix du général Twain était bien effrayante, pas comme il l'avait imaginée, mais derrière sa normalité apparente se cachait un couperet capable des pires sévices. D'un mot, il avait le pouvoir de découper Ralph en pièces.

— Oui, bien sûr, général.

Les gardes à l'entrée s'écartèrent pour laisser entrer un messager qui accourait.

— Des nouvelles du garçon que vous recherchez, ma Reine ! clama-t-il tout essoufflé.

Twain repoussa brusquement Ralph en lui donnant un violent coup de pied qui l'envoya rouler au bas des tapisseries, le diadème se fracassa en heurtant la pierre du sol.

— Parle ! ordonna Twain au messager.

Un genou à terre, le messager semblait paniqué.

— Nous avons toutes les raisons de croire que l'enfant s'est échappé, ma Reine. Nous n'avons plus de nouvelle, et le transport devrait être déjà arrivé depuis un moment.

La forme sur le trône se déploya. Ses voiles glissèrent et roulèrent. Tout son corps était abrité par une robe noire et blanche, lui recouvrant même les cheveux.

Ses traits demeuraient cependant dans l'obscurité et Ralph espéra un instant apercevoir le visage de cette Reine si mystérieuse.

— Échappé ? reprit-elle.

Sa voix était à la fois douce et autoritaire. Ralph ne savait pas bien s'il fallait en être séduit ou craintif.

— Hélas, mille fois hélas, ma Reine, c'est ce qu'il faut croire.

— L'enfant que tout mon royaume recherche, disparu ?

Le messager se courba encore davantage, son nez effleurant la première marche.

La furie s'abattit sur le hall d'un coup. Les voiles de la Reine claquèrent tandis qu'elle bondissait :

— Faites sonner le rassemblement, ordonna-t-elle d'une voix impérieuse, que les officiers d'enrôlement battent les campagnes et les villes pour lever leurs unités, que nos armées se constituent. Si nos hommes ne sont pas capables de tenir un enfant, alors ils vont verser leur sang pour le conquérir ! Nous partons en guerre ! Je veux que le prochain hiver tombe sur un continent sans enfants !

Elle traversa la salle grise à vive allure, leva un poing rageur et hurla :

— À la guerre !

Le Cœur de la Terre

PREMIÈRE PARTIE

Le Paradis Perdu

1

Le Conseil

Les rayons du soleil tombaient, obliques, sur les champs de blé entourant la ville.

Matt Carter et Ambre Caldero avaient cru en l'existence d'Eden tout en craignant qu'elle ne soit au mieux qu'un hameau en ruine, au pire l'écho d'une légende circulant parmi leur peuple.

Et soudain, Eden se dressait à leurs pieds, noble et somptueuse.

Une butte rehaussée d'une palissade de larges rondins taillés en pointe délimitait les bords du Paradis Perdu.

Matt savourait le bruissement du vent dans les blés et il guettait avec envie les nombreux panaches de fumée, synonymes de petits pains chauds.

Les portes sud d'Eden étaient gardées par deux adolescents athlétiques, les bras croisés sur un plastron de cuir. Ils s'écartèrent en apercevant le manteau rouge, presque brun, du Long Marcheur qui accompagnait les nouveaux venus. Matt et Ambre étaient suivis par Nournia et Jon, à la démarche hésitante, terrassés qu'ils étaient par la fatigue. De nombreuses cicatrices boursouflées et leurs guenilles rapiécées à la va-vite rappelaient le crash du dirigeable auquel ils avaient survécu de peu trois jours plus tôt.

— Long Marcheur ! interpella une jeune fille aux cheveux

tressés, souhaites-tu te désaltérer ? As-tu besoin d'assistance pour te rendre au Hall des Colporteurs ?

Floyd la remercia d'un geste de la main et désigna l'énorme chienne qui les accompagnait, une silhouette humaine avachie sur son dos :

— L'une des nôtres est gravement blessée, elle a besoin de soins. Son nom est Mia.

— Nous nous en chargeons !

Aussitôt, la jeune fille siffla et trois garçons accoururent pour l'aider à descendre Mia du dos de Plume. Ils prirent soin de la transporter avec précaution, tout en jetant des regards inquiets vers la chienne, assurément la plus grande qu'ils aient jamais vue.

Floyd dégrafa sa cape de Long Marcheur et la déposa sur son épaule.

— Je vais vous conduire de suite au Hall des Colporteurs, dit-il aux quatre adolescents qu'il guidait, où vous pourrez vous reposer le temps que je transmette une demande de rencontre auprès du Conseil.

— Il n'y a pas une minute à perdre, insista Matt en rabattant ses trop longues mèches brunes en arrière.

Ambre lui posa une main amicale sur l'épaule pour l'apaiser.

— Calme-toi, Matt, ils vont nous recevoir. Je me fais du souci pour toi, tu es si nerveux que tu en trembles !

Il répliqua, plus bas, pour qu'elle seule puisse entendre :

— La guerre a commencé ! Mais notre peuple l'ignore ! Comment puis-je me détendre ?

Ambre n'insista pas et ils suivirent Floyd à travers la première ville des Pans.

Bâtisses en bois, quelques fondations en pierre, des trottoirs en planches pour marcher au sec les jours de grande pluie, Eden était sortie de terre en quelques mois seulement mais semblait pourtant déjà très bien conçue. De grandes tentes reliaient la plupart des maisons, formant des passages abrités.

Ils parvinrent au centre de la ville, une immense place sous un pommier de plus de cinquante mètres de haut, dont les branches regorgeaient de fruits jaune et rouge. Floyd désigna un bâtiment qui ressemblait un peu à une église et ils entrèrent dans le Hall des Colporteurs. Floyd suspendit son manteau à l'une des nombreuses patères du vaste vestibule et s'approcha de la salle. Ambre, qui rêvait de devenir Long Marcheur à son tour, ne masquait pas son enthousiasme. Elle s'approcha d'une ouverture donnant dans une construction mitoyenne d'où provenait une forte odeur de cheval. Des longes, des licols, des selles, tout le matériel d'équitation y était entreposé sur des crochets. En face, plusieurs dizaines de boxes dressaient une longue perspective dans laquelle évoluaient des Longs Marcheurs et des palefreniers.

Floyd pénétra dans la grande salle et Ambre rejoignit son groupe.

Une demi-douzaine de Longs Marcheurs bavardaient autour de tables en bois, partageant des notes devant des assiettes pleines de miettes. Les visages se tournèrent vers Floyd et ses compagnons et un garçon aux cheveux noirs, aux yeux verts et au menton carré se leva.

— Ben ! s'écria Ambre.

Le Long Marcheur vint les saluer avec le sourire. Matt se souvint de lui, ils s'étaient rencontrés sur l'île Carmichael, et il avait soupçonné Ambre d'être séduite par son physique d'acteur.

— C'est un plaisir de vous voir ici ! s'enthousiasma Ben.

Et en plus il est gentil ! pesta Matt en silence.

Malgré tout, il ne fut pas aussi jaloux qu'il l'aurait cru. Il ne ressentit ni ce pincement au cœur, ni cette boule dans l'estomac qu'il connaissait bien. Rien qu'une pointe d'agacement.

Pourquoi devrais-je être jaloux ? Il faudrait que je ressente quelque chose pour Ambre ! Ce n'est que mon amie, après tout. Je n'ai aucun droit sur elle, ni sur ses relations avec les autres…

De toute façon, l'esprit de Matt devait tout entier se tourner vers ses préoccupations de survie. L'imminence d'un conflit avec les Cyniks.

Et s'il fallait qu'il s'accorde une petite part personnelle au milieu de ce maelström de pensées, alors elle serait pour Tobias.

Son ami d'enfance, happé par le Raupéroden.

Disparu. Englouti.

Dans les ténèbres.

De nouveaux arrivants immigraient à Eden chaque semaine. Parfois de tout petits groupes de trois ou quatre Pans, et quelques fois, des clans entiers, plusieurs dizaines d'enfants et d'adolescents. La ville ne cessait de croître, de s'organiser pour accueillir tout le monde, et les connaissances se rassemblaient à l'ombre du pommier, pour les rendre plus savants, plus forts de cette diversité.

Il était demandé à chaque vague un tant soit peu importante d'élire un représentant qui rejoignait le Conseil de la ville.

Le Conseil prenait les décisions importantes, réglait les différends, et orientait la politique générale d'Eden.

Les portes de la salle du Conseil s'ouvrirent, Floyd et Ben, en leur qualité de Longs Marcheurs, entrèrent les premiers pour escorter Matt et Ambre sous la douce lumière de lampes à huile.

L'endroit ressemblait à un cirque, avec ses gradins circulaires autour d'une piste de planches, l'absence de fenêtre, et ses mâts peints en rouge pour soutenir le plafond incliné. Le Conseil, une trentaine d'adolescents, murmurait en dévisageant les nouveaux venus.

Matt les scruta en retour : la moyenne devait avoir entre quinze et seize ans, autant de garçons que de filles.

Le Conseil se tut rapidement et tous attendirent ce que Ambre et Matt pouvaient bien avoir à leur raconter de si important.

Matt se racla la gorge, un peu ému, et fit un pas en avant pour prendre la parole :

— Nous revenons du pays des Cyniks, royaume de Malronce. Et les nouvelles sont mauvaises.

— Vous avez vraiment été chez les Cyniks ? s'exclama l'un des plus jeunes membres du Conseil, incrédule et admiratif en même temps.

— Laisse-le parler ! lui commanda un autre.

— Ils sont en train d'organiser leurs troupes, continua Matt, pour partir en guerre.

— En guerre ? répéta une voix dans l'obscurité des gradins les plus hauts. Contre qui ? Y a-t-il d'autres adultes ?

— Pas à notre connaissance. Cette guerre, c'est à nous qu'ils vont la déclarer ! D'ici un mois, nous serons envahis par plusieurs armées, pour être capturés ou tués.

Une clameur paniquée envahit la salle du Conseil, et il fallut que deux garçons se lèvent en agitant les bras pour que le silence revienne. L'un des garçons s'adressa à Matt :

— Es-tu certain de ces informations ? D'où les tiens-tu ?

— J'ai été fait prisonnier par les troupes de Malronce, et je suis parvenu à subtiliser un message de la Reine pour ses généraux. La bonne nouvelle, s'il en fallait une, c'est que je connais leurs plans, toute leur stratégie. Si nous procédons vite, nous pouvons encore nous organiser.

— Nous organiser pour quoi ? protesta une jeune fille. Contre toute une armée cynik, nous n'avons aucune chance !

— Pas une, mais la totalité des cinq armées de Malronce, corrigea Matt.

Un frisson parcourut l'assemblée.

— Mais nous avons un avantage de taille, enchaîna Matt avant que la panique ne s'empare du Conseil. Nous savons par où ils vont passer, nous connaissons leurs manœuvres de diversion, ce qui change tout !

— Tu ne te rends pas compte ! insista la jeune fille. Même si tout le monde à Eden prend les armes, nous ne serons pas plus de quatre mille ! Contre cinq armées d'adultes en armure !

Ambre prit la parole :

— Il faut envoyer tous les Longs Marcheurs vers les autres clans de Pans, pour les faire venir ici, afin que nous rassemblions aussi nos troupes.

— Au mieux cela représente trois à quatre mille personnes de plus, et encore, je suis optimiste ! expliqua un garçon.

— Mais l'avantage de la surprise peut faire la différence, répliqua Ambre.

— Et si nous proposions à la reine Malronce un traité de paix, lança une voix, nous nous rendons sans combattre pour éviter toute violence. Le monde est assez grand pour que nous puissions tous y vivre sans se gêner !

Matt, l'air sombre, lui répondit doucement, d'un ton chargé d'émotion :

— J'ai vu ce que les Cyniks font aux Pans qu'ils capturent, croyez-moi, vous ne voudrez pas de ce sort ! Ils leur plantent un anneau étrange dans le nombril, et cet alliage suffit à paralyser tout libre arbitre, les Pans ainsi asservis deviennent des esclaves, aussi réactifs que des zombies. Vous ne perdez pas votre conscience, c'est juste que vous devenez incapables d'agir avec énergie, de désobéir, de trop réfléchir... un cauchemar !

— C'est abominable ! hurla quelqu'un. Alors c'est pour se constituer un réseau d'esclaves qu'ils enlèvent tous les Pans ?

— Non, pas vraiment, dit Ambre. C'est pour la Quête des Peaux, c'est l'obsession de Malronce en personne ! Les Cyniks croient en une prophétie lancée par la Reine, ils pensent qu'un enfant porte sur lui une carte faite de grains de beauté, et que cette carte, une fois juxtaposée aux dessins d'une table en pierre leur montrera le chemin vers la Rédemption.

— C'est quoi la rédemption ? demanda un adolescent au premier rang.

— Les Cyniks sont convaincus que la Tempête est survenue à cause de leurs péchés, que c'est une manifestation de Dieu.

Malronce s'est réveillée sur cette table avec le dessin qu'ils appellent le Testament de roche. Ils pensent que si les enfants et les adultes sont aussi différents et séparés désormais c'est parce que nous sommes la preuve de leurs péchés. Une nouvelle ère est venue, celle du sacrifice de leur progéniture pour prouver à Dieu qu'ils sont prêts à tout lui donner, qu'ils méritent son pardon. C'est pourquoi ils nous traquent, pour nous asservir, une façon de nous renier, et aussi de trouver l'enfant qui porte la carte, qu'ils appellent le Grand Plan.

Tout le monde se mit soudain à parler en même temps, y allant de son commentaire :

— C'est du fanatisme ! Ils sont devenus fous !

— C'est pas nouveau !

— Et s'ils avaient raison ?

— Ne dis pas de sottises ! Jamais Dieu ne commanderait le sacrifice des enfants !

— Justement, si, il l'a déjà fait, pour tester la foi d'Abraham, Dieu lui a demandé de lui sacrifier son fils !

— Mais Dieu l'a empêché de le tuer !

— La Bible n'est qu'un livre, arrêtez de raconter n'importe quoi ! Ce n'est pas vrai tout ça !

— Moi je crois en Dieu !

— Moi aussi !

— Alors vous êtes des Cyniks !

— Certainement pas !

Plusieurs Pans tentèrent de calmer leurs congénères en levant les mains, mais la tension était trop importante, chacun l'évacuait avec ses mots :

— Moi ça ne m'étonne pas, quand l'homme est confronté à quelque chose qui le dépasse, il se tourne vers la religion pour se rassurer !

— Tu veux dire pour s'inventer une explication !

— C'est exactement ce que…

— Silence ! hurla Matt.

La foule se tut aussitôt. Matt les contemplait, balayant les membres du Conseil d'un regard noir et pénétrant qui forçait le respect. La vie de Matt en une année avait pris un tour inattendu, il avait affronté bien des périls et s'était vu mourir plusieurs fois déjà. Quelque chose hantait ses yeux désormais, une force vive, une assurance qu'il n'avait pas avant la Tempête. Ce que Tobias appelait « le pouvoir de commandement ».

Et la trentaine de personnes présentes le fixait, dans l'attente de sa parole.

— Nous ne pourrons pas vaincre les cinq armées de Malronce à la régulière, nous sommes tous d'accord là-dessus, dit-il. Mais si nous nous organisons pour les contrer, pour gagner du temps, alors nous pourrons peut-être stopper cette guerre !

— Nous n'avons rien à lui proposer, protesta l'un des Pans les plus âgés du Conseil. Les Cyniks ne sont pas du genre à baisser les bras à la première escarmouche !

Matt approuva et s'expliqua :

— Nous ignorons tout de ce que sont vraiment le Grand Plan et le Testament de roche, mais nous savons où ils se trouvent. La table de pierre est dans le château de la reine Malronce, au cœur de ses terres : Wyrd'Lon-Deis.

— Et le Grand Plan ? demanda une fille. Vous savez qui c'est ?

— C'est moi, avoua Ambre en faisant un pas en avant.

Ben, le Long Marcheur, perdit brusquement toute son assurance et contempla la jeune fille, les épaules affaissées :

— Toi ? répéta-t-il.

— Ambre ne doit pas tomber aux mains des Cyniks, exposa Matt. Mais si nous parvenons à comparer les grains de beauté sur son corps avec la carte du Testament de roche, alors nous serons en mesure de proposer un marché à Malronce.

— Vous croyez qu'on peut… *récupérer* la Rédemption avant les Cyniks ?

— Quel que soit le secret qui se cache derrière tout cela, nous devons le connaître avant les Cyniks !

Un autre garçon du Conseil se leva, grand et mince, le visage anguleux, presque sans cheveux. Dès qu'il toisa ses compagnons, Matt perçut le respect qu'ils lui témoignaient, et il comprit que c'était un membre très influent du Conseil.

— J'ai une autre proposition à vous faire, dit-il d'une voix posée et enveloppante. Nous pourrions directement échanger notre tranquillité contre Ambre. Je suis certain que Malronce serait prête à s'épargner une guerre si nous lui offrons ce qu'elle recherche tant !

Matt se raidit. Comment osait-il ?

Le Conseil tout entier frémit et les murmures enflèrent.

Le destin d'Ambre venait de se sceller.

2

Vote et stratégie

Ambre reculait lentement, submergée par une terreur inattendue. Trahie par les siens !

Matt bondit sur le rebord de la piste, face aux gradins :

— Êtes-vous devenus fous ? s'écria-t-il plein de colère. Avez-vous perdu la raison aussi sûrement que les Cyniks ? Comment pouvez-vous envisager de vendre l'une des nôtres pour acheter notre paix ?

— Dis-lui, Neil ! fit une petite voix à l'attention du grand adolescent charismatique qui faisait face à Matt.

— C'est au contraire la raison qui me pousse à proposer pareil échange ! contra Neil. Je fais un calcul simple : d'un côté nous combattons tous sans gage de réussite, des milliers de Pans morts à la clé, de l'autre nous perdons l'une d'entre nous, et nous faisons de cette reine Malronce une alliée potentielle ! C'est aussi simple que cela !

— Vendre notre âme à l'ennemi ? C'est ça que tu proposes ?

Sans même savoir ce que représente le Grand Plan ? Et s'il s'agissait d'une arme secrète ? Combien de temps à ton avis avant que Malronce ne revienne nous balayer comme des mouches ? De toute façon, jamais je n'échangerai Ambre ! Jamais !

— Tu n'es pas objectif ! insista Neil, c'est ton amie ! Je propose que nous t'excluions du vote, car il est évident que tu n'es pas en état de prendre une décision de sagesse pour notre communauté !

Matt pouvait percevoir que déjà deux clans se dessinaient sur les bancs du Conseil. Ambre, dans l'ombre des deux Longs Marcheurs et de Matt, était médusée.

— Si vous espérez donner Ambre aux Cyniks, il faudra me passer sur le corps ! lança Matt avec une telle hargne que la plupart des chuchotements s'interrompirent.

— Le Conseil doit voter ! C'est de notre survie qu'il s'agit ! s'empressa de clamer Neil pour ne pas perdre son influence. Qui souhaite s'épargner une guerre ? Levez la main !

Matt était outré par le simulacre de décision qui s'effectuait sous ses yeux, Neil dirigeait les débats, orientait le vote par sa façon de présenter les choses. Il était debout, le bras levé et se tournait pour étudier la tendance que prenait le vote. La plupart des Pans hésitaient. Neil les harangua :

— Eh bien ? Vous préférez partir vous-mêmes à la guerre, risquer vos vies plutôt que de sacrifier cette fille ?

Deux autres membres du Conseil se levèrent, deux jeunes filles brunes, partageant la même élégance et la même beauté, deux sœurs :

— Matt Carter a raison et tu as tort, Neil MacKenzie ! dit la plus grande. Quel genre de peuple serions-nous si nous étions prêts à jeter en pâture l'un des nôtres pour gagner quelques mois de tranquillité ?

La plus jeune enchaîna, ne laissant pas de temps à Neil pour répliquer :

— Et si Ambre est une sorte de carte, alors à nous d'exploiter cette chance ! Ne l'offrons pas à l'ennemi !

Neil chassa l'air devant lui d'un bras rageur et avisant que très peu de Pans suivaient son vote, il sauta sur les marches et traversa la piste en fixant Matt d'un regard mauvais.

— Ce Conseil est décidément trop tendre ! lâcha-t-il au passage. Jamais notre peuple ne survivra avec des planqués pareils ! Puisque vous ne souhaitez pas m'entendre, je vous épargnerai ma présence !

Neil parti, celles qui lui avaient tenu tête se présentèrent :

— Je suis Zélie, dit la plus grande.

— Et moi Maylis, soyez les bienvenus à Eden.

Ben se pencha vers Ambre :

— Ce sont les membres les plus remuantes du Conseil avec Neil ! chuchota-t-il. Les plus sages aussi.

— Vous semblez en savoir long sur les Cyniks, poursuivit Zélie, vous avez beaucoup à nous apprendre.

— Ils ont presque tous perdu la mémoire, révéla Matt. Ils ignorent tout de ce qu'ils sont, d'où ils viennent, c'est pour ça qu'ils suivent Malronce, elle les rassure, elle semble tout savoir.

— D'où lui viennent ses connaissances ? demanda Maylis.

— Tout ce que je sais c'est qu'après la Tempête, elle s'est réveillée sur la table gravée, le Testament de roche. Elle a allumé d'immenses feux pour guider les survivants jusqu'à elle et leur a bourré le crâne avec son discours religieux.

— Si elle s'est réveillée sur cette table, c'est que Dieu l'a choisie ! dit un garçon un peu à l'écart. Peut-être a-t-elle raison ?

Cette fois, ce fut au tour d'Ambre de monter sur le rebord de la piste :

— Je ne le crois pas. Je pense qu'il s'agit de deux choses différentes. Les adultes, lorsqu'ils sont perdus, ont besoin de se rassurer, ils ne craignent rien autant que ce qu'ils ignorent. Et je pense que la peur engendrée par la Tempête les a renvoyés vers la seule chose qui peut les rassurer : la religion.

— Comment expliques-tu que la Reine sache ce qu'il faut faire avec le Testament de roche et la carte que forment tes grains de beauté ? Elle ne l'a pas inventé tout de même ?

— C'est à cause de la Tempête. Quand elle s'est abattue sur notre pays, elle a transformé la génétique des plantes, parfois des animaux, elle a altéré la nôtre également. Cette tempête a été une sorte de saut prodigieux en avant pour la chaîne de l'évolution. Et pendant qu'elle frappait, nos esprits n'ont pas cessé de fonctionner. Tout comme lorsque nous rêvons, notre inconscient tournait à plein régime. Je suppose que certaines personnes sont parvenues à capter des signaux, ce fut le cas de cette femme, Malronce. Parce qu'elle s'est réveillée sur la table, son inconscient a capté les signaux que la Tempête envoyait, car je suis certaine que c'est la Tempête elle-même qui a façonné cette table ! Le vent, les éclairs, la pluie, peu importe comment, mais c'est un acte de la nature. Tout comme l'agencement de mes grains de beauté, ça fait partie de notre génétique, une forme de langage que nous ignorions jusqu'à présent. Nos grains de beauté sont un langage entre nous et la nature.

— Alors si on compare cette table sculptée et tes grains de beauté cela révélera l'emplacement de quelque chose lié à la Tempête ? devina Zélie.

— Je le crois. Quelque chose d'important. Que nous ne pouvons pas laisser aux mains des Cyniks, ils sont trop extrémistes, et personne ne peut accomplir quelque chose de bien avec la peur pour guide !

Les adolescents du Conseil se groupèrent pour former de nombreux conciliabules. Zélie et Maylis les firent taire et la première s'adressa à Ambre et Matt :

— L'heure est grave, et nous devons prendre une décision, tous ensemble. Venez parmi nous, car vos paroles doivent être prises en compte. C'est de l'avenir de notre peuple qu'il s'agit.

Matt et Ambre allaient prendre place sur les bancs des gradins lorsqu'une silhouette familière surgit de derrière une tenture de velours. Dès qu'il le reconnut, Matt se jeta dans les bras de son ami :

— Doug ! Que fais-tu là ? Tous les habitants de l'île sont avec toi ?

— Non, je suis venu pour voir à quoi ressemble Eden et pour que les échanges avec notre île soient plus réguliers. J'ai eu l'autorisation d'assister au Conseil à condition de ne pas intervenir, et ça a été difficile en vous voyant entrer !

— Et ton frère Regie est avec toi ? demanda Ambre.

— Non, je l'ai laissé pour diriger l'île Carmichael.

— Alors tu vas retrouver une sacrée pagaille !

Soudain Doug sembla noter l'absence du troisième compagnon :

— Et Tobias ? Où est-il ?

La joie d'Ambre et Matt retomba aussitôt. La jeune femme répondit à la place de Matt qui n'arrivait plus à décrocher un mot :

— Il a disparu.

— Disparu ? Oh non, ne me dites pas qu'il est…

— Il est retenu prisonnier, fit Matt qui contrôlait avec peine les sanglots de sa voix.

— Par qui ? interrogea Doug. Cette reine, Malronce ?

— Non, c'est… compliqué.

— Mais il faut aller le chercher ! Je suis prêt à venir avec vous, ensemble on peut le…

— Non, Doug, nous ne pouvons rien faire pour l'instant.

Matt mit un terme à la discussion en montant dans les gradins.

Le Conseil faisait état des forces présentes à Eden :

— En moins d'un mois nous pouvons tailler assez de lances et de flèches pour armer tous les habitants.

— Et les entraîner ! fit un autre garçon. Je connais Milton Sanovitch, il a fait du tir à l'arc dans un club pendant des années, il est le chef de nos chasseurs, il pourrait s'en charger !

— Et Tania ! Elle est de loin la plus précise de nos archers ! fit remarquer une fille.

— Nous ne savons pas forger, il faut apprendre pour produire des épées! répliqua un autre.

— Nous n'avons pas le temps et de toute façon nous ne disposons d'aucune mine de fer!

— Cela ne suffirait pas de toute façon, il nous faut plus de troupes, Eden seule ne pourra pas bloquer cinq armées de Cyniks!

Zélie se leva pour prendre la parole et tous l'écoutèrent respectueusement:

— Envoyons des ambassadeurs vers chaque clan connu, pour leur expliquer la situation. Si demain Eden tombe, seuls et peu organisés ils tomberont également. Alors que tous réunis, nous pouvons faire la différence.

— Les Longs Marcheurs pourraient faire ce travail, proposa Maylis.

— Nous n'avons pas assez de Longs Marcheurs, fit remarquer une jeune fille.

— Eh bien des volontaires partiront également.

— J'en suis! fit Doug depuis un coin de la salle. Je suis désolé d'intervenir, j'avais promis de me taire, mais c'est une situation un peu exceptionnelle, pas vrai? Alors moi, je me propose de m'en aller rallier tous les sites à l'ouest. J'en connais quelques-uns. Dont l'île que je représente.

Maylis approuva vivement.

— Toute aide est bonne à prendre.

— Matt, fit Zélie, peux-tu nous expliquer en détail ce que tu sais du plan de Malronce pour nous envahir?

Matt se leva pour que tout le monde puisse l'entendre:

— Êtes-vous sûre que tous les membres du Conseil sont dignes de confiance? Car notre expérience nous a conduits à nous méfier des traîtres, et, hélas, ils existent parmi les Pans les plus âgés.

— Bien des décisions vitales ont été prises ici même, et jamais aucune trahison n'a été à déplorer, tu peux parler.

Matt toisa longuement chaque Pan, comme pour sonder leur loyauté. Puis il se lança :

— La Passe des Loups est au cœur de la stratégie de Malronce, c'est l'unique passage connu à travers la Forêt Aveugle entre les terres des Cyniks au sud et notre pays.

— Savez-vous si ce qu'on dit à propos de cette forêt est vrai ? Est-elle réellement infranchissable ?

— Oh ça oui ! confirma Ambre. Nous n'avons tenu que quelques jours à l'intérieur, même une armée entière y serait détruite.

Plusieurs murmures admiratifs fusèrent :

— Ils ont été dans la Forêt Aveugle !

— Incroyable ! Ils sont descendus au sud !

— La Passe des Loups est donc l'unique trouée à travers la Forêt Aveugle, continua Matt. Les Cyniks la contrôlent, ils ont bâti une forteresse pour en garder le passage. Pour ne pas éveiller notre méfiance, ils commenceront par faire passer des petits groupes d'hommes jusqu'à ce que toute la première armée soit entrée sur nos terres. Ils circuleront ainsi vers le nord, pour contourner Eden et ensuite se rassembler. Pendant ce temps la troisième armée pénétrera sur notre territoire et foncera vers l'ouest en ravageant tout sur son passage. C'est la plus petite des armées de Malronce, sa mission est simple : faire un maximum de dégâts chez nous, parmi nos clans isolés et nos champs, pour que nous décidions de l'affronter à l'ouest. Pendant ce temps, la deuxième armée surgira par la Passe des Loups pour fondre sur notre ville dégarnie. La première armée au nord nous tombera dessus au même moment, pendant que nos troupes seront occupées à l'ouest contre leur troisième armée.

— Et la quatrième et la cinquième armée ? demanda Maylis.

— Elles arriveront en dernier pour prêter mainforte aux deux autres pour le siège d'Eden.

— Nous n'avons aucune chance, soupira un garçon. Même

si nous parvenons à fédérer tous les clans, nous ne serons pas plus de sept, au mieux huit mille ! Contre des armées adultes aussi bien préparées, nous ne tiendrons pas Eden plus de quelques jours.

— Sauf si nous les prenons de vitesse ! fit remarquer Zélie.

— Et comment comptes-tu t'y prendre ?

— Si la première armée doit entrer par petits groupes, nous pourrions les intercepter les uns après les autres, puis nous engouffrer dans la Passe des Loups pour pénétrer leur forteresse ! Avec un peu de ruse, je suis certaine que c'est faisable ! Si nous parvenons à contrôler la forteresse, nous les empêcherons de passer au nord.

— Tu veux aller provoquer la bataille ? C'est culotté !

Maylis déclara avec assurance :

— Puisque l'ennemi est si gros, profitons de notre petite taille pour nous faufiler là où il ne pourra nous voir !

— Ah ! pouffa le garçon. Je reconnais bien là la malice des sœurs Dorlando !

— C'est un bon plan, approuva une autre fille, aussitôt suivie par la majorité du Conseil. Et puis nous avons Matt et Ambre qui en savent beaucoup sur les Cyniks, et sur la Passe des Loups, vous pourrez nous guider !

Matt secoua la tête.

— Nous ne sommes pas passés par là, j'en connais sûrement moins que les Longs Marcheurs sur cette région.

Ben prit la parole en regardant Matt :

— Je connais ce garçon, et je peux vous dire que c'est un combattant exceptionnel. Nous avons affronté des Cyniks ensemble, sur l'île des Manoirs, et il saura nous montrer l'exemple d'un guerrier.

— Je crois que tu viens d'être nommé général, lança Zélie à Matt.

— Moi ? Mais je… non, j'ignore tout de la stratégie et…

— Nous manquons de candidat crédible et compétent, le coupa-t-elle. Eden compte sur toi.

Alors que les membres du Conseil se félicitaient d'avoir un général pour manœuvrer leurs troupes, Ambre se pencha vers Matt :

— Ne fais pas cette tête-là, je suis certaine que tu es fait pour ça.

— Je crois que tout va un peu vite, répondit-il.

— Nous n'avons plus le choix, bientôt la guerre fera trembler ces murs.

Matt considéra Ambre en silence, une dizaine de secondes, les idées se bousculaient sous son crâne. Au fond de lui, il savait qu'il ne pouvait s'engager ici, avec les gens d'Eden, ils ne devaient pas compter sur lui.

Car à mesure que les jours passaient, depuis la disparition de Tobias, Matt sentait qu'il ne pourrait rester parmi eux très longtemps.

Une intuition.

3

Décision sous les étoiles

Sous le bleu du ciel, caressé par la douceur du soleil qui rendait cet après-midi si agréable, Eden semblait imperturbable. Un havre protecteur.

Il était difficile de croire à l'imminence de la guerre.

Matt et Ambre prirent des nouvelles de Mia à l'infirmerie de la ville. La jeune fille était en proie à de fortes fièvres et les Pans chargés de sa santé n'étaient pas très optimistes. Ambre assista à une démonstration de l'altération qui la sidéra.

Une fillette appliqua ses mains sur la plaie boursouflée de la cuisse, et se concentra. Un pus jaune ne tarda pas à s'écouler, en émettant une petite fumée. Le grand garçon qui supervisait l'infirmerie commenta le travail :

— Flora est capable d'améliorer les blessures ; depuis qu'elle est toute petite elle recueille les animaux blessés chez elle et s'occupe d'eux. Elle a développé une faculté de soin exceptionnelle, un pouvoir de guérison ou une altération médicale si vous préférez.

— Vous utilisez aussi le mot « altération » ? s'étonna Ambre.

— Oui, ça fait moins peur que « pouvoir » ou « capacité spéciale ». Je crois que le terme vient de l'est. Il existe une île où les Pans sont très en avance sur la maîtrise de leurs facultés.

Ambre était tout sourire. Matt comprit qu'elle était à l'origine de tout cela. C'était elle qui avait su organiser l'apprentissage de l'altération sur l'île Carmichael, l'île des Manoirs, elle qui avait trouvé le mot « altération ». Elle pouvait être fière.

— Le corps de Mia lutte contre l'infection, poursuivit le grand garçon. Si elle est forte, elle s'en sortira. Sinon…

Ambre caressa le front de la malade. Il n'y avait rien à faire de plus pour l'aider.

Plus tard, en fin d'après-midi, Ambre et Matt remontaient la rue principale en direction du pommier, contemplant avec admiration le défilé organisé des Pans d'Eden. Le transfert de vivres, la distribution d'eau par porteurs de seaux ou à dos d'âne, la distribution des petits pains chauds, la milice chargée de surveiller les rues, ceux qui revenaient des champs ou de la chasse, les blanchisseries en bord de rivière, le couple d'adolescents entra même dans un bâtiment étroit et long où étaient confectionnés des rouleaux de tissu à l'aide de fibres végétales.

Les Pans avaient reconstruit un modèle de société, sans argent, rien qu'avec le partage des tâches, et nul n'y trouvait à redire car la survie de tous en dépendait. Ici et là, ils entendirent des Pans se plaindre ou maugréer contre leur affectation, mais la plupart étaient provisoires, et il suffisait de prendre son mal en patience quelques semaines avant de tourner vers un poste plus agréable.

Ambre et Matt s'engagèrent sous un réseau de tentes dressées entre les maisons, une partie des rues était ainsi protégée des intempéries, il y faisait chaud. À la chaleur s'ajoutait l'odeur des nombreux braseros servant pour éclairer et pour faire griller du maïs ou des lamelles de viandes que les deux adolescents savourèrent en discutant. À un moment, Matt posa le bout de son doigt sur la gorge d'Ambre, sous la croûte de sang séché que lui avait laissée le couteau du conseiller spirituel de Malronce lorsqu'il l'avait prise en otage.

— Tu t'en es remise ?

Ambre haussa les épaules et jeta l'épi de maïs qu'elle venait de terminer.

— Je fais encore des cauchemars parfois.

— Ce sale type l'a payé. Jamais plus il ne pourra te faire du mal.

— Il y en a d'autres. Il y en aura toujours d'autres avec les Cyniks. C'est le problème du fanatisme, il nourrit des armées entières. Il surgit là où est l'ignorance. Et tant que nous ne pourrons pas la remplacer, ils seront ce qu'ils sont.

— Nous les éduquerons. S'il faut le faire, nous apprendrons à chaque Cynik à ne plus nous détester.

— En leur faisant la guerre ?

Matt secoua la tête, embarrassé.

— Ce sont eux qui nous attaquent.

— Et nous allons riposter pour nous défendre, conclut Ambre avec amertume.

Matt voulut répondre quelque chose d'optimiste mais il ne trouva rien à dire qui lui parut sensé et sincère, alors ils se turent et continuèrent leur promenade en silence.

Matt retrouva Plume près des écuries, elle était toute brossée, le poil brillant et gonflé. La chienne l'accueillit avec des coups de langue et ne le lâcha plus du reste de la soirée.

Ils dînèrent dans le grand Hall des Colporteurs en compagnie des Longs Marcheurs Floyd et Ben, et avec Jon et Nournia, les derniers rescapés de Hénok, la ville cynik. Ces deux derniers avaient peu à peu repris goût à la vie après avoir subi le sévice de l'anneau ombilical, mais il leur arrivait encore de rester le regard dans le vague, pendant de longues minutes, comme si une réminiscence les ramenait à leur condition d'esclaves.

Personne n'aborda le sujet de la guerre, c'était encore un secret tenu par le Conseil, aucune décision n'était prise, et une nouvelle réunion était programmée pour le lendemain. Ils mangèrent et Matt sortit prendre l'air avec Plume.

Ambre les rejoignit et vint s'asseoir sur le trottoir en planches à côté de Matt.

— Il y a beaucoup d'étoiles, dit-elle doucement.

— J'étais en train de me dire que ça plairait à Tobias.

Ambre posa la tête sur l'épaule de son ami.

— On ne pouvait rien faire, tu sais, tout est allé très vite. Il ne faut pas s'en vouloir.

Matt hocha lentement la tête.

— Il n'est pas mort, dit-il du bout des lèvres, comme s'il craignait de formuler cette pensée.

Ambre se redressa.

— Matt, tu te fais du mal. Toby est parti, c'est cruel, c'est intolérable, mais c'est la vérité.

Plume soupira, la tête posée entre ses pattes, comme si elle partageait la peine de ses maîtres.

— Je sais qu'il n'est pas mort, insista Matt. J'ai bien réfléchi à ce qu'il s'est passé. Le Raupéroden l'a englouti, il l'a… absorbé.

— Il l'a dévoré.

— Pas exactement. Rappelle-toi ce que je vous expliquais à propos de mes rêves, quand le Raupéroden parvient à sonder mon inconscient, je ressens sa présence et il y a eu cette fois où il n'a pas fermé la porte de son être, où je suis entré en lui également. J'ai vu de quoi il est fait, et son esprit est une prison dans laquelle il enferme des êtres vivants. Il les torture et il s'en nourrit lentement, mais ils ne sont pas morts.

— C'est impossible, tu l'as vu comme moi, ce monstre est à peine plus consistant qu'un nuage !

— Son corps n'est qu'une porte ! Un passage vers un territoire lointain, un ailleurs, et sur ses terres, il enferme ses proies pour les manger petit à petit. J'ai bien songé à tout cela et je suis convaincu que Tobias est là-bas. Il est encore possible de le sauver. J'ignore comment, mais rien n'est encore perdu pour lui.

Ambre fixait Matt avec inquiétude.

— Nous l'avons déjà affronté, il est invincible, tu le sais, rien que son armée de Guetteurs le rend inaccessible.

— Pas si je me rends à lui.

— Matt ! C'est du suicide !

Le jeune homme fit une grimace résignée.

— Je sais…

Ambre l'enveloppa de ses bras.

— Crois-moi, je suis aussi triste que toi, mais te jeter dans la gueule du loup ne ramènera pas Toby.

Une silhouette se profila dans leur dos :

— C'est calme la nuit, pas vrai ? fit Ben en se mettant à leur niveau.

— Eden est une vraie réussite, admit Ambre. Ce serait une belle leçon pour les Cyniks.

— Et que diraient nos parents ! lâcha Ben, avant de se reprendre : Oh, je suis désolé, c'est idiot ce que je raconte…

Une musique joyeuse se fit entendre, venue d'un bâtiment éloigné, un mélange d'instruments à cordes et de percussions. L'ensemble ne jouait pas très juste, mais avait le mérite de scander un rythme très dynamique.

— C'est l'orchestre d'Eden, expliqua Ben, tous les soirs ils mettent l'ambiance dans le Salon des Souvenirs.

— C'est quoi cet endroit ? fit Ambre.

— Un lieu où l'on joue aux cartes, où l'on se raconte des histoires tout en buvant une boisson à base de miel. C'est un endroit agréable.

— Ça s'entend.

Des rires se mêlaient à la mélodie et envahissaient les rues.

— Que crois-tu que va décider le Conseil ? poursuivit Ambre.

— Je pense que tout est déjà dit. Nous n'avons pas le choix. Si nous voulons survivre, il faut devancer la guerre. Rassembler un maximum de troupes et affronter les armées de Malronce là où elles ne nous attendent pas : sur leurs propres terres. Nous pouvons facilement neutraliser la première armée si nous interceptons chaque petit groupe de soldats à leur sortie de la Passe des Loups. Pour le reste…

— Tu vas partir sonner la mobilisation auprès des autres clans ?

— Je suppose… Et vous ?

— Je ne sais comment me rendre utile, j'ai toujours rêvé d'être un Long Marcheur moi aussi, mais je n'ai pas encore tout à fait seize ans. Je me disais que, compte tenu des circonstances, vous pourriez faire une exception, me prendre pour vous aider.

— Le Conseil ne devrait pas refuser.

Matt se mêla à la conversation :

— Ambre sera encore plus utile ici pour aider à exploiter au mieux l'altération de chacun.

— Non, pas encore ! J'en ai marre de…

— Mais tu es douée ! C'est toi qui as su nous guider pour en tirer le meilleur, l'altération c'est ton truc !

— J'en ai assez. Je veux être sur le terrain, explorer, partager, faire partie d'un groupe.

— Tu fais déjà partie d'un groupe, l'Alliance des Trois c'est…

Matt se tut, conscient soudain que l'Alliance des Trois n'existait plus. Sans Tobias, leur équipe n'avait plus de raison d'être.

Il se leva brusquement.

— Où vas-tu ? demanda Ambre.

— Me reposer, j'ai besoin de reprendre des forces. Je viens de prendre ma décision. Je n'abandonnerai pas Toby. Dès que je serai remis, je partirai pour le sud. Je veux affronter le Raupéroden.

4

Dilemme

Toute la matinée, Matt chercha Ambre dans la ville sans parvenir à la trouver. Personne ne l'avait vue et, à midi, la curiosité avait cédé sa place à l'inquiétude.

Matt avait à peine touché à son assiette lorsqu'elle entra enfin dans le Hall des Colporteurs.

— Où étais-tu ? gronda-t-il. Je t'ai cherchée partout !

Ambre marqua un temps d'arrêt, surprise par l'attitude presque agressive de son compagnon.

— Dans les champs autour d'Eden. J'avais besoin de réfléchir. Je commence ma formation aujourd'hui.

— Quelle formation ?

— Celle des Longs Marcheurs. Toutes les connaissances ont été rassemblées à Eden et des cours sont dispensés aux Longs Marcheurs, en botanique, zoologie, des cours de survie aussi ainsi qu'une formation au combat.

— Alors ta décision est prise ?

— Oui. De toute façon tu vas partir, n'est-ce pas ?

Matt baissa les yeux vers son assiette et n'ouvrit plus la bouche durant tout le déjeuner.

L'après-midi, Ambre s'en alla suivre ses cours et Matt monta s'allonger dans la chambre qu'il occupait au premier étage du bâtiment. Il était encore courbatu par le mois et demi qu'il venait de passer sur le terrain, à travers la Forêt Aveugle puis sur le territoire cynik. Mais il voulait faire le plein d'énergie. Repartir chargé à bloc, prêt à soulever le monde, pour débusquer son ennemi.

Pourtant son esprit n'était pas tout entier tourné vers le Raupéroden. L'idée de se séparer d'Ambre le dérangeait. Non seulement il se sentait plus fort avec elle à ses côtés, mais en plus quelque chose se creusait dans sa poitrine en songeant qu'il ne la reverrait peut-être plus ou pas avant longtemps.

Et puis il y avait Malronce.

Après tout ce qu'il avait enduré, il ignorait encore pourquoi elle le recherchait. Pourquoi avoir placardé dans toutes ses villes des avis de recherche avec son portrait ? Comment avait-elle connaissance de son visage ? Étaient-ce ses rêves étranges qui l'avaient rendu si célèbre parmi les Cyniks ? Y avait-il un lien entre lui et le Grand Plan ? Si tel était le cas, alors Ambre et lui ne devaient pas se séparer.

Je ne peux pas abandonner Toby ! Je suis certain qu'il n'est pas mort. Il est retenu par le... par lui ! Moi seul peux le sauver, je suis le seul qui peux approcher le... le Raupéroden sans être mis en pièces par les Guetteurs.

Matt n'aimait pas prononcer ou même songer au nom de cette créature. C'était lui attribuer plus de consistance qu'en avait cette forme spectrale.

Matt se sentait déchiré entre deux possibilités. Tout tenter pour sauver son ami, si cela était encore envisageable ou partir éclaircir le mystère de Malronce.

Il croisa les mains sous son crâne, fixant le plafond en bois.

En fin de journée le Conseil se rassembla à nouveau. Ambre et Matt y furent conviés.

Maylis et Zélie prirent la parole en premier, sous le regard haineux de Neil :

— Hier, nous avons envisagé l'option militaire, commença la plus grande, je crois qu'il serait bien que nous fassions le tour de toutes les autres options dont nous disposons.

— La violence ne doit pas être notre premier réflexe, enchaîna Maylis.

— Il y a la fuite ! proposa un garçon répondant au nom de Melchiot. Prendre tout ce que nous avons de précieux et partir pour le nord !

— Au nord le climat est plus difficile, rappela Maylis, et les Longs Marcheurs ne s'y aventurent plus, de gros nuages noirs occupent le ciel en permanence, et plus aucun clan de Pans n'y est installé. Partir au nord c'est mourir à petit feu.

— Moi, il y a une question que je voudrais poser aux voyageurs, demanda une jeune fille à la peau noisette ; ont-ils vu des femmes enceintes ? Des enfants, parmi les Cyniks ?

— Non, rapporta Ambre. Aucune femme enceinte, et les seuls enfants sont les Pans capturés et réduits en esclavage.

— Pas d'espoir de ce côté-là, alors...

Neil se leva :

— Moi j'aimerais connaître un peu plus cette fille pour laquelle vous êtes tous prêts à vous sacrifier. Qui es-tu, Ambre ? Et pourquoi le Grand Plan est-il sur toi plutôt que sur une autre ?

Ambre bafouilla :

— Je... Je n'en sais rien. Je n'ai... pas choisi.

— Qu'est-ce que ça peut faire ? intervint Matt. Elle est le Grand Plan, peu importe la raison, peux-tu dire pourquoi tu as les yeux marron ?

— Parce que mon père et ma mère avaient les yeux marron. C'est justement ce que je voudrais savoir : d'où vient Ambre ?

— Elle est le Grand Plan parce que la nature a décidé de s'arrêter sur elle au moment de sa conception ou peut-être est-ce la combinaison de ses parents, et que la nature attendait depuis longtemps que deux êtres de ce type s'unissent, de toute façon on s'en fiche. Ambre est une carte vers quelque chose que nous devinons important, à elle de vivre avec cela maintenant, et à nous de l'y aider.

Neil allait insister mais Zélie ne lui en laissa pas le temps :

— Conseillers ! héla-t-elle pour imposer un silence total. Nous devons prendre une décision, nous ne pouvons annoncer aux habitants d'Eden l'imminence d'une invasion sans avoir un plan pour calmer tout début de panique ! Aussi nous faut-il voter pour sceller notre avenir.

Matt était admiratif de son aisance à s'exprimer en public. Depuis la Tempête, les Pans s'étaient adaptés à leur nouvelle vie, et il remarquait que tous les chefs de tribu soignaient leur élocution. Zélie ne dérogeait pas à la règle. Pour Matt, elle s'exprimait aussi bien qu'une adulte.

— Soyons réalistes, poursuivit Maylis avec autant d'éloquence que sa grande sœur, nous ne pourrons fuir les Cyniks très longtemps s'ils ont décidé de nous envahir.

— Alors à quoi bon voter ? fit une voix dans l'assemblée. Nous n'avons d'autre choix que d'attaquer les premiers !

— Ou de leur donner Ambre ! s'écria Neil.

Maylis secoua la tête :

— C'est hors de question ! Ce serait barbare !

— Depuis quand prends-tu les décisions à la place du Conseil ? se moqua Neil. Je propose un vote…

— Tu l'as déjà effectué hier, le coupa Zélie. À présent, que celles et ceux qui acceptent le recours à la force lèvent la main.

Une dizaine de bras jaillirent, suivis par une autre dizaine, plus mollement.

Maylis se tourna vers Neil :

— C'est une majorité.

— Il faut s'organiser, nous n'avons pas de temps à perdre, insista Zélie. Les Longs Marcheurs qui sont déjà rentrés vont se répartir différents secteurs pour battre la lande et faire passer le message qu'une guerre est imminente et que nous devons nous rassembler. Ils seront accompagnés par des volontaires. Pendant ce temps, Eden s'occupera de fabriquer des armes, et nous élaborerons notre stratégie d'attaque : la destruction progressive de la première armée et ensuite la prise de la forteresse de la Passe des Loups d'où nous pourrons affronter les armées de Malronce.

— Cela ne suffira pas, commenta Matt. Il faut davantage de surprise, si on prend les quatre armées de front elles finiront par nous balayer !

— Que proposes-tu ?

— Retournons le plan de Malronce contre elle ! Une fois la

première armée détruite et la forteresse prise, laissons passer la troisième armée dans la Passe des Loups et refermons le piège sur elle pour la combattre des deux côtés, au nord et au sud.

— C'est une bonne idée. Tu dirigeras les opérations si le Conseil est d'accord pour te nommer général en chef.

La plupart des visages opinèrent pour approuver cette décision, mais Matt leva les paumes devant lui :

— Non, je ne peux pas accepter. Je ne vais pas rester ici.

— Nous avons besoin de toi ! Tu ne peux pas partir, pas maintenant !

— Je le savais, un poltron ! triompha Neil.

— Je dois repartir au sud très bientôt, j'ai une affaire… personnelle à régler. Je suis désolé.

La déception s'abattit sur les gradins où se mêlaient murmures, gestes d'agacement et regards furieux.

— Je vais passer par la Passe des Loups, ajouta Matt, et contourner la forteresse. C'est l'occasion de former un commando pour repérer les lieux, et dresser un plan pour prendre ce fameux poste stratégique. Il pourrait m'accompagner jusque là-bas, avant que nos chemins se séparent.

Zélie croisa les bras sur sa poitrine :

— Tu sembles apte à prendre le commandement, que dois-tu accomplir de plus important que nous aider à survivre ?

Matt baissa la tête, cherchant ses mots. Il ne se sentait pas capable d'expliquer la disparition de Tobias et l'existence du Raupéroden.

— Il vient avec moi, exposa Ambre. Nous partons pour le sud, pour le château de Malronce. Si je suis une carte, alors il serait bon de savoir quel secret j'abrite, c'est peut-être le seul moyen de combattre les Cyniks.

Matt la toisa, bouche bée.

— Ah ! fit Neil. De mieux en mieux ! Maintenant nous allons laisser notre unique monnaie d'échange se jeter dans les bras de l'ennemi ?

— Ce n'est pas une monnaie d'échange, c'est un être humain ! corrigea Melchiot.

— Naïf ! Idiot ! Cette fille va tous nous faire périr !

— Et que proposes-tu ? Qu'on l'enferme peut-être ?

— Pourquoi pas ? Au moins si les choses tournent mal, il sera toujours temps de l'échanger !

Zélie grimpa les marches en direction de Neil et pointa vers lui un doigt accusateur :

— Maintenant ça suffit ! Il y en a assez de tes méthodes agressives et de ton pessimisme permanent ! Si Malronce souhaite tant que cela mettre la main sur Ambre, c'est qu'il y a une bonne raison ; je suis assez pour l'idée de devancer la Reine. Si Ambre est prête à descendre vers Wyrd'Lon-Deis, elle a ma bénédiction.

— Nous allons former un commando pour vous accompagner, ajouta Maylis. Dont une partie rentrera à Eden après avoir effectué les repérages de la Passe des Loups et de la forteresse.

Neil se rassit, dans l'ombre du mur, l'air mauvais.

Matt profita des échanges qui suivirent pour s'adresser à Ambre, plus discrètement :

— Je croyais que tu voulais partir comme Long Marcheur ?

— J'ai dit que je commençais la formation. Pour nous aider à survivre dehors, pour connaître les plantes comestibles, les champignons toxiques, toutes ces choses ! Tu dois venir avec moi, Matt, sans toi ce n'est pas pareil.

— Et Tobias ?

Ambre avala péniblement sa salive et secoua la tête, résignée.

— Je ne sais pas quoi te dire, Matt…

— Tu ne crois pas qu'il soit encore vivant, pas vrai ?

Ambre se mordit les lèvres, gênée.

Matt prit une profonde inspiration et contempla l'assemblée qui procédait aux votes pour confirmer les propositions qui venaient d'être lancées.

— J'ai besoin d'y réfléchir, avoua-t-il. Laisse-moi un peu de temps.

Matt avait erré sans but pendant plus d'une heure jusqu'à tomber sur deux garçons qui tentaient de fendre des bûches à l'aide d'une hache. Ils transpiraient et haletaient et semblaient désespérés en contemplant le monticule de bois qu'il leur restait à couper.

Matt s'approcha et proposa son aide.

Il avait besoin de se défouler.

Il positionna la bûche verticalement sur la grosse souche et leva la hache. Tous les muscles de son corps se contractèrent tandis qu'il abattait la lame en la faisant siffler.

Le rondin de bois s'envola, tranché net en deux parties, et la hache se planta jusqu'au manche dans la souche.

Les deux garçons, abasourdis, le dévisagèrent.

— Ouah ! fit le premier. J'ai jamais vu un truc aussi cool de ma vie !

Matt tira sur la hache pour la dégager et plaça un autre morceau de bois.

Il dosa un peu mieux sa force pour ne pas transpercer la souche cette fois. En peu de temps, Matt abattit l'essentiel du travail.

Lorsqu'il rendit la hache aux deux observateurs admiratifs, la lame vibrait, toute chaude.

Matt était épuisé mais sa pensée pas plus claire pour autant. Il avait besoin d'un bain.

J'ai surtout besoin de me décider. Choisir entre Ambre et Tobias.

L'idée même lui donnait la nausée. Il voulait que tout cela s'arrête. Être de retour dans sa chambre, à New York, devant son ordinateur, sur MSN, à discuter avec ses copains, avec pour seul souci les devoirs à rendre pour le lendemain.

Ce n'est pas vrai, il n'y avait pas que ça... Papa et maman aussi...

Il repensa à leur séparation. L'affrontement pour savoir lequel des deux aurait la garde, comment l'autre disposerait des week-ends, les regards incendiaires que Matt surprenait et qui faisaient plus de dégâts que tous les mots du monde. Ses parents s'étaient aimés, l'avaient conçu, pour ensuite se détester.

Quels que soient la vie, le contexte, Matt se demanda s'il ne pouvait en être autrement : vivre c'était affronter des problèmes, résoudre des dilemmes ; vivre était une forme de combat.

Alors il songea aux réunions dans la vieille bibliothèque du manoir du Kraken, deux mois plus tôt, ces moments de confidences entre Ambre, Tobias et lui-même. Il repensa à leur baignade dans un lac, sous une cascade, en compagnie de la Féroce Team, avant de pénétrer dans la Forêt Aveugle, les rires, l'insouciance. Il y avait plein de bons côtés aussi, il ne devait pas les oublier.

— Ça va ? demanda Ben en approchant. Tu as l'air contrarié.

Matt fit un signe qui se voulait rassurant :

— Oui, je suis un peu fatigué.

— Je voulais te dire que j'ai reçu l'accord du Conseil pour vous accompagner, Ambre et toi. Nous ne serons pas trop de trois pour pénétrer à Wyrd'Lon-Deis.

Étrangement, cela ne rassura pas Matt. Il aurait dû se sentir réconforté qu'un garçon aussi fort accompagne Ambre, il aurait même pu s'en satisfaire au point de les laisser y aller seuls pour se consacrer à Tobias, et voilà qu'au contraire la gêne l'habitait.

— C'est une bonne nouvelle, parvint-il néanmoins à répondre.

— Floyd sera en charge du commando qui viendra avec nous jusqu'à la forteresse de la Passe des Loups. Il devra repérer les lieux pour élaborer la stratégie d'attaque de notre armée et rentrer à Eden pendant que nous contournerons la fortification pour passer au sud.

— C'est très bien. Quand est prévu le départ ?

— Bien qu'il y ait urgence, nous ne devons pas nous précipiter dans la gueule du loup sans y être préparés. Nous attendrons le retour des Longs Marcheurs du Sud, pour qu'ils nous fassent un exposé le plus complet possible de la situation et de la géographie. Pendant ce temps nous rassemblerons des vivres, préparerons le voyage et d'ici une bonne semaine nous serons sur la route. Tes amis, Nournia et Jon, se sont proposés pour venir, tu les connais bien ?

— Pas plus que cela. Ils ont supporté l'anneau ombilical, et depuis, leur vie n'est plus tout à fait la même, comme s'ils avaient perdu une part de leur être. Je suppose que ce périple représente pour eux un moyen de se venger ou de se sentir vivre à nouveau. En tout cas j'ai affronté des Cyniks à leurs côtés et ils ne se sont jamais défilés.

— Bien. Ta chienne va venir avec nous ?

— Plume ne me quitte jamais.

— J'ai l'impression qu'elle est encore plus grande que sur l'île des Manoirs.

— Elle n'a pas cessé de grandir depuis la Tempête. C'est mon ange gardien.

Lorsque Ben le salua pour repartir vers le Hall des Colporteurs, il en éprouva un certain soulagement. Ben était costaud, il dégageait beaucoup d'assurance et faisait partie des Longs Marcheurs les plus doués. Pourtant Matt ne se sentait pas tout à fait à l'aise en sa compagnie.

Les traits doux d'Ambre apparurent dans son esprit. Ses taches de rousseur, ses yeux étincelants, sa chevelure blond-roux. Il adorait la façon qu'elle avait de sourire, le coin gauche de sa bouche relevé, sa tête légèrement inclinée sur le côté.

Il eut soudain très envie de la sentir contre lui.

Ce qui le dérangeait chez Ben concernait Ambre.

Il ne pouvait les laisser ensemble.

Non par jalousie, mais bien parce qu'il éprouvait plus qu'une attirance pour la jeune fille.

Elle lui manquait. Avec elle à ses côtés, il se sentait fort.

Ambre avait raison, ensemble tout semblait plus facile.

Il devait l'accompagner chez Malronce.

Matt contempla le ciel qui s'assombrissait peu à peu. Les étoiles se mettaient à briller, et la lune était déjà bien haute sur les cheminées de la ville.

— Pardonne-moi, Toby, murmura-t-il les larmes aux yeux.

5

Les ténèbres affamées

Le vent s'engouffrait dans la grotte en émettant un cri lugubre.

L'obscurité était à peine repoussée par les petits éclats de gypse phosphorescent qui constellaient les parois noires.

Tobias était en retrait, le dos enfoncé dans une anfractuosité. Il tremblait de tous ses membres.

Non de froid, bien qu'il soit gelé jusqu'aux os, mais de peur.

Il craignait le retour du Dévoreur.

Comme tout le monde ici. Une dizaine de silhouettes recroquevillées qui occupaient le fond de la grotte avec lui.

Incapables de fuir. Prisonnières de leur manque de forces.

Depuis qu'ils avaient été absorbés par le Raupéroden, l'énergie vitale leur manquait. Tobias ne se sentait plus capable de tenir sur ses jambes. La force avait déserté ses bras, et même sa pensée ne parvenait plus à s'organiser correctement.

Tout avait été instantané.

Il s'était fait engloutir par le voile noir du Raupéroden, il avait glissé dans son corps moite et froid, vers un boyau sans fin de tissu humide, jusqu'à rouler sur la pierre d'une caverne obscure. Là, une chose abominable l'avait palpé. Il ne l'avait pas vue, seulement perçu les cliquetis de ses membres sur le sol, et les déglutitions au-dessus de lui, comme une énorme langue claquant contre un palais plein de bave. La chose l'avait ensuite fait rouler jusqu'ici, avant de disparaître.

Elle était revenue à deux reprises depuis.

Chaque fois, le gypse lumineux s'éteignait, comme si les parois même de la grotte craignaient la chose. La porte s'ouvrait et elle entrait en cliquetant, ses nombreux membres écrasant les os qui recouvraient le sol.

Elle promenait sa masse, que Tobias devinait imposante, pour palper les prisonniers qui s'étouffaient de sanglots tant elle les terrorisait. Et lorsqu'elle trouvait enfin celui qui lui plaisait, elle l'emportait au centre de la grotte pour en faire son festin. Durant plus d'une heure.

Cette chose, Tobias l'avait surnommée le Dévoreur.

Lorsque le Dévoreur repartait, il ne restait qu'un squelette tiède qui venait s'ajouter aux nombreux autres.

Tobias avait déjà tenté de s'enfuir, la première fois qu'il avait assisté à ce spectacle abominable. Mais une porte gluante leur barrait l'accès. Une grille dont les barreaux étaient recouverts d'une substance poisseuse et collante dont Tobias avait eu toutes les peines du monde à débarrasser ses mains.

Depuis, il se tenait plaqué dans le renfoncement qu'il s'était choisi, sursautant à chaque bruit, craignant le retour du Dévoreur.

Il ignorait tout de cet endroit. Était-ce le monde d'où venait le Raupéroden ? Était-ce loin de la Terre ?

Tobias savait qu'il n'était pas mort, pas encore, car il respirait, il éprouvait le froid et la terreur, cependant il ne parvenait pas à comprendre ce qui lui était arrivé.

Peut-être ses compagnons de captivité en savaient-ils plus que lui ?

Pour l'heure il n'avait qu'une certitude : le temps jouait contre lui.

Tôt ou tard, le Dévoreur entrerait et finirait par le choisir.

Tobias se mit à espérer en ses amis.

Ambre et Matt.

Du fond de son silence, dans cette grotte glaciale et sombre, il les appela de toutes ses forces.

Ils étaient son seul espoir.

6

Peine, espoir et haine

Matt trouva Ambre en train de manger un petit pain chaud sur lequel elle étalait de la confiture de limaces. Elle était seule au milieu des tables et des bancs du hall.

Le soleil venait de se lever et de longs rayons dorés entraient par les fenêtres.

— J'ai pris ma décision, je t'accompagne jusqu'au Testament de roche, dit-il.

Ambre reposa sa tartine et hocha la tête doucement.

— Merci, répondit-elle tout bas. Je sais combien c'est dur pour toi d'avoir à faire un choix.

— Je viens avec toi parce que ensemble nous sommes plus forts, et que si nous nous séparons j'ai la conviction que nous échouerons tous les deux. Mais je ne renonce pas pour autant à sauver Tobias. Dès que nous aurons quitté Wyrd'Lon-Deis, je pars à sa recherche.

Ambre acquiesça, sans un mot. Elle respectait l'espoir qu'il entretenait même si elle ne le partageait pas, il était déjà assez difficile pour Matt d'encaisser la disparition de Tobias. Pour sa part, elle ne voulait pas d'un espoir artificiel, qui rendrait le deuil impossible et qui laisserait la blessure ouverte.

Matt s'assit près d'elle pour partager le petit déjeuner.

— Comment peux-tu manger ça ? dit-il en grimaçant tandis qu'elle étalait à nouveau de la confiture de limaces sur son pain.

— C'est très bon, ça me rappelle la marmelade d'oranges amères que ma grand-mère me servait. Plume n'est pas avec toi ?

— Non, fit Matt d'un air contrarié. Elle a passé la nuit dehors. Depuis hier soir elle regarde vers la forêt au sud-ouest d'Eden. Elle refuse de bouger.

— Tu crois qu'elle sent une menace ?

— Je l'ignore, elle ne grogne pas, mais elle reste assise, à fixer l'horizon.

Ben entra à son tour pour se servir du jus d'orange que Ambre venait de presser et vint s'asseoir à la même table.

— Sais-tu quelle forêt se trouve au sud-ouest de la ville ? lui demanda-t-elle.

— C'est la Forêt Abondante. Elle est pleine de vergers, de baies comestibles et de gibier. La plupart de nos ressources proviennent de là. C'est pour ça qu'Eden a été bâtie ici, tout près des plaines pour nos champs, des fruits et de la viande à profusion et un fleuve pour le poisson.

— Pas de dangers dans cette forêt ? s'enquit Matt.

— Pas plus qu'ailleurs. Pas de Gloutons en tout cas, c'est déjà ça ! Mais c'est une très, très grande forêt.

Ambre et Matt s'observèrent. Qu'est-ce que Plume pouvait bien guetter ainsi ?

— Et… les Gloutons sont nombreux dans la région ? demanda Ambre.

— De moins en moins. Il y a quelque temps, les Longs Marcheurs en croisaient souvent, c'était notre principal péril, puis ils se sont faits plus rares. Surtout depuis un ou deux mois, en fait.

— Ils n'ont pas survécu au nouveau monde, supposa Matt. Pas assez organisés, pas assez intelligents. Ils ne pouvaient s'adapter. Je suppose que c'est une question de temps avant qu'ils ne disparaissent.

Ambre baissa la tête. Ils savaient que la perte des Gloutons signifiait la mort de parents. Tous les Gloutons avaient été des hommes et des femmes autrefois.

— Je me demande ce qui a fait que certains adultes sont devenus des Cyniks et d'autres des Gloutons, songea Ambre à voix haute.

— Et pourquoi d'autres ont été vaporisés ! ajouta Matt.

— J'ai entendu dire que les Cyniks ont une croyance concernant les Gloutons : ils seraient les descendants des humains les plus prompts à pécher, les plus avares, les plus gourmands, les plus paresseux…

— Et ceux qui ont été vaporisés seraient ceux qui ne croyaient pas en Dieu, c'est ça ? s'emporta Ambre, outrée par ce fanatisme inquiétant.

— Exactement !

— N'importe quoi ! fit Matt. Toi qui as toujours une explication, tu as bien ton idée, Ambre ?

La jeune fille parut embarrassée.

— Non, je me demande si ce n'est pas tout simplement le hasard…

— Je n'aime pas le hasard !

— Pourquoi ? Parce qu'il ne laisse aucune chance ?

Matt haussa les épaules.

— Je ne sais pas. Je ne l'aime pas, c'est tout.

Il avala son dernier morceau de pain et sortit en prétextant qu'il allait voir où en était Plume.

— Il va bien ? questionna Ben.

— Nous avons perdu Tobias, c'est difficile à accepter. Et puis… je suppose qu'il s'interroge sur ce que sont devenus ses parents.

— Comme nous tous.

— Non. Moi, ça me va très bien comme ça.

Ambre, à mesure que le temps passait depuis la Tempête, réalisait qu'elle avait nourri beaucoup plus de rancœur à l'égard de sa mère qu'elle ne l'avait imaginé. Pour n'avoir pas été capable d'assumer une meilleure vie, pour n'avoir pas été capable de quitter son crétin de petit ami alcoolique et violent. Pour n'avoir pas été capable de lui parler de son vrai père…

Floyd la rejoignit à son tour et s'installa en face d'elle. Sa présence sortit Ambre de ses pensées.

— C'est le grand jour, dit-il avec une pointe d'excitation.

— Aujourd'hui le Conseil annonce à la ville tout ce que nous savons, expliqua Ben. Les sourires vont tomber et la peur va remplacer l'espoir que cette ville avait fait naître au fil des mois.

— Ça va être une longue journée, confirma Ambre.

— Au moins nous allons pouvoir nous préparer, dit Floyd. Je n'en peux plus d'attendre. Et fuir ces Cyniks commençait à me peser ! Il est temps d'en découdre !

Ambre se tourna brusquement face au Long Marcheur :

— Nous parlons d'envoyer des enfants à la guerre ! Contre des adultes entraînés depuis des mois, lourdement armés et bien plus forts !

— Nous avons sorti Eden de la terre, personne ne pourra nous la prendre !

— Ce n'est pas une bataille pour défendre un territoire, mais pour préserver notre liberté !

— Et elle commence ici, entre les murs de ce Paradis Perdu.

Ambre se demanda alors si les Pans d'Eden réalisaient vraiment ce qui les attendait.

Une guerre sanglante qui laisserait peu d'entre eux debout.

Un affrontement barbare.

Ce qu'il y avait de plus primaire chez l'homme.

Matt scrutait le damier des champs qui composaient la plaine, près de l'entrée sud de la ville.

Plume n'était nulle part. Peut-être était-elle rentrée pendant la nuit.

Non, je l'aurais vue dans le Hall des Colporteurs, elle connaît le chemin, elle se serait couchée dans le foin des écuries, ou elle aurait gratté à ma porte.

Son absence le troublait. Elle n'était pas du genre à fuguer ainsi sans raison. Et s'il lui était arrivé malheur ?

Matt interpella l'un des deux garçons qui montaient la garde :

— Tu as veillé ici toute la nuit ?

— Non, j'ai pris la relève juste avant l'aurore.

— Aurais-tu aperçu un très grand chien ? Vraiment très grand. Presque comme un cheval.

— Ta chienne ? Oui, elle était là ce matin quand je suis arrivé. Le soleil s'est réveillé et peu après elle s'est mise à tourner sur elle-même et ses oreilles se sont dressées avant qu'elle parte en courant vers la Forêt Abondante.

Ce n'était pas bon signe. Jamais elle n'avait fait cela. Et si sa nature exceptionnelle était en train de lui jouer des tours ? Une sorte de contrecoup génétique de la Tempête ?

— Si jamais tu la revois, merci de me faire prévenir.

Pendant que Ambre suivait sa formation de Long Marcheur, Matt s'équipa avec son sac à dos, son épée, et partit avec la ferme intention d'explorer cette forêt à la recherche de sa chienne. Il rejoignit un groupe de cueilleurs qui prenait la même direction et ensemble ils traversèrent des champs moissonnés en direction de la masse verte des collines.

Plusieurs Pans lui parlaient, racontaient combien la première récolte de maïs et de blé avait été bonne, mais Matt n'écoutait pas vraiment.

Parvenu sous la fraîcheur des frondaisons, il se sépara du groupe pour zigzaguer entre les troncs à la recherche de traces ou de poils accrochés dans les branchages. Tout ce qu'il trouva ressemblait à des empreintes de sangliers.

Régulièrement il criait le nom de Plume, se moquant bien d'attirer du même coup un prédateur.

En milieu d'après-midi harassé, il constata qu'il avait à peine exploré quelques kilomètres carrés d'une forêt qui s'étendait à perte de vue.

La mort dans l'âme, il dut se résoudre à rentrer en ville, non sans jeter d'incessants coups d'œil derrière lui.

Lorsqu'il dépassa les remparts de bois, tous les habitants d'Eden convergeaient vers la grande place.

Le Conseil avait une annonce à faire.

Matt n'avait aucune envie d'assister à ce triste spectacle. Il déposa ses affaires dans sa chambre, au Hall des Colporteurs, et déambula dans les rues jusqu'à atteindre la berge du fleuve où il se désaltéra avant de rejoindre l'infirmerie.

Mia était toujours inconsciente et fiévreuse.

Il lui prit la main et resta ainsi à la veiller jusqu'au soir, pendant que le peuple Pan apprenait qu'il venait d'entrer en guerre.

Ce soir-là, il n'y eut plus de cris de joie dans les rues, plus de musique enjouée dans le Salon des Souvenirs. Matt, en longeant les vitres, ne vit que des visages fantomatiques à l'intérieur, des êtres muets qui cherchaient des réponses au fond de leur verre.

Assis sur le perron, un adolescent d'une quinzaine d'années se roulait une cigarette de tabac noir. Matt s'approcha.

— Je t'en fais une ? demanda le garçon.

— Non, merci, ça me rappelle trop les adultes.

Le garçon haussa les épaules comme s'il s'en moquait.

— J'm'appelle Horace, dit-il en allumant sa cigarette et en crachant un nuage de fumée bleutée qui sentait mauvais.

— Matt.

— Je sais qui tu es. Déjà en arrivant avec ton chien géant t'étais pas passé inaperçu, mais maintenant…

— Maintenant quoi ?

— Bah, tu sais bien, la guerre.

— Et alors ? Je n'y suis pour rien, c'est pas moi qui l'ai déclarée !

— T'énerve pas, c'est pas ce que je disais. Mais c'est toi et tes amis qui revenez du pays des Cyniks, le Conseil nous a expliqué. Vous êtes un peu des héros et en même temps… vous apportez la mauvaise nouvelle.

— Grâce à nos informations nous allons peut-être nous en sortir !

Horace tira une autre bouffée et grimaça tandis que la fumée envahissait ses poumons.

— T'y crois vraiment, toi, qu'on va survivre ? dit-il en crachant des brins de tabac.

— Si nous n'y croyons pas, alors autant abandonner tout de suite.

Matt se mit à craindre que tous les Pans de la ville ne soient aussi pessimistes, aussi peu prêts à prendre les armes.

— C'est ma dernière, dit Horace en soulevant la cigarette devant ses yeux. Demain, je me consacre entièrement à l'entraînement au combat. Pour être paré lorsque viendra le moment.

— Alors tu as un peu d'espoir, se réjouit Matt.

— Pas vraiment, mais pour se battre, je n'en ai pas besoin, pas vrai ? Il suffit d'avoir de la colère.

— De la colère ? Tu veux parler des adultes ? Tu leur en veux ?

— J'ai vu des Gloutons fracasser le crâne d'un copain, puis toute une patrouille de Cyniks enlever des fillettes et des garçons devant mes yeux, ils n'hésitaient pas à les battre pour les forcer à monter dans d'immenses chariots, alors je vais te dire, j'ai pas besoin de croire qu'on va gagner cette guerre, pour y aller, même pas besoin d'espérer, il suffit que je pense à certaines images et je suis prêt.

Matt lut alors dans ses yeux une telle détermination qu'il sut qu'Horace serait un combattant redoutable. Il n'aurait pas peur. Au contraire, il était de ces rares enfants capables d'inspirer la peur aux adultes.

— On va avoir besoin de gars dans ton genre, confia Matt. C'est bien que tu te consacres à l'entraînement. Content d'avoir fait ta connaissance en tout cas.

— C'est vrai ce qu'on dit à propos de toi et de ta copine ?

Que vous allez descendre sur les terres de la reine Malronce pour lui voler une arme secrète ?

Horace avait dit cela d'une voix contenue, pour ne pas s'emporter, toutefois Matt percevait la tension derrière chaque mot. C'était plus qu'une question. Le besoin d'être rassuré.

Matt fronça les sourcils. Il ne pouvait laisser dire ça, car en réalité il n'avait aucune idée de ce qu'ils allaient faire à Wyrd'Lon-Deis.

Pourtant, il ne trouva pas le courage de dire la vérité. Horace semblait accroché à ses lèvres.

— C'est à peu près ça, en effet.

Horace souffla un épais nuage de fumée enveloppante comme s'il avait longuement retenu sa respiration.

— Alors peut-être qu'il y a un petit espoir, dit-il en écrasant sa cigarette à moitié fumée.

Les braseros sous les toiles tendues entre les maisons irradiaient une lueur rouge. Des groupes de Pans s'agglutinaient autour pour parler à voix basse. Partout où Matt passait, il entendait rebondir le mot « guerre ».

Les étoiles dominaient la cité d'Eden et, en les regardant, Matt songea à ce qu'aurait pu en dire Tobias : « Elles sont si loin que leur lumière nous parvient avec des années de retard ! »

Peut-être qu'elles étaient déjà toutes éteintes en réalité, que le cosmos n'était plus que ténèbres depuis la Tempête.

Elles sont là, au-dessus de nos têtes, vivantes seulement en apparence. Et s'il en était de même pour nous ? Si les Cyniks s'apprêtaient à nous balayer ?

— Matt ? appela un garçon. Je t'ai cherché partout. Viens, je crois que quelque chose va t'intéresser.

Matt mit plusieurs secondes avant de le reconnaître à cause de l'obscurité : c'était le garde qu'il avait vu le matin même près de l'entrée sud.

— Tu as retrouvé ma chienne ?

— Non, pas exactement, mais ça la concerne. Viens, dépêchons-nous.

Et le garde se mit à courir vers les portes sud de la ville.

7

Cris et lumières

Matt scrutait l'horizon noir dans l'espoir d'y discerner un mouvement mais la nuit était trop profonde sur la plaine. À peine distinguait-il les pentes des collines.

— Écoute ! lui commanda le jeune garde.

Au loin, un hurlement plaintif grimpa de la forêt. Le hurlement se répéta avant de se muer en jappements saccadés.

— C'est un chien, n'est-ce pas ?

Matt acquiesça.

— Je crois que c'est elle, c'est Plume.

— On dirait qu'elle appelle.

Matt serra les poings.

— Comme si elle était prise dans un piège ! J'y vais !

Le garde le retint aussitôt par le bras :

— La Forêt Abondante de jour, ça va, mais la nuit… Tu ne devrais pas t'y aventurer ! Tous les prédateurs sortent chasser !

— Je ne vais pas abandonner Plume alors qu'elle appelle au secours.

L'autre garde, plus petit en taille mais plus musclé, cheveux noirs et peau foncée, intervint :

— Je viens avec toi, je m'appelle Juan. Va chercher tes affaires, je vais prévenir Gluant pour qu'il nous accompagne.

Matt fonça jusqu'à sa chambre où il s'équipa. Ambre le surprit dans le couloir :

— Tu en fais un boucan ! Où vas-tu comme ça ?

— Chercher Plume dans la forêt, elle hurle depuis un moment.

— J'arrive.

Juan les attendait en compagnie d'un adolescent de quatorze ans, maigre et élancé, manifestement d'origine asiatique :

— Je vous présente Gluant.

— Gluant ? C'est ton nom ? s'étonna Ambre.

— Non, mon prénom c'est Chen.

— On l'appelle Gluant à cause de ses mains quand il est un peu énervé ! expliqua Juan. Chen passe son temps à grimper aux arbres, il le fait depuis qu'il est tout petit, il escalade tout ce qu'il trouve !

— Du coup mon altération s'est développée en conséquence. Je sécrète une substance collante au niveau des mains et des pieds, surtout lorsque je me concentre pour grimper.

Ambre admira le garçon comme si c'était la première fois qu'elle entendait parler de l'altération.

— Tenez, prenez ces lanternes de pied, ordonna Juan en leur tendant des lampes-tempête dont le verre était masqué par un cylindre. Avec ça nous ne serons pas visibles de loin, c'est mieux car la lumière attire pas mal de bêtes sauvages.

La lueur ambrée ne sortait que par le bas et éclairait le chemin et le bout des souliers de chacun. Matt, Ambre, Juan et Chen s'élancèrent, remontant la route qui serpentait à travers les champs en direction des collines du sud.

Ils parvinrent à l'orée de la Forêt Abondante en moins d'une heure. De là ils se guidèrent aux hurlements qui ne cessaient pas, et s'enfoncèrent dans la végétation que la nuit rendait noire et menaçante.

Les yeux jaunes d'un hibou vinrent capturer le peu de lumière qui filtrait des lanternes, et le rapace les observa de sa branche, comme le gardien des lieux, ponctuant leur passage d'un ululement mystérieux.

— Quel genre de créatures peut-on rencontrer ici ? s'inquiéta Ambre.

— Des Mantes transparentes, répondit Juan. Ce sont des insectes fins, d'environ trois ou quatre mètres. Elles sont très agressives et se laissent tomber sur leur proie d'un coup. Et puis les ronces carnivores, de jour on les remarque facilement, il faut être vraiment distrait pour s'enfoncer dans un nid, mais la nuit, ça devient plus compliqué. Si leurs tiges pleines d'épines s'enroulent autour d'une cheville, alors il faut réagir rapidement.

— Il y a les hordes de Sang-Gliés, ajouta Chen, qui sont comme des cochons sauvages en plus gros. Avec eux on ne risque rien tant que nous n'avons pas de blessés, c'est l'odeur du sang qui les attire.

— Tout ça rien que dans cette forêt ? s'étonna Ambre.

— Et bien entendu, les pires ce sont les Rôdeurs Nocturnes.

Matt frissonna, il en avait déjà aperçu un, et sans l'intervention de Plume, Tobias et lui ne seraient probablement plus de ce monde.

— Ce sont les prédateurs les plus redoutables, n'est-ce pas ?

Juan approuva d'un large mouvement de la tête.

— Oh ça oui ! Les Longs Marcheurs qui les ont croisés et qui ont survécu sont rares ! Les Rôdeurs Nocturnes ont une forme humanoïde, du coup certains d'entre nous pensent que c'étaient des humains avant la Tempête.

— Impossible ! protesta Matt. J'en ai aperçu un, et il ressemblait à un monstre, certainement pas à un homme !

— Pourtant c'est ce qui se raconte à Eden. On dit que ce sont les pires criminels de l'ancienne vie, des tueurs en série, des types sans conscience, des machines à tuer, qui sont devenus ces choses effroyables.

— Et il y en a dans la région ? insista Ambre.

— Les Rôdeurs Nocturnes sont nomades, donc oui, il peut y en avoir. Comme ils ne chassent que la nuit et que nous, nous restons à l'abri d'Eden, il est difficile de vraiment savoir.

— Je saurais reconnaître leur cri, prévint Matt.

— Celui qu'ils poussent lorsqu'ils repèrent leur proie pour

annoncer leur chasse ? À Eden, on dit que celui qui entend le cri du Rôdeur Nocturne est déjà mort.

— Charmant, commenta Ambre tout bas.

Le hurlement les fit tous sursauter.

— Tu crois vraiment que c'est Plume ? demanda Ambre.

— J'en suis certain.

— Je n'ai pas l'impression qu'elle souffre, on dirait plutôt qu'elle appelle.

— C'est vrai. J'espère qu'elle n'est pas prisonnière et en mauvais état. Plus vite nous la retrouverons, mieux ce sera.

Les appels du chien leur parvinrent durant plus d'une heure encore, et il devint évident que l'animal se déplaçait.

— Elle n'est pas blessée ! fit remarquer Ambre. On dirait plutôt qu'elle cherche quelque chose.

— Qu'est-ce qu'elle pourrait pister ? Nous ne sommes jamais passés par ici !

— Peut-être est-ce lié à son ancienne vie ?

— En tout cas si elle en a besoin, je veux pouvoir l'aider. Si cet endroit est dangereux pour nous, il l'est aussi pour elle.

Ils consacrèrent un long moment à tenter de localiser l'animal, à s'en rapprocher. Matt se mit à l'appeler, au mépris du danger.

Rien n'y fit. Plume semblait sourde à ses cris, absorbée par sa recherche.

Soudain, tandis que Matt guidait la troupe, un lézard géant surgit des fougères pour tenter de gober l'adolescent.

L'épée fendit l'air et ouvrit une profonde entaille sur le crâne du reptile qui recula aussitôt pour disparaître dans les ténèbres.

Chen bondit sur le tronc le plus proche et grimpa vers la cime aussi simplement que s'il y avait eu des marches. Il resta perché de longues minutes, puis redescendit vers ses compagnons :

— Je n'ai rien remarqué, il faut se méfier de ces bestioles, elles chassent en groupe. Mais cette fois je pense que c'était un solitaire. Cependant il vaut mieux ne pas traîner, on ne sait jamais…

— J'ai l'impression que ta chienne ne souhaite pas que nous la retrouvions, dit Juan. Ne risquons pas notre vie davantage.

— Ce n'est pas dans ses habitudes, enchaîna Matt. J'aimerais poursuivre encore un peu…

— Juan a raison, le coupa Ambre. Rentrons. Si Plume voulait de nous, elle nous aurait déjà rejoints. Ne t'entête pas.

— Mais je…

— Matt ! intima Ambre sans élever la voix, avec dans le regard l'intensité de celle qui sait. Rappelle-toi notre expérience chez les Kloropanphylles, tu as promis de m'écouter.

Matt soupira et finit par approuver à contrecœur.

Ils firent demi-tour et s'empressèrent de quitter la forêt et ses bruits inquiétants.

Du haut de la colline, Ambre remarqua une lueur rouge et bleu au loin, derrière la cité d'Eden.

— Vous voyez ça ? Chen, peux-tu grimper dans un arbre pour distinguer ce que c'est ?

— Inutile, nous connaissons ce phénomène. C'est une route de Scararmées qui passe.

— Depuis combien de temps ?

— Depuis toujours. Des millions ! Encore et encore ! Ils foncent vers le sud, et d'autres, plus loin, vont vers le nord.

Ambre contempla les deux halos colorés.

— J'aimerais bien savoir ce qu'ils sont, avoua-t-elle.

— Demain je pourrais vous y conduire, proposa Chen, si vous le voulez. Mais il faudra faire attention.

— À quoi ?

— À l'altération. En présence des Scararmées, l'altération est… désordonnée, parfois incontrôlable. Les Pans qui ne la maîtrisent pas ne doivent pas s'en approcher. Nous avons eu des accidents graves.

Ambre l'écoutait avec beaucoup d'étonnement.

Et tandis qu'ils dévalaient la pente, Matt eut un dernier regard pour la forêt qui retenait sa chienne.

La reverrait-il un jour ?

8

Énergie en bocaux

Le lendemain, à midi, Chen vint chercher Ambre à la sortie de son cours sur les plantes, et Matt les rejoignit non loin du fleuve.

Deux immenses troncs maintenus ensemble par un maillage complexe de cordes et de mâts formaient un pont sur lequel une armée de pêcheurs remontait des lignes pour remplir des seaux de poissons frétillants qui partaient en vitesse vers les cuisines.

Plume n'était toujours pas rentrée et Matt s'angoissait à s'en faire mal au ventre. Il avait un moment caressé l'idée de repartir au lever du jour, profiter de la journée pour tenter de la retrouver, avant d'admettre que c'était inutile. Durant la nuit, Plume avait pris soin de s'éloigner d'eux chaque fois qu'ils l'approchaient. Elle ne *voulait* pas qu'ils la retrouvent.

Sur l'autre berge, le trio passa entre d'immenses granges emplies de fourrage, des étables et des silos à grain.

— Où avez-vous trouvé les vaches ? demanda Ambre.

— Un peu partout, elles erraient sans but, il a suffi de les rassembler, de poser des clôtures et de trouver un Pan qui savait s'en occuper, un fils de fermier. Il nous a tout appris et maintenant nous avons de quoi produire du lait pour toute la ville.

— Et de la viande ainsi que du cuir ! compléta Matt.

— Là-dessus, le débat reste ouvert, la ville est vraiment partagée entre ceux qui ne veulent surtout pas abattre de vache pour la viande et ceux qui estiment que c'est normal. Pour l'instant, il est interdit de les toucher.

Ils sortirent de la ville par la porte nord, et passèrent entre les champs occupés par des troupeaux paissant tranquillement, jusqu'à grimper les pentes des hautes collines. Au sommet, ils se retournèrent pour contempler le bassin où Eden avait été érigée. Le fleuve ressemblait à un ruban bleu sur un écrin doré. La ville comme un sceau gris, aux armoiries des Pans.

À deux heures de marche, ils perçurent un grouillement et, brusquement, une étrange vision apparut.

Une ligne de bitume bordée de végétation et noyée par une interminable procession de scarabées lumineux. Plus nombreux que tous les habitants de la Terre réunis, ils marchaient à toute vitesse, une lueur bleue irradiant leur ventre pour ceux de la voie de droite et rouge pour la file de gauche. Tous avançaient vers le sud, émettant une faible stridulation.

— Hier, tu as dit que d'autres se dirigent vers le nord ? répéta Ambre.

— Tout à fait. À dix kilomètres d'ici. Et ça ne change jamais, l'autoroute est pleine, de jour comme de nuit. Des milliards sont déjà passés par ici et ça semble ne jamais finir.

— Tout de même, il doit bien y avoir une raison.

— Ils ne sont pas agressifs ? s'enquit Matt.

— Pas le moins du monde ! Quand on les prend pour les déposer plus loin, ils traînent un moment avant de retrouver leurs camarades. Le plus amusant, c'est quand on en prend un bleu et qu'on le met avec les rouges. Immédiatement il change la lumière de son ventre et se fond dans le décor.

— Et tu dis qu'ils ont une incidence sur l'altération ? rappela Ambre.

— Oui, je te conseille d'être prudente.

La jeune fille avisa des rochers à quelques mètres de là. Le plus petit ne devait guère peser plus de deux kilos et le plus gros, de la taille d'un cheval, approchait la demi-tonne. Ambre tendit la main dans leur direction et se concentra sur le plus petit.

C'était dans ses cordes, pour peu qu'elle soit attentive à ses sensations.

Il ne se passa rien.

Je suis peut-être un peu loin, si je me rapproche…

Tout à coup le petit s'envola et vint se fracasser contre l'énorme rocher. Un nuage d'éclats et de poussière retomba.

— Oh la vache ! lâcha Matt stupéfait.

— Je t'avais prévenue, s'exclama Chen.

— Ce sont les Scararmées ! conclut Ambre. Ils dégagent une énergie dont notre altération doit se nourrir. Je suis sûre que je peux faire encore mieux, j'ai à peine senti l'effort.

— Sois prudente ! implora Chen. Ils ont produit des accidents !

Ambre se concentra sur le rocher intermédiaire, plusieurs dizaines de kilos de la taille d'un tabouret. Elle ne chercha pas tout de suite à le déplacer, s'appliqua à bien le percevoir, jusqu'à en deviner le relief par la pensée. Lorsqu'elle fut prête, elle fit le vide en elle pour emmagasiner l'énergie. Il allait en falloir beaucoup pour mouvoir une masse pareille.

Puis, à la manière d'un lance-pierre dont l'élastique en tension est brusquement lâché, Ambre projeta toute sa force mentale en direction de la pierre.

Celle-ci explosa en un millier de particules, et aussitôt, le rocher voisin se souleva en arrachant des mottes de terre pour s'envoler sur plusieurs mètres et finir sa course contre un peuplier brisé net par l'impact.

Matt et Chen, la bouche grande ouverte, contemplaient le cratère à leurs pieds.

Ambre s'effondra, épuisée.

Matt s'empressa de la rattraper. Elle battait des paupières et un drôle de sourire étirait le coin de sa bouche.

— J'adore ces scarabées, souffla-t-elle avant de s'évanouir.

Ambre prit les choses en main. Son malaise n'avait été que

passager, et elle obtint qu'une salle soit mise à sa disposition à Eden. Elle récupéra des bocaux en verre et multiplia les allers-retours avec Matt pour les remplir de Scararmées.

En fin d'après-midi, Maylis et Zélie entrèrent dans la pièce. Ambre avait repoussé les chaises sur les côtés, les bancs tout au fond, et une estrade trônait avec un tableau et une demi-douzaine de bocaux remplis d'insectes lumineux.

— Je vous présente l'académie de l'altération ! s'enthousiasma Ambre.

— Que projettes-tu d'en faire ? demanda Zélie.

— Un lieu de travail sur notre altération, pour apprendre à mieux la connaître afin de la décupler. Les Scararmées dégagent une énergie supplémentaire dont on doit pouvoir se servir en la canalisant.

— Et tu te sens prête à diriger ces travaux ? s'enquit Maylis.

— Je vais poursuivre la formation de Long Marcheur le matin et je serai là tous les après-midi, jusqu'à notre départ. Ensuite, il faudra trouver quelqu'un pour me remplacer.

Elle jeta un bref regard à Matt.

Le garçon était à la fois surpris qu'elle se lance dans ce projet et en même temps fier d'elle. Ambre avait toujours su se débrouiller avec l'altération, elle trouvait les mots justes et possédait suffisamment de maîtrise d'elle-même pour en percevoir les mécanismes avec plus d'aisance que la plupart des Pans.

— À propos de votre départ, rebondit Zélie, nous sommes en train de former le commando qui vous accompagnera jusqu'à la forteresse de la Passe des Loups.

— Ambre et moi continuerons en direction du sud, et Ben veut se joindre à nous.

— Il nous a fait part de son souhait. Nous pensons que c'est une bonne idée.

— Je crois que nous aurons besoin d'aide, c'est un très long voyage, rappela Matt. Un groupe petit pour être discret mais assez étoffé pour faire face à toutes les situations.

— Nous pouvons ajouter des volontaires si tu le souhaites.

— Non, je préfère les recruter moi-même. Je pense à Chen.

— S'il est d'accord, le Conseil ne s'y opposera pas.

— Je reviendrai avec d'autres noms dès que je me serai décidé.

— Wyrd'Lon-Deis est très loin d'ici, n'est-ce pas ? Combien de temps pensez-vous mettre pour vous y rendre ?

— Aucune idée. Plusieurs semaines sûrement. Nous improviserons au hasard de nos rencontres.

— Nous allons nous organiser pour vous fournir ce que nous avons de plus précieux : des chevaux.

Ambre secoua la tête :

— Le plus urgent, c'est de prévenir tous les clans de Pans, les Longs Marcheurs auront plus que nous besoin des chevaux. Laissez-les-leur.

— Votre voyage ne servira à rien s'il est trop long, insista Maylis. Si vous revenez dans trois mois et que la guerre est finie, à quoi bon ? Nous aurons très vite besoin de ce que vous allez trouver !

Ambre inclina la tête, confuse :

— Mais nous ignorons totalement ce que nous allons trouver !

— Si Malronce envoie autant de soldats capturer les Pans pour cette quête, c'est qu'elle est primordiale ! Et Malronce n'est pas du genre à chercher un objet pour la paix dans le monde ! Ce qu'elle veut est donc capital, et nous devons le découvrir avant elle !

Ambre acquiesça.

— Nous ferons de notre mieux, dit-elle.

Et tandis qu'Ambre exposait les méthodes qu'elle comptait suivre pour travailler l'altération, personne ne remarqua la silhouette qui les épiait à travers l'une des fenêtres de la grande salle.

Neil.

9

Organisation et confidences

Les Pans affluaient de toute la ville pour apercevoir l'acadé-mie de l'altération.

Le soleil déclinait vers l'ouest, et les lanternes s'allumaient un peu partout sur le passage des badauds. Certains s'y présen-taient pour s'inscrire, mais la plupart ne venaient qu'en simples curieux et le registre tenu par Ambre peinait à se remplir. En constatant le manque d'enthousiasme, Melchiot, membre du Conseil d'Eden, sauta sur un tabouret et harangua la foule :

— Avez-vous déjà oublié ce qui nous a été annoncé hier ? Nous sommes en guerre !

— Justement ! cria une adolescente. Nous voulons savourer ce qu'il nous reste à vivre ! Pas étudier !

— C'est votre manque de motivation qui va nous faire tuer !

— De toute façon quelle chance avons-nous de les battre ? fit remarquer un autre garçon.

— Si nous restons ainsi à ne rien faire : aucune ! Mais si nous nous préparons, nous pouvons réussir un exploit !

— Ce n'est pas en un mois qu'on apprendra à se battre !

Juché sur le tabouret le garçon pointa son doigt vers celui qui venait de parler :

— Écoutez-le ! Il a raison ! Nous ne pourrons pas défier les Cyniks à leur propre jeu ! Par contre nous avons nos propres forces ! L'altération ! Tous ensemble, nous pourrions nous en servir pour les renverser !

— La plupart d'entre nous ne savent même pas la contrôler ! opposa une autre fille.

Ambre sortit du bâtiment et leva la main pour imposer le silence.

— C'est justement pour cela que l'académie existe, dit-elle

assez fort pour être entendue de tous. Et pour vous démontrer que nous avons fait une découverte majeure !

Ambre fit signe à la foule de s'écarter pour dégager la rue entre elle et la façade d'un bâtiment. C'était une grange dont le toit s'était effondré. La jeune fille souleva les étoffes qui masquaient les bocaux à ses pieds. Les Scararmées brillaient en rouge et bleu.

Ambre défit les couvercles et se concentra.

Les halos colorés dansèrent sur la jeune fille à la manière d'un gyrophare.

Elle tendit la main vers la grange.

Plusieurs Pans ricanèrent.

Ambre agitait ses doigts, ouvrant et refermant la main comme pour palper à distance les murs fendus.

Elle prenait un gros risque, elle n'avait pas assez pratiqué, et ne connaissait encore rien de l'énergie dégagée par les Scararmées.

Puis elle se sentit prête et, doucement, commença à agir par la pensée sur la matière qu'elle devinait à dix mètres d'elle.

Le bois grinça, la charpente se tordit, les parois de planches se mirent à couiner et tout d'un coup le toit se souleva. Une poutre, puis une seconde vinrent s'assembler sous le faîtage, avant que le toit ne se remette en place, dégageant un nuage de poussière et de sciure.

La foule se tut, médusée. Ambre relâcha sa concentration et s'appuya sur Chen pour ne pas vaciller. Elle avait la tête qui tournait, soudainement épuisée.

— Voilà ce qu'on peut faire avec l'altération ! lança Melchiot du haut de son tabouret.

— Personne, à part cette fille, n'est capable d'un pareil exploit ! contra un garçon au milieu de l'attroupement.

Ambre se reprenait. Elle inspira complètement pour retrouver un peu de force :

— Ce sont les Scararmées qui démultiplient mon altération.

Venez tous et vous serez bientôt en mesure d'accomplir des prouesses bien supérieures à celle-ci !

Cette fois les discussions fusèrent pêle-mêle dans le public. Tous avaient entendu parler d'incidents de l'altération liés aux Scararmées, mais personne n'en connaissait les causes. La démonstration à laquelle ils venaient d'assister était assez probante pour faire taire les plus sceptiques.

Une adolescente aux longs cheveux blonds s'approcha :

— Ambre, tu peux vraiment nous aider à développer notre altération ?

— Avec les Scararmées à nos côtés, nous serons en mesure de faire trembler toutes les armées des Cyniks, crois-moi.

— Alors j'en suis.

— Moi aussi ! Je veux venir ! s'écria un jeune homme.

— Je suis intéressé également !

— Et moi !

— Inscris-moi ! J'ai toujours cru en l'altération ! fit un autre.

En quelques secondes, la moitié de la foule se bousculait aux portes de l'académie et Ambre dut les faire reculer pour organiser les inscriptions.

S'ils manquaient cruellement de guerriers, les Pans, en revanche, n'auraient pas de problème du côté de l'altération.

C'était toujours ça de gagné.

Matt venait de terminer le tour de la ville en longeant les remparts de rondin, du côté extérieur, en sondant l'horizon. Il espérait toujours le retour de Plume. À la tombée de la nuit, il se résigna à rentrer et alla prendre des nouvelles de Mia.

Son état n'avait pas évolué, ses plaies, surtout celles de la cuisse, suppuraient encore. Elle tremblait et transpirait abondamment.

Matt resta à son chevet un long moment.

Ils se connaissaient à peine, et pourtant l'adolescent se sentait proche d'elle. Il l'avait libérée de l'anneau ombilical qui l'asservissait, ils avaient fui ensemble Hénok, les Cyniks et les Mangeombres, survécu au crash du dirigeable du Buveur d'Innocence, autant d'exploits qui avaient tissé entre eux un lien.

Matt inspecta le nombril de la jeune fille, la boursouflure rose était encore bien suintante. L'anneau ombilical était ce que les Cyniks avaient inventé de pire.

Puis Matt partit vers le Hall des Colporteurs dans l'espoir d'y croiser Floyd, Jon ou Nournia. Il n'avait pas envie de rester seul ce soir et savait Ambre bien trop occupée à l'académie.

En remontant la rue, il longea la vitrine éclairée du Salon des Souvenirs et décida d'y entrer.

Si Eden était en grande partie bâtie avec des matériaux de récupération, le Salon des Souvenirs était le centre névralgique de cet hymne à l'ancien monde. Il ressemblait à un saloon des films de cow-boys, avec ses boiseries partout, son bar interminable, ses tables rondes et la scène pour l'orchestre. Sur ses murs : des dizaines et des dizaines de photos de familles, couples avec des enfants, familles entières avec les grands-parents et même les chiens, clichés du petit frère ou de la grande sœur, sans oublier les photos de classe.

En reconnaissant Maylis et Zélie sur l'une d'elles, Matt comprit que c'étaient les habitants d'Eden, les Pans et leur famille avant la Tempête.

Il réalisa alors qu'il n'avait aucun souvenir de ses parents. Il n'avait jamais glissé de photo dans son portefeuille, et lorsqu'il avait quitté son immeuble, l'idée ne lui était pas venue d'en emporter, persuadé qu'il était de revoir un jour ses proches.

Il n'avait jamais eu la possibilité de dire adieu à son père et à sa mère. À présent, il regrettait tous ces moments passés avec eux sans vraiment prendre conscience de leur présence. De leur amour. Lui qui n'avait jamais pu leur dire qu'il les aimait.

— Salut.

Matt cligna les yeux pour sortir de ses pensées et aperçut Horace assis au bar.

— Ça plombe le moral, pas vrai ? fit Horace.

Matt approuva sans un mot. Il tira la haute chaise la plus proche et s'installa à côté du garçon aux cheveux noirs. Horace avait une curieuse tête : son nez était un peu gros, ses sourcils broussailleux, son menton trop en avant, et s'il n'était au final pas séduisant, il dégageait toutefois une impression rassurante.

— Alors, tu as arrêté de fumer tes cigarettes infectes ?

Horace fit la moue.

— Pas tout à fait. Mais je me suis remis à faire du sport. J'ai l'impression qu'arrêter de fumer c'est plus difficile que ce que je croyais.

— Tout ce que les adultes ont inventé de profondément inutile est difficile à arrêter, sinon ces inventions stupides n'auraient pas duré dans le temps : la cigarette, l'alcool, la drogue… On devrait le savoir avant de commencer !

— La milice est en train d'organiser des cours de combat pour nous préparer à la guerre. Chacun reçoit une affectation. Moi je serai dans l'infanterie. Faut que je manie la lance. J'aurais préféré les lance-pierres ou les arcs, mais faut dire que je suis mauvais au tir ! Et pour la cavalerie faut déjà savoir monter à cheval, vu qu'on n'en a pas beaucoup…

— Et tu ne sais pas ?

— Ah non ! Pas du tout même ! J'ai grandi à Chicago ! Je suis très fortiche en ligne de métro ou en skate-board, manque de bol l'un comme l'autre ne serviront à rien pour gagner cette guerre !

— Chicago ? C'est un sacré voyage jusqu'ici.

Horace acquiesça, l'air pensif.

— Tu as une photo de tes parents sur ce mur ?

— Non, fit Horace. Je n'ai pas pensé à en prendre quand je suis parti. C'était la panique. Il y avait un blizzard terrible, il faisait froid, des chiens sauvages sillonnaient les rues, les animaux du zoo s'étaient échappés et les Gloutons commençaient à sauter sur tout ce qui passait à proximité. Je suis parvenu à retrouver deux potes, et on s'est dépêchés de fuir.

— C'était pareil à New York. Vide et flippant.

— J'ai eu la chance de rencontrer un autre groupe de Pans en sortant de Chicago, et on s'est installés dans un ancien complexe sportif. On y a survécu pendant cinq mois, avant de croiser un Long Marcheur qui nous a dit que beaucoup de survivants se rendaient au centre du pays pour y fonder une ville. Nous avons suivi ses indications et c'est comme ça que je suis parvenu à Eden. Il paraît que des nuages noirs occupent tout le nord désormais. Je me demande si Chicago est dessous.

— Au sud, chez Malronce, le ciel est tout rouge, j'en ai aperçu l'horizon. Faut croire qu'on est pris entre deux feux.

— Mouais… Je me demande bien où tout ça va finir. T'as dîné ?

Horace commanda deux assiettes et deux verres d'Hydromiel et expliqua à Matt qu'ici tout était gratuit, chacun travaillait pour soi et pour la communauté. À tour de rôle, on alternait et tout le monde y trouvait plus ou moins son compte. Leur survie en dépendait.

Ils bavardèrent une bonne partie de la soirée, Matt raconta son périple chez les Cyniks et Horace lui confia sa haine pour les soldats de Malronce qu'il avait vus attaquer ses amis lors de leur migration vers Eden. Horace avait été le seul à s'en sortir. Il était parti dans la forêt pour trouver un point d'eau et à son retour les Cyniks frappaient ses copains pour les faire entrer dans les cages des Ourscargots.

— C'est pour ça que cette guerre ne me fait pas peur. Je compte bien rendre coup pour coup. Faut juste que je trouve ma place dans notre armée, et ça, c'est pas gagné ! Parce que franchement, l'infanterie, tout le monde bien rangé, bien obéissant, c'est pas mon truc !

— Pourquoi tu ne rejoindrais pas l'académie de l'altération, peut-être que tu…

Horace pouffa.

— Mon altération ne nous fera pas gagner la guerre !

— Et pourquoi pas ?

— Et pourquoi pas ? répéta Horace en imitant la voix de Matt.

Ce dernier stoppa net le verre qu'il portait à ses lèvres.

— C'est exactement moi ! Comment tu fais ?

— C'est mon altération. L'imitation. Pratique pour gagner la guerre tu crois ?

— Tu peux prendre toutes les voix que tu entends ?

— Avec un peu d'entraînement, oui. Et c'est pas tout, admire !

Le front d'Horace se crispa, ses sourcils se détendirent et semblèrent s'allonger, ses pommettes se haussèrent, ses lèvres perdirent du volume, après plusieurs secondes Horace était devenu méconnaissable. D'une voix caverneuse, qui ne ressemblait plus à la sienne, il lança :

— Je peux déformer mon visage autant que je veux !

— Tu peux prendre la même tête que quelqu'un ?

— Non, tout de même pas, mais je réussis à altérer mes traits suffisamment pour qu'on ne puisse pas me reconnaître. Alors, tu crois qu'on peut terroriser les Cyniks avec ça ?

— C'est génial, tu ne devrais pas te moquer de toi-même. Comment ça t'est venu ?

— J'étais un peu le comique du groupe, tu vois le genre ? À toujours prendre des voix différentes, à faire des grimaces, à imiter tout le monde. C'est juste que maintenant, je n'imite plus, je recopie le timbre de la voix.

— Je trouve ça hallucinant.

— Pour amuser la galerie c'est sûr, pour survivre dans ce monde, c'est moins pratique.

Matt demeura silencieux une longue minute, à scruter le garçon d'un air pensif.

— C'est à cause de ce qui est arrivé à tes amis que tu es devenu plus…

Matt cherchait le mot juste.

— Cynique, termina Horace avec une grimace. Probablement, oui.

Matt lui tendit la main :

— En tout cas j'ai passé une excellente soirée.

Matt dormait.

Un sommeil lourd, de ceux qui ne laissent aucun souvenir de rêve.

En se couchant, chaque soir, il espérait recevoir la visite du Raupéroden à travers ses songes. Qu'ils se confrontent enfin, qu'ils se sondent l'un et l'autre. Matt lui laisserait toutes les portes ouvertes, pour qu'il le trouve, et pendant ce temps lui-même fouillerait l'intérieur du monstre dans l'espoir d'y déceler la présence de Tobias.

Mais il ne venait plus.

Le cherchait-il encore ? Certainement, mais la distance entre eux était telle que le Raupéroden ne parvenait pas à localiser l'émanation de ses rêves. Cela viendrait, tôt ou tard, Matt le savait.

Lorsqu'on toqua à sa porte, Matt crut un instant que c'était lui.

Ce n'était qu'un garde de la milice.

— Matt, il faut que tu viennes voir !

— Quoi ? Qu'est-ce qui se passe ? Un orage ? C'est ça ? Il y a un orage au loin ? Avec des éclairs partout, comme des mains ?

Le garde le regarda avec curiosité, comme s'il s'agissait d'un fou.

— Non, pas du tout, c'est… c'est ta chienne.

Soudain les dernières volutes du sommeil le quittèrent et il se dressa, totalement réveillé.

— Plume ? Vous l'avez retrouvée ?

— Eh bien… En fait, on ne sait pas vraiment.

— Comment ça ? Elle est là ou pas ?

— Il faut que tu viennes voir pour le croire.

Matt attrapa son manteau noir et se précipita dans le couloir.

10

Une surprenante cavalerie

Trois gardes se cramponnaient à leurs lances lorsque Matt arriva en courant.

— Je leur dis qu'il faut fermer les portes tout de suite et sonner l'alerte ! rapporta le plus petit du groupe.

— N'importe quoi ! Il n'y a rien à craindre ! Je ne te laisserai pas réveiller toute la ville pour ça !

— Qu'y a-t-il ? s'écria Matt. Où est Plume ?

— À toi de nous le dire !

Les gardes s'écartèrent et Matt sonda l'obscurité des champs. Des nuages bas masquaient la lune et il n'y voyait rien.

Des ombres. Des silhouettes.

Des créatures assises dans la nuit, observant les remparts d'Eden de leurs yeux brillants.

La lune apparut et la plaine sortit des ténèbres.

Ils étaient des centaines.

Grands comme des chevaux. Assis sur leur train arrière, attendant un signal.

Des chiens partout. Le poil ébouriffé, la masse imposante, le museau levé. Matt se figea. Il ne savait pas s'il devait les trouver mignons comme des nounours ou inquiétants comme des fauves.

Une forme s'avança vers lui, et Plume surgit de l'ombre.

Matt fit un pas dans sa direction et la chienne jappa vers son jeune maître.

— Tu me dis que tu es partie pour ça, pas vrai ? comprit Matt. Voilà ce que tu manigançais dans la forêt ? Tu les as sentis, et tu es partie les chercher !

Plume vint se frotter si fort contre lui qu'elle faillit le renverser.

— Tu vois qu'ils sont gentils ! fit un garde dans son dos.

— Mais qu'est-ce qu'on va faire d'eux ? Ils sont beaucoup trop nombreux !

— Notre cavalerie spéciale, annonça Matt. C'est pour ça qu'ils sont venus. Pour nous aider.

— Euh… ce sont des chiens, géants d'accord, mais rien que des chiens, ils peuvent pas avoir de plan !

— Plume n'est pas une chienne ordinaire, elle comprend beaucoup de choses. Et si elle a été chercher son monde, c'est qu'elle a une raison. Faites-moi confiance, ces chiens savent très bien ce qu'ils font, ils ne sont pas venus par hasard.

Un des gardes déposa sa lance et partit à leur rencontre, d'un pas prudent. Un des chiens s'approcha à son tour et lui donna un coup de tête amical bien qu'un peu brutal.

— Il a l'air sympa ! s'exclama-t-il. On dirait qu'il veut des caresses.

— Ces chiens avaient probablement une famille avant la Tempête, rappela Matt, ils doivent se sentir seuls désormais. Nous allons leur trouver un endroit pour la nuit, demain il faudra les présenter aux habitants d'Eden.

Matt enfouit ses mains dans le pelage soyeux de Plume et la serra contre lui.

Le lever du soleil ressemblait à un matin de Noël.

En découvrant cette armée de chiens géants les Pans se mirent à crier de joie, à les prendre dans leurs bras et à jouer avec eux, pour le plus grand bonheur des animaux.

Ambre et Matt observaient des scènes parfois cocasses, les Pans les plus jeunes ne parvenant pas à se décrocher de leurs nouveaux amis.

— J'aimerais bien savoir d'où ils viennent, fit Ambre.

— Je pense qu'ils formaient un troupeau, ils sont trop nombreux pour que Plume ait pu en rassembler autant en deux jours. Ils se sont regroupés comme nous ici.

— Tu crois qu'ils voyageaient dans l'espoir de retrouver des hommes ?

— Quand je vois combien ils semblent heureux d'être avec nous, je le pense ! La Tempête a modifié leur gabarit, mais n'a probablement pas effacé leur mémoire. Ils ont dû se sentir terriblement seuls pendant ces longs mois.

— J'ai entendu au petit déjeuner que tu proposais d'en faire une cavalerie spéciale ? Tu veux vraiment prendre le risque de les blesser, voire pire ?

— Si les Cyniks remportent la guerre, j'ai bien peur que le sort de ces chiens soit peu enviable. Et tu as vu Plume, elle n'est jamais la dernière lorsqu'il s'agit d'affronter le danger. Elle veille sur nous, comme un chien sur sa famille, c'est ce qu'elle sait faire de mieux. Les autres agiront de même. Notre commando aura tout à gagner à voyager avec eux.

— À ce propos, il faut donner au Conseil les noms de ceux qui nous accompagneront jusque chez Malronce, que nous ayons le temps de les connaître et de les former.

— Ils seront trois. Ben, Chen et un garçon qui s'appelle Horace.

— Horace ? Je ne le connais pas. Il est volontaire ?

— Oui, mais il l'ignore encore.

— Matt, tu ne peux forcer personne, nous risquons de mour…

— Je sais qu'il viendra si je le lui demande. Et nous aurons besoin d'un gars comme lui. À cinq, je pense que nous avons une chance de parvenir jusqu'à Malronce. Ce sera serré, mais j'y crois. Et de ton côté, qu'est-ce que ça donne l'altération et les Scararmées ?

— Il faut trouver quelqu'un pour me remplacer pendant que nous serons sur la route. Tu imagines ce dont nous serons capables si nous parvenons à canaliser leur énergie ?

— On dirait que notre petite armée commence à s'organiser.

Ambre lui rendit un sourire.

— Je n'étais pas très confiante au départ, mais maintenant… Je crois vraiment que nous avons une chance.

Matt croisa les bras sur son torse en guettant les enfants qui jouaient avec des chiens deux fois plus hauts qu'eux.

— Tu ne crois pas ? insista la jeune femme.

— Si, répondit-il sans joie.

Car au fond de lui, même s'il commençait à croire en leur victoire, il savait que ce serait au prix de nombreuses vies. La violence deviendrait leur langage.

Les fondations d'Eden baigneraient bientôt dans le sang.

11

Les préparatifs

Pendant cinq jours, Ambre enchaîna les cours de Long Marcheur le matin et une présence active à l'académie de l'altération l'après-midi.

Elle n'avait plus une minute à elle.

À l'académie, elle entraînait chaque Pan à contrôler son altération et n'autorisait que les meilleurs à pratiquer en présence des Scararmées. Les résultats devinrent vite surprenants. Au-delà de toute attente. Des flashes de lumière surgissaient souvent du bâtiment de l'académie et les Pans qui passaient dans la rue apprirent à ne plus les craindre. On savait désormais que ce lieu était celui de bien des expériences étranges.

Melchiot, un des membres du Conseil, se révéla son meilleur élève. Posé, réfléchi et très volontaire, il savait écouter et se montrer très pédagogue. Son altération était une capacité de feu. Chargé d'allumer les lanternes et les feux de cheminée depuis la Tempête, il avait développé la faculté de produire une forte chaleur au bout de ses ongles. En présence des Scararmées, la chaleur se transformait en flammes qu'il devait maîtriser au prix d'efforts intenses.

Plus les Pans puisaient dans l'énergie des Scararmées, plus leur altération gagnait en puissance, mais plus ils terminaient l'exercice épuisés. Ceux qui se laissaient déborder produisaient des effets démesurés, s'effondraient tout de suite après et ne se réveillaient qu'un ou deux jours plus tard. Ambre et Melchiot s'interdisaient de dépasser une certaine intensité, et s'ils n'avaient aucune idée de ce qu'ils étaient capables d'accomplir à pleine puissance, au moins restaient-ils conscients jusqu'au soir !

Durant ce temps, Matt, lui, en profitait pour se reposer, soigner les ecchymoses et les écorchures qu'il avait en arrivant à Eden. Il faisait le tour de la ville et surveillait les progrès de l'armée. Les ateliers produisaient arcs et flèches en quantité, des archers s'entraînaient chaque jour sur des cibles de plus en plus éloignées. L'infanterie apprenait à se déplacer en groupes, à obéir collectivement à un ordre d'assaut, et tous s'exerçaient au combat rapproché plusieurs heures par jour. La cavalerie n'existait plus. Les derniers chevaux venaient d'être attribués aux volontaires qui accompagneraient les Longs Marcheurs.

À la place, plus de six cents chiens géants répétaient inlassablement les manœuvres avec des Pans sur le dos. Les animaux semblaient prendre leur rôle très au sérieux et se prêtaient aux enchaînements sans rechigner.

S'ils continuaient à ce rythme, les habitants d'Eden formeraient bientôt une armée digne de ce nom.

Vint alors le moment d'envoyer les Longs Marcheurs et les volontaires sillonner le pays pour rassembler tous les clans.

Les volontaires avaient été formés en vitesse, et la plupart étaient terrorisés maintenant qu'approchait le moment de partir, seuls à l'aventure.

Matt et Ambre vinrent saluer Doug.

— Prends soin de toi, dit Matt. Fais gaffe et tiens-toi éloigné des dangers. Ta mission est de nous revenir en un seul morceau !

— J'y compte bien ! La prochaine fois qu'on se reverra, je serai avec Regie et les copains de l'île.

— Il y a un clan auquel j'ai promis de rappeler l'existence à Eden, il s'appelle la Féroce Team, au sud-est, entre l'île Carmichael et la Forêt Aveugle. Ce sont de braves types, ils pourront nous filer un sacré coup de main au combat.

— Je les trouverai.

Ambre lui déposa une tape amicale sur l'épaule.

— Bonne route, dit-elle.

Eden regarda ses messagers se disperser aux quatre vents, porteurs de mauvaises nouvelles et pourtant chargés de revenir avec assez de renforts pour lui offrir un espoir.

Le soir du cinquième jour, Matt était assis sur une barrière d'où il admirait les chiens qui jouaient ensemble, se roulaient dans la terre, se mordillaient et couinaient de joie, lorsqu'une présence étendit son ombre dans le soleil couchant.

— Salut, Matt.

— Mia ?

La jeune fille se tenait sur une béquille, pâle et essoufflée, un bras en écharpe.

— On m'a dit que tu m'avais souvent veillée. Je voulais te remercier.

— Quand es-tu sortie ?

— Ce matin. Il paraît que je suis tirée d'affaire. Pas en grande forme, comme tu peux le constater, mais ça ira bientôt mieux.

— Tu nous as fichu une sacrée trouille ! Je suis content de te voir debout.

— Après tout ce que tu as fait pour nous, je voulais te remercier, je crois que je n'en ai pas eu l'occasion lors de notre fuite.

Matt haussa les épaules.

— C'est normal.

Mia pencha la tête pour dégager ses cheveux blonds et déposa un baiser sur la joue de l'adolescent.

Le lendemain, l'académie fut ravagée par les flammes.

Melchiot avait trop poussé son altération en présence des Scararmées et des geysers de feu avaient jailli de ses doigts avant qu'il ne s'effondre, inconscient. Par miracle, aucun Pan ne fut blessé, et Ambre put sortir Melchiot de l'édifice avant qu'ils ne brûlent vifs.

Pour plus de sécurité, cette fois, l'académie fut installée à l'écart des habitations, tout au nord d'Eden, derrière les étables et les granges, dans une maison en pierre qui servait à entreposer le matériel agricole.

Ambre et Matt se retrouvèrent en début d'après-midi au bord du fleuve.

— Il va falloir que nous nous mettions en route, dit-elle. Nous ne pouvons plus attendre ainsi.

— Le Conseil préférerait que les Longs Marcheurs en provenance du sud soient rentrés avant d'envoyer notre commando, pour que nous ayons les dernières nouvelles de la Passe des Loups, et je crois que c'est sage. Ne fonçons pas tête baissée sans savoir où en est la situation.

— Et s'ils ne rentrent pas ? S'ils sont… enfin, tu sais.

— Pour quelqu'un qui souhaite devenir Long Marcheur, tu ne leur fais pas trop confiance !

— C'est justement parce que je suis leur formation que je prends pleinement conscience du danger que représente le monde.

— Attendons encore un peu.

— Si d'ici trois jours ils ne sont pas de retour, il faudra que nous y allions, tant pis. Les armées de Malronce n'attendront pas que nous soyons prêts.

Matt se rinça les mains dans l'eau claire du fleuve et considéra ses doigts abîmés par les voyages et les affrontements. Son corps tout entier avait changé en un an, ses muscles se dessinaient, et ses joues d'enfant avaient disparu.

— J'ai vu que Mia était sur pied, dit Ambre.

— Oui, depuis hier.

— Vous vous entendez bien tous les deux, n'est-ce pas ?

Matt devina à l'intonation de son amie que quelque chose clochait.

— Pourquoi dis-tu cela ?

— Je vous ai vus hier soir, vous étiez très... proches.

L'adolescent haussa les épaules.

— C'est elle qui...

— Matt, tu n'as pas à te justifier. Je voulais juste te dire que... que je savais, voilà tout. Pour qu'il n'y ait pas de malaise entre nous.

— Pourquoi y en aurait-il un ?

Ambre se mordilla la lèvre.

— Laisse tomber, je suis idiote.

— Non, dis-moi.

— Rien, c'est moi, je raconte n'importe quoi, c'est la fatigue, avec l'académie, je suis éreintée !

Elle se fendit d'un large sourire que Matt devina de façade.

Bon sang, ce qu'il pouvait être maladroit parfois ! Il lui semblait comprendre ce qu'Ambre voulait lui dire, mais il ne parvenait pas à le formuler. Il avait l'impression qu'elle était jalouse.

Comme moi de Ben ?

Il chassa aussitôt cette idée saugrenue. Il n'était pas jaloux de Ben. Ambre ne lui appartenait pas, elle était libre de faire ce qu'elle voulait.

— J'y retourne, j'ai du travail, dit Ambre en se relevant. On se laisse trois jours, et ensuite, quoi qu'il arrive, on part pour les terres de Malronce. Wyrd'Lon-Deis.

Comme si d'en parler avait suffi à déclencher leur présence, les Longs Marcheurs du sud rentrèrent le soir même. Ils étaient trois, dont un était blessé. On l'emporta à l'infirmerie pendant que les deux autres se rendaient au Hall des Colporteurs pour se libérer de leurs équipements avant d'effectuer leur rapport. La cape vert foncé du second était déchirée, ses vêtements rapiécés à la va-vite sur le terrain. Tous sur son passage devinaient qu'il avait dû en baver.

Le Conseil les convoqua en urgence avant le dîner et les deux jeunes hommes entrèrent, l'air épuisés. Philip et Howard, c'étaient leurs noms, déclinèrent leur identité, la durée de leur périple et son but premier :

— ... Trois semaines de route pour collecter des informations sur les mouvements au sud, terminait Phil, s'assurer qu'aucune autre communauté de Pans n'y est installée et visiter les deux déjà répertoriées pour leur communiquer les dernières informations de notre monde.

— Commencez par les mouvements, commanda Zélie. Avez-vous croisé des patrouilles cyniks ?

Phil hocha la tête.

— Plusieurs, nous avons pris soin de les éviter, mais elles étaient nombreuses.

— Il y a plus surprenant, ajouta Howard. J'ai vu beaucoup de groupes de Gloutons filant vers le sud ! J'en ai suivi un pendant deux jours et il a rejoint d'autres troupes, les Gloutons se rassemblent ! Et ils sont très nombreux !

— Ça explique qu'on en voie de moins en moins par ici, ajouta Phil.

— Ils se rassemblent pour quoi faire ? s'alarma Maylis.

— Ils franchissent le passage dans la Forêt Aveugle, enchaîna Howard, pour entrer sur le territoire des Cyniks. Ils sont lourdement armés.

— La Passe des Loups. Ils partent en guerre ? devina Melchiot.

— Ça y ressemblait fort ! De milliers de Gloutons ! Quand j'ai découvert l'étendue de leurs forces dans la plaine, j'avoue avoir pris peur ! J'ai également repéré une patrouille cynik un peu plus loin. Comme moi, elle évitait soigneusement les Gloutons.

Maylis se frotta les mains.

— Si les Gloutons ouvrent un second front sur les terres de Malronce, ça peut nous arranger !

— Il faut en profiter maintenant ! lança un Pan sur les gradins.

— Non, répliqua Zélie, nous ne sommes pas prêts et nous manquons d'effectifs ! Laissons les Gloutons attaquer et si la chance est de notre côté, les armées de Malronce seront affaiblies par ce premier assaut.

— Pourquoi les Gloutons attaqueraient-ils les Cyniks ? fit la voix nasillarde de Neil. Ils vont se faire massacrer !

— Les Gloutons ne sont pas très subtils, rappela Phil.

— C'est vrai, mais ils s'adaptent vite !

Une Pan aux cheveux orange comme les flammes se leva :

— S'ils se retrouvent, c'est donc qu'ils peuvent communiquer entre eux. Peut-être que des Gloutons du sud sont venus les prévenir qu'ils allaient se faire envahir et ils ont décidé de devancer la stratégie de la Reine ?

— C'est prêter aux Gloutons une grande intelligence qu'ils n'ont pas ! corrigea Neil.

Zélie leva les mains pour requérir le silence.

— Longs Marcheurs, fit-elle, pouvez-vous nous dire si la Passe des Loups est accessible ?

— La trouée dans la Forêt Aveugle ? vérifia Phil. Elle ne l'était pas il y a cinq jours, mais je suppose que les Gloutons sont passés depuis. Cependant, une grande bataille doit avoir lieu en ce moment quelque part dans le territoire cynik et je pense que c'est tout près de cette Passe des Loups. Les Cyniks n'ont pas dû mettre longtemps avant de se rendre compte de l'invasion.

Zélie et Maylis se regardèrent.

— Notre commando peut donc s'y rendre, conclut la seconde. Ambre, Matt, avez-vous constitué votre groupe ?

Matt se leva pour lui répondre :

— Nous serons cinq.

— Quatre autres personnes vous accompagneront jusqu'à la forteresse de la Passe des Loups, pour repérer le terrain et préparer notre plan.

— Qui sont ces personnes ?

— Floyd, le Long Marcheur que vous connaissez déjà, leur servira de guide pour le retour, Luiz est notre stratège, Tania, une très bonne archère, et un membre du Conseil.

— Qui ? Son nom ?

Maylis parut moins à l'aise subitement.

— Il s'agit de moi ! fit Neil en se levant.

Matt dévisagea tour à tour Zélie et Maylis. Neil était le plus belliqueux du Conseil, il détestait Ambre et était prêt à la vendre à Malronce, comment pouvait-il faire partie de ce commando ?

Matt se pencha vers les deux sœurs :

— Pourquoi lui ? C'est le pire que vous puissiez envoyer avec nous !

— Nous avons procédé à un vote, expliqua Zélie tout bas, nous n'étions pas bien préparés, c'est lui qui l'a imposé, et Neil a assez d'amis pour s'assurer d'une petite majorité.

Matt pesta en silence. Il l'aurait à l'œil. Mieux vaudrait pour lui qu'il se tienne à carreau.

Maylis reprit la parole, s'adressant à Ambre et Matt :

— Demain nous vous préparerons des vivres.

— Dans deux jours, vous devrez être partis, ajouta Zélie.

12

De huit à neuf

Après dix jours passés à Eden, Matt avait des fourmis dans les jambes. Malgré tous les dangers que représentait l'extérieur, il ne tenait plus en place. Explorer les entrailles du palais de Malronce et percer ses secrets, découvrir pourquoi elle le cherchait et ce que représentait le Testament de roche, voilà qui le motivait ! Mais avant tout il faudrait déjà parvenir à Wyrd'Lon-Deis.

Dès que tout cela sera terminé, je partirai à la recherche de Toby.

L'annonce du départ se propagea dans les rues et plusieurs Pans vinrent le saluer, le féliciter, l'encourager ou tout simplement lui témoigner leur admiration. Comme s'il fallait un courage suicidaire pour se lancer sur les terres de Malronce.

Matt l'avait déjà fait, et il avait survécu, alors pourquoi pas une seconde fois ?

Il faut dire qu'on a tous failli y rester ! Et nous ne sommes même pas entrés dans le domaine de la Reine !

Matt trouva Horace au Salon des Souvenirs, vautré sur une chaise, une de ces horribles cigarettes nauséabondes à la main, le regard dans le vague.

— Tiens, un héros, dit-il en apercevant Matt.

Matt préféra ne pas relever. Il accomplissait son devoir, rien de plus, comme chacun ici serait bientôt contraint de le faire pour sauver sa liberté.

— Alors, tu as trouvé ta place dans l'infanterie ? demanda-t-il.

— Pas vraiment… J'ai demandé à faire partie de ceux qui seraient en première ligne, j'attends leur réponse. Si je dois tomber pendant cette guerre, je peux te jurer que j'emporterai mon lot de Cyniks avec moi !

— Justement, je viens te proposer de leur ficher un grand coup. De les attaquer là où ça va faire le plus mal.

— Explique.

— Tu le sais déjà, Ambre et moi partons pour Wyrd'Lon-Deis, et pour avoir une chance de survivre à cette expédition il nous faut les meilleurs. Je voudrais que tu en sois.

— Moi ? pouffa Horace toutes dents dehors. Non mais tu m'as vu ? Je ne sais même pas tenir une lance ! Mon altération est parfaite pour faire rire les copains ici, le soir, mais certainement pas pour défier la Reine en personne !

— Il s'agit justement de passer dans son dos, nous ne voulons pas d'assaut, nous ne pourrions pas y survivre. Ce qu'il nous faut c'est un groupe sur lequel on puisse compter, des gens costauds mentalement, et très motivés. Je sais que tu es de ceux-là.

Horace leva les yeux au plafond.

— Que Dieu t'entende !

— Je préfère compter sur nous que sur Dieu, si tu veux bien. Alors ? Qu'en dis-tu ?

— T'as attendu le dernier jour pour venir m'en parler ?

Matt se fendit d'un sourire :

— Si je te laisse trop de temps pour réfléchir, tu réaliseras que c'est une mission kamikaze ! Et j'aimerais vraiment t'avoir avec nous.

Horace hocha doucement la tête.

— Bon. Laisse-moi jusqu'à demain, j'ai besoin d'y songer.

— On part à l'aurore.

Horace lui posa la main sur l'épaule :

— Eh bien si je suis là, c'est que tu as un ami de plus, sinon…

Ben avait enfilé son manteau-cape de couleur vert foncé, une sacoche en bandoulière, et une petite hache pendait le long de sa jambe. Chen était vêtu d'une tenue ample d'un brun tirant sur le vert, pour le rendre plus discret encore lorsqu'il grimperait aux arbres. Ambre et Matt avaient retrouvé leurs vêtements de marche, et le garçon appréciait le poids rassurant de sa lame entre ses omoplates. En face de chacun, un chien géant était couché dans l'herbe que les premiers rayons du soleil venaient blanchir. La veille, ils avaient passé près de trois heures dans le pré aux chiens pour se familiariser avec eux, jusqu'à sentir une affinité particulière avec l'un des canidés de la meute. Chacun avait trouvé le sien.

Un peu plus loin, l'autre commando terminait d'équiper les montures en disposant des sacoches sur leurs dos. Floyd avait rasé ses cheveux, il ne lui restait qu'un fin duvet sombre sur le crâne. Il s'emmitouflait dans son manteau-cape de Long Marcheur et veillait sur le reste de son groupe. Une longue adolescente aux cheveux bruns noués en queue-de-cheval, Tania, scrutait tout le monde de ses immenses yeux attentifs, un arc dans le dos.

Derrière elle, un garçon plus petit, au type mexicain, enfilait des gants en cuir. Neil, ses rares mèches blondes en bataille, attendait, adossé à son chien, un brin d'herbe entre les dents.

Zélie et Maylis, accompagnées d'une dizaine d'autres Pans, circulaient au milieu de la troupe pour souhaiter bonne chance à tous.

Horace apparut soudain face à Matt, en lui tendant la main :

— Général, j'ai entendu dire que vous recrutiez ?

Matt le salua d'une bourrade dans l'épaule et pointa du doigt le pré aux chiens :

— Dépêche-toi d'aller te trouver un compagnon à quatre pattes.

— C'est déjà fait, dit-il en s'écartant pour désigner une boule de fourrure noire et marron dont les yeux étaient à peine visibles sous les poils trop longs. Je l'ai choisi parce qu'il est aussi moche que moi ! On devrait s'entendre !

Zélie parvint au niveau de Matt et Ambre.

— Nous allons poursuivre le travail de l'académie, dit-elle en s'adressant à Ambre. Melchiot s'en charge. Avec un peu d'espoir, une partie de notre armée sera capable de prouesses formidables d'ici quelques semaines.

— N'oubliez pas de développer un système pour transporter les Scararmées, précisa Ambre, pour l'instant ils supportent bien la vie en bocaux, mais ça n'est pas pratique.

— Bien sûr. Philip et Howard vont reprendre la route du sud d'ici à trois jours, pour surveiller la Passe des Loups. Dans moins d'un mois j'espère que nous aurons reçu suffisamment de renforts pour y expédier nos troupes.

— Malronce doit mobiliser cinq armées, ça lui prendra du temps, rappela Matt qui se voulait rassurant. Ses quinze mille hommes sont sa force mais aussi sa faiblesse, ils seront longs à déplacer.

Ben se mêla à la conversation :

— Si tout se passe bien, dans dix jours Floyd avec son commando de reconnaissance sera de retour. Vous aurez le temps de préparer votre stratégie d'attaque. En ce qui nous concerne, tout dépendra de ce que nous trouverons à Wyrd'Lon-Deis. Nous ferons tout notre possible pour vous rejoindre à la forteresse de la Passe des Loups avant la bataille. Sinon... nous serons derrière les lignes ennemies.

Matt insista :

— Vous devez absolument conquérir la forteresse ! Sinon, tout notre plan échouera !

— Nous y parviendrons.

Zélie serra la main à chacun d'eux.

— Peut-on avoir confiance en Neil ? demanda Matt lorsque ce fut son tour.

Zélie glissa un regard vers le grand adolescent.

— C'est un extrémiste, il est parfois dangereux, murmurat-elle, mais il est aussi très intelligent et peut avoir de bonnes idées. Gardez un œil sur lui mais sachez aussi l'écouter.

— Nous avons découvert que beaucoup de Pans finissent par trahir en vieillissant, ils ne se sentent plus chez eux parmi les enfants et gagnent le sud pour s'enrôler auprès de Malronce. Neil doit avoir dix-sept ans, c'est l'âge critique.

Zélie approuva d'un air sombre.

— En effet, nous l'avons également remarqué. Ici, le phénomène prend un peu plus de temps, c'est vers dix-huit ans, mais soyez prudents, on ne sait jamais.

Ben se pencha vers elle :

— J'ai dix-sept ans, et je peux vous garantir que rien ne m'attire chez les Cyniks !

— C'est parce que tu es sur la route tout le temps, peut-être que la solitude...

Ambre l'interrompit :

— Ce n'est pas une fatalité ! Tout le monde n'est pas voué à rejoindre le camp des Cyniks en grandissant ! Arrêtez de dire ça !

Sa colère jeta un froid, et Zélie les salua après avoir renouvelé ses encouragements.

Mia s'approcha de Matt, elle marchait péniblement, toujours à l'aide d'une béquille.

— C'est le grand jour, dit-elle.

— Oui, fit Matt soudain mal à l'aise à l'idée qu'Ambre assiste à la scène.

— Je compte sur toi pour revenir vite et en bonne santé, évite les flèches et les barres d'acier, ça fait des dégâts, je suis bien placée pour le savoir ! plaisanta-t-elle en souriant.

— Je vais essayer.

Mia voulut se tourner pour s'éloigner mais elle trébucha. Matt la rattrapa au passage, les longues mèches blondes de la jeune fille recouvrirent ses épaules. Elle resta accrochée à lui plusieurs secondes et, lorsqu'elle se releva, sa joue frôla celle de Matt.

— Tu vas me manquer, chuchota-t-elle.

Matt se sentit rougir violemment.

La moitié de la ville s'était rassemblée sur les trottoirs de bois, tandis que les neuf voyageurs s'élançaient. La foule leur adressa des petits signes en guise d'adieu. L'admiration et la tristesse se lisaient sur les visages.

Tous les regardaient comme s'ils n'allaient plus jamais les revoir.

Et Matt avait la désagréable sensation d'être un héros condamné à disparaître.

13

Des visages dans les ténèbres

Dormir était le pire.

Dans cette grotte tapissée d'ossements, Tobias pouvait attendre, se recroqueviller dans son coin, étudier le moindre son en priant que ce ne soit pas le Dévoreur qui approchait, mais dormir relevait de l'exploit. Dormir c'était se rendre totalement vulnérable, c'était s'abandonner corps et âme à cette caverne, et au monstre qui venait y puiser sa nourriture.

Épuisé, le garçon somnolait par intermittence, et se réveillait en sursaut.

Son cœur passait du rythme lent de l'assoupissement à l'emballement explosif de la peur. La poitrine douloureuse, la bouche sèche, il restait aux aguets sans jamais parvenir au repos. Sans même tenter de s'extraire du trou qui était devenu sa cabane protectrice.

Il n'avait même pas eu la force de s'intéresser aux formes prisonnières comme lui de cet endroit effrayant.

La phosphorescence du gypse irradiait tout juste assez pour que Tobias puisse apercevoir d'autres silhouettes en position fœtale.

Il ignorait tout du temps qui passait. Étaient-ce des heures ? Des jours ? Tobias comptait en survies. En repas que venait prendre le Dévoreur et dont il réchappait.

Déjà trois.

Combien étaient-ils ici ? Une dizaine tout au plus. À ce rythme-là, tôt ou tard, ce serait son tour. La chose entrerait, se faufilant par la porte gluante, le gypse lumineux s'éteindrait, elle déploierait sa masse abjecte, marchant sur les crânes pour palper ses victimes, jusqu'à en choisir une qui lui conviendrait et ce serait son tour. Alors c'en serait fini de lui.

Tobias détendit ses jambes engourdies. Son talon heurta quelque chose de creux qui roula, provoquant aussitôt des frémissements parmi les autres proies prisonnières.

Pour la première fois depuis qu'il était là, Tobias cessa de vivre à travers sa peur, et une pensée rassurante lui traversa l'esprit.

Son champignon.

Il enfouit immédiatement la main dans sa poche et en ressortit son fragment de champignon brillant. La lueur spectrale envahit sa partie de la grotte.

— Qu'est-ce que c'est ? fit une voix fluette toute proche.

— Range ça ! ordonna une autre. Tu vas l'attirer !

Un squelette presque entier gisait aux pieds de Tobias, le crâne à l'envers.

Des émotions contradictoires se bousculaient en lui. Toutes les formes de terreur, mais aussi un peu de force, un soupçon d'espoir. Et il fit alors ce qu'il n'aurait jamais cru possible : il se dégagea de l'anfractuosité où il se cachait et avança un peu dans la caverne. Des dizaines et des dizaines de squelettes recouvraient le sol. À chaque pas, Tobias écrasait une cage thoracique, une vertèbre ou un tibia.

Il ne savait pas ce qu'il faisait mais bouger devenait vital. Cela le rassurait, et dans cet enfer, ce soupçon d'activité prouvait qu'il était encore en vie.

Il descendit la pente douce de la grotte. Le plafond n'était pas très haut, trois mètres tout au plus, en revanche la profondeur formait un boyau sans fin.

— Retourne dans ton coin ! chuchota quelqu'un. Tu veux tous nous faire mourir !

Tobias l'ignora. La vie reprenait ses droits en lui. Il ignorait comment il réagirait si le Dévoreur surgissait d'un coup, n'avait d'attention que pour le contrôle de son corps et de son esprit qu'il retrouvait peu à peu, repoussant le filet paralysant de l'épouvante.

Peu à peu, il comprit qu'il se trouvait quelque part *dans* le Raupéroden. Pas dans ce voile qui claquait aux vents et d'où sortait un visage difforme, mais au-delà, dans le monde de cette créature. Il avait franchi un passage.

Son monde à lui, ses amis, tout cela était resté au-dehors, très loin désormais.

Inaccessible.

Ne pas se laisser envahir par la mélancolie, se commanda-t-il. *Chasser toutes les émotions noires qui neutralisent la pensée.*

Le garçon continua d'avancer, lentement, dans le froid. Il réalisa qu'il avait les pieds et les mains glacés. Allumer un feu lui aurait fait du bien, mais c'était impossible, pas dans une grotte sans aération directe, et de toute façon il n'avait pas de quoi le faire surgir.

— Je... Je te connais, murmura quelqu'un tout proche.

Tobias s'arrêta et tendit le champignon vers la voix.

Un garçon aux vêtements déchirés se couvrait le visage pour se protéger de la clarté, accroupi entre deux blocs de pierre.

Tobias discerna un nez tordu, une longue balafre... Il avait déjà vu ce visage.

— Franklin ! s'écria-t-il tout bas. Le Long Marcheur !

Il se souvenait parfaitement de lui, il avait combattu à leurs côtés sur l'île Carmichael, l'île des Manoirs.

— C'est bon de voir une tête amicale ! dit-il en venant se serrer contre lui.

— Toi aussi, il t'a eu, le fantôme noir ?

— Le Raupéroden ? Oui.

— Il veut Matt, il m'a torturé pour savoir où le trouver, c'est Matt qu'il veut absolument.

— Sais-tu pourquoi lui et pas un autre ?

— Non, c'est un démon, un monstre, il est capable de faire des trucs insupportables. Tout ce que je sais, c'est qu'il est sur terre pour attraper Matt. J'espère qu'il ne l'aura jamais.

— En attendant c'est nous qu'il a capturés. Tu sais où nous sommes ?

— Dans son garde-manger !

— Et cette créature qui vient, je l'appelle le Dévoreur, c'est la vraie forme du Raupéroden, c'est ça ?

— Je n'en sais rien.

— Tu es là depuis combien de temps ?

— Je l'ignore. J'ai l'impression que ça fait des années. Parfois j'ai l'impression d'être devenu à moitié fou.

— Tu ne manges pas, tu ne bois rien ?

— Non, j'ai faim et soif mais curieusement, je ne m'affaiblis pas, c'est comme si cette grotte nous maintenait en vie.

— En attendant de devenir le repas du Dévoreur !

— Ce que je peux te dire, par contre, c'est que le Dévoreur, comme tu dis, choisit son festin parmi ceux qui ont le plus peur.

— Le plus peur ? répéta Tobias.

— Oui, on dirait qu'il apprécie les plus terrifiés.

— Je parie que c'est son âme qu'il nourrit avec nos peurs !

Plusieurs crânes roulèrent soudain et Tobias leva vivement le champignon, craignant que le Dévoreur ne soit entré.

Colin rampait sur les os. Les larmes coulaient entre les boutons de son visage aux traits grossiers.

— Aidez-moi, supplia-t-il tout bas, je ferai tout ce que vous voudrez !

— Mais c'est le garçon qui a tué le vieux Carmichael ! s'exclama Franklin en attrapant une pierre.

Tobias stoppa son geste.

— Laisse-le, c'est un pauvre type. Un couard et un menteur, mais il ne mérite pas ça.

— Tu le connais ?

Tobias soupira.

— C'est en grande partie à cause de lui si je suis là.

— Et tu le protèges ? s'indigna Franklin.

Tobias haussa les épaules.

— Il a toujours agi par peur et par bêtise. Je le plains.

Colin était à présent tout près. Il tendit la main vers la jambe de Tobias.

— Pardonne-moi ! gémit-il. Je ne savais pas ce que je faisais ! Je ne savais pas que c'était une créature si monstrueuse ! Je croyais qu'il s'occuperait de moi ! Pardonne-moi, je t'en supplie !

Tobias l'esquiva.

— Arrête de me coller. Tu l'as bien cherché.

— Protégez-moi ! sanglotait Colin. S'il vous plaît ! Ne le laissez pas me manger !

Franklin jeta un coup d'œil à Tobias.

— On dirait qu'il est prêt pour passer à la casserole, dit-il sans joie.

Tobias se pencha vers lui :

— Colin ! Reprends-toi ! Si tu continues comme ça, c'est toi que le Dévoreur va choisir la prochaine fois ! Tu dois évacuer ta peur, tu dois te maîtriser !

Colin se mit à pleurer de plus belle.

— Je ne peux pas ! Je ne peux pas ! J'ai peur !

Franklin s'écarta du garçon.

— Ne reste pas à côté de lui, conseilla-t-il à Tobias, il va attirer le Dévoreur !

C'est alors que la porte émit le grincement caractéristique et tous les prisonniers frémirent en même temps.

La peur la plus primale envahit Tobias, malgré toute sa volonté, malgré les barrières mentales qu'il avait décidé d'élever, et il se jeta à travers la caverne pour rejoindre son trou.

En se cognant contre la paroi, il réalisa qu'il avait lâché son champignon et il décida de l'abandonner. Tout plutôt que de retourner le chercher, pas avec le Dévoreur dans la pièce.

Il regretta aussitôt son geste.

Car à présent le Dévoreur était éclairé par la lueur argentée.

Une énorme araignée noire luisant comme du vinyle, de gros poils sortaient de ses articulations. Ses mandibules s'agitaient dans l'air, au-dessous de huit yeux ténébreux. Ses pattes coulissèrent rapidement pour la propulser au centre de la grotte d'où elle commença à palper les formes recroquevillées qui tremblaient.

Certains gémissaient, d'autres s'étranglaient de sanglots.

Puis le Dévoreur s'arrêta face à Colin qui suppliait, le visage déformé par le désespoir et l'épouvante.

L'araignée le palpa de ses pattes avant.

Et elle s'avança pour le saisir.

Colin hurla, roula sur le sol comme un enfant qui fait un caprice et, lorsque les pattes tentèrent de l'attraper à nouveau, il poussa dans leur direction un autre prisonnier qui fut soulevé instantanément.

Le Dévoreur l'enfourna sans hésitation.

Colin tremblait, et geignait, au bord de la folie.

Tobias avait la chair de poule.

Il fallait qu'il sorte d'ici. Vite.

Très vite.

Et pour cela, il ne pouvait compter que sur Matt et Ambre.

DEUXIÈME PARTIE

Voyage au Purgatoire

14

Créatures de la nuit

Matt marchait avec Ben, en tête du convoi. Leurs chiens gambadaient à côté, portant l'essentiel des sacoches de vivres et de matériel.

— Tu penses qu'on va mettre combien de temps pour parvenir à la Passe des Loups ? s'enquit Matt.

— À pied il faut environ six jours, parfois un peu plus. À dos de chien, je dirais la moitié.

Toute la matinée, les chiens les avaient portés avec un plaisir évident. Au début de l'après-midi, l'expédition avait décidé de les laisser se reposer une heure ou deux.

— Tout dépendra si nous empruntons les pistes ou si nous taillons notre propre chemin, ajouta Ben.

— Il reste des pistes praticables ?

— Oui, d'anciennes routes que la végétation n'a pas encore complètement noyées, les Longs Marcheurs y passent souvent, ça facilite la progression et le repérage. L'inconvénient c'est que les Cyniks les empruntent également. Nous pourrons ouvrir notre voie mais c'est beaucoup plus long, il faut faire des détours et les chiens ne peuvent pas galoper, surtout en forêt.

— Restons sur les routes, nous serons vigilants.

Ben approuva.

Un peu plus tard, Ambre remonta jusqu'au niveau de Matt :

— Ce doit être dur pour toi de quitter Eden, lui dit-elle.

— Comme pour tout le monde je suppose. Le plus difficile c'est de ne pas savoir ce qui nous attend.

— Je veux dire : pour Mia. Tu laisses derrière toi quelqu'un avec qui il se passe manifestement quelque chose.

Matt leva les bras au ciel :

— C'est juste une amie !

Ambre ricana, la voix moqueuse :

— Bien sûr ! J'ai vu comment elle se comporte. Et ce matin, sa petite chute ! Ah ! Quelle comédienne !

— Qu'est-ce que tu insinues ?

— Oh, Matt ! Ne me dis pas que tu n'as rien remarqué ! Elle l'a fait exprès pour que tu la rattrapes !

— Pas du tout, elle est affaiblie, je te rappelle !

— Oui, bien sûr !

Ambre secoua la tête, agacée par la naïveté de Matt. Elle continua de marcher avec lui un petit moment puis pressa le pas pour rejoindre Ben. Matt l'observa qui discutait avec le Long Marcheur et cela lui rappela l'île des Manoirs, lorsqu'elle passait des heures en sa compagnie, soi-disant pour en apprendre davantage sur le métier de Long Marcheur.

De temps en temps, elle regardait en arrière, en direction de Matt.

Elle minaudait, il le voyait bien.

Ben lui plaisait.

Après cinq minutes, Matt en eut assez de ce petit manège et avertit tout le monde qu'ils remontaient sur leurs chiens pour l'après-midi.

Autant le groupe d'Ambre et Matt se débrouillait bien à dos de chien, autant celui de Floyd peinait à trouver ses marques. Luiz ne tenait pas en équilibre malgré le petit tapis qui protégeait le dos de chaque animal ; il devait se cramponner au pelage et semblait encore plus épuisé que sa monture après une heure de trot rapide. Tania s'en sortait bien, alors que Neil et le Long Marcheur n'étaient pas du tout à l'aise.

Les neuf chiens ne semblaient pas souffrir d'être ainsi chargés, ils filaient à bonne vitesse, les uns derrière les autres, parfaitement disciplinés, suivant le grand husky blanc et gris de Ben. La plupart ressemblaient surtout à des bâtards, d'immenses corps hirsutes avec des têtes de nounours, et quelques-uns semblaient être des chiens de race, un mètre quatre-vingts au garrot, mais de race tout de même. Tel le saint-bernard que montait Ambre ou le berger australien de Chen.

Tous s'étaient amusés à leur donner un nom. Et lorsque Horace avait baptisé son chien Billy, Ambre s'était exclamée :

— Billy ? Ce n'est pas un nom de chien ! Tu ne peux pas l'appeler Billy, voyons !

— Et pourquoi pas ? Il mérite tout autant qu'un humain de s'appeler ainsi ! Ce sera Billy et rien d'autre !

Et ils avaient beaucoup ri.

Pour Matt, c'était une relation nouvelle avec Plume. Elle était parmi les plus petits chiens du groupe, mais il la devinait excitée comme aucun, prête à courir pendant des heures. Elle avançait la truffe en l'air, les babines frémissantes, fière de galoper avec son maître.

Le soir, en établissant le bivouac, Matt éprouva toutes les peines du monde à s'asseoir pour manger, il avait les fesses et les cuisses courbatues et douloureuses.

Ben alluma le feu, ce qui rappela Tobias à Matt. D'habitude, c'était lui qui s'en chargeait.

Il eut un pincement au cœur.

— Nous avons bien avancé pour une première journée, je suis satisfait, constata le Long Marcheur.

Ils s'étaient installés au bord de la piste, une étroite bande d'herbes tassées au milieu d'une végétation plus dense. Le feu se mit à crépiter et on libéra les chiens de leurs sacoches. Pendant que les Pans déroulaient leurs sacs de couchage, les animaux s'éloignèrent ensemble en reniflant les troncs d'arbres et les bosquets.

— Que doit-on craindre le plus maintenant que nous nous

sommes éloignés d'Eden ? demanda Horace en roulant un peu de tabac dans sa paume.

— Pour l'instant, nous sommes trop au nord pour tomber sur des patrouilles cyniks, mais ouvrons l'œil tout de même, répondit Ben. Je sais qu'il y a pas mal de Basilics fourchus dans le secteur, alors évitez de trop traîner près des points d'eau où ils établissent leurs nids.

— Le Basilic ? s'inquiéta Ambre. Ce n'est pas cet animal mythologique censé transformer en pierre quiconque le regarde dans les yeux ?

— C'est exactement ça. Sauf que le Basilic fourchu ne te transforme pas *vraiment* en pierre. On l'appelle ainsi parce qu'il est tellement flippant que la plupart de ceux qui l'ont croisé sont restés paralysés de peur.

— Et ça ressemble à quoi ? s'enquit Matt.

— À un grand tigre roux, avec des yeux jaunes gigantesques, plusieurs rangées de crocs, des sabots fourchus avec une seule griffe au milieu, mais quelle griffe ! Longue et capable de trancher n'importe quoi !

— Bah, j'espère qu'on n'en croisera pas ! fit Horace en roulant son tabac dans du papier fin.

Matt tendit l'index vers la cigarette :

— Tu ne vas pas arrêter, alors ?

— Bientôt...

— Tu parles comme un adulte.

Horace alluma la cigarette.

— C'est parce que je fume comme eux.

Un nuage malodorant s'envola et Matt recula pour ne pas en perdre l'appétit. Leur repas était en train de cuire sur le feu.

Après dîner, ils s'étaient tous rassemblés autour des braises, allongés dans leur duvet. Les chiens venaient à peine de revenir et s'étaient allongés en cercle, comme pour former un rempart protecteur.

Les Pans discutaient à voix basse, se confiant leur existence passée. Matt remarqua que la convenance de ne pas aborder ce sujet parfois sensible avait totalement disparu ici, dans ces conditions un peu particulières. En tendant l'oreille, il entendit Neil raconter à Luiz et à Chen qu'avant la Tempête, il jouait de la guitare dans un groupe de Métal et qu'il détestait le sport.

Ambre et Tania devisaient ensemble, si bas que Matt ne put comprendre un mot. Il se tourna vers les autres, Ben, Floyd et Horace. Ce dernier fumait une autre cigarette, couché sur le dos, admirant les étoiles, pendant que les deux Longs Marcheurs confrontaient leur connaissance de la région qu'ils traverseraient le lendemain.

Soudain il vit une lumière vive et colorée surgir au-dessus d'un bois. Une autre lueur suivit et Matt, subjugué, contempla le ballet aérien de deux papillons géants dont les ailes brillaient tels de puissants néons électriques. Du bleu, du vert et du violet pour l'un ; l'autre, le plus grand, palpitait de rouge, orange et rose. Ils se tournaient autour, et malgré les trois ou quatre cents mètres de distance, Matt avait l'impression qu'ils étaient de l'envergure d'un petit avion de tourisme.

— Ce sont des Luminobellules, expliqua Ben alors que tous les admiraient en silence. Elles ne sortent que la nuit, et je crois qu'elles ne brillent que pour se séduire, avant la reproduction.

— Tu en sais des choses sur une faune qu'on découvre à peine, s'étonna Matt.

— C'est notre tâche de Long Marcheur, observer, déduire, et rapporter. Tous ensemble, au fil des mois, nous constituons une bibliothèque de connaissances à Eden, que tous les Longs Marcheurs consultent sans cesse. C'est un nouveau monde, il y a tout à faire.

Ambre le couvait des yeux.

Matt soupira d'agacement.

Puis quatre autres Luminobellules sortirent du bois et dessinèrent à leur tour des arabesques colorées dans la nuit.

Les Pans assistèrent à ce spectacle féerique pendant plus d'une heure, dans la douce tiédeur des braises, avant que le sommeil ne vienne les happer.

Le lendemain, en fin de matinée, les chiens venaient de ralentir pour passer un raidillon où la piste se rétrécissait, lorsque le groupe entendit un sifflement lancinant, au loin dans les arbres.

Matt fronça les sourcils. Il n'aimait pas ce son. Ben était juste devant lui, il hésita à élever la voix pour ne pas faire remarquer leur convoi, puis estima que ce pouvait être important :

— Ben ! Tu as une idée de ce que c'est ? On dirait un cri, un appel peut-être. J'ai tout de suite pensé à un Rôdeur Nocturne.

— Possible. Mais ils ne chassent jamais de jour. C'est peut-être un animal en rut.

— J'ai croisé un Rôdeur Nocturne une fois, et il a fui dès que Plume est arrivée. C'est un bon point pour nous ! Ils ont peur des chiens.

— C'était il y a longtemps ?

— Disons… huit mois de cela. En quittant New York.

— Les Rôdeurs Nocturnes s'adaptent vite. Si depuis ils ont goûté à la chair de chien, ils n'en ont certainement plus peur !

— T'es drôlement rassurant…

Dès que la piste le permit, les chiens reprirent leur rythme de croisière : un trot rapide. Matt commençait à s'y habituer, il le trouvait à présent plutôt agréable, un bercement régulier.

Lors de la pause du midi, Matt entendit à nouveau le sifflement perçant, bien plus distant, et cela le tranquillisa un peu.

Lorsqu'il replaça les sacoches sur le dos de Plume, le sifflement se répéta, et un autre, de l'autre côté de la forêt, lui répondit.

— Quoi que ce soit, ça communique ! avertit-il. Tout le monde est armé ?

— Moi j'ai mon garde du corps, dit Floyd en sortant une épée de son fourreau. Je l'ai piquée à des Cyniks !

Chen leva le rabat en cuir de ce qui lui servait de selle et montra une petite arbalète avec deux arcs l'un sur l'autre pour tirer deux coups simultanés. Horace avait emporté un bâton poli à pointe d'acier. Tania attrapa son arc et Ben sa hache.

Ambre, Luiz et Neil demeuraient les mains vides.

— Que ceux qui n'ont pas d'armes restent au milieu, on ne sait jamais. Ben, peut-on s'éloigner de cette forêt ?

— Non, pas avant d'atteindre les grandes plaines, demain au plus tôt.

Matt se mordit la lèvre. Il n'aimait pas ces sifflements.

— Alors redoublons d'attention, dit-il avant de se mettre en route.

Le soir, Matt dut se plier à la majorité pour accepter d'allumer un feu qu'il jugeait dangereux. Il trouvait les flammes trop voyantes dans la nuit, l'odeur de leurs boîtes de chili con carne trop puissante, craignant qu'elle n'attire tous les prédateurs de la nuit, et même lorsque les chiens partirent faire leur tour, il les estima trop longs à rentrer.

Tout l'inquiétait.

Il n'avait plus entendu de sifflement depuis la fin d'après-midi, pourtant l'angoisse le tenaillait. La fatigue avait beau peser sur ses épaules, il attrapa son baudrier parmi ses affaires et l'enfila pour sentir son épée dans son dos. Il hésita mais laissa finalement son gilet en Kevlar.

— Tu devrais te détendre, lui suggéra Ambre. La route va être longue jusqu'à Wyrd'Lon-Deis.

— Je préfère m'assurer que nous y parviendrons tous indemnes.

Il entreprit de faire le tour du campement sous l'œil curieux de Plume.

— Il est toujours aussi nerveux ? demanda Tania en détachant ses longs cheveux bruns.

Ambre observait, songeuse, son ami.

— Il est préoccupé, répondit-elle sans le lâcher du regard.

Ils dînèrent en silence, fatigués et songeurs. Grâce au rythme de leurs montures, ils allaient atteindre la Passe des Loups d'ici à deux jours. Il faudrait la franchir. Étudier la forteresse, et la traverser afin d'entrer au pays des Cyniks.

Jamais ils ne s'étaient sentis aussi vulnérables et en même temps chargés d'une mission aussi vitale.

Autour des flammes dansantes, ils réalisaient que le destin de leur peuple se jouait peut-être en ce moment même, rivé à leurs choix, à leurs actions.

Matt s'endormit enfin, après s'être tourné et retourné dans son duvet pendant plus d'une heure.

Le feu s'était éteint, et les chiens ronflaient doucement autour du campement.

Le cri aigu et saccadé, presque un rire monstrueux, tira Matt brutalement de sa couche. En un instant, il fut debout, l'épée à la main, comme s'il attendait ce signal depuis le début.

15

Funeste rencontre

La pénombre noyait les environs, les troncs et les fourrés n'apparaissaient que par taches noires au milieu d'un voile gris-bleu.

Les deux Longs Marcheurs, toujours aux aguets, émergèrent rapidement.

— Tu l'as vu ? chuchota Ben tout près de Matt.

— Non. Il va se déplacer dans les branches, c'est ce qu'il faut écouter.

Neil rampa jusqu'à eux.

— C'est un Rôdeur Nocturne, pas vrai ?

Ni Ben ni Matt ne prirent le temps de répondre, trop concentrés sur leurs sens amoindris par l'obscurité.

Les chiens se mirent à grogner, tous ensemble, ce qui était encore plus stressant.

Le cri de hyène hystérique reprit, en hauteur parmi les arbres, avant qu'un second cri ne lui réponde, tout près.

— Non, corrigea Matt, pas un mais deux Rôdeurs Nocturnes. Neil, vérifie que tout le monde est réveillé et prenez vos armes. On forme un cercle autour des cendres du feu.

Ses compagnons, moins prévoyants, durent se rhabiller en vitesse avant de saisir arbalète, arc, épée et bâton et de se rassembler.

Avisant qu'Ambre n'était pas armée, Matt lui tendit son couteau de chasse.

— Prends au moins ça !

— Non, je me débrouillerai mieux sans, dit-elle en serrant contre elle son sac à dos comme si elle protégeait un bien précieux.

Soudain une silhouette blafarde jaillit des fourrés, sauta par-dessus la meute de chiens excités et se retrouva face aux adolescents avant même qu'ils puissent réagir.

Elle avait la forme d'un homme affublé de membres fins et noueux. Le crâne difforme, tout en longueur, ne ressemblait en rien à une tête humaine. La peau laiteuse collait à des os sans chair, et la mâchoire proéminente découvrit une rangée de crocs acérés. Dans la nuit, les yeux étroits luisaient d'une lueur jaune.

Des griffes courbes et tranchantes sifflèrent si rapidement à leurs oreilles que personne ne put intervenir.

Matt tenta pourtant de lui fendre le bras d'un coup de lame.

Il entendit le hurlement d'un des garçons tandis que le Rôdeur Nocturne pivotait vers lui à une vitesse stupéfiante.

Le poignet de Matt fut heurté aussitôt et un violent coup dans son épée la projeta trois mètres plus loin.

Avant même que les autres ne puissent frapper, le Rôdeur Nocturne avait déjà bondi vers les hautes fougères.

— Bon sang, ce qu'il est rapide ! lança Horace.

— Luiz ! s'écria Floyd.

Le jeune Mexicain avait la poitrine ouverte, le tee-shirt

imbibé de sang, il ouvrait la bouche comme un poisson hors de l'eau, l'air hagard.

Neil s'approcha et s'agenouilla sur lui.

Mais il n'eut pas le temps d'intervenir. Le Rôdeur Nocturne jaillit à nouveau de la végétation, projetant une nuée de feuilles, et ses impressionnantes serres se refermèrent sur les chevilles de Luiz pour le tirer dans la nuit.

Ben bondit pour lui planter sa hachette dans la tête.

L'autre Rôdeur Nocturne tomba du ciel et renversa Ben avant de lancer son bras pour décapiter Tania. Le bâton d'Horace se planta dans la main de la créature juste avant que les griffes n'atteignent la gorge tendre de la jeune fille tétanisée.

Horace hurlait de rage et de peur, animé d'un feu bouillonnant.

— Aaaaaaaah ! Crève saloperie !

Matt et Floyd tentèrent en même temps de frapper, le premier avec ses poings et toute la force prodigieuse dont il était capable, l'autre avec son épée.

Le Rôdeur Nocturne esquiva avec une agilité décourageante les deux coups et brandit ses bras monstrueux pour atteindre les deux garçons déséquilibrés.

Matt ne recula pas assez vite et perçut la déchirure de ses chairs au niveau du flanc. Un flot de liquide chaud inonda sa hanche et il tomba à genoux, étourdi par la douleur.

Floyd avait évité la première attaque en roulant au sol, mais dès qu'il leva les yeux il comprit qu'il ne pourrait parer celle qui allait suivre.

C'est alors que le Rôdeur Nocturne s'envola d'un coup, comme giflé par une main colossale. Il décolla, désarticulé, les bras et les jambes instantanément brisés et vint s'encastrer dans un chêne, à huit mètres de hauteur.

Ambre s'effondra dans la foulée, inconsciente.

Luiz hurlait toujours, désespéré, entraîné à l'écart. Deux chiens bondirent mais le Rôdeur Nocturne qui tirait l'adolescent les repoussa de deux violents coups de pied. Il reprit immédiatement Luiz qui se redressait en criant de douleur pour tenter de frapper son assaillant.

Les griffes sifflèrent encore et les deux mains de Luiz s'effacèrent aussitôt. Le pauvre garçon regarda ses blessures sans comprendre.

Le Rôdeur Nocturne le saisit par les épaules et se mit à escalader l'arbre le plus proche avec une rapidité et une facilité irréelles.

Chen venait de le prendre en chasse. Pieds nus, il courut à son tour, à quatre pattes sur l'écorce. Les deux formes ressemblaient à deux araignées se pourchassant, sans se soucier de la gravité.

Tania banda son arc et décocha une flèche qui se planta dans le dos du prédateur. Ben en resta stupéfait. À cette vitesse, le tir tenait du miracle.

Les traits suivants touchèrent chaque fois.

Chen en profita pour saisir le Rôdeur Nocturne par la cheville. Gêné par le poids de Luiz, la créature manqua le premier coup de pied qu'elle tenta. Elle arma le second.

La cinquième flèche de Tania se ficha droit dans ses cervicales. Le monstre se crispa brusquement, demeura paralysé une seconde avant de basculer dans le vide avec Luiz. Chen essaya d'attraper son camarade au vol, mais tout alla trop vite et il dut s'agripper à une branche pour ne pas tomber à sa suite.

Luiz et le corps du Rôdeur Nocturne s'écrasèrent dix mètres plus bas.

Tania et Ben accoururent pour tenter de secourir leur ami.

Luiz clignait des paupières doucement, les yeux fixes comme s'il ne voyait plus.

Il voulut dire quelque chose, mais un filet pourpre coula par ses narines, et il s'affaissa.

Ben le prit contre lui, pour lui dire adieu.

Luiz venait de mourir.

Matt, malgré la douleur et le sang qu'il perdait, parvint à rouler sur le sol pour se rapprocher d'Ambre.

Elle ne bougeait pas, les paupières closes. Il tendit la main sur sa bouche pour s'assurer qu'elle respirait encore et le sac qu'elle retenait contre elle glissa. Une lumière rouge et bleu illumina le visage du garçon.

Plusieurs dizaines de Scararmées s'agitaient dans un bocal.

— Ambre…, murmura Matt tandis que des piques de souffrance électrisaient sa colonne vertébrale.

Matt se cambra, terrassé par sa blessure.

Neil le plaqua au sol et le mit sur le flanc.

— Ne bouge pas ! ordonna-t-il. Tu perds beaucoup de sang !

Floyd se pencha par-dessus les deux garçons.

— C'est profond ? On peut le soigner ? demanda-t-il, inquiet.

— Il se vide de son sang ! Pousse-toi, laisse-moi faire !

— Je croyais que tu ne pouvais guérir que les petites plaies ?

— Si je n'essaye pas, il va y rester.

Matt sentit les mains froides de Neil sur sa peau.

Une violente morsure serra tout son côté gauche. Puis une sensation de brûlure. De plus en plus intense.

Matt voulut se débattre mais Floyd le maintenait et toutes ses forces l'avaient fui.

Matt hurla et son cri résonna dans le silence de la forêt.

Puis la douleur fut trop forte.

Son esprit vacilla tandis qu'il entendait Floyd murmurer :

— C'est fini, Neil. Laisse, tu ne peux plus rien pour lui.

16

Deux voix dans la nuit

Tobias se concentrait sur la maîtrise de ses émotions.

La peur principalement.

Elle agissait sur l'intellect comme une marée noyant un

dessin sur la plage, des vagues inlassables qu'il faut repousser, avec ses marées d'équinoxes, ses périodes d'accalmie. Et Tobias luttait pour préserver le dessin de son esprit, sa personnalité.

Après le départ du monstre, son champignon lumineux, que le Dévoreur semblait ne pas avoir remarqué, comme s'il n'avait pas usage de la vue, avait quelque peu changé l'atmosphère de la grotte. À présent, la plupart des prisonniers pouvaient se voir. Certains avaient même franchi le pas, s'étaient éloignés de leur tanière improvisée pour discuter doucement avec leur voisin. Dans l'ensemble, cela ne durait jamais longtemps, le moindre bruit, même s'il s'agissait seulement du vent, les faisait courir à leur place.

En poussant un garçon dans la gueule du Dévoreur, Colin s'était fait beaucoup d'ennemis d'un coup. Tout le monde le regardait avec haine.

Il fallait s'attendre à des représailles. Tobias se demandait si la vengeance frapperait pendant leur bref sommeil ou au prochain passage du monstre.

Sa relation à Colin était très paradoxale. Il le détestait autant qu'il en avait pitié. Colin méritait cent fois ce qui lui arrivait, et pourtant, Tobias ne pouvait s'empêcher d'éprouver de l'empathie pour ce grand benêt incapable de se trouver une place sur Terre. Il ne se sentait pas à l'aise parmi les Pans, et savait que tôt ou tard les Cyniks prendraient le dessus, alors il était passé de leur côté. Lorsqu'il avait été rejeté par eux, il s'était tourné vers le Buveur d'Innocence, jusqu'à ce qu'il disparaisse dans les eaux du fleuve, après quoi, craignant la vengeance des Pans, il s'était tourné vers son dernier espoir : le Raupéroden.

Colin était un idiot irrécupérable, égoïste et couard, mais tout ce qu'il voulait, c'était avoir sa place quelque part.

À présent, la mer de la peur était à marée basse, réalisa Tobias.

Analyser son environnement le détendait.

L'image de l'araignée géante lui revint en tête, avec ses

membres répugnants, et une déferlante s'abattit sur la plage de son esprit.

Tobias se remobilisa aussitôt pour la contrer, pour reprendre le contrôle.

La créature n'était plus revenue depuis. À peine avait-elle dévoré sa victime qu'elle était repartie par la petite porte, le corps distendu pour parvenir à s'y engouffrer.

Pour la première fois, comme s'il émergeait d'une longue léthargie, il se mit soudain à s'interroger sur ce qui existait au-delà de la grotte. Était-ce seulement la tanière du monstre ? On ne percevait ni lumière ni mouvement.

Les ténèbres pour unique paysage. Et leur imagination livrée à la peur.

Qu'attendait-il en restant là ? *La mort ?*

Non plus maintenant.

Le retour de ses amis ? Ambre et Matt ?

Il faut être lucide, comment pourraient-ils venir jusqu'ici ?

Il n'attendait plus rien.

Alors il se leva et tituba sur les crânes et les os jusqu'à ramasser son champignon lumineux qu'il avait laissé au milieu de la caverne.

— Que fais-tu ? demanda une voix paniquée. Notre lumière ! Laisse-la-nous ! Laisse-la-nous !

— Oui, fit une autre plus loin dans l'obscurité. Prends-la ! Retire cette saleté de clarté ! Nous ne voulons plus voir le monstre lorsqu'il mange !

Tobias remonta vers l'entrée et s'agenouilla face à la porte.

C'était un cercle de bois, semblable à une grille, recouvert d'une matière blanche et visqueuse.

— De la soie d'araignée ? devina Tobias à voix haute.

Il saisit un os assez long, un humérus, et en tâta la substance collante. Il eut du mal à le dégager ensuite, la substance le retenait aussi sûrement que de la Superglu.

La porte restait donc fermée grâce à cette matière dégoûtante, comprit Tobias. Elle opérait une sorte de jointure avec le mur extérieur. Le Dévoreur devait l'appliquer et la retirer à chaque passage.

Les barreaux de la porte étaient suffisamment espacés pour y passer un bras. Tobias prit une inspiration pour se donner du courage et glissa la main, le champignon lumineux entre ses doigts.

C'était une autre grotte, plus petite, et dont le relief dissimulait la véritable profondeur. Tobias sentit un léger courant d'air sur son visage. La pente remontait par là, s'il devait y avoir une sortie, c'était ici, et pas au fond de leur caverne qu'il avait déjà inspectée.

Tobias retira son bras en prenant soin d'éviter la substance collante et planta l'humérus à l'opposé de ce qui ressemblait à des gonds. Il se tourna pour dissimuler ses gestes aux autres prisonniers et entreprit de frotter l'os contre la soie humide. À vitesse normale, c'était presque impossible tant sa texture accrochait, mais Tobias voulait savoir si, dans le Raupéroden, son altération était encore efficace. Ses bras enchaînaient les gestes à toute vitesse, bien plus vite qu'un être normal ne pouvait le faire.

Ça fonctionne ! Je peux encore être très rapide !

En une minute, il avait arraché une partie de la colle du barreau. Il continua jusqu'à dégarnir le pieu sur près de vingt centimètres. Il guetta pour s'assurer que le Dévoreur n'était pas en approche et se remit à la tâche jusqu'à libérer un côté de la porte.

Il poussa, et le bois grinça en basculant un peu avant de se remettre en place. En forçant, Tobias estimait qu'il pouvait passer.

Pour quoi faire ? cria une petite voix en lui.

— Pour aller jeter un coup d'œil dehors. J'en ai besoin. C'est ça ou attendre ici qu'il vienne nous bouffer ! répondit-il tout bas.

Tobias lima encore un peu de substance collante et se faufila.

À peine était-il de l'autre côté, que Franklin surgit derrière la porte.

— Que fais-tu ? s'alarma-t-il.

— Je vais faire un tour, t'en fais pas, s'il y a un moyen de fuir, je reviens vous prévenir.

— Non, tu ne peux pas faire ça, tu vas tomber sur *lui* !

— Je prends le risque. C'est ça ou c'est lui qui finira par tomber sur moi. Tu veux venir ?

Franklin le dévisagea comme s'il avait perdu la raison.

— Pour me faire massacrer ? Certainement pas ! Tu es fou, Tobias ! Complètement fou ! Tu devrais rester ici, regarde-moi, ça fait longtemps que j'y suis, je me tiens à carreau, j'essaye de ne pas avoir trop peur, et du coup il ne me touche pas ! C'est ce qu'il faut faire ! Ne pas se faire remarquer ! Surtout être discret comme un têtard dans sa mare.

— Et quand tu seras le dernier têtard, c'est toi que le serpent mangera ! prophétisa Tobias en reculant dans la pénombre.

Franklin lui adressa un signe de la main, ses yeux lui disaient adieu.

Aussi vite que le lui permettaient ses jambes engourdies, Tobias gagna le sommet de la grotte, vers un coude, puis un second, jusqu'à distinguer un changement subtil dans la profondeur des noirs. Une nuance de gris venait de faire son apparition. Tobias rangea son champignon dans sa poche et remonta en suivant ce qui semblait une lueur extérieure. Derrière un tas de gravats, il découvrit une ouverture sur la nuit où l'air était plus frais.

Tobias eut l'impression de revivre.

Il ne voyait pas encore le paysage, mais devinait de grands espaces, et le froissement du vent dans les arbres.

Sa joie retomba dès qu'il entendit la voix, sifflante et rocailleuse :

— … me nourrir. J'ai faim. J'ai très faim.

— Attends un instant, j'ai à te parler, répondit un homme.

Tobias connaissait cette voix. Il ne parvint pas à l'associer à un visage mais il l'avait déjà entendue quelque part. Ce n'était pas celle d'une créature abominable mais celle d'un être humain et cette pensée le rassura.

Se pouvait-il qu'ils soient sauvés ?

— Dépêche-toi, répliqua celle qui sifflait, comme si elle devait traverser plusieurs puits de cordes vocales avant de jaillir. Je meurs de faim et je sens leur odeur d'ici, ils sont plusieurs à être prêts ! Plusieurs ! Mmmmm…

Tobias réprouva un haut-le-cœur. C'était le Dévoreur, cela ne faisait plus aucun doute.

— Je me suis rendu compte que l'enfant Matt était parvenu à nous sonder pendant que nous étions en train de fouiller son esprit, expliqua l'homme. À cause de ton activité et de celles des autres, pendant que j'explore les Puits d'Inconscience, cela me distrait, et l'enfant Matt a pu nous sentir ! Je ne veux plus de ça !

— Mais… Mais je dois… manger ! C'est ce que je suis ! C'est ma fonction !

— Plus pendant que j'explore les Puits ! s'énerva l'homme.

Tobias entendit les pattes du monstre qui s'agitaient nerveusement.

— Bien… c'est toi qui décides.

— Il ne doit plus se rendre compte dans ses rêves que je suis là à le traquer ! Il nous le faut ! Tu comprends ?

— Oui… il nous le faut. Pour l'assimiler. Mmmm… il sera délicieux !

— Une fois dans ton ventre, il sera en nous pour toujours ! Et rien qu'à nous ! Nous devons mettre la main dessus avant la Rauméduse !

L'araignée recula et soudain Tobias aperçut son imposant ventre poilu et ses pattes arrière. Une goutte de soie laiteuse dépassait de son abdomen, entre les deux petits pseudopodes de sa filière. Tobias posa sa main devant la bouche pour ne pas vomir.

— J'ai faim, gémit la créature de sa voix sifflante.

— Va donc manger ! Mais ensuite, je veux le silence total ! Je vais ouvrir les Puits d'Inconscience, et nous trouverons l'enfant Matt !

Tobias se laissa glisser à l'intérieur de la grotte et se dépêcha de retourner sur ses pas. Il n'avait nulle part où se cacher ici, et s'il tombait nez à nez avec le Dévoreur, le monstre ne chercherait pas plus longtemps son dîner. Il fallait prévenir tout le monde qu'il arrivait. Se cacher. Ou se préparer à vendre cher sa peau.

L'enfant Matt… Cet homme a trouvé un moyen de retrouver Matt sans qu'il puisse le sentir à travers ses cauchemars ! Le Raupéroden va lui tomber dessus sans même qu'il le voie venir !

Après avoir espéré et attendu ses amis, Tobias réalisa que c'était en fait eux qui avaient besoin de lui.

Avant que le Raupéroden ne les engloutisse.

Le temps leur était compté.

17

Un ennemi de plus

Le soleil déposait sa caresse chaude sur le visage de Matt.

La tiédeur lui fit ouvrir les yeux, il avait la gorge sèche, un mal de crâne épouvantable et tout son flanc gauche était aussi sensible que s'il était allongé sur des tessons de verre.

— Il revient à lui ! annonça un visage au-dessus de lui.

Matt voyait flou. Ses yeux mirent plusieurs secondes à faire le point. Visage amical. Cheveux coupés très court.

Floyd.

— Soif…, parvint-il à dire.

On lui versa de l'eau sur les lèvres et il réussit à se redresser lentement pour boire de longues gorgées.

Les souvenirs de la nuit passée lui revinrent. Il inspecta ses environs immédiats et vit la tristesse sur les traits de ses camarades. Ben, Horace et Chen avaient encore les mains pleines de terre.

Matt comprit en voyant le petit monticule derrière eux, un bâton planté à son extrémité avec les gants en cuir de Luiz enfoncés sur le dessus. Ils lui avaient creusé une tombe. Luiz n'était plus.

Soudain affolé, Matt s'agita jusqu'à repérer Ambre qui, heureusement, semblait en bonne santé. Elle croisa son regard et s'approcha :

— Neil t'a sauvé la vie. Ta blessure s'est… refermée.

Matt, dubitatif, souleva sa chemise pour découvrir qu'il n'avait même pas de point de suture. En réalité, il n'avait plus la moindre plaie, rien qu'un gigantesque bleu d'un brun violacé.

— Comment a-t-il fait ça ? Je suis sûr que j'ai saigné ! Regarde, mes vêtements sont imbibés !

— C'est son altération. Il soigne les blessures par le contact de ses mains. Il n'avait jamais guéri plus qu'une foulure ou qu'une plus modeste coupure jusqu'à cette nuit. Ce sont les Scararmées, Matt. Ils décuplent nos facultés au-delà de ce que nous pensions !

— C'est bien toi qui as projeté le Rôdeur Nocturne contre l'arbre, alors ?

— J'ai voulu le repousser et je l'ai broyé !

— Génial ! Voilà de quoi nous protéger mieux qu'une armure.

Ambre laissa apparaître sa contrariété :

— Sauf que nous ne maîtrisons pas le phénomène, nous n'avons aucune nuance. Et l'effort intense me fait perdre conscience. Et quand Neil s'est occupé de toi, sur le coup il n'est parvenu à rien, puis en n'écoutant que lui, il a essayé encore et, bien concentré cette fois, il a capté l'énergie des Scararmées. Cela t'a sauvé, mais il a perdu connaissance et n'est toujours pas revenu à lui.

Matt se leva avec difficulté et se rendit au chevet de celui à qui il devait la vie. Le grand garçon au crâne dégarni était allongé entre leurs sacs, sur son duvet, veillé par Tania.

— Il dort ou il est dans le coma ? demanda-t-il.

— Je l'ignore, j'ai essayé de le réveiller, mais je n'ose insister.

Ben apparut dans leur dos.

— Il va falloir le brusquer. Nous devons partir, nous avons déjà perdu pas mal de temps.

— Les chiens vont bien ? s'enquit Matt.

— Deux sont blessés, mais je crois qu'ils peuvent encore suivre. Nous allons les alléger.

— Et Luiz ? fit Matt d'un ton résigné. Vous l'avez enterré ici, c'est ça ?

— En effet. Floyd m'a dit qu'il était catholique, alors on a essayé de dire quelques mots en rapport avec le Paradis, tout ça quoi.

— On lui a même taillé une petite croix, ajouta Chen.

— Et pour votre mission ? Il était le stratège, celui qui devait noter toutes les failles de la forteresse pour préparer le plan d'invasion, n'est-ce pas ?

— Nous improviserons sur place, affirma Floyd. Avec Tania, on se débrouillera pour faire le boulot. Nous n'avons pas le choix, de toute façon.

Matt hocha la tête en considérant la tombe de Luiz. Il n'arrivait pas à croire que le jeune garçon qui chevauchait encore à leurs côtés hier après-midi était à présent sous cette terre, froid et dur. Jamais plus il ne le reverrait.

Ben le sortit de ses pensées :

— Floyd et moi allons mettre Neil sur son chien, pendant ce temps reprenez toutes vos affaires, nous repartons.

Matt regarda une dernière fois la sépulture de Luiz. D'ici quelques jours elle serait envahie par les feuilles et les ronces et plus personne ne saurait qu'au bord de la route reposait le corps d'un garçon.

Sa mémoire ne survivrait plus qu'à travers eux.

S'ils s'en sortaient.

Ils chevauchèrent à bonne allure toute la matinée, surveillant Neil, sanglé sur son chien, et gardant également un œil sur les deux animaux blessés qui galopaient en retrait sans manifester de signe de souffrance. De toute façon, Matt les sentait si dévoués à leurs jeunes maîtres qu'il serait impossible de les renvoyer ; s'ils venaient à se blesser, Matt les devinait capables de rester jusqu'au sacrifice.

Neil revint à lui, relevant la tête au gré des soubresauts de la chevauchée. Il grimaçait et Matt le vit boire régulièrement. Il revint à son niveau, et lui demanda :

— Comment te sens-tu ?

— Nauséeux. J'ai l'impression d'être malade. Et ma tête va exploser. Et toi ?

— Apparemment tu m'as sauvé la vie. Merci.

Neil haussa les épaules comme si la chose n'avait pas d'importance, qu'il n'avait fait que son travail.

— J'aurais aimé en faire autant pour Luiz.

— À ce que j'ai compris c'était impossible, il est mort presque instantanément. C'est une très grande faculté que tu as là.

— Une très grande faculté qui fait très mal à la tête ! Et mon corps est fourbu, j'ai l'impression d'être passé sous un bus ! Je vais mettre une semaine à m'en remettre.

Matt renouvela ses remerciements et le laissa se reposer.

En fin de matinée de ce troisième jour, un trait noir apparut au loin sur la ligne d'horizon sud. Tandis qu'ils s'en approchaient, le trait ressembla peu à peu à un immense mur posé sur le bord du monde. L'ombre d'une interminable chaîne de montagnes de verdure.

La lisière de la Forêt Aveugle.

Le lendemain, ses contreforts sortirent du flou et son imposante masse prit consistance à mesure que le groupe franchissait les kilomètres.

Matt distingua ce qui ressemblait à une vallée entre ces montagnes végétales, comme si une force prodigieuse s'était ouvert un passage en plein milieu de la Forêt Aveugle pour rejoindre le sud. La Passe des Loups, unique passage entre le royaume des Cyniks et les terres libres des Pans.

Depuis la veille, le convoi redoublait de prudence, guettant tout signe de vie, craignant de tomber sur une patrouille cynik. Pourtant ils n'avaient pas quitté la piste pour autant, privilégiant la rapidité.

La caravane canine progressait plus lentement, il lui fallait reprendre quelques forces, lorsque Ben pointa le doigt vers un minuscule nuage de poussière qui se déplaçait au loin, derrière une butte.

— Ça ressemble à des chevaux en pleine course, lança-t-il, et ça vient dans notre direction.

— Tout le monde à l'abri dans les fourrés ! ordonna Matt.

Tous sautèrent à terre et tirèrent leur monture hors de la piste, à couvert dans un petit bois d'épineux. Matt, Ben et Ambre rampèrent dans les fougères jusqu'au bord de la route.

Le martèlement d'un galop ne tarda pas à résonner, et deux cavaliers apparurent. Ils portaient des armures légères, en cuir noir, les traits dissimulés par des casques. La terre se mit à trembler lorsqu'ils passèrent juste sous leur nez, sans ralentir.

Et Matt remarqua leurs épées et leurs longues dagues effilées.

— Qu'est-ce que deux cavaliers seuls font ici ? demanda-t-il. C'est un peu léger pour une patrouille !

— Des éclaireurs ou des messagers, devina Ben. Il faudra être vigilants, ne pas se faire surprendre par l'arrière, s'ils reviennent.

— Tu crois que les Cyniks ont encore beaucoup de patrouilles dans les environs ? questionna Ambre.

— Je l'ignore, mais il y en avait tellement ces derniers temps… je serais étonné qu'elles soient toutes rentrées.

Ben recula et ils rejoignirent les autres pour se remettre en route.

Ben ouvrait la voie tandis que Floyd fermait la marche, chacun guettant l'horizon pour prévenir tout danger.

— La Passe des Loups est large ? demanda Horace.

— Je ne l'ai jamais empruntée sur plus d'un kilomètre, répondit Ben. Au début elle doit mesurer environ trois ou quatre kilomètres de large. C'est une cuvette de hautes herbes, bordée par un fleuve et encastrée dans la forêt qui grimpe en pente abrupte.

— Comment ne pas se faire repérer par les Cyniks ?

— En longeant la forêt. À partir de ce soir nous n'allumons plus de feu, nous ne galopons plus pour éviter de soulever la poussière, et nous marchons le plus possible à couvert. Nous nous en sortirons.

Horace fit la moue. Il semblait ne pas partager l'optimisme de Ben, mais n'en dit rien.

Ils marquèrent une pause pour dévorer quelques provisions et repartirent en hâte. Ils voulaient rejoindre la Passe des Loups le plus rapidement possible, malgré leur appréhension.

La piste décrivit un long lacet à flanc de colline, avant que les arbres qui l'encadraient ne s'éclaircissent et dévoilent une plaine émeraude et dorée. L'entrée de la Passe des Loups passait par ce long dégagement de hautes herbes. De rares bosquets de conifères et quelques buissons la parsemaient. La cuvette de la Passe semblait toute proche tant la Forêt Aveugle qui l'encadrait grimpait en altitude, pourtant plus de dix kilomètres restaient à franchir à découvert.

— C'est la partie la plus délicate, annonça Ben. Soit nous ne perdons pas de temps et nous tentons de la franchir dès maintenant, mais si des Cyniks prennent la route au même moment ils nous repéreront aussitôt, soit nous attendons la nuit.

— La nuit, trancha Matt sans hésiter. Nous en profiterons pour nous reposer, tout le monde en a besoin, à commencer par les chiens. Et demain matin, nous partirons avant le lever du soleil, pour traverser et entrer dans la Passe.

Ils s'éloignèrent de la piste, dressèrent un campement sommaire, et s'étendirent enfin dans les duvets, les membres douloureux. Les chiens, libérés de leurs paquetages, allèrent se rouler dans l'herbe ou renifler l'odeur d'un gibier pour leur repas.

Neil s'endormit, encore épuisé par son exploit de la veille. Ambre n'était pas plus vaillante, mais tenait bon. Matt savait qu'elle était du genre à ne pas faiblir tant qu'un minimum de force la tenait debout.

Le ciel s'assombrit à mesure que le soleil déclinait, jusqu'à ce que la grande plaine se nimbe de ce clair-obscur propre au crépuscule, une lumière rasante ponctuée d'ombres soufflées par le vent.

Soudain, des points de lumière apparurent à l'entrée de la plaine, au sud-ouest. Des centaines de petites étoiles tremblantes qui se déplaçaient au ras du sol.

Alertés par Tania, les Pans, à l'exception de Neil qui dormait, scrutèrent la progression des lueurs vacillantes.

Des torches.

Des torches qui éclairaient une interminable colonne de silhouettes à la démarche incertaine, parfois claudicante.

— Des Gloutons ! comprit Floyd. Des milliers de Gloutons qui entrent dans la Passe des Loups !

— Ils vont se battre contre les Cyniks, fit Chen, hypnotisé par le spectacle.

— Je ne crois pas, intervint Ben. Regardez en tête du convoi !

Ils fouillèrent la pénombre au pied de la forêt et aperçurent une cinquantaine de cavaliers noirs.

— Ce sont des Cyniks ! reconnut Floyd. Qu'est-ce qu'ils font avec des Gloutons ?

— Ils les guident, déclara Ambre d'un air sinistre. Ils les conduisent vers leurs terres. Les Gloutons ne vont pas faire la guerre à Malronce, ils rejoignent son armée !

— Ce n'était pas prévu dans leur plan ! s'indigna Matt comme un enfant éprouvant une cruelle injustice.

La lutte des Pans contre les adultes, déjà suicidaire, venait de devenir vaine. Même avec un très bon plan et l'effet de surprise, jamais les Pans ne pourraient vaincre les Cyniks et les Gloutons rassemblés.

— Autant rentrer chez nous dès maintenant, proposa Tania. Il ne sert plus à rien de continuer. Il faut prévenir Eden, alerter tout le monde qu'il faut fuir, vite et loin.

— Et pour aller où ? fit Floyd. Les Cyniks nous extermineront ou nous transformeront en esclaves !

— Nous ne changeons rien au plan ! ordonna Ben. S'il faut vaincre une armée de Gloutons, eh bien nous nous battrons ! Nous savions que ce serait difficile, de toute façon !

Tania et Chen le regardèrent, effarés, comme s'il ne mesurait pas la gravité de la situation. Floyd se pencha vers eux :

— En partant pour cette mission, nous savions que nous ne reviendrions peut-être pas, dit-il. Alors autant aller jusqu'au bout.

Ils demeurèrent immobiles, à espionner le serpentin d'humanoïdes qui ondulait dans la plaine, tandis que la nuit tombante faisait briller chaque seconde davantage les points orange et jaune des torches.

L'armée se glissa entre les deux masses de la Forêt Aveugle, dans la vallée, et lorsqu'elle fut totalement aspirée par l'obscurité, les loups se mirent à hurler sous les étoiles.

18

La Passe des...

Les hurlements des loups durèrent plusieurs heures, ils étaient invisibles, mais leurs cris résonnaient, portés par le vent, à l'instar de fantômes hantant la plaine et menaçant tout intrus.

Il devait être trois heures du matin lorsque Matt se réveilla, incapable de dormir plus longtemps. Il ne rêvait plus. Depuis un moment déjà, il n'avait plus aucun souvenir de songe. Encore moins de cauchemar. Le Raupéroden avait-il renoncé à le traquer ? C'était peu probable, quoi qu'il cherchât en Matt, il ne le lâcherait pas tant qu'il n'aurait pas eu satisfaction.

Ou peut-être qu'il est loin. C'est pour ça qu'il ne m'envoie aucun mauvais rêve, il est encore trop éloigné pour parvenir à capter mon inconscient dans l'inconscient collectif.

Matt ignorait si c'était une bonne ou une mauvaise nouvelle. La venue du Raupéroden pourrait mettre en péril cette expédition, mais en même temps le croiser signifiait le défier. Pour récupérer Tobias.

Et s'il était déjà mort ? Si je me trompais, si Tobias était mort à l'instant même où il a été dévoré par ce monstre ?

Alors le détruire serait sa vengeance.

Il rangea ses affaires dans sa sacoche et alla secouer doucement ses compagnons. Il était temps de se remettre en route.

Neil avait retrouvé ses forces, il pouvait se tenir éveillé et n'éprouvait plus de douleur lancinante à la tête.

Ils chevauchèrent à travers la plaine jusqu'à atteindre l'entrée de la Passe des Loups. La lune était désormais masquée par la masse gigantesque de la Forêt Aveugle, une muraille de végétation qui s'élançait de part et d'autre de la vallée, semblable aux pentes d'une montagne escarpée. Ils allaient devoir la traverser sur plusieurs dizaines de kilomètres, en suivant un goulet obscur de quatre kilomètres de large, et en espérant ne croiser ni patrouille cynik ni danger susceptible d'attirer l'attention.

Ils entraient en territoire ennemi.

Les loups se répondaient sur leur passage. Leur présence n'avait pas alarmé les Pans jusqu'à ce que leurs montures se mettent à trembler. La démarche des chiens avait perdu en assurance et leur pelage était tout hérissé.

— Tu sens comme ils ont peur ? s'inquiéta Ambre.

— Plume aussi… Pourtant tu as vu la taille de nos chiens ? Ils n'en feraient qu'une bouchée si les loups attaquaient !

— Sauf si c'est une énorme meute. Peut-être que les chiens le sentent ?

— Je ne sais pas, mais ça ne me plaît pas du tout.

Les loups se turent lorsque l'aurore commença à blanchir le ciel. Les chiens progressaient en file, celui de Ben en tête et Floyd fermant la marche. Avec le jour, ils s'étaient approchés de la lisière de la forêt et Ben mit pied à terre.

— Nous ne pouvons prendre le risque d'évoluer à découvert, la route est à moins de deux kilomètres, des Cyniks pourraient nous apercevoir.

Une fine bande de terre claire se tortillait au loin dans la vallée, tout près d'un fleuve à l'eau sombre. Quelques rochers hérissaient, ici et là, le paysage relativement dégagé, n'offrant que très peu de relief hors les arbres qui tapissaient les pentes de part et d'autre.

Ils avancèrent donc toute la matinée sous les frondaisons, profitant de ce camouflage mais sans pouvoir lancer les chiens au galop, parmi les racines, les branches basses, les terriers et les fourrés drus qu'il fallait contourner. Les deux chiens blessés, celui de Floyd et celui de Luiz, transportaient peu de matériel pour ne pas les fatiguer et ils continuaient de suivre sans ralentir le groupe.

La lumière parvenait chichement dans la vallée, filtrée par les arbres géants de la Forêt Aveugle. Elle s'intensifia à midi, lorsque le soleil vint à l'aplomb de la profonde gorge, pour quatre heures à peine, avant de disparaître à nouveau à l'ouest, derrière les futaies d'un kilomètre de hauteur.

En milieu d'après-midi, Ambre aperçut une maison coincée entre la route et le fleuve. Elle s'arrêta net.

— Ben ! Qu'est-ce que c'est ?

— Je l'ignore, je n'ai jamais été si loin dans la Passe. La forêt descend jusqu'au niveau de la route, on peut s'en rapprocher si vous souhaitez jeter un coup d'œil.

— C'est préférable, intervint Floyd. Je n'ai pas envie de faire un rapport incomplet à Eden.

Les chiens changèrent de direction et suivirent la pente légère en direction du fleuve, sur plus d'un kilomètre et demi avant de s'arrêter. Ben les confia à Horace et Neil et invita les autres Pans à le suivre à pied, en prenant soin de ne pas faire de bruit.

Ils débouchèrent sur de hautes herbes d'un vert éclatant, à une centaine de mètres de la route seulement. La maison apparut, tout en pierre grise, sur deux étages, et coiffée d'un toit en chaume. Deux grosses cheminées fumaient et sur sa façade arrière, on entendait grincer une immense roue entraînée par le courant du fleuve. Une large bâtisse, imposante comme un manoir.

Ses fenêtres fines et hautes semblaient les meurtrières d'un donjon.

— C'est ça la forteresse ? fit Chen entre déception et incrédulité.

— Je ne pense pas, répondit Matt. On dirait plutôt une grande auberge. Les Cyniks doivent s'arrêter ici pour dormir lorsqu'ils traversent.

— Une auberge fortifiée ?

— Regardez les fenêtres, insista Ambre. Ce n'est pas normal. Tania intervint aussitôt :

— C'est un bâtiment de guerre.

— Non, le toit ne serait pas en chaume que l'on peut brûler facilement, mais plutôt en ardoise, les Cyniks savent le faire, je l'ai vu à Babylone, leur plus grande ville.

— Ambre a raison, confirma Ben. Ils n'ont pas d'écurie extérieure, la grande porte à droite, c'est pour faire entrer les chevaux, ils ne laissent rien dehors.

— Pour se tenir chaud ! proposa Chen. L'hiver, les animaux peuvent servir à chauffer une maison.

— Non, le coupa Ben, je vois des traces de coups sur les portes ! Cet endroit a été attaqué !

— Probablement par les Gloutons avant qu'ils ne deviennent leurs alliés, avança Matt.

— C'est possible. Quoi qu'il en soit, cette auberge ne sera pas facilement prenable.

— Il suffira de lancer des flèches enflammées sur le toit, exposa Ambre, tous les occupants sortiront rapidement ! Quel que soit l'usage de cet endroit, il n'a pas été pensé pour se protéger contre des adversaires un tant soit peu rusés.

— À quoi penses-tu ? demanda Matt qui connaissait assez son amie pour savoir qu'elle avait une idée.

— À des animaux. Les Cyniks dorment ici pour se protéger des prédateurs.

— Des Rôdeurs Nocturnes ? s'affola Tania.

— Aucune idée. En tout cas voilà une raison de plus pour que nous restions discrets.

Ils remontèrent vers les chiens. Neil et Horace discutaient, une tige d'herbe entre les dents.

— Alors ? demanda ce dernier.

— Nous allons presser le pas, dit Ben, pour sortir de la Passe des Loups le plus vite possible.

Lorsque la pénombre du soir vint accentuer les ombres de la vallée, le groupe, sans mot dire, se mit à craindre l'arrivée de la nuit. Cette forêt au bord de laquelle ils progressaient entretenait leur malaise. Quels mystères cachait-elle ? Quelles abominations se tapissaient dans ses profondeurs, prêtes à jaillir sous la lune ?

À l'unanimité, ils votèrent pour en sortir et dormir au grand air.

Ils s'installèrent derrière de gros rochers qui les cachaient à la route. Le dîner, froid, fut frugal, et lorsque la fraîcheur nocturne les enveloppa, tous regrettèrent de ne pouvoir allumer un bon feu.

Les chiens, contrairement à leurs habitudes, ne s'éloignèrent guère et rentrèrent à l'abri des hautes pierres, pour se blottir contre leurs jeunes maîtres.

Alors les hurlements commencèrent.

De longues plaintes à peine modulées qui surgissaient de la forêt.

Puis de nombreuses formes sautillantes apparurent.

Grandes et menaçantes.

19

Le mobile

Le Dévoreur était entré pour se nourrir et personne n'avait tenté de le repousser.

Lorsque Tobias était revenu de son exploration extérieure, pour prévenir les prisonniers et proposer de s'organiser pour lutter, pour empêcher le monstre d'entrer dans la grotte, ils avaient tous refusé et s'étaient rencognés dans leurs coins respectifs, en priant pour ne pas être choisis.

L'araignée était passée devant Tobias, et il l'avait sentie *hésiter*.

Alors un raz de marée avait déferlé sur la plage de son esprit, où il s'était représenté son libre arbitre, le contrôle de soi, par un petit dessin. Tout avait soudain été submergé… Et Tobias avait perçu la terreur qui pénétrait ses chairs.

L'araignée aussi l'avait flairée.

Alors Tobias s'était projeté sur sa plage, et avait couru pour repousser l'eau, d'abord vainement, avec ses mains, puis plus efficacement, par la force de la pensée.

L'araignée avait levé les pattes, comme sur le point de le palper et une autre vague gigantesque s'était abattue sur le rivage.

Si haute et si bouillonnante que Tobias avait failli tout abandonner et se laisser balayer, que le monstre l'emporte et que tout soit enfin fini !

Mais la force de vie qui l'animait avait repris les rênes et il s'était jeté face à la vague, pour la contrer, pour faire un barrage de son corps.

Et le temps qu'il rouvre les yeux pour la recevoir en plein visage, elle s'était dissipée. Le Dévoreur s'était tourné pour sonder une autre cavité.

Tobias avait alors fait quelque chose de stupide.

En entendant les cris de désespoir d'une fille que l'araignée saisissait, Tobias s'était redressé, un os à la main, et avait bondi sur le Dévoreur.

Il avait reçu un coup de patte arrière en pleine poitrine et était tombé à la renverse, sonné.

Le temps qu'il revienne à lui, les cris avaient cessé. C'était trop tard.

Lorsque le monstre recracha le squelette chaud de la fille, Tobias pleurait.

Le cauchemar ne prendrait jamais fin tant qu'il n'y mettrait pas un terme, comprit-il.

En définitive, la leçon à retenir était simple : il ne devait compter que sur lui-même.

Tobias regagna la porte dès que le Dévoreur fut parti. L'araignée avait à nouveau enduit le cercle de bois de sa soie collante.

— Je déteste les araignées, pesta Tobias tout bas en saisissant un os pour répéter l'opération de limage.

Lorsqu'il fut dans la première caverne, il grimpa lentement pour être certain que le Dévoreur ne l'attendait pas plus loin, et il aperçut enfin la lueur de la nuit.

Aucune araignée en vue.

Tobias osa un coup d'œil rapide à l'extérieur.

Une lande de roche noire. Des dolmens aiguisés par le vent,

tranchants comme des lames. Une terre aride et sombre, semée de pierres menaçantes.

Tobias remarqua immédiatement l'absence d'étoiles dans ce ciel d'encre. Au lieu de quoi il vit une succession d'éclairs fabuleux et silencieux, des arcs tordus qui illuminèrent l'horizon.

Tobias posa le pied sur cette terre froide et sonda les environs.

Le Dévoreur apparut au loin, il se faufilait derrière une butte, dans ce que Tobias supposa être une autre grotte.

Le jeune garçon monta sur un talus pour tenter de voir plus loin.

Il remarqua très vite la silhouette qui marchait lentement entre les lames minérales et décida de la suivre.

L'absence de végétation rendit l'approche aisée et Tobias fut rapidement à quelques mètres de l'individu.

Une large houppelande enveloppait son corps, surmontée d'un capuchon immense noyant son visage dans l'obscurité. Pour ce qu'il en distinguait, Tobias sut que c'était un humain. Deux mains dépassaient du vêtement, des mains d'homme. Qui tirèrent sur une chaîne rouillée, dégageant une trappe. Une lueur rouge et blanche s'éleva du puits. L'homme se pencha au-dessus et la lumière spectrale envahit son capuchon. Tobias n'était pas dans le bon axe pour voir son visage. Il pesta en silence mais ne prit pas le risque de se faire repérer.

L'homme resta un bon moment ainsi courbé au-dessus du puits avant de secouer la tête et de remettre la trappe en place.

Tobias le suivit jusqu'à une margelle de pierre noire. L'homme souleva le couvercle comme s'il s'apprêtait à humer un bon petit plat. Il posa ses mains de chaque côté du rebord et la même lumière rouge et blanche projeta son halo fantomatique.

Les rayons lumineux déplaçaient des formes, fugitives et diaphanes, pas plus consistantes qu'un filet de vapeur. Tobias vit défiler des visages, puis les motifs transparents gagnèrent en précision et l'adolescent put admirer des paysages, des silhouettes.

L'homme ne bougeait plus, captivé par ce qu'il voyait au fond du puits. Soudain il recula et serra les poings.

Il se mit à marcher autour du puits, lentement, tandis que les images dans la lumière continuaient de s'élever avant de se dissoudre dans la pénombre.

L'homme émit un rire inquiétant, cruel.

Il leva brusquement la main et referma le poing comme s'il venait de capturer une mouche en plein vol.

— Je te tiens ! Cette fois, tu es à moi ! À moi ! La Rauméduse sera battue ! Battue !

Alors sa houppelande claqua au vent et il se précipita sur le puits pour le refermer avant de foncer vers une petite colline au relief agressif.

Tobias hésita. S'il continuait à le suivre, il n'était pas sûr de retrouver son chemin jusqu'à la grotte. Et il ne voulait pas abandonner les Pans à l'intérieur.

— Je dois en savoir plus, murmura-t-il.

Par prudence, il laissa un peu d'avance à l'homme et lui emboîta le pas en cherchant un maximum de repères pour pouvoir rentrer.

Au sommet de la colline, Tobias découvrit avec stupeur une forêt en contrebas. Un interminable labyrinthe d'arbres noueux sans feuilles, aux branches tordues, à l'écorce plissée telle la peau d'un vieillard. Un léger panache de fumée hoquetait dans le ciel depuis une clairière. Le garçon crut distinguer ce qui ressemblait à une petite chaumière, mais il ne prit pas le temps de s'en assurer et dévala la pente à la suite de sa proie tandis qu'elle pénétrait dans cette forêt morbide.

Sa première impression se confirma : la vie avait déserté ce lieu. Tout y était stérile. Les troncs étaient morts et difformes, la mousse sur le sol n'était plus qu'un tapis rêche et les ronces séchées se brisaient au moindre effleurement.

L'homme emprunta un sentier qui serpentait jusqu'à la clairière où se dressait la chaumière. À l'intérieur, un feu de cheminée nimbait les fenêtres rondes d'un halo orangé.

L'homme poussa la porte et disparut.

Tobias se précipita contre l'une des vitres et risqua un œil.

L'homme se réchauffait les mains au-dessus des flammes, ce que Tobias trouva étrange car il ne faisait pas du tout froid.

Ce lieu me permet de vivre sans manger ni boire, peut-être qu'il me prive aussi des sensations.

Tobias se pinça le gras de la main et perçut immédiatement la douleur.

Ouch! Non, c'est pas ça! Alors peut-être que ce type est froid comme la mort! Qu'il n'a pas de chaleur…

Pour l'heure il n'avait surtout pas de visage.

Tobias le vit s'asseoir à une table et ouvrir une magnifique boîte laquée. Un mobile en acier brillant apparut. Différents cercles de fer allant du plus petit au plus grand s'articulaient autour d'une bille métallique. Chaque cercle tournait sur un axe invisible et animait un motif sculpté. L'ensemble semblait ainsi se mouvoir comme par magie, recréant les orbites des planètes du système solaire. Tobias s'aperçut alors que le mobile ne reposait sur rien. Il flottait dans l'air.

Il colla son nez à la vitre et tenta de discerner les motifs des cercles. Leurs balancements lui compliquaient la tâche, néanmoins il reconnut une araignée au centre. Puis un moustique sur l'extérieur. Des éclairs pour le plus grand cercle, celui qui fermait le mobile. Le centre était plus flou. La bille centrale dessinait un… visage. Mais il ne pouvait en reconnaître les traits.

— Qu'est-ce que c'est que ce machin? chuchota-t-il.

L'homme leva les mains au-dessus du mobile et les cercles d'acier ralentirent. Sa voix lui parvint, étouffée:

— Nous l'avons localisé! Il sera bientôt en nous. À nous!

Le mobile se remit en mouvement, plus rapide, et Tobias crut y lire une forme d'excitation.

En nous? Si le Raupéroden absorbe Matt, est-ce qu'il va aussi ingérer son altération? Devenir plus fort?

Tobias frissonna. Il fallait faire quelque chose. Ce mobile

avait son importance, il le pressentait. Il s'en dégageait une troublante énergie.

Tout vient de là. De cet objet. Ce balancement, ce mouvement perpétuel, c'est le cœur du Raupéroden.

Soudain les pièces du puzzle s'assemblèrent dans son esprit.

Tobias sut tout de cet endroit.

Et il reconnut la voix de l'homme.

— Oh non ! gémit-il en sentant ses jambes se dérober.

Il glissa le long du mur et porta une main à sa bouche.

Matt ne devait surtout pas venir ici. Tobias allait s'y employer par tous les moyens.

Il n'était pas dans *le monde* du Raupéroden, mais à l'intérieur de son organisme. Et tout ce qu'il apercevait constituait ses différentes fonctions. L'araignée était son système alimentaire, les éclairs sa force, ses sens également.

Et si le mobile en était le cœur, cet homme en était l'âme.

Tobias entendit un énorme bourdonnement dans le ciel et des dizaines de formes ailées surgirent, braquant sur lui une lumière vive depuis leurs gueules allongées.

Ça c'est pour moi ! devina-t-il aussitôt.

Maintenant il allait faire connaissance avec le système immunitaire du Raupéroden.

Et quelque chose lui murmurait qu'il n'allait pas aimer cela.

20

Le sacrifice

Ambre grimpa sur la pierre la plus proche.

— Je ne vois pas ce que c'est mais il y en a beaucoup !

Ben se hissa à ses côtés.

— Des loups, révéla-t-il. D'énormes loups. De la taille de nos chiens. Et ils viennent vers nous !

Tout le monde se jeta sur les armes. Ben aida Ambre à descendre et celle-ci en profita pour demander tout bas :

— Es-tu sûr ? Il fait noir et ils sont encore loin, peut-être que...

— J'en suis certain. Tu ne m'as jamais demandé quelle était mon altération. Je vois la nuit. Presque aussi bien qu'en plein jour. Et ce sont d'immenses loups que je viens d'apercevoir.

Floyd et Matt ordonnèrent qu'on range tout pour être prêts à fuir, puis Matt s'approcha de Tania :

— J'ai entendu parler de ton exploit sur le Rôdeur Nocturne, cinq flèches dans le mille. J'imagine que ce n'était pas un hasard, pas cinq fois de suite ?

— En effet, j'ai ce don. Je suis précise.

— Parfait. Nous allons préparer des flèches avec du tissu imbibé d'alcool. Nous en avons dans la trousse de soins. Avec de la chance, les loups seront effrayés par le feu.

— Et si ça ne marche pas ? demanda Neil.

— Dans ce cas on verra qui du loup et du chien est le plus rapide et nous jouerons nos vies sur ce pari !

Tandis que Floyd et Tania préparaient des flèches inflammables, Neil se dressa devant Matt :

— Le feu va nous faire repérer des Cyniks.

— S'il y en a dans le secteur, c'est certain ! Mais c'est aussi notre unique chance de repousser ce qui nous fonce dessus à toute vitesse, fit Matt en entendant les hurlements se rapprocher.

Tania encocha la première flèche que Floyd enflamma à l'aide de son briquet et tira en l'air pour tenter d'éclairer les formes qui approchaient. Elle prépara aussitôt une seconde flèche et hésita.

— Je vise lequel ?

— Il faut trouver le chef de meute, indiqua Matt.

— Et je fais comment ?

— Aucune idée. Celui qui est en tête ou celui qui hurle tout le temps peut-être !

Les loups dévalaient la pente en galopant et bondissant, une vingtaine de silhouettes presque aussi hautes que des chevaux.

Tania ne parvenait pas à se décider.

— Et tu es sûr que ça va les effrayer ? demanda-t-elle.

— Je n'en sais rien, je me souviens avoir lu que les loups obéissent à un chef de meute, c'est tout ce que je sais !

Tania ajusta le loup de tête, mobile et fluide dans sa course. Elle prit son inspiration et sa vue se focalisa sur cette ombre. Les flammes de sa flèche la perturbaient, parasitant sa concentration, son œil ne faisait pas le point comme d'habitude. Puis soudain elle parvint à ne plus voir que sa cible, tout le reste disparut, elle ne vit plus que lui et fut comme projetée sur lui. C'était le moment. Elle libéra la corde qui expédia le projectile sans un bruit.

La flèche fusa, presque à l'horizontale, comme un feu d'artifice raté, avant de retomber brusquement et de se ficher dans le poitrail du loup de tête qui trébucha et roula sur dix mètres. Les autres ne ralentirent même pas.

— Essaye encore ! lança Matt.

Tania répéta l'opération, avec le même résultat.

— Non, dit-elle, ça ne marche pas !

— À vos montures ! ordonna Ben en sautant sur son husky.

Les chiens et cavaliers jaillirent et foncèrent dans la nuit. Ben estimait qu'ils n'avaient plus le choix, il fallait mener un grand galop au milieu des rochers et des racines émergentes. Ils parvinrent à la route, Ben en tête, les mains crispées dans le poil de sa monture. À peine son husky effleurait-il la piste de terre battue, tant il gagnait en vitesse.

Tous les autres suivaient, à l'exception de Floyd dont le chien blessé peinait à tenir le rythme, et celui de Luiz, sans cavalier ni équipement, qui traînait la patte.

Les loups sortaient de la forêt par grappes de dix, se jetant dans la pente en direction de ce copieux repas qui détalait.

Matt fit ralentir Plume pour se mettre au niveau de Floyd et il sortit son épée tandis que plusieurs loups géants se rapprochaient dangereusement. Tania l'accompagna et la jeune fille aux longs cheveux noirs banda son arc et avisa le loup le plus proche. À cette allure, il suffit d'une flèche dans le poitrail pour qu'il parte en roulé-boulé. Matt cueillit le suivant au moment où il sautait pour mordre les flancs de Plume, un coup de lame tranchante en pleine gueule et l'animal s'effondra dans une écume pourpre.

Tania multiplia les tirs. Les uns après les autres, les loups trébuchaient ou s'effondraient.

Pourtant de nouvelles vagues déferlaient pour remplacer les troupes perdues, le combat tournait à l'impossible victoire.

Et ils étaient de plus en plus près.

Matt eut à peine le temps de fendre un museau garni de crocs qu'un autre tenta de lui arracher le pied, il ne dut son salut qu'à un heureux réflexe. Un troisième se positionna dans le sillage de Plume et se prépara à la mordre pour qu'elle perde l'équilibre.

Les mâchoires claquèrent une première fois à quelques centimètres de la patte arrière du chien.

La seconde tentative était mieux préparée, le loup allait enfoncer ses dents pointues dans la chair de Plume lorsqu'une force prodigieuse le fit décoller du sol. Il fut projeté dix mètres plus loin, sur un groupe de congénères qui gémirent en s'effondrant.

Une seule personne était capable d'un pareil exploit. Matt tourna la tête et vit Ambre, le bras levé dans la direction de leurs assaillants, se cramponnant à Gus, son saint-bernard.

Une partie des loups venaient de ralentir, abandonnant leurs proies, mais une quinzaine d'individus tenaient bon, les derniers sortis de la forêt. Matt pouvait entendre leurs mâchoires claquer d'excitation et de faim.

Ambre fatiguait et Tania commençait à épuiser ses réserves de flèches. Ce n'était pas bon signe. Matt se mit à douter.

Il ne voulait pas finir dévoré.

Il leva sa lame vers le ciel, prêt à frapper. Cela ne serait pas suffisant, il le savait, mais il allait les repousser jusqu'à l'épuisement. C'était son seul espoir.

Le chien de Luiz, qu'il avait nommé Peps, se mit alors à ralentir. En un instant il fut rattrapé par la meute. Matt allait tirer sur les poils de Plume pour la lancer à son secours, lorsque Peps regarda intensément ces enfants qui fuyaient et Matt eut la conviction qu'une réelle intelligence rayonnait dans ce regard.

C'était un dernier salut à ses compagnons de route.

Alors Peps fit volte-face et retroussa ses babines.

La meute se précipita sur lui, abandonnant la poursuite des Pans, et Peps disparut, submergé par les grands prédateurs gris.

Matt aperçut encore le dos de Peps lorsque celui-ci chargea ses agresseurs. Puis la meute se referma sur lui, comme une fleur carnivore et meurtrière.

Une éternité plus tard, l'un des loups hurla à la lune pour célébrer leur victoire.

Matt en eut le cœur serré. Peps avait chèrement vendu sa peau, il en était convaincu.

Les Pans filaient dans la nuit, s'éloignant du danger.

Peps les avait sauvés.

21

Les portes de l'Enfer

L'aube surprit les voyageurs sur la piste, les chiens hors d'haleine, leurs jeunes cavaliers encore étourdis par la peur.

Marmite, la chienne de Floyd, tirait la patte et Tania fermait la marche. Elle pleurait en silence. Toutes les larmes qu'elle était parvenue à retenir à la mort de Luiz s'écoulaient maintenant. Elle pleurait comme si le sacrifice de Peps venait de débloquer quelque chose en elle.

— Il faut quitter la route, prévint Matt, ce n'est pas le moment de nous faire repérer par les Cyniks.

— Si les flèches enflammées de cette nuit ne les ont pas alertés ! protesta Neil de mauvaise humeur.

Matt l'ignora. Il ne souhaitait pas entrer dans le jeu du grand blond qui cherchait l'affrontement verbal, probablement pour évacuer son stress.

La colonne remonta la plaine en direction de la pente ouest, pour se mettre à l'abri du bois, restant en lisière pour ne pas s'enfoncer dans les contreforts escarpés de la Forêt Aveugle. Matt et Ambre la connaissaient assez pour vouloir l'éviter à tout prix. Les loups géants n'en étaient qu'un petit aperçu.

En milieu de matinée, fourbu, le groupe s'arrêta et s'effondra sur le tapis de mousse. Il fut décrété qu'ils devaient dormir un peu pour se remettre de leur courte nuit, et on installa le campement.

Pendant que chacun brossait son chien dans un silence pesant, Tania creva l'abcès :

— Peps a donné sa vie pour nous sauver. Même si nous le sentions déjà, c'est la preuve que ces chiens sont très particuliers.

— Peut-être que Peps était juste épuisé, qu'il n'en pouvait plus, lança Chen sans trop y croire.

— Non, fit Matt. Je l'ai vu dans son regard. Il savait ce qu'il faisait. Il l'a fait pour nous.

Chacun observa son chien. Les huit montures étaient sagement assises, jouissant des coups de brosse et savourant chaque caresse.

— À la mort de Luiz, nous n'avons pas pris le temps d'en parler, intervint Ambre. Je pense qu'il serait bien qu'on profite de ce moment pour en dire un mot. Ce qu'il nous inspirait, et si certains ici le connaissaient un peu plus, qu'ils nous disent qui il était.

Ambre commença, décrivant en quelques mots ce qu'elle avait pensé de Luiz, ce qu'il dégageait à ses yeux, puis Tania prit la parole. Les garçons eurent plus de mal à se lancer, mais lorsqu'ils y parvinrent, ils ne purent s'arrêter, comme si évoquer son souvenir pouvait le faire revenir. Ceux qui l'avaient enterré avaient pleinement conscience de sa disparition, ils l'avaient mis en terre, mais pour les autres, sa mort ne fut réelle qu'après cette longue veillée. Cette acceptation de l'émotion qui les laissait en larmes.

L'hommage s'était terminé sur une remarque d'Horace :

— Et si Peps n'avait plus voulu vivre sans son maître ? Il ne l'a pas vraiment connu, pas longtemps, mais peut-être que pour eux ça veut tout dire, non ?

Personne n'avait trouvé de réponse, mais chacun avait observé son chien.

Lorsqu'ils se couchèrent, blottis contre le pelage soyeux de leur animal, le souffle chaud les berça rapidement.

Les Pans repartirent après quatre heures de repos, pour mener bon train tout l'après-midi.

De gros nuages gris s'amoncelaient au-dessus de la vallée au fil des heures et, avant que la nuit ne tombe, il faisait déjà aussi sombre qu'au crépuscule.

La pluie arriva en fin de journée, d'abord de grosses gouttes lourdes, puis un rideau qui s'abattit sur la région, occultant une partie du paysage.

Protégés par les frondaisons de la forêt, les Pans ne ralentirent pas l'allure. Ils se contentèrent d'enfiler les manteaux, de remonter les cols et de rentrer le cou dans les épaules. Les chiens, eux, ne semblaient même pas remarquer la pluie qui détrempait la terre.

En contrebas, dans la vallée, quatre cavaliers remontèrent la route au galop, apparaissant au détour d'un petit bois de hauts sapins. Mais la route était à plus de deux kilomètres des Pans et ils ne purent distinguer autre chose que les silhouettes fusant à travers la pluie.

— Ils dormiront à l'auberge fortifiée que nous avons aperçue hier, devina Ben.

— Tiens, je me demande ce qu'il est advenu de l'armée de Gloutons de l'autre soir, fit Chen.

Floyd secoua la tête :

— Ils sont tellement nombreux qu'ils ont forcément dû dormir dehors, comme nous, mais je n'imagine pas les loups attaquer une force aussi impressionnante.

— C'est juste que je n'aimerais pas rattraper les Gloutons.

— T'en fais pas, on aura le temps de les voir avant de tomber dessus !

La lumière baissait de plus en plus ; Ben, en tête, laissait son husky les guider et les autres suivaient. Il ne se souciait que des branches basses, profitant de son altération pour les repérer dans la pénombre, et ses compagnons les évitaient à son signal en se penchant sur le cou de leur chien.

Matt et Ambre conversaient, l'un derrière l'autre, juste devant Floyd qui fermait la marche. Ce dernier les entendit évoquer le souvenir du peuple kloropanphylle au sommet de la Forêt Aveugle.

— Il y a vraiment des gens qui vivent tout là-haut ? s'étonna-t-il.

— Oui, fit Ambre en haussant la voix. Et si tu voyais leur ingéniosité, tu n'en reviendrais pas !

— J'aimerais bien y monter !

— Je ne suis pas sûr, tempéra Matt. Les Kloropanphylles sont un peu spéciaux.

— Pourquoi ?

— Disons qu'ils sont prêts à t'accepter mais tu devras te soumettre à leurs coutumes, à leur croyance, et tu devras rester parmi eux.

— Ils se protègent, le coupa Ambre. C'est normal ! Nous n'avons pas été corrects, nous avons trahi leur confiance !

— C'est leur faute ! Ils n'avaient qu'à pas se la jouer aussi mystérieux !

— Non, Matt ! s'énerva Ambre. Nous avons…

— Moins fort ! ordonna Ben. La pluie ne couvre pas les cris, je vous rappelle !

Ambre soupira, agacée par l'attitude de son ami.

Matt se tut à son tour. Il pivota sur Plume pour apercevoir Floyd.

— Au fait, quelle est ton altération ? demanda-t-il.

— Si je te dis que petit, je n'arrêtais pas de tomber partout, que j'étais un vrai casse-cou et que je me suis fait plus de fractures que toute ma classe réunie, à quoi tu penses ?

— Je suppose que tu as développé une altération d'agilité, pour ne plus tomber ?

Floyd secoua la tête.

— Perdu. Mes os sont devenus élastiques, pas énormément, mais je ne me casse plus rien maintenant ! Il n'y a pas plus souple à Eden !

— Ah, fit Matt un peu déçu. Et ça te sert souvent ?

— Pour me faufiler dans un petit trou, c'est pratique. Et surtout je peux me prendre un coup violent, j'aurai un bel hématome mais je ne casse pas ! Bien sûr, j'imagine que si c'est un choc vraiment trop fort, je risque une hémorragie interne ou un truc de ce genre. Et toi, c'est quoi ton altération ?

— Moi ? Disons que je frappe fort, fit Matt en désignant son épée dans son dos.

Ben était sur le point de renoncer à poursuivre et d'établir le bivouac pour la nuit lorsqu'il distingua une forme pointue que la pluie rendait floue, au loin dans la plaine.

— Qui a les jumelles ? demanda-t-il.

Matt réalisa qu'il portait celles de Tobias. Après le crash de la méduse, il avait récupéré ses affaires, ne pouvant se résoudre à les abandonner. Il fouilla dans une des sacoches de Plume et remonta le long du convoi pour les tendre à Ben.

Voyant Ben scruter l'horizon noir, Matt se demanda s'il pouvait vraiment voir quelque chose.

Ben inspira d'un coup, comme effrayé.

— Qu'est-ce qu'il y a ? murmura Matt.

— La forteresse cynik. Elle est là, toute proche.

— Très bien ! Allons y jeter un œil, avec ce temps ils ne pourront pas nous remarquer.

Ils contournèrent un éperon rocheux qui sourdait de la pente jusqu'à plus de vingt mètres de hauteur et descendirent en silence de leurs montures. Lentement, en prenant soin de discerner le moindre détail pour ne pas se faire surprendre par une patrouille masquée par la pluie, ils se rapprochèrent de la route. Et la forteresse apparut au détour d'une butte.

Matt en eut le souffle coupé.

Elle était bien plus imposante qu'il ne l'avait imaginé.

Les Cyniks n'avaient pas choisi l'endroit au hasard. C'était une zone hérissée de gigantesques rochers, comme s'ils étaient tombés des pentes de la Forêt Aveugle, sur lesquels s'appuyait un énorme mur de pierre. Il fermait totalement la vallée jusqu'au fleuve au-dessus duquel une arche, suspendue tel un pont, retenait une gigantesque herse de métal s'enfonçant dans l'eau obscure.

Et au milieu du mur : une forteresse flanquée de ses hautes tours, de ses chemins de ronde crénelés et d'un donjon massif percé de fines fenêtres. La route aux pieds des Pans serpentait pour se terminer par une rampe gagnant une large porte d'acier. L'accès au château.

Partout les drapeaux rouge et noir frappés de la pomme d'argent flottaient sur leur mât.

Matt distingua les lumières vacillantes des lanternes derrière les créneaux. Des ombres se déplaçaient lentement. Les sentinelles.

Il réalisa alors qu'ils étaient face à un vrai problème.

Non seulement ils ne pouvaient la contourner pour conti-

nuer vers Wyrd'Lon-Deis, mais la forteresse semblait inatta-
quable. Jamais l'armée des Pans ne pourrait la prendre.

Cet ouvrage titanesque mettait un terme à leurs deux missions et par là même à tous leurs espoirs.

Plus qu'une forteresse, il s'agissait des portes de l'Enfer.

22

Pire que la mort

La nuit fut agitée.

Comme si chacun des Pans avait pris conscience que c'était
la fin de leur mission. Qu'ils ne pouvaient la remplir.

Ils ne cessèrent de se tourner et se retourner dans leur sac
de couchage, s'interrogeant sur ce qu'ils devaient faire. Ils ne
s'imaginaient pas une seconde rentrer à Eden pour annoncer
que c'était fini, qu'il n'y avait plus aucun espoir.

Au lever du jour, Matt était assis, et épiait l'immense château
à travers les branchages qui gouttaient encore. La pluie n'avait
cessé que très tard dans la nuit, forçant les Pans à dormir sur des
souches, à l'abri de la forêt.

— Ça va être coton pour y entrer, fit la voix d'Ambre dans
son dos.

La jeune fille vint s'asseoir près de lui.

— Impossible, tu veux dire ! Et moi qui avais naïvement cru
qu'on pourrait la contourner.

— Nous pouvons encore passer sur le côté, par la Forêt
Aveugle.

— Les Cyniks ont bien sélectionné le lieu avant de
construire ; regarde, à cet endroit ce ne sont pas les arbres de
la Forêt Aveugle qui encadrent l'encaissement de la vallée
mais une sacrée pente ! Les rochers qu'on voit dans la plaine

s'en sont décrochés. C'est abrupt, de l'escalade pure, nous n'y arriverons pas. La végétation a repoussé dessus en plus, ça doit être glissant, et avec ces immenses troncs devant, la paroi doit être aussi obscure qu'une grotte !

— Alors il faut trouver un moyen de franchir ce mur.

— Il fait plus de vingt mètres ! Et le fleuve est barré par cette herse en fer avec une tour de chaque côté ! Ils surveillent le moindre mouvement de l'eau. Non, je ne vois qu'une seule option : la porte ! Et vu sa taille, je n'imagine pas une seconde l'enfoncer.

— Nous avons les Scararmées, Matt, ne l'oublie pas ! Avec eux, le pouvoir de nos altérations est décuplé !

— Tout ce que ça décuplera, c'est l'impact de cet acier contre mon corps ! Je me briserai les os !

— Je ne pensais pas à cela, mais plutôt à conjuguer nos altérations. Ensemble, nous pouvons accomplir des miracles ! Notre force c'est le groupe !

— Tu vois comme moi ce lieu de malheur, il a été conçu pour éviter les intrusions. Je doute qu'on puisse s'y faufiler, c'est plus étanche qu'une baignoire !

— Viens, il faut en parler avec tout le monde.

Les Pans croquaient des biscuits secs et buvaient un peu de lait pour reprendre des forces et se réveiller lorsque Ambre exposa son idée :

— Grâce aux Scararmées nous pouvons compter sur une précieuse aide pour transformer nos facultés en un redoutable pouvoir. La conjonction de toutes nos capacités peut peut-être nous faire entrer dans cette forteresse.

— Alors on n'abandonne pas ? fit Tania entre doute et espoir.

— Certainement pas ! Votre groupe doit préparer l'offensive principale, pour ça il faut que vous ayez une idée des forces et des faiblesses de cet endroit. Et nous, nous devons le franchir pour continuer vers le sud. Tous ensemble, nous pouvons y parvenir. D'abord, il nous faut entrer.

— Pas par la porte, exposa Ben, elle est lourde et ne peut s'ouvrir que de l'intérieur d'après ce que j'en ai vu.

— Ni par le fleuve, compléta Tania. Les tours de guet verront la moindre embarcation approcher et de toute façon le maillage de la herse est trop étroit pour qu'on puisse passer.

— Il reste donc le mur, dit Chen.

— Sauf qu'on n'est pas tous comme toi, Gluant! répliqua Floyd.

— Ambre a raison! enchaîna Chen. Il faut se servir des Scararmées, avec eux je pourrais sûrement sécréter davantage de substance collante, mes prises seront mieux assurées, je peux probablement porter quelqu'un de léger, une des filles.

— Et les autres?

— Attendez qu'on vous ouvre! Nous nous introduisons à l'intérieur pour vous déverrouiller la porte!

— Pas seulement à deux! contra Matt. Ambre n'est pas une guerrière, et pardonne-moi, Chen, mais tu n'es pas non plus très costaud!

Chen secoua les épaules:

— Je ne peux pas porter davantage!

— Moi je peux, affirma Ambre. Avec les Scararmées, je dois pouvoir faire léviter Matt.

— Me faire léviter? Comme si... je volais?

— Il faudra faire très attention, que je ne brise surtout pas ma concentration, mais je pense que je peux y arriver.

— Oh, c'est un peu prématuré, vous ne croyez pas? avança Horace. Tu vas te balader sur le dos de Chen, tout en soulevant Matt à vingt mètres de hauteur! Si tu as le moindre relâchement, il ira s'écraser comme une crêpe!

— Je peux le faire!

— Je n'en doute pas, mais avec un minimum d'entraînement, quelques jours de préparation et...

— Nous n'avons pas le temps, l'interrompit Matt. Et si Ambre pratique aujourd'hui, elle sera vidée ce soir au moment d'y aller. Tant pis pour la sécurité, je prends le risque. Si tu t'en crois capable, je te suis.

Ambra avala sa salive en fixant son ami.

— Il faut une diversion, déclara Floyd. Les sentinelles sur le mur finiront par vous voir grimper. Il faut attirer leur attention ailleurs.

Ben fit une grimace, peu convaincu :

— Si nous mettons le feu dans la vallée ou si nous nous faisons repérer pour les entraîner plus loin, ça risque de les inciter à redoubler de vigilance au contraire !

— Pas si cette diversion a lieu de l'autre côté du mur !

— Et comment ?

— Moi je peux passer, tout seul. Si j'approche du fleuve sans être vu par les gardes, je peux me glisser entre les barreaux de la herse.

Tania eut un haut-le-corps :

— Tu es aussi souple que ça ?

— Ça peut se faire. Ensuite je fiche la pagaille et pendant qu'ils se concentrent sur ce côté de la forteresse, vous autres vous vous occupez du mur !

Ambre et Matt approuvèrent. Chen suivit.

— Pendant ce temps nous trouverons un moyen de gagner la porte, assura Ben.

— Et si tous les Gloutons que nous avons aperçus avant-hier sont derrière ce rempart ?

— C'est un risque à prendre, conclut Ambre.

— Ne prenez que nos chiens avec vous, fit Matt à l'attention de Ben et Tania, laissez les autres dehors, vous repartirez avec. Nos routes se sépareront une fois à l'intérieur.

Matt tendit la main comme il avait l'habitude de le faire lors de l'Alliance des Trois et chacun posa la sienne dessus.

— Pour notre avenir, dit-il. Pour Eden.

La nuit venue, ils patientèrent jusqu'à ce qu'il soit très tard.

Par chance, les nuages masquaient la lune, multipliant les ombres dans la vallée déjà opaque.

Floyd serra chacun de ses compagnons dans ses bras avant de partir, seul, en direction du fleuve. Ben allait suivre sa progression grâce aux jumelles et à sa vision nocturne pour donner le départ de l'autre groupe.

Floyd prit son temps, attentif à ne pas se faire repérer, et Ben l'observa pendant plus d'une heure.

— Il sera bientôt à la herse. Il est fort, le bougre ! Il se déplace très lentement à la surface de l'eau. Préparez-vous.

Matt embrassa sa chienne comme s'il n'allait plus la revoir. C'était plus fort que lui, comme un pressentiment.

Puis Chen et Ambre se faufilèrent avec lui, de rocher en rocher, jusqu'à devoir ramper dans les hautes herbes pour atteindre l'imposant rempart. Avec l'absence de lune, les gardes n'avaient aucune chance de les apercevoir.

Une fois adossé à la pierre froide, Chen retira ses chaussures qu'il attacha à sa ceinture par les lacets, et demanda tout bas à ses deux acolytes :

— Vous êtes prêts ?

— Non, attendons le signal de Floyd, répliqua Matt.

Ambre ne répondit pas, déjà concentrée sur la tâche qui l'attendait. Elle allait tenir la vie de Matt entre ses mains.

— C'est quoi le signal ? s'enquit Chen.

— On le saura en l'entendant.

Il y eut soudain un immense fracas de l'autre côté du mur, et un cor se mit à sonner. Des voix d'hommes crièrent dans les hauteurs.

— C'est le signal ! lança Matt.

Chen posa les mains sur la paroi et fit signe qu'il était prêt. Ambre dévissa le couvercle du bocal qu'elle portait dans sa sacoche et les Scararmées se mirent en mouvement. Ambre grimpa sur le dos de Chen.

— Je compte sur toi, fit Matt à l'attention de la jeune fille.

— Laisse-toi faire.

Chen posa son autre main plus haut et son pied nu suivit. Un bruit de succion accompagnait chaque geste de sa progression.

— Incroyable, j'adhère parfaitement ! murmura-t-il.

— C'est les Scararmées, répéta Matt.

Tout à coup, une énorme poussée lui souleva les jambes et il se rattrapa au mur pour ne pas tomber en avant.

— Laisse-toi porter, chuchota Ambre avec difficulté.

Matt glissait doucement, dos à la maçonnerie, les jambes compressées par la pensée d'Ambre.

— Tu me fais mal, Ambre, dit-il, relâche un tout petit peu la pression s'il te plaît.

Aussitôt la poigne qui le retenait se dissipa et Matt commença à chuter. La force réapparut juste avant qu'il ne heurte la terre. Violente, bien trop présente, elle lui écrasa les membres.

Matt étouffa un cri qui se transforma en un long gémissement. Ses poings se serrèrent et la pression redevint supportable.

Il se remit à monter.

Chen et Ambre étaient déjà dix mètres plus haut, à mi-parcours.

La douleur se dilua et Matt retrouva son souffle. Il rejoignit ses deux amis, en se balançant. L'énergie qui le retenait était instable.

En bas, la plaine commençait à être sacrément loin à mesure qu'il se rapprochait du sommet du mur.

La sensation de vertige lui donna la nausée.

Chen ne semblait éprouver aucune difficulté, soulevant son poids et celui d'Ambre en poussant sur ses jambes et en tirant sur ses bras. Il filait avec l'aisance d'un lézard sur un crépi.

Matt tenta d'observer les créneaux au-dessus de lui, mais il ne vit rien. Il craignait qu'ils ne soient repérés pendant leur ascension.

Il était maintenant à plus de quinze mètres.

La force qui le soulevait s'était diffusée dans une large partie de son corps et il souffrait moins. Il sentait les soubresauts de cette énergie et sa stabilité n'était pas sans cesse assurée. Il avait l'impression qu'elle allait le lâcher, qu'il s'effondrerait dans le vide.

Pourtant elle le porta jusqu'à vingt mètres.

Tout près des créneaux du chemin de ronde.

Ambre se cramponnait à Chen, les muscles tétanisés par l'effort.

Elle ne respirait presque plus.

C'est fini, tiens bon ! se répétait-elle. *Focalise-toi sur Matt.*

Pour parvenir à le soulever, elle avait dû le *sentir*. Projeter son esprit dans le corps de son ami, jusqu'à en percevoir la matière, les reliefs. Alors elle avait appliqué l'étau mental sur ses membres inférieurs pour le soulever.

Sans la présence des Scararmées, jamais elle n'aurait été capable d'un pareil exploit. L'envers de la médaille c'était qu'elle ne maîtrisait pas encore cette puissance. Elle devina la douleur qu'elle infligeait à Matt et jongla avec ses sensations pour répartir sa prise.

Son cœur battait à toute vitesse. La tête lui tournait de plus en plus, un bourdonnement lancinant croissait entre ses tempes.

Ambre avait l'impression qu'elle ne tiendrait pas jusqu'au bout. Ce n'était pas Matt le plus épuisant, elle avait sous-estimé la difficulté de se cramponner à Chen pendant toute l'escalade. Elle sentait venir les crampes.

Elle allait lâcher et se fracasser vingt mètres plus bas.

Matt. Elle devait assurer Matt.

L'énergie était à présent bien répartie sur tout le corps du jeune homme.

Elle percevait sa peau, sa chaleur, et n'était-ce le martèlement de son propre cœur, elle aurait pu détecter le sien. Elle sentait Matt tout entier. Son odeur.

Soudain elle réalisa qu'elle le sentait aussi bien que s'ils étaient nus, l'un contre l'autre.

Sa concentration se brisa net.

Elle s'infligea une gifle mentale et renoua le contact juste avant que Matt ne lui échappe.

Il était à nouveau sous son emprise.

Ambre respirait fort, la sueur gouttait dans ses yeux. Elle ne voyait plus.

Elle allait lâcher.

Elle le sut aussi sûrement qu'elle tenait Matt au-dessus du vide.

Elle comprit qu'elle devait opérer un choix instantanément. Elle ou lui.

Ambre se reporta sur Matt. Encore quelques centimètres et il serait au sommet. Tant pis pour elle.

Cela avait été une belle vie. Elle aurait tant aimé la partager avec lui, encore un peu. Le temps de se découvrir.

Peut-être de s'aimer.

L'étreinte de ses membres autour de Chen se relâcha, son esprit entièrement tourné vers Matt.

Chen bougea encore.

Et au moment où elle allait chuter dans le vide, Chen l'attrapa et la fit glisser sur le rebord d'un créneau.

L'épuisement et la confusion la terrassèrent.

Elle perdit le contact mental.

Retenue à la ceinture par Chen, elle tendit la main vers Matt, pour le récupérer in extremis.

Vainement. Elle ne parvint pas à le saisir et le vit disparaître à toute vitesse.

Elle sut que c'était trop tard, qu'il allait se briser les os au pied du mur. Ses entrailles se révulsèrent, elle n'eut plus de cœur, plus de cerveau, rien qu'un effroyable vide intérieur.

Matt chutait.

Ambre ne put renouer avec sa concentration.

Et elle le regardait périr sans rien pouvoir faire.

Une forme jaillit alors des fourrés à une vitesse prodigieuse, se coula entre les rochers pour surgir juste sous Matt au moment de l'impact.

Le garçon s'enfonça à l'intérieur du rectangle noir qui flottait à quelques centimètres du sol à l'instar d'un drap porté par les vents.

Soudain Ambre mit un nom sur cette chose.

C'était le Raupéroden.

Matt venait d'être englouti.

23

La vitesse pour arme

Matt avait à peine tendu les mains pour saisir le rebord du parapet qu'il avait senti la force se dérober sous lui.

La seconde suivante il fonçait droit vers les rochers et l'herbe.

À toute vitesse.

Son crâne allait se fracasser aussi sûrement qu'une pastèque lâchée du septième étage d'un immeuble.

Tout alla très vite.

La forme obscure. L'amortissement soyeux. L'impression de glisser dans un toboggan sans fin, un boyau de tissu. L'absence de lumière.

Puis il tomba dans une grande pièce au sol tendre, sur lequel il rebondit, tout étourdi.

L'esprit encore confus, Matt mit un long moment avant de parvenir à s'asseoir.

Il ne voyait presque rien, la pâle lueur d'un ciel nocturne provenait d'un orifice rond assez éloigné de lui.

Il sentit un mouvement, tout près. Il voulut sauter sur ses pieds pour parer au pire, mais la tête lui tourna et il posa un genou à terre.

Une forme était en train de se déplier. Elle le frôlait.

Matt recula lentement.

Dans la pénombre il vit une longue tige, puis une autre.

Une fleur ?

Non, cela ressemblait davantage à un animal.

Un insecte.

Lorsque Matt réussit à assembler les bribes d'informations que ses yeux parvenaient difficilement à lui envoyer, il voulut se saisir de son épée, dans son dos, mais l'araignée plongea sur lui.

Deux dards pointus pénétrèrent ses épaules et instillèrent une dose de venin.

Matt tituba aussitôt, les forces désertèrent son corps, pantin désarticulé qui tentait de marcher sans le soutien de ses fils. Il heurta le sol mou et perdit connaissance.

L'araignée déploya ses pattes au-dessus de lui et le saisit pour le hisser vers sa gueule humide.

Tobias avait survécu aux moustiques de chasse.

Ils étaient pourtant nombreux, leur long bec produisait une lumière vive qui balayait le sol aussi bien qu'un projecteur, et ils changeaient de trajectoire avec l'aisance et la souplesse d'un danseur. Pourtant il leur avait échappé.

Grâce à la forêt d'arbres morts, en s'abritant sous les réseaux de souches intriquées tels des intestins dans un ventre. Les moustiques le traquaient, cela ne faisait aucun doute, ils survolaient toute la lande de pierre noire, toute la forêt et disparaissaient derrière les collines, fouillant le sol de leur projecteur blanc, leurs ailes transparentes soulevant une fine poussière sombre.

Tobias avait aperçu la longue tige pointue qui prolongeait leur tête, une arme pour tuer. Il n'osait imaginer ce qui se produirait s'ils parvenaient à la lui enfoncer dans le corps !

Leur tête toute petite, encadrée par deux gros yeux rouges n'exprimait aucune vie.

Il avait attendu longtemps avant d'oser sortir de sa cachette.

Où pouvait-il aller désormais ? Certainement pas retourner dans la grotte avec les autres. Maintenant que son évasion était remarquée, les mesures de sécurité avaient certainement été renforcées. Jamais plus il n'aurait l'occasion de sortir s'il se rendait.

Tobias opta pour retourner de l'autre côté de la colline escarpée, là où il avait vu le Dévoreur s'engouffrer dans un trou.

S'il devait survivre ici un petit moment, autant connaître les lieux.

Il retrouva l'endroit en question facilement, se jetant dans un renfoncement rocheux dès qu'un moustique surgissait dans le ciel noir zébré d'éclairs.

Tobias avait le sentiment que l'air était devenu électrique. Il ne savait pas si c'était dû à son évasion ou à autre chose mais l'atmosphère dans le Raupéroden avait changé.

En passant devant un puits, Tobias fut tenté d'y jeter un coup d'œil. Le Raupéroden s'en servait pour sonder l'inconscient des gens, pour traquer Matt à travers ses rêves. À quoi cela pouvait-il bien ressembler, l'inconscient collectif ?

À des mots, des images, des impressions, des sensations, voyageant dans des rayons de lumière, des informations aussi ténues et fragiles qu'un filet d'eau.

Tobias l'avait perçu avec l'homme. Il devina aussi qu'il fallait une grande maîtrise pour s'y retrouver, pour voyager parmi ces flots de données spectrales. « Il est préférable de s'en tenir éloigné », voilà ce qu'aurait conseillé Ambre en pareil cas. Et elle était la sagesse, Tobias le savait bien.

Il approchait enfin du trou, au bas d'un rocher pointu.

Il n'y voyait pas très bien, profitant des nombreux éclairs pour inspecter le sol avant de se déplacer, sans sortir son champignon lumineux de peur d'être repéré.

Une odeur acide se dégageait du trou, des relents rances et étourdissants.

Qui rappela quelque chose à Tobias.

C'est par ici que je suis arrivé ! Je m'en souviens ! J'ai dévalé cet interminable boyau pour atterrir ici et ensuite… plus rien. Je me suis endormi.

Tobias crut discerner une forme dans la pénombre.

C'est lui ! Le Dévoreur ! Il est là !

Un début de panique commença à l'envahir avant qu'il ne se reprenne. Protéger la plage, préserver le dessin de l'esprit, se répéta-t-il.

Le Dévoreur n'était pas seul. Quelqu'un était avec lui, étendu sur le sol…

Matt ! C'est Matt !

Que faisait-il là ?

L'araignée le saisit avec ses pédipalpes près de sa gueule et le souleva pour gagner la sortie. Matt était encore équipé de sa besace et de son épée dans le dos, il venait tout juste d'arriver dans ce monde.

Tobias se plaqua contre la roche au moment où la grande silhouette immonde passait devant lui. La voix sifflante et crachotante parlait toute seule :

— … tous présents ! Je dois tous les attendre pour le manger. Tous. Surtout Lui, surtout Lui ! Ah, quel repas ! Quel festin ! Enfin ! Victoire ! Victoire !

Matt pendait dans le vide, suspendu devant la gueule répugnante du monstre.

Ils ne l'auront pas ! se révolta Tobias soudainement galvanisé par sa détermination.

Il se précipita dans le sillage de l'araignée. Quelques minutes plus tard, il ne savait toujours pas s'ils prenaient la direction de la caverne des prisonniers, du garde-manger, ou celle de la forêt, vers l'homme.

Penser à lui fit frissonner Tobias.

Matt ne devait surtout pas être confronté à ce terrible personnage.

L'araignée fit soudain volte-face, comme si elle sentait qu'elle était suivie.

Tobias ne dut son salut qu'à sa célérité surhumaine, en une

seconde il était recroquevillé derrière un talus et serrait les poings.

Le Dévoreur finit par reprendre sa route et Tobias poussa un long soupir de soulagement.

Ils surplombèrent bientôt une falaise qui dominait la forêt noire, et Tobias remarqua une autre clairière, différente de la première. Plus vaste. En son centre s'élevait un grand autel de pierre enveloppé par les ronces.

Comme dans les églises !

Mais la notion de sacrifice émergea bientôt dans l'esprit du jeune garçon.

Il fallait faire quelque chose. Dans quelques minutes, le Dévoreur déposerait Matt sur cet autel pour l'assimiler devant tous ses congénères, à commencer par l'homme qui effrayait tant Tobias.

Tous réunis, je n'ai aucune chance. C'est maintenant ou jamais.

Mais que pouvait-il face à une araignée de cette taille ?

Me servir de mon aptitude. La vitesse.

Tobias s'empara de plusieurs pierres tranchantes et pressa le pas pour se rapprocher du monstre. Il fallait jouer serré.

L'air devenait plus électrique encore. À n'en pas douter, il se passait quelque chose dans le Raupéroden.

Tobias pressa le pas puis fonça à pleine vitesse.

Il arriva si vite sur le Dévoreur que ce dernier ne détecta sa présence qu'au dernier moment. Il voulut se retourner mais Tobias était déjà passé sous son corps et enfonçait la face tranchante de la pierre dans l'abdomen de l'araignée.

La douleur la fit frémir, sensation qu'elle n'avait jamais connue, et elle demeura figée un moment, assez longtemps pour permettre à Tobias de s'échapper.

Le Dévoreur lâcha Matt et recula en sondant les environs pour débusquer son agresseur parmi les rochers.

Tobias apparut d'un autre côté, et avant même que le Dévoreur puisse pivoter pour le cueillir avec ses chélicères, le jeune garçon roulait à nouveau sous l'araignée pour l'entailler encore.

Folle de rage, la créature martelait le sol de ses pattes, frappant à l'aveugle dans l'espoir d'écraser l'ennemi.

Mais Tobias allait de plus en plus vite, enivré par sa réussite et par l'inaptitude de l'araignée à l'arrêter. À chaque passage, il l'entaillait plus profondément, déjà une substance noire s'écoulait de son corps blessé.

Le Dévoreur n'eut bientôt plus d'autre option que de fuir pour sauver sa peau. Il voulut saisir Matt, son précieux festin, mais Tobias lui entailla une patte si violemment que le Dévoreur relâcha sa proie.

S'il restait, il risquait d'y laisser la vie.

L'équilibre entier du Raupéroden serait menacé.

Alors le Dévoreur lança des cris aigus, des appels à l'aide, et lança ses huit pattes dans la pente, pour fuir.

Tobias roula au sol pour atteindre Matt. Il était inconscient mais en vie.

Il n'avait plus une seconde à perdre.

Les moustiques allaient accourir d'un instant à l'autre, et certainement bien d'autres choses que Tobias n'avait pas du tout envie de croiser.

Il souleva son ami à grand-peine et parvint à le hisser sur ses épaules.

S'il avait l'altération de mobilité, il n'avait pas celle de la force et le regretta amèrement. Matt pesait une tonne.

Il réussit néanmoins à le transporter jusqu'à l'abri d'une petite grotte, profonde de cinq mètres seulement, et l'étendit doucement.

Dehors les éclairs se multiplièrent brusquement et le ciel fut rapidement empli de moustiques tournoyants.

Toutes les fonctions du Raupéroden étaient à présent en alerte.

Pour les traquer.

24

Le vrai visage de l'ennemi

Matt revint à lui avec une intense sensation de froid.

Il avait la bouche sèche, et une douleur nichait au niveau de ses deux épaules.

Un visage noir apparut au-dessus de lui. Les cheveux dessinaient une coupe arrondie, comme un casque. Soudain, sa vue s'adapta à l'obscurité et il reconnut son ami.

— Tobias ! s'exclama-t-il en se jetant à son cou.

— Moins fort ! Tu m'étouffes !

— Ce que je suis heureux de te revoir ! Je savais que tu n'étais pas mort ! Je le savais !

— Tempère ta joie, nous ne sommes pas en meilleure posture.

Matt examina la grotte qui les abritait.

— Où est-on ?

— En *lui*, Matt. Dans le Raupéroden.

— Prisonniers ?

Tobias oscilla d'un côté et de l'autre, hésitant.

— Oui et non, dit-il. Pour l'instant ils ne savent pas où nous sommes, mais ils finiront par nous débusquer, sois-en certain.

— Qui ça « ils » ?

Tobias prit une inspiration avant de se lancer :

— Les fonctions du Raupéroden sont toutes représentées par un élément précis ou une créature. Son système alimentaire et digestif, c'est cette araignée qui t'a endormi avec son venin.

La chair de poule envahit les bras de Matt.

— Oui, je me souviens vaguement d'une forme, de pattes…

— Il y a le système immunitaire, des nuées de moustiques géants, je pense que les éclairs dans le ciel sont sa force, ses muscles ou je ne sais quoi.

— Alors il a forcément un cœur ! Un cœur qu'on peut approcher et détruire !

Tobias ne partagea pas l'enthousiasme de son compagnon.

— En effet, je l'ai vu. C'est un mobile en acier, dans un coffret de bois. Il tournoie dans l'air, mais nous ne pouvons pas l'approcher.

— Et pourquoi donc ?

— C'est loin d'ici. Et puis les moustiques patrouillent. Oublie cette idée.

— Et le cerveau ? Tu l'as vu ?

Tobias fit la moue.

— Oui.

— Et alors ? Il ressemble à quoi ? Il est vulnérable ?

— Je ne crois pas. Laisse tomber.

— Pourquoi tu fais tant de mystères ?

— Pour rien. C'est juste une perte de temps. Il faut fuir cet endroit et c'est tout.

— Mais nous avons une chance inespérée de pouvoir mettre le Raupéroden au tapis, de le détruire de l'intérieur, ça ne se reproduira pas une seconde fois !

— Nous avons surtout une chance d'être encore en vie, et pas prisonniers dans le garde-manger ! répliqua Tobias sèchement. Tâchons d'en profiter pour fuir, cet exploit-là me suffira !

Matt l'observa en silence. Tobias était marqué par son séjour ici, il était nerveux et ne cessait de guetter l'entrée de la grotte.

— Tu as un plan ? demanda-t-il.

— Nous allons sortir par où nous sommes entrés, par ce qui lui sert d'estomac. Mais avant cela, nous devons aller chercher du monde.

— Nous ne sommes pas seuls ?

— Non, il y a Franklin, le Long Marcheur qui était avec nous sur l'île des Manoirs, d'autres Pans et même… Colin.

— Ce traître ?

— Pour l'instant c'est une victime comme nous tous. Viens, il faut étudier le manège des moustiques pour se faufiler jusqu'à la caverne du Dévoreur.

Tobias et Matt s'allongèrent à l'entrée de leur abri et

contemplèrent le déploiement de moustiques qui balayaient la région de leur projecteur nasal.

— En étant rapide et discret, c'est jouable, estima Tobias.

— Tu as l'air de bien connaître cet endroit et ses habitants. Ç'a été dur ?

Le visage de Tobias se contracta.

— Comme un cauchemar qui ne prend jamais fin. Je suis content de te voir.

— J'ai voulu venir te chercher, tu sais ? J'ai voulu te récupérer, j'étais prêt à mourir s'il le fallait… mais ça ne s'est pas passé comme je l'espérais.

— Tu es là maintenant, c'est ce qui compte pour moi. Allez, viens, si on se dépêche, on peut parvenir à la prochaine colline avant que ces deux moustiques là-haut ne reviennent dans notre direction.

Tobias guida Matt jusqu'à la petite porte recouverte de soie d'araignée. Tobias commençait à la limer pour déchiqueter la substance collante lorsque Matt l'écarta pour fracasser le voile d'un grand coup d'épée. Des gémissements de peur se mêlèrent à ceux de la surprise à l'intérieur du garde-manger.

— Venez ! commanda Tobias tout bas. Venez tous ! Nous sortons ! Nous quittons ce monde horrible !

Colin apparut en premier.

— C'est vrai ? Vous allez nous sortir de là ?

— Toi, tu mériterais d'y rester ! fit une voix derrière le grand boutonneux.

Colin s'empressa de sortir avant qu'on le repousse à l'intérieur, aussitôt suivi par une demi-douzaine de Pans de tous les âges et des deux sexes.

— Il n'y a aucun adulte ? s'étonna Matt.

— Non, je n'en ai jamais vu. C'est toi qu'il traque, Matt, un Pan, et je suppose qu'il ne veut que des enfants en lui.

— Sais-tu pourquoi il me veut à ce point ?

Tobias déglutit avec difficulté, et pour une fois fut heureux que la pénombre le masque lorsqu'il mentit à son ami :

— Aucune idée.

Tobias prit la tête des fugitifs jusqu'à la sortie.

— Ne vous dispersez pas ! ordonna-t-il. Restez groupés ! Nous n'aurons pas de seconde chance.

— En ce qui me concerne, c'est fuir ou mourir, annonça Franklin. Je ne retournerai pas dans ce trou.

Ils évoluaient par petits bonds. D'un rocher à l'autre, d'un renfoncement à une cavité, d'ombre en ombre, guidés par la seule lueur grise des cieux et les éclairs qui se multipliaient. La lande stérile semblait prise sous les feux d'un stroboscope.

— Il y a un truc qui cloche avec le Raupéroden ! prévint Tobias. Toute cette électricité dans l'air, et ces éclairs, ce n'est pas normal !

— C'est à cause de nous, tu crois ? demanda Matt.

— Je ne suis pas sûr. Ce ciel c'est… comme la limite du Raupéroden, comme si c'était le drap de son corps. J'ai l'impression qu'il lutte avec quelque chose d'extérieur !

Ils approchaient enfin du trou rond menant à ce qu'ils appelaient l'estomac.

— Comment on remonte ? demanda Franklin. Dans mon souvenir, c'est une sorte de toboggan interminable, jamais nous ne parviendrons à grimper là-haut !

— C'est le Raupéroden lui-même qui va nous remonter, l'informa Tobias.

— Et tu comptes t'y prendre comment pour ce miracle ?

— S'il s'agit bien d'un estomac, en le forçant à nous vomir.

Matt admirait son ami d'enfance qu'il n'avait jamais vu aussi déterminé. Il avait dû avoir sacrément peur pour en tirer pareille énergie.

Une rafale de vent dégringola du ciel et, avant qu'ils puissent comprendre ce qui leur arrivait, deux moustiques surgirent pour agripper chacun un Pan au passage et l'emporter avec eux. Les deux adolescents se mirent à frapper les insectes avec une violence qui témoignait de leur envie de vivre retrouvée. Les moustiques plantèrent alors leur longue tige pointue dans le corps de leurs prisonniers qui se crispèrent, cependant que le sang les quittait pour remonter dans l'abdomen du moustique.

Cinq autres moustiques firent leur apparition et Matt décapita le premier d'un geste fluide et rageur. Tobias s'empara de pierres et multiplia les tirs, visant les ailes. Un seul fit mouche mais sans causer de dégâts.

— Courez ! hurla-t-il. Foncez dans l'estomac !

Un moustique lui tomba dessus, prêt à l'empaler de son stylet. Matt lui perfora le crâne avant de le repousser d'un coup de pied.

La majorité des fuyards avaient pénétré dans la grotte lorsque le Dévoreur bondit devant Tobias et Matt pour bloquer le passage. Ses pattes avant se dressèrent pour les écraser et les deux adolescents se jetèrent au sol.

Le Dévoreur fonça sur Matt qui l'arrêta en faisant tournoyer sa lame. Le monstre le harcelait d'un côté puis de l'autre avec ses longues pattes. Tobias voulut lui venir en aide mais un nouveau moustique tentait de le saisir et il dut l'esquiver.

Matt tentait de fendre les pattes du monstre mais sans grande réussite.

Pendant qu'il reculait pour éviter les coups, l'adolescent réalisa que l'araignée n'attaquait pas vraiment.

Était-ce à cause des blessures que Tobias lui avait infligées ?

Non ! Elle le repoussait.

Matt profita d'un assaut manqué pour jeter un coup d'œil derrière lui.

Une forme arrivait en courant. Enveloppé dans une ample houppelande noire à capuchon, un homme se précipitait sur lui.

Matt n'avait plus le choix.

Il prit tous les risques et décida de charger l'énorme arachnide.

D'un bond il se dégagea de la menace des pattes avant et, ignorant les pédipalpes qui s'agitaient au-dessus de sa tête, il frappa de toutes ses forces dans les chélicères déployés.

L'acier siffla et s'enfonça sous les yeux noirs de l'araignée. Matt perçut la résistance de la carapace et poussa, puisant dans ses réserves. La lame atteignit des matières plus tendres et le monstre se souleva sur les pattes arrière.

Accroché à la poignée de son épée, Matt décolla avec lui et son propre poids continua de fendre les chairs de son adversaire.

Lorsque l'araignée retomba sur le sol, Matt tira sur son arme et roula sur plusieurs mètres.

Le Dévoreur criait, un hurlement aigu, qui perçait les tympans.

Tobias était parvenu à se défaire d'un des moustiques en lui crevant un œil d'un superbe jet de pierre. Mais un second lui tournait autour.

Il crut voir l'araignée qui titubait, et brusquement le bourdonnement du moustique s'interrompit.

Matt venait de le fendre en deux.

C'est alors qu'il aperçut l'homme qui se rapprochait d'eux.

Tobias poussa brutalement Matt vers l'ouverture. Il fallait le soustraire à ce sinistre personnage.

Tous les Pans attendaient, angoissés.

— Colin a essayé de remonter par le boyau, mais c'est impossible, ça glisse trop ! lança Franklin.

— Il faut que l'estomac nous rejette, affirma Tobias. Provoquons-lui une remontée acide ! Sautez ! Allez ! Tout le monde saute !

Toute la caverne se mit à trembler sous les bonds répétés des Pans.

— Et toi tu sais ce qu'est une remontée acide ? demanda Matt.

— Mon père en avait tout le temps ! Ça lui donnait mauvaise haleine ! Il faut martyriser cet estomac, l'obliger à se débarrasser de nous !

— Pour ça, j'ai un moyen très efficace, fit Matt en ressortant son épée de son baudrier.

Une ombre tomba sur la pièce.

L'homme se dressait sur le seuil.

— Matt ! L'enfant Matt ! tonna-t-il.

Matt se figea.

Cette voix…

— Tu es à moi ! hurla l'homme en s'approchant.

Matt restait paralysé.

C'est impossible.

Tobias lui arracha l'épée des mains et la planta profondément dans le sol mou.

Les parois furent secouées et d'un coup tout le fond se contracta.

L'ouverture se referma, et la texture de la caverne se durcit tout en réduisant l'espace à toute vitesse.

Puis les Pans furent éjectés, comme sur un trampoline, projetés ensemble dans le conduit étroit qui les avait aspirés jusque dans cet enfer.

Éjectés vers la surface.

Vers leur monde.

25

Sous le déluge

La tempête s'était abattue brusquement, en un instant, sur la forteresse cynik.

La Passe des Loups tout entière disparaissait sous des trombes d'eau. Les éclairs frappaient sans répit : la cime des arbres qui explosaient sous l'impact, le sommet d'une des tours, foudroyant le soldat qui avait eu le malheur de se trouver là.

Les Cyniks couraient se mettre à l'abri pendant que d'autres écopaient les flots qui inondaient progressivement les niveaux inférieurs.

Ambre et Chen étaient recroquevillés sur un créneau du mur, les jambes repliées pour ne pas être détectés par les soldats.

Ambre était au bord de l'épuisement.

Après l'effort fourni pour hisser Matt, elle se concentrait sur la forme noire qui flottait au bas de la muraille.

Le Raupéroden.

Le monstre qui avait avalé Matt.

Ambre le maintenait par la force de son altération là où il était, l'empêchant de fuir. Elle savait que s'il parvenait à lui échapper, il filerait dans les bois et plus jamais ils ne le reverraient, ni lui ni Matt.

Après ce qui venait de se passer, Ambre voulait croire que Matt avait raison à propos de Tobias. Qu'il n'était pas mort, mais captif, à l'intérieur de ce drap étrange, dans un autre monde. Car cette idée lui laissait l'espoir de revoir un jour ses amis vivants.

Et c'était avec cette pensée qu'elle tenait malgré les vertiges, malgré la douleur qui vrillait son cerveau. Grâce au souvenir de Matt et Tobias, elle ne perdait pas conscience.

À peine le Raupéroden avait-il compris qu'il était retenu prisonnier par une force invisible que la tempête s'était déclenchée. Les éclairs cognaient au hasard, pour tenter de libérer leur maître. Il était parvenu à surprendre Matt en se déplaçant seul, sans son cortège de Guetteurs, et ceux-ci lui manquaient à présent.

Ben, Horace et Tania avaient accouru de la forêt pour encercler le Raupéroden et tentaient aussi de le retenir avec leurs pauvres armes, ne sachant s'ils devaient frapper ou sauter dessus pour récupérer Matt.

Un grand visage effrayant se dessina au milieu de la cape noire. Un crâne au front large, aux mâchoires proéminentes, aux orbites agressives.

Sa bouche s'ouvrit comme s'il allait crier et dans un froissement de drap, plusieurs silhouettes apparurent, effarées, glissant hors des ténèbres. Tania pointa sa flèche sur la première avant de s'apercevoir qu'il s'agissait d'un jeune garçon.

Lorsque Tobias et Matt roulèrent à leur tour hors de la cavité, Ben se précipita vers eux.

— Matt ! Éloignez-vous de cette chose ! Nous la tenons !

Matt tituba et tendit la main vers le Raupéroden.

— Laissez-le, dit-il sans force. Laissez-le partir.

— Quoi ? Tu es fou ? Il t'a... Il t'a englouti !

Matt secoua la tête, éperdu.

— Il est affaibli, il va fuir. Laissez-le.

Ben n'y comprenait plus rien. Il regarda Tania et Horace qui, eux non plus, ne savaient que faire. Alors il recula et fit un grand signe à Ambre.

Celle-ci relâcha son étreinte mentale et tomba dans les bras de Chen.

Le Raupéroden claqua au vent et se redressa face aux adolescents.

Matt avait gravement blessé le Dévoreur, l'une des fonctions de la créature. Elle n'était plus en mesure de combattre.

Le visage squelettique toisa Matt un moment, puis la forme flottante se coula entre les rochers, à toute vitesse, pour disparaître dans la forêt.

La tempête était telle qu'aucun garde ne surveillait plus la plaine en contrebas. L'apparition des Pans et la présence du Raupéroden étaient passées totalement inaperçues.

Neil et Ben prirent en charge les nouveaux venus, les installant auprès des chiens, sous leur bivouac entre les arbres.

Matt se laissa choir à l'écart, les genoux repliés contre sa poitrine.

Tobias vint s'agenouiller près de lui.

— Je suis désolé, dit-il plein de tristesse.

— Tu le savais, pas vrai ? Tu l'avais vu…

Tobias ne trouva pas la force de répondre, il se contenta d'approuver d'un geste.

— C'est impossible, tenta de se convaincre Matt. Ça ne peut pas être lui.

— C'était sa voix, c'était son visage.

Matt laissa retomber son front entre ses mains jointes.

Il était perdu. Il s'était attendu à tout, sauf à cela.

L'âme du Raupéroden, son cerveau, avait un visage humain. Celui de son propre père.

Ben et Tania approchèrent.

— Ambre et Chen sont en haut du rempart, et Floyd est de l'autre côté, il faut faire quelque chose, annonça Ben.

Matt hocha la tête.

Il se releva péniblement, éreinté.

— Je vais monter avec Tobias, prévint-il.

— Comment allez-vous faire ?

— La tempête ne durera pas, c'est le cortège du Raupéroden, cette créature que vous avez vue tout à l'heure. Nous allons profiter de sa présence pour faire un peu d'escalade.

— Le Rau… comment sais-tu cela ? demanda Tania.

Matt ignora la question, saisit sa besace, et glissa son épée dans le baudrier, entre ses omoplates. Il alla jusqu'à Plume prendre le sac à dos et l'arc qu'il gardait parmi ses affaires et les rendit à Tobias.

— Mon matériel ? s'exclama celui-ci, ébahi.

— Je savais que, tôt ou tard, je te retrouverais. Je n'ai jamais perdu l'espoir, Toby.

Tobias se jeta dans ses bras et lui chuchota tout bas :

— On va trouver pourquoi ton père est le Raupéroden, tout ça a forcément une explication, d'accord ?

Matt approuva et ils se mirent en route vers la muraille qui traversait la vallée.

Ils parvinrent au pied de l'édifice, Tobias noua une fine corde à l'extrémité de sa flèche et recula pour viser.

Sans Ambre pour le guider, son tir serait nettement moins facile.

J'ai prouvé que je pouvais aussi me débrouiller sans elle !

Chen fit signe que la voie était libre et Tobias libéra la corde.

La flèche grimpa sous la pluie et passa tout près de Chen.

Ce dernier réapparut en exhibant fièrement la flèche. Il enroula la corde autour d'un créneau et Matt commença son ascension.

— J'ai assez de force pour me hisser, ensuite attache la corde autour de toi et je te tirerai. À tout de suite !

Ils procédèrent comme convenu et Tobias défit aussitôt la corde pour ne laisser aucune trace de leur passage.

Les éclairs avaient perdu leur violence, et la pluie n'était plus aussi drue qu'auparavant. L'orage touchait à sa fin.

— Il faut faire vite ! dit Matt. Où est Ambre ?

— Je l'ai allongée dans un coin, là-bas près des tonneaux, elle est inconsciente. Elle a tenu cette espèce de voile noir avec son altération, elle y a laissé toute son énergie.

Matt et Tobias attendirent qu'aucun garde ne soit en vue et se hâtèrent vers la jeune fille.

Matt la prit dans ses bras.

— Ambre, Ambre, il faut que tu reviennes à toi, nous avons besoin de toi.

Il insista ainsi pendant de longues secondes, aidé par Tobias.

Les paupières de l'adolescente tremblèrent, puis s'ouvrirent lentement.

— Toby ? murmura-t-elle.

— Oui, c'est moi ! Content de te revoir !

— J'ai cru que… vous étiez perdus !

Ses yeux ruisselèrent et Matt n'aurait su dire si c'était la pluie ou les larmes qui mouillaient son beau visage.

— Tu peux marcher ? demanda-t-il.

— Je crois… Mais ne me demande pas d'utiliser mon altération, j'ai l'impression que ça me tuerait.

Ils l'aidèrent à se remettre debout. Elle ne semblait pas vaillante.

— Il faut faire entrer les autres, dit Matt. Il faut leur ouvrir la porte. Notre mission n'est pas terminée.

26

Croisée des chemins

Le quatuor d'intrus se glissa dans l'escalier de la tour la plus proche, l'une de celles qui encadraient le donjon.

Des lampes à graisse diffusaient une clarté orangée en même temps qu'une odeur rance caractéristique. La pluie cognait contre les fenêtres en ogive.

— Il faut faire vite, murmura Chen. Avec ce temps les gardes sont moins attentifs. Ça ne durera pas.

— Tu as vu l'armée des Gloutons quelque part ? demanda Matt, inquiet.

— Non, pas dans la cour centrale en tout cas. Et c'est très calme. Si tu veux mon avis, les Gloutons n'ont fait que passer, ils ne se sont pas arrêtés.

— Pourquoi vous voulez à tout prix faire entrer les autres ? demanda Tobias.

— Seulement Ben, Horace et Tania, corrigea Matt, pour repérer les lieux, pour élaborer le plan d'attaque de notre armée.

— *Notre* armée ?

— L'armée d'Eden, l'armée des Pans. Nous n'avons plus le choix, nous sommes en guerre contre les Cyniks.

— Wouah ! Je m'absente quelques jours et c'est le chaos !

— Ça fait trois semaines que tu as disparu, rectifia Ambre.

— Tant que ça ? Dans le Raupéroden, le temps était différent, il n'y avait pas de jour, pas de repas non plus. Je meurs de faim pour tout vous dire.

— Trois semaines sans manger ? s'étonna Chen en descendant les marches. Je ne te crois pas ! Tu serais mourant !

— C'est un autre monde ! Notre organisme était... je ne sais pas l'expliquer, comme en hibernation, nous n'avions pas besoin de manger. C'était...

— Chut ! ordonna Chen.

Des pas lourds montaient les marches.

Chen poussa tout le monde en direction de la première porte venue et, après avoir jeté un rapide coup d'œil par le trou de la serrure, ils pénétrèrent dans une pièce circulaire qui sentait la sueur. Deux tables et leurs bancs se faisaient face, avec dans un coin des tonneaux de bière. Une petite flaque moussait encore sur le dallage, juste au-dessous des robinets en bois. Des jambons pendaient aux poutres.

Les quatre Pans se précipitèrent derrière un gros rideau en velours pendant que le Cynik passait à leur niveau sans s'arrêter. Il poursuivit vers l'étage supérieur, d'où ils venaient et Tobias sortit de sa cachette.

— Vous m'excuserez, mais je ne tiens plus ! lança-t-il en découpant une large tranche de jambon.

Chen fit le guet dans l'escalier et agita les bras pour les rappeler.

La spirale des marches semblait sans fin, étourdissante. Puis ils débouchèrent sur un hall sombre.

D'autres tables et bancs s'alignaient, des coffres, et un râtelier pour les lances. Une vaste salle de repos pour les gardes. Par chance, elle était inoccupée.

— La porte en face, indiqua Matt. Nous devrions tomber tout près de ce que nous cherchons.

— Comment le sais-tu ? demanda Chen.

— J'ai un bon sens de l'orientation.

De fait, ils entrouvrirent l'accès vers un immense couloir

dont le plafond culminait à dix mètres de hauteur et qui donnait d'un côté sur une cour inondée, de l'autre sur l'énorme portail qui fermait le rempart.

Des individus en armure traversaient la cour à vive allure, lestés de seaux, de lanternes ou de balais.

— Ils sont occupés, c'est le moment ! fit Chen.

Ils descendirent dans le couloir et Ambre désigna les deux herses en acier qui les surplombaient :

— Il ne faudrait pas se retrouver prisonniers entre ces deux grilles.

Chen pointa un index vers une meurtrière en hauteur :

— Ce doit être une salle de garde, avec les poulies pour les herses. Chut, pas un bruit !

Ils s'immobilisèrent face aux deux battants de la porte.

De lourdes chaînes retenaient les énormes troncs qui verrouillaient l'ouverture. Les commandes semblaient opérationnelles depuis une pièce dans le mur, accessible par un escalier. Des bribes de conversation en descendaient en même temps que des ombres.

— Jamais nous ne pourrons actionner ce système sans avoir la moitié de la forteresse sur le dos ! murmura Tobias.

— La poterne ! signala Ambre.

Ils passèrent devant le petit escalier en guettant, le cœur battant, et parvinrent au guichet – une petite porte de dimension humaine, au milieu du gigantesque portail de métal. Une chaîne avec un cadenas la maintenait close.

Tobias montra les deux tabourets dont les pieds traînaient dans l'eau qui s'était infiltrée.

— C'est normalement gardé ici.

— Ça se complique, dit Chen en soupesant le cadenas. Nous ne pouvons chercher la clé, c'est trop risqué.

Matt se déplaça et enfila son couteau de chasse entre deux maillons de la chaîne. Il commença à les faire tourner autour de sa lame et força sur le manche de son couteau. Un maillon céda en résonnant dans le vaste passage.

Chen et Tobias se figèrent, l'oreille tendue, de crainte d'être repérés. Mais personne n'approchait sous le crépitement des torches.

Matt défit la chaîne brisée et la déposa dans l'eau. Son couteau avait rendu l'âme.

Ambre tira sur le battant et risqua un regard à l'extérieur.

Tout d'abord elle ne vit personne. Puis Ben et Tania apparurent derrière le rocher le plus proche. Horace, Neil et sept chiens suivaient. Ils rampèrent parmi les herbes pour se rapprocher de la rampe qu'ils remontèrent à plat ventre.

Quand tous furent enfin entrés, Matt prit soin de redisposer la chaîne comme si elle était intacte.

Une des anses vint cogner contre la porte et le métal résonna bruyamment.

Un garde s'écria depuis la pièce en retrait :

— Sam, c'est toi ?

— Oui, tout va bien ! répondit un adulte au milieu du groupe de Pans.

Tous les adolescents sursautèrent et s'écartèrent en même temps d'Horace.

Matt se souvint alors de l'altération du garçon : sa capacité à truquer sa voix, à déformer son visage. Ils allaient savoir d'une seconde à l'autre si ce don était aussi précieux qu'il semblait.

— Au moins vous ne roupillez pas ! s'exclama le garde en lâchant un rot sonore ponctué d'un rire gras.

Matt donna une tape amicale à Horace.

— Qu'est-ce que Neil fait là ? chuchota Ambre.

— Je viens avec vous. Je pars pour le sud, moi aussi.

— Non, commença Matt, c'est hors…

— Je suis le représentant du Conseil d'Eden, j'ai le droit de faire ce que je veux. Et je viens ! dit-il en chuchotant plus fort que les autres.

Ben se pencha vers Matt :

— N'insiste pas, il a déjà fait son choix. Et son altération pourra nous servir.

— Vous n'avez pas retrouvé Floyd ? demanda Tania.

— S'il est malin, il est déjà repassé par la grille du fleuve pour retourner au campement, répliqua Chen.

— Ne restons pas là, intervint Ambre. Il faut trouver une cachette pour les chiens, le temps que nous repérions la sortie de l'autre côté.

Ils longèrent la paroi jusqu'à la cour transformée en bassin par l'orage. Le donjon se dressait juste en face, colossale bâtisse de pierre. Des échafaudages en bois graduaient sa face est.

Des remparts couraient tout autour, régulièrement ponctués par des tours de tailles différentes. Matt repéra une grange toute proche où les chiens pourraient peut-être rester cachés. Puis il vit les écuries, un long édifice au toit d'ardoises, et une arche au milieu d'un rempart. La herse était levée et semblait donner sur le fleuve et une route de terre.

— Là-bas, notre sortie ! dit-il.

Tania lui tendit la main :

— Nos routes se séparent ici.

— Nous allons t'aider, ce sera plus...

— C'est inutile, je vais faire un tour rapide des lieux pour mémoriser les accès, les postes de surveillance, et je repartirai par la poterne. Seule je serai plus discrète qu'avec vous. Floyd aura noté tout ce qu'il y a à savoir du côté du fleuve. Votre mission continue, Matt.

Neil se pencha vers Tania :

— Lorsque vous ferez votre rapport au Conseil d'Eden, n'oubliez pas de leur dire que je suis parti avec eux, pour représenter l'autorité des Pans.

Tania fit comme s'il n'existait pas et serra la main de Matt. Puis elle s'adressa à Tobias :

— Je te laisse ma chienne, tu en auras plus besoin que moi. Elle s'appelle Lady et aime être brossée chaque soir. Prends-en soin.

Tobias regarda la chienne qui le scrutait avec curiosité. Il acquiesça et remercia Tania.

Lorsqu'ils se furent tous dit adieu, Tania profita que les rares gardes dans la cour leur tournent le dos pour foncer vers une ouverture au pied du donjon et s'y engouffra.

Elle a du cran, songea Matt.

Cela suffirait-il à la garder en vie dans cette forteresse ?

Il lui faudrait également une bonne dose de ruse, de vigilance, un peu d'agilité et surtout une grosse part de chance.

À ce prix, peut-être pourrait-elle survivre à sa mission et regagner Eden pour les aider à préparer la guerre.

L'avenir des Pans reposait en partie sur les épaules d'une jeune fille.

Bonne chance, Tania, songea-t-il. *Nous en aurons tous besoin.*

L'expédition s'était dédoublée. Un tout nouveau périple commençait pour eux.

En terre cynik.

27

Arbalète, arc et précision

Un timide crachin tombait sur la forteresse. Les drapeaux cyniks ruisselaient, les gouttières des tours terminaient de déverser leur trop-plein, les lampes à graisse brûlaient à travers les fenêtres étroites et les soldats de garde commençaient à sortir pour reformer les patrouilles sur les remparts.

Matt savait qu'il ne fallait plus attendre, c'était le moment de partir.

Mais ils formaient une longue caravane, sept Pans et autant de chiens, ce qui ne rendait pas la tâche aisée.

Après avoir longuement détaillé la cour et ses dangers, il retrouva ses camarades, tapis dans un renfoncement, derrière des caisses en bois.

— Si nous parvenons aux écuries, il sera facile de gagner l'ouverture sur le fleuve, indiqua-t-il. Les soldats sont encore peu nombreux ou en mouvement. Avec un peu d'habileté, nous devrions passer dans leur dos. Le problème, c'est qu'il y en a deux juste dans l'axe de notre passage.

— Je peux grimper en surprendre un, rappela Chen.

Tobias leva son arc :

— Et avec l'aide d'Ambre, je peux faire taire l'autre.

— Franchement, je ne suis pas sûre d'être capable de quoi que ce soit, avoua la jeune femme.

Matt avisa Tobias. Ce dernier haussa les épaules.

— Dans ce cas, je ne garantis rien ! dit-il. Me regardez pas comme ça ! D'accord ! Je vais m'en occuper.

— Pendant ce temps, je mène les troupes jusqu'aux écuries. Vous nous rejoindrez là-bas.

Matt emmena les deux garçons au bord de la cour et leur désigna leur cible. Chen retira ses chaussures qu'il noua à sa ceinture par les lacets, et commença à grimper sur le mur. Tobias, de son côté, alla se positionner dans un angle obscur, à côté d'une charrette pleine de foin trempé, et planta cinq flèches devant lui. À défaut d'être précis, il était rapide, il finirait tôt ou tard par faire mouche.

Restait à espérer que ce soit avant qu'on ne sonne l'alarme.

Dès que Chen fut parvenu au sommet du chemin de ronde, tout alla très vite. Il attendit que le garde tourne la tête dans la direction opposée et se précipita sur lui pour lui assener un violent coup de crosse d'arbalète à la base du crâne. Le Cynik tomba à la renverse, raide comme un piquet.

Tobias, qui se concentrait sur sa cible depuis un moment, décocha son trait.

La flèche siffla à peine dans la nuit, et passa à un bon mètre du garde. Par miracle, ce dernier ne s'en rendit pas même compte, à moitié endormi par l'attente. Dans la seconde qui suivait, Tobias encochait une autre flèche et la libérait, puis une troisième et avant même qu'elles ne soient à hauteur de l'homme, il en envoyait une quatrième.

Le Cynik comprit qu'il se passait quelque chose lorsque la deuxième flèche cogna le parapet de pierre juste derrière lui. Mais il n'eut pas le temps de se retourner que la troisième venait lui transpercer la gorge, et la quatrième se ficher au milieu de son torse. L'homme convulsa avant de s'immobiliser.

Tobias l'avait certainement tué. Il balaya toute culpabilité en bondissant vers la grange.

Les cinq autres Pans et la meute de chiens géants se faufilaient d'ombre en ombre, au gré des patrouilles. Ils parvinrent aux écuries qu'ils longèrent et stoppèrent tout près de l'ouverture dans le mur. La herse était encore levée.

Deux gardes se tenaient debout, appuyés sur leur lance, plus concernés par leur conversation que par la surveillance de ce qui pouvait entrer ou sortir à cette heure de la nuit.

Matt et Horace relevèrent le capuchon de leur manteau pour dissimuler leurs traits et se dirigèrent à bonne vitesse, d'une démarche sûre, vers les gardes. Horace parlait de sa voix d'adulte :

— ... et là il me dit : Malronce est une bonne reine. Alors moi je lui réponds...

Les deux gardes s'étaient interrompus pour jeter un œil distrait à ces collègues qu'ils ne reconnaissaient pas encore lorsque Matt fut sur le premier. Un coup de poing phénoménal lui tordit la tête et l'envoya glisser dans la boue sur plusieurs mètres.

Horace se servit de son bâton de marche pour frapper le sien en pleine tempe. Le morceau de bois se brisa en deux tandis que l'homme s'effondrait.

Les deux garçons tirèrent les corps à l'écart, derrière un long bac qui recueillait l'eau de pluie. Après quoi Matt fit signe aux autres d'accourir et ils passèrent sous l'arche, Chen et Tobias en dernier.

Le mur se prolongeait, seulement percé d'une étroite poterne, jusqu'à un quai illuminé par de nombreuses lanternes.

Le ponton de planches accueillait plusieurs dizaines de barriques renversées qu'une douzaine de Cyniks finissaient de ranger.

Matt poussa ses compagnons dans un petit fossé où les chiens sautèrent instantanément.

Un bateau était amarré, de vingt mètres de long, semblable à une jonque asiatique.

— Floyd a fichu une sacrée pagaille, se réjouit Chen en observant les Cyniks à l'ouvrage.

— Il faut attendre qu'ils aient terminé, annonça Ben, ensuite nous pourrons franchir la poterne et nous éloigner.

— S'ils finissent avant l'aube ! ajouta Neil. Parce que dès qu'il fera jour, nous serons visibles sur des centaines de mètres !

Horace tendit un doigt en direction de la jonque :

— Il faut leur piquer le bateau. C'est un moyen de transport rapide, reposant et sûr pour ne pas se perdre.

Chen ricana.

— Toi, on t'entend pas souvent mais quand t'as quelque chose à dire, ça vaut le coup !

Matt approuva :

— Horace a raison, nous devons prendre le bateau. Dès que tous ces Cyniks auront fini, on les laisse rentrer au château et on fonce. Il faudra faire vite, l'absence des gardes sous la herse ne tardera pas à éveiller les soupçons. Tobias, tu as un peu d'expérience avec les navires, tu nous guideras dans la manœuvre d'appareillage.

Les Cyniks accomplirent leur tâche en une heure, empilant les tonneaux en petites pyramides. Ils laissèrent sur place la plupart des lanternes, deux gardes, et la troupe rentra d'un pas pressé se réchauffer au sec.

Cette fois, Matt et Ben s'occupèrent du premier soldat pendant qu'Horace et Chen assommaient le second.

La voie était libre. Tout le monde grimpa à bord de la jonque et pendant que Tobias prenait connaissance du navire, Matt, Ben et Chen défirent les amarres.

C'est alors qu'un cri retentit sur les hauteurs de la forteresse :
— ATTAQUE ! ATTAQUE ! SUR LE QUAI !

Aussitôt le cor d'alarme sonna au sommet de la tour et une dizaine d'hommes en armure se précipitèrent par la porte sud.

La jonque commençait seulement à s'éloigner du ponton de bois.

Chen épaula son arbalète à deux arcs superposés et déclencha un premier tir, rapidement suivi du second. Un des tout premiers Cyniks s'écroula, un carreau dans la cuisse, ce qui eut pour effet de les arrêter net. Le temps qu'ils analysent la situation, la jonque déployait sa grand-voile sur les instructions de Tobias, et le courant l'entraînait déjà à la vitesse d'un trot de cheval.

Chen en avait profité pour recharger et il tira à nouveau pour ralentir leurs poursuivants qui investissaient le quai.

Bénéficiant d'un courant fort et d'un vent porteur, la jonque fut rapidement hors de portée et tout le monde à bord entendit les Cyniks hurler leur rage d'avoir été aussi facilement bernés.

La silhouette irrégulière de la forteresse se découpait sur la nuit, et les Pans ne furent réellement soulagés que lorsqu'elle disparut complètement derrière une colline, après un coude du fleuve.

Peu avant l'aurore, ils entendirent le galop d'un cheval et un cavalier apparut sur la route qui jalonnait le fleuve. Il fonçait vers le sud.

— Un messager ! avertit Ben. Il va prévenir la prochaine garnison que nous arrivons !

— Il ne doit pas délivrer son message ! ordonna Matt.

Ambre, qui se reposait depuis leur départ, s'approcha.

— Il va passer tout près, par la route. À cette vitesse, il ne craint pas grand-chose. Sauf si Tobias et moi nous en chargeons.

— Tu en es capable ?

— Nous le verrons bien.

Le cavalier se rapprochait.

— Vous n'aurez pas le temps pour un second tir, concentre-toi bien.

Tobias se cala contre le bastingage et retint son souffle.

Ambre avait ouvert le bocal des Scararmées.

— Tu ne devrais pas t'en servir, s'inquiéta Matt, ils vont te faire mourir de fatigue si tu continues.

Ambre l'écarta d'un geste et se concentra.

Le cavalier apparut à leur niveau, en plein galop, il allait les dépasser lorsque Tobias tira. Sa flèche prit la bonne trajectoire d'emblée, mais la vitesse du cavalier était telle qu'elle allait passer derrière lui lorsqu'elle opéra une courbe improbable, encore plus puissante, comme téléguidée. Le trait de bois interrompit sa course folle en travers du cou du soldat qui chancela avant de rouler sur le bas-côté. Sa monture, elle, poursuivit sans même ralentir.

Tout le monde à bord félicita Tobias qui haussa les épaules, gêné.

— C'est le deuxième homme que je tue ce matin, dit-il, abattu.

Ambre était livide, elle se retenait au mât. Matt la rattrapa avant qu'elle ne s'effondre et la porta à l'arrière pour la déposer sur un lit de duvet. Il était anxieux. Il craignait que l'altération décuplée par les Scararmées ne finisse par avoir de plus graves conséquences que l'épuisement.

Tobias était de retour à la barre du gouvernail.

— Je vais garder un œil sur elle, ne t'en fais pas, dit-il.

Le soleil se leva sur la vallée, bien plus large qu'elle ne l'était avant la forteresse. Ici la Forêt Aveugle dressait son incroyable masse loin des berges ; la Passe des Loups était dans leur dos, ils étaient parvenus sans aucun doute au royaume de Malronce.

Neil vit le cheval sans cavalier, en train de brouter paisiblement, et il demanda :

— Cette piste finit bien par rejoindre un village ou quelque chose de ce genre, n'est-ce pas ?

— Je pense que c'est le fleuve qui traverse Babylone, la principale ville cynik, révéla Matt.

— Nous n'allons tout de même pas nous y introduire ? Il faut quitter cette embarcation et contourner la ville !

— Au contraire, intervint Matt, c'est le meilleur moyen de filer à Wyrd'Lon-Deis sans perdre de temps, le fleuve coule jusqu'à Hénok, la cité qui borde le bassin où vit Malronce.

— C'est de la folie ! Les Cyniks vont nous arrêter !

— Pas si nous nous faisons passer pour des adultes. S'il n'y a pas d'autres cavaliers que celui abattu ce matin, ils ne se méfieront pas. Alors, nous serons bientôt au pied du Testament de roche.

Matt croisait les doigts pour se donner du courage, et pour paraître lui-même convaincu par son discours.

Après tout, maintenant que Tobias était de retour parmi eux, ils formaient à nouveau l'Alliance des Trois.

Rien ne pouvait plus leur arriver.

Matt se le répéta plusieurs fois, comme pour se forcer à y croire.

28

Croisière

Les chiens s'étaient regroupés à l'avant de la jonque, pelotonnés les uns contre les autres. Le navire glissait, silencieux. Tous dormaient pour se remettre de la nuit mouvementée à laquelle ils avaient survécu.

Seuls Tobias, qui tenait le gouvernail, et Matt, qui veillait Ambre, demeuraient éveillés.

Matt vint s'asseoir à côté de son ami d'enfance.

— Ce n'était pas le premier, dit-il. Je vois bien que ça te préoccupe, les Cyniks tués ce matin.

— Non, ce n'étaient pas les premiers, répéta Tobias d'un air sombre. C'est peut-être justement ça le problème. Je ne m'habitue pas.

— Tant mieux ! C'est ce qui fait de toi un garçon bien. Moi, quand je plante mon épée dans un de ces gars, j'ai l'impression que c'est un peu ma chair qui est meurtrie. Le soir, j'y repense, je revois le sang, le regard de mon adversaire, où se mélangent la peur et l'incompréhension, avant la douleur. Je n'aime pas ça non plus, et je ne m'y habitue pas. Mais c'est une guerre, Toby, ne l'oublie pas. Si tu hésites, le Cynik en face de toi n'aura pas cette indulgence, lui.

— Tu crois que toutes les guerres ne peuvent se terminer que par la victoire totale d'un des camps ? Qu'il faudra exterminer tous les adultes pour espérer vivre en paix ?

Matt soupira profondément.

— Je n'en sais rien, Toby. Je n'en sais rien. J'espère que non. Mais je ne vois pas comment tout cela va se terminer. Quand une espèce animale se met à traquer ses propres enfants pour les anéantir, ça n'augure rien de bon pour sa survie, c'est tout ce que je sais.

Tobias avala péniblement sa salive et scruta les yeux de son ami.

— Tu penses à ton… Au Raupéroden, pas vrai ? demanda-t-il.

Matt acquiesça sans un mot.

— Peut-être que ce n'est qu'une illusion, reprit Tobias. Tu sais, une sorte d'invention que le Raupéroden fabrique pour te faire douter.

— Si c'était le cas, il t'aurait montré ton père, pour te manipuler aussi. Non, maintenant j'en suis certain, c'est bien lui. Il me recherche, il me veut. C'était son visage, sa voix, j'ai même pu sentir son odeur ! C'est bien mon père, je n'ai aucun doute.

— Pourquoi il te veut autant ? Il parlait de t'assimiler…

— Je l'ignore. Ça n'a aucun sens.

Le vent souffla soudain plus fort et les deux garçons sursautèrent, avant de se rassurer. La jonque prit de la vitesse.

— Tu crois qu'il va encore te pourchasser après ce qu'il s'est passé cette nuit ?

— Il est obsédé par ça. Il n'arrêtera pas. Il est blessé, j'ai touché l'araignée, il va probablement prendre le temps de se remettre, mais il ne sera pas loin, sur mes talons. Bon sang, Toby, qu'est-ce que je vais faire ? C'est mon père ! Je ne peux pas le tuer !

Tobias se gratta la tête tout en donnant un petit coup de gouvernail pour s'éloigner des berges sablonneuses.

Lui aussi se demandait comment cela allait finir, entre Matt et le Raupéroden.

Puis il songea à Tania et Floyd. Étaient-ils parvenus à repérer les lieux et à en sortir ? Tania avait sans aucun doute bénéficié de la diversion provoquée par leur propre fuite pour filer. Restait à espérer qu'ils avaient assez glané d'informations pour permettre à l'armée Pan de prendre la forteresse par la ruse. Car un siège serait impossible.

Encore fallait-il qu'ils parviennent à Eden sains et saufs.

— Je me demande si on a bien fait de laisser Colin avec les autres, avoua-t-il. Ce n'est pas qu'il soit méchant, mais par peur il est capable de tout.

— Y compris de les trahir, je vois à quoi tu fais allusion. Hélas, nous n'avions pas le choix.

— Franklin l'a vu à l'œuvre, il l'aura à l'œil, se rassura Tobias. Et pour passer Babylone, tu as un plan ?

Matt se mordit les lèvres et secoua lentement la tête.

— Moi j'en ai peut-être un, confia Tobias. Pour franchir Babylone et surtout Hénok, les facultés d'Horace ne suffiront pas, il nous faut un véritable adulte. J'en connais un, je pense qu'il pourra nous aider.

— Tu veux t'arrêter à Babylone ?

— De toute façon j'ai bien peur que les Cyniks nous y contraignent.

— Confier nos vies à un adulte, je ne sais pas, je ne suis pas très chaud…

— Sans lui, nous n'atteindrons pas Wyrd'Lon-Deis, tu le sais comme moi.

— C'est un pari osé, nous risquons tous notre peau là-dessus.

— Fais-moi confiance, ce Cynik-là est différent.

Matt enfouit son menton dans ses mains et prit le temps de réfléchir.

— Je suppose que nous n'avons pas d'autre option, concéda-t-il après un moment.

Le vent lança une autre rafale dans la voile qui se déploya en claquant.

La croisière prit un tour inattendu lorsque le fleuve obliqua vers l'est pour entrer dans les contreforts de la Forêt Aveugle. La route, elle, poursuivait vers le sud.

— Tu es sûr que c'est une sage idée que de continuer à bord ? demanda Neil à Matt.

— Les Cyniks utilisaient ce bateau, non ? C'est forcément par là qu'ils passaient, nous n'avons croisé aucune autre voie navigable.

La lumière déclina, à peine les premiers kilomètres franchis. Une épaisse mousse brune recouvrait les berges, les roseaux avaient disparu, remplacés par des amas d'épineux. Les arbres dépassaient la centaine de mètres de hauteur et, par-dessus leurs épaules, on pouvait apercevoir leurs grands frères de la Forêt Aveugle. Dans cette pénombre hostile, il semblait impensable qu'un autre monde puisse exister tout là-haut, perché à plus d'un kilomètre d'altitude, avec sa faune et ses peuples. Et pourtant l'Alliance des Trois pouvait en témoigner. Les Kloropanphylles faisaient plus qu'y survivre, ils s'étaient bâti un nid confortable et une impressionnante flotte de navires volants.

Un étrange cri animal retentit soudain depuis les entrailles des contreforts, qui ne ressemblait à rien de ce que les adolescents avaient déjà pu entendre. Une sorte de cri de gorge syncopé, aigu et répété. Il accompagna l'embarcation un long moment avant de se perdre au loin.

Matt aperçut des singes, ou du moins ce qui ressemblait à des singes, au loin dans les branches supérieures.

La perspective d'enchaîner une autre nuit blanche pour veiller sur la sécurité de la jonque n'enchantait pas Matt, il ignorait combien de temps encore il pourrait tenir.

Mais avant que le ciel ne s'assombrisse totalement, le fleuve ressortit de la forêt, en direction du sud. Matt respira à nouveau, sa courte expérience de la Forêt Aveugle, un mois et demi plus tôt, l'avait passablement dégoûté de ce lieu.

Rassurés, ils osèrent allumer deux lampes à graisse tandis que Chen sortait des sacs d'un coffre :

— Regardez ce que j'ai trouvé ! Du jambon, des champignons, de la confiture et même un peu de pain !

Après le dîner qui prit des airs de festin, Tobias fut relayé à la barre par Ben qui avait dormi une large partie de la journée.

— Aucun signe de l'armée Glouton ? demanda-t-il à Tobias.

— Non. Pas âme qui vive. C'est quoi au juste cette armée ? Les Gloutons et les Cyniks sont alliés maintenant ?

— Apparemment. Nous l'avons surprise à l'entrée de la Passe des Loups. Elle filait vers le sud, accompagnée par des cavaliers cyniks. Je suppose qu'à l'heure qu'il est, elle a rejoint l'un des campements militaires de Malronce. Allez, va donc dormir un peu, tu as les yeux tout rouges et tes paupières peinent à se relever !

Le lendemain matin, la jonque glissait dans une région de collines, la Forêt Aveugle dans leur dos. Ils étaient passés.

Le panache de fumée d'un feu les fit paniquer en début d'après-midi, tous sautèrent sous les bâches, ne laissant que Horace à l'avant et Ben au gouvernail, le visage dans l'ombre de son capuchon.

Ils voguèrent jusqu'à une grande bâtisse de pierre. Matt, dissimulé sous la bâche avec ses amis, entendit Horace commenter entre ses dents :

— C'est une auberge, la route et le fleuve s'y rejoignent. Je vois un ponton avec deux pêcheurs. Si je dis « grosse colère », c'est qu'il faut que vous sortiez tout de suite avec vos armes au poing ! Sinon, restez sans bouger et pas un bruit !

Les pêcheurs interpellèrent la jonque et Horace répondit un vague salut d'une voix d'adulte.

— L'armée se mobilise à Babylone ! cria l'un des pêcheurs.

— Nous leur apportons des peaux d'ours ! fit Horace.

— Il y a justement tout un groupe de soldats à l'intérieur, ils descendent à Babylone, si vous voulez vous épargner le trajet !

— Nous ne pouvons accepter, ces peaux sont pour quelqu'un de particulier, un proche de la Reine.

— C'est bientôt le moment de la Rédemption ! La Reine va nous guider ! fit le second pêcheur.

L'autre enchaîna, sur un ton d'excuses :

— Mon pote et moi, nous ne pouvons nous battre, à cause de nos jambes, elles sont toutes tordues ! Mais nos pensées vous accompagnent ! Peut-être que vous pouvez prendre les soldats avec vous ?

— Nous sommes déjà bien assez chargés !

— Ah bon, alors bonne route !

Horace les salua encore une fois et soupira de soulagement.

— C'est bon, dit-il dans sa barbe, nous sommes passés.

Quand il sortit de sa cachette, Matt comprit qu'ils ne pouvaient se permettre la moindre inspection de routine, entre les chiens au gabarit hors normes et les Pans présents à bord, il était impossible de cacher tout le monde, ils seraient aussitôt arrêtés par les Cyniks.

Pendant deux jours encore, ils descendirent le fleuve dont l'eau verdissait à mesure qu'il gagnait le sud.

Ambre avait dormi l'essentiel des quarante-huit premières heures, et s'était réveillée en pleine forme.

Depuis elle examinait les Scararmées dans leur bocal, et s'entraînait avec son altération, jamais de gros efforts, canalisant son attention sur de petits objets qu'elle faisait déplacer sur le pont. Au début, elle avait expédié plusieurs brosses pour récurer le bois, couteaux et instruments de cuisine par-dessus bord. Peu à peu, elle s'était améliorée, parvenant à filtrer le surplus d'énergie que lui conférait la présence des Scararmées.

Neil s'était assis sur une pile de cordages pour la regarder faire, il affichait une mine souriante, le regard plus doux, comme s'il voulait faire la paix avec la jeune fille.

— Jamais tu ne les nourris ? demanda-t-il.

— Non. Au début j'ai mis des feuilles, un morceau de pain et même un ver de terre, mais ils n'y touchent pas. Ils ne mangent ni ne boivent jamais.

— Comment font-ils pour survivre ?

— Je pense qu'ils ne sont qu'un petit réceptacle d'énergie, c'est elle qui les fait vivre. Ils ne sont que les vaisseaux.

— Une énergie qui viendrait d'où ?

— C'est la même que celle que nous utilisons pour nos altérations, je suppose que c'est une sorte de courant qui relie toutes choses dans l'univers.

— Ah, j'ai déjà entendu un truc à ce sujet ! La matière noire ! Ce sont des particules qui existent partout, même dans ce qu'on appelle le vide, dans l'espace !

— Peut-être que l'énergie de ces insectes est un concentré de matière noire alors. Ça renforcerait l'hypothèse d'une Terre en colère.

— C'est ton hypothèse de la Tempête ?

— En effet. Une sorte de gigantesque réaction chimique et physique à nos excès, à notre exploitation outrancière des ressources de la planète, à toute notre pollution qui la détruit. La matière noire aurait réagi comme un anticorps, bouleversant le monde, et nous par la même occasion.

— Je n'imagine pas de la *matière* choisir qui doit survivre et qui doit être vaporisé !

— Elle n'a pas vraiment choisi, la matière noire serait guidée par un unique principe directeur : propager et équilibrer la vie. Elle a rééquilibré et s'est assurée que la propagation pourrait se poursuivre, mais autrement.

Neil ne parut pas convaincu :

— Mouais.

— Peut-être que la matière noire et la Tempête sont deux choses différentes, je n'en sais rien, ce ne sont que des hypothèses.

— En tout cas tu as l'air de bien te débrouiller avec ton altération. Félicitations.

— J'y travaille.

Neil la regarda avec insistance, la mettant mal à l'aise, et Ambre ramassa ses affaires pour rejoindre ses deux amis à l'arrière du bateau.

En fin de journée, la jonque sortait d'un bois lorsque Tobias sauta sur le banc à côté du gouvernail.

— Mes jumelles ! s'écria-t-il en bondissant vers son sac pour sortir son instrument. Je la vois ! La tour du Buveur d'Innocence ! Nous arrivons à Babylone ! Derrière cette grande colline ! Babylone !

La cité des Cyniks.

29

Une question de principe…

Ambre frissonnait de dégoût à l'approche de Babylone. La tour du Buveur d'Innocence, au-dessus de la vieille université, lui rappelait de mauvais souvenirs.

La jonque approchait des murailles, deux tours flanquaient le fleuve et leur arrivée avait déjà été remarquée par des soldats qui les observaient depuis les hauteurs.

Les chiens étaient couchés à l'avant, Matt, Chen, Neil et Tobias dissimulés sous leur bâche, tandis que Ben et Ambre, qui pouvaient passer pour des adolescents approchant l'âge adulte, et donc l'âge de la trahison, accompagnaient Horace dont le visage venait de se transformer. Sa peau s'était tendue, faisant ressortir une fine barbe, le pourtour de ses yeux et son front s'étaient soudainement plissés pour lui donner des rides, et il fit quelques essais pour se choisir une voix d'adulte convaincante. Il paraissait approcher la trentaine.

Les quatre Pans sous la bâche gardaient un œil sur l'extérieur à travers de petites déchirures dans le tissu imperméabilisé.

Ils aperçurent l'immense campement qui encerclait la ville, des centaines de tentes rudimentaires, autant de feux sur lesquels chauffaient des marmites, et des milliers d'hommes pour la plupart en tenue civile.

L'une des armées de Malronce se mobilisait en ce moment même autour de Babylone.

— C'est pas bon du tout pour nous ! murmura Chen. L'armée est presque prête. Ils ne vont plus tarder à se mettre en route. Jamais les forces d'Eden n'auront le temps de se rassembler pour les contrer !

Un Cynik les interpella depuis le haut d'une tour, alors qu'ils allaient franchir la muraille pour pénétrer dans la ville :

— Nous vous attendions ! hurla-t-il. Amarrez-vous sur le quai est !

Horace fit un grand signe de la tête pour signaler qu'il avait entendu mais ne toucha pas au gouvernail.

— Qu'est-ce que je fais ? siffla-t-il entre ses dents.

— Je ne crois pas que nous ayons le choix, répondit Ben. Ils vont nous cribler de flèches si nous ne nous arrêtons pas.

— Dès que nous poserons un pied sur ce quai, nous serons démasqués, intervint Ambre aussitôt.

— Non, fit la voix étouffée de Tobias sous la bâche, pas si nous avons un Cynik avec nous ! Laissez-moi filer en douce et je vous en trouverai un !

— Tu vas te faire repérer ! répliqua Ambre.

— Non ! Je suis sûr qu'avec l'armée dehors et l'imminence

de la guerre, Babylone est sens dessus dessous, et puis je suis rapide, au pire je peux perdre des poursuivants dans le dédale de la vieille ville ! Fais-moi confiance, Ambre, nous sommes déjà venus ici, je connais l'endroit !

Ambre soupira et d'un regard demanda l'avis de Ben et Horace.

Ce dernier haussa les épaules en disant :

— De toute façon nous n'avons pas d'autre solution…

— Trouve-nous un coin plutôt isolé, capitula Ambre, pour que Toby puisse débarquer discrètement.

— Ça va être difficile ! fit Ben en contemplant Babylone.

Les quais étaient saturés, toute la flotte cynik y était accostée, de longs navires de transport, tous fraîchement fabriqués, occupaient les débarcadères, pendant qu'une foule agitée les déchargeait en direction de charrettes tirées par des bœufs, des ânes et quelques chevaux de trait.

— Regardez ce qu'ils chargent sur les chariots ! lança Neil. Ce sont des armes et des armures !

— Toute la production des forges de Malronce, murmura Matt.

Ambre désigna un emplacement entre deux navires.

— Conduis-nous là, Horace, nous serons cachés entre les deux plus gros voiliers cyniks, ça laissera à Toby le temps de disparaître à terre.

À peine la petite jonque se collait-elle au débarcadère de pierre, que Tobias glissait hors de la bâche pour se hisser sur le quai et se mélanger à la foule, la capuche baissée sur son visage.

Matt serra son épée contre lui. Il se tourna vers Chen et Neil :

— Si les choses tournent mal, je tenterai de repousser l'ennemi pendant que les autres lanceront la manœuvre pour fuir ; Chen, tu me couvriras avec ton arbalète, et toi, Neil, tu fonceras trancher les amarres.

Les deux garçons approuvèrent, peu rassurés.

Ils entendirent Ben qui s'adressait à Horace, d'un air troublé :

— Horace, ton visage ! Il s'affaisse !

— Je sais, je le sens. J'ai du mal à stabiliser la déformation.

— Ça y est, on dirait que ça va mieux.

— Il faut que je reste concentré, c'est tout.

Ils patientèrent plus de dix minutes, croisant les doigts pour que Tobias revienne rapidement. Soudain deux soldats surgirent, accompagnés par un homme en soutane noire et rouge, tel un curé.

— Vous venez pour le ravitaillement ? demanda celui-ci.

Horace s'avança.

— Non, nous avons une nouvelle mission, dit-il de sa voix d'adulte, grave et un peu éraillée. Nous devons transporter ces chiens vers notre Reine.

— Diable ce qu'ils sont grands ! Et les caisses d'armes pour la Passe des Loups ? Quand est-ce que vous les prenez ?

— À notre retour.

— Mais ce sera trop long !

— C'est un ordre que j'ai reçu, je ne fais qu'obéir.

L'homme en soutane parut contrarié, il avisa alors les deux autres membres d'équipage et fut surpris par leur jeunesse.

— Ce sont des traîtres Pans, expliqua aussitôt Horace, ce sont eux qui nous ont livré ces chiens. Je dois les descendre à Wyrd'Lon-Deis également.

— Sont-ils passés par le Ministère auparavant ?

— Non, intervint Ambre qui craignait un piège, elle se souvenait que le Ministère délivrait un bracelet spécifique aux jeunes traîtres Pans nouvellement enrôlés. Ces chiens sont la preuve de notre bonne foi.

L'homme en soutane secoua la tête, pas convaincu, c'était manifestement un homme de protocole, il changea de ton et devint agressif :

— Je vais monter à bord ! Je veux voir votre ordre de mission !

— Ils n'en ont pas ! fit un autre Cynik derrière lui.

L'homme en soutane sursauta et fit face à un vieil individu, avec deux touffes de cheveux blancs au-dessus des oreilles, le visage creusé et de fines lunettes en équilibre sur un nez étroit.

— Balthazar ! reconnut Matt sous sa bâche.

— C'est une mission que je supervise, expliqua Balthazar, l'approvisionnement de notre Reine en créatures singulières. Vous me connaissez, n'est-ce pas ? Je suis fournisseur de bizar-reries, et mon réseau est large. Jusqu'à notre forteresse du nord. Le conseiller spirituel Erik, paix à son âme, m'avait demandé en son temps de trouver à la Reine des spécimens de chiens géants. Les voici.

— Alors Erik vous avait signé un bon de commande, j'aime-rais le voir !

— Je ne travaille pas comme ça. Tout se fait par la parole chez moi. Est-ce un problème ? Dois-je faire partir un mes-sage pour prévenir la Reine que sa cargaison spéciale aura du retard ?

L'homme en soutane ne se laissait pas manipuler, la méfiance ne le quittait pas.

— Je ne laisse pas partir un de nos bateaux pour le sud par les temps qui courent, sans une autorisation du Ministère ! Si vous voulez quitter ce port, venez à la capitainerie munis d'un laissez-passer ; en attendant, cette jonque reste à quai ! Et si je ne vois aucun document officiel sur mon bureau d'ici demain soir, je la réquisitionne pour nos transports d'armes !

Balthazar s'inclina, comprenant qu'il n'y avait plus rien à faire, et le trio menaçant s'éclipsa.

Une fois à bord, Balthazar fut rejoint par Tobias et ils se ras-semblèrent près de la bâche pour que tous puissent entendre.

— Je suis désolé, dit-il, j'ai fait de mon mieux.

— A-t-on une chance si nous tentons une fuite discrète cette nuit ? demanda Ambre.

— Aucune. Les soldats sur les tours sont attentifs, avec l'imminence de la guerre, ils sont surexcités ! Ils vous trufferont de flèches. Aucun navire n'est autorisé à quitter l'enceinte de la ville la nuit, sauf autorisation spéciale. Et en pleine journée, vous n'aurez pas plus de chance de survie ! Ils ne laissent rien passer sans en avoir été informés.

— Alors il nous faut ce document du Ministère, conclut Ambre.

Balthazar secoua vivement la tête :

— C'est impensable ! J'ai menti, et je ne pourrai pas en obtenir un, il vous faut fuir rapidement, et sans ce navire !

— Aucun moyen de faire un faux ?

Balthazar hésita puis fit signe que non.

— Pourquoi ai-je l'impression que vous nous cachez quelque chose ? demanda Tobias.

Le vieil homme soupira.

— Je vous ai déjà mis en garde contre ce personnage, lâcha-t-il à contrecœur.

— Le… Le Buveur d'Innocence ? balbutia Tobias, sous le choc.

Ambre frémit, la chair de poule lui envahit les bras jusqu'au cou.

— C'est le seul en ville à pouvoir falsifier un document officiel, avoua Balthazar.

— Il n'est pas mort ? s'étonna Tobias.

— Non ! Je sais qu'il a failli y passer, il a dit à tout le monde qu'un groupe d'enfants avait tenté de l'assassiner.

— Quel salaud ! s'énerva Tobias.

— Nous nous procurerons ce laissez-passer, fit la voix de Matt sous la bâche.

— Je ne peux que vous inciter à vous tenir éloignés du Buveur d'Innocence, vraiment, il…

— Nous avons déjà eu affaire à lui, le coupa Ambre. Nous savons de quoi il est capable, mais nous devons poursuivre notre route vers le sud.

Balthazar les toisa un par un.

— C'est aussi important que ça en a l'air, n'est-ce pas ? demanda-t-il comme s'il lisait sur leurs visages.

— Oui, fit Ambre doucement.

— Bon. Dans ce cas, vous ne devez pas rester ici, c'est imprudent, il va faire nuit dans une heure, attendez un peu et venez jusqu'à ma boutique, sur la place que vous voyez là-bas. Faites des petits groupes de trois maximum, pour passer inaperçus. Au moins vous dormirez au chaud et à l'abri.

Balthazar les salua et remonta sur le quai où il disparut dans la foule.

Ils attendirent qu'il fasse nuit et les trois Pans sous la bâche sortirent, des fourmis dans les jambes.

— La voie est libre, informa Tobias, on peut y aller.

— Horace et moi devons nous absenter, annonça Matt.

— Pour quoi faire ?

— J'ai un plan pour le laissez-passer, pendant ce temps, attendez-nous ici, nous ne serons pas longs.

— Et Balthazar ? fit Tobias. Il nous a invités pour la nuit, et je suis d'accord avec lui, ce serait plus prudent qu'on soit planqués chez lui plutôt qu'ici !

— Il est inutile de prendre le risque de traverser la ville, Horace et moi serons de retour bien avant l'aube. De toute façon il est hors de question de laisser les chiens seuls à bord !

Ambre s'approcha :

— Je n'aime pas l'idée que tu puisses te rendre chez le Buveur d'Innocence sans nous, je le connais, il est redoutable.

— Tu as déjà accompli ta part du boulot en ce qui le concerne, c'est mon tour.

Elle lui prit le poignet.

— Matt, ne lui donne rien, il retournera toutes les situations à son avantage, c'est ce qu'il est : un manipulateur.

Il lui adressa un clin d'œil complice :

— Sois rassurée, je n'y vais pas pour lui donner quoi que ce soit, mais plutôt pour prendre. Prendre ma revanche. Et venger ce qu'il t'a fait.

30

Vieille connaissance

Matt avait exposé son plan à Horace et ils marchaient en direction du pont qui enjambait le fleuve.

De l'autre côté, les bâtiments néogothiques de l'ancienne université occupaient plusieurs hectares au milieu d'un parc. Les drapeaux cyniks s'agitaient mollement sur leurs façades.

La tour du Buveur d'Innocence, haute et fine, se dressait à l'entrée du bois clairsemé. Les fenêtres supérieures, en vitraux, étaient illuminées, projetant dans le ciel noir des lueurs bleu, rouge et violet.

À l'entrée du pont, une faction de soldats montait la garde et contrôlait l'accès à la rive opposée, celle du Ministère de la Reine.

Lorsqu'un garde s'approcha du duo qui marchait vite, Horace abaissa le capuchon de son large manteau et désigna Matt du menton :

— Une livraison pour le Buveur d'Innocence, dit-il de sa voix d'adulte.

Il attrapa les poignets de Matt et les leva pour bien montrer les liens qui l'entravaient.

Face à un adulte de son âge, le garde perdit tout soupçon, et lui fit signe de continuer, un rictus aux lèvres.

— Ton prisonnier va passer une mauvaise nuit, on dirait !

Les autres gardes rirent stupidement et Horace s'empressa de traverser le pont.

À l'approche de la tour, Matt s'assura qu'Horace était bien prêt :

— Tu n'es pas trop nerveux ?

— Si, j'ai les mains moites.

— Tout va bien se passer. Ce type n'est pas du genre à s'entourer de centaines de gardes, il aime être tranquille.

— Je n'ai que le long couteau que m'a donné Ben, et je t'avouerai que je ne sais pas m'en servir, si ça dégénère, je…

— Laisse-moi faire, couvre mes arrières au besoin, et fais-toi confiance. J'ai vu dans ton regard la haine que tu as pour les Cyniks, elle te guidera si tu dois te battre.

— On arrive, qu'est-ce que je fais ? Je frappe à la porte ?

— Oui. Et rappelle-toi, tout est dans le timing. Quand je te ferai signe. Pas avant.

Horace prit une profonde inspiration pour se donner du courage et se servit du gros heurtoir en bronze pour signaler leur présence.

Ils attendirent une longue minute qu'un visage adolescent, disgracieux, avec un nez affreusement retroussé, ne vienne leur ouvrir.

— J'ai un cadeau pour le Buveur d'Innocence, fit Horace en montrant Matt.

— Désolé, il est tard, il n'aime pas être dérangé à cette heure, repassez demain matin.

Horace glissa son pied dans l'entrebâillement de la porte pour l'empêcher de se fermer :

— J'insiste. Ce n'est pas un cadeau ordinaire. Dites-lui que je lui amène l'adolescent qui l'a humilié.

Le garçon aux traits larges et porcins hésita, puis les laissa entrer.

— Je vais voir, dit-il, attendez là, mais s'il refuse, il faudra repartir sans faire de scandale !

Ils n'eurent pas à attendre longtemps. Le garçon redescendit les marches à toute vitesse, comme s'il était poursuivi par le diable en personne. Tout essoufflé, il annonça :

— Le Maître… va… vous… recevoir ! Suivez-… moi.

Ils gagnèrent les hauteurs de la tour, après une épuisante et interminable ascension, passèrent par un grand vestibule de velours multicolores et pénétrèrent dans un salon recouvert de boiseries sombres. Les grands vitraux culminaient à plus de six mètres de hauteur éclairés par des candélabres soutenant des dizaines de bougies.

Le Buveur d'Innocence se tenait derrière son secrétaire en poirier, une plume et un encrier devant lui, les doigts croisés, le visage incliné. Mais sa petite moustache blanche, ses yeux très rapprochés, son cou maigre, tout en lui frémissait d'excitation.

Lorsqu'il vit le visage de Matt, son regard s'embrasa. Il s'écria, avant même qu'Horace puisse se présenter :

— Combien en veux-tu ?

— Euh… pardon ?

— Ton prisonnier ! Combien le vends-tu ?

En plus de l'adolescent porcin, un troisième serviteur du Buveur d'Innocence se tenait dans la pièce, enfoncé dans une zone d'ombre, et Matt ne parvenait pas à discerner ses traits. Il ne voyait qu'une silhouette massive.

Ses dernières mésaventures avec nous l'auraient-elles incité à se flanquer d'un garde du corps ?

— Où l'as-tu trouvé ?

— Près de la Passe des Loups où je patrouille, répondit Horace.

— Était-il seul ? N'y avait-il pas avec lui une jeune fille, belle comme le printemps ? Et un jeune garçon à la peau noire ?

— Non, il était seul.

— Dommage.

Le Buveur d'Innocence fit un signe et le colosse sortit de la pénombre. Une force de la nature.

Les choses se compliquaient pour Matt. Il n'avait pas prévu ce type d'obstacle.

Tant pis, trop tard pour faire machine arrière !

Le Buveur d'Innocence donna une bourse en cuir au garde du corps qui vint la tendre à Horace.

— Comment t'appelles-tu ? demanda le maître des lieux. Que je sache à qui je dois ce cadeau tombé du ciel !

— Horace.

— Eh bien, Horace, sache que si tu trouves ses deux compagnons, je t'offrirai quatre fois cette somme ! Et tu… Que se passe-t-il avec ton visage ? Tu… tu as une maladie ?

Horace recula d'un pas et tourna la tête, le temps de se reprendre.

Mais le Buveur d'Innocence flaira le mauvais coup, il hurla :

— Phil ! Attrape-moi cette vermine !

Le mastodonte lâcha la bourse et tenta de saisir Horace par le col de son manteau. Celui-ci parvint néanmoins à l'esquiver et Matt s'écria :

— Maintenant !

Horace fit tomber son manteau et dévoila l'épée de Matt qu'il dissimulait contre lui. Matt leva les poignets devant lui et tira de toutes ses forces. Les liens de corde fragile grincèrent puis se rompirent.

L'adolescent porcin se précipita sur lui et fut cueilli d'un puissant coup de coude en plein nez. L'os craqua et il tomba à la renverse, assommé.

Matt saisit l'épée qu'Horace venait de lui lancer et fonça sur le garde du corps qui eut le temps d'attraper un grand plateau en argent sur lequel était posé un service en cristal.

Matt se préparait à frapper fort, pour briser le plateau, mais il n'en eut pas le temps, devancé par le colosse qui le chargeait, bouclier d'argent en avant. L'adolescent leva l'épée pour dévier l'assaut, mais sa lame glissa sur le rebord du plateau, le coup l'emporta en arrière et l'écrasa contre le mur. Son épée restait coincée entre lui et le plateau que le colosse poussait de plus en plus fort, comme s'il voulait l'enfoncer dans la pierre.

La douleur inonda la poitrine de Matt, l'air s'expulsa de ses poumons. Le visage du garde du corps était juste au-dessus du sien, crispé par l'effort, les veines et les tendons saillant de son cou de taureau.

Matt ne respirait plus, il sentait qu'il allait rapidement perdre connaissance. Il tira sur son bras pour dégager son poignet.

De son poing libre il assena un formidable direct du gauche en pleine tempe à son assaillant.

Celui-ci ne broncha pas, obsédé par l'idée d'écrabouiller ce moucheron qui osait le frapper.

Matt insista, un second coup puis un autre, et un autre encore.

Rien n'y faisait, le colosse ne réagissait pas et Matt voyait des mouches noires passer devant ses yeux, le sang lui montait à la tête, il n'allait plus tenir.

Horace se retrouva alors sur le dos du colosse, le martelant de coups de poing. Matt arma son ultime direct.

Il cogna si fort que la mâchoire du Cynik se déboîta dans un craquement sinistre.

L'homme vacilla, puis tomba la tête la première contre une chaise qu'il brisa en morceaux.

Matt posa un genou à terre pour reprendre sa respiration, appuyé contre son épée.

Le Buveur d'Innocence se jeta sur un tiroir de son secrétaire et allait en tirer une longue dague lorsque Matt bondit en avant, la lame tendue pointée contre sa gorge.

— Maintenant, vous allez nous rendre un précieux service, dit-il en haletant.

Le Buveur d'Innocence appliqua son sceau sur le cachet de cire chaude et tendit la lettre à Matt.

— Voilà, avec ça vous pouvez quitter la ville à tout moment, même cette nuit.

Sa main tremblait. Matt prit le document et du regard, défia l'homme que la peur secouait de la tête aux pieds. Il savait qu'il avait survécu par miracle la première fois, et manifestement il craignait l'issue de cette seconde confrontation.

— Faites-m'en une autre, pour franchir les Hautes-Écluses.

— Hénok ? fit l'homme alors que la curiosité remplaçait un instant l'angoisse. Vous projetez de vous rendre là-bas ? Pourquoi diable allez-vous sur les terres de la Reine ?

— Ce n'est pas à vous de poser les questions ! Allez ! Obéissez !

Le Buveur d'Innocence sursauta et s'empressa de rédiger le second document.

Horace avait ligoté les deux autres comparses du Cynik. Il demanda à Matt :

— Qu'est-ce qu'on en fait ? Les jeter par la fenêtre, ce serait spectaculaire mais pas discret.

— Ces messieurs vont rouler dans les marches jusqu'au sous-sol, et on les bouclera. Je pense qu'ils vont rester là un bon moment avant que quelqu'un les trouve, à condition que ce type ait des amis assez inquiets pour venir chez lui. S'il n'en a pas, alors… Serre bien les nœuds surtout !

— Mais… Tu veux les… épargner ?

Matt fixa Horace avec de la glace dans le regard. Un froid si intense qu'il pénétra la chair d'Horace.

— Tu veux finir comme eux ? Des Cyniks cruels et sans âme ? Nous ne tuons pas froidement, même nos pires ennemis, c'est ce qui nous différencie d'eux ! Allez, viens, aide-moi à attacher celui-là et à les pousser dans l'escalier.

Rouler dans les marches fut long et douloureux pour les Cyniks, et Matt trouva une cave profonde, qui sentait l'humidité. Il tenait une bougie à la main et s'accroupit près du Buveur d'Innocence :

— Si jamais vous nous causez des ennuis, je vous promets que je reviendrai, et que je vous découperai les mains, les pieds et la langue. Est-ce clair ?

Le Cynik hocha la tête et gargouilla de terreur derrière son bâillon.

— Et ça, ajouta Matt, c'est pour ce que vous avez fait à Ambre.

Sur quoi il lui décocha un grand coup de pied dans les parties.

Le Buveur d'Innocence hurla à s'en étouffer, et se tordit de douleur, recroquevillé sur lui-même et dans son urine.

Pour franchir le pont en sens inverse, Horace expliqua aux soldats qu'il était tard et que le Buveur d'Innocence, après les avoir fait attendre une heure dans sa tour, les avait congédiés en leur demandant de revenir le lendemain matin.

À une centaine de mètres de la jonque, Matt comprit qu'il y avait un problème. Une troupe de soldats tournait autour de l'embarcation.

Il poussa Horace dans l'ombre d'une ruelle.

— Ils se sont fait prendre ! Ambre, Toby et les autres !

Horace risqua un œil :

— Non, attends, ils ne sont pas montés à bord, les soldats viennent juste d'arriver ! On peut agir !

— Ce serait de la folie ! Au premier cri, toute la milice de Babylone va nous tomber dessus ! Viens ! Je veux voir ça de plus près.

Matt l'entraîna par une ruelle parallèle au fleuve jusqu'à ce qu'ils parviennent au niveau de l'escouade militaire.

Matt s'approcha lentement, jusque derrière un tonneau qui servait à recueillir l'eau de pluie. Ils étaient tout près des soldats.

L'officier distribuait des filets à ses hommes :

— N'oubliez pas, je les veux vivants si possible !

— Et pour les chiens ? demanda un soldat armé d'une longue lance.

— Tuez-les ! Ne prenez aucun risque ! Notre objectif, ce sont ces gosses. Si notre information est bonne, il y en a aussi sous la bâche ! Allez ! En place !

Matt sentit un frisson glacial lui parcourir l'échine.

Ils étaient bien renseignés.

Cela ne pouvait signifier qu'une chose.

Ils avaient été trahis.

31

À propos de confiance

Matt fonçait à travers les ruelles obscures de Babylone.

Horace peinait à le suivre.

— Où vas-tu ? Matt ! Parle-moi !

Aucune réponse ne venait, l'adolescent semblait aveuglé, étranglé par la colère.

Ils débouchèrent sur une place près du pont, et Matt approcha d'une vitrine opaque. « AU BAZAR DE BALTHAZAR » était écrit en lettres d'or sur une pancarte noire.

Matt donna un coup de pied dans la porte qui céda immédiatement. Il sortit son épée et fonça vers l'arrière-boutique d'où provenait de la lumière.

Il s'attendait à trouver des Cyniks, peut-être même des hauts représentants de la Reine, mais peu importait, il était animé d'une telle rage qu'il se sentait capable de les défier tous. Pour atteindre le traître.

Il surgit dans une petite pièce réchauffée par la présence de nombreuses personnes, assises autour d'une table sur laquelle fumaient des tasses.

Ambre, Tobias, et tous les autres se tenaient là, avec Balthazar, et même les chiens, entassés dans ce qui servait de cuisine.

— Vous ? fit Matt. Mais…

— Eh bien quoi ? dit Ambre. On dirait que tu vois des revenants ?

— Je croyais que vous étiez sur le bateau ?

Tobias eut soudain l'air coupable.

— Non, je me suis dit que ce serait tout de même plus prudent d'attendre ici. Sur la jonque n'importe qui pouvait nous voir.

Matt pointa son épée vers Balthazar :

— Il nous a donnés ! Les Cyniks sont en ce moment même sur la jonque ! Et ils savent exactement ce qu'ils cherchent ! Ils savent tout, pour les chiens, notre cachette sous la bâche ! Tout !

Tous les visages comme un seul pivotèrent vers le vieil homme.

Il fronça les sourcils, et pendant une seconde ses pupilles parurent verticales. Des yeux de serpent.

— Ne sois pas idiot ! répondit-il. Si je devais vous vendre à Malronce pourquoi aurais-je envoyé ses hommes sur le bateau alors que je vous attendais ici pour la nuit ? Et puis j'avais tout le loisir de le faire en fin d'après-midi sur le port, avec l'officier de contrôle !

L'argument fit mouche et tout le monde se détendit.

— Attends une minute ! s'écria Tobias. Les Cyniks sont sur la jonque ? J'ai laissé un mot à bord, pour que vous nous retrouviez ici !

Matt et Ambre se regardèrent.

— Il faut fuir ! Vite ! dit-il.

— Et où va-t-on ? s'affola Neil. Maintenant nous ne pouvons plus passer par le fleuve, et les accès de la ville seront infranchissables !

— D'autant que toute une armée de soldats campe autour de la cité, ajouta Chen.

Matt se posta à la porte de derrière et jeta un coup d'œil dans la rue pour s'assurer que personne n'approchait.

— Ambre, dit-il, tu conduis Neil, Horace et les chiens jusqu'aux abords de la jonque, restez bien planqués tant que nous n'aurons pas dégagé la voie ! Les autres avec moi, nous allons nous occuper de reprendre la jonque, s'ils ont bien vu la note de Tobias, ils doivent être en train de courir jusqu'ici !

— Et... Balthazar ? fit Tobias. On ne peut pas le laisser là, il est plus que compromis...

Matt étudia le vieil homme. Il était à présent moins impressionnant que dans son échoppe de New York. Presque pitoyable. Était-ce une ruse ?

Je n'ai pas l'impression. C'est moi qui ai changé depuis l'année dernière.

— Il vient avec nous, avec le groupe d'Ambre.

— Non, attendez, dit Balthazar. Vous ne pourrez jamais quitter la ville par le fleuve, les archers des tours vous abattront.

Matt sortit le laissez-passer de sa veste :

— J'ai notre précieux sésame !

Balthazar plissa les lèvres, l'air contrarié.

— Il faut qu'il soit entre les mains de l'officier de garde avant que vous ne tentiez de passer, les informa-t-il.

— Je peux le leur apporter, proposa Horace.

— Non, fit Balthazar, je vais y aller. Poursuivez votre chemin, et quoi que vous soyez venus accomplir, faites-le !

Tobias fut soudainement paniqué, il s'était attaché au vieil homme :

— Mais les Cyniks finiront par comprendre, ils vous arrêteront !

Balthazar ébouriffa affectueusement les cheveux de Tobias :

— Un vieil homme comme moi n'a pas peur du cachot. Et avec cette guerre qui se profile, je crois que je préfère ça. Au moins je ne cautionnerai pas le sang versé par mes pairs.

Il tendit la main vers Matt.

— Alors, jeune homme, vas-tu me faire confiance ?

Matt hésita. Tout cela allait trop vite, il aurait voulu prendre le temps de tout poser à plat, d'y réfléchir.

Mais il fallait prendre une décision, une quinzaine de soldats allaient faire irruption ici d'un instant à l'autre.

Alors Matt serra les mâchoires et déposa le laissez-passer dans la main fripée du vieil homme.

Matt se faufila derrière une charrette abandonnée au milieu du quai.

Trois hommes montaient la garde devant la jonque.

Chen se coula entre un navire de transport et le quai, et entreprit de remonter ainsi en direction de la jonque, parfaitement hors de vue, pendant que Tobias, Ben et Matt se positionnaient le plus près possible des gardes.

Lorsqu'ils furent à moins de dix mètres, Tobias décocha trois flèches en deux secondes et l'un des Cyniks mourut sur le coup. Chen surgit dans le dos des soldats et son arbalète s'occupa du second. Matt et Ben foncèrent vers le troisième qui n'eut pas le temps de comprendre ce qui lui arrivait, balayé et assommé à coups de pommeau d'épée et de hachette.

Ambre se précipita avec toute sa troupe et la jonque fut rapidement apprêtée pour le voyage.

Elle glissa sans un bruit entre les bâtiments encore chargés d'armes et d'armures.

— Si seulement nous avions pu couler quelques-uns de ces cargos ! maugréa Neil. Quel temps nous aurions fait gagner à nos troupes !

Matt lui posa la main sur l'épaule.

— Excellente idée ! Ambre ! Avec l'aide des Scararmées, peux-tu défoncer quelques planches de la coque des bateaux que nous allons croiser ?

— Je pense, oui.

— Rien de trop brutal, que l'eau s'infiltre progressivement.

Ambre alla chercher le bocal qu'elle déposa à ses pieds, et après l'avoir ouvert elle se concentra.

Plusieurs planches cédèrent d'un coup, émettant un craquement bruyant.

— Oups, fit-elle. Je suis désolée. Je vais faire plus doucement pour les suivants.

Un à un, Ambre s'occupa des navires qu'ils longeaient, tandis que la jonque approchait les tours de la muraille sud.

D'ici au petit matin, les deux tiers de la flotte seraient enfoncés dans l'eau jusqu'aux mâts.

Matt se tenait à la proue de la jonque. Il guettait l'agitation au sommet des tours. Des gardes se groupaient autour des lanternes, l'arc à la main.

— Le nom de votre navire ? cria l'un d'eux.

— *Le Styx* ! répondit Horace de sa voix d'adulte.

Un interminable silence suivit.

Matt sentait son cœur s'emballer. Plusieurs archers avaient déjà allumé l'extrémité de leur flèche, prêts à incendier la jonque si celle-ci osait sortir sans autorisation.

Avait-il bien fait de faire confiance à Balthazar ? Le vieil homme était un Cynik, après tout. Matt ferma les yeux. Il avait joué leur vie à tous sur un coup de dés.

Il serra le cuir de la poignée de son épée, discrètement posée devant lui. S'ils tiraient, il n'y avait pas grand-chose à faire, sinon plonger. Et espérer atteindre le rivage sains et saufs, avant d'être récupérés par la milice.

Puis la voix tomba du sommet de la tour :

— L'autorisation est en règle. Bon voyage !

32

Navigation paranoïaque

Les lumières de Babylone s'éloignaient lentement dans la nuit.

Matt avait retrouvé un peu de confiance : sur l'eau ils

seraient rapides, plus que par la piste. Il avait déjà fait ce trajet, avec le conseiller spirituel de la Reine, et il se souvenait que la route multipliait les détours à travers bois, le long d'une région de collines escarpées. Le temps que les Cyniks réalisent la duperie, le *Styx* aurait suffisamment d'avance pour atteindre Hénok avant tout messager.

Maintenant que la tension était retombée, il était nettement plus préoccupé par les siens.

Tobias avait confié la barre à Ben et il vint s'asseoir à l'avant, avec son ami, au milieu des chiens qui dormaient en ronflant doucement.

— J'espère qu'il s'en est sorti, dit-il tristement.

— Balthazar ? T'en fais pas, c'est un dur à cuire. Il a survécu à la Tempête, n'oublie pas !

— Justement, c'était le dernier adulte normal. J'aimerais pas qu'il lui arrive quelque chose.

Matt prit son ami par les épaules. Un geste d'affection qu'il n'avait plus fait depuis longtemps. Il se sentit mieux. Tobias lui avait sacrément manqué.

— Nous avons un sérieux problème, Toby, enchaîna-t-il plus bas.

— Cette histoire de trahison ?

— Exactement ! Les Cyniks savaient précisément où nous devions être ! La bâche, les chiens ; ils n'ont pas pu le deviner ! Est-ce que quelqu'un a quitté le groupe pendant qu'Horace et moi étions sortis ?

Tobias fit la grimace.

— Hélas, oui. Ben a proposé que nous profitions de l'attente pour refaire notre stock de vivres. Il avait de l'argent, piqué à une patrouille cynik. Ambre n'était pas d'accord, mais Neil a insisté. Ambre est restée à bord pendant que nous allions acheter des provisions.

— Tous ensemble ?

— Non, chacun dans son coin. On s'était dit qu'en groupe

nous attirerions l'attention, alors que seuls, nous pouvions passer pour des traîtres Pans nouvellement arrivés en ville.

— Quand avez-vous décidé d'aller chez Balthazar ?

— En rentrant, j'ai rappelé qu'on serait plus en sécurité chez lui que sur la jonque.

— Celui qui a trahi l'a donc forcément fait pendant les courses, sinon il n'aurait pas envoyé les Cyniks au bateau. Quelqu'un t'a paru contrarié par ta proposition ?

— Neil, il n'avait pas du tout envie. Il disait qu'on devait s'en tenir au plan.

— Celui-là, depuis le début je ne le sens pas !

— Attends, ce n'est peut-être pas lui.

— J'ai une confiance aveugle en chacun de nous trois, Horace lui, était avec moi, je ne l'ai pas quitté une minute. Il reste Chen, ce n'est pas son genre. Ben, lui, est d'une droiture exemplaire, et Neil, rappelle-toi, déjà au Conseil il n'a pas hésité à proposer qu'on échange Ambre contre la paix !

— Sans preuve, tu ne convaincras personne.

— Je sais, pesta Matt. En attendant, il faut avoir un œil sur tout le monde, et en particulier sur Neil. Il n'a pas loin de dix-sept ans, l'âge de Raison comme disent les Cyniks, l'envie d'aller les rejoindre doit le titiller.

— Ne dis pas ça, demanda Tobias, d'un air blessé. Ça me fiche la trouille. Je ne veux pas finir comme ça.

— T'en fais pas, nous, on ne se trahira jamais.

Tobias acquiesça, sans grande conviction.

— Je l'espère.

Matt se leva :

— Allez, viens, à partir de maintenant, toi et moi nous alternerons les tours de garde, il faudra toujours qu'un de nous deux puisse surveiller les autres.

— Tu n'en parles pas à Ambre ?

— Pour l'instant elle dort, elle se remet de son effort avec les Scararmées. On avisera ensuite. Je ne suis pas sûr que ce soit une bonne idée de lui faire peur avec ça, elle a déjà bien assez de trucs en tête. Tu sais, la carte que Malronce recherche, ce n'est pas moi. C'est elle.

— Le Grand Plan ? C'est Ambre ?

— Aucun doute.

Tobias se tut, abasourdi.

— Mais alors, pourquoi Malronce te recherche, toi ?

Matt haussa les épaules.

— C'est ce que nous allons bientôt découvrir.

Deux jours durant, Matt épia ses camarades en prenant soin de ne pas se faire remarquer. Neil en particulier retenait son attention, sa façon de rester en retrait la plupart du temps tout en tirant l'oreille à chaque conversation, les regards de biais qu'il jetait aux uns et aux autres, et même son physique déplaisait à Matt. Si jeune, il avait déjà perdu la moitié de ses cheveux !

Seul un garçon retors et machiavélique peut se dégarnir ainsi à cause de la méchanceté ! avait-il songé.

Matt réalisa alors qu'il se focalisait tellement sur lui qu'il en perdait la raison. Pour en arriver à se convaincre de pareilles bêtises, il devait être tombé bien bas ! À force de traquer le moindre détail, il avait fini par se convaincre de tout et n'importe quoi.

Et il en résulta qu'après mûre réflexion Neil n'était finalement pas plus suspect qu'un autre.

Il a voulu échanger Ambre à Malronce, et ça je ne peux pas lui pardonner !

C'était intolérable à ses yeux, mais s'il réfléchissait bien, c'était un calcul purement logique : sacrifier une vie pour en sauver des milliers d'autres !

Sauf que Malronce ne nous laissera jamais en paix !

Au matin du troisième jour, Matt fut réveillé par Chen :

— Des cavaliers ! lui annonça-t-il.

Matt s'approcha du bastingage, encore tout ensuqué par le sommeil.

Cinq individus en armures descendaient la colline au galop,

ils venaient du sud, d'Hénok, et remontaient en direction de Babylone.

Ils étaient suivis par un nuage bas, un long panache brun qui se révéla être toute une armée, interminable défilé militaire, qui passa au loin, devant les yeux à la fois fascinés et terrorisés des sept Pans.

Des cavaliers en tête, puis des carrioles bâchées, suivies par une infanterie sans fin. Personne ne se souciait de la petite embarcation.

Les Ourscargots fermaient la marche avec leurs hautes cages de bambous tractées par des ours noirs.

Les Cyniks y entasseraient leur moisson de Pans.

Il fallut plus d'une heure pour en voir le bout.

Ce n'était qu'une seule des cinq armées en passe de déferler sur Eden, et il semblait pourtant qu'elle suffirait à réduire en esclavage tous les enfants du pays.

L'armée Sainte de la Reine disparut au détour du relief, seulement trahie par l'auréole de poussière sombre qui la coiffait.

À l'approche de la nuit, Matt et Tobias commencèrent à craindre les Mangeombres. Ils savaient qu'ils n'étaient plus très loin d'Hénok et ne voulaient surtout pas se retrouver au pied de la montagne hantée par ces créatures nocturnes.

Plus que des mauvais souvenirs, les Mangeombres leur avaient laissé quelques cicatrices encore rouges et douloureuses.

Matt ne put se résigner à dormir, aussi s'installa-t-il à la proue avec les jumelles de Tobias. À la moindre ombre massive sur l'horizon il se précipiterait pour faire arrêter la jonque.

Rien ne vint, et quand Tobias le relaya, tard dans la nuit, Matt vit une montagne surgir sous ses paupières closes, plusieurs fois, avant de sombrer d'épuisement.

Les pentes menaçantes d'Hénok se profilèrent le lendemain à midi.

Un pic pointu, l'écorce percée de pitons dressés vers le

ciel, comme s'ils cherchaient à fuir cet endroit. Matt savait qu'au-dessous se situaient les Hautes-Écluses qui donnaient accès à Wyrd'Lon-Deis.

Un impressionnant rideau de vapeur envahissait l'extrémité sud de la forêt, là où le fleuve se jetait dans un vide de plus de cinq cents mètres.

Hénok était l'unique possibilité de passage. Il allait falloir se livrer aux Cyniks, compter sur la transformation d'Horace et sur le physique mature de Ben, pour berner les adultes responsables du chenal souterrain.

Et remettre leurs vies entre les mains du Buveur d'Innocence.

Matt défroissa le document cacheté qu'il gardait dans sa besace.

Il avait veillé à ce que chaque mot soit clair, surveillé la calligraphie, pour s'assurer qu'il n'y raconterait pas n'importe quoi. Le texte lui avait paru correct, administratif, pompeux, mais bien dans le genre d'un ordre de mission. À présent, avec un peu de recul, il se mit à hésiter.

Et si le Buveur d'Innocence avait truqué le laissez-passer avec un code ? Une phrase alambiquée qui pouvait signifier en fait d'emprisonner immédiatement le porteur de cette missive ?

Les Cyniks étaient-ils à ce point vicieux et organisés ? Le Buveur d'Innocence avait-il eu la présence d'esprit d'un tel stratagème malgré sa peur ?

Matt ne savait plus.

Pourtant il ne pouvait décacheter la lettre sans lui faire perdre toute valeur.

Il devait se faire confiance. Si le Buveur d'Innocence avait joué au plus malin ce soir-là, il l'aurait détecté.

Et s'il m'a trompé ?

C'était trop tard. Le courant s'accentuait, la jonque devenait difficile à manœuvrer, ils approchaient du bras secondaire, celui qu'il ne fallait surtout pas rater pour éviter une chute mortelle, celui qui s'enfonçait sous le mont, vers la cité d'Hénok.

Tobias et Ben à la barre, Chen et Horace à la voile, ils s'affairèrent à guider le navire dans la bonne direction.

Le fleuve les poussait cependant vers les chutes et la bifurcation n'allait pas tarder à s'éloigner dangereusement.

La jonque tangua avec de plus en plus d'amplitude puis opéra une courbe irrégulière pour enfin quitter le courant principal.

Elle entra dans l'ombre de la montagne.

Au-delà, c'était Wyrd'Lon-Deis.

Un pays encaissé, un gigantesque bassin protégé d'une falaise infranchissable.

Comme si la Terre en avait eu honte, comme si elle avait voulu le cacher.

Loin au sud, le ciel était rouge.

33

Improbable mélange

La jonque pénétra sous l'arche monumentale de la grotte, et la lumière disparut. Ben alluma les deux lampes à graisse du bord, et se posta à l'avant, parmi les chiens.

— Je vois la ville ! Elle brille comme un trésor ! s'exclama-t-il, admiratif face à cet écrin de ténèbres garni de perles dorées.

— C'est le moment de nous cacher, fit Matt.

Horace prit le commandement du *Styx*, le document officiel à la main, tandis que Ben plaçait un long filet sur les chiens pour faire croire qu'ils étaient immobilisés. Tous les autres Pans s'allongèrent sous la bâche, arme au poing.

Si leur plan échouait, il faudrait combattre, le temps d'improviser une fuite. Ne surtout pas finir entre les mains des Cyniks.

Et si pour une fois nous tombions sur des adultes doués d'empa-

thie, capables de nous accepter malgré nos différences ? avait espéré Matt. *Si, au lieu de nous combattre, ils choisissaient de nous aider ? Après tout, Hénok est à l'écart, différente...*

La jonque fila tout droit vers le quai mal éclairé, tandis que les petites bâtisses blanches à toit plat sortaient de la pénombre. Des lampes à graisse et quelques flambeaux illuminaient les ruelles grimpantes de la petite cité érigée sur une pente douce.

Matt se demanda s'il y avait vraiment quelque espoir à attendre d'un peuple vivant dans une ville enterrée. C'était naïf de sa part d'avoir pu imaginer que des adultes, surtout ici, puissent désobéir à la Reine. Un espoir de gosse.

Matt se cramponna à la poignée de son épée. Il devait davantage compter sur elle que sur la clémence des Cyniks. C'était une effroyable vérité qu'il ne pouvait plus se permettre de négliger.

La coque se mit à craquer en touchant le bord du quai et la voix d'un homme résonna :

— Est-ce toi, Sam, qui nous rend visite ?

Matt ne parvenait pas à le voir à travers le trou dans la bâche, il faisait trop sombre.

— Non, répondit Horace en parlant comme s'il avait trente ans. J'ai réquisitionné le bateau pour une mission spéciale. Je dois livrer ma cargaison à la Reine. Voici mon ordre de passage !

— Ah ? Bien... Dites, il n'y a pas de signature officielle là-dessus, le Buveur d'Innocence n'a pas tous les droits ! Faudrait le lui rappeler !

— C'est... une mission secrète que lui a confiée Malronce, inventa Horace. Je ne peux pas vous en dire plus.

— Et vous voudriez passer le tunnel quand ? Aujourd'hui ?

— Le plus vite possible, la Reine nous attend.

— C'est que moi j'attends deux transports de marchandises pour ce matin qui doivent remonter, il y en a pour la journée ! Je peux vous faire transiter dans la nuit, cela dit, vous ne devrez pas sortir avant le lever du jour, comme vous devez le savoir, la montagne est infestée de Mangeombres.

— Notre mission est prioritaire ! insista Horace avec une autorité que Matt ne soupçonnait pas.

Le garde soupira.

— Je vais voir ce que je peux faire. Il y a l'auberge au coin là-bas, si vous voulez patienter un peu…

— Non, nous n'avons pas le temps ! Dépêchez-vous !

Le garde marmonna quelque chose dans sa barbe au sujet du Buveur d'Innocence et s'éloigna au pas de course.

L'attente parut interminable.

L'homme revint une heure plus tard. Sans un mot il sauta à bord et s'approcha de la bâche. Matt pouvait à présent le voir, il était vêtu d'une chemise en toile et d'un gilet sans manches en mouton. Un poignard ornait sa ceinture. Ce n'était pas un militaire.

— Je peux passer entre les chiens ? demanda-t-il, pas rassuré.

— Qu'est-ce que vous voulez faire ?

— Vous assister pour la manœuvre d'accrochage, je dois être à la proue pour ça !

— Allez-y, mais ne les touchez pas, ils pourraient vous arracher la main d'un coup de gueule.

Le marin passa à toute vitesse entre les grandes masses poilues qui le toisaient à travers le filet.

— Larguez les amarres et prenez la direction du tunnel, tout au bout de la caverne, vous n'avez qu'à suivre le courant en fait.

Lorsque la jonque fut devant une énorme galerie, le marin lança les amarres en direction de ses collègues qui les passèrent dans de larges boucles en acier, arrimées à des chaînes tout aussi spectaculaires.

Matt se souvenait du tunnel, de sa démesure, de quoi y faire descendre un trois-mâts sans problème. Un réseau complexe de poulies, de roues crantées et d'engrenages assurait le déplacement des navires en se servant de la force de l'eau qui dévalait des toboggans tout au long de cette interminable galerie si vaste que son plafond se perdait dans l'obscurité.

L'opération de levage ne dura seulement qu'une heure, le *Styx* était petit, plus facile à manœuvrer que les gros transporteurs habituels, mais il fallut une heure de plus pour le mettre en place, sur ses rails, tout en haut de cet impressionnant tunnel qui s'enfonçait en pente raide dans les profondeurs de la montagne. Matt n'était pas rassuré, le Cynik multipliait les allers-retours d'un bord à l'autre, et il craignait qu'il finisse par les débusquer, en marchant dessus ou si la bâche s'ouvrait dans un mouvement brusque.

— C'est l'heure de débarquer, vous passerez par l'escalier, avertit le marin. Par contre vos chiens là, je ne les veux pas à quai, ils restent là, tant pis pour eux !

— C'est risqué ?

Le marin hésita.

— Disons que ça va secouer. Allez, passez par l'échelle de corde ! J'espère que vous avez du souffle, parce que c'est un escalier très, très long ! Je vous aurais bien proposé de vous reposer dans les wagons, mais nous avons eu un... un incident et ce n'est toujours pas réparé.

Matt ne put contenir un rictus.

Un incident ? Un sabotage tu veux dire !

Horace, Ben et l'homme quittèrent l'embarcation avant que celle-ci ne plonge dangereusement vers l'avant et s'engage dans l'enchaînement de grincements tous plus effrayants les uns que les autres.

Les Pans glissèrent brusquement sur le pont et s'entassèrent sur les chiens. Matt se précipita sur la bâche pour la retenir et la repositionner en hâte. Heureusement qu'il n'y avait aucun garde à bord !

Un déclic métallique se déclenchait chaque fois que le *Styx* parcourait un mètre, un métronome parfaitement régulier, à peine audible dans le fracas des torrents qui s'engouffraient dans les rampes juste sous la coque. Des chaînes d'une longueur improbable tractaient des sceaux dans lesquels l'eau venait taper, entraînant le mécanisme vers des roues de plus en plus volumineuses. Et cet ensemble guidait la jonque lentement, la faisant descendre à petite vitesse.

Matt s'interrogea sur la fiabilité de cette incroyable invention. Et si un des maillons des chaînes venait à se rompre ? La jonque serait lâchée sur ses traverses à roues, prendrait de plus en plus de vitesse avant d'aller s'écraser contre un mur ou dans le lac tout en bas, si violemment que tous à bord seraient instantanément broyés.

La position était particulièrement inconfortable, Matt était écrasé entre Billy, le chien d'Horace, et quelqu'un d'autre. Il dégagea un bras et s'aperçut que c'était Ambre.

L'inconfort fut soudain moins évident.

Il réalisa qu'il sentait la poitrine de la jeune fille contre lui.

Elle leva la tête et sa bouche effleura la sienne.

Matt fut électrisé par un frisson.

À travers la pénombre de la bâche, il pouvait discerner ses yeux verts. Elle le fixait aussi. Gênée, elle tenta de se pousser mais Matt lui fit comprendre que ce n'était pas la peine.

— Tu ne me fais pas mal, murmura-t-il.

Elle le regardait toujours.

Sa main se posa sur son épaule et elle se détendit, allongée sur lui. Elle vint enfouir son visage dans le creux de son cou et Matt demeura ainsi un long moment avant d'oser la serrer dans ses bras.

Bon sang, ce que cette sensation était agréable !

Il lui sembla que toute sa vie il avait attendu ce plaisir. L'apaisement et l'excitation en même temps. La chaleur du corps et l'enivrement de la personnalité. L'eau et le feu. La terre et le ciel.

Matt se sentait enfin complet.

Il eut soudain terriblement envie de prolonger cette ivresse par la fusion. Il voulut qu'Ambre soit en lui, et lui en elle.

Il eut envie de l'embrasser.

Doucement, et malgré l'appréhension, il remonta une main

dans son dos, jusqu'à sentir sa nuque et ses cheveux soyeux. Il détecta un tremblement subtil qui parcourait sa peau.

Elle inclina son visage, ses lèvres frôlèrent le menton du jeune garçon.

Matt pivota juste un peu, pour que son nez touche celui d'Ambre.

Leurs souffles chauds s'entremêlèrent.

Leurs lèvres se caressèrent.

Le même tremblement les fit frémir tous les deux.

Le satin de leur bouche se découvrait, une humidité tiède et capiteuse. Leurs langues s'effleurèrent d'abord, puis se mêlèrent.

Leurs membres ondulèrent, à la manière d'une vague lente qui cherche à épouser les moindres recoins de la plage.

Le baiser dilua le temps, ouvrit une brèche dans un espace inconnu, et ni Matt ni Ambre ne sut bientôt plus où il se trouvait ni depuis combien de temps ils s'étreignaient ainsi.

Le ricanement de Chen rompit brutalement le sortilège. Et ils s'écartèrent aussitôt, mal à l'aise, presque honteux.

— Faut pas vous gêner ! commenta bêtement le jeune garçon.

Ambre glissa sur le côté pour se retenir à Gus, son saint-bernard, et Matt fit comme s'il n'avait rien entendu.

Il ferma les yeux et constata que son cœur était tout affolé.

Lui restait le goût d'Ambre sur les lèvres.

34

Le mauvais chemin

Le *Styx* s'immobilisa dans un claquement sonore.

Le temps que Ben et Horace parviennent en bas de l'épuisant escalier, la jonque était déjà à l'eau, amarrée au quai devant deux gros bâtiments servant à transporter des marchandises.

Une vingtaine de Cyniks s'affairaient sur le quai à préparer l'ascension du premier navire.

Un marin s'approcha d'Horace.

— Tenez, votre ordre de mission. Vous ne pouvez pas repartir maintenant, la nuit tombe, les Mangeombres vont sortir. Ils ne vous ont pas proposé de dormir à l'auberge là-haut ?

— Je préfère le plancher de mon bateau, il me berce, répondit Horace avec un bon sens de la repartie.

De retour à bord, Ben s'agenouilla à côté de la bâche :

— Vous êtes toujours là-dessous ?

— Oui, on crève de chaud ! se plaignit Neil.

Ben leur fit passer deux gourdes d'eau supplémentaires.

— Je commence à croire que nous allons y parvenir, dit-il tout bas.

— Nous ne sommes pas encore dehors, murmura Matt.

Ben se laissa tomber sur les fesses, le dos contre le mât.

— Comment allons-nous rentrer chez nous ? demanda-t-il. Horace m'a dit que vous aviez épargné le Buveur d'Innocence. Notre passage à Babylone ne sera pas passé inaperçu, Hénok sera certainement averti dans les jours, sinon les heures qui viennent, autant de lieux qui nous seront interdits !

— Une chose à la fois. Je ne donnais déjà pas cher de nos peaux pour parvenir à Wyrd'Lon-Deis, et pourtant nous y sommes !

— Justement, nous ne pourrons continuer éternellement sans un bon plan. L'improvisation finira par se retourner contre nous.

— Tout dépendra de ce que nous découvrirons chez Malronce, rappela Matt. Nous le savions dès le départ.

Ben se mordit la lèvre, contrarié.

— Je n'aime pas trop ça, lâcha-t-il. C'est de nos vies que nous parlons.

— Non, Ben, de celles de tous les Pans. Tu as vu comme moi les armées de Malronce, jamais nous ne pourrons les vaincre, jamais. J'ai bien peur que tous les espoirs de notre peuple reposent dans ce que cache le Grand Plan. Et sur cette table de pierre, le Testament de roche.

Toute la nuit, des marins s'occupèrent de préparer et de hisser les deux cargos de bois par le tunnel. Par prudence, aucun des Pans sous la bâche n'en sortit, au cas où un Cynik viendrait à monter à bord pour une visite surprise. Horace et Ben leur glissèrent leurs duvets, des provisions, et eux-mêmes allèrent se coucher à l'arrière après avoir éteint les lampes à graisse.

Tobias et Matt se réveillèrent en sursaut en entendant des cris à l'extérieur de la grande caverne.

Les Mangeombres chassaient.

Tobias, qui dormait contre Lady, se rapprocha de Matt.

Le souvenir de ces monstres remuait de désagréables images : la mort de Stu, la bataille sanglante où chacun avait cru périr.

Matt chuchota doucement :

— T'en fais pas, nous sommes en sécurité ici.

Tobias acquiesça, pas plus rassuré.

— Et si Horace ou Ben était le traître ? murmura Tobias. S'il décidait de nous dénoncer cette nuit ?

— J'ai confiance en l'un et l'autre. Mais si ça peut t'apaiser je vais veiller. Je n'arrive pas à fermer l'œil de toute façon.

Tobias approuva vivement. Il s'emmitoufla dans sa couverture et ne laissa émerger que le bout de son nez. Ses paupières s'abaissèrent aussitôt.

Matt soupira en croisant les bras sous sa tête. Demain il serait fatigué, c'était idiot de ne pas se reposer. Mais il était obsédé par le visage du Raupéroden. Sitôt qu'il s'endormait, il voyait son père se pencher au-dessus de lui.

Comment était-ce possible ?

Que devait-il faire, maintenant qu'il connaissait le vrai visage du monstre ?

Continuer à le fuir. Rien de ce qu'il y a en lui n'est bon. Si c'est encore mon père, c'est à travers son apparence et sa voix, rien de plus.

Le Raupéroden n'était qu'un être vide, une coquille de souffrance, sans âme réelle. Du moins une large partie de ce qu'il avait été lui avait été arrachée, et cet être incomplet errait, traînant sa démence et ses fantômes de par le monde.

C'est le spectre de mon père! comprit Matt. *Il me traque parce que je suis la seule chose qu'il connaisse, je lui rappelle le passé!*

Une seconde, Matt envisagea de devoir tuer le Raupéroden pour soulager son père, pour libérer son âme. Il repoussa l'idée avec horreur. Il en était incapable.

S'il continuait à se focaliser sur le Raupéroden, Matt sentait qu'il allait devenir fou. Il fallait qu'il occupe son esprit...

Matt regarda Ambre qui s'était volontairement mise à l'écart, comme si elle cherchait à le fuir. Elle lui tournait le dos.

Il eut envie de la rejoindre, mais n'en fit rien.

Il ignorait ce qui lui avait pris cet après-midi, pendant la descente. Étourdi par la chaleur, par la tension, il s'était un peu laissé aller.

Le sentiment que nos jours sont comptés, se dit-il.

Ambre lui en voulait-elle? Peut-être était-il préférable de ne plus en parler, d'agir comme s'il ne s'était rien passé.

Matt décida qu'il s'adapterait aux réactions de son amie.

Si elle n'en parlait pas, il ferait celui qui ne sait rien.

Oui, c'était mieux ainsi.

À aucun moment il ne vit que Ambre avait les yeux grands ouverts.

À l'aurore, Horace et Ben sortirent la jonque du tunnel et tout le monde fut bientôt aveuglé par la lumière du jour.

Les Pans quittèrent la bâche avec soulagement, et se relayèrent à l'arrière pour procéder à des ablutions à l'abri d'un paravent, utilisant l'eau qu'ils tiraient du fleuve.

Matt chercha le regard d'Ambre, sans avoir l'air d'insister, mais la jeune fille l'ignora toute la matinée.

Le paysage faisait défiler des forêts aux parures d'automne. Beaucoup trop tôt pour la saison, néanmoins toutes les feuilles étaient brunes, rouges ou jaunes. Entre les vallons, des falaises ouvraient leur plaie blafarde, et de hauts rochers élimés jaillissait ici et là une fourrure végétale.

Le bassin de Wyrd'Lon-Deis était parfaitement délimité par les parois verticales, comme emprisonné derrière des murs façonnés par des titans.

Ben pointa l'index vers le sud.

— Pourquoi le ciel est-il rouge ? On dirait que l'horizon brûle.

— C'était déjà ainsi lorsque nous sommes venus à Hénok, commenta Matt.

— Les Cyniks pensent que c'est le sang de Dieu qui coule pour noyer leurs péchés, révéla Tobias en se souvenant des propos tenus par le Buveur d'Innocence.

— J'ose espérer que c'est autre chose, déclara Matt en s'écartant. Horace l'interpella :

— Le fleuve part dans deux directions ! Je prends laquelle ?

Matt gagna la proue et scruta les deux larges bras.

— Je n'en ai pas la moindre idée, avoua-t-il.

— Prends à droite, proposa Ben. Nous n'aurons qu'à toujours prendre à droite, ainsi, pour rentrer ce sera plus facile de s'y retrouver.

Horace claqua dans ses mains et s'empara du gouvernail.

— Y a plus qu'à prier pour qu'on ait fait le bon choix, lança-t-il.

Aucune route au loin, aucun village, pas même le toit d'une maison. Il semblait que l'unique présence humaine soit la leur, au milieu du fleuve.

Lorsqu'un grondement caverneux monta de la forêt, tout le monde se précipita sur son arme.

Plusieurs arbres s'agitèrent, une nuée d'oiseaux noirs s'envola, et ils reconnurent tous le cri de ce qui ressemblait à un dinosaure.

— On peut s'éloigner de cette rive ? demanda Ambre au bord de la panique.

La forme se rapprochait et les branches cassaient aussi facilement que des cure-dents.

Elle s'immobilisa brusquement et fit demi-tour, sans qu'ils aient pu l'apercevoir.

— Qui a proposé d'accoster ce soir pour faire du feu ? demanda Tobias, décomposé.

— C'était une mauvaise idée, avoua Chen. Finalement on est très bien sur ce bateau.

Plus tard, Matt empoigna un bidon de graisse liquide pour remplir les lampes. Ambre en profita pour l'approcher pendant que les autres discutaient à l'avant en guettant le paysage.

— Je… Je voulais te dire, à propos de ce qu'il s'est passé hier, commença-t-elle.

— Écoute, je suis désolé, je ne sais pas ce qui m'a pris, la devança Matt, soulagé qu'elle ne lui fasse pas la tête.

— Ah.

Ambre eut l'air blessée.

— Enfin… Je veux dire… c'était bien, c'était drôlement bien, corrigea vivement Matt. Mais si je t'ai choquée, je te présente mes…

Ambre le coupa en posant un doigt sur sa main, elle venait de retrouver le sourire.

— Non, Matt, pas du tout, pour moi aussi c'était magique. Je voulais juste te dire que ça ne doit pas changer ce qui existe entre nous. Notre association, notre relation forte.

— Non, bien sûr.

— Tu sais, je ne crois pas avoir eu l'occasion de te le dire, je suis heureuse de t'avoir rencontré, Matt Carter.

Matt eut soudain les joues en feu, la bouche sèche.

Elle souleva une épaule et inclina la tête, en un mouvement qui trahissait sa gêne :

— Bon. Je vais retourner avec eux, avant que Chen ne nous voie ensemble et vende la mèche.

Matt approuva, bien qu'il eût une furieuse envie de la retenir pour toute la soirée.

Ils dînèrent en établissant un roulement pour les tours de garde. En plus d'un barreur, Tobias et Matt s'arrangèrent pour que l'Alliance des Trois ait l'un de ses membres chaque fois éveillé.

La première nuit, ils tardèrent à trouver le sommeil, dérangés par le halo rougeoyant qui les attendait au sud. La faune nocturne se relaya également pour assurer l'ambiance : cris, hurlements, plaintes lancinantes et babils de rapaces, toute une vie bruyante peuplait la forêt sous le regard torve d'un morceau de lune.

Au matin, accoudé au bastingage de poupe, Neil mangeait des biscuits secs pour son petit déjeuner quand il remarqua les formes longues qui nageaient dans leur sillage.

— Oh les gars ! appela-t-il. Je crois qu'on a un souci !

Plusieurs poursuivants affleurèrent la surface, dévoilant leur peau huileuse. Ils ressemblaient à des anguilles de la taille d'un traversin.

— Regardez leur gueule ! s'écria Chen. On dirait des piranhas !

— Des lamproies carnivores, annonça Ben. Que personne ne mette le doigt dans l'eau, vous vous feriez dévorer tout le bras.

— Elles peuvent sauter ?

— Pas très haut, mais tenez-vous éloignés du bord, par sécurité.

Neil laissa tomber son biscuit et recula d'un bon mètre.

Le gâteau flotta dans les remous de la jonque puis une large gueule pleine de crocs transparents surgit pour l'avaler d'un coup.

Le soir, Matt surprit Horace assis sur un tonneau, une pochette de tabac à rouler sur la cuisse. Il la fixait.

— Ça va ?

Horace sursauta et répondit en faisant claquer sa langue contre son palais.

Matt montra le tabac de l'index :

— J'ai vu que tu n'avais pas fumé depuis un moment.

— J'ai arrêté.

— Alors qu'est-ce qui ne va pas ?

— J'ai… J'ai affreusement envie de m'en griller une.

— C'est le stress.

— Peu importe, j'ai envie.

— Et qu'est-ce qui te retient ?

Horace inspira bruyamment pour réfléchir.

— Soit je résiste une bonne fois pour toutes, soit je replonge. Tu ne voudrais pas me prendre le paquet et le balancer par-dessus bord ?

— C'est à toi de le faire.

— Je sais mais je n'y arrive pas.

Matt lui prit la main et leva ses doigts devant lui.

— Tu te ronges les ongles jusqu'au sang !

— On dirait pas comme ça, mais je suis un grand nerveux.

Matt fit un pas en arrière et toisa l'adolescent. Son physique pas banal avait probablement été l'objet de moqueries à l'école primaire. Pourtant il commençait à lui donner une singularité presque séduisante. Matt repensa à la vie qu'Horace menait autrefois à Chicago, ce qu'il lui en avait raconté.

— Tu sais ce qui ferait du bien à tout le monde ? Que tu nous fasses un petit sketch avec tes imitations.

— Laisse tomber, c'est naze.

— Non, je te jure ! Ça remonterait le moral des troupes. Ça fait une éternité que nous n'avons plus ri.

Horace hésita.

— Tu crois ?

— Je suis sûr. Et avec ta voix, tes voix, je devrais dire, tu vas faire un carton !

Horace lâcha un sourire crispé.

— Je vais y réfléchir.

Une demi-heure plus tard, Ambre était pliée en deux face à Horace imitant Forrest Gump à merveille. Tout le monde se rapprocha, et Horace se laissa griser par son succès. Il enchaîna Michael Jackson, Larry King, Georges Bush, Jack Black et même Oprah Winfrey, tous merveilleusement singés.

Lorsqu'il eut fini, Matt le vit s'éloigner et se pencher par-dessus le bastingage. Il tenait son paquet de tabac.

Après avoir contemplé les flots noirs un long moment, il le jeta au loin.

Cette nuit-là, ils dormirent bien mieux malgré la chaleur qui ne cessait d'augmenter depuis la veille.

Le soir du troisième jour, le fleuve se scinda une nouvelle fois en deux.

Fidèles au plan de route proposé par Ben, ils optèrent pour la droite.

Le lendemain matin, ils se réveillèrent dans une moiteur étouffante, dans la brume, une odeur de vase, des tapis de nénuphars et des touffes de roseaux partout. Ils comprirent qu'ils étaient parvenus dans un marais.

Alors ils se mirent à douter.

Surtout lorsque des moustiques géants décidèrent de foncer sur l'embarcation en bourdonnant.

35

Brume de poisse

Les moustiques avaient la taille de pigeons, des ailes d'un mètre d'envergure et un stylet long comme une aiguille à tricoter.

Dès qu'il les vit, Tobias repensa au Raupéroden et à ses anticorps volants.

Il attrapa son arc et dans la confusion renversa ses flèches à ses pieds.

— Cachez-vous dans les couvertures ! hurla Ben. Pour vous protéger des piqûres !

Tobias usa de son altération pour ramasser plusieurs flèches et les planter dans une rainure du pont, juste devant lui.

Il banda son arc et visa le moustique le plus proche.

Ils n'étaient plus qu'à dix mètres.

— Je suis avec toi, l'informa Ambre en se plaçant sur sa gauche.

C'était la confiance dont il avait besoin. Maintenant il pouvait enchaîner les tirs sans perdre du temps à les ajuster.

Les flèches filèrent à toute vitesse sous le contrôle d'Ambre. En trente secondes Tobias avait vidé un tiers de son carquois et abattu la première vague d'assaillants.

— Tu m'as sacrément manqué ! s'exclama Tobias.

Les bourdonnements n'avaient pas cessé mais le carnage semblait avoir refroidi les ardeurs de l'escadrille. Ils tourbillonnèrent autour de la jonque puis finirent par se perdre dans la brume.

Chen lâcha un long soupir.

— Je déteste les moustiques, confia-t-il.

Horace lança par-dessus bord les cadavres qui avaient échoué à leurs pieds, embrochés sur une flèche.

— Nous avons un autre problème, déclara Neil. Avec cette brume et ce labyrinthe d'îlots, ça va devenir coton pour s'y retrouver !

Matt sortit sa boussole de son sac.

— Malronce est au sud, non ? Tiens, garde-la tant que tu t'occupes du gouvernail.

Le brouillard ne masquait pas totalement le rougeoiement des cieux. L'intensité du halo était variable, comme si elle était due à des projecteurs dont certains s'allumaient pendant que d'autres s'éteignaient.

Puis il y eut les coups de tonnerre.

Puissants mais lointains, les échos d'un orage formidable.

Qui durait.

En début d'après-midi le tonnerre cognait toujours aussi fort.

La température avait encore grimpé. Tous les passagers ne portaient plus qu'un tee-shirt ou une chemise.

C'est alors qu'ils traversèrent une zone d'îlots plus larges et plus longs, couverts de champignons énormes, de la taille de petites cabanes, puis vastes comme les soucoupes volantes des films.

— Ça se trouve, on pourrait en manger ! proposa Tobias.

— Ça se trouve, ils sont empoisonnés, contra Ambre.

Les moustiques revinrent avant la tombée du jour, plus nombreux encore, et cette fois les flèches de Tobias ne suffirent plus, il fallut les repousser à l'aide de torches allumées dans la panique avec de la graisse de lanterne.

Matt manqua de peu de se faire piquer dans le cou et il ne dut son salut qu'à la précision de Chen et son arbalète.

L'attaque dura dix minutes et laissa les Pans haletants, mais intacts.

— Nous avons perdu les trois quarts de nos projectiles, annonça Tobias le soir pendant le dîner. À ce rythme-là, nous pouvons espérer repousser encore un assaut, certainement pas deux.

L'orage n'avait toujours pas faibli. Pire, il leur semblait qu'il se rapprochait.

— Vous êtes sûrs qu'on fait bien de continuer en direction de cette tempête ? s'inquiéta Neil.

— Ce n'en est pas une, annonça Ambre.

— Alors c'est quoi ?

— Des éruptions volcaniques. Ça expliquerait le bruit, la chaleur et la couleur du ciel.

Tous la considéraient avec circonspection.

— Wyrd'Lon-Deis est au milieu d'une zone volcanique ? C'est possible ça ? s'étonna Neil.

— Combien de kilomètres avons-nous parcourus depuis notre départ ? demanda Chen.

Ben répondit :

— Cela fera bientôt trois semaines, dont près de deux semaines sur ce bateau, nous avons peut-être fait plus de mille kilomètres, mille cinq cents.

— Impossible ! contra Neil, ça veut dire que nous aurions dépassé la Louisiane, que nous serions au milieu du golfe du Mexique !

— Pas tout à fait. Après la Forêt Aveugle, le fleuve n'est jamais descendu tout à fait au sud, mais au sud-est, révéla Ben.

— Alors nous sommes en Floride ! s'exclama Chen. Il n'y a pas de volcans en Floride !

— Il n'y en avait pas *avant* la Tempête, corrigea Ambre.

— Par contre il y avait déjà des marais, rappela Tobias.

— Bon, et ça nous avance à quoi ? s'enquit Horace. Nous y allons tout de même, non ? Je n'ai pas fait tout ce voyage pour abandonner maintenant.

Matt se leva.

— Personne n'abandonne, dit-il. Il est trop tard pour ça. Depuis longtemps.

Il était minuit passé. Chen tenait la barre pendant qu'Ambre surveillait à la proue, une lampe à graisse suspendue au-dessus du vide à l'extrémité d'une longue gaffe.

— Terre à droite, dit-elle assez fort pour qu'il l'entende et pas trop pour ne pas réveiller tout le monde. Vire encore un peu, encore… encore… C'est bon, tu peux redresser.

Le vent était faible, le courant puissant, aussi la jonque se déplaçait-elle plus vite que le matin.

De temps à autre, de grosses lamproies jaillissaient devant l'étrave avant de disparaître dans l'eau sombre. Ambre préférait les ignorer, ces monstres la dégoûtaient.

Malgré la nuit et la brume, les cieux brillaient avec une intensité presque magique. Des boules de feu tirant sur le jaune semblaient vouloir percer le rideau opalin, loin en altitude, en même temps qu'un coup de canon déchirait le silence.

Il s'agissait bien d'une chaîne volcanique. Et ils s'en rapprochaient d'heure en heure.

Ambre transpirait, s'épongeait le front avec sa manche, faute de mieux, et but encore quelques gorgées dans sa gourde. Depuis le matin, ils avaient décidé de se rationner en eau potable en constatant qu'ils étaient dans un marais. Personne ne voulait prendre le risque de goûter à cette eau qui sentait la vase et qu'ils savaient pleine de larves de moustiques.

Les bandes de terre qu'ils croisaient, souvent plantées de roseaux, abritaient des colonies de vers luisants, si bien qu'elles ressemblaient à des villes miniatures qu'Ambre survolait.

La jonque se rapprochait d'une autre de ces colonies, Ambre discerna des lueurs vertes au loin. Elle s'apprêtait à donner l'ordre de virer lorsque des ombres géométriques se profilèrent. Rectangle plus haut que la jonque. Forme allongée, soutenue par des barres verticales droit devant…

Ambre comprit tout à coup. Elle bondit sur la gaffe et la renversa dans l'eau pour éteindre la lampe. Puis elle fonça sur Chen et lui arracha la barre des mains pour tirer de toutes ses forces sur le gouvernail.

— Un ponton droit devant! lâcha-t-elle entre ses dents.

— Quoi? T'es sûr?

— Chut! lui ordonna-t-elle, il y a de la lumière!

Un quai suspendu au-dessus de l'eau apparut à trente mètres. Ils fonçaient dessus.

Des lampes remplies de vers luisants étaient accrochées à des piquets et en délimitaient les bords.

La jonque changea de cap, juste assez pour passer tout près du bout du ponton. Ils avaient frôlé la catastrophe.

— Va les réveiller, demanda Ambre, pendant que je manœuvre pour qu'on puisse revenir accoster.

— Tu veux vraiment qu'on descende là?

— Je pense que c'est notre destination, Chen. Je pense que nous sommes arrivés au cœur de Wyrd'Lon-Deis.

Elle prit une profonde inspiration pour ajouter :

— Nous sommes chez Malronce.

36

Wyrd'Lon-Deis

La jonque était immobilisée à une cinquantaine de mètres du ponton.

À travers la brume et l'obscurité, les Pans pouvaient tout de même apercevoir la nitescence spectrale des lampes à vers luisants.

— Tu n'as vu personne ? s'enquit Matt.

— Non, mais tout a été très vite, admit Ambre. Je crois qu'il y a une sorte de vieille baraque et c'est tout ce que j'ai remarqué.

— Je propose que nous continuions, dit Neil, cet endroit c'est encore une perte de temps et un moyen de se mettre dans le pétrin !

— Nous n'allons pas filer plein sud éternellement ! répliqua Matt. Non, il faut y aller, au moins s'assurer que ce n'est pas le domaine de Malronce.

Tobias approuva et tous suivirent à part Neil qui les rejeta d'un geste agressif de la main.

— Ça tombe bien, ironisa Matt, il nous faut quelqu'un pour garder le bateau.

— Ah non ! Certainement pas ! Je ne reste pas tout seul ici !

Le *Styx* se rapprocha en silence du débarcadère et Matt y sauta avant qu'on lui lance les cordes pour amarrer le navire aux poutrelles de bois.

— Tobias, Ben et moi allons faire un repérage rapide, ne bougez pas et préparez-vous à filer si ça se passe mal.

Les trois garçons remontèrent en direction de la terre ferme. Ambre ne s'était pas trompée, c'était bien une vieille maison accrochée à la berge, planches de façade fendues, peinture écaillée et volets tordus.

Ils passèrent devant et constatèrent qu'ils étaient sur une allée de briques roses en partie recouverte par des lianes et des pissenlits. Elle conduisait à une grande grille de fer forgé, ouverte sur une petite place avec sa fontaine ancienne au milieu. Des ronces noires remplaçaient l'eau, et une nappe de brume diaphane stagnait à un mètre du sol.

— J'ai l'impression que c'est grand, dit Matt.

— Ça l'est ! confirma Ben avec sa vision nocturne. Je vois des dizaines de toits et de cheminées entre la brume et les arbres.

— On dirait une ville abandonnée, ajouta Matt.

Tobias le reprit immédiatement :

— Une ville hantée, tu veux dire !

Soudain Ben les saisit par les épaules et les poussa dans les fourrés.

— Des soldats ! murmura-t-il.

Les talons de leurs bottes frappaient la route de brique malgré le tapis de végétation, et deux Cyniks en armure, lance au poing, remontèrent dans leur direction, passèrent devant le ponton sans y jeter un regard et firent demi-tour pour repartir là où ils étaient venus.

— Patrouille de garde, commenta Matt. Nous sommes chez Malronce, j'en suis sûr ! Allons chercher les autres !

Il fut finalement décrété de ne laisser personne derrière. Ils débarquèrent les chiens ainsi que tout leur matériel, ne laissant rien à bord du *Styx*. Si les Cyniks venaient à le trouver, ils croiraient peut-être à une livraison ou à un messager, du moins était-ce ce qu'espéraient les Pans.

— À sept plus nos sept chiens, nous serons rapidement repérés, regretta Matt. Nous allons nous écarter un peu de la jonque et dissimuler les chiens quelque part.

Ils franchirent les grilles et contournèrent les petites maisons mal entretenues, si vétustes qu'il semblait peu croyable que des gens y habitent.

Ils passèrent sous une arche, et Ben leur montra une étable en mauvais état, un peu à l'écart. Il manquait l'un des murs de planches, la paille à l'intérieur sentait le pourri, mais c'était assez grand pour que les chiens puissent s'y allonger sans être vus.

Matt embrassa Plume qui le regarda s'éloigner avant d'aller se coucher.

L'allée de brique serpentait entre ce qui avait dû être des massifs de fleurs, avant la Tempête. Elle se séparait en de nombreuses allées qui se rejoignaient un peu plus loin. Ben les guidait sans peine, il suivait les lanternes remplies de vers luisants qui propageaient un halo verdâtre, presque surnaturel.

Le grand bâtiment sortit de la nuit et de la brume d'un coup, un édifice de deux étages élevé sur une butte, avec ses toits pointus, son clocher central garni d'une horloge, et les mansardes étroites qui s'ouvraient dans sa charpente comme autant d'yeux noirs.

Une très longue terrasse courait devant, et se prolongeait de chaque côté par un mur semblable à un petit rempart. De part et d'autre du manoir, un tunnel permettait de passer sous la butte, signalé par des lanternes suspendues.

— Je connais ce lieu, avoua Neil.

— On dirait la maison de *Psychose* ! gémit Tobias qui parlait pour repousser la peur.

— Oh ça y est ! fit Neil. Non, pas ça…

— Quoi ? Qu'est-ce qu'il y a ?

Tobias n'y tenait plus, il craignait une révélation fracassante qui allait d'un coup compromettre tous leurs plans. Au lieu de quoi, Neil murmura :

— C'est Disneyworld.

— Ça ne ressemble pas du tout à un parc d'attractions ! intervint Chen. C'est plutôt la cité de la famille Adams !

— Non, il a raison, insista Ambre. C'est un Disneyworld devenu sinistre, mais c'est bien là que nous sommes.

Ils réalisèrent que la terrasse était en fait un quai de gare, et le mur qui les empêchait de passer rien de plus que la voie ferrée.

— N'avancez plus ! lança Ben. Je vois des soldats dans les corridors. Au moins quatre chaque fois !

Matt les tira sur le côté.

— Dans ce cas on va faire le tour, j'ai toujours rêvé de faire le mur chez Mickey.

Ils n'eurent pas à s'aventurer bien loin pour qu'une palissade fasse leur affaire. La courte échelle, une traction, et tout le monde passa de l'autre côté, enjamba la voie ferrée pour se retrouver dans une zone boisée.

Le ciel s'illumina d'un bouquet rouge et orange tandis qu'un bref geyser de lave apparut au loin entre de gros panaches de fumée noire.

Les Pans s'accroupirent instinctivement pour se cacher, le temps que cette lumière retombe. L'explosion résonna longuement, suivie d'un grondement inquiétant, comme si toute la région était sur le point de subir un tremblement de terre.

— Et maintenant ? C'est que c'est grand, Disneyworld ! fit remarquer Chen.

— À ton avis, où la Reine a pu s'installer ? ironisa Ben. Je serais d'avis qu'on commence par le château !

Ils pataugèrent dans la boue jusqu'à rejoindre l'arrière d'une grande bâtisse en bois dans l'esprit du XIXe siècle, poussèrent une porte battante et se trouvèrent à l'entrée d'une place encadrée de maisons anciennes, toutes décrépites. Les fenêtres réfléchissaient les cieux enflammés, et l'unique éclairage n'était autre que ces mêmes lanternes emprisonnant des insectes lumineux.

Au centre de la place, un mât dressait le drapeau rouge et noir de Malronce, avec la pomme argentée en son centre.

— C'est Main Street! s'exclama Ambre.

La rue principale déployait sa perspective entre les façades abîmées jusqu'à une autre place, lointaine, couverte de végétation dense derrière laquelle se dressait l'ombre d'un château qu'ils reconnurent aussitôt.

Ses tourelles affûtées tendues vers les nuages, cette multitude de pignons aux lucarnes étroites jaillissant des remparts, ce donjon compact qui projetait la haute tour et sa coiffe d'or comme une fusée médiévale... Cet emblème du divertissement les avait émerveillés au début de chaque production Walt Disney, une promesse de rêve. À présent, sous cette lumière pourpre, elle semblait jaillir d'un cauchemar.

Trois Cyniks en armure les sortirent de leur contemplation craintive, ils remontaient Main Street dans leur direction.

— Il faut faire le tour, décida Matt. Par là nous serons interceptés avant même d'atteindre le pont-levis.

Ils rebroussèrent chemin et s'engagèrent dans une épaisse forêt basse, où voisinaient des essences tropicales, d'énormes fougères et des fleurs aux couleurs vives.

Tobias marchait devant, avec Matt, son champignon lumineux à la main. Lorsqu'un trou ou une racine piégeuse sortait de la pénombre, il faisait circuler l'information pour que tout le monde l'évite. Le clapotis de l'eau les informa de la proximité d'une rivière ou d'un lac. Avec toute la faune étrange et menaçante qu'ils avaient croisée dernièrement, Matt préféra se tenir le plus éloigné possible de la berge.

Après un trajet assez fatigant au milieu de ces plantes et ces ronces, ils approchèrent d'un grand bâtiment avec deux grandes verrières en guise de toit, des dômes colorés par les reflets des explosions qui s'enchaînaient sur l'horizon. Ils le contournèrent en passant sur une butte au sommet de laquelle ils purent voir les panaches de fumée noire qui grimpaient au-delà du château.

Des dizaines et des dizaines de cheminées occupaient le sud du parc, sous l'éclat infernal d'immenses fourneaux palpitants. Il sembla alors aux Pans qu'ils pouvaient entendre le choc des marteaux sur l'acier chaud.

Les forges de Malronce n'arrêtaient jamais, elles produisaient le matériel de guerre sans répit, comme pour déverser tout ce métal en fusion sur les Pans eux-mêmes.

Cette vision les effraya et ils se hâtèrent de redescendre jusqu'à un chemin de briques roses, vers la place au pied du château. Ils se faufilèrent un par un vers un espace dégagé d'où ils pouvaient gagner les abords directs de la forteresse, lorsque Matt s'immobilisa au milieu de la piste.

Le centre de la grande place était occupé par une statue, de facture récente, toute blanche. Elle culminait à plus de cinq mètres sur son socle d'obsidienne.

Il s'agissait d'une femme dont la robe ample partait du haut des cheveux, ne laissant apparaître que son pâle visage.

Malronce.

Figé, Matt ne pouvait plus avancer d'un pas. Il rendait à la statue le même regard froid et pétrifié.

Maintenant qu'il la contemplait, cela lui semblait tellement évident.

Comment avait-il pu ne pas le deviner plus tôt ?

Après l'épisode du Raupéroden, il aurait dû comprendre.

Malronce, la reine cynik, présentait les traits de sa mère.

37

Les secrets du corps

Matt serra les paupières.

Il allait se réveiller.

Tout cela n'était qu'un rêve. Il ne pouvait en être autrement. Les deux forces ennemies étaient incarnées par ses parents.

Et elles étaient prêtes à tout pour lui remettre la main dessus.

C'est un long rêve, je ne suis pas le centre du monde, ça ne peut pas être mes parents, je vais me pincer et dans une minute, je serai au fond de mon lit, dans notre appartement à Manhattan. Papa et maman auront cessé de se crier dessus, ils signeront les papiers du divorce, je vivrai chez l'un la semaine et je passerai mes week-ends chez l'autre et tout ira bien.

Il se pinça jusqu'au sang. Pourtant rien ne changea.

Alors il tomba à genoux.

Comment était-ce possible ?

— Matt ? s'inquiéta Ambre. Ne reste pas là, on va se faire repérer !

L'adolescent ne parvenait plus à se relever. Toutes ses convictions vacillaient, ses forces l'abandonnaient, il ne comprenait plus rien, et même n'avait plus envie de comprendre. C'était trop pour lui.

— Matt ! insista Ambre. Qu'est-ce qui t'arrive ?

Tobias lui désigna la statue.

— Je crois bien que c'est sa mère, dit-il, je la reconnais.

— Sa mère ? Mais… comment est-ce possible ?

— Je ne sais pas mais il se passe quelque chose avec Matt. Viens, il faut le tirer hors du chemin.

Ils se mirent à plusieurs pour soulever l'adolescent qui sortit alors de sa catatonie en clignant les yeux au moment même où deux soldats traversèrent un petit pont pour passer à leur niveau.

— Tout juste ! souffla Tobias.

Matt se tourna vers lui.

— Tu l'as reconnue, toi aussi, pas vrai ?

Tobias acquiesça sombrement.

— Malronce c'est ta mère ? répéta Horace.

— Alors on est peut-être sauvés ! triompha Neil. Il suffit d'aller la voir, pour qu'elle te reconnaisse !

— Je te rappelle que si les Cyniks nous capturent et nous tuent c'est à cause d'elle, fit Horace.

— Voir son fils sera sûrement un électrochoc !

Tobias secoua la tête.

— Elle se souvient déjà de lui, dit-il, il y a des avis de recherche avec le portrait de Matt partout dans les villes cyniks. Et ça ne l'a pas rendue plus sympathique. J'ai vu ce qu'ils font aux Pans, les anneaux ombilicaux et le dépeçage qu'ils promettent à Ambre s'ils l'attrapent pour leur Quête des Peaux. Malronce n'a rien d'une femme accueillante et compréhensive.

Matt interrompit les protestations qui fusaient :

— Il faut entrer et faire ce que nous sommes venus accomplir avec le Testament de roche. Après ça nous fuirons, vite et loin.

Le pont-levis était gardé par deux hommes en armure.

Les murs étaient bien trop hauts pour espérer les escalader sans cordes, sauf pour Chen. Lassé de devoir toujours contourner les Cyniks et perdre du temps, Horace proposa la manière forte.

Tobias enchaîna deux tirs rapides qu'Ambre ajusta et les deux hommes s'écroulèrent sans un bruit.

Les Pans franchirent le hall et se mirent en quête d'un escalier.

Après avoir traversé trois pièces sans intérêt, gravi deux niveaux en évitant soigneusement les quelques gardes, et n'être toujours pas plus avancé, Matt se demanda s'ils avaient une chance de tomber par hasard sur ce qu'ils cherchaient.

Le vent soulevait un imposant rideau. Le château était beaucoup plus vaste que ce qu'il croyait. Le rideau se gonfla et Matt entendit un frottement similaire à celui d'un chien qui se gratte.

Il écarta le rideau et faillit s'étrangler de stupeur.

Un papillon de plus de six mètres d'envergure attendait sur une corniche spacieuse, une selle en cuir sanglée au milieu du corps. Matt tira le rideau pour montrer la créature à ses compagnons qui en restèrent abasourdis.

— Les Cyniks savent être ingénieux quand ils le veulent, commenta Tobias.

Un réfectoire, puis une salle d'entraînement, et Matt perdit patience. Lorsqu'ils manquèrent de peu d'être surpris par une ronde de deux guerriers lourdement équipés, il opta pour une autre stratégie. Ils tournèrent encore jusqu'à repérer un soldat seul. Avec l'aide de Chen qui se colla au plafond pour lui tomber sur le dos, ils le capturèrent pour l'entraîner dans un placard à balais.

— Le Testament de roche ? demanda Matt. Où est-il ?

L'homme était sous le choc. Il fixait ses agresseurs comme s'ils sortaient tout droit de l'enfer. Matt lui enfonça la pointe de son épée entre les côtes et il se mit à gémir. Il hocha vivement la tête pour signaler qu'il allait parler et Chen retira sa main devant sa bouche.

— Tout en haut, il est tout en haut, après la salle du trône !

Matt l'assomma avec le pommeau de son arme et l'enferma dans le placard.

Ils n'osaient courir pour ne pas faire de bruit, marchèrent vivement, longèrent un balcon qui donnait sur une grande salle qui sentait la rôtisserie et où trois hommes ronflaient, ouvrirent la porte d'un dortoir plein de Cyniks assoupis avant de la refermer en hâte. Ils parvinrent enfin à un escalier qui les mena face à deux énormes battants. Matt et Ben les poussèrent et pénétrèrent dans ce qui ressemblait à une salle de bal des plus austères. Les fenêtres étaient trop hautes et trop étroites pour laisser passer la lumière des volcans, aussi Matt alluma-t-il une des torchères contre le mur. Des tapisseries ornaient les parois, et tout au bout, au sommet des marches, trônait un grand siège de fer garni de coussins.

— Nous y sommes presque, murmura Matt. Dis aux autres d'entrer.

Matt repéra deux portes au fond du hall. L'une devait conduire au Testament de roche, et il devina que l'autre desservait les appartements de Malronce. Elle ne devait pas dormir très loin de son trône.

Lui qui avait longuement pleuré la perte de ses parents ne souhaitait à présent plus les approcher. Il n'avait aucune envie de contempler sa mère, même plongée dans le sommeil. Il craignait trop sa propre réaction. Resterait-il figé ou au contraire exprimerait-il toute sa colère ? Comment pouvait-elle guider tous ces hommes dans le fanatisme ? Comment avait-elle pu ordonner des abominations comme celles des anneaux ombilicaux, et toutes ces rafles d'enfants ?

Et maintenant la guerre !

Quel genre de mère était-elle pour commander l'extermination de tous les enfants du monde ?

Matt s'agenouilla devant chaque porte et posa sa main au niveau de la rainure entre le bois et le sol froid. Un léger courant d'air soufflait sous la seconde. Il l'ouvrit et découvrit un autre escalier, étriqué celui-là.

Ils grimpèrent sans fin, au sommet de la plus haute tour du château, jusqu'à la salle circulaire qui dominait Wyrd'Lon-Deis.

Par la grande fenêtre ronde qui dominait la chape de brume, Matt contempla les volcans rugissants à une cinquantaine de kilomètres au sud, montagnes spectaculaires sorties de la terre en quelques heures une nuit de décembre. Les coulées de lave serpentaient sur leurs pentes comme des dragons de feu glissant lentement hors de leur tanière, prêts à dévorer le monde.

Du coin de l'œil, Matt nota la présence d'un étrange meuble. Il s'agissait d'un cadre de bois avec un morceau de peau animale tendue par des petites cordes. Ce parchemin avait servi à inscrire une kyrielle de points à l'encre noire qui ressemblait au dessin d'une constellation.

Ambre s'approcha du centre de la pièce.

— C'est ici, dit-elle religieusement.

Un bloc de lave séché était posé au milieu, de la taille d'une table.

Matt cala sa torche dans un des trous du gros bloc noir et recula pour avoir une vue d'ensemble.

Une partie de la pierre était parfaitement plate, striée de lignes et de courbes.

— C'est une carte, avec chaque continent, révéla Ambre en se penchant dessus. Il y a de curieux dessins. Et une étoile ici, au milieu, dans l'océan Atlantique.

— Tu dois comparer tes grains de beauté avec ces dessins, fit Matt en faisant signe à tout le monde de retourner dans l'escalier.

Ambre hocha la tête.

— J'en ai sur tout le corps.

— Nous allons te laisser seule.

— Sauf que... ma peau est censée être étalée sur tout le planisphère. Seule, je ne pourrai pas lire la carte.

Matt la considéra un moment, puis il dit tout bas :

— Je vais rester. Je vais t'aider.

Une fois seuls, Ambre et Matt se regardèrent dans les yeux.

— Je ne reste que si tu le veux, bien sûr.

Ambre ne répondit pas. Elle le prit par la main et l'entraîna pour qu'ils se penchent sur le Testament de roche.

— Aide-moi à en décrypter les mystères, demanda-t-elle.

— Les proportions ne sont pas toutes conservées, analysa Matt aussitôt. L'espace entre l'Europe et l'Amérique est tout petit, juste assez grand pour cette étoile.

— C'est le cas de tous les océans et toutes les mers. Les continents sont rapprochés.

— Je crois que... si tu t'allonges, ton corps recouvrira une partie du planisphère.

— Il faudrait un repère, pour que je me place précisément par rapport à la carte, sinon ce sera approximatif.

— Cette étoile au centre n'est pas là par hasard. Si tu te

mets dans ce sens, tu couvriras l'essentiel des dessins, et alors elle correspondra à... ton nombril.

Ambre approuva vivement.

— C'est ça. Le symbole de la vie, le cordon qui relie la mère à ses enfants, la Terre à nous.

Elle soupira et recula d'un pas.

— Je vais le faire, dit-elle la voix tremblante. Et j'ai besoin que tu sois mes yeux.

Alors Ambre s'écarta dans la pénombre et se déshabilla complètement. Elle frissonna dans la fraîcheur de la tour, la torche éclairait plus qu'elle ne réchauffait.

Elle se tourna face au Testament de roche, et face à Matt, la gorge serrée, le pouls palpitant à la naissance de son cou.

À sa grande surprise, Matt aussi s'était déshabillé. Il se tenait nu, de l'autre côté de la table en lave.

— Il n'y a pas de raison, dit-il doucement, je t'accompagne jusqu'au bout.

Ambre plongea son regard dans le sien. Ils étaient pareillement vulnérables, et elle se sentit moins mal à l'aise, peu à peu, elle baissa les bras qui cachaient sa poitrine.

— Je... Je suis prête, je crois.

Elle vint s'allonger sur la pierre glacée qui la fit trembler. Matt l'aida à se positionner pour que son nombril soit juste au-dessus de l'étoile. Le contact de leurs peaux réveilla des sensations agréables et réchauffa Ambre.

— J'ai la tête du bon côté ? demanda-t-elle.

Matt examina l'ensemble. Il se concentrait sur sa tâche, s'efforçant de la toucher le moins possible.

— Oui, dans l'autre sens, tes épaules dépasseraient. C'est bon.

— Maintenant il faut que tu examines mes grains de beauté. Je... je suis désolée, Matt, je ne peux pas y arriver en restant allongée et comparer avec la carte...

— Je m'en occupe, ne bouge pas.

Il posa un genou sur la table pour mieux se pencher au-dessus d'elle et baissa les yeux sur son corps.

La voir ainsi, parfaitement nue, accélérait son pouls. Il était à la fois troublé, envahi par l'émotion, et désireux de la soutenir au mieux. Il posa les yeux sur son nombril. Sa peau blanche était parsemée de petites taches de rousseur, et des grains de beauté formaient une arabesque unique. Sans qu'il s'en rende compte, son regard dériva, guidé par ces étranges points noirs et bruns, et s'arrêta sur ses seins.

Il y avait une sorte de perfection dans leur rondeur, et une beauté hypnotisante dans le cercle rose qui les ornait.

Matt avala sa salive et continua son voyage sur la peau de l'adolescente.

Les grains de beauté étaient moins nombreux sur ses épaules. Il redescendit à son nombril et s'y arrêta, le souffle court. Il n'osait regarder plus bas.

La main d'Ambre vint lui enserrer les doigts.

Il prit cela pour un encouragement et détailla le périple des petites taches sur ses hanches. Il se dépêcha de scruter le haut des cuisses, essayant autant que possible d'ignorer la toison claire qui le mettait si mal à l'aise. Il inspecta les genoux, puis les mollets.

L'hiver passé, il aurait donné tout ce qu'il possédait pour un instant pareil avec une si jolie fille. Mais à présent, il se sentait terriblement fébrile, le respect qu'il éprouvait pour Ambre l'empêchait de satisfaire une curiosité et un désir qu'il savait sexuel, mais pas seulement.

— Alors ? demanda-t-elle.

Matt prit son inspiration pour chasser une partie de sa confusion.

— Les grains de beauté sont moins nombreux que les taches de rousseur, et... à vrai dire, je ne vois rien de particulier.

— Il doit forcément y avoir quelque chose.

Subitement, Matt eut le sentiment de reconnaître cette

mosaïque étrange. Il descendit de la table et s'arrêta face au parchemin tendu dans son cadre.

— C'est le Grand Plan, comprit-il. Malronce a rêvé de ce dessin en se réveillant ici. Elle l'a aussitôt recopié en sachant que c'était important. C'est exactement identique à ce que tu as sur la peau.

— Si c'est pareil, pourquoi a-t-elle tant besoin de moi ?

Matt haussa les épaules et revint prendre sa place à côté d'Ambre.

— Peut-être qu'elle ne sait pas comment le lire ?

Ambre attrapa la main de Matt et la déposa sur son ventre tiède.

— Continue d'observer, demanda-t-elle. Les grains de beauté correspondent-ils à des villes par exemple ?

— Je… Je vais devoir te relever un peu.

Ambre acquiesça et se cambra pour lui permettre de voir la carte sous son dos lorsqu'il eut repéré un grain de beauté sur son ventre.

— Je ne suis pas sûr. J'ai l'impression que c'est la Floride, dit-il. Ici même en fait.

— Continue.

Pour plus de précision, Matt posa le bout de son index sur un grain de beauté sur la hanche, et de l'autre main, il aida Ambre à se pousser juste ce qu'il fallait pour qu'il puisse comparer avec la carte.

— Ça pourrait être New York.

Il répéta l'opération avec un autre.

— Chicago, je pense.

— Des endroits où la Tempête a frappé fort, où elle a pu laisser des traces, comme ici et cette table.

— Le Grand Plan est incomplet. Maintenant que je prends le temps de te… parcourir, je vois des différences. Sur ce qu'a Malronce il manque tous les gros grains de beauté, elle n'a que les taches de rousseur et les grains brun clair, jamais ceux qui sont parfaitement noirs, ceux qui marquent un emplacement !

Matt s'était à présent habitué au contact d'Ambre, il parvenait à la toucher sans être trop troublé. Il scrutait les taches de rousseur qui se propageaient autour de son nombril lorsque soudain il lui sembla remarquer qu'elles avaient un sens. À peine visible. Leur rondeur était en fait un peu profilée, comme si elles avaient été jetées ici et là selon une trajectoire.

— Attends une minute, dit-il, absorbé par sa découverte.

Matt se rapprocha jusqu'à sentir son propre souffle contre la peau d'Ambre. Celle-ci se mit à frissonner.

Les volcans grondaient toujours, et ils lançaient sur la pièce un jeu de lumières rouge et jaune qui faisait danser les ombres.

Matt compta trois directions depuis le nombril.

La première s'allongeait vers la cuisse droite. Matt la suivit du doigt, caressant Ambre jusqu'à l'intérieur de sa jambe qu'il écarta légèrement. Un grain de beauté plus grand que les autres terminait la trajectoire. En le comparant à la carte il se rendit compte qu'il marquait un endroit en Europe qu'il ne connaissait pas.

Il décida de le mettre de côté et suivit la seconde série de taches.

Elle filait droit vers… Matt s'interrompit, la main effleurant le duvet sensuel entre ses cuisses.

Il ne pouvait continuer. Pas dans cette direction. C'était l'intimité d'Ambre. Pourtant plusieurs petites marques, comme les gouttelettes d'un fond de teint, filaient dans le repli de sa peau, le guidant vers ce sanctuaire.

Il s'en sentait incapable.

Non seulement de poursuivre mais de lui en parler.

Il se rabattit sur la dernière série qui grimpait vers sa poitrine.

Un minuscule cercle sombre ornait le dessous de son sein gauche. Matt n'osait le toucher, pourtant il finit par poser sa main dessus et Ambre lâcha un soupir de surprise. Il repoussa doucement le sein et dévoila un gros grain de beauté, le plus large de tous.

Matt demanda à Ambre de se pencher et après avoir vérifié plusieurs fois, il marqua l'endroit sur la carte avec son doigt.

— Je suis désolé, s'excusa-t-il en retirant sa main.

Elle ne releva pas et se redressa pour voir ce qu'indiquait Matt avec son index.

— C'est l'emplacement de la Forêt Aveugle, exposa-t-il.

— C'est mieux que ça, Matt. Juste au milieu, dans cette région-là, je ne vois qu'une chose possible, et nous savons tous deux ce dont il s'agit.

— Le Nid, dirent-ils ensemble.

Matt revit ce que les Kloropanphylles appelaient l'âme de l'Arbre de vie. Une fabuleuse boule de lumière et d'énergie.

Ambre était une carte et elle invitait à retourner là-bas.

Vers cette sphère qui lui avait semblé contenir le monde entier.

38

Malronce et les Renifleurs

Tobias et les autres Pans, redescendus dans la salle du trône, s'impatientaient. Ils guettaient les pas de leurs amis.

Mais rien ne venait.

Ils craignaient l'intrusion des gardes et s'étaient finalement cachés derrière les hautes tapisseries, profitant du faible espace entre le mur.

— Dites, vous ne croyez pas qu'on devrait monter s'assurer que tout va bien ? proposa Neil.

— Négatif, répliqua Tobias. Il n'y a qu'une seule entrée, et nous la surveillons, il ne peut rien leur arriver.

— Nous n'allons pas non plus rester là toute la nuit ! L'absence des gardes à l'entrée va finir par être remarquée ! Il faut quitter le château avant l'aube !

— Pour l'instant, on attend.

Après un moment, Chen pivota vers Neil.

— Tu crois qu'il y a une aube ici ?

— Pourquoi pas ?

— C'est glauque, c'est loin de tout, j'ai l'impression que tout est détraqué ici.

— Non, c'est juste la Floride, plaisanta Horace sans déclencher de rires.

Ben se releva.

— Je vais faire un tour, vérifier que personne n'approche.

— Je viens avec toi, fit Chen.

— Non, personne ne va nulle part ! ordonna Tobias. Ne commençons pas à nous disperser.

Ben lui jeta un regard noir que Tobias soutint sans broncher.

Tout le monde se rassit et les minutes s'égrenèrent.

Ils sursautèrent tous lorsqu'un cor se mit à résonner dans les couloirs, les salles et les halls, comme s'il s'agissait d'un orchestre entier.

— C'est l'alerte ! s'affola Neil. Je vous l'avais dit ! Ils savent que nous sommes ici ! On est pris au piège !

— Tais-toi ! le tança Horace en se penchant vers Tobias et Ben. Qu'est-ce qu'on fait ? On monte les chercher ou on les défend jusqu'à la mort ?

— Personne ne sait rien, rappela Tobias, au pire ils ont retrouvé les gardes abattus. Avant qu'ils fouillent tout le château et viennent ici, ça nous laisse le temps de…

Les battants de la salle s'ouvrirent sur un petit homme à bout de souffle. Il fonça allumer les quatre premières torches puis disparut derrière la porte en bois que Matt suspectait être celle des appartements de Malronce.

Tobias avait tout juste eu le temps de ranger son fragment

de champignon lumineux avant de pincer un morceau d'étoffe pour se dégager un petit œilleton entre deux tapisseries.

Les flammes ondulaient avec l'essence, nappant les lieux d'une douce tiédeur.

Tobias resta ainsi à guetter, invisible, sous le feulement odorant des torches.

Lorsque l'homme revint, il était accompagné de la Reine.

Une femme, grande, à l'allure altière, drapée dans une robe noire et blanche qui la recouvrait intégralement, ne laissant apparaître que ses traits, séduisants et inquiétants en même temps.

Tobias n'eut alors plus aucun doute, c'était bien la mère de Matt. Cependant, elle dégageait une autorité et une froideur qu'il ne lui avait jamais connues.

— Le général Twain, présenta le petit homme en voyant s'approcher une silhouette massive.

Twain était vêtu d'habits noirs, il arborait une barbe qui s'arrêtait à son menton, et tout en lui, de sa démarche à son regard, évoquait le chasseur rompu à son art.

Tobias se colla contre le mur et constata que les autres en faisaient autant. Il regarda ses pieds et fut soulagé de voir que les tapisseries touchaient le sol, les dissimulant totalement.

— Une intrusion ! dit-il. Les deux portiers ont été assassinés !

— Ici ? Chez moi ? tonna la Reine en serrant le poing. Qui donc ?

— Nous l'ignorons, ma Reine, les recherches sont en cours, tous les hommes du château sont réveillés et vont fouiller votre demeure pour garantir votre sécurité.

— Ça ne peut pas être les Mutants, ils se sont ralliés à nous, alors qui ?

Twain inclina la tête.

— Il se pourrait que ce soit... des enfants, nous n'avons aucun autre ennemi capable de s'introduire jusqu'ici et de tirer des flèches.

— Des enfants ? Vous plaisantez, général Twain ? Sous mon toit ?

— C'est que… je ne vois aucune autre explication.

Malronce se prit le menton pour réfléchir.

— Tant pis pour les risques, lâchez la Horde.

Twain, pourtant inébranlable en apparence, devint livide.

— Êtes-vous sûre ?

— Cela fait des mois que je leur fais renifler des vêtements portés par des enfants ou des adolescents. Les Renifleurs de la Horde sont prêts maintenant. S'il y a des gamins entre ces murs, ils les débusqueront, et s'ils sont déjà partis, alors la Horde va les traquer plus sûrement et plus férocement qu'une meute de lionnes affamées.

— Ma Reine, puis-je vous demander ce que sont les Renifleurs de la Horde ? Ils suscitent les rumeurs les plus folles, et déjà des gens murmurent que vous êtes une sorcière et qu'ils sont le produit de vos expériences !

— Je ne suis responsable en rien, sinon d'avoir su les rassembler et les apprivoiser. Voyez-vous, mon cher Twain, lors du Cataclysme, la plupart des hommes et femmes de notre monde ont été vaporisés, détruits par le choix de Dieu. Mais il y eut aussi l'effet inverse. Plusieurs personnes qui venaient à peine de mourir ont été frappées par ces éclairs divins. La vie est revenue en eux, mais pas leur âme. C'est pourquoi ils sont hantés et effrayants, ils n'ont plus d'âme.

— Je suppose que dans toute entreprise de taille, il existe des aléas imprévisibles, des erreurs de calcul, et les Renifleurs sont cette part de chaos, n'est-ce pas, ma Reine ?

— Non ! Crois-tu Dieu capable d'approximation ? S'Il a choisi de faire vivre ces êtres, c'est pour qu'ils nous servent ! Ils sont nos cerbères ! Pour accomplir Son œuvre !

— Pardonnez-moi, ma Reine, dit le général Twain en posant un genou à terre.

Un rictus cruel déforma la bouche de Malronce.

— Ces hommes qui propagent des rumeurs à mon sujet, qui me disent une sorcière.

— Oui, ma Reine ?

— Je veux que tu les brûles.

Twain baissa la tête.

— Bien, il en sera fait selon votre volonté.

Twain s'élança vers la sortie pendant que Malronce marchait lentement dans la salle du trône.

Tobias avait du mal à respirer. La Horde de Renifleurs ? Qu'était-ce encore que cela ?

Malronce venait de s'immobiliser face à la tapisserie derrière laquelle se cachaient les Pans.

Tobias eut soudain l'impression que son cœur cognait si fort que tout le monde dans le hall pouvait l'entendre. Les voyait-elle ?

Non, c'est impossible ! Ce n'est pas transparent, elle ne peut pas !

Pourtant, Tobias doutait.

Le visage de la Reine se contractait. Elle venait de voir quelque chose qui la dérangeait.

— Valet, est-ce toi qui as pris la torche ici ?

— Non, ma Reine, certainement pas. Je vais la faire remplacer de suite, surtout…

Elle leva l'index d'un geste impérieux qui abattit le silence sur la salle.

— Personne ne touche jamais aux torchères, songea-t-elle tout haut. Personne ne… (Son visage s'illumina et elle s'élança vers la porte.) Dehors ! Dehors ! Verrouille cet accès, et cours chercher la Horde ! Ils sont en haut, dans la tour du Testament de roche !

Tout alla très vite, trop vite pour qu'un des Pans n'ose agir : la Reine et son serviteur quittèrent précipitamment les lieux et une barre coulissa derrière les deux battants pour emprisonner les occupants de cette aile.

Tobias sortit de sa cachette et fit quelques pas au milieu de la salle.

— Ils nous ont enfermés ! dit-il.

Sa voix résonna sous le haut plafond.

Les autres le rejoignirent, pas plus rassurés.

— Je savais que je devais sortir ! pesta Ben d'un air désespéré que Tobias ne lui connaissait pas.

— Cette fois, il faut aller chercher Ambre et Matt ! s'exclama Neil.

— Je m'en occupe, prévint Tobias, vous autres essayez de bloquer l'entrée avec tout ce que vous pourrez trouver !

Tobias se précipita dans l'escalier qu'il survola jusqu'au sommet avant de toquer plusieurs fois.

La porte s'ouvrit aussitôt sur la pointe d'épée de Matt.

— C'est moi ! s'écria Tobias. Nous avons de la visite !

— Nous avons entendu le cor tout à l'heure, nous allions descendre.

— Vous avez découvert quelque chose ?

Matt et Ambre échangèrent un regard complice.

— Je vous expliquerai tout ça lorsque nous serons sortis, fit Matt en descendant.

— Attends ! Il y a un truc dont je dois te parler : quelque chose est en train de foncer sur la salle du trône et nous y sommes bouclés.

— Quelque chose ? releva Ambre.

— Les Cyniks l'appellent la Horde, et je crois que c'est une mauvaise nouvelle.

L'Alliance des Trois retrouva les autres Pans qui venaient d'entasser un bureau, une commode et plusieurs chaises pour improviser une barricade.

— Il y a une chambre là-bas, informa Chen, mais aucune arme dedans !

Matt y pénétra.

— Les appartements de ma mè... de Malronce, dit-il.

— La Rauméduse, chuchota Tobias. La Rauméduse et le Raupéroden...

— Que dis-tu ?

— La Rauméduse, c'est un nom que j'ai entendu quand j'étais dans le Raupéroden, il voulait la doubler, triompher d'elle. Je crois que c'est ainsi qu'il nomme Malronce, la Rauméduse.

Matt piqua le milieu d'un tapis avec l'extrémité de son épée et le souleva.

— Que fais-tu ?

— Je cherche un passage dérobé, il y en a sûrement un dans la chambre de la Reine !

— Matt, ce n'est pas *vraiment* un château, c'était… Enfin, tu vois bien ! C'était Disneyland ici, avant ! Il n'y a aucune trappe secrète ou aucun miroir pivotant comme dans nos parties de Donjons & Dragons !

Matt ne l'écouta pas et retourna chaque meuble, palpa chaque angle, en vain.

Soudain un choc secoua toute la pièce, suivi d'un fracas de bois cassé.

— Ils arrivent ! hurla Ben.

Matt leva sa lame devant son visage. Ses paumes serraient le cuir de la poignée, il pouvait presque sentir l'odeur du métal.

Toute la peur et la confusion qu'il éprouvait depuis qu'il avait vu le vrai visage de Malronce se fondirent en un instant dans l'idée de se battre contre ses sbires.

Frapper pour évacuer les doutes. Pour leur faire payer tout ce qu'il vivait. Pour se venger.

À travers la violence, il allait exprimer tout ce qu'il y avait de pire en lui, et détruire, comme si Malronce et ses forces étaient responsables de tout ce qu'il endurait depuis la Tempête.

Son visage changea. La peur disparut, remplacée par une détermination effrayante.

Les portes du hall se fendirent sous les coups ennemis.

Les Pans reculaient, terrorisés par cette puissance qui se frayait un chemin vers eux.

La Horde.

39

La Horde

Lorsque les battants explosèrent, Matt se tenait debout au milieu de la salle du trône, prêt au combat.

Six silhouettes jaillirent, la plupart sur quatre pattes, mais certaines debout. De forme humanoïde, les membres emprisonnés dans des pièces d'acier noir serties de pointes acérées, enveloppés dans des tuniques amples et déchirées qui les faisaient ressembler à des spectres de chevaliers.

Mais leur posture tenait autant de l'homme que du chien, et leurs casques de fer aux formes torturées masquaient des nez trop longs, des mâchoires trop basses, des fronts trop hauts. S'il s'agissait d'êtres humains, ils ne pouvaient qu'être monstrueux.

Tous en même temps se mirent à renifler bruyamment, humant l'air, se dressant sur leurs jambes, la gueule tendue pour mieux capter les odeurs.

Le premier inclina ce qui lui servait de visage en regardant Matt.

L'adolescent crut discerner deux yeux jaunes sous le masque difforme, qui le scrutaient avec curiosité et… gourmandise.

Puis le premier Renifleur déporta son poids sur ses jambes et se propulsa vers Matt comme s'il était monté sur des ressorts.

Matt ne chercha pas à esquiver l'impact, au contraire, il se campa solidement sur ses appuis et étudia la trajectoire pour libérer son coup au meilleur moment.

En une seconde, le Renifleur était sur lui et la lame chanta à l'instar d'un verre de cristal.

Elle s'encastra dans l'armure, déchira les chairs et ressortit avec une bruine pourpre qui éclaboussa le dallage.

Le bras du Renifleur se décrocha de son corps et la créature trébucha en grognant. Une odeur méphitique se propagea instantanément.

Matt eut à peine le temps d'aviser les dégâts qu'un second Renifleur surgissait devant lui, les griffes de ses gants lacérant son tee-shirt pour se frayer un chemin vers son cœur. L'improbable se produisit : les griffes transpercèrent le Kevlar de son gilet aussi facilement que du papier et écorchèrent l'adolescent.

Matt ignora la douleur en priant pour que la blessure soit superficielle. Il voulut lui trancher les poignets d'un coup d'épée mais le Renifleur fit preuve d'une vivacité remarquable pour lui attraper le poing qui tenait l'arme. Il émit une sorte de sifflement de satisfaction et allait lui ouvrir la poitrine de sa main libre lorsque deux flèches se plantèrent dans son masque noir et anguleux. Il tituba, sans libérer Matt, avant de se reprendre pour cette fois soulever le garçon dans les airs.

La douleur arracha un cri à Matt qui lâcha son épée.

Deux nouvelles flèches entrèrent par l'orifice d'un œil. Le monstre poussa un terrible gémissement et lança Matt contre une tapisserie qui se décrocha et lui tomba dessus pour l'immobiliser aussi sûrement qu'un filet de pêche.

Les quatre autres Renifleurs avancèrent en échangeant une bordée de borborygmes agressifs. Tobias encochait une nouvelle flèche et Chen réarma son arbalète.

— Il va falloir être rapides, avertit ce dernier, ils sont sacrément véloces !

Ambre accourut pour aider Matt à se dépêtrer, il était sonné par le choc et saignait à la lèvre et au torse.

— Mon épée, dit-il en la voyant au pied des monstres.

Les Renifleurs se séparèrent en entrant dans le hall, ils prenaient un maximum d'espace pour contourner leurs adversaires.

— Ils chassent comme une meute ! annonça Ben.

Ce fut alors que le premier Renifleur se redressa et que son bras coupé racla le sol en produisant d'affreux grincements. Il vint se replacer, s'envolant comme s'il était guidé par un prodigieux aimant, et s'encastra dans la chair et l'acier de l'armure avec un bruit humide écœurant.

— Oh, non... gémit Neil. Ils se reforment !

Les flèches tombèrent toutes seules du casque du second tandis qu'il se relevait également.

Deux Renifleurs tentèrent de prendre Ben en tenaille, mais Horace en repoussa un à l'aide d'une torche qu'il venait de décrocher du mur. L'autre lança ses griffes vers le Long Marcheur qui para de sa petite hache avant de donner un coup de pied dans ce qu'il pensait être le genou de son agresseur. Celui-ci ne cilla pas, pire, il balança son bras dans le visage de Ben qui ne s'y attendait pas et qui s'effondra, le nez en sang.

Le Renifleur se jeta sur lui pour lui enfoncer ses longs doigts métalliques dans la gorge.

Ambre leva la main en direction de la créature et donna tout ce qu'elle avait pour le projeter contre le mur. Sans l'aide des Scararmées, l'impact fut à peine suffisant pour le déstabiliser, il tomba sur le flanc, juste ce qu'il fallait pour permettre à Ben de rouler hors de sa portée.

Mais déjà un autre Renifleur se postait devant lui pour l'empêcher d'aller plus loin. La créature lui enfonça son gant d'acier dans le ventre et l'adolescent hurla.

La situation n'était guère meilleure pour Chen et Tobias qui se trouvaient aux prises avec deux Renifleurs agitant leurs guenilles et leurs pièces d'armure. Ambre et Matt furent également sous la menace d'un des monstres qui se mit à quatre pattes pour les approcher à la manière d'un lion qui vient flairer ses proies.

— Nous n'y arriverons pas, capitula Ambre avec fatalité, ils sont invulnérables. Ils vont nous tailler en pièces.

— Si tu utilises les Scararmées, peux-tu nous faire gagner du temps ? demanda Matt.

— Ils sont dans mon sac, là-bas, de l'autre côté de la salle, avec Neil !

Le Renifleur se mit à grogner et se contracta, prêt à charger.

— Sers-toi de ton altération ! lança Matt en roulant entre les pattes du prédateur pour faire diversion.

Ambre se concentra aussitôt sur son sac et d'un mouvement du doigt qui accompagnait sa pensée, souleva le rabat de Nylon.

Le bocal était visible. Elle ne le quitta pas des yeux et projeta son énergie, pour le faire glisser vers elle.

Matt avait à peine évité un coup de griffes qu'il vit l'autre gant s'abattre en direction de ses yeux. Il saisit la main de toutes ses forces et, usant de son altération, il la tourna dans le sens inverse des articulations. Les os se brisèrent et le Renifleur poussa un cri infernal en se jetant sur Matt. Ils partirent en roulé-boulé et Matt s'empara de son épée au passage pour transpercer les entrailles de son adversaire.

Tobias et Chen criblaient les leurs de flèches sans réussir à les envoyer au tapis. Les unes après les autres, les blessures se refermaient en repoussant le projectile hors du corps. Ils furent bientôt acculés contre un mur, pris au piège par deux assaillants dont les casques laissèrent couler un filet de bave.

Horace tentait d'enflammer la bête mi-humaine mi-démon qui frappait Ben lorsque ses loques prirent enfin feu. Le Renifleur se mit à tourner à toute vitesse sur lui-même, comme s'il ne comprenait pas ce qu'il lui arrivait. Ainsi attisées, les flammes gagnèrent en vigueur et le monstre se transforma en torche vivante. Des hurlements effroyables sortirent de son casque avec une odeur pestilentielle.

Matt amputa le bras d'un Renifleur qui tentait de se relever et se précipita dans la suite de Malronce pour y briser une des fenêtres. Il se pencha au-dessus du vide, dans la nuit, et siffla de toutes ses forces en direction de l'étable qu'il ne parvenait pas à distinguer dans la brume.

Pendant ce temps, Neil fonça sur Ben et appliqua ses mains sur la plaie d'où se déversait un bouillon sanglant de mauvais augure.

Le bocal des Scararmées traversa la salle du trône en glissant sur le dallage et se plaça entre les jambes d'Ambre qui l'ouvrit.

L'énergie des scarabées l'enivra immédiatement, électrisant son corps, soulevant le fin duvet sur sa nuque.

Neil aussi ressentit leur effet, ses paumes devinrent chaudes, et Ben se tordit de douleur au moment où une fumée blanche et malodorante s'échappa de sa blessure.

Un autre Renifleur était en approche, sur le point de passer à l'attaque. Ils étaient si prompts à encaisser et à se remettre sur pied qu'ils paraissaient deux fois plus nombreux.

Tobias vit le casque face à lui s'ouvrir par le bas et une longue mâchoire immonde, sans peau, brune et ocre, couverte de moisissures jaunes, se déploya, assez volumineuse pour y engloutir la tête entière d'un Pan. Les dents grises luisaient sous les flammes des torchères pendant qu'un liquide transparent dégoulinait sur le sol.

Un éclair argenté découpa l'horrible gueule et Matt décapita le Renifleur dans le mouvement suivant.

Neil était épuisé, il releva les mains de Ben et voulut se mettre debout quand sa tête tourna si fort qu'il dut se retenir à Horace pour ne pas tomber. Il vit un Renifleur s'envoler juste sous ses yeux et se fracasser contre le plafond, puis un autre s'encastrer dans le trône en grondant.

Ambre était à l'œuvre.

Galvanisée par les Scararmées, elle soulevait les créatures et les brisait aussi simplement que des figurines de porcelaine.

Pourtant, les uns après les autres, les Renifleurs de la Horde finissaient par se rétablir.

Matt protégea le dos d'Ambre en coupant à nouveau la tête d'une abomination qui rampait pour atteindre la jeune fille.

Chaque entaille délivrait une puanteur insoutenable qui plombait à présent tout le hall.

D'autres ombres se profilèrent soudain dans la vaste salle.

Un homme barbu, musclé comme un guerrier, aux prunelles pénétrantes et dures, puis en retrait, une forme plus familière.

Malronce.

Elle fixait Matt.

C'était elle, sa mère. Gracieuse et charismatique.

Sauf que cette mère-là avait quelque chose d'autre que celle qu'il avait connue. Une rudesse dans l'attitude, dans le regard. Presque de la méchanceté.

— Toi ? dit-elle du bout des lèvres.

Magnétisé par cette apparition, Matt ne vit pas le danger assaillir Ambre. Cette dernière s'efforçait de repousser les attaques sur ses compagnons et ne put rien contre le Renifleur qui rampait au plafond.

Il se laissa tomber sur elle comme une araignée sur son repas, ses membres se replièrent pour la percer de toute part, dans le ventre, le dos, la poitrine et l'épaule, un hoquet la souleva avant qu'elle réalise que sa respiration ne fonctionnait plus.

Une nappe de liquide chaud se déversa sur ses hanches, et au spasme de l'asphyxie succéda la douleur.

Le bruit du choc réveilla Matt qui enfonça sa lame jusqu'à la garde dans le Renifleur et la remonta avec une telle bestialité que le monstre fut ouvert en deux, ses organes se répandirent à ses pieds.

Matt prit Ambre contre lui, les paupières de l'adolescente clignaient à toute vitesse, elle cherchait l'air, ses doigts l'agrippèrent.

Son sang la quittait, emportant avec lui la précieuse vie, tiédissant son corps, abandonnant son âme.

Ambre allait mourir dans ses bras.

— Non ! hurla Matt. Non ! Tu ne peux pas me quitter !

Ambre elle-même semblait s'éloigner, de plus en plus détachée de son sort.

Neil l'arracha aux bras de Matt et enfouit ses mains dans ses vêtements imbibés.

Matt Carter releva la tête en direction de Malronce.

Ce n'était plus sa mère.

Jamais celle qui l'avait mis au monde n'aurait commandé pareil carnage. Jamais elle n'aurait fomenté l'extermination des Pans.

Malronce avait l'apparence de sa mère, mais rien que l'apparence.

Toute la violence que les Cyniks l'avaient contraint à exprimer, à contrôler depuis des mois, remonta d'un coup.

Alors il serra son épée et chargea.

Le général Twain fit un pas de côté pour lui barrer le chemin, sa grande épée pointée sur Matt.

Il pivota au dernier moment et usant de toute sa prodigieuse force abattit sa lame sur celle de Twain qui se brisa d'un coup.

Matt vint s'écraser contre le torse puissant du militaire encore sous le choc de ce qu'il venait de voir. D'un coup de coude, Matt le repoussa pour s'ouvrir la voie vers Malronce.

Mais le général Twain n'était pas homme à se laisser terrasser si facilement. Il saisit Matt par les cheveux et le lança contre la paroi de pierre avant de tenter de lui ouvrir la gorge avec sa lame brisée.

— Vivant ! hurla la Reine. Je le veux vivant !

Le cri stoppa le général et permit à Matt de se dégager pour frapper le premier.

Des soldats vociféraient aux niveaux inférieurs.

Quand Tobias s'agenouilla près d'Ambre, il la vit en train de repousser Neil.

Le représentant d'Eden était livide, ses mains sur la peau de l'adolescente.

— Neil, gémit-elle avec difficulté, tu… t'épuises… arrête…

Mais il ne l'écoutait pas. Les plaies se refermaient une par une, et soudain Tobias put voir au travers de Neil tant sa peau et ses organes avaient perdu leur consistance. Il n'appartenait plus tout à fait à leur monde. À l'inverse, la subite pâleur d'Ambre s'était estompée, les couleurs revenaient à ses joues.

— Non ! cria la jeune fille avec le peu de force qui l'habitait encore.

Neil frissonna. Un frisson glacial, porteur de la mort.

Il venait de tout donner pour Ambre.

— Elle doit vivre, souffla-t-il, elle doit vivre… elle est… le seul espoir d'Eden…

Neil tomba à la renverse. La vie avait déserté son corps.

Matt vit Plume surgir dans le dos de Malronce, suivie de Gus et de tous les autres chiens. La troupe canine renversa la Reine et Twain sur son passage, et Lady se jeta sur un Renifleur qui allait croquer Tobias. D'un coup de crocs elle lui brisa la nuque.

Les carreaux d'arbalète de Chen donnèrent assez de répit à Tobias pour qu'il aide Ambre à déposer Neil sur le dos de Moz, son chien. La minute suivante, ils chevauchaient vers l'escalier.

Matt sauta sur le dos de Plume et reçut un coup de poing dans les côtes de la part de Twain qui tentait dans un dernier élan de le désarçonner. Mais Matt tint bon, son gilet en Kevlar protégea ses côtes de l'impact.

Plume s'élança devant Malronce qui se plaqua contre le mur pour ne pas être piétinée.

L'instant d'après, Matt avait disparu.

40

Séparation

Les chiens survolaient plus qu'ils ne descendaient les marches, ils traversèrent un long corridor et Billy, la monture d'Horace, qui était en tête, renversa deux gardes qui se précipitaient sur eux.

Ben se cramponnait à Taker, son husky, malgré l'intervention de Neil, et bien que sa blessure au ventre fût refermée, il souffrait pour tenir en selle.

Chen abattit un autre soldat cynik qui tentait de leur barrer le passage avec sa lance.

Le château se soulevait, partout des guerriers à la mine patibulaire se ruaient en désordre, pour boucler les lieux.

Les chiens profitaient de cette confusion pour foncer droit devant, bousculant les gardes par-dessus les balcons, les écrasant contre un mur ou les effrayant d'un grognement puissant.

En passant devant une tenture, Ambre appela Matt :

— Je m'arrête ici !

Toute l'équipe stoppa en même temps.

— Quoi ? fit Matt. Nous ne pouvons pas, les Renifleurs sont sur nos talons !

— Allez-y, je vous confie Gus.

Ambre mit pied à terre et ouvrit le rideau sur le papillon géant.

— Qu'est-ce que tu fais ? Nous ne tiendrons jamais tous sur cette bestiole !

— Ça tombe bien, je pars seule.

Matt quitta le dos de Plume pour se camper devant son amie.

— Tu es folle ? Et tu ne sais même pas le piloter !

— Je vais apprendre sur le tas ; si tu veux m'aider, dénoue la corde là-bas !

Matt l'attrapa par les épaules. Ses vêtements étaient encore tout trempés du sang qu'elle venait de perdre.

— Tu n'es pas en état !

— Neil vient de donner sa vie pour que je le sois. Je vais très bien, physiquement du moins.

— Mais où veux-tu partir comme ça ?

— Tu le sais, là où mon corps me pousse à aller, là où la Terre m'indique de me rendre. Je vais au Nid, chez les Kloropanphylles. Ce papillon est le seul moyen rapide pour gagner le sommet de la Forêt Aveugle.

Matt ne pouvait se résigner à la laisser partir, il avait cru la perdre, et il réalisait combien sa présence lui était vitale. Sans elle, il n'était plus le même, elle le complétait, mieux encore : elle était son avenir.

Tout ce qu'il venait d'expérimenter auprès d'elle, tout

ce qu'ils avaient partagé, au-delà de leur amitié, ne pouvait prendre fin ainsi, si vite.

— Jamais ce papillon ne tiendra la distance, contrat-il, il s'écrasera de fatigue avant même que tu atteignes la Forêt Aveugle ! Viens avec nous, nous trouverons un moyen. Ensemble.

Soudain toute la douceur dont Ambre était capable l'illumina. Elle déposa sur Matt un regard tendre.

— Nos heures sont comptées, Matt, dit-elle, si près qu'il pouvait sentir son souffle. Et s'il existe encore une chance pour que nous survivions tous, c'est là-bas qu'elle se trouve. Je dois m'y rendre sans plus tarder.

— Alors je viens avec toi.

Elle posa son index sur les lèvres du garçon.

— Non, tu ne peux pas. Tu l'as dit toi-même, le papillon va vite s'épuiser, je dois être seule. Et tu as une mission à remplir. Tu dois guider ces garçons vers le nord, vers la Passe des Loups où se prépare le plus terrible combat que notre monde ait vu. Tu es fait pour ça, Matt. Ta présence sera précieuse pour commander nos troupes.

Matt secouait lentement la tête, incapable de se résigner à cette évidence. Il ne voulait pas la perdre.

Des grognements menaçants tombèrent de l'étage supérieur.

— Dépêche-toi ! ordonna-t-elle. Les Renifleurs arrivent. Ma décision est prise.

Matt la prit dans ses bras.

— Fais attention à toi, je te jure que si tu fais n'importe quoi je te retrouverai, même en enfer s'il le faut, et je te ramènerai !

— Va-t'en.

Matt ne pouvait pas bouger.

Chen décocha un tir d'arbalète dans le couloir.

— Ils sont là ! s'écria-t-il.

Matt se jeta sur l'amarre du papillon qu'il trancha d'un coup d'épée et Ambre monta sur la selle en cuir.

— C'est moi qui vous retrouverai ! lança-t-elle.

Elle se pencha et déposa un baiser sur les lèvres de Matt.

— Maintenant file !

Matt recula pendant qu'Ambre tirait sur les rênes. Le papillon s'ébroua avant d'avancer vers l'extrémité de la plateforme. Il secoua ses ailes et d'un coup celles-ci claquèrent, projetant Matt au sol tandis que l'insecte géant décollait.

L'instant d'après, Matt sautait sur Plume et adressait un signe à Ambre qui venait de s'envoler pour l'horizon obscur du nord.

Il s'interdit de penser que c'était un adieu.

41

La mort aux trousses

Les murs défilaient à toute vitesse.

Ils franchissaient des escaliers, des portiques, gagnèrent une petite cour avant de jaillir sous les remparts du château.

Matt voyait le paysage, entendait les cris des gardes, pourtant il se sentait absent, totalement détaché de ce qui l'entourait.

Il ne parvenait pas à s'arracher au souvenir d'Ambre.

De son départ.

De son baiser.

Il avait l'impression que dans sa poitrine tout était dévasté, desséché, un vide énorme dévorait son esprit. Et déjà, il s'en voulait de l'avoir laissée partir sans lui.

Les faubourgs du château défilaient sous le galop des chiens, repoussant les soldats à coups d'arbalète, de flèches, de hache.

Matt se laissait guider par Plume, ils fonçaient si vite que la plupart des Cyniks n'osaient les approcher et ils furent bientôt hors de l'enceinte du domaine royal de Wyrd'Lon-Deis, remontant une route de terre battue à travers une forêt d'arbres noirs.

Trop de révélations, trop d'émotions en si peu de temps,

avaient sonné Matt. Il n'arrivait plus à se raccrocher à la réalité. Après le Raupéroden, connaître le vrai visage de Malronce l'avait dévasté. Comment en était-il arrivé là ?

Pour avoir découvert un avis de recherche à son effigie dans la sacoche d'un Cynik, deux mois et demi plus tôt.

Son père, et maintenant sa mère. Il n'était pas sûr de pouvoir en encaisser davantage. Il devait les fuir, à jamais. Ne plus jamais les revoir, les ignorer comme s'ils n'avaient été qu'une illusion.

Une hallucination, rien qu'une invention de mon imagination... Oui, c'est ça, une invention...

Matt fut soudain réveillé par les voix de Tobias et d'Horace en tête de la troupe :

— Le *Styx* est par là ! criait Horace.

— On oublie le bateau ! répliqua Tobias. Trop lent à contre-courant ! Ils nous rattraperaient ! Il faut aller le plus loin possible avant qu'ils s'organisent ! Les semer tant que c'est possible !

Matt ne savait qu'en penser. En fait, il ne réussissait plus à ordonner ses idées. Tout lui paraissait étranger, il était détaché de leur sort, comme si le danger ne le concernait plus.

Le grondement des volcans, dans leur dos, fut suivi d'une explosion sanglante dans le ciel, illuminant la nuit, révélant une végétation déformée, tourmentée par le soufre.

Plus d'une heure durant, les chiens galopèrent à travers la forêt, l'écume aux babines, la langue pendante. Puis ils ralentirent l'allure, pour tenir jusqu'à l'aube. Ils croisèrent deux intersections et suivirent chaque fois la direction du nord.

L'aurore se déplia lentement, un trait fin sur l'horizon, tout juste un dégradé de pastels clairs, nuances de blanc et de gris, avant que la paupière du jour ne s'ouvre enfin sur la lumière, inondant cette lande morne.

Pendant une minute, Matt crut distinguer une minuscule tache noire au nord, et il songea à Ambre. Était-ce elle ? Le temps qu'il la cherche à nouveau, elle avait disparu.

Tobias et Horace sortirent de la piste pour s'engager à travers les buissons rabougris et les fougères brunes. Ils menèrent la troupe à travers bois sur cinq cents mètres avant de s'installer sous un gros tronc à moitié couché.

— Les chiens n'en peuvent plus, commenta Tobias, et je crois que nous avons aussi besoin de repos.

À peine débarrassés de leur équipement, les chiens se jetèrent sur une mare d'eau pour l'assécher en quelques minutes.

Ben souleva sa tunique de coton pour dévoiler trois longues plaies suintantes. Neil n'avait pas totalement terminé la guérison. Avec l'aide de Chen, il nettoya ses blessures et se pansa avec des bandes de compresses. Il avait également le nez tuméfié, probablement cassé, mais il préféra ne pas y toucher. Chacun en profita pour soigner ses plaies. Matt s'occupa des coupures sur sa poitrine, souvenir d'un Renifleur, et d'un hématome inquiétant sur le côté qui l'empêchait de respirer. Sa lèvre aussi était entaillée, mais le souvenir du baiser d'Ambre l'aidait à se concentrer sur une autre saveur.

Il inspecta son gilet en Kevlar. Trois lacérations l'avaient ouvert sur le devant. Les griffes de la Horde n'étaient pas de ce monde pour parvenir à déchirer un matériau aussi résistant.

Puis vint le moment que tous redoutaient.

Le corps de Neil fut déposé sur l'herbe rêche, entre les Pans qui le contemplaient avec respect et chagrin.

— Nous n'allons pas l'enterrer ici tout de même ? s'indigna Horace.

— Quel autre choix avons-nous ? demanda Ben. Il va commencer à se décomposer ! Après ce qu'il a fait, il mérite une sépulture.

Tous approuvèrent et ils se mirent à creuser la terre avant d'y enfouir le corps sans vie de Neil. Avant que son visage ne disparaisse, Matt lui jeta un dernier coup d'œil. Une de ses rares mèches blondes rebiquait sur son front. Il se pencha et la lui replaça en arrière. Sa peau était encore tiède.

Cet étrange contact lui fit prendre conscience de la mort.

Neil ne reviendrait plus, plus jamais. Comme Luiz avant lui. Comme bien d'autres auparavant.

Son dernier geste était à la fois surprenant et terriblement logique maintenant que Matt y repensait. Neil avait toujours considéré Ambre comme l'unique monnaie d'échange capable d'empêcher la guerre avec les Cyniks. Pour sauver toutes les vies d'Eden.

Et c'est pour ça qu'il nous a trahis à Babylone. Il a tenté un marché avec les Cyniks, leur donner Ambre et ses compagnons, en échange de la paix.

Pourquoi avait-il fait cela pour ensuite fuir la ville ?

Parce que son plan a échoué lorsque Tobias a emmené tout le monde chez Balthazar. Ensuite il ne pouvait plus rien faire sans risquer sa vie, il craignait que nous découvrions sa traîtrise !

Il avait sauvé Ambre en espérant sauver la paix.

Il savait ce qu'il faisait, il savait qu'il donnait son existence pour elle.

Neil les avait vendus aux Cyniks, mais ce qu'il avait fait restait motivé par son espoir d'épargner le plus grand nombre de vies.

Il n'était pas le sale type que Matt avait cru.

Alors il lui fit des excuses, en un murmure.

Puis la terre le recouvrit.

Ils dormirent quelques heures après avoir mangé, et cela suffit à leur rendre les idées claires.

Ils se savaient traqués, non seulement par les troupes de Malronce, mais également par son homme de main. Depuis qu'il affrontait des Cyniks, Matt avait toujours bénéficié de sa force extraordinaire pour les surprendre, et comme la plupart ne savaient pas vraiment se battre, cela suffisait en général à leur porter le coup triomphant. Avec cet homme, les choses étaient différentes. Il avait été stupéfait par l'impact sur son épée, mais il réagissait beaucoup plus vite que les autres Cyniks. Et il savait se servir de ses poings ! Matt en portait encore la douloureuse preuve sur le flanc.

Cet homme était un véritable guerrier.

S'ils venaient à s'affronter de nouveau, Matt savait qu'il n'aurait pas le bénéfice de la surprise, et l'homme savait quel genre de Pan il combattait. Il ne fallait pas recroiser sa route, comprit Matt, un assaut face à lui serait probablement le dernier de sa courte vie.

— Allons-y, dit-il.

— Nous avons pris une bonne avance avec les chiens, fit remarquer Chen.

— Alors ne la perdons pas.

Les chiens dormaient d'un œil et ils se levèrent tous en même temps lorsque leurs jeunes maîtres entreprirent de ranger leurs duvets.

Un cri aigu pétrifia les Pans.

Cela ressemblait à un appel, une longue plainte stridente, entre le rapace et la hyène. D'autres créatures répondirent, dont une toute proche, à quelques centaines de mètres dans la forêt.

— La Horde ! s'écria Matt. Ce sont les Renifleurs de la Horde, ils suivent notre piste ! En selle ! Vite !

Ben ne prit pas le temps de nettoyer les traces de leur campement.

Matt prit la tête du groupe et ils retrouvèrent le chemin de terre pour lancer les chiens au galop. Tobias était à ses côtés :

— Tu crois qu'ils peuvent courir ? Je veux dire : les Renifleurs de la Horde, avec leur armure... J'ai entendu la Reine à leur sujet, c'étaient des hommes auparavant !

Matt hésita entre partager ce qu'il pensait vraiment et tranquilliser son ami qui n'attendait que ça. Ne sachant ce qui les guettait, il préféra être franc :

— Toby, tu as vu comme moi ces choses, il y a de la magie noire là-dessous !

— Non, d'après Malronce, c'est la Tempête qui a ranimé des gens qui venaient à peine de mourir. Je suppose qu'en frappant des corps mourants, les éclairs ont relancé l'activité électrique du cerveau, et du cœur, et... peut-être que maintenant ils ne fonctionnent qu'avec l'énergie de la Tempête ! C'est pour ça qu'on ne peut les tuer ! Ils sont déjà morts ! L'énergie de la Tempête les reconstitue encore et encore, ça veut dire qu'il n'existe aucun moyen de les détruire !

Tobias était en train de se faire peur tout seul.

— Tu as trop d'imagination, le coupa Matt. Concentre-toi sur ta monture, si tu tombais maintenant, tu nous mettrais vraiment en péril.

— Mais on ne va tout de même pas fuir à cette vitesse jusqu'aux falaises de Hénok ? Jamais les chiens ne tiendront !

— S'il faut se battre, nous nous battrons, maintenant tais-toi.

Matt n'était pas d'humeur. Il avait trop de choses en tête, le cœur trop lourd. Il enfouit sa main dans la fourrure de Plume et se cramponna en se penchant pour lui faciliter la course.

Ils franchirent un ruisseau à gué, puis remontèrent une colline dégarnie. Lorsqu'ils furent au sommet, le cri aigu des Renifleurs transperça le manteau de la cime en contrebas, la Horde les avait repérés.

Les chiens, qui avaient baissé l'allure lors de la montée, retrouvèrent leur fougue et ils étaient à plus de deux kilomètres lorsque Matt aperçut des ombres effrayantes au sommet de la colline, derrière eux.

Ils trottaient, nettement moins rapides que le groupe de Pans, mais infatigables.

Tôt ou tard, les chiens capituleraient, ils s'effondreraient, harassés, et la Horde les rattraperait.

Vaincre la Horde… Après ce qu'il avait vu dans le château, Matt en doutait. Des guerriers parfaits. Indestructibles, sans pitié et sans peur.

Matt prit la décision de protéger la fuite de ses compagnons. Il renverrait Plume avec eux, et se dresserait sur le chemin de la Horde, pour l'arrêter ou au moins la ralentir. Au prix de sa vie s'il le fallait.

Ambre avait sa mission à accomplir, Tobias guiderait avec

Ben le groupe jusqu'à la Passe des Loups. Quant à lui, sa destinée serait de rester ici, dans le pays de Wyrd'Lon-Deis.

Seulement si la Horde revient sur nous, se répéta-t-il pour se rassurer.

Après une heure de cette course, les chiens montrèrent des signes de fatigue, leurs foulées étaient plus courtes, moins soutenues, et ils trébuchaient de plus en plus. Matt leva la main pour arrêter la file et sauta au bas de Plume.

— Inutile de continuer, les chiens sont en train de se tuer à l'effort, il faut marcher à leur côté pour qu'ils reprennent des forces.

— Et la Horde ? s'angoissa Chen.

— Nous avons repris pas mal d'avance, il faut espérer que cela suffise. D'ici deux ou trois heures, nous remonterons en selle, en attendant, c'est marche forcée pour tout le monde !

Ils mangèrent et burent en avançant. Ben se tenait souvent le ventre, là où ses plaies étaient les plus profondes, pourtant il ne ralentit jamais ses amis et ne se plaignit pas davantage.

Après avoir enterré Neil, il était difficile de faire autrement.

L'absence de cris dans leur dos troublait Matt depuis un moment. Il n'aimait pas ignorer la position de ses ennemis. Devaient-ils presser le pas au risque de puiser dans leurs dernières forces ?

Lorsque les chiens furent en meilleure condition, Matt remonta sur le dos de Plume et le galop reprit de plus belle.

Ils alternèrent ainsi les périodes de marche et de course jusqu'au soir, jusqu'à ce que la pénombre soit telle qu'il devenait imprudent de poursuivre sans lumière.

Tobias proposa son champignon lumineux mais Matt refusa, il n'aimait pas l'idée d'être repérable de loin. Et il comptait sur leur rythme soutenu pour avoir mis une bonne distance entre eux et la Horde. Assez pour bénéficier d'une nuit de repos.

Ils dormirent les uns contre les autres, en cercle, avec les chiens comme mur de défense et leurs armes dans les mains.

Matt fut debout avant l'aurore, il avala quelques gâteaux secs et équipa les chiens pendant que les autres Pans se réveillaient difficilement.

La Horde ne les avait pas rattrapés dans la nuit.

Matt terminait à peine de sangler les sacoches sur Plume que le cri aigu d'un Renifleur les fit tous sursauter. Il était tout proche, à moins d'un kilomètre.

En deux minutes, tous les duvets furent repliés, les vivres rangés, et les Pans sautaient sur leurs chiens. Un autre Renifleur répondit, plus loin, puis un troisième. Ils communiquaient, et ils allaient se regrouper, songea Matt, maintenant qu'un des leurs avait repéré leurs proies.

Il fallait foncer, la Horde ne devait probablement pas s'arrêter, pas même la nuit, et toute l'avance que le galop des chiens leur permettait de gagner disparaissait pendant leurs heures de repos.

Pourtant ils ne pouvaient faire autrement, sans risquer la vie de leurs montures, c'est-à-dire les leurs.

Ils s'élancèrent à nouveau, laissant Chen et Tobias couvrir leurs arrières avec leurs flèches. Ils couraient vers le nord, la peur au ventre, dans l'angoisse d'être tôt ou tard rattrapés. Il fallut toutefois reposer les montures, alors, comme la veille, ils marchèrent à leurs côtés, avant de repartir à pleine vitesse.

Matt et Ben scrutaient sans cesse les ombres derrière eux, sans rien distinguer.

Le soir venu, ils forcèrent encore la marche, jusqu'à ce que leurs pas se fassent hésitants, les esprits embués par la fatigue. Après qu'Horace puis Tobias se furent effondrés en trébuchant sur des racines devenues invisibles dans l'obscurité, Matt se résigna à ordonner l'arrêt pour constituer leur bivouac.

Ils dormirent peu, et mal, pour reprendre la route avant l'aube.

Peu avant midi, ils grimpaient à flanc de falaise par un sentier glissant, entre de gros rochers, dominant une large partie du bassin de Wyrd'Lon-Deis, lorsque la Horde hurla à nouveau. Ils étaient assez loin et se répondirent pendant de longues minutes.

Les Pans surent qu'ils étaient repérés et qu'il ne fallait surtout pas perdre une minute.

Matt se demandait combien de jours encore il faudrait fuir pour atteindre les falaises de Hénok, lorsqu'elles apparurent en début d'après-midi : un mur flou sur l'horizon. Encore quelques galops et ils pourraient les toucher, peut-être à la nuit.

Et tandis qu'il les admirait en s'interrogeant sur le moyen de les franchir, les Renifleurs de la Horde hurlèrent à nouveau.

Ces créatures immortelles.

Soudain, Matt eut une idée.

Un plan s'échafauda rapidement sous son crâne, un plan osé.

Presque du suicide.

Mais à bien y réfléchir, c'était le seul moyen qu'ils avaient d'échapper à la Horde et de rejoindre leurs amis au nord, pour préparer la grande bataille.

Matt hésita à le partager avec les autres et décida finalement de le garder pour lui jusqu'au soir.

Pour ne pas les effrayer trop vite.

Car son idée était vraiment folle.

42

Morts en série

Le crépuscule enflammait les immenses falaises.

Le rideau de la nuit suivait le sillage de cet incendie splendide, passant le baume froid des étoiles sur les plaies brûlantes du soleil.

Et avec la nuit venaient les créatures trop hideuses pour oser se montrer le jour, les monstres fourbes préférant se tapir dans l'obscurité pour surprendre leurs proies, les horreurs se nourrissant des peurs.

Matt comptait sur eux pour survivre à la Horde.

Tobias entrouvrit la poche de son manteau pour regarder son champignon lumineux, tenté de le prendre pour se rassurer.

Les Renifleurs lançaient leurs longues plaintes stridentes de temps à autre, pour communiquer leur position et remonter la piste des jeunes fuyards. Ils étaient à moins de cinq kilomètres.

— Je suppose que cette nuit nous ne dormirons pas, murmura Tobias.

— Je sais pas vous, mais moi je n'ai pas envie de rester à Wyrd'Lon-Deis une nuit de plus ! fit Chen.

— Et comment on s'y prend pour sortir ? grogna Horace. La ville d'Hénok doit être barricadée jusqu'au matin et de toute façon ils doivent nous attendre là-dessous !

— Nous la contournons, prévint Matt.

Tous les regards convergèrent vers lui en même temps.

— Et comment on fait ? s'enquit Ben. Je n'ai pas vu un seul passage sur les falaises !

— Il y en a plusieurs. Souterrains.

Tobias secoua la tête vivement, comme s'il voyait un fantôme :

— Non ! T'es dingue ! Si nous mettons les pieds dans ces boyaux, nous sommes tous morts !

— De quoi parlez-vous ? s'alarma Chen en lisant la terreur sur le visage de Tobias.

— Il veut nous entraîner dans les terriers des Mangeombres ! s'écria Tobias.

Ben pivota vers Matt, incrédule et inquiet :

— C'est vrai ? C'est à ça que tu penses ?

— Jamais nous ne pourrons forcer les portes d'Hénok, et une fois à l'intérieur ce serait un combat perdu d'avance. Il n'y a que le réseau de couloirs qu'empruntent les Mangeombres. Je sais qu'il est large et qu'ils communiquent des deux côtés de la montagne, en bas dans ce bassin et en haut, par-delà les falaises. Si nous nous y faufilons, avec un peu de chance, nous pourrons esquiver leur présence, ils chassent en ce moment même, il est fort probable que ces galeries soient toutes vides.

— Mais s'ils nous tombent dessus, nous serons totalement pris au piège ! contra Tobias.

— Nous n'avons aucun autre choix, Toby ! s'énerva Matt. C'est ça ou attendre que la Horde nous rattrape et nous taille en morceaux !

Tous les Pans fixaient Matt, gravement. Le jeune garçon crut lire sur leurs traits un début de résignation, alors il en profita pour ajouter :

— Nous savons que nous devrons être silencieux et rapides. Ce n'est pas le cas de la Horde. Ils ne cessent de se parler en hurlant, ça finira par attirer les Mangeombres sur eux. Si tout se passe bien, non seulement nous regagnerons le plateau sans heurt, mais en plus nous ralentirons la Horde !

— Si tout se passe bien, répéta Ben du bout des lèvres.

Les chiens transportèrent leurs maîtres jusqu'aux confins de Wyrd'Lon-Deis, tout près du fleuve qui coulait en silence au milieu d'une forêt de roseaux. Une longue pente couverte de conifères les séparait du pied des falaises.

Ils pouvaient entendre un grondement diffus et lointain provenant des chutes d'eau, quelque part à l'est.

Matt descendit de Plume et entreprit de remonter la pente avec précaution, évitant les fourrés trop denses ou les zones pleines de ronces, imité par tout le groupe.

Chacun se tenait prêt au pire. S'ils venaient à être découverts par les Mangeombres, les armes pouvaient jaillir en une seconde le temps de préparer une fuite à dos de chiens.

Une large clairière s'ouvrit soudain, plus de trois cents mètres d'herbe jusqu'aux murs de calcaire blanc. Plusieurs orifices sombres s'ouvraient dans la paroi comme autant de portes vers la tanière des Mangeombres.

— Oh non ! gémit Tobias. Ils ne sont pas sortis ! Ils se tiennent à l'entrée de leurs terriers !

— Ils guettent une proie, devina Matt. Ils sont comme des araignées, ils attendent que leur gibier vienne à eux pour jaillir de leur cachette.

— T'es en train de nous dire quoi ? s'inquiéta Chen. Que nous sommes pris en tenaille entre ces tueurs-là et la Horde ?

— Tant que les Mangeombres ne sortiront pas, nous ne pouvons pas bouger, avoua Matt.

— Il faudrait un appât, dit Ben, songeur.

— Ça ne peut pas être l'un de nous, contra Matt aussitôt. J'ai vu les Mangeombres à l'œuvre, je les ai même combattus, ce serait un suicide !

— Même si je reste sur le dos de Taker ?

— Ils finiront par te rattraper et de toute façon tu finirais coincé en bas ! C'est hors de question !

Le cri de la Horde, distant, leur rappela l'urgence de la situation.

— Ils seront là avant l'aube ! dit Chen en frissonnant.

— Les Mangeombres n'ont pas bronché, remarqua Ben.

— Parce que la Horde est encore loin. Lorsqu'elle sera sur nous, là ils sortiront de leurs grottes pour se mêler au combat et dévorer les ombres de tout le monde !

Soudain Plume vint lui lécher la joue. Elle s'assit et le fixa de ses grands yeux marron.

— Eh bien, qu'est-ce qu'il y a ? demanda Matt en l'observant.

Plume tourna la tête vers la clairière puis le fixa à nouveau. Elle se contorsionna et attrapa avec les dents la courroie de ses sacoches pour tirer dessus.

— Tu veux que je te retire ton équipement ? Ce n'est pas trop le moment de…

Brusquement Matt lut la détermination et la tristesse dans le regard de sa chienne et il comprit.

— Oh non ! C'est hors de question ! Tu ne feras pas l'appât !

Plume ne broncha pas. Inflexible.

Tobias s'approcha et posa un genou à terre, à côté de Matt.

— Je connais cette attitude, Matt, elle a déjà pris sa décision.

— C'est hors de question ! Je ne sacrifierai pas Plume !

— Ce n'est pas de ton ressort, c'est elle qui a fait ce choix, dit Tobias doucement.

Les grandes prunelles de Plume glissèrent rapidement de Tobias à Matt, comme pour faire comprendre à son maître qu'il devait écouter son ami.

— Non, ce n'est pas à elle de décider !

Une larme coula sur sa joue. Plume allongea le cou pour la lécher. Sa truffe palpita et elle scruta rapidement le sud, l'air stressé.

— La Horde se rapproche, décrypta Tobias.

Gus, le saint-bernard d'Ambre, vint s'asseoir à côté de Matt et lui donna un petit coup de museau amical. Plume le regarda avant de contempler son maître.

Matt eut alors le cœur brisé en comprenant qu'elle passait le relais à Gus. Plume savait qu'elle ne reviendrait pas et confiait son maître à l'un des siens.

L'adolescent sut qu'il n'y avait plus rien à faire pour la retenir. Elle allait se précipiter dans cette clairière quoi qu'il fasse. Alors il s'approcha d'elle et, méthodiquement, défit les sangles de ses sacoches, effectuant chaque geste avec douceur et précision, parce qu'il savait que plus jamais il n'aurait l'occasion de s'occuper de sa chienne. Il caressa son poil épais, défit une petite bourre sous ses oreilles, et déposa un baiser sur le côté de son museau. Elle remuait la queue lentement.

Matt pleurait sans bruit.

Il serra Plume contre lui et recula d'un pas.

Puis d'un coup, elle bondit en direction de la clairière.

Gus vint déposer un petit coup de langue sur la joue de Matt.

Plume gambadait à découvert.

Tout à coup, les Mangeombres fusèrent de leurs trous, telles des chauves-souris géantes à tête blanche, planant à toute vitesse à moins d'un mètre de la pente, fondant tous ensemble vers la chienne.

Plume attendit qu'ils ne soient plus qu'à une cinquantaine de mètres et poussa sur son train arrière pour filer en direction des sapins. Les Mangeombres changèrent de cap tous en même temps, comme s'ils ne formaient qu'un seul et unique être et l'instant d'après ils disparurent dans la forêt à la poursuite de Plume.

— Maintenant ! commanda Ben.

Les Pans remontèrent la clairière en courant et se précipitèrent dans le premier trou visible. Tobias sortit aussitôt son champignon lumineux pour guider ses camarades dans les ténèbres.

Matt fermait la marche, il laissa passer Gus et jeta un dernier regard en contrebas.

Plume venait de ressortir de la forêt, plusieurs Mangeombres sur les talons. Se sentant rattrapée, elle opéra une volte-face dans les airs et ses mâchoires se refermèrent sur le crâne du premier de ses poursuivants qu'elle broya instantanément. Le second eut à peine le temps de se poser sur ses longues griffes que Plume lui arrachait et une aile, puis l'autre. Cependant les monstres surgissaient de partout en planant. Leurs grands yeux jaunes s'ouvraient avec appétit sur ce chien énorme et les fentes abjectes qui leur servaient de bouche tremblaient de gourmandise, révélant des rangées de petites dents pointues.

Plume décapita d'un coup de patte furieux le Mangeombre qui l'approchait, puis ses crocs se refermèrent sur la peau blafarde d'une tête téméraire qui s'était aventurée trop près. Elle en projeta un autre dans les airs d'une bourrade des pattes arrière, avant de broyer le corps de deux autres ennemis.

Plume se battait avec la rage de celle qui défend la vie de son maître.

Elle saisit au vol un Mangeombre et le fracassa contre une

grosse pierre, les cadavres s'accumulaient autour d'elle, et pourtant, il en arrivait toujours plus.

Soudain, l'un des monstres se dressa sur ses griffes et les plis de son front s'écartèrent pour laisser apparaître un œil tout blanc. Il entama une série de flashes aveuglants pour mettre en avant l'ombre de la chienne.

Plume déchiqueta le visage d'une créature et pivota pour faire face à celui qui lançait les flashes. Ses babines se soulevèrent et elle dévoila ses crocs impressionnants.

Les Mangeombres se contractèrent tous ensemble, comme un seul muscle sur le point de livrer un effort intense.

Horace attrapa Matt par les épaules.

— Viens, ne reste pas là, il n'y a rien que tu puisses faire pour la sauver, viens. C'est en survivant que tu donneras un sens à son sacrifice.

Matt se laissa tirer en avant, il savait que s'il obéissait à son désir immédiat, alors il prendrait son épée et courrait dans la clairière massacrer autant de Mangeombres que possible. Jusqu'à épuisement, jusqu'à périr à son tour.

Les galeries étaient étroites et malodorantes. Des racines jaunes pendaient du plafond comme autant de tentacules s'agrippant aux cheveux et aux lanières des sacs. Il était impossible d'évoluer à dos de chiens, et chacun fonçait aussi vite que possible, Tobias et son champignon lumineux en tête, suivi de Chen et son arbalète. Ceux qui fermaient la marche n'y voyaient presque rien, et Matt s'en remettait au flair de Gus pour le guider.

Ils croisèrent de nombreuses intersections, et Tobias semblait privilégier tout chemin qui montait en direction du nord.

Mais après une demi-heure, ils avaient passé tant de fourches et de croisements qu'ils commencèrent à douter de pouvoir rejoindre la surface avant d'être rattrapés par les Mangeombres.

Ces créatures disposaient-elles d'un odorat particulier qui les alerterait sur la présence des Pans dans leur repaire ?

Tobias trouva enfin un passage qui montait en pente raide. Il faisait de plus en plus chaud, et ils avaient presque vidé leurs gourdes lorsqu'ils débouchèrent sur une immense caverne où l'odeur de moisissure était encore plus forte.

Tobias leva son champignon et dévoila un interminable champ de petites sphères translucides. Des milliers et de milliers de globes blancs posés à même la terre.

— Ce sont ces champignons qui puent comme ça ? gémit Horace.

— Pas des champignons, corrigea Ben, des œufs !

À ces mots, ils firent tous un pas en arrière.

Ils se trouvaient en plein dans la pouponnière des Mangeombres.

— Je propose qu'on fasse demi-tour, intervint Chen.

— T'as vu la côte qu'on vient de se taper ? répondit Horace. La sortie c'est là-haut ! Moi je dis qu'il faut traverser.

Ben approuva :

— On continue ! Je passe devant si vous voulez.

Il prit la tête avec Tobias et ils filèrent entre les œufs de la taille de ballons de basket. Les chiens guettaient ces étranges sphères avec beaucoup d'inquiétude, les oreilles en arrière.

Matt se tenait en retrait, il ne voyait pas grand-chose et se tenait surtout prêt à brandir sa lame au moindre craquement de coquille.

Brusquement, tout le monde s'immobilisa devant lui et il dut se retenir à Gus pour ne pas tomber au milieu des œufs.

Il se pencha pour voir ce qui bloquait et un frisson de dégoût le fit reculer aussitôt.

L'immense abdomen huileux d'une créature de plusieurs mètres de hauteur était en train de pondre devant eux, capturé par la lueur du champignon de Tobias. Il ressemblait à celui d'un insecte, et son corps apparut, planté au sommet de longues pattes chitineuses, semblable à un termite gigantesque. Ce qui lui servait de tête pivota en direction des Pans et ses mandibules s'entrouvrirent.

Un cri collectif retentit loin, très loin dans les galeries, et Matt se souvint de sa première expérience avec les Mangeombres. Il lui avait semblé qu'ils étaient télépathes. Mais face à ce monstre, il se demanda s'il ne s'agissait pas plutôt d'un esprit collectif, des centaines d'êtres mus par la même pensée.

Et si cette atrocité pondeuse était le refuge de leur pensée, le cœur de leur société ?

Matt vit Chen qui se préparait à tirer.

Pouvaient-ils mettre un terme à l'existence même des Mangeombres en détruisant ce sanctuaire de leur pensée unique ?

Matt en doutait, s'il avait bien appris quelque chose de sa courte vie à propos de la nature, c'était qu'elle faisait trop bien les choses pour qu'une espèce vivante soit à ce point vulnérable. S'ils venaient à tuer cette chose, l'esprit se transférerait ailleurs, dans un autre Mangeombre, ou dans un œuf, et tout ce qu'ils gagneraient serait le courroux des Mangeombres.

Chen visa le termite géant.

— Non ! l'arrêta Matt. Si tu fais ça tous les Mangeombres vont accourir et ils nous traqueront jusqu'au dernier ! Foncez droit devant, il est trop lent pour nous en empêcher !

Mais Tobias, qui avait confié son champignon à Ben, venait de lâcher la corde de son arc. La flèche vint se planter dans le rond noir qui ressemblait à un œil et le termite se cambra.

Son abdomen se contracta et il s'affaissa, écrasant au passage des dizaines d'œufs.

— Oh, non ! pesta Matt.

Le cri collectif inonda les galeries à nouveau, plus furieux que jamais.

— Courez ! ordonna Matt. Courez !

Un autre hurlement s'ajouta aussitôt, plus aigu, plus long. Celui de la Horde.

Les Renifleurs venaient de pénétrer le domaine des Mangeombres.

43

Monstres versus Monstres

Les Pans filaient à travers la caverne de ponte sans savoir où ils allaient. Ils couraient, la peur au ventre, et scrutaient la nuit éternelle dans l'espoir d'y discerner un passage.

Puis ils atteignirent le fond de la grotte, d'où partaient cinq tunnels différents.

— Lequel je prends ? s'écria Tobias en panique.

— Celui avec un courant d'air ! jeta Ben en sortant un paquet d'allumettes de sa poche.

Il en gratta une et la tint devant le premier passage, elle vacilla mais ne s'éteignit pas. Il répéta l'opération et le résultat fut chaque fois identique.

— Cet endroit entier est un courant d'air ! pesta Tobias.

Les chiens se mirent à grogner tous ensemble en se groupant devant l'un des passages.

— Les Mangeombres arrivent ! prévint Chen.

— C'est donc par là qu'il faut aller, fit Matt, la nuit ils s'amassent tous près des sorties pour chasser, ceux qui foncent sur nous par ici proviennent certainement de la surface ! Planquez-vous dans le corridor à côté, vite !

Ils eurent à peine le temps de s'engouffrer dans le même couloir obscur qu'une quinzaine de Mangeombres surgirent juste à côté pour investir la grande salle.

Tobias tenait son champignon contre lui, ne laissant qu'un mince filet de lumière s'échapper de ses mains, à peine de quoi distinguer ses pieds.

Matt se pencha vers Chen :

— Ils se séparent ! murmura-t-il. Il suffit qu'un seul nous remarque pour qu'ils sachent tous qu'on est ici. Peux-tu grimper au plafond et abattre le premier qui franchira l'entrée ?

— Oui, sans problème.

— Tu ne dois pas le manquer ! Il faut qu'il meure avant même de nous voir, sinon c'est fichu !

Chen ôta ses chaussures et plaqua ses mains sur la roche humide pour se hisser.

Les Mangeombres fonçaient tous dans une direction différente et l'un d'entre eux s'approcha du tunnel où les Pans étaient rassemblés.

À peine avait-il franchi le seuil que deux carreaux fusèrent du plafond pour lui transpercer le crâne.

La créature tomba raide morte.

Matt se releva et s'approcha de la sortie pour guetter les réactions. Aucun bruit. Les Mangeombres voyaient et pensaient la même chose mais ils ne semblaient pas sentir la mort instantanée de l'un des leurs. Du moins pas rapidement.

Matt fit signe à ses compagnons de le suivre et ils foncèrent dans le tunnel par lequel les Mangeombres venaient d'arriver. Ils n'avaient pas fait deux cents mètres qu'un cri terrible retentit. Cette fois, ils venaient de se rendre compte du subterfuge.

Matt sortit son épée et demanda à Tobias de tenir sa lumière plus haut pour lui éclairer la voie. Bien lui en prit car un Mangeombre surgit à l'intersection suivante, tous crocs dehors.

Matt l'accueillit d'un puissant coup qui lui sectionna la mâchoire et une aile. Le monstre tituba et regagna l'obscurité.

Deux autres bondirent sur leurs griffes, le premier lança un flash blanc de son troisième œil au milieu du front et Matt, sans lui laisser le temps d'en lancer un autre lui fendait le crâne en deux. L'autre Mangeombre tenta aussitôt de le mordre au bras mais Tobias l'attrapa par la tête en criant et le plaqua contre le mur. La lame de Matt lui ouvrit l'abdomen et le sang noir s'envola de ses entrailles, semblable à un jet d'encre dans l'eau.

Après ce qu'ils avaient fait à Plume, Matt se sentait prêt à faire un carnage.

Ils surent qu'ils étaient sur la bonne voie en constatant que le corridor ne cessait de monter, une pente de plus en plus abrupte. Trois autres Mangeombres tombèrent avant même de pouvoir porter leurs attaques. Les chiens, qui terminaient la file, en ajoutèrent quatre à leur tableau de chasse, ils grognaient en mordant et ne firent pas de quartier, comme pour venger à leur tour la pauvre Plume.

Plus les Pans montaient, plus les Mangeombres s'accumulaient, dix autres périrent, et le groupe d'adolescents commençait à ne plus soutenir l'effort, leurs jambes étaient brûlantes, leurs muscles presque tétanisés par l'interminable montée.

Chen abattit les deux suivants, tandis que Matt peinait à les affronter.

Et soudain, le dôme bleuté de la nuit apparut face à eux. Les étoiles et la forêt, la vie à la surface, une réalité qui devenait de plus en plus improbable pour les Pans. Ils se jetèrent dans l'herbe dès qu'ils purent, savourant l'air frais.

Une vingtaine de Mangeombres s'élancèrent des corniches en surplomb et foncèrent droit sur eux.

Gus releva Matt en l'attrapant par le col et posa une patte à terre pour l'inviter à grimper sur son dos.

Les Pans chevauchèrent leurs destriers qui dévalèrent la pente à toute vitesse, poursuivis par les triangles sombres à tête blanche.

Les chiens emportaient leurs cavaliers si vite que les Mangeombres finirent par ralentir pour ne pas trop s'éloigner de leur tanière.

Et lorsqu'il s'estima hors de portée, Matt tira sur le cou de Gus pour l'arrêter.

Au loin, les Mangeombres remontaient la pente sur leurs griffes, dépités et frustrés d'avoir laissé fuir leurs repas. Pourtant, Matt nota une attitude étrange dans leur formation. Ils remontaient les uns à côté des autres, pour former un filet qui allait se refermer sur la sortie par laquelle étaient passés les Pans.

Une silhouette apparut, sur quatre pattes, et elle ne put descendre la pente que sur une dizaine de mètres avant de faire face à ce rideau de chasseurs.

Le cœur de Matt tressauta dans sa poitrine.

Plume ! C'est elle ! Elle s'en est sortie !

Mais la chienne était en mauvaise posture. Une vingtaine de Mangeombres lui barraient le chemin et autant surgirent dans son dos.

Cette fois, Matt n'assisterait pas à la mort de sa chienne sans réagir. Pas deux fois.

Il allait lancer Gus pour foncer au secours de Plume lorsque plusieurs Mangeombres giclèrent dans le ciel, réduits en lambeaux.

La Horde faisait son apparition.

Six spectres se taillèrent un passage en reniflant la trace des adolescents qu'ils traquaient.

Les Mangeombres se regroupèrent aussitôt en cercle et celui-ci se mit à rétrécir tandis que le piège se refermait sur Plume et la Horde.

La chienne se mit alors à courir, un sprint formidable, et au moment de percuter les Mangeombres elle sauta.

Sa forme allongée se déplia totalement, ses pattes survolèrent les créatures surprises, et l'instant d'après elle filait dans la pente en ne laissant derrière elle qu'un filet de poussière volant dans la nuit.

Plume était passée.

Les Mangeombres se regroupèrent autour de la Horde et deux flashes lumineux secouèrent l'obscurité tandis que les Renifleurs se préparaient à affronter leurs adversaires.

Deux Mangeombres sautèrent sur l'ombre d'un Renifleur qui se raidit en lançant un terrible râle plaintif.

Le reste de la Horde, ignorant quel genre de menace ils affrontaient, se mit à tourner en ouvrant et fermant leurs longs doigts d'acier, prêt à en découdre. Un autre Renifleur fut soudain visé par des Mangeombres qui jaillirent dans son dos, non pour l'attaquer, mais pour *boire* son ombre que les flashes mettaient en évidence sur le sol.

En quelques secondes, une quarantaine de Mangeombres fondirent sur la Horde et le ciel fut illuminé d'éclairs funestes pendant que les plaintes des Renifleurs résonnaient au pied de la montagne.

Après seulement cinq minutes, le silence revint et les Mangeombres se replièrent, repus, vers leurs galeries souterraines.

Les armures de la Horde gisaient dans l'herbe.

Inertes.

Et cette fois, aucune force électrique ne put insuffler la vie dans ces guerriers déchus. Ils n'avaient plus d'ombre.

Et rien ne peut survivre sans sa part d'ombre.

L'équilibre du monde.

44

Confidences au coin d'un feu

Les Pans mirent plus de quinze kilomètres entre eux et la montagne des Mangeombres avant d'établir un bivouac pour ce qu'il restait de la nuit.

Tous s'effondrèrent, adolescents et chiens, exténués.

Matt serra sa chienne si fort dans ses bras qu'elle dut se dégager avant d'étouffer. Elle le gratifia de coups de langue et Matt passa plus d'une heure ensuite à la brosser affectueusement près du feu qu'ils avaient allumé pour manger.

Bien qu'ils furent encore en territoire cynik, avoir survécu non seulement à Wyrd'Lon-Deis mais aux Mangeombres leur fit perdre en prudence ce qu'ils gagnaient en confiance. Ils n'avaient plus mangé chaud depuis longtemps et s'étaient sentis passer si près de la mort qu'ils voulaient au moins s'offrir ce plaisir.

Ben était allongé sur son duvet, en train de polir le tranchant de sa petite hache.

— Matt, as-tu une idée de ce qu'est partie chercher Ambre ?

— Je ne sais pas exactement ce que c'est, cela dit, je sais que c'est une énergie colossale.

— Mais ça va nous aider contre les Cyniks ? demanda Horace. C'était le but de ce voyage, non ?

Matt haussa les épaules.

— Je ne sais pas, ce n'est pas une arme, ça c'est sûr. En tout cas je sais que je ne voudrais pas savoir les Cyniks en possession de cette énergie.

— Quel genre d'énergie ? Un peu comme celle des Scararmées ?

— Non, bien plus concentrée encore, une sorte de… Elle me fait penser à un gigantesque disque dur dans lequel seraient rassemblées toutes les données de la Nature !

— Une recette pour décoder la vie ? s'intéressa Ben.

— Plutôt une encyclopédie vivante de toute chose naturelle. La Bible de la Vie, si tu préfères.

— Où est-elle ?

— Au cœur de la Forêt Aveugle.

Tobias tiqua et se redressa pour étudier son ami du regard.

— Alors personne ne pourra jamais la trouver ! répliqua Ben. Pas même Ambre. Je m'étonne que tu l'aies laissée partir pour un voyage aussi périlleux !

— Ambre, Tobias et moi sommes déjà allés là-bas, c'est sur le toit de la forêt, une sorte de mer de feuillages. Je fais confiance à Ambre.

— Et si ce n'est pas une arme, alors comment va-t-on défier les Cyniks ? demanda Chen.

— En suivant notre plan de départ. Nos troupes vont profiter de la dispersion de la première armée cynik pour la détruire par petits bouts, il faudra ensuite conquérir la forteresse de la

Passe des Loups, pour espérer prendre par surprise et en tenaille la deuxième et la troisième armées.

— Sauf qu'il restera la quatrième et la cinquième armées, et celle des Gloutons que nous n'avions pas prévue ! rappela Ben.

Matt leva les mains vers les cieux.

— Je n'ai pas d'autres plans en réserve, il faudra faire avec ce que nous avons.

— La prise de la forteresse en soi serait déjà un miracle !

— Un miracle sans lequel nous serons tous morts, alors il faut y croire !

Chen tenait une brindille au-dessus du feu.

— Si ce qu'Ambre est partie chercher ne peut nous aider à prendre l'avantage sur les Cyniks, alors à quoi bon tout ce voyage ? Luiz et Neil sont-ils morts pour rien ?

— Nous devions y aller ! répliqua Matt sèchement. Ambre trouvera cette énergie, et elle saura quoi en faire, je lui fais confiance. Même si cela ne nous donne aucune supériorité sur les Cyniks, au moins Malronce ne mettra pas la main dessus, et si je dois être le dernier Pan vivant à protéger Ambre des Cyniks, alors je le ferai, cela ne me fait pas peur ! Cette énergie est liée à la Terre, à la Tempête, et je ne laisserai pas les Cyniks la détruire comme ils le font avec leurs propres enfants !

— Matt a raison, enchaîna Horace. Les adultes sont des fanatiques désormais, si ce qu'Ambre recherche est aussi important que cela, alors pour l'équilibre de la planète, il ne faut pas qu'ils s'en emparent !

— De toute façon, nous avons appris pas mal de choses avec ce voyage, ajouta Matt.

— Comme quoi ? demanda Chen.

— Malronce. Je sais maintenant qui elle est.

— Et en quoi ça nous avance ?

Le regard de Matt se perdit dans les braises.

— Connaître le vrai visage de son ennemi, c'est important, dit-il tout bas. Pour l'avenir.

Chen lança sa brindille dans le feu.

— Eh bien moi, je vais me coucher, il nous reste encore un long périple jusque chez nous. Si « chez nous » existe encore.

Tobias s'approcha de Matt, pendant que ses compagnons se préparaient à dormir.

— Ambre est partie chez les Kloropanphylles, pas vrai ?

Matt hocha la tête.

— Ça va être difficile pour elle, là-bas, ajouta Tobias. Après notre fuite, ils ne vont pas l'accueillir à bras ouverts.

— En effet. Pourtant il fallait qu'elle y aille.

— C'est cette étrange boule de lumière qu'elle doit rapporter ?

— Je le suppose. En fait, j'en sais trop rien. Tout ça s'est fait si vite…

Matt repensa à cet instant à la fois terrifiant et incroyablement magique où ils étaient tous les deux nus, à explorer les mystères du Testament de roche et ceux du corps d'Ambre. La chaleur de sa peau, ses grains de beauté, ses seins si parfaits…

Sa présence lui manquait. Sa façon de le modérer, ses déductions pertinentes, son odeur sucrée, et la caresse de ses cheveux contre son visage…

— Tu crois qu'elle va y arriver ? demanda Tobias.

Matt fit la moue avant de fixer son ami droit dans les yeux :

— Je l'espère, parce que pour être franc, je crois qu'elle est notre dernier espoir.

— Alors à quoi ça sert que nous nous précipitions vers la Passe des Loups, dans la gueule du loup devrais-je dire ?

— Pour gagner du temps, Toby, pour donner à Ambre le temps de réussir ce qu'elle doit accomplir. Quoi que ce soit. Notre rôle à nous, c'est de contenir l'ennemi le plus longtemps possible.

45

Phalène

Les ailes du papillon produisaient un souffle puissant à chaque battement.

Mais, en créature économe, le papillon se laissait porter par le vent aussi souvent que possible. Il épousait les spirales chaudes pour prendre de l'altitude et se laissait filer dans les courants froids pour prendre de la vitesse en fonçant vers la terre.

Ambre se faisait conduire. Elle n'avait ni boussole, ni instruments de navigation – dont elle n'aurait de toute façon pas su se servir – et devait s'en remettre entièrement à son sens de l'orientation.

Chaque matin, elle s'assurait que le soleil se levait bien à sa droite et chaque soir qu'il disparaissait à sa gauche, elle tirait un peu sur les rênes pour orienter le papillon, et cela suffisait à la rassurer depuis trois jours qu'elle volait.

Au début, elle avait été incapable de se laisser totalement transporter, il fallait qu'elle surveille chaque manœuvre du papillon, craignant qu'il ne fasse brusquement demi-tour à l'appel de ses dresseurs cyniks, ou qu'il aille se poser n'importe où pour effectuer une halte.

Mais sa monture ne s'arrêtait pas. Jamais elle ne se reposait, ni ne mangeait ni ne buvait.

Alors elle se détendit, et apprit à se sentir sur son dos comme sur un ami. Certes le papillon ne parlait pas, mais les frissons qui l'envahissaient lorsqu'il s'élançait dans les courants descendants firent comprendre à Ambre qu'il était doué d'émotions propres et qu'il aimait voler plus que tout.

Son pelage était doux, et ses gigantesques ailes miroitaient sous le soleil, soulignant ses taches brunes, rousses et vertes. Il évoluait avec une grâce qu'Ambre se surprit à admirer et elle fut bientôt assez confiante pour dormir sur lui pendant de longues heures. De toute façon, elle n'avait pas le choix, il semblait déterminé à l'emmener aussi loin qu'elle le souhaiterait d'une traite, sans effectuer la moindre halte.

À l'observer, Ambre devina que la majesté de ses ailes fines avait en contrepartie le malheur d'être fragiles et le moindre accroc risquait de le clouer au sol, synonyme d'une lente agonie pour lui. Il ne devait accepter de se poser que dans des lieux rassurants, et Ambre se demandait bien comment elle ferait au moment d'atterrir au Nid.

Chaque chose en son temps…

L'adolescente avait changé de vêtements, rangeant au fond de son sac ceux qu'elle portait cette terrible nuit au château de Malronce. Ils étaient imbibés de son sang. Son sang qui avait pourtant pris une autre vie que la sienne.

Celle de Neil.

Celui-là même qui avait proposé de l'échanger quelques semaines plus tôt au Conseil des Pans.

Pour lui, elle n'avait pas le droit d'abandonner sa quête.

Pour que sa mort ait un sens, pour lui donner raison d'avoir cru en elle et sauver leur peuple.

La peine et la culpabilité le rendaient malade.

Après deux jours, elle se sentit un peu mieux, non pas soulagée, mais elle apprenait à vivre avec ce poids. Elle s'était mise à parler avec son papillon, sans attendre de réponse, mais avec la conviction qu'il l'entendait à défaut de la comprendre, et que cette compagnie pouvait lui être agréable. Elle lui donna même un nom : Phalène.

Elle lui confia tout ce qu'elle avait sur le cœur et s'en sentit plus légère.

Ils survolèrent les falaises qui marquaient la frontière de Wyrd'Lon-Deis et Ambre eut un pincement au cœur en distinguant au loin la montagne d'Hénok. Comment Matt, Tobias et les autres franchiraient-ils ce passage ? Les reverrait-elle un jour ?

Rien n'était moins sûr désormais. Maintenant qu'elle réalisait ce qui l'attendait.

Et la guerre qui s'apprêtait à déferler sur les Pans.

Cinq jours encore, elle chevaucha Phalène jusqu'à ce que le mur de la Forêt Aveugle se dresse face à eux, barrant tout l'horizon nord. Le papillon prit de la hauteur ; cette fois en battant des ailes, au prix d'un effort intense, il approcha la cime des plus hauts arbres, dominant les contreforts. Toute une faune s'exprimait à l'intérieur de cette jungle démesurée, et Ambre pouvait déjà entendre quelques spécimens. Plusieurs oiseaux, ayant l'apparence de ptérodactyles, sortirent des feuillages pour opérer un vol de reconnaissance à leur approche, avant de retourner s'abriter dans l'épaisseur des frondaisons.

Phalène semblait fatigué, ses battements d'ailes se faisaient moins tranchés, moins réguliers, et Ambre commençait à se faire du souci. Toutefois, il parvint à la hisser au-dessus de la Forêt Aveugle, sur la mer Sèche, et ce soir-là, Ambre put admirer le coucher de soleil en rasant la surface de cet océan végétal, emmitouflée dans son manteau pour se protéger des vents froids de l'altitude.

Le plus difficile restait à faire. Localiser le Nid.

Ambre comptait sur les lumières de la cité dans les arbres pour la repérer de loin, car elle ne disposait d'aucune information, sinon que le Nid se trouvait peu ou prou au centre de la Forêt Aveugle.

Cette première nuit, Ambre demeura éveillée jusque très tard, se refusant à prendre un repos que Phalène s'interdisait. Le papillon, plus ici qu'ailleurs, ne pouvait risquer de se poser, trop de prédateurs sillonnaient les profondeurs de cette Forêt. Phalène ne disposait d'aucune défense naturelle, aucune protection, il n'était qu'un vaste insecte aussi fragile qu'une voile de soie.

Les paupières d'Ambre finirent néanmoins par se fermer et elle se réveilla en sursaut avec l'aurore.

Un disque vert, sans fin, s'étendait de toute part.

Elle piocha quelques vivres parmi ses provisions pour calmer la faim qui la tiraillait et découvrit avec angoisse que sa mince réserve d'eau touchait à sa fin malgré le rationnement.

Et pas une pluie depuis que j'ai quitté le château ! Si ça continue, je vais mourir de soif et Phalène sillonnera la mer Sèche avec un squelette sur son dos !

Mais le papillon montrait des signes d'épuisement. Il perdait souvent de l'altitude d'un coup et peinait à reprendre un peu de hauteur. Il n'était pas sûr qu'il lui survive, songea Ambre.

En milieu d'après-midi, Ambre reprit espoir en apercevant une forme dressée sur l'horizon, et elle tira sur les rênes pour guider Phalène dans cette direction. Elle mit une heure à s'en approcher pour finalement ravaler sa joie : il ne s'agissait que d'une grosse branche surgissant hors de la cime.

Ambre envisagea un moment l'idée de s'y poser, pour permettre à Phalène de se reposer, mais le papillon refusa de descendre.

— Tête de mule ! s'énerva Ambre. Si tu t'obstines, tu vas mourir de fatigue !

Le papillon reprit un peu d'altitude et Ambre dut s'avouer vaincue, le soleil déclinait et elle n'avait pas trouvé le Nid, ni aucune autre trace d'activité des Kloropanphylles.

Elle s'interrogeait sur l'accueil qu'ils lui réserveraient. Après tout, l'Alliance des Trois s'était échappée de leur cité en volant l'un de leurs navires. Ils devaient nourrir à leur encontre une colère légitime.

Malgré le mot d'excuses laissé par Ambre.

Le jour de leur fuite, ni Matt ni Tobias ne l'avaient questionnée sur ce qu'elle avait bien pu faire pour être si longue à embarquer. Elle se souvenait que Matt était mort d'inquiétude, pourtant il ne lui avait jamais demandé ce qui lui avait pris autant de temps.

Ce précieux temps qu'elle avait pris pour laisser un mot d'excuse à ce peuple singulier qu'ils s'étaient sentis obligés de trahir pour poursuivre leur voyage.

Un long mot dans lequel elle expliquait tout de son existence depuis la Tempête, le monde d'en bas, avec les Pans d'un côté et les Cyniks de l'autre, et leur besoin de continuer ce voyage, pour eux, pour leur peuple.

Les Kloropanphylles la chasseraient-ils ? Lui pardonneraient-ils ?

Il faudrait déjà que je les retrouve !

Cette nuit encore, elle guetta le paysage à la recherche d'un bouquet d'étoiles échouées sur la mer de feuilles, mais ne vit rien.

Au petit matin, Phalène zigzaguait.

Ambre tenta de corriger sa trajectoire, sans réussite.

Il était à bout de force.

Elle voulut l'obliger à amerrir sur cette mousse verte qu'elle savait épaisse, mais Phalène refusait de descendre trop bas, comme s'il sentait la présence d'immenses prédateurs juste sous la surface.

Ambre termina sa dernière gourde.

C'était la fin pour tous les deux.

Combien de temps tiendraient-ils encore ? Un jour ? Deux peut-être ?

Non, pas lui, Phalène n'est déjà plus tout à fait lui-même, il suit les vents avec difficulté !

Comme pour souligner l'urgence de la situation une bourrasque le ballotta, il se reprit in extremis, juste avant de décrocher.

Ambre devait se concentrer pour trouver un point de chute désormais, le Nid n'était plus une priorité. Il fallait assurer sa survie avant tout.

Avant midi, Phalène se mit à opérer de larges cercles, incapable de répondre aux ordres que Ambre tentait de lui transmettre avec les rênes.

Soudain, tout son corps se mit à frémir et ses ailes se levèrent avec le vent. Il planait, se laissant porter par le courant invisible.

Ambre le trouva curieusement insensible, avant que le pire

ne lui vienne à l'esprit. Elle tira de plus en plus fort sur les rênes, sans résistance. Alors elle lui donna plusieurs coups de talons, dans l'espoir de le réveiller.

Mais Phalène s'était épuisé.

Il était mort en vol.

Alors Ambre se cramponna de toutes ses forces, elle comprit qu'à la prochaine rafale, elle serait renversée.

Ce qui ne tarda pas. Un puissant rugissement latéral emporta Phalène à la dérive, lui souleva une aile, puis il se cabra et se retourna avant de partir en piqué vers la mer Sèche.

Ambre serrait la selle en cuir à s'en blanchir les articulations, elle avait tenu bon.

Mais le choc promettait d'être terrible.

L'élan déploya à nouveau les ailes de Phalène, ce qui ralentit sa course et lui fit reprendre un angle moins brutal juste avant l'impact.

Ambre fut éjectée violemment.

Elle fila dans les airs avant de s'enfoncer dans le feuillage qui l'avala d'un coup, ne laissant qu'un mince trou pour toute preuve de ce qui venait de se produire.

Puis le trou se referma.

46

Les anges aux visages d'os

Ses lèvres étaient toutes sèches.

Ambre avait soif. Elle ignorait les ecchymoses, les lacérations sur ses bras et ses flancs, tout ce qui lui importait c'était de boire un peu d'eau. Une obsession.

Elle était parvenue à remonter à la surface après le crash, elle avait nagé dans le feuillage jusqu'à retrouver le jour, puis s'était rapprochée de Phalène qui flottait, grâce à la voilure de ses ailes.

Le soleil lui cognait aux tempes comme un orchestre de cymbales.

Elle ignorait depuis combien de temps elle attendait ainsi, dans l'espoir d'un peu de pluie à recueillir.

Perdue au milieu de cet océan elle réalisait peu à peu qu'elle n'avait aucune chance d'être secourue. Avant que la soif ne la rende folle, il fallait qu'elle prenne une décision.

Descendre dans les abysses de la Forêt Aveugle pour espérer y trouver de l'eau, c'était abandonner tout espoir de revoir les Kloropanphylles, quand bien même elle parviendrait tout en bas sans périr dans la gueule d'une des créatures immondes, que ferait-elle ensuite ? Ambre n'avait pas beaucoup d'équipement, aucune arme autre qu'un long canif, et plus assez de vivres pour endurer une exploration sérieuse.

S'enfoncer dans les profondeurs c'était signer son arrêt de mort.

J'ai tellement soif…

Elle ne devait plus compter que sur un secours providentiel.

Impossible, personne ne me verra…

Alors il lui vint une idée plutôt téméraire : allumer un feu pour que la fumée attire les Kloropanphylles.

Et si je mets le feu à toute la forêt ? Non… le feuillage est trop dense, jamais un incendie ne prendrait là-dedans !

C'était sa dernière chance.

Elle défit la selle en cuir et la retourna pour improviser un foyer, avant d'aller cueillir plusieurs branches de feuilles vertes.

Si j'arrive à les faire prendre, elles produiront beaucoup de fumée !

Ambre fouilla dans son sac à dos à la recherche d'un paquet d'allumettes et tomba sur une flasque d'huile pour lanterne. Cela lui redonna le sourire.

Elle répandit l'huile sur les brindilles et craqua une allumette qui enflamma le bois imbibé.

Une épaisse fumée blanche se mit rapidement à dresser son

panache dans le ciel bleu. Ambre veilla à alimenter son petit feu pour ne pas qu'il s'éteigne, mais le bois était trop vert, et s'il fumait allégrement, il peinait à s'embraser, obligeant l'adolescente à vider toute la flasque d'huile.

Je n'aurai pas de seconde chance !

Elle soufflait doucement pour faire rougir les minuscules braises.

Deux heures plus tard, Ambre dut se rendre à l'évidence : dès qu'elle prendrait un peu de repos, son feu mourrait. Et avec lui tout espoir d'être sauvée.

Je tiendrai bon, toute la nuit s'il le faut, jusqu'à mourir de soif, mais je tiendrai !

Souffler lui asséchait plus encore le palais.

Elle recula pour contempler le ruban cotonneux qui grimpait très haut au-dessus du corps de Phalène.

— Je dois le transformer en message ! dit-elle tout haut.

Elle prit un gilet dans ses affaires et l'agita régulièrement au-dessus du feu pour découper la fumée en tronçons réguliers.

— Comme les signaux de fumée des Indiens !

Elle espérait que cela rendrait plus intrigant encore cette colonne blanche se découpant sur le ciel, et que la curiosité des Kloropanphylles serait suffisamment titillée pour qu'ils viennent à elle.

À condition qu'ils soient assez près pour le voir…

Le soleil finit par décliner, rapidement.

Ambre était éreintée. Elle doutait à présent de sa capacité à nourrir son S.O.S. toute la nuit. Elle n'avait plus qu'une envie : se coucher et dormir, pour tout oublier, surtout la soif.

Depuis combien d'heures s'escrimait-elle à transmettre son message ?

Au milieu d'une mer gigantesque avait-elle seulement une chance de réussir ? Elle commençait à se dire qu'elle avait été naïve.

Elle s'était souvent imaginée mourant, dans des conditions exceptionnelles, en sauvant des centaines de personnes, ou finir d'une maladie incurable, avec tous les gens qu'elle aimait à son chevet, en train de les rassurer, digne et courageuse. Jamais elle n'avait envisagé sa propre mort aussi seule, cette lente agonie sans gloire, ni amour.

Son corps était trop déshydraté pour fournir des larmes, et ses sanglots furent des pleurs secs, douloureux.

Le soleil disparut et la fraîcheur nocturne tomba. Mais Ambre n'eut pas la force de se couvrir.

Elle voulait que tout aille vite désormais.

Son vœu fut exaucé.

Les anges apparurent rapidement, ils venaient la chercher pour la conduire dans ce qui serait un Paradis...

Des lumières tremblantes se rapprochaient.

Ambre cligna des paupières.

Non, pas des anges... Soudain le désir de vie se ranima avec l'espoir.

Elle se redressa et souffla sur les braises mourantes de son petit feu pour qu'il reprenne.

Les lumières, c'étaient bien celles d'un navire. Une petite embarcation flottant à un mètre au-dessus de la surface, et elle fonçait droit sur elle. Une nef de bois portée par de gros ballons marron arrimés aux mâts.

Ils l'avaient vue ! Ils venaient à son secours !

Les cerfs-volants qui tractaient le navire furent ramenés pour le faire ralentir et il vint se poster juste au-dessus des ailes de Phalène.

Une échelle de corde tomba du pont principal.

Ambre enfila son sac avec son matériel et déposa une tape amicale sur Phalène pour lui dire merci et adieu.

Et elle s'agrippa à l'échelle pour grimper.

Deux mains la saisirent pour la hisser à bord et la pousser sans ménagement. Elle trébucha et tomba à genoux.

Des silhouettes se rassemblèrent autour d'elle.

Une vingtaine d'adolescents.

Deux lanternes furent descendues depuis les mâts, et les visages s'éclairèrent.

Ils portaient tous un masque fait avec l'avant d'un crâne d'animal ressemblant à un cheval. Long profil allongé, deux grands trous pour les yeux. Ces visages d'ivoire fixaient Ambre avec attention.

La jeune fille se sentit soudain mal à l'aise.

Ils n'avaient pas les cheveux verts comme les Kloropanphylles.

Elle était au milieu d'une autre tribu de la mer Sèche.

Une tribu effrayante.

47

Becs et Bouches

Ambre n'osait pas se relever.

Elle étudiait l'attitude des enfants qui l'entouraient, cherchant à déceler des signes d'agressivité. S'il le fallait, elle pouvait encore bondir en arrière et se jeter dans le vide pour atterrir sur Phalène.

Pour aller où ensuite ?

Un des garçons, torse nu couvert de colliers d'ossements, approcha et leva son masque. Il n'avait pas plus de quinze ans, estima Ambre, la peau mate et le cheveu noir.

— Qui es-tu ?

— Je m'appelle Ambre Caldero, et je recherche de l'aide.

— Tu n'es pas d'un clan que nous connaissons ! D'où viens-tu ?

— De… de tout en bas, au-delà de la mer Sèche.

Les visages au long nez blanc se regardèrent, circonspects.

— Ces papillons sont vos montures ?

— Pas vraiment… Je viens de…

— Pourquoi es-tu montée jusqu'ici ? la coupa-t-il.

— Pour solliciter votre assistance.

Le garçon posa ses mains sur ses hanches et inclina la tête.

— Et pourquoi donc ?

— Le pays tout entier est menacé, une guerre se prépare, si elle n'a pas déjà commencé, et les tribus de la surface ont besoin de vous.

— En quoi cela nous concerne-t-il ? C'est votre combat, pas le nôtre !

— Tôt ou tard, les Cyniks, nos ennemis, s'en prendront à vous, ce n'est qu'une question de temps !

— Alors nous affronterons ces vermines ! clama le garçon, aussitôt suivi par une acclamation générale.

Ambre ne s'attendait pas à une autre réaction de leur part. Elle se releva pour les toiser.

— Puis-je au moins vous demander un peu d'eau ?

Le garçon fit un pas vers elle.

— Tu es notre passagère ! Tu auras ce qu'il te faut ! Mais pas notre aide pour ta guerre ! Nous sommes les guerriers de la mer, le clan des Becs ! Nous n'avons peur de personne, mais sache que nous choisissons nos guerres ! Et la tienne ne nous intéresse pas !

— Mon peuple va mourir si je n'accomplis pas ma mission.

— Quelle est-elle ?

— Je dois rejoindre le Nid, les Kloropanphylles, pardon… le peuple Gaïa comme vous devez les appeler.

Le garçon haussa un sourcil, son visage se crispa.

— Ce sont nos ennemis ! s'écria-t-il.

— Je dois aller les trouver, et vite.

— Alors nous ne pouvons t'aider !

— Peut-être que vous pourriez au moins m'indiquer où ils…

— Tu vas venir avec nous jusqu'à PortdePlanche, notre

domaine, et après, tu verras si tu veux toujours rejoindre ces arrogants de Gaïa !

Ambre voulut répondre mais il ne lui en laissa pas le temps et aboya des ordres qui dispersèrent l'équipage, laissant l'adolescente seule, son sac à ses pieds.

Ambre fut conduite à une petite cabine qui sentait encore la sève, on lui donna de l'eau et des fruits et ils la laissèrent seule pour la nuit.

Au petit matin, elle regagna le pont juste à temps pour assister à l'approche de PortdePlanche : un amas d'une demi-douzaine de péniches grossières reliées par des planches et des cordages, auxquelles s'accotaient cinq navires à ballons comme celui sur lequel Ambre naviguait.

Le garçon qui semblait commander à bord vint la voir :

— Je m'appelle Bec de Pierre. Sois la bienvenue, Ambre Caldero.

— Je ne veux pas paraître grossière, mais je ne peux pas rester parmi vous, je dois vraiment aller à la rencontre du peuple Gaïa.

— Tu as tort ! Ce sont des prétentieux, ils pensent qu'ils sont meilleurs que nous, qu'ils sont les élus, et que nous ne sommes que des moins que rien !

— C'est pour ça que vous leur faites la guerre ?

— Ce n'est pas une guerre, sinon nous les aurions déjà tous exterminés ! Nous leur donnons des leçons de temps en temps, rien de plus. Pour leur rappeler qu'ils ne sont pas si supérieurs qu'ils l'affirment !

— Bec de Pierre, je dois tout de même me rendre là-bas. Puis-je espérer une aide des tiens ?

Bec de Pierre fit la moue.

— N'y compte pas trop. Tu sais, tu es très jolie, tu pourrais te trouver un chouette mari ici.

Ambre sursauta.

— Un mari ? Vous vous mariez ?

— Bien sûr ! Et nous allons avoir des enfants bientôt !

Ambre en demeura bouche bée.

— Des filles sont déjà enceintes, nous espérons les premiers enfants pour dans cinq mois.

— Vous… vous ne traînez pas.

— Avons-nous le choix ? La plupart des adolescents et des enfants qui ont survécu au Changement du Monde ne sont pas parvenus jusqu'au sommet de la mer Sèche ! Dans quelques années, nous serons vieux, il faudra des nouveaux pour faire survivre le clan des Becs ! Et je te le dis : tu ferais une très bonne femme !

Ambre leva la main :

— Je crois que je vais décliner l'offre.

— Tu es déjà mariée en bas ?

Ambre hésita.

— Oui.

— Ah. Tant pis. C'est dommage. Peut-être que ton mariage d'en bas ne vaut rien chez nous, alors si tu décides de rester, tu pourras te remar…

— Écoute, c'est gentil mais je ne vais pas rester. S'il le faut je partirai à la nage, tout ce que je vous demande c'est un peu de vivres et de m'indiquer la direction du Nid où vit le peuple Gaïa.

Bec de Pierre secoua la tête, déçu par l'attitude de sa rescapée.

— À la nage tu t'épuiseras vite. Je dois te le dire : tu n'as nulle part où aller maintenant. Ici, c'est ta nouvelle maison. Allez, viens, je vais te faire visiter, tu vas voir, c'est très agréable.

Ambre suivait Bec de Pierre à contrecœur. Chaque minute passée ici lui semblait une précieuse minute perdue.

Le clan des Becs vivait à bord de péniches, chacune avait une fonction : le grand réfectoire pour l'une afin de manger et parler tous ensemble, le hall des jeux pour une autre, où ils se rassemblaient pour s'affronter à des jeux d'adresse, et les dernières servaient aux cabines, où les hamacs remplaçaient la literie. Ambre apprit que tous les garçons s'appelaient Bec et les filles Bouche. Elle croisa ainsi Bec d'Ébène, Bec de Pie, Bec de Cendres ainsi que Bouche de Poule, Bouche de Miel ou encore Bouche de Pluie.

Les regards qui lui étaient portés n'étaient pas tous amicaux, plusieurs filles la toisèrent comme si elle était une rivale dangereuse et Ambre se sentit très mal à l'aise.

Bec de Pierre la prenait sous son aile, lui présentant ses amis, lui expliquant les us et coutumes de PortdePlanche, et il s'assura qu'elle ne manquait ni de nourriture ni de boisson.

Lorsque vint le soir, il la conduisit jusqu'au réfectoire où ils dînèrent ensemble, d'une viande blanche assez savoureuse. La rumeur qu'une étrangère était arrivée à PortdePlanche avait manifestement fait le tour des lieux puisque tous la regardaient avec beaucoup de curiosité. Ambre s'aperçut qu'ils avaient été également touchés par l'altération, mais ils ne la maîtrisaient pas très bien. Elle le vit lorsqu'un garçon tenta de rallumer un feu avec son index, et qu'il dut s'y reprendre à cinq ou six fois pour parvenir à déclencher une flamme.

L'altération avait certainement affecté tous les Pans de la Terre, mais certains refusaient de l'accepter, d'autres peinaient à l'utiliser, lorsqu'elle n'effrayait pas au point de préférer l'ignorer.

Après dîner, Bec de Pierre entraîna Ambre sur le pont supérieur de la péniche et il lui fit faire une promenade, de ponton en ponton. Il lui raconta comment il s'était réveillé au lendemain de la Tempête, seul. Sa ville était envahie de plantes, et le temps qu'il retrouve une dizaine d'autres survivants de son âge, les plantes avaient déjà recouvert tous les bâtiments, et fendu l'asphalte des rues. En moins d'un mois, ils s'étaient retrouvés à environ cinq cents jeunes au milieu d'une forêt qui ne cessait de grandir. Ils n'avaient pas le temps de se confectionner un abri que celui-ci était détruit par la végétation. En trois mois, la lumière du jour disparut totalement et ils décidèrent de grimper dans ces arbres aux troncs gigantesques. Constatant que la vie était à la surface du feuillage, ils optèrent pour une existence en altitude, et pendant plusieurs semaines ils multiplièrent les allers-retours vers les profondeurs pour se procurer tout le matériel nécessaire. Ces voyages prélevèrent leur part de vies, à mesure que la faune de carnassiers prenait ses aises sous l'épais feuillage.

PortdePlanche était né dans la sueur et le sang.

— C'est notre histoire, dit Bec de Pierre. Nous n'avons jamais pu enterrer nos morts, mais nous honorons leur mémoire en préparant notre avenir. C'est pour ça que tous les garçons doivent se trouver une femme. Avoir des enfants, c'est notre devoir envers ceux qui se sont sacrifiés pour la survie du groupe.

— Et tu n'en as pas encore trouvé une ?

Bec de Pierre regarda ses pieds, ennuyé.

— Non, ce sont elles qui choisissent, et elles sont difficiles !

— Je suis certaine que tu finiras par convenir à une jolie Bouche.

Ambre esquiva la suite en prétextant un coup de fatigue et alla se coucher dans la minuscule cabine qui lui avait été octroyée.

Elle tarda à trouver le sommeil, car sa situation lui semblait sans issue. Elle ne pouvait rester ici indéfiniment, et en même temps elle savait qu'elle n'avait aucune chance de survie si elle partait à la nage.

Reproduire ce que l'Alliance des Trois avait fait chez les Kloropanphylles en volant un navire pour fuir lui semblait impensable. De toute façon elle était bien incapable de le manœuvrer sans l'aide de Tobias.

Elle réalisa que les différents clans qui vivaient ici, sur cette mer étrange, avaient la fâcheuse manie de s'approprier le moindre visiteur, comme s'il pouvait faire la différence pour survivre.

C'est parce qu'ils savent qu'ils sont isolés. Ils vivent sur des bateaux et mourront dessus, sans échange possible avec d'autres clans. Chaque nouveau membre est un espoir de faire perdurer leur tribu.

Ambre s'endormit finalement, sans avoir de plan pour son avenir. Elle se laissa happer par la reposante saveur du sommeil.

Le lendemain matin, elle se promenait d'une barge à l'autre, étudiant les comportements du clan des Becs, l'échange entre les pêcheurs et les menuisiers, le jeu de séduction entre deux adolescents, lorsqu'il lui parut inévitable de fuir.

Elle ne pouvait rester auprès d'eux, ils ne l'aideraient pas, quoi qu'elle leur dise, leur vie était déjà assez compliquée, ils avaient survécu à bien des périls et n'avaient objectivement aucune raison de risquer quoi que ce soit pour une inconnue, aussi convaincante soit-elle.

Lorsque Matt et Tobias avaient décidé de voler un navire kloropanphylle, Ambre leur en avait voulu de privilégier la fuite à la négociation. Elle se rendait à présent compte qu'elle allait faire de même.

Restait un problème de taille : si elle pouvait museler sa conscience le temps de sauter dans une petite embarcation et d'être assez loin pour ne plus pouvoir faire demi-tour, elle ignorait tout de la navigation sur la mer Sèche. Tobias lui avait inculqué quelques fondamentaux pour barrer, mais elle se sentait bien incapable de prendre le large toute seule.

Ai-je d'autre choix ? Il faut savoir ce que je veux ! C'est ça ou j'abandonne tout !

Elle se décida pour le soir même. Inutile d'attendre plus longtemps.

Elle se mit en quête du plus petit navire, celui qu'elle pourrait faire avancer sans assistance, et le trouva au bout d'un quai isolé.

Ce sera d'autant plus facile à subtiliser !

Puis elle retourna vers les cuisines où elle puisa quelques

vivres dans la réserve. Pour l'eau, elle avait déjà repéré les citernes de collecte d'eau de pluie et alla remplir ses gourdes.

Elle entrait à peine dans le réfectoire où elle espérait glaner au moins le lieu où se trouvait le Nid à défaut d'instructions plus précises, lorsqu'un hurlement retentit à l'extérieur.

Le temps qu'elle sorte, une jeune Bouche accourait pour prévenir tout le monde :

— C'est Bec d'Azur ! Il réparait la coque du *Trident* lorsque les cales ont glissé ! Il est écrasé ! Vite ! Venez tous ! Vite !

Plus de trois cents enfants et adolescents se précipitèrent pour entourer un petit bateau de pêche dont les ballons étaient tous dégonflés. Des cales en bois servaient à le maintenir un mètre au-dessus d'une énorme racine, mais les deux cales à la proue étaient tombées et la lourde coque écrasait un rouquin de quatorze ans qui gémissait.

— Il faut débarrasser le *Trident* de tout ce qu'il contient pour qu'on puisse le soulever ! proposa une jeune fille dans la panique.

— Non ! protesta un adolescent. Nous l'écrabouillerons en montant à bord !

— Mais jamais on ne pourra soulever un tel poids ! s'écria un autre.

Ambre se tourna vers la Bouche qui était venue les prévenir :

— Tu sais où est ma cabine ? Très bien, alors fonces-y, tu y verras un gros sac à dos, prends-le et ramène-le-moi !

La fillette revint en moins de trois minutes, toute transpirante, portant avec difficulté un sac presque aussi volumineux qu'elle.

Ambre y attrapa le bocal des Scararmées et le déposa devant elle après l'avoir ouvert. Plusieurs personnes autour d'elle s'exclamèrent de stupeur en découvrant ces insectes lumineux, tandis que d'autres reculaient précipitamment.

Ambre tendit les mains vers la coque et ferma les yeux en prévenant :

— Je ne tiendrai pas longtemps alors faites vite !

La chaleur se propagea au bout de ses doigts, elle ressentit comme des fourmis dans les bras et soudain elle devina la texture de l'air, plus souple et fuyante que de l'eau, une imperceptible résistance. Elle prolongea sa perception à travers cette substance jusqu'à ressentir la masse du bateau. Le bois dégageait une infime chaleur, de microscopiques frictions avec l'air. Elle déploya sa conscience sur ces frictions, sur ces particules d'énergie et commença à pousser avec sa force mentale.

La puissance des Scararmées remonta depuis le bocal et coula dans ses veines, à travers ses nerfs, jusque dans son cerveau. Ce surplus lança une onde de choc qui fit grincer et trembler le *Trident*.

Bec d'Azur cria tandis que le mouvement de la coque le faisait souffrir encore plus.

— Qu'est-ce qu'elle fait ? demanda quelqu'un.

— Elle va le tuer ! Il faut l'arrêter !

— Non, regardez !

Ambre se focalisait sur ce qu'elle ressentait, sur le contour des objets, sur les rapports de force, les transmissions d'énergie qu'elle percevait entre chaque objet qui l'entourait. Le navire nécessitait un afflux colossal. Mais les Scararmées fournissaient sans compter.

Ambre servait d'amplificateur et de guide. Elle eut alors le sentiment de tenir la coque à bout de bras et elle déclencha la libération d'énergie qu'elle tentait de canaliser.

Le *Trident* se souleva d'un coup, sous les regards effarés de l'assemblée. Les Becs présents mirent plusieurs secondes à réagir et trois garçons se jetèrent sous la coque pour récupérer Bec d'Azur qu'ils traînèrent à l'écart avant qu'Ambre ne sente la brûlure de toute cette puissance sur son esprit. Brusquement, un éclair tétanisant la traversa et elle sentit comme une décharge d'électricité la foudroyer.

Le bateau s'effondra sur la racine en soulevant un nuage de poussière.

Ambre était allongée à côté, inanimée.

48

Un problème d'accueil

Bec de Pierre était rongé par l'angoisse.

Son visage s'éclaircit soudain lorsque Ambre ouvrit les paupières.

— Elle revient à elle ! Elle revient à elle !

Ambre avait la gorge sèche et un terrible mal au crâne.

— Oh…, gémit-elle, j'ai l'impression d'avoir pris un coup sur la tête. Je pourrais avoir de l'eau s'il te plaît…

Bec de Pierre lui tendit aussitôt un gobelet.

— Tu l'as sauvé ! À toi toute seule ! Tu as sauvé Bec d'Azur !

— Il… Il va comment ?

— Ses jambes sont cassées, il a mal partout, cela dit, il vivra !

Une adolescente se pencha au-dessus du hamac où Ambre se balançait doucement.

— Ce que tu as fait est un miracle, dit-elle.

— Non, c'est… mon altération.

— Tu veux dire ton pouvoir ? traduisit Bec de Pierre selon leurs codes. Comme ceux que nous avons ?

— Oui.

— Alors le tien est mille fois supérieur aux nôtres !

Ambre se redressa avec peine, elle vida le gobelet qu'elle rendit au garçon.

— C'est grâce aux Scararmées, murmura-t-elle. Dans le bocal.

— Ces petites bestioles bleues et rouges ? Incroyable ! Il faut que tu nous apprennes à nous en servir.

— Bec de Pierre, pour l'instant j'ai besoin d'un peu de repos.

— Bien sûr ! Bien sûr ! Je ne serai pas loin, si tu as besoin, tu m'appelles ! Tu es formidable Ambre Caldero ! Vraiment formidable !

Mais Ambre dormait déjà.

Elle retrouva Bec de Pierre au réfectoire, il la vit prendre un fruit qui ressemblait à une pomme en beaucoup plus gros et se précipita vers elle.

— Tu es réveillée ! Dis donc, quand tu dors, tu ne fais pas semblant ! Ça fait presque vingt-quatre heures !

— Tant que ça ? s'inquiéta la jeune femme. Dis, pourquoi tout le monde me regarde comme ça ?

— Tu es un héros !

— J'ai plutôt l'impression d'être une bête de foire ! Bec de Pierre, il faut que je te parle.

Elle l'entraîna à l'écart et, après s'être assurée que personne ne pouvait les entendre, elle lui dit :

— Je dois m'en aller. Je ne peux et ne veux rester ici plus longtemps.

Le garçon se décomposa.

— Mais… pour aller où ?

— Tu le sais très bien, je dois aller au Nid des Kloropanphylles.

— C'est impossible ! Aucun Bec ne vou…

— Je vous donne les Scararmées et je vous apprends à vous en servir en échange du voyage.

Bec de Pierre s'immobilisa.

— Cela vous garantira bien des réussites, ajouta Ambre. Et si tu veux mon avis, les Bouches de ton clan ne te regarderont plus de la même manière si tu maîtrises les Scararmées.

— C'est que…

— C'est maintenant ou jamais. Sinon je prends mon sac et je plonge dans le feuillage sans plus attendre.

Bec de Pierre soupira.

— Je vais en parler aux autres Becs, je ne peux pas m'engager pour eux.

Ambre posa la main sur son épaule.

— Je compte sur toi.

Un bateau rapide et bien armé fut apprêté et paré à prendre la mer avant le début d'après-midi.

Bec de Pierre en était le capitaine. Il avait convaincu ses pairs du bien-fondé d'assister Ambre dans sa quête.

Qu'elle ait sauvé la vie de Bec d'Azur avait pesé lourd dans la balance. Ils trouvaient stupide de vouloir approcher les Kloropanphylles. Mais la promesse de pouvoirs aussi décuplés que celui d'Ambre les avait alléchés.

Le navire appareilla avec douze guerriers à bord pour accompagner Ambre.

Lorsque PortdePlanche ne fut plus qu'une tache sombre sur l'horizon, Ambre demanda à son guide :

— Est-ce loin d'ici, le Nid ?

— Non, c'est pour ça que nous sommes souvent en conflit, ils se sont installés juste à côté ! Nous y serons ce soir.

— Si vite ? se réjouit Ambre. Et moi qui craignais de perdre trois jours ou plus à naviguer !

— Je préférerais qu'ils soient plus loin !

— N'est-ce pas eux qui sont arrivés en premier, sur leur arbre sacré ?

— Certainement pas ! Nous étions là avant !

— Comment le sais-tu ?

— Parce que nous le savons, c'est tout !

Ambre comprit qu'il ne servait à rien d'insister. Il existait une rancœur entre les deux peuples qui les rendait sourds à toute conversation. Nul ne savait réellement qui s'était installé dans la région en premier, et ils s'en fichaient au fond, ils se détestaient d'être différents, cela leur suffisait.

Ambre alla chercher le bocal de Scararmées et s'assit sur une bobine de cordage en face de Bec de Pierre.

— C'est quoi vos masques ? demanda-t-elle en désignant le crâne blanc qu'il arborait à la ceinture.

— Nos casques de combat. Pour effrayer l'ennemi. C'est une sorte de grand hippocampe qu'on chasse sous la surface.

— Pauvre bête.

— Ils sont des centaines ! Et puis il faut bien manger ! C'est notre viande principale.

Ambre faillit avoir un haut-le-cœur en se souvenant de ce qu'elle avait avalé à PortdePlanche.

— Quelle est ton altération ?

— Mon pouvoir ? Regarde, ou plutôt : écoute !

Il se leva et se pencha au-dessus du bastingage pour lancer un cri féroce. Sa voix s'amplifia d'un coup au point de devenir étourdissante, et elle résonna plusieurs secondes, comme renvoyée par de multiples échos.

Il revint tout souriant.

— Surprenant pas vrai ? En chasse, si je pousse un cri face à un banc d'hippocampes, ça les déstabilise suffisamment pour qu'on puisse en capturer un ou deux dans nos filets !

— Tu faisais du chant… avant que le monde change ?

— Oui. Comment tu sais ?

— L'altération est un prolongement d'une faculté qu'on exploitait avant la Tempête, ou bien la conséquence d'un travail qu'on répète depuis la Tempête.

— Tu en sais des choses.

— Je m'intéresse, voilà tout. Dans ce récipient, tu as quelques Scararmées, ils concentrent une grande partie d'énergie, celle-là même qui relie chaque chose de l'univers.

— Les atomes et tout ça ?

Ambre se souvint de Neil et de ses mots à propos des Scararmées.

— Plus petit encore, nous l'appelons la matière noire. C'est le vide entre chaque élément. Ce vide, c'est de l'énergie.

Sa poitrine s'était creusée à l'évocation de Neil. Elle ne parvenait toujours pas à accepter sa mort.

— Donc si j'apprends à utiliser la matière noire des Scararmées, ma voix va devenir encore plus puissante ?

Ambre acquiesça.

— Mais sois prudent, tu n'as pas idée du potentiel qu'ils vont te faire découvrir. Avant même de les utiliser, tu dois maîtriser pleinement ton altération. Peux-tu percevoir les différentes couches de l'air si tu te concentres ?

— Hein ? Tu en es capable toi ?

— J'ai fait beaucoup de progrès au contact des Scararmées, mais je pouvais déjà me débrouiller avant.

— OK ! Apprends-moi !

Ambre écarta le bocal et commença à lui enseigner ce qu'elle considérait être les fondamentaux : la concentration, cerner parfaitement son altération, la maîtriser.

Ces quelques heures de cours lui rappelèrent l'île des Manoirs, et une pointe de nostalgie l'envahit lorsque le soleil déclina au loin.

Elle obtint la promesse de Bec de Pierre qu'il ne tenterait pas d'user des Scararmées tant qu'il ne serait pas pleinement en contrôle de son altération. Le garçon prit enfin le bocal, fièrement, et alla le ranger soigneusement dans un coffre.

Ils dînèrent sur le pont tandis que la vigie redoublait d'attention à l'approche du Nid.

— Je vous sens tous très tendus depuis un moment, avoua Ambre.

— C'est qu'il ne faut pas s'attendre à un accueil amical ! Au mieux ils nous enverront un de leurs voiliers pour nous ordonner de faire demi-tour, au pire, ils ouvriront le feu avec l'une de leurs armes sophistiquées dès qu'ils nous verront !

— Vous n'avez jamais tenté de discuter ?

— Si, au tout début ! Mais ils sont agaçants avec leurs manières, et leur façon de toujours nous rabaisser parce que nous ne sommes pas comme eux ! Ils pensent qu'ils sont les élus d'un arbre !

— Je sais.

— C'est du grand n'importe quoi ! À force de nous prendre

pour leurs serviteurs, on en a eu marre. Ils n'ont pas aimé qu'on doute de leur croyance et c'est là que ça a mal tourné.

— Alors c'est encore une guerre de religion, murmura Ambre.

— Pardon ?

— Non, rien. Et ce soir, comment comptez-vous les aborder ? Il est possible d'annoncer qu'on vient en paix ?

Bec de Pierre grimaça.

— Non, c'est bien le problème. Chaque fois que nous nous sommes croisés, c'était pour s'affronter.

Ambre leva les yeux au ciel.

— Il faut donc se préparer au pire, c'est ça ?

Bec de Pierre hocha la tête.

— J'en ai bien peur. Il va falloir se rapprocher le plus possible, en évitant les projectiles, juste ce qu'il faut pour leur crier que nous ne voulons pas nous battre.

— Et ta voix ? Tu ne peux pas hurler de très loin ?

— Euh, vaudrait mieux pas, parfois je cause quelques dégâts aux tympans, ils risqueraient de le prendre pour une agression.

— Alors hissons le drapeau blanc ! Tout le monde connaît ça !

Bec de Pierre parut gêné.

— C'est que... nous avons déjà utilisé cette ruse pour approcher un de leurs navires, pour le leur voler ! Ils ne vont pas se laisser prendre deux fois.

Ambre leva les bras au ciel, dépitée.

— Vous êtes des fourbes et des barbares !

— Il faut voir les armes qu'ils utilisent contre nous ! Des trucs superévolués ! Nous on s'adapte avec ce qu'on a !

Ambre en avait assez entendu.

— Je vais assister la vigie, dit-elle en se levant. Toi et tes histoires de guerre vous me désespérez.

Le Nid apparut un peu avant minuit.

Une ville de lumières argentées suspendues dans des grands arbres.

Ambre était inquiète. De combien de temps disposaient-ils avant d'être repérés par les guets du Nid ? Ensuite ouvriraient-ils le feu sans chercher à discuter ?

C'était fort probable.

Le clan des Becs s'était montré retors et belliqueux, les Kloropanphylles n'avaient aucune raison de les laisser approcher.

Bec de Pierre ordonna qu'on éteigne les lampes à bord mais Ambre intervint :

— Non ! Au contraire ! Laissez-les allumées !

— Ils vont nous voir à des lieues !

— Justement, ils se demanderont pourquoi nous fonçons sur eux en étant aussi visibles, peut-être qu'ils hésiteront avant de nous tirer dessus. Ce sont des gens intelligents.

Bec de Pierre émit un gloussement moqueur.

— S'ils nous canardent comme des lapins, je te préviens : je ne risquerai pas la vie de mes potes ! On fait demi-tour !

— Je sais. Pour l'instant, fais ce que je te dis, laisse les lampes allumées.

Bec de Pierre soupira mais obtempéra.

Lorsqu'ils ne furent plus qu'à un kilomètre du Nid, Ambre devina que quelque chose clochait.

D'abord elle ne vit pas le Vaisseau-Matrice, le bâtiment amiral de la flotte kloropanphylle. Puis elle commença à discerner des jets de projectiles enflammés et des cris.

Alors elle remarqua la palpitation rouge qui illuminait la surface de la mer Sèche et reconnut aussitôt cette lumière caractéristique.

Un Requiem-rouge.

La pire créature de toute la Forêt Aveugle.

Le Nid était attaqué par ce monstre colossal.

49

La voix ouvre la voie

Les guerriers du clan des Becs s'affolèrent dès qu'ils aperçurent le danger.

— Changement de cap ! hurla Bec de Pierre. On se tire d'ici en vitesse !

Ambre se jeta sur la barre du gouvernail pour empêcher la manœuvre.

— Non ! s'écria-t-elle. Au contraire, il faut les aider !

— Tu n'as aucune idée de ce qui les attaque ! C'est un monstre sans faille !

— C'est un Requiem-rouge, j'en ai déjà croisé un ! Nous sommes armés, et il ne s'attend pas à ce que nous surgissions dans son dos !

— Je ne vais pas sacrifier mon équipage pour ces gars-là !

— Ils sont en train de mourir !

— Mieux vaut eux que nous !

Ambre l'attrapa par le poignet, le feu embrasait ses iris verts.

— Ce sont des êtres humains comme nous, lui dit-elle si près que son nez touchait presque celui du garçon. Pose-toi la question de savoir ce qu'un être humain ferait s'il était dans ta situation, et tu sauras si tu vaux mieux qu'eux !

Bec de Pierre resta muet, à observer ces pupilles qui le fixaient avec une détermination rare.

— Nous avons les Scararmées avec nous, ajouta Ambre. Je sais m'en servir. Tous ensemble nous pouvons suffisamment l'effrayer pour le faire fuir.

Elle sentait que Bec de Pierre était sur le point d'accepter, pourtant il secoua la tête. Alors elle joua sa dernière carte :

— Tu trouves les Kloropanphylles trop arrogants, c'est ça ? Alors imagine un instant si vous, avec un si petit bateau, vous parveniez à sauver leur précieux Nid ! Imagine ce que cela pourrait engendrer !

Cette fois Bec de Pierre oscilla lentement, l'esprit plein de rêves de revanche, savourant d'avance le triomphe.

— Tu peux vraiment faire quelque chose avec ton altération ? demanda-t-il.

— Si nous nous approchons assez près, je peux tenter ma chance.

Bec de Pierre se mordit la lèvre.

— J'espère que je ne vais pas le regretter. (Il fit volte-face et hurla vers son équipage :) Aux postes de combat ! Cette nuit nous allons prouver à nos ennemis quel courage nous anime !

La nacelle suspendue à des ballons gonflés d'air chaud passa tout près du Requiem-rouge. Les archers du bord déclenchèrent leurs tirs simultanément. Ambre, le bocal de Scararmées contre elle, tendit la main vers les projectiles et les guida tous vers le même point : le cœur de la palpitation. Une dizaine de flèches pénétrèrent la frondaison et se plantèrent profondément dans la chair du monstre.

Celui-ci ne broncha pas.

Ses énormes tentacules jaillissaient de l'océan de verdure pour s'abattre sur les quais du Nid, brisant les planches, détruisant les bâtiments et écrasant les guerriers kloropanphylles qui tentaient de repousser leur assaillant à coups de flèches à la pointe enflammée.

Ambre vit qu'ils faisaient rouler de grandes arbalètes sur roues depuis un hangar, elle reconnut les arbalitres, longs carreaux creux remplis d'un puissant venin. Les Kloropanphylles eurent à peine le temps de lancer deux tirs qu'un tentacule s'abattit sur les armes pour n'en laisser que des miettes.

Le Requiem-rouge ne semblait nullement perturbé par ses blessures, il frappait encore et encore, dévastant les passerelles entre chaque tronc, les terrasses, les maisons... Les Kloropanphylles tombaient sous ses assauts répétés et rien ne semblait le ralentir.

Ambre guida la salve de flèches suivantes, espérant les faire pénétrer plus loin encore dans les organes du monstre, mais l'impact ne déclencha aucune réaction.

— Ça ne sert à rien ! s'exclama Bec de Pierre. Il ne le sent même pas !

Alors Ambre se concentra sur la créature, tout son esprit orienté vers sa masse formidable. Elle tenta de sentir les vibrations de ses organes, les palpitations de son cœur, et lorsqu'il lui sembla deviner la localisation de ce dernier, elle lança toute la force mentale que son esprit combiné aux Scararmées pouvait déployer.

Le feuillage se brisa sur la trajectoire et il y eut un choc sourd.

Soudain la palpitation rouge s'éteignit et les tentacules disparurent sous la surface.

La lumière revint brusquement, carmin comme le soleil couchant, et le Requiem-rouge fonça sur le petit navire. Ses membres s'enroulaient autour des branches avec une telle rage qu'ils les arrachaient, ralentissant sa progression.

Bec de Pierre et les siens en eurent les bras ballants, le Requiem-rouge les chargeait et cela était si impressionnant, si effrayant qu'ils surent que c'était la mort elle-même qui s'annonçait, ils contemplaient leur fin.

Ambre leva les mains pour tenter un dernier impact, mais sa concentration fut perturbée par la terreur.

Lorsque la forêt se souleva en même temps que le Requiem-rouge pour engloutir le navire, Bec de Pierre se plaqua contre le bastingage et hurla de toutes ses forces :

— NOOONNN !

Sa voix se transforma aussitôt.

Elle s'amplifia jusqu'à devenir si forte que tout le monde à bord tomba à la renverse en se tenant les oreilles.

Mais elle était dirigée vers la créature. Les premiers tentacules furent repoussés par un mur invisible, broyés. Puis le tsunami vocal percuta la masse du monstre et tout son corps vibra, une onde de choc se propagea dans ses tripes, et plusieurs organes explosèrent immédiatement.

Ce qui ressemblait à une pieuvre démesurée s'effondra dans la mer Sèche et se laissa entraîner par son poids, coulant en détruisant tout sur son passage.

Bec de Pierre venait d'être traversé par l'énergie des Scararmées à ses pieds. Il avait servi d'amplificateur à leur prodigieuse réserve de puissance, mais son esprit à l'élasticité encore peu prononcé était craquelé, et il tomba à genoux. Du sang coulait par ses narines et ses oreilles.

Ambre le soutint avant qu'il ne perde conscience, et elle l'allongea sur le plancher. Elle ignora sa propre douleur aux tympans et vérifia que son pouls battait encore.

Il était rapide et irrégulier.

Le visage du garçon était crispé. Des veines saillaient à ses tempes et sur son front.

Ambre lui prit la main.

Elle savait qu'il ne s'en remettrait peut-être pas.

Le bateau accosta au Nid sous les regards hallucinés des Kloropanphylles.

Bec de Dents, le second du capitaine, descendit en premier, la main levée en signe de paix.

Un Kloropanphylle en tenue de combat, son armure blanche en chitine de fourmi phosphorescente, s'approcha, le fleuret au poing, mais un autre l'arrêta et vint à la rencontre de Bec de Dents.

— Pourquoi êtes-vous venus à notre secours ? Pourquoi avoir risqué vos vies pour nous ?

— Pour vous prouver notre valeur.

Les Kloropanphylles se regardèrent, partagés entre stupeur et incrédulité.

— Parce que vos peuples ne peuvent plus se permettre d'être ennemis ! lança Ambre en descendant à son tour. La nature ne cesse de se développer, la faune avec, et vous ne pouvez plus vous battre, il est temps de vous unir !

Le Kloropanphylle toisa Ambre de ses yeux brillants. Ses cheveux, comme ceux de tous ses congénères, avaient la couleur des feuilles, ses iris ressemblaient à des émeraudes, et ses lèvres, ainsi que ses ongles, affichaient un brun-vert.

— Je te connais, toi ! dit-il. Tu nous as volés ! Tu as trahi notre confiance !

— Votre refus de nous laisser partir nous a contraints à fuir, je vous ai laissé un mot d'excuses, je ne voulais pas fuir ainsi mais vous ne nous laissiez pas le choix. Je voudrais une audience auprès du Conseil des Femmes.

Une adolescente kloropanphylle s'avança.

— Elle dit vrai ! Je me souviens du mot qu'elle a laissé. Leur quête !

— Peu importe ! s'écria quelqu'un dans la foule. Ils nous ont menti ! Ils ont volé un de nos bateaux !

— Oui ! Qu'elle soit punie ! hurla un autre.

La Kloropanphylle leva les bras au ciel et les agita pour faire taire les murmures.

— Elle est revenue ! dit-elle. Pour nous sauver ce soir ! Elle mérite que nous l'écoutions. Nos existences, et l'Arbre de vie lui doivent beaucoup à elle et à ces garçons du clan des Becs, n'est-ce pas ?

Bec de Dents hocha la tête et leva son masque d'os.

— Le Vaisseau-Matrice devrait être de retour demain, nous pourrons réunir le Conseil. D'ici là, soyez nos invités.

— Nous avons un blessé à bord, avertit Ambre, je voudrais de l'aide pour le transporter.

Un Kloropanphylle s'avança, beau et musclé, et Ambre le reconnut aussitôt.

— Je m'en occupe, dit Torshan.

De retour dans ce lieu presque magique, Ambre se sentit bien moins embarrassée qu'elle ne l'avait craint. Elle considéra les cinq grands chênes dans lesquels s'intriquait tout un maillage de passerelles, d'escaliers et de bâtisses à flanc d'écorce. Des dizaines de lanternes à substance molle produisant une lumière argentée dansaient doucement dans la brise nocturne.

Puis son regard s'attarda sur la forêt de bambous au-delà du Nid.

Ce sanctuaire protégé.

En son centre, Ambre le savait, tournait une étrange boule électrique. Riche et fascinante comme une planète.

Ambre y avait beaucoup songé depuis son départ du château de Malronce. La cartographie sur sa peau, sur un morceau de roche, rien que des indices naturels. La nature tout entière la guidait ici, vers cette boule de lumière. Elle ignorait s'il fallait qu'elle la transporte avec elle vers Eden ou ailleurs, tout ce qui lui importait était de nouer un premier contact. La *sentir*. Espérer un échange.

Elle y était presque.

À condition que le peuple kloropanphylle l'autorise à l'approcher.

Et cela, Ambre le savait, s'annonçait difficile.

50

Absorption

Bec de Pierre revint à lui au milieu de la nuit.

Ambre, qui dormait dans la même pièce pour le veiller, sursauta lorsqu'il parla :

— Je... l'ai... eu ?

— Oui, dit-elle en clignant les yeux. Tu nous as sauvés.

— J'ai... mal... à la tête... Très mal.

— Je sais. Cela va durer plusieurs jours. Tu aurais pu mourir ! Tu ne dois pas utiliser l'énergie des Scararmées d'un coup, tu ne maîtrises pas assez bien ton altération.

— Je n'ai... pas fait... exprès. Je voulais... juste... faire quelque chose... et j'ai crié.

Ambre lui tendit un verre en terre cuite et il but lentement.

— Maintenant repose-toi, tu vas dormir pendant un long moment, tu en as besoin.

Ambre attendit jusqu'à ce que sa respiration soit régulière et retourna se coucher.

Au matin, il était déjà tard lorsqu'elle sortit de la chambre suspendue dans les branches. Les quais fourmillaient d'activités : non seulement les Kloropanphylles réparaient déjà les dégâts, mais le Vaisseau-Matrice était en train d'accoster.

S'il existait encore des œuvres d'art, alors le Vaisseau-Matrice était de celles-ci. Majestueux, sublime, colossal, les qualificatifs se succédaient sur les lèvres d'Ambre pour le décrire.

Un quatre-mâts porté par une trentaine de ballons de cuir, d'interminables voiles en guise de cerfs-volants pour le tracter, flottant loin dans le ciel au-dessus de sa proue, et un équipage plus nombreux et mieux armé que toute la milice d'Eden !

Ambre s'empressa de rejoindre les quais pour accueillir l'arrivée du porte-drapeau kloropanphylle. Elle remarqua en chemin que deux garçons à la chevelure rutilante la suivaient.

Je suppose que je ne peux leur en vouloir de nous surveiller après tout ce que nous leur avons fait, le clan des Becs comme moi d'ailleurs !

Les trois capitaines du Vaisseau-Matrice débarquèrent en dernier, la grande et sage Orlandia, Faellis la méfiante et Clémantis la plus jeune et aussi la plus amicale.

À son grand regret, Ambre ne fut pas autorisée à leur parler, on l'écarta le temps que les capitaines apprennent ce qu'il venait de se produire. Les pertes étaient importantes, les dégâts considérables. Le Nid était en état de siège, la plupart de ses protections détruites, il ne pouvait plus compter que sur le navire amiral et son retour soulageait les esprits.

Ambre dut attendre le début de l'après-midi pour être emmenée dans le tronc principal en direction du Conseil des Femmes qui régissait la vie des Kloropanphylles. Exceptionnellement, celui-ci allait se tenir en journée, et Ambre pénétra la petite arène pour découvrir que les silhouettes du Conseil demeuraient dans l'ombre, surplombant la fosse depuis une estrade couverte. Il y avait là une dizaine de personnes, le visage couvert d'un voile.

— Ce n'est pas la première fois que nous te recevons ici, Ambre, dit une voix familière.

Je crois que c'est Orlandia !

— Et la dernière fois, nous l'avons amèrement regretté ! ajouta une autre.

— J'ai tenté de m'expliquer en vous laissant une note…, commença Ambre.

Une des filles l'interrompit :

— Des mots pour te dédouaner ! Mais tes actes étaient, eux, bien détestables !

— Notre peuple souffre ! Il est menacé ! répliqua Ambre. Vous vivez ici coupés du reste du monde et seule votre petite existence et votre Arbre de vie vous importent ! Nous devions poursuivre notre voyage !

— Mais personne ne vous obligeait à violer nos secrets ! À descendre sous la bibliothèque !

Ambre baissa la tête.

— C'est vrai, et je vous présente à nouveau toutes mes excuses pour cela. Mes compagnons et moi avons été fougueux et irrespectueux. Nous avions peur de vous, nous espérions mieux vous comprendre après cela.

— Pourquoi es-tu revenue ? questionna Orlandia.

— Parce qu'une guerre vient d'éclater entre les adultes et les Pans, à la surface du monde. Et nous avons besoin d'aide.

— Tu es venue jusqu'ici pour solliciter notre assistance dans une guerre qui ne nous concerne pas ?

— Oui. Mais aussi parce qu'il existe chez vous une source de connaissances et d'énergie exceptionnelle.

— Tu fais référence à l'âme de l'Arbre de vie, n'est-ce pas ?

— En effet. Les adultes, les Cyniks, la recherchent, j'ignore pourquoi, cependant je peux sans peine deviner qu'ils ne doivent surtout pas l'atteindre.

— Nous saurons nous protéger !

— J'en doute. Ils sont plus nombreux que vous ne l'imaginez.

— Tu sembles oublier où tu es ! Au sommet d'une forêt indomptable !

— J'y suis bien revenue, non ? Et par l'intermédiaire d'une monture cynik !

Plusieurs chuchotements s'échangèrent entre les membres du Conseil. Orlandia reprit la parole :

— Il est de notre ressort de protéger l'âme de l'Arbre de vie, il est impensable que tu repartes avec, tu dois oublier dès à présent cette idée !

— Je demande seulement à le toucher. Comme vous le faites lors de vos cérémonies. Il existe un lien entre lui et moi, j'en suis sûre, c'est pour ça que je suis ici.

Les silhouettes du Conseil se penchèrent et murmurèrent avant que l'une d'entre elles ne se redresse pour dire :

— L'âme est sacrée ! Qu'est-ce qui te fait croire que nous pourrions t'autoriser à l'approcher ?

— J'ai risqué ma vie hier soir pour vous aider. J'aurais pu attendre que le Requiem-rouge mette le Nid à sac et parcourir les ruines plus tard, pour prendre l'âme de l'Arbre de vie. Pourtant les Becs et moi avons combattu avec vous ! Nous ne sommes pas ennemis ! Nos différences devraient nous rapprocher, nous inciter à partager au lieu de susciter la peur !

Orlandia leva la main.

— Nous avons entendu ta pensée. Maintenant, le Conseil

va se concerter pour savoir ce que nous allons faire de toi et de tes amis.

Ambre attendit plus d'une heure dans une petite pièce sans fenêtre, avant qu'on la reconduise dans l'arène du Conseil.

Orlandia était debout devant les autres membres.

— Ambre, dit-elle d'une voix sentencieuse, le Conseil des Femmes a délibéré. Il a été décrété que nous ne t'assisterions pas dans ta quête. Ta guerre est celle de ton peuple, et nous n'en voulons pas. Toutefois, parce que tu as sauvé l'Arbre de vie hier soir, nous t'autorisons à nouer un contact avec son âme. Après quoi, toi et tes amis du clan des Becs serez reconduits au port pour quitter notre Nid. Il sera de leur tâche de t'emmener au bord de la mer Sèche si tu souhaites rentrer chez toi. Là s'arrête notre clémence, notre confiance, et nous ne te serons plus redevables de rien.

Ambre se tenait au centre de l'amphithéâtre creusé dans le bois.

Des coupelles remplies de substance molle irradiaient leur lueur argentée sur les bancs déserts, pendant que la houle des bambous sous la brise cliquetait au crépuscule.

Orlandia, Faellis et Clémantis guettaient Ambre.

L'adolescente contemplait la boule de trois mètres qui tournoyait doucement au centre de l'amphithéâtre. Elle était faite de vapeurs lumineuses, et son atmosphère dense semblait abriter une électricité prodigieuse, qui soulevait le fin duvet sur les avant-bras de la jeune fille.

Ambre leva la main en direction de la sphère et approcha lentement.

Elle se mit à tournoyer, de plus en plus rapidement, avec un sifflement aigu. Ambre sentit que la palpitation en son centre s'accélérait.

Son index effleura les premières volutes de fumée.

Une douce caresse remonta le long de son bras, jusqu'à son esprit. Une sensation de bien-être. D'harmonie.

Le vent redoubla d'intensité au sommet de l'amphithéâtre, dans les bambous, puis trois éclairs zébrèrent le ciel en grondant.

La boule s'arrêta brusquement et des boucles de vapeurs se détachèrent pour s'enrouler autour d'Ambre. Elles glissèrent sous ses vêtements et se collèrent à sa peau. Ambre ressentit alors un picotement non douloureux, comme une envie de se gratter. Le phénomène était localisé sur des zones bien précises de son corps.

Elle me palpe ! Elle sonde ma peau pour repérer mes grains de beauté ! Elle lit le langage sur moi !

Les vapeurs s'intensifièrent et Ambre eut l'impression de baigner dans un bain de lait tiède, elle ne sentait plus le contact avec le sol, une vague de bien-être traversa le liquide pour la pénétrer, des arcs électriques excitants, et tout son cerveau fut soudain enveloppé par une chaleur euphorisante qui peignit un sourire sur ses lèvres.

Elle ressentit la caresse de l'herbe drue sur ses joues, l'odeur de la terre humide après une bonne pluie, la tension de l'orage sur sa peau et le parfum salin de l'eau de mer sur sa langue.

Son enveloppe charnelle avait disparu, fondue dans la brume de la sphère, et Ambre comprit qu'elle était à présent *dans* la boule de lumière. Elle voyageait à travers le temps géologique, à travers l'évolution, son ADN se déployait dans la lumière vive, se recombinait, elle partageait chaque molécule de son être avec cette archaïque force.

Ambre savait qu'il n'y avait là aucune conscience, rien qu'une énergie, mue par un unique principe essentiel : se propager, répandre la vie.

Une trajectoire infinie.

Ambre était absorbée par le cœur de la Terre.

TROISIÈME PARTIE

L'Enfer sur Terre

51

Le goût de la victoire

La guerre avait commencé.

En secret. À l'abri de collines escarpées, entre de petits bois. Là où la nature couvrirait rapidement les cadavres, où le lierre grimperait sur les armures éventrées pour les ensevelir.

Toute la première armée cynik s'était séparée en groupes de cinquante soldats pour passer inaperçue, pour s'introduire sur le territoire Pan et contourner Eden par l'est avant de se rassembler et prendre la cité par le nord.

C'était sans compter sur les cinq cents guerriers Pans qu'Eden avait formés et cachés sur le chemin.

Ils surgissaient des fourrés, des fossés, des parterres de fougères et de derrière les massifs d'épineux pour balayer ces escouades d'adultes surpris. Les assauts étaient brefs, féroces. Les Cyniks n'étaient jamais assez nombreux pour résister, très souvent ils n'étaient pas vêtus de leurs armures, plus occupés à ne pas enliser les roues des chariots qui transportaient leurs provisions qu'à surveiller leurs flancs, et ils en payèrent le tribut.

Les adolescents privilégiaient leurs archers aussi souvent que possible, pour éviter l'affrontement direct.

La première armée fut décimée en seulement trois jours. Les Pans avaient quadrillé tout le secteur à l'est de la Passe des Loups pour ne laisser aucune chance aux Cyniks.

Floyd, le Long Marcheur, menait l'offensive.

Il vit tomber plus de cent cinquante des siens pendant ces

affrontements éclairs. Des garçons, des filles de tous les âges dont la vie s'était fait happer par un coup de masse, par le tranchant d'une épée, parfois le carreau d'une arbalète. Les Cyniks frappaient fort et sans pitié.

Floyd les fit enterrer chacun leur tour, et il rejoignit ensuite Eden où le gros des troupes patientait.

Presque huit mille personnes dont l'essentiel n'avait aucune expérience de combat, à peine un mois d'entraînement dans les jambes. Eden était vidée de ses habitants, il ne restait que les blessés qui veillaient sur les plus jeunes Pans, ceux qui ne pouvaient soulever une arme.

Le succès de Floyd et de son équipe ramena des sourires devenus rares sur les visages, jusqu'à ce qu'on réalise qu'il manquait des copains à l'appel. Cette fois, la guerre devint palpable, à travers les manques qu'elle engendrait.

Des quatre coins du pays, différents clans étaient accourus à l'appel d'Eden et de ses Longs Marcheurs. Doug était venu avec son petit frère Regie et une cinquantaine d'habitants de l'île Carmichael, l'île des Manoirs. Il en venait de partout, parfois à dix, parfois par colonnes de cent au moins. Pendant deux semaines, les Pans avaient afflué, prêts à en découdre avec les Cyniks.

Et jour après jour, l'armée d'Eden s'était étoffée.

Jusqu'à doubler ses effectifs.

Malronce avait heureusement retardé l'offensive de dix jours à cause d'un acte de sabotage dans le port de Babylone. Une partie des armes et des armures avait coulé suite au passage d'Ambre et ses compagnons. Et ce précieux retard avait permis à Eden de finir de s'organiser.

Le soleil n'était pas encore levé, il faisait sombre sur la plaine.

Zélie et Maylis étaient sorties de leur tente pour contempler l'armée d'Eden. Des lanternes accrochées à des piquets brillaient un peu partout dans le camp, entre les tentes, comme autant d'espoirs.

L'armée se réveillait peu à peu, pour le grand jour.

Zélie croisa ses bras sur sa poitrine.

— C'est impressionnant, dit-elle doucement.

— C'est presque beau, répondit Maylis sur le même ton déférent. Toute cette fraternité, six mille personnes rassemblées sous le même étendard.

Il manquait près de deux mille âmes à leur cortège. Celles et ceux qui avaient été choisis pour l'opération « Nouvelle route ». Zélie et Maylis avaient longuement hésité avant de se séparer de ces troupes pour une mission qui n'avait que peu de chance de réussir. Mais elles savaient que cela pouvait faire la différence au bout du compte. Convaincre le Conseil d'Eden fut finalement le plus difficile.

— J'espère que nous reverrons notre cité un jour, dit Zélie.

Maylis prit alors la main de sa sœur.

— Viens, il faut mettre nos tuniques. Aujourd'hui nous partons défendre notre liberté.

— Nous partons à la guerre, ajouta Zélie.

Le soir du troisième jour de marche, tandis qu'ils abordaient les contreforts de la Forêt Aveugle, la pluie se mit à tomber sur l'interminable procession. En tête, la cavalerie canine, l'unité la plus mobile, était prête à répandre les ordres à toute vitesse ou à prendre l'ennemi à revers en cas de face-à-face inattendu. C'était à la fois l'élite et le commandement. Zélie et Maylis chevauchaient Mildred et Lancelot, des chiens à poils longs, en compagnie de Tania et Floyd, lorsqu'elles estimèrent préférable d'établir le bivouac.

— Est-ce bien prudent de s'arrêter cette nuit ? s'inquiéta Floyd. Nos éclaireurs ne sont toujours pas rentrés, il se peut que la troisième armée soit toute proche !

— Je préfère que nous nous abritions, expliqua Zélie. Je n'ai pas envie d'envoyer des troupes malades au combat ! Je prends le risque.

Six mille Pans déployèrent de grandes tentes fabriquées par

les blessés d'Eden, ceux qui n'avaient pu s'entraîner, et une multitude de petits feux s'allumèrent sous les auvents.

Les éclaireurs rentrèrent au milieu de la nuit pour réveiller Zélie et Maylis.

— La troisième armée est à moins d'une journée de marche ! avertit un garçon aux cheveux trempés.

Maylis se frotta les yeux pour chasser le sommeil.

— Ils campent ?

— Oui. Environ mille cinq cents soldats, autour d'une auberge fortifiée.

— Et la deuxième armée ? Est-elle derrière ?

— Non, nous ne l'avons pas vue.

Maylis soupira, un profond soulagement l'envahit. Leur plan ne prévoyait pas d'affronter deux armées cyniks en même temps, il fallait à tout prix qu'elles soient distantes les unes des autres.

— Dans ce cas nous pourrons la vaincre, affirma Zélie. Demain nous laisserons le gros de nos troupes ici, elles iront se cacher dans les contreforts de la Forêt Aveugle. La cavalerie canine filera au sud pour contourner la troisième armée. Nous la prendrons en tenaille. Quant à l'auberge fortifiée, il suffira de mettre le feu à son toit pour en chasser les occupants, comme Floyd nous l'a indiqué.

Le garçon la salua, ses vêtements ruisselaient d'eau de pluie.

— Je repars jusqu'à la forteresse de la Passe des Loups, dit-il.

— Non, tu dégoulines ! répondit Maylis. Tu vas te sécher et cette nuit tu dormiras au chaud, un autre va prendre ta place. Je ne veux pas que tu attrapes la mort, nous avons besoin de toutes nos forces ! Le grand moment arrive.

Peu avant l'aube, les six cents chiens se mirent en route avec leurs maîtres sur le dos et taillèrent la route à travers la forêt.

À midi, ils aperçurent la troisième armée cynik qui défilait plus bas dans la vallée sous une pluie battante.

Ils savaient qu'il s'agissait de la plus petite des armées de Malronce, la plus mobile également.

En découvrant qu'elle était montée sur des chevaux, Zélie et Maylis prirent peur pour leur chance de réussite. Vaincre des soldats d'infanterie était une chose, affronter une cavalerie aussi puissante en était une autre.

Mais il était trop tard pour reculer.

Ils laissèrent la troisième armée cynik les dépasser, tous accroupis parmi les branches, sans un bruit, et ils attendirent une heure, pour s'assurer qu'il n'y avait pas d'arrière-garde. Zélie et Maylis avaient beaucoup appris en matière de tactique militaire par l'intermédiaire d'un garçon, Ross, ancien champion d'échecs et fanatique des jeux de stratégie avec figurines dans son ancienne vie.

Puis la cavalerie canine sortit de sa cachette végétale pour prendre l'ennemi en filature. Le paysage encaissé tournait et les replis des collines barraient l'horizon, il était impossible de voir à plus d'un kilomètre ou deux.

Les deux sœurs avaient les mains moites, le cœur battant à mesure qu'elles sentaient l'affrontement approcher. Elles n'avaient jamais été confrontées à la violence et ce qui se profilait les rendait malades.

Soudain la troisième armée apparut sur la pente d'une colline.

Elle se tenait face à plus de mille guerriers adolescents qui bouchaient toute la vallée. La cavalerie cynik tournait en rond, totalement désemparée face à cette résistance improbable.

Mais forte de se savoir supérieure, la cavalerie se mit en position pour charger. Que pouvaient mille adolescents à pied face à mille cinq cents adultes en armure et sur des chevaux ?

En voyant cette masse noire charger leurs copains, Zélie et Maylis en eurent la chair de poule, le martèlement des sabots sur le sol résonnait si fort que les vibrations faisaient trembler les chiens.

La cavalerie n'était plus qu'à trois cents mètres des Pans.

La pluie avait transformé la terre en boue, et la troisième armée fonçait en soulevant une nuée sombre autour d'elle.

Les lances cyniks prirent l'horizontale, prêtes à empaler autant d'adolescents que possible.

Deux cents mètres.

Soudain d'immenses plaques d'herbe glissèrent.

Des bâches interminables en trompe-l'œil qui dissimulaient les troupes Pans, et un instant la cavalerie cynik fut flanquée de deux mille adversaires supplémentaires qui tendirent leurs arcs pour les inonder d'une pluie de flèches.

Plus de deux mille autres Pans jaillirent de la forêt en courant, leurs hurlements étouffés par l'orage.

Alors Zélie et Maylis levèrent le bras et donnèrent l'ordre aux chiens de foncer à leur tour.

Avant même que la troisième armée puisse se remobiliser, elle était éparpillée par les volées de flèches, les lances et les piques de bois des guerriers Pans, et lorsqu'elle tenta de se replier, elle encaissa une salve d'éclairs qui désarçonnèrent une vingtaine d'adultes et affolèrent le double de chevaux.

Tous les Pans dont l'altération était de produire un arc électrique ou une quelconque forme de projection dangereuse avaient été réquisitionnés pour faire partie de la cavalerie canine. Ils avaient été entraînés sous le contrôle de Melchiot, le meilleur élève d'Ambre qui lui avait succédé à la direction de l'académie, pour maîtriser au mieux leur altération en présence des Scararmées.

À présent, une unité de cinquante Pans fonçait, des tubes de plastique sanglés contre la poitrine avec des Scararmées à l'intérieur.

Des éclairs aveuglants surgissaient du bout de leurs doigts, une foudre tour à tour bleue, rouge ou verte qui terrassait les Cyniks par brochettes de cinq ou dix.

Et les Scararmées rendaient chaque éclair plus vif et plus précis. Grâce aux minuscules insectes lumineux, les Pans parvenaient à enchaîner les tirs là où deux ou trois décharges les auraient normalement épuisés.

Quelques cavaliers parvinrent néanmoins à atteindre les rangs adverses et les dégâts furent énormes. Les chevaux marchèrent sur des adolescents, les Cyniks embrochèrent les garçons au bout de leurs lances ou plantèrent leurs épées dans le dos des filles. Les montures hennissaient, les blessés hurlaient, et les adultes en armures noires criaient autant de rage que de peur tandis qu'ils se faisaient décimer.

La bataille ne dura pas plus de dix minutes.

Aucun Cynik ne voulut se rendre, tout allait trop vite pour qu'ils puissent le faire. Lorsqu'ils comprirent qu'ils n'avaient plus aucune chance de fuir ni de remporter l'assaut, ils cherchèrent à causer le plus de dégâts possible. Les flèches et les éclairs eurent raison des plus farouches.

Il ne resta plus qu'un groupe d'une douzaine qui galopait dans un sens puis dans un autre pour se frayer un chemin et écraser autant de Pans qu'ils pouvaient.

Pendant un instant Zélie et Maylis crurent qu'elles allaient pouvoir faire des prisonniers mais Melchiot s'avança sur le dos de Zelig, son chien blanc à taches noires. Les cris de tous les blessés l'avaient rendu ivre de colère, et lorsque les Cyniks se tournèrent vers lui pour tenter de le charger, il leva les deux mains.

Deux geysers de flammes illuminèrent la vallée grise, traversant la pluie sans faiblir et embrasant aussitôt les hommes et leurs chevaux.

Zélie et Maylis détournèrent le regard pour ne pas avoir à affronter cette vision cauchemardesque.

Qu'étaient-ils devenus pour en arriver à brûler vivants des êtres humains ?

Les hurlements étaient insupportables.

La guerre, songea Zélie. *C'est la guerre qui nous rend fous !*

La haine appelant la haine. Une spirale infernale vers toujours plus de barbarie, au nom de la victoire.

Zélie en était malade. Mais que pouvaient-ils faire d'autre ? Les Cyniks ne s'arrêteraient pas. Il faudrait qu'un des deux camps triomphe pour que la sérénité revienne. Maintenant que l'étincelle du conflit s'était allumée, il ne pouvait y avoir de repos sans un vainqueur et un vaincu.

Zélie secoua la tête.

Elle aurait voulu être à Eden, loin de cette souffrance.

Près de quatre cents garçons et filles gémissaient dans la boue, leur sang mêlé à l'eau noire. Une centaine d'autres gisaient le visage enfoui dans la terre.

Des êtres qui ne grandiraient plus. Dont il ne resterait bientôt que le souvenir scellé à un nom.

Les chevaux et les Cyniks cessèrent leurs râles, il ne restait plus d'eux qu'un amas que la pluie faisait fumer.

— Il faut s'occuper des blessés ! ordonna Maylis. Phil, Jon et Nournia, vous organisez l'hôpital ! Howard, tu prends avec toi une escouade de cavaliers et vous allez vous occuper de l'auberge fortifiée. Floyd et Tania avec moi, nous partons pour le sud vérifier qu'aucune mauvaise surprise ne s'approche !

Les trois chiens s'élancèrent avec grâce et disparurent dans le rideau de pluie.

Les Pans venaient de gagner leur seconde bataille.

Une victoire sans joie.

Au goût amer.

52

Passe-muraille

Melchiot chevauchait à côté de Zélie.

— La première armée était dispersée, dit-il, c'était facile. Celle-ci était minuscule. Et pourtant chaque fois nous avons eu de lourdes pertes. Pour être franc avec toi, je doute que nous puissions tenir ainsi très longtemps. Les Cyniks sont forts, et ils se battent mieux que nous, jusqu'au dernier. Nous ne tiendrons pas face à la deuxième armée si nous la prenons de face.

— Je sais. C'est pour ça que nous avons fabriqué les bâches couvertes d'herbe, si nous pouvons couper l'armée cynik en deux et maintenir le gros de leurs troupes à distance, le temps de les détruire par nos arcs et nos altérations, alors nous avons une chance de réussir.

— Le coup des bâches est risqué, si la cavalerie avait foncé dessus, ils se seraient fait piétiner avant même de pouvoir répliquer et nos différentes unités auraient été désorganisées.

— Je ne vois pas d'autre choix, hélas.

Maylis revint à la nuit tombée, porteuse de mauvaises nouvelles :

— L'armée Glouton dont nous a parlé Floyd est dans la forteresse de la Passe ! annonça-t-elle en entrant dans la tente.

— Ils la protègent ?

— Non, ils stationnent. J'ai aussi aperçu des milliers de Cyniks de l'autre côté de la forteresse, au sud, je pense que c'est la deuxième armée. Elle doit attendre que les Gloutons sortent par le nord pour pouvoir transiter à leur tour par le château.

— Ils vont envahir la Passe des Loups en direction d'Eden comme c'était prévu, il n'y a que le nombre qui change.

— Nous ne pouvons pas encaisser l'armée Glouton et la deuxième armée cynik en même temps ! Ils nous écraseraient ! protesta Maylis.

— Chaque armée ennemie va passer par la forteresse, il faut la conquérir entre deux occupations !

— Tu veux qu'on aille s'enfermer dans la forteresse entre le passage des Gloutons et avant celui de la deuxième armée ? Nous serons totalement pris au piège à l'intérieur ! Le Conseil avait insisté pour que nous ne soyons jamais encerclés !

— Il faut s'adapter. Il serait suicidaire de prendre les Gloutons de face avec une autre armée cynik en renfort. Cette forteresse est l'avantage stratégique qui peut nous sauver. Dès que Malronce comprendra que nous sommes ici, en armes, elle abandonnera ses plans pour rassembler toutes ses troupes et nous submerger.

— Et la forteresse deviendra imprenable, comprit Maylis.

— Exactement. Tant que nous avons encore l'effet de surprise, nous pouvons nous introduire par la ruse.

Maylis, qui n'avait rien avalé depuis le matin, prit une pomme qu'elle croqua à pleines dents.

— On laisse les Gloutons sortir de la forteresse, dit-elle entre deux bouchées, nos régiments cachés dans la forêt et sous les bâches, et on envoie un commando pour ouvrir les portes.

— Il ne faudra pas perdre de temps, ajouta Zélie, parce que si de l'autre côté, la deuxième armée a le temps d'entrer, nous serons fichus !

— Ça peut marcher.

— Non, ça *doit* marcher !

Maylis avala une bouchée de sa pomme et regarda sa sœur.

— J'espère que nous prenons la bonne décision. Parce qu'une fois à l'intérieur, nous ne pourrons plus sortir.

La pluie avait redoublé d'intensité.

Il devenait difficile d'y voir à plus d'une cinquantaine de mètres.

Malgré tout, les Pans distinguaient les lanternes bringuebalantes au milieu de la vallée. Des centaines de petits points lumineux s'agitant au gré des pas des Gloutons. Ils étaient si nombreux qu'il fallut deux heures pour qu'ils sortent de la forteresse, encadrés par des formes sombres, à cheval.

Floyd et Franklin, en Longs Marcheurs discrets, s'étaient approchés pour passer les effectifs en revue. Ils revinrent auprès du poste de commandement où Zélie et Maylis préparaient la suite.

— Les Cyniks les ont armés avec des lames, des masses et des marteaux de guerre ! rapporta Franklin.

— Et il y a une bonne cinquantaine de cavaliers de Malronce pour les accompagner, compléta Floyd.

— Tous sont sortis ? demanda Zélie.

— À l'instant. Les portes viennent d'être refermées.

— Alors en route.

Voyant les deux sœurs s'équiper de leur manteau brun, Floyd les interpella :

— Vous faites partie du commando ? N'est-ce pas un peu… votre place est ici, pour organiser nos troupes !

— Il n'y a aucune raison que nous prenions moins de risques que les autres. C'est notre tour. Ross et Nikki prennent le commandement.

Zélie, Maylis, Tania et Melchiot se faufilèrent entre les arbres et cachèrent leur visage sous les larges capuchons de leurs manteaux.

Avec la pluie battante, ils n'eurent aucun mal à approcher le rempart, encore moins avec Maylis à leurs côtés. Depuis toujours, elle avait eu l'obsession de se cacher, pour jouer, pour être tranquille, pour fuir ses devoirs ou même sa sœur, et son altération s'était développée en ce sens. Désormais il lui suffisait d'une petite flaque d'ombre où s'abriter pour qu'elle en fasse une vague de ténèbres et que son corps disparaisse dedans. Maylis avait aussi emporté une poignée de Scararmées dans des tubes. Leur présence lui permit d'élargir son bouclier d'ombre à ses amis et ils furent invisibles jusqu'à atteindre la lourde porte d'acier.

Zélie, elle, avait toujours été distraite. Elle aimait se perdre dans ses pensées à tout moment, rêver comme dans les livres qu'elle dévorait. Pendant les années de sa courte vie, elle en avait souvent souffert, principalement parce qu'elle se cognait tout le temps et partout. Contre une porte mal fermée, contre un mur, un coin de table ou les passants dans la rue. Au point d'être couverte de bleus.

Lorsque son altération se développa pour la protéger au mieux, elle se rendit compte qu'elle ne se cognait plus.

Ses genoux, sa tête, ses coudes ou ses épaules passaient au travers des objets. Après plusieurs mois, elle était même parvenue à traverser un bout de bois avec sa main, mais les matériaux lourds lui donnaient plus de mal.

— Tu es sûre que tu en es capable ? lui demanda Maylis.

— Avec les Scararmées, ça devrait marcher.

Maylis était inquiète, sa sœur manquait d'entraînement et elle s'apprêtait à risquer sa vie. Jamais elle n'avait plongé plus qu'un bras à travers une paroi en bois.

Cette fois elle voulait traverser tout entière un battant de métal.

Zélie serra contre sa poitrine les capsules de verre qui contenaient les Scararmées et prit son inspiration.

— Je peux le faire…, murmurait-elle. Je peux le faire…

Après une longue minute de concentration, elle ferma les yeux.

Tania scrutait les alentours, craignant d'être repérée par un garde au sommet des remparts. Elle tenait son arc devant elle, une flèche encochée. Melchiot, lui, était agenouillé devant la grande porte, l'oreille collée pour tenter de percevoir quelque chose.

— Alors ? lui demanda Maylis.

— Je n'entends rien, la pluie fait trop de bruit !

— Si ma sœur traverse et se retrouve nez à nez avec un soldat…

Melchiot haussa les épaules en signe d'impuissance.

Tout à coup Zélie s'élança vers les battants métalliques.

Son nez fut absorbé, puis ses épaules, son bassin, ses jambes et elle disparut complètement.

Zélie sentit d'abord un froid intense sur son visage, comme si elle plongeait la tête dans une bassine d'eau glaciale. Puis il y eut une pression sur les contours de son corps, il lui sembla un instant être en train d'étouffer sous une tonne de sable, avant qu'elle ne fasse un pas de plus et se retrouve dans le passage sous le rempart.

J'ai réussi ! J'ai réussi ! Je le savais !

Plusieurs torches brûlaient dans le grand tunnel qui débouchait sur une cour inondée. Elle vit deux portes dans la paroi et son attention fut captée par le mouvement d'un Cynik qui somnolait à trois mètres d'elle, sur un tabouret !

Il venait de croiser ses mains sur son ventre.

Une lance était posée contre le mur, et une épée pendait à sa ceinture.

Zélie examina l'imposant mécanisme de verrous et sut qu'elle ne pourrait l'actionner seule. Elle avisa alors une poterne fermée par une chaîne et un cadenas doré.

Elle voulut avancer mais son manteau la retint.

Le bas du vêtement était emprisonné dans l'acier de la porte, parfaitement fusionné.

Mince !

Elle posa un genou à terre et tira de toutes ses forces. Le tissu céda avec un bruit de déchirure.

Zélie se redressa vivement, prête à sauter à la gorge du garde. Elle ignorait tout des techniques de combat, savait qu'elle avait bien moins de force que lui, mais s'il le fallait elle se sentait capable de lui rendre coup pour coup.

Il n'avait pas bronché.

Alors elle ramassa un tonnelet d'huile pour les torches, le souleva au-dessus de sa tête en grimaçant et l'abattit sur le crâne du Cynik qui s'effondra de son tabouret sans un gémissement.

En voyant le sang couler d'une vilaine plaie entre les cheveux, Zélie s'en voulut et elle maudit les Cyniks de l'obliger à de pareilles choses.

Une petite clé de cadenas pendait à sa ceinture.

Moins d'une minute plus tard, Maylis, Melchiot et Tania entraient à leur tour par la poterne ouverte.

— Maylis, tu vas aller chercher des petits groupes comme le nôtre, chuchota Zélie, capables d'avancer vite et sans bruit pour neutraliser un maximum de sentinelles. Pendant ce temps, nous allons à la porte sud, pour empêcher la deuxième armée d'entrer. Lorsque nous serons en place, nous t'enverrons un signal pour que tu lances toutes nos troupes à l'intérieur.

— Ce sera quoi le signal ?

Zélie hésita puis dit :

— Quand tu le verras, tu sauras que c'est le signal.

L'altération de précision de Tania fit tomber deux gardes avant même qu'ils n'aient le temps de sonner l'alerte, une flèche plantée dans la gorge pour chacun.

Le trio progressa lentement, pour ne surtout pas se faire repérer, et Zélie les fit accélérer en voyant que plusieurs Cyniks se dirigeaient vers les tours sud.

— Ils vont ouvrir les portes ! paniqua-t-elle.

Tania sortit de l'auvent des écuries, et tira quatre flèches pour autant d'ennemis touchés. Cinq autres surgirent du pied du donjon. Ils ne la virent pas tout de suite, remarquant d'abord les corps de leurs camarades.

— Il y a un intrus ! cria l'un des hommes.

— Ce fichu môme encore ? s'énerva un autre.

— Là ! La fille avec l'arc !

Zélie et Tania coururent pour bloquer l'accès à la porte sud et Melchiot leva les mains devant lui.

— C'est le moment du signal, dit Zélie.

Alors Melchiot se mit à cracher des flammes par le bout de ses doigts et le ciel s'illumina.

Plusieurs centaines de Pans envahirent immédiatement la cour, et tous les Cyniks qui sortirent, complètement hagards, furent balayés sans difficulté. Un groupe de soldats, comprenant qu'il s'agissait d'une invasion, se précipita vers la porte sud pour permettre à l'armée au-dehors de venir leur prêter main-forte.

Mais ils tombèrent sur les flèches de Tania et la colère incendiaire de Melchiot qui ne faisait pas de quartier.

Les Pans forcèrent les accès et investirent les étages, avant de surgir sur les remparts. Au bout d'un moment, les Cyniks préféraient se jeter dans le vide plutôt que de faire face à ces meutes d'enfants déchaînés.

Maylis retrouva Zélie, le drapeau cynik dans les mains.

Elle le jeta à ses pieds.

— Ma sœur, j'ai le plaisir de t'annoncer que nous avons pris la forteresse !

— Que toute notre armée s'amasse ici, et qu'on referme les portes, il ne faut plus que quiconque puisse y pénétrer. Désormais, notre survie dépend de notre capacité à garder ce château. Si les Cyniks entrent, nous mourrons tous.

La deuxième armée ne bougea pas de la nuit.

Ils ne lancèrent aucune offensive, pourtant ils ne pouvaient ignorer qu'il venait de se passer quelque chose dans la forteresse. L'armée avait installé son immense campement à un kilomètre et elle n'avança ni ne recula de toute la nuit. Les vigiles Pans remarquèrent seulement un ballet incessant de lanternes entre de grandes tentes mais aucun signe d'agressivité.

Deux cavaliers apparurent au nord, provenant de l'arrière-garde de l'armée Glouton.

Le premier approcha des remparts et cria :

— Oyez ! Que se passe-t-il ? Nous avons vu des flammes dans le ciel !

Jon, qui surveillait l'entrée par la tour au-dessus, se pencha et prit sa voix la plus rauque pour répondre :

— Rien, nous avons maîtrisé l'incendie.

Le cavalier demeura silencieux puis se pencha pour chuchoter avec son acolyte.

— Vous pouvez repartir ! ajouta Jon. Foncez au nord écraser cette vermine de Pans !

— La Rédemption est notre salut ! s'écria le second cavalier.

Jon ne sut que répondre. Nournia, qui était à ses côtés se prit la tête à deux mains :

— C'est un code ! gronda-t-elle. Il attend une phrase précise !

— Alors qu'est-ce que je lui dis ?

— Je ne sais pas ! C'est certainement le mot de passe pour entrer ou un truc dans le genre !

Jon haussa les épaules et s'exclama au-dessus du vide :

— Gloire à Malronce !

Les deux cavaliers se regardèrent et aussitôt tirèrent sur les rênes de leurs chevaux pour détaler à toute vitesse.

— Je crois que c'était pas la bonne réponse, commenta Jon.

— Maintenant on peut s'attendre à avoir de la visite d'ici peu de temps. Les Gloutons vont faire demi-tour !

L'aube se leva péniblement, étouffée par la pluie qui ne cessait pas.

Zélie et Maylis avaient pris un peu de repos et furent réveillées en sursaut par Howard, le Long Marcheur :

— Il se passe quelque chose du côté de la deuxième armée ! Venez vite !

Emmitouflées dans leurs manteaux, elles virent que le flanc est de l'armée était en train de s'agiter. Les hommes sautaient sur leurs chevaux, et des archers accouraient en tenant des carquois bien remplis.

Ils ne venaient pas vers la forteresse, mais s'intéressaient à une zone d'arbres entre leurs tentes et le fleuve qui coulait au pied de la Forêt Aveugle.

Soudain sept chiens géants fendirent la pluie, plus rapides encore que des chevaux au galop, portant cinq silhouettes recroquevillées.

Zélie prit les jumelles que Howard lui tendait et s'écria :

— C'est Matt ! Matt et ce qu'il reste du commando qui est parti pour Wyrd'Lon-Deis !

Une vingtaine de cavaliers apparurent dans leur dos, et une autre vingtaine s'apprêtait à leur couper le chemin par le côté.

S'ils parvenaient à les ralentir et à les bloquer, les archers termineraient le travail aussi facilement qu'à l'entraînement.

— Faites monter les lanceurs d'éclairs, ordonna Zélie, vite !

53

Quand l'herbe disparaît...

Melchiot accompagnait une vingtaine de Pans qui portaient des Scararmées dans les tubes sanglés à leur brêlage.

— Préparez-vous à couvrir la fuite des chiens ! commanda Zélie.

— Si nous utilisons nos capacités maintenant, ce sera un effet de surprise en moins contre les Cyniks lors de l'assaut, s'opposa Melchiot. Ils sauront à quoi s'attendre !

— Si nous n'intervenons pas, les cinq Pans que tu vois là-bas seront bientôt criblés de flèches !

Melchiot se gratta le menton, cherchant comment dire ce qu'il pensait sans pour autant passer pour un monstre :

— Sauver ces cinq-là risque de compromettre des vies bien plus nombreuses, dit-il.

Zélie fut prise d'un doute.

Maylis enchaîna :

— Ils ont risqué leur vie pour nous tous ! Et ils ramènent peut-être l'arme secrète de Malronce !

Melchiot n'était pas convaincu pour autant. Il fixa Zélie pour voir ce qu'elle décidait.

— Préparez-vous à ouvrir le feu, dit-elle après une courte hésitation.

Les cavaliers cyniks commençaient à se positionner pour que

les chiens viennent s'empaler sur leurs lances. Ils étaient à près de huit cents mètres du rempart.

— À cette distance, les éclairs pourraient manquer leur cible et toucher les chiens ! avertit Maylis.

— Je prends le risque, trancha Zélie.

Alors les Pans se concentrèrent, les lueurs bleues et rouges des Scararmées palpitèrent sur leurs torses et une douzaine d'éclairs multicolores zébrèrent les cieux en direction des cavaliers.

Des gerbes d'étincelles crépitèrent dans la lumière de l'aube, et un écran de fumée masqua provisoirement la course-poursuite.

Les chiens bondirent à travers la fumée, leurs jeunes maîtres cramponnés au pelage.

Les cavaliers qui les suivaient se faisaient peu à peu distancer et ils renoncèrent à l'approche des remparts, craignant cette magie formidable qui venait de s'abattre sur leurs camarades.

Les Pans ouvrirent les portes sud de la forteresse, le temps que les sept chiens se jettent dans la cour et ils refermèrent en accumulant de lourds tonneaux pour empêcher toute intrusion par la force.

Matt, Tobias, Chen et Ben relevèrent la tête, épuisés mais heureux d'être encore vivants.

Seul Horace resta inconscient sur Billy, deux flèches plantées dans le dos.

Horace fut emmené dans un des salons du donjon pour y recevoir des soins d'urgence. Une soixantaine de Pans s'activaient au-dessus des blessés, partageant leurs connaissances parfois approximatives de la médecine. Ils parvenaient parfois à soigner des blessures assez superficielles à l'aide de leur altération, mais la plupart des soins utilisaient plantes et décoctions, et tout ce qui nécessitait de la chirurgie les rendait méfiants.

Pendant ce temps, Matt et ses compagnons rencontrèrent Zélie et Maylis dans un des halls de la forteresse.

— Que rapportez-vous ? s'enquit Zélie avec impatience.

— Hélas, commença Matt, rien qui nous donne l'avantage physique.

— Quel est le secret de Malronce ? Que dévoilait le plan sur Ambre ?

— Un lieu. Ambre est partie sur place, cependant je crois qu'il ne faut pas en attendre une assistance particulière, il ne s'agit pas d'une arme, plutôt… de connaissances.

Zélie avala sa salive bruyamment.

— Nous ne pouvons plus compter que sur nous-mêmes, c'est ça ?

— Je le crains. Comment se présente la situation ici ?

— Comme vous l'avez vu en arrivant, la deuxième armée stationne au sud, pendant que les Gloutons occupent la Passe des Loups au nord. Il faut s'attendre à ce qu'ils nous attaquent des deux côtés.

— Ils ne l'ont pas encore fait ? s'étonna Tobias.

— Non, répondit Maylis. Nous ignorons ce qu'ils attendent.

— Je n'aime pas ça, fit Ben. Les Cyniks ne sont pas du genre à hésiter s'ils n'ont pas une idée derrière la tête.

— Nous disposons de presque six mille volontaires, exposa Zélie.

— Six mille ? s'exclama Chen. Ouah ! C'est génial !

— La plupart ne savent pas se battre, ajouta Maylis.

— Et encore deux mille en renfort, ajouta Zélie.

— Où sont ces renforts ?

— Pour l'instant, quelque part entre Eden et ici, nous ne savons pas. Ils ont une mission un peu particulière à remplir.

— Quel genre de mission ?

Zélie et Maylis échangèrent un regard complice.

— Nous préférons ne pas vous donner de faux espoirs, leurs chances de succès sont plus que minces.

— La bonne nouvelle, enchaîna Maylis, c'est que nous

maîtrisons pas trop mal l'altération combinée à la puissance des Scararmées. Melchiot dirige une unité d'environ cinquante Pans qui peuvent lancer des éclairs !

— Nous avons vu ça ! s'exclama Tobias. C'était incroyable ! Tous les soldats devant nous ont été électrocutés d'un coup !

Matt tempéra la joie de son ami :

— Pour repousser les premières vagues, ça sera très utile, mais j'ai bien peur que ce soit insuffisant face aux cinq mille soldats de la deuxième armée. Qu'avez-vous d'autre ?

— Un millier d'archers et tout le reste d'infanterie pour le corps à corps.

— Face à la force des adultes il faudra repousser le corps à corps le plus longtemps possible. Les archers c'est bien.

— Sauf que nous manquerons de flèches avant d'avoir remporté la victoire, avoua Zélie.

— Et la pluie n'arrange pas nos affaires, fit remarquer Chen, difficile d'être précis quand il tombe des cordes !

— Au contraire, la pluie est notre alliée ! corrigea Zélie. Elle empêchera les Cyniks de lancer des projectiles enflammés pour nous faire griller !

— Peut-être que les Cyniks ne vont pas attaquer, intervint Tobias. Peut-être qu'ils vont attendre que nous nous affamions.

— Malronce n'est pas du genre patiente, répliqua Matt. Ils vont vouloir montrer à leur Dieu qu'ils sont prêts au sacrifice de leur vie, pour racheter les péchés d'autrefois. Je me demande ce qu'ils attendent.

Tobias s'approcha d'une fenêtre d'où il aperçut les tentes ennemies au loin.

— Nous n'allons pas tarder à le savoir si tu veux mon avis.

L'armée Glouton arriva en fin de journée. Elle s'amassa à moins d'un kilomètre des remparts et installa son campement sous la direction des cavaliers cyniks.

De l'autre côté de la forteresse, la deuxième armée patientait toujours.

Lorsque les cavaliers aux côtés des Gloutons approchèrent pour lancer des flèches par-dessus les murs de la forteresse, Ross, le stratège Pan s'écria :

— Ne les laissez pas tirer !

— Mais ils tirent complètement au-dessus de nous ! s'esclaffa un jeune garçon. Laissons-les gaspiller leurs munitions !

— Ils lancent des messages aux troupes de l'autre côté ! Ils cherchent à communiquer pour organiser leur plan de bataille !

Aussitôt Melchiot illumina le ciel de ses jets de feu, réduisant en cendres chaque projectile autour duquel était enroulé un message.

Lorsque trois éclairs foudroyèrent les cavaliers les plus proches, les autres rebroussèrent chemin au galop.

— Il va falloir redoubler de vigilance, avertit Ross. Spécialement la nuit, ils vont tout essayer pour nouer un contact avec leur allié du sud.

— Je peux surveiller le ciel, proposa Ben. Je vois très bien la nuit.

Ross approuva, mais ne semblait pas totalement rassuré.

— Ils vont sûrement essayer autre chose…

— Avec l'épaisseur de ces murs, je leur souhaite bon courage ! fit Melchiot. Et les falaises de part et d'autre de la forteresse sont infranchissables. À moins de s'enfoncer loin dans la Forêt Aveugle pour les contourner, et là, je ne leur donne pas deux jours de survie !

Soudain Ross eut la révélation qu'il cherchait.

— Le fleuve ! Voilà ce que je ferais si j'étais à leur place ! Je passerais par le fleuve !

— Impossible, il y a une herse supersolide !

— Ils vont déposer des messages sur de minuscules radeaux de brindilles et les laisser porter par le courant ! Si les radeaux sont petits, ils passeront entre les mailles d'acier !

— Alors on poste des gars à nous pour surveiller le fleuve ?

— Il est trop large, on risque d'en laisser passer, non, il faut une solution plus radicale !

— J'ai une idée ! déclara Melchiot en partant en courant.

Une heure plus tard, deux filles se concentraient depuis la tour. Plusieurs bocaux de Scararmées à leurs pieds.

Elles gelaient l'eau du fleuve avec leur altération.

Elles continuèrent jusqu'à ce que la surface soit dure comme du roc sur une centaine de mètres et s'effondrèrent toutes les deux en même temps, vidées de leur énergie.

— Maintenant, les deux armées sont isolées, rapporta Ross. Et sans communication entre elles, c'est nous qui avons l'avantage.

Au petit matin, Matt et Tobias retrouvèrent Zélie et Maylis sur la tour la plus haute du mur sud.

— Vous vouliez nous voir ? demanda Matt.

Zélie tendit l'index vers l'horizon.

La plaine avait disparu.

Les collines tout entières qui s'étendaient au-delà aussi.

Le paysage était écrasé par des milliers de troupes cyniks. Si nombreuses qu'elles recouvraient la moindre parcelle d'herbe.

Des chariots par centaines, des chevaux, des ours, des cages gigantesques, et tant de lances dressées vers les nuages qu'il semblait qu'une forêt de roseaux noirs avait poussé durant la nuit.

— La quatrième et la cinquième armées, murmura Matt, sans force.

— Ils sont tous là, compléta Zélie.

— Voilà ce qu'ils attendaient. Être assez nombreux pour nous balayer facilement.

— Pas seulement, prévint Maylis en lui tendant des jumelles.

Matt scruta la direction qu'elle lui indiquait et découvrit un énorme véhicule qui avançait pour se placer au sommet d'une butte. Cela ressemblait à un char, comme ceux que Matt avait déjà vus les jours de parade dans les rues de New York, en beaucoup plus volumineux. Il était fait avec des bambous, grand comme une maison, avec une terrasse sur le toit, et une dizaine de soldats en armure qui guettaient depuis de petits balcons.

Sept drapeaux rouge et noir avec la pomme argentée en son centre flottaient tout autour.

Et deux mille-pattes gigantesques portaient ce char incroyable, longs et hauts comme des camions. Leurs appendices agrippaient la terre et ondulaient à l'instar des chenilles d'un tank.

Lorsque Matt vit le bras armé de Malronce sortir sur un des balcons, son général en chef, il sut que sa mère était à son bord.

La Reine venait superviser son triomphe.

Alors Matt lâcha les jumelles et partit en courant.

Tobias le retrouva dans l'armurerie principale.

Matt était occupé à affûter son épée.

Sa précieuse lame qui l'avait si souvent servi, qui l'avait protégé, et qui avait déjà pris bien des vies.

Matt frottait l'acier contre la pierre avec tant de force que ses mâchoires étaient contractées.

— Si tu continues, tu vas la casser, dit Tobias.

— Je l'ai vue, Toby. Ma mère. Elle est là.

Tobias hocha la tête.

— Je sais.

— Il faut que tout cela s'arrête. Il faut qu'elle cesse cette folie.

Matt leva sa lame devant lui et passa son pouce sur le fil pour en juger la finesse. Sa peau s'ouvrit aussi facilement qu'un fruit trop mûr.

— D'abord le Raupéroden, mon père, et ensuite elle ! J'en ai assez de fuir, assez d'avoir peur. Cette fois je vais rester droit, jusqu'à ce que le dernier Cynik soit tombé.

Matt mit son pouce dans sa bouche pour stopper le saigne-
ment.

— Et même si un miracle pareil se produisait, que ferais-tu
ensuite ? Tu… Tu ne peux pas affronter ta mère ! On ne se bat
pas contre ses parents, c'est impossible !

Matt observa son pouce humide. Le sang réapparut aussitôt.

— Les coupures les plus douloureuses sont celles que l'on
s'inflige soi-même, pas vrai ?

Tobias pencha la tête, pas certain de voir où il voulait en
venir.

— C'est à moi, et à moi seul de régler le problème Malronce,
ajouta Matt. Je ne sais pas encore comment. Mais je dois le
faire.

— Il y a quelque chose de pourri au royaume des Cyniks. Ça
ne s'arrêtera pas facilement. Ils sont aveuglés par la haine.

— Par l'ignorance !

— Le résultat est le même : ils obéissent à celle qui sait leur
parler. Balthazar avait raison : ils n'ont plus de mémoire, ils ne
sont que des coquilles vides qui ne demandent qu'à être remplies ! C'est ça qui les rend si mauvais.

— Je déteste ce que sont devenus les adultes !

— Pas tous, ajouta Tobias. Le vieux Carmichael était
sympa… Et Balthazar aussi. Peut-être qu'il y en a d'autres ?

— J'en doute.

Matt s'apprêtait à enfiler son gilet en Kevlar lorsqu'il se figea
au-dessus du vêtement.

— Attends une seconde… Mais oui ! Tu as raison !

— À quel propos ?

Matt attrapa le gilet, mais ne l'enfila pas.

— Je sais ce que je dois faire ! dit-il.

— Chercher d'autres adultes normaux ?

— Non. Dormir !

La pluie s'interrompit quelques minutes en fin de matinée.

Un héraut cynik en profita pour approcher des remparts sur son cheval, le drapeau de la Reine au bout d'une lance qu'il tenait d'une main.

Melchiot ordonna qu'on ne tire pas, l'homme venait seul et manifestement dans l'intention de délivrer un message.

Zélie et Maylis se rendirent sur une tour pour le voir arriver.

— Peuple enfant ! s'écria-t-il. Je viens vous délivrer la parole de notre reine Malronce !

Sa voix portait loin dans la vallée, résonnant contre les escarpements au-dessus de la forteresse.

— Nous t'écoutons ! répondit Zélie avec moins de coffre.

— Rendez les armes ! Ouvrez ces portes, et la Reine saura se montrer clémente ! Épargnez-vous un siège douloureux qui n'aura pour issue que la mort !

Plus aucun Pan ne parlait, tous écoutaient avec attention ce petit bonhomme minuscule tout en bas du mur de pierre.

— Ta Reine est menteuse et perfide ! s'écria alors Maylis. C'est votre sort qu'elle cherche à négocier ! Car le nôtre, elle l'a scellé en rêve depuis longtemps ! Elle nous veut morts jusqu'au dernier !

Le héraut allait ouvrir la bouche pour répliquer mais Zélie ne lui en laissa pas le temps :

— Rentre auprès d'elle, et dis-lui que les Pans ne tremblent pas !

Le héraut secoua la tête, déçu.

— Dieu nous lance dans cette épreuve, dit-il, pour tester notre foi ! Il n'y a rien que vous puissiez faire pour échapper à Sa volonté !

— Aucun dieu ne réclamerait qu'un père lui sacrifie son enfant ! Aucun dieu qui mériterait d'être adoré en tout cas !

Le héraut fit reculer son cheval et leva son drapeau encore plus haut.

— Alors préparez-vous à subir la colère du Jugement dernier ! hurla-t-il en partant au galop.

L'affrontement ultime venait d'être scellé.

54

Les deux fronts

Les murs tremblaient.

La poussière entre les pierres glissait à chaque coup sourd contre la terre.

L'oxygène semblait manquer dans les couloirs, les Pans respiraient avec difficulté, la poitrine oppressée par l'angoisse.

Même le feu des torches paraissait différent, moins limpide, plus hésitant.

Sur les remparts, les jeunes soldats couraient pour répartir les carquois de flèches, préparer les lances et distribuer les tubes de Scararmées à chacun.

Les mains étaient humides et froides. Les mots se faisaient rares, du bout des lèvres.

De dehors, le martèlement était encore plus assourdissant, il cognait contre les parois de roche et d'écorce de la vallée.

Car la plaine au sud se déplaçait.

Une mer noire aux vagues régulières, au ressac hypnotisant. Des milliers de guerriers progressant à la même cadence, frappant le sol de leurs lourdes semelles comme sur la peau d'un tambour.

Leurs casques brillants sous la pluie ondulaient en rythme, ils avançaient sans hésitation, parfaitement synchronisés, à l'instar de machines programmées pour l'affrontement.

Ils envahissaient le paysage dans toute sa largeur, et jusqu'au bout de sa profondeur.

Le premier rang progressa pour s'immobiliser à portée de flèche et leva de gros boucliers derrière lesquels ils s'abritaient. Les archers cyniks coulissèrent entre les jointures de ce mur d'acier pour tendre leurs arcs et faire pleuvoir la mort.

Les Pans eurent le temps de se jeter à couvert des créneaux avant de répliquer à leur tour.

Les arcs électriques tombèrent des tours pour tailler des brèches dans la défense des boucliers, les armures s'embrasèrent d'étincelles aveuglantes, les Cyniks hurlèrent et avant même qu'ils puissent renvoyer un nouveau tir, une centaine d'entre eux gisaient carbonisés au milieu de l'herbe roussie.

Mais la marée humaine était si implacable dans la plaine que les morts et les blessés furent aussitôt remplacés.

Les éclairs rouges, bleus et verts illuminèrent l'armée de Malronce, soulevant d'autres corps, avant que des jets de flammes giclent des remparts sous le commandement de Melchiot.

Pour laisser un peu de répit aux artificiers qui puisaient dans leur altération, les archers Pans entrèrent dans la danse, coordonnés par Tania. Pendant une seconde, la pluie cessa au-dessus des Cyniks tant il y avait de flèches dans le ciel.

Puis près de mille pointes frappèrent les boucliers, certaines parvenant à se frayer un chemin entre les articulations des armures pour percer les chairs ennemies.

Alors les Cyniks répondirent, écrasant l'essentiel de leurs tirs contre les murs de la forteresse.

Pour un Pan touché, dix Cyniks s'effondraient, terrassés.

Cependant, l'agitation dans la plaine ne passa pas inaperçue, le bruit des troupes, les hurlements et les illuminations de l'altération permirent aux Gloutons, de l'autre côté de la forteresse, de se préparer à leur tour.

Leur tactique était simple : charger sans faiblir jusqu'au pied des remparts.

Toute l'armée de silhouettes grossières, trapues et maladroites, s'élança en courant, sous les ordres de la cavalerie cynik qui, elle, restait en retrait.

— Tania ! hurla Ross. Envoie tes archers sur le flanc nord ! Il ne faut pas que les Gloutons parviennent à la porte !

Tania entraîna avec elle les trois quarts des Pans qui occupaient les remparts pour descendre dans la cour. Il y avait tellement de guerriers Pans amassés dans la forteresse que les déplacements de troupes en étaient gênés, et lorsque Tania et ses unités parvinrent enfin en place, les Gloutons étaient déjà en bas des murs, se préparant à enfoncer la porte avec un tronc d'arbre fraîchement découpé pour bélier.

Tania se pencha en avant, le buste au-dessus du vide et braqua son arc sur le premier Glouton visible.

La flèche se planta droit dans sa nuque, le tuant sur le coup.

Des centaines suivirent, encore et encore, jusqu'à ce que les Gloutons encore valides ne puissent plus avancer ou reculer sans trébucher sur les cadavres de leurs congénères.

Mais un autre flot de Gloutons s'avança en courant et lorsque Tania leva les yeux, elle vit à travers la pluie qu'il en restait tant dans la vallée qu'elle mourrait d'épuisement bien avant de voir le dernier tomber.

Tobias avait rejoint les deux cents archers qui restaient sur le mur sud et enchaînait les flèches à une vitesse inouïe. Il ne prenait pas la peine de viser, se contentait d'envoyer dans le paquet de soldats, et son débit était tel que les Cyniks ne parvenaient pas à suivre, un trou commença à se former sur les premiers rangs.

Peu à peu, il vit des hommes éviter cette zone, et d'autres refuser d'en approcher.

Au sommet d'une tour, plusieurs Pans se préparaient à une attaque un peu spéciale. Deux filles dont l'altération était de produire du vent se concentraient avec un groupe spécialisé dans le froid. Brusquement, une rafale givrante s'abattit sur un bataillon entier de Cyniks qui eut à peine le temps de frissonner que le gel enveloppa leurs armes, leurs armures, et déposa sur leur peau une morsure pénétrante.

Ce fut la panique, les soldats lâchèrent leurs lances, leurs boucliers et leurs épées pour bousculer leurs camarades afin de fuir.

Plus loin, les éclairs et le feu continuaient de tailler des brèches dans les déferlantes successives, et les hommes de Malronce finirent par marcher sur des cadavres.

Tobias changeait de position dès qu'il avait vidé un carquois pour que la panique se répande plus facilement. Il grimpa au sommet d'une tour carrée lorsqu'il tomba nez à nez avec un grand garçon à la peau aussi noire que la sienne, un bandana vert noué dans les cheveux.

— Terrell ?

— Tobias ?

— Vous êtes là ? Toute la Féroce Team ? s'exclama Tobias en constatant qu'une quinzaine de garçons l'accompagnaient, équipés de casques de hockey et d'épaulières de football américain.

— Un Long Marcheur est venu nous annoncer la guerre, répondit Terrell. Nous ne pouvions pas rester planqués ! Et Matt, il est là aussi ?

— Oui, il… Il est occupé pour l'instant.

Tobias ne l'avait plus revu depuis leur conversation dans l'armurerie, et s'il fallait en croire ses derniers mots, il était parti se coucher. C'était plus qu'étrange comme attitude, surtout pour un garçon qui avait toujours répondu présent pour affronter les Cyniks, mais Tobias lui faisait confiance.

Terrell leva son arbalète en carbone devant lui.

— On a déjà fait des dégâts ! Hélas, il en vient de partout !

— Il ne faut pas baisser les bras ! fit Tobias en haussant la voix. Tant qu'ils n'approchent pas des portes, nous ne craignons pas grand-chose !

Le grondement des éclairs obligeait les garçons à crier pour s'entendre.

Un murmure de panique se propagea en bas dans la cour de la forteresse et Tobias entendit un choc sourd qui fit trembler les murs.

— Les Gloutons ! s'affola-t-il. Ils vont entrer !

Terrell et toute la Féroce Team lui emboîtèrent le pas et se précipitèrent dans le tunnel qui conduisait à la porte nord.

Une énorme masse cognait contre les battants d'acier, et ceux-ci commençaient à ployer.

Tobias se fraya un chemin parmi les soldats Pans pour être en tête et il se prépara à en découdre.

Terrell et toute la Féroce Team posèrent un genou à terre, arbalètes levées, prêtes à cracher la mort.

— On est avec toi, dit le grand garçon. Personne ne passera !

Lorsque les portes cédèrent, une nuée de Gloutons, ces êtres humanoïdes à la peau fripée et couverts de pustules, envahirent le couloir en beuglant, gourdins, masses et longues lames au poing.

Les arbalètes émirent un claquement sec tandis qu'elles envoyaient leurs carreaux transpercer ces monstres agressifs et Tobias multiplia les tirs pour laisser à la Féroce Team le temps de recharger.

Le tunnel était heureusement assez étroit et ne permettait pas à plus de six ou sept individus de passer de front, et les Gloutons se bousculaient maladroitement, rarement à plus de cinq, ce qui laissait à Tobias l'opportunité de tous les toucher en quelques secondes. Ils étaient à vingt mètres.

Puis à quinze.

Les Gloutons trébuchaient sur les cadavres.

Mais il en surgissait tant que leur progression était constante.

Tobias attrapa le Pan le plus proche et lui cria :

— Monte dire à Tania qu'elle concentre les tirs sur l'entrée, il faut couper le débit des forces Glouton !

Tobias aperçut soudain Chen qui rampait au plafond, juste au-dessus des Gloutons. Le garçon déversa une énorme gourde sur eux avant de fuir en évitant les gourdins qui lui étaient lancés.

— Du feu ! hurla-t-il.

Tobias planta la pointe de sa flèche dans une des torches du couloir jusqu'à arracher un morceau de tissu imbibé d'huile et tira sur les Gloutons trempés.

Ils s'enflammèrent d'un coup et se mirent à gesticuler comme des pantins incontrôlables.

À peine s'effondraient-ils que d'autres accouraient, étouffant les flammes en marchant dessus, ils n'étaient plus qu'à dix mètres.

Tobias multiplia les tirs, avec la Féroce Team, jusqu'à n'avoir plus que dix flèches dans le carquois.

Il s'apprêtait à battre en retraite et abandonner le couloir aux Gloutons quand il s'aperçut qu'il n'en restait qu'une demi-douzaine. Au-dehors, un mur de flèches scellait l'accès, provisoirement du moins.

Tobias décocha ses dix derniers traits sur les quatre assaillants les plus proches et sortit son poignard en chargeant.

La Féroce Team fit de même, harpons de pêche sous-marine, piolets d'escalade et couteau de chasse étaient leurs armes.

Les Gloutons cognèrent violemment contre les casques de hockey avant d'être transpercés de tous les côtés.

Tobias esquiva un coup de masse garnie de clous, puis un second avant de trouver la faille et d'entailler la cuisse du Glouton. Les clous tombèrent d'un coup en direction de son visage, sa célérité lui permit de rouler entre les jambes du monstre et de surgir dans son dos pour le terrasser en plein milieu de la colonne vertébrale.

S'il n'avait ni la force de Matt, ni son intelligence du corps à corps, Tobias se félicita d'avoir une vitesse surhumaine qui venait, une fois encore, de le sauver.

Des amas de Gloutons morts ou gémissant encombraient le tunnel.

— Les portes ! Il faut les consolider tant qu'on peut encore les atteindre ! s'écria-t-il.

Vingt Pans l'accompagnèrent en soulevant de grandes poutres de bois. Une montagne de cadavres s'accumulait au pied des remparts. Tania et ses archers tenaient provisoirement en respect tous les Gloutons qui approchaient aussi Tobias se dépêcha-t-il de repousser les battants métalliques. Ils les renforcèrent avec les poutres, puis firent rouler de lourds tonneaux pour bloquer l'accès.

— Maintenant, c'est comme la porte sud, personne ne peut plus entrer, dit un Pan en sueur. Ni sortir.

Pendant cinq heures la houle humaine avait nourri le front, déversant ses lames infatigables au milieu des éclairs, des flammes, des flèches, et des rafales glaçantes. Il n'en restait plus qu'un liséré interminable de cadavres qui souillaient la vallée dans toute sa largeur, semblable à une bande d'algues nauséabondes.

Plusieurs cors sonnèrent au crépuscule et la marée se replia d'un coup, comme si elle avait attendu cet instant depuis toujours.

Les lanternes s'allumèrent au loin dans l'immense camp cynik, et le silence revint sur la Passe des Loups.

— Ils capitulent ? s'enthousiasma Nournia.

— Ils marquent une pause, corrigea Zélie.

— Le temps de revoir leur stratégie, compléta Ross. Je crois qu'ils ne s'attendaient pas à une telle résistance.

— Les lanceurs d'éclairs sont au bord de l'évanouissement, rapporta Maylis, ils n'auraient pas tenu une heure de plus.

— Ça les Cyniks l'ignorent ! Cependant ne nous laissons pas berner, cette nuit il faudra redoubler d'attention, ils vont peut-être tenter autre chose. C'est ce que je ferais si j'étais à leur place. Pour tester notre vigilance.

Zélie désigna le champ de bataille du menton.

— Au moins la forteresse nous permet de tenir !

— Ça ne durera pas, répondit Ross. Elle a ses limites. L'essentiel de nos troupes ne sert à rien pour l'instant, ils attendent dans les halls et dans la cour. Seuls les archers et les lanceurs d'éclairs participent. Ils s'épuisent, vident nos stocks de flèches et viendra un moment où nous serons acculés ici.

— Que proposes-tu ?

— Anticiper. Garder la maîtrise du terrain. Il faut que nous sortions, profitions de l'avantage de notre cavalerie canine pour des attaques rapides, et protégions nos remparts par l'infanterie.

— Ça signifie des combats rapprochés. Les Cyniks sont plus forts que nous à ce jeu-là.

— Nous savons depuis le début que c'est inévitable.

Zélie secoua la tête.

— Pour l'instant nous n'avons presque pas de pertes, si j'envoie les troupes dehors, ils tomberont par centaines.

— Pour l'instant nous ne faisons qu'écorcher l'avant-garde cynik ! Et ils nous épuisent. Si tu attends d'avoir perdu la maîtrise pour lancer l'infanterie, il sera trop tard. Le Conseil d'Eden vous a nommées, toi et ta sœur, pour diriger cette armée, cela signifie porter le poids de vos décisions. C'est une guerre, Zélie, il y aura des morts. Que tu le veuilles ou non.

La jeune Pan acquiesça sombrement.

— Je sais…, murmura-t-elle.

— Cet après-midi, nous leur avons porté un coup au moral, mais il ne faut pas se leurrer, ce n'était que ça, car leurs effectifs sont tels qu'ils n'ont rien perdu d'autre aujourd'hui !

— Alors continuons sur ce terrain, répliqua Zélie. Harcelons-les. Si nous ne pouvons triompher physiquement, brisons leur moral !

— Une attaque avec les chiens ! proposa Maylis. Pour que les lanceurs d'éclairs puissent se reposer.

Tania arriva, tout essoufflée.

— Les Gloutons ne faiblissent pas ! annonça-t-elle.

Zélie soupira.

— Prends un tiers de tes archers pour les repousser et fais reposer les autres. Tu alterneras tant qu'ils nous attaqueront.

— C'est que… à ce rythme nous n'aurons plus de flèches pour terminer la journée de demain.

Zélie échangea un regard avec Ross.

— Nous ne pouvons mener deux fronts en même temps, pesta Zélie. Ce sera les archers sur les Gloutons, tout le reste contre les Cyniks au sud.

Floyd se posta devant elle.

— Je sors avec les chiens, proposa-t-il. Nous frapperons sans qu'ils s'y attendent, fort et vite.

— Pendant ce temps nos troupes vont se mettre en place, exposa Zélie. Juste avant l'aube, elles passeront à l'attaque, pour bénéficier de l'effet de surprise.

Ross attendit d'être seul avec Zélie et il l'attrapa par le poignet.

— Je sais que c'est une décision difficile à prendre, dit-il.

— Demain j'envoie des amis à la mort.

Elle avait les larmes aux yeux.

— Dans l'espoir d'en sauver beaucoup d'autres.

La cavalerie canine sortit sans un bruit, guidée par Floyd.

Elle se rapprocha le plus près possible du campement cynik et fondit sur l'armée endormie à toute vitesse, décimant les gardes à coups de piques en bois, attrapant les lanternes à graisse que les jeunes cavaliers lançaient sur les tentes pour les enflammer. En dix minutes, les six cents chiens et leurs maîtres semèrent la panique avant de fuir en direction de la forteresse.

Les Cyniks, trop sûrs d'eux, ne s'étaient pas du tout préparés à un assaut nocturne, trop peu de gardes, aucun moyen de défense. Les dégâts furent considérables.

En une heure d'incendie, ils perdirent deux fois plus d'hommes et de matériel qu'en une demi-journée de combats.

L'opération des Pans avait été un véritable succès.

Qui déclencha les foudres de Malronce.

Les archers furent déplacés dans la nuit pour laisser le passage à des convois d'infanterie encadrés par des ours couverts de plaques d'armures.

L'aube verrait un assaut sans pitié. Cette fois Malronce ne jouait plus.

Mais durant cette nuit, les Pans mobilisèrent leur effort militaire sur l'autre flanc de la forteresse.

Les Gloutons continuaient d'expédier leurs effectifs contre

le rempart, et cette fois ne progressaient plus totalement à découvert. Ils avançaient par grappes de quinze ou vingt, sous des boucliers improvisés avec des radeaux de troncs ficelés entre eux.

C'était assurément une idée des cavaliers cyniks, les Gloutons étaient trop bêtes pour cela.

Et non seulement ils étaient protégés des flèches, mais l'absence de lanternes leur permettait de passer à peu près inaperçus sous la pluie.

Tania, bien que fatiguée, continuait de superviser la défense.

Elle venait de repérer une cinquantaine de Gloutons amassés tout près des portes.

— Allez chercher de l'huile pour les torches! demanda-t-elle à l'un de ses lieutenants. Nous allons leur montrer qu'il ne faut pas approcher!

Tania laissa les Gloutons se faufiler jusqu'aux portes et ordonna qu'on jette l'huile sur eux. Une flèche à la pointe enflammée suffit à embraser le commando ennemi qui se dispersa en hurlant.

Mais le double réapparut peu après et personne ne les avait vus approcher.

— Nous ne pourrons tous les repousser, il nous faut les lanceurs d'éclairs pour illuminer la zone!

— Ils se reposent, avertit son lieutenant.

— Si nous attendons plus longtemps, les Gloutons seront deux mille à s'engouffrer dans la cour avant le lever du soleil!

Les lanceurs d'éclairs vinrent sur le rempart nord, les yeux encore chargés de sommeil. Ils marchaient avec difficulté, et durent se tenir contre les créneaux pour rester debout.

La journée venait de les vider de toute énergie et il fallait qu'ils recommencent.

En les voyant prendre place, Tania comprit qu'ils allaient se tuer à l'effort.

Quelle autre solution avait-elle? Elle prépara ses archers et les éclairs crépitèrent.

À travers les flashes qu'ils produisaient, les archers pouvaient repérer les Gloutons et ajuster leurs tirs.

C'était pire que ce qu'avait imaginé Tania.

Toute l'armée Glouton était à présent face à la forteresse, en train de glisser lentement et silencieusement vers sa proie.

— Allez prévenir Zélie et Maylis que nous avons de la visite ! hurla Tania.

Les flèches se mêlèrent à la pluie, les éclairs transpercèrent des dizaines d'ennemis, mais lorsque Tania vit les lanceurs perdre conscience les uns après les autres, elle leur ordonna d'arrêter.

Les Scararmées à leurs pieds ne semblaient guère plus vaillants, ils produisaient une lumière plus faible que d'habitude.

— Il faut trouver autre chose, dit-elle.

— Avec la pluie, il est impossible d'allumer des feux dans la vallée ! rétorqua son lieutenant.

Tania ordonna qu'on poursuive les tirs, il y avait tant de Gloutons en bas qu'une flèche sur deux au moins atteindrait une cible.

— Préparons l'infanterie, dit-elle. Cette nuit les Gloutons vont entrer ! Je ne vois pas d'autre…

Sa voix mourut dans sa gorge en apercevant un étrange halo au loin dans la Passe des Loups.

Derrière l'armée de Gloutons, une formidable alternance de lueurs rouges et bleues semblait se rapprocher et fonçait droit sur eux et sur la forteresse.

Après dix minutes, Tania contempla le plus grand déplacement de Scararmées qu'elle ait jamais vu de toute sa vie.

Des millions d'insectes grouillaient sur le sol, parfaitement séparés en deux courants, les uns diffusant une lumière rouge sous leur ventre, les autres une lumière bleue.

— L'opération « Nouvelle route » ! murmura Zélie. Elle a fonctionné !

Un flot de Scararmées avait envahi la Passe des Loups.

55

Victoire et défaite

Lorsque Matt sortit du donjon pour gagner les remparts, il vit la nuit comme il ne l'avait jamais vue : traversée de lumières nombreuses, zébrée d'éclairs comme des rayons lasers, au point que la pluie semblait disparaître.

Il avait dormi plus de douze heures, dans un état plus proche de la méditation que du réel sommeil.

Dans un but précis. Qu'il pensait à présent avoir atteint.

Sa surprise fut totale en découvrant la coulée de Scararmées bicolores qui avait envahi la vallée jusqu'à la forteresse. Les insectes cherchaient à présent à la contourner en escaladant un escarpement rocheux.

Mais le nombre était tel qu'ils dégageaient une énergie colossale.

Tous les Pans sentaient au bout de leurs doigts, un picotement au niveau de la nuque, jusque dans leur chair.

Les lanceurs d'éclairs, moribonds un quart d'heure plus tôt, encombraient à présent les cieux de leurs projectiles foudroyants.

Quelques Scararmées dans des tubes avaient suffi à décupler l'altération de chacun aussi tout une rivière de ces incroyables insectes engendrait une étourdissante sensation de pouvoir infini.

Les Gloutons explosaient. Ils giclaient dans les airs. Massacrés par les éclairs et ceux qui survivaient étaient abattus par les flèches des archers.

Un gigantesque carnage.

La rumeur à propos de Scararmées réveilla toute la forteresse et les Pans accoururent pour assister au spectacle. Chacun voulant y aller de sa contribution, pour *sentir* l'énergie de cette rivière magique.

Le feu, la glace, le vent et même l'eau tombèrent sur des Gloutons désespérés, affolés.

Soudain, les chevaux se cabrèrent et plusieurs adultes tombèrent tandis que deux mille Pans les prenaient à revers, armés de pioches, de pelles et de piques.

Bien que largement dépassés par le nombre, les Cyniks causèrent de lourdes pertes parmi les enfants et les adolescents.

Car une partie des membres de l'opération « Nouvelle route », qui avait pour objectif de détourner la rivière de Scararmées au nord d'Eden jusqu'ici, n'avaient pas douze ans. Les plus jeunes, qui refusaient d'attendre à Eden le temps que leurs aînés les défendent, avaient formé cette armée de creuseurs, nouvellement experts en déviations.

Face à des adultes solides et à cheval de surcroît, ils ne faisaient pas le poids. Leur avantage numérique et les éclairs de leurs camarades les sauvèrent d'un massacre probable, toutefois cela n'empêcha pas deux cents d'entre eux de ne pas se relever et autant de souffrir de blessures importantes.

La forteresse les accueillit en héros, mais si le flanc nord était à présent dégagé, il restait l'essentiel des troupes de Malronce rassemblées de l'autre côté.

Comme prévu par l'état-major des Pans, quatre mille de leurs guerriers s'élancèrent dans la plaine juste avant l'aube, en espérant bénéficier de la surprise pour enfoncer le front cynik.

Les premiers rangs tombèrent rapidement, incapables de résister à ce déferlement inattendu, jusqu'à ce que surgissent les chariots tirés par les ours en armure.

Les ours chargeaient, la bave aux babines, et ils n'eurent aucune peine à pénétrer au cœur des troupes Pans. Les chariots s'ouvrirent alors sur une vision d'horreur : des Rôdeurs Nocturnes sortirent, fous de rage, et se mirent à frapper tout ce qui passait à leur portée. Une vingtaine de ces monstres se répandirent au milieu des adolescents qui se firent tailler en pièces.

Les Pans durent se réorganiser en urgence, combattre la menace au cœur de leur troupe, et les Cyniks en profitèrent pour envoyer tout ce qu'il restait de la deuxième armée de Malronce.

Les lanceurs d'éclairs arrivaient à peine après avoir exterminé les Gloutons et leur puissance s'abattit sur tous les adultes qu'ils pouvaient atteindre malgré la distance.

Pourtant, il y en avait tant que cela ne suffisait plus.

Assaillies de toute part, et rapidement dominées par le nombre, Zélie et Maylis contemplèrent leur armée se faire lentement grignoter par l'ennemi.

— Faites sonner la retraite ! ordonna Zélie.

— Et envoyez la cavalerie canine faire diversion ! ajouta Maylis.

Les six cents chiens galopèrent dans la plaine et prirent les Cyniks par le côté. Tobias menait un groupe qui cribla de flèches une compagnie de Cyniks en train d'achever les blessés.

Matt fit siffler son épée sous la pluie.

Des têtes et des bras roulèrent.

Son gilet en Kevlar lui sauva la vie plusieurs fois, arrêtant les pointes des lances ou les tranchants des épées.

Puis un autre cavalier Pan surgit sur son chien. Il se tenait de travers, handicapé par ses blessures, il avait fui l'infirmerie pour prendre part au combat, pour avoir son lot de Cyniks, pour se venger d'eux, pour exprimer sa haine.

Horace.

Il chargea, une épée dans les mains, et se battit avec tant de détermination qu'il parvint à repousser tout une colonne d'ennemis à pied. Billy, son chien, semblait partager la même rage, il mordait et donnait des coups de pattes terribles.

Matt vint à son niveau pour protéger ses flancs.

— Tu es fou ? s'écria-t-il. Tu n'es pas en état !

— Je ne vous laisserai pas tomber !

— Tu es blessé, Horace !

— Un jour tu m'as dit qu'il y avait de la haine pour les Cyniks dans mon regard ! Qu'elle me servirait à me battre ! Tu avais raison, Matt Carter ! Je ne resterai pas à l'abri à vous attendre ! Je sais désormais que j'attendais ce moment ! Depuis que je les ai vus massacrer mes copains ! Je ne les laisserai plus faire ! Ils vont payer !

Matt sut qu'il ne pourrait rien pour le raisonner, alors il joignit son arme à celle d'Horace et ensemble, rage et force combinées, ils firent tomber bien des guerriers ennemis pendant que l'armée Pan reculait en toute hâte.

Mais la porte de la forteresse était trop petite pour que les milliers de Pans puissent s'y engouffrer rapidement, et minute après minute, des adolescents s'effondraient, des chiens tombaient, et l'armée cynik se regroupait autour d'un noyau de plus en plus petit.

Matt sentait que leur ligne de défense allait craquer d'un instant à l'autre, que la percée cynik allait être brutale et qu'ils seraient alors totalement submergés. Il ordonna à ses compagnons de tenir malgré la fatigue, malgré le surnombre, et ils jouèrent de la mobilité de leurs chiens pour esquiver les coups et frapper à toute bride.

L'armée Pan était enfin à l'intérieur, mais la plaine autour de Matt était jonchée des cadavres d'adolescents et de chiens. Alors il hurla à la cavalerie canine de se replier et ils foncèrent vers les portes pendant que Matt, Tobias et quelques autres les couvraient.

Les Cyniks se déversèrent comme un flot sur chaque espace laissé libre par la cavalerie canine. Les derniers résistants, dont Matt et Tobias, allaient se faire engloutir, ils décrochèrent mais une quinzaine de Cyniks leur barrèrent le chemin aussitôt.

Horace surgit devant eux et fendit leurs rangs avec Billy.

Le garçon cognait, encore et encore, il fracassait les épaules, les crânes, entaillait les membres, aveuglé par la violence.

À lui tout seul il parvint à repousser l'escouade adulte et les derniers Pans purent s'échapper. Seul Matt resta un instant sur place, à guetter cet ami qui partait au milieu des troupes ennemies. Il hésita à l'accompagner pour une dernière chevauchée.

Mais Horace n'en avait cure de périr. Il n'y avait aucun

héroïsme dans ce sacrifice, rien qu'une folle colère à étancher par le sang.

C'était son choix, pas celui de Matt.

Horace les avait sauvés en se précipitant seul, mais il savait également qu'il ne reviendrait pas.

Aussi l'adolescent lui dit-il adieu au milieu du fracas de l'acier et il lança Plume au galop pour rejoindre les remparts.

Matt et Tobias rentrèrent parmi les derniers, juste avant que les portes ne soient refermées, ils étaient couverts de sang.

Matt se rendit au sommet des marches pour voir Horace taillader et fendre ses adversaires. Billy et lui ne faisaient plus qu'un.

La compagnie au milieu de laquelle ils se battaient se dilata soudain, comme une mer qui se retire d'une plage avant de lancer une vague encore plus féroce pour balayer toutes les aspérités du sable. Horace et Billy disparurent sous cette lame de cris et de fer, jusqu'à ce qu'une écume rouge remonte à la surface.

Matt mit sa main sur son cœur, pour cet ami qui venait de disparaître, la gorge nouée.

Un tiers des effectifs Pans venaient de succomber.

Et l'armée de Malronce était à présent aux portes de la forteresse.

Les lanceurs d'éclairs en repoussèrent une partie le temps que le soleil se lève sur le champ de bataille où gisaient bien trop de cadavres.

Alors débuta un manège abject.

Les Cyniks se précipitèrent sur les corps de tous les enfants morts dans la plaine et les entraînèrent au loin, pour les déshabiller et examiner leur peau.

Même au milieu de la bataille, leur obsession de la Quête des Peaux perdurait.

La pluie redoubla, et le tonnerre d'un orage qui approchait par le nord claqua au-dessus de la vallée.

Les Scararmées étaient parvenus à franchir l'éperon rocheux

mitoyen avec une des tours, et le flot rouge et bleu s'écoulait à présent en direction de la plaine.

Les lanceurs d'éclairs produisaient tant de foudre que l'air était chargé d'électricité, les cheveux flottaient comme dans l'eau.

Puis, un à un, ils vacillèrent.

Regie et Doug, les deux frères qui représentaient l'île des Manoirs, se précipitèrent vers les artificiers inconscients.

— Qu'est-ce qui leur arrive ? s'inquiéta Regie.

Doug palpa la gorge du premier avant de poser son oreille sur sa poitrine. Puis il fonça sur le suivant et enfin sur un troisième.

— Ils... ils sont morts ! dit-il, livide.

Galvanisés et enivrés par la colossale énergie des Scararmées, ils avaient tout donné, sans même sentir que leur propre vie basculait peu à peu, ils ne s'étaient pas rendu compte que chaque décharge ne pompait pas seulement la force vitale des Scararmées, mais la leur.

Débarrassées de cette menace, la quatrième et la cinquième armées cyniks vinrent se mêler au siège, et les coups de bélier contre la porte ne tardèrent pas à résonner dans toute la forteresse.

Pour l'heure, à l'intérieur, les Pans s'occupaient surtout de rassembler leurs blessés, nombreux, et de les mettre à l'abri dans les salles et dans les grands halls voûtés.

Matt terminait d'essuyer le sang qui maculait son visage lorsqu'il retrouva Zélie et Maylis en haut d'une tour.

— Combien de temps les portes peuvent-elles tenir ? demanda-t-il.

— Pas plus d'une heure, répondit la plus grande des deux sœurs.

— Et ensuite ?

— Nous tenterons de contenir les Cyniks dans le tunnel, en massant toutes nos forces dans la cour. Mais ils sont dix fois plus nombreux, tôt ou tard, ils passeront. Alors...

— Alors ce sera terminé pour nous, trancha Maylis. Nous avons tout fait pour tenir.

— Je dois sortir, prévint Matt. Je vais passer par la poterne côté fleuve, s'il est encore gelé, je devrais pouvoir rejoindre la berge facilement.

Tobias sursauta, il s'attendait à tout sauf à cela.

— Où vas-tu ?

— Faire face à Malronce.

— La Reine ? Tu es dingue ? Jamais tu ne pourras…

— Les Cyniks ne protègent pas du tout leurs arrières, seul je me faufilerai sans problème jusqu'au chariot d'où elle supervise la bataille.

— Et ensuite quoi ? Tu crois qu'il te suffira de vaincre son garde du corps et de la tuer pour que tous les Cyniks t'obéissent ?

Matt secoua la tête.

— Non, mais j'ai un allié de taille pour lutter contre Malronce.

— Qui ça ?

Le tonnerre gronda encore plus fort.

Matt tendit l'index en direction de l'orage qui se rapprochait.

— Lui. Et je dois filer d'ici avant qu'il n'arrive.

56

Ami(e)s

Matt terminait d'enfiler son équipement : gilet en Kevlar et baudrier d'épée dans le dos, lorsque Tobias entra dans la pièce.

— Je t'accompagne, fit Tobias. Et Ben vient aussi, il prépare les chiens.

— Ce n'est…

— Inutile de perdre ta salive et ton temps, nous venons avec toi. Si ça tourne mal, il te faudra quelqu'un pour te ramener.

Matt attrapa une paire de gants en cuir.

— Toby, je ne pense pas revenir.

— Quoi ? Comment ça ?

Matt se mordit la lèvre.

— Je doute que je puisse m'en sortir.

— Cette tempête, c'est le Raupéroden, pas vrai ?

Matt acquiesça.

— Tu as appelé ce monstre ? s'indigna Tobias.

— De toutes mes forces, à travers l'inconscience, ce monde qu'il sonde pour repérer ses proies. Je l'ai invoqué pendant des heures et des heures, jusqu'à ce qu'il m'entende. Je lui ai promis qu'il m'aurait. Je lui ai dit que j'avais compris que nous devions être réunis. Et il arrive.

— Tu vas l'attirer sur Malronce, comprit Tobias.

— Oui, tu l'as dit toi-même : les Cyniks sont mauvais parce qu'ils sont vides ! Et la peur remplit facilement les trous. Je pense que c'est la même chose avec Malronce.

— Pourtant elle se souvient ! Elle n'a pas perdu totalement la mémoire !

— Elle est vide d'amour, Toby. Il lui manque ce qu'elle avait de plus précieux avant la Tempête : moi, et mon père.

— Et tu vas vous réunir.

— Pour les apaiser tous deux. Pour que cette guerre prenne fin. Je suis certain que si je rassemble le Raupéroden et Malronce, il en naîtra quelque chose de bon. Ils sont mauvais parce que leur équilibre interne est rompu, parce qu'ils sont vides ! Cela va changer ! Les Cyniks obéissent aveuglément à leur Reine, ça peut marcher, Toby !

Comprenant ce que cela signifiait, Tobias serra les mâchoires pour empêcher les larmes de monter.

— Je viens avec toi, quoi que tu fasses, dit-il. Je ne te laisse pas.

Matt lui tendit la main.

— Comme les héros de nos jeux de rôles.

— Non, comme deux amis.

Matt et Tobias retrouvèrent Ben qui terminait de brosser Taker, Lady et Plume.

— Voilà, ils méritent au moins ça, dit-il en caressant son husky.

La cour était remplie de Pans qui attendaient que les coups contre la porte finissent par s'arrêter et que les Cyniks déferlent sur eux. Personne ne parlait, chacun serrait son arme, se préparant à l'assaut.

Toute une unité d'archers sortit du donjon pour aller en direction des escaliers relayer ceux qui harcelaient l'ennemi depuis les remparts, lorsque l'un d'eux s'immobilisa devant Matt.

— Je ne croyais plus jamais te revoir, dit une adolescente blonde.

— Mia ! Tu es ici !

— Pour les combats à distance, comme tu peux le voir. Je boite encore beaucoup, et mon épaule ne me permet que de tenir l'arc, mais ça ne m'empêche pas de viser juste.

— Fais attention là-haut, les Cyniks canardent aussi.

— Vous partez ?

Matt regarda ses deux compagnons.

— Oui. Nous filons pour…

Elle lui posa un doigt sur les lèvres.

— Ne me dis pas. Quand les Cyniks entreront ici, et quand tout sera terminé, je crois que je préférerais t'imaginer loin de cet endroit, et en vie.

— Ne dis pas ça, peut-être que vous les repousserez !

Mia le gratifia d'un regard tendre et eut un sourire triste.

— Personne ne se fait d'illusion. Au moins nous nous sommes battus pour notre idéal, pour notre liberté. Nous pensions que, peut-être, nous pourrions la gagner cette maudite guerre. C'est dommage, dans une autre vie, j'aurais aimé être avec toi.

Tous ses camarades étaient déjà dans l'escalier. Mia resserra son carquois contre elle pour s'adresser à Tobias et Matt :

— Je dois y aller. Merci de m'avoir sauvée de l'esclavage, et de l'anneau ombilical. Si je dois mourir, grâce à vous je garderai ma dignité. Adieu.

Elle déposa un baiser sur la joue de chacun et partit en boitant.

Ben ouvrit la poterne après s'être assuré qu'il n'y avait personne par la meurtrière la plus proche. Elle donnait sur un minuscule ponton au-dessus du fleuve gelé.

Tobias passa en premier et aventura un pied sur la glace pour en tester la solidité.

— C'est bon, dit-il. Elle est assez épaisse pour nous supporter.

Les trois chiens sortirent à leur tour puis les deux derniers garçons.

— Traversons le fleuve, proposa Matt. Sur l'autre rive, aucun Cynik ne pourra nous voir.

Ils étaient tout proches du champ de bataille et pouvaient entendre le fracas du bélier contre la forteresse et les cris des blessés à chaque nouvelle salve de flèches.

Matt commença à marcher sur la glace avec Plume à ses côtés.

Soudain quelque chose siffla à ses oreilles et, le temps qu'il comprenne, une flèche vint se planter dans le flanc de sa chienne.

— Plume ! Non !

Cinq Cyniks s'étaient écartés du reste de leur troupe pour inspecter la muraille et chercher une faille et ils arrosaient de projectiles ces proies inattendues.

Les trois garçons roulèrent sur la glace, mais en l'absence de tout couvert, ils n'allaient pas survivre bien longtemps.

Un des hommes tomba raide, un trait en travers de la tête. Un second suivit.

— Là-haut ! s'écria un des Cyniks en désignant le sommet de la tour. La garce !

Mia était penchée dans le vide pour les arroser, ses longs cheveux blonds flottant dans le vent. Elle parvint à abattre un troisième soldat avant qu'ils ne ripostent de deux tirs dont le second s'enfonça dans la poitrine de la jeune fille qui lâcha son arc.

— Mia ! cria Matt.

Tobias, qui portait son arc en bandoulière, profita de la confusion pour s'armer et viser. Une volée meurtrière tomba sur les deux derniers gardes.

Mia se cramponnait au créneau.

Elle chercha Matt et Tobias du regard et juste avant qu'elle ne bascule, il leur sembla qu'elle leur souriait.

Son corps heurta la glace en produisant un son horrible, un craquement sec fit trembler la croûte blanche et plusieurs fissures apparurent. D'un coup, Mia glissa dans un trou et disparut dans l'eau noire.

Matt fit un pas dans sa direction avant de comprendre qu'il ne pouvait plus rien faire, et il se précipita sur Plume qui tentait d'arracher la flèche avec ses crocs.

— Ne fais pas ça, tu vas empirer les choses. Laisse-moi faire.

La banquise se fendit de partout, et la partie sous la poterne se sépara en petits blocs instables.

— Il faut y aller ! s'écria Ben.

Matt avisa l'état de sa chienne. Il ne pouvait plus la renvoyer à la forteresse à présent mais elle saignait assez pour l'inquiéter. Il cassa la flèche à la base de la pointe en fer.

Plume parvint à se relever et à trotter jusqu'à la berge opposée, alors que la glace se brisait tout autour.

Matt se hissait à peine entre les roseaux que la plaque sous ses pieds se brisa.

Ils se faufilèrent dans l'orée de la forêt et contemplèrent la forteresse derrière eux.

Matt avait le regard embué par la tristesse.

Mia venait de donner sa vie pour eux.

Et des milliers d'autres Pans étaient prêts à en faire autant pour empêcher les Cyniks d'entrer.

Mais l'armée en face n'avait pas de fin.

Ce fut alors que les dragons surgirent dans le ciel.

57

Dragons

Ils tombèrent du ciel brusquement.

À travers les nuages bas, à travers la pluie.

Quinze formes majestueuses, que Matt prit d'abord pour des dragons.

Avant de reconnaître l'un d'entre eux, le plus grand.

Le Vaisseau-Matrice.

Quinze navires portés par leurs ballons d'air chaud, tractés à toute vitesse par des armadas de cerfs-volants que les rafales tiraient furieusement.

Une première bordée de flèches s'abattit sur les Cyniks depuis les airs, puis des éclairs blancs.

Les Kloropanphylles venaient à la rescousse.

Et pas seulement eux, mais également de nombreux petits bateaux plus modestes, dirigés par des adolescents aux masques d'os.

Matt ignorait si cela suffirait à renverser le rapport de force, mais il sut une chose avec certitude : il devait profiter de cette apparition pour foncer sur Malronce.

L'orage du Raupéroden n'était plus très loin.

Alors il vit Plume lui donner un coup de truffe.

Malgré sa plaie, elle était prête à le conduire.

Il grimpa sur son dos, et partit au galop.

Ambre se tenait à la proue du Vaisseau-Matrice.

Elle étudiait la fourmilière guerrière en dessous d'elle.

Sur le pont, Orlandia, Faellis et Clémantis distribuaient les ordres.

Faellis porta un petit sifflet à ses lèvres et fit un signe à deux garçons kloropanphylles qui actionnèrent un levier.

Une longue trappe sous la coque s'ouvrit et une pieuvre couleur émeraude, de dix mètres, tomba au milieu de l'armée cynik.

Faellis souffla dans le sifflet et la pieuvre s'activa, lança ses tentacules dans toutes les directions pour broyer les hommes.

— Notre Requiem-vert va les occuper un moment ! triompha-t-elle.

Ambre pouvait sentir la vie circuler en elle. L'effet de l'absorption s'était presque totalement dissipé, il ne restait que cette sensation d'écoulement sous sa peau. La boule de lumière, celle que les Kloropanphylles nommaient l'âme de l'Arbre de vie, était à présent en elle. Elle avait fusionné avec l'adolescente.

Cela avait tout changé.

Les Kloropanphylles s'étaient alors adressés à elle comme l'élue.

Et sa guerre était devenue la leur.

Par fierté et un peu par fascination pour ce qu'Ambre avait accompli, le peuple guerrier des Becs n'avait pu résister à prouver sa valeur, surtout face aux Kloropanphylles.

Ambre avait conduit cette improbable alliance vers la Passe des Loups.

La rivière de Scararmées qui coulait à présent dans la plaine la fit frissonner. Elle se sentait attirée par leur énergie.

Ambre ne se sentait pas différente de celle qu'elle était auparavant, sinon plus... électrique.

Elle se demanda si la rivière de Scararmées n'était pas assez proche pour parvenir à puiser une part de pouvoir supplémentaire et débuta sa concentration.

Lorsque ses mains s'ouvrirent, la terre se souleva au milieu des Cyniks.

Comme soufflé par un géant, un rideau s'éleva, expédiant les soldats cyniks dans les airs par grappes entières.

Lorsque Ambre pivota à tribord, ses mains envoyèrent une onde de choc si colossale que les hommes furent écrasés sur un cercle de vingt mètres, aussi certainement que si une soucoupe volante invisible venait de se poser sur eux.

Partout où elle guidait son esprit, dans le prolongement de ses bras, une prodigieuse force faisait le vide, réduisant les Cyniks en purée ou les projetant dans le ciel.

Les navires autour du Vaisseau-Matrice bombardaient les troupes au sol de projectiles, filant dans les vents avant de récolter les tirs de ripostes.

L'embarcation dans laquelle opérait Bec de Pierre multipliait les rase-mottes, et à chaque passage, elle délivrait sa nuée de flèches, couchant des dizaines de Cyniks. Mais elle finit par raser de trop près les têtes ennemies et plusieurs de ses ballons furent percés par des flèches. La nacelle perdit aussitôt de l'altitude et vint s'écraser sur les ours en armure dans un fracas effroyable.

Bec de Pierre parvint toutefois à s'extraire de l'épave, au milieu d'un nuage de poussière, il tituba, arc au poing, et mourut, rictus de triomphe aux lèvres, sous les lances cyniks après avoir abattu un officier et ses subalternes.

Un autre bateau du clan des Becs tomba peu après, puis un troisième, sur le cadavre du Requiem-vert, finalement terrassé.

Les dégâts causés par les épaves laissaient de larges sillons dans les rangs cyniks.

Ambre se rendit compte que l'infanterie de Malronce venait d'enfoncer la porte de la forteresse et se déversait à l'intérieur.

D'un revers de main, elle balaya une dizaine d'hommes.

Autant se précipitèrent pour prendre leur place.

Ambre souleva la terre, et se débarrassa d'une autre poignée de Cyniks, puis déclencha une explosion d'air devant les renforts qui accouraient.

Elle multipliait les coups, et bientôt, toute la quatrième armée cynik fut dispersée. Il y avait les corps inertes des morts, et ceux qui titubaient, effarés.

Ambre frappait sans s'occuper des conséquences, elle ne s'intéressait qu'à la protection des Pans dans la forteresse.

Elle prenait des vies pour en protéger d'autres.

Et le retour de force fut brutal.

D'abord ses poignets lui firent terriblement mal.

Puis sa tête bourdonna, de plus en plus fort.

Jusqu'à la faire hurler.

Elle avait déployé trop de colère, et trop semé la mort en utilisant l'énergie de la Terre, et celle-ci s'embrasait en elle, dans ses veines et dans son esprit.

Ambre eut l'impression que son propre sang était en train de bouillir.

C'était insupportable.

Le Vaisseau-Matrice passa trop près des archers cyniks et les ballons reçurent un nuage de traits qui les percèrent de part en part.

Le vaisseau amiral des Kloropanphylles piqua du nez et malgré la manœuvre désespérée des trois capitaines, il vint s'échouer au milieu de l'armée de Malronce, non sans avoir au passage ravagé une partie de ses archers.

Quatre autres navires s'abîmèrent un peu plus loin.

Les Cyniks restèrent un moment méfiants, à observer l'immense navire avant de se jeter dessus.

Il restait encore bien assez d'hommes pour conquérir le monde.

58

Fusion

Matt avait atteint la colline où se trouvait le char de Malronce.

De là il vit le Vaisseau-Matrice s'écraser.

Et les troupes cyniks investir la forteresse.

Plume tirait la langue et peinait à avancer. Matt sauta à terre et poussa sa chienne vers un fourré.

— Attends-moi ici, et si je ne reviens pas avant la prochaine nuit… pars, et va vivre loin des hommes.

Plume l'inonda de coups de langue et il dut la repousser pour qu'elle ne le suive pas. Taker et Lady restèrent avec elle.

Les énormes mille-pattes ne bougeaient pas, mais leur odeur était écœurante.

Matt repéra un Cynik qui montait la garde sur le côté, là où les balcons étaient les plus bas, à trois mètres au-dessus du sol.

Tobias lui régla son compte à distance et le trio sauta sur le dos d'un mille-pattes pour se hisser sur la passerelle de bambous.

Le char était aussi grand qu'un terrain de hockey, et haut de deux étages.

Mais il n'y eut pas à chercher bien longtemps.

Malronce se tenait sur la terrasse à l'avant d'où elle contemplait son triomphe.

Dès qu'il l'aperçut, Matt tira ses deux amis dans l'ombre.

— Il faut encore attendre ! avertit-il. Que le Raupéroden soit là.

La tempête les suivait de près, elle longeait le fleuve. Matt savait que le Raupéroden remontait sa piste, il l'avait invité, il avait laissé son esprit ouvert, pour que son père puisse garder le contact mental jusqu'à lui.

— C'est quoi cette histoire ? dit Ben.

— Fais-moi confiance.

Ben le scruta dans la pénombre.

— Nous perdons la guerre, Matt. Malronce est en train de nous écraser !

— Il faut attendre ! Encore un peu !

Ben se releva.

— Je ne peux pas rester ici sans rien faire. Ne bougez pas, je vais m'assurer que le bras droit de la Reine ne sera pas dans les parages quand il faudra intervenir.

Matt voulut le retenir, il savait que c'était une très mauvaise idée, mais Ben fut plus prompt à se couler dans le couloir de bambou.

— Laisse-le, intervint Tobias. Il sait ce qu'il fait.

Les deux garçons patientèrent plusieurs minutes, que le tonnerre se rapproche, que ses éclairs envahissent le char de flashes fantomatiques.

Dix soldats cyniks apparurent dans le flash suivant, lances pointées sur les gorges de Matt et Tobias.

Le général Twain se fraya un chemin entre eux et toisa Matt avec un rictus cruel. Il arborait son armure mouvante, mille pièces coulissantes les unes sur les autres pour former une carapace presque vivante.

— Comme on se retrouve !

Ben était à côté de lui, les mains sur les hanches.

Matt clignait les yeux comme s'il refusait de le croire.

— Ben ? Mais…

— Je suis désolé, Matt. Il le fallait.

— Qu'est-ce que tu as fait ? s'indigna Tobias.

Ben secouait la tête.

— Je n'avais pas le choix. C'est pour le bien de notre peuple.

Nous ne pouvons gagner cette guerre. Nos amis se font tuer en ce moment même. Il fallait faire quelque chose.

— Alors tu nous as trahis ?

Matt était dévasté. Au-delà même de la déloyauté du Long Marcheur, c'était tout le symbole qui le meurtrissait. Ben avait toujours tout fait pour les Pans, il avait mis sa vie en danger jour après jour pour servir Eden. Qu'il en vienne à livrer ses amis, à pactiser avec l'ennemi, ne pouvait signifier qu'une seule chose : vieillir conduisait invariablement à se rapprocher des Cyniks. Les Pans les plus âgés cessaient peu à peu de ne jurer que par les vertus de l'amitié éternelle, pour devenir calculateurs, modérés, et versatiles. Et un jour, ils basculaient du côté des adultes. Matt l'avait déjà vu.

C'était irrémédiable.

Ben en était la preuve vivante et cette inéluctabilité venait d'abattre Matt. Il n'avait plus la force de résister.

Plus l'envie.

— J'ai passé un pacte avec Malronce. Toi, Matt, contre la paix.

— Et tu crois qu'elle va accepter ?

— C'est déjà fait ! tonna une voix impérieuse.

Malronce se montra, dans sa grande tunique noire et blanche. Son visage de porcelaine n'exprima aucun amour, aucune compassion en toisant son fils.

— J'ai attendu ce moment longtemps, ajouta-t-elle.

— Maman…, lâcha Matt sans s'en rendre compte.

— Tu es comme dans mon souvenir.

— Alors… alors tu te souviens de moi ?

Malronce ne témoignait d'aucune tendresse, aucune nostalgie, rien qu'une froideur effrayante.

— Ton visage m'a hanté ! dit-elle. J'ai si souvent rêvé de toi ! Incarnation de mes vices d'autrefois ! Je vais enfin pouvoir témoigner à Dieu mon complet dévouement à sa gloire !

— Mais… tu ne m'aimes plus ? balbutia Matt, incrédule devant l'absence totale d'affection de celle qui avait été sa mère.

Un rire moqueur secoua la Reine, transformant la tristesse de Matt en colère.

— Je t'aime pour ce que tu vas me permettre d'accomplir, fils !

— Ne m'appelle pas comme ça, répliqua Matt sèchement. Tu n'es plus ma mère ! Jamais celle qui m'a mis au monde n'aurait déclaré la guerre à des enfants !

— La foi a ouvert mes yeux. Et je vais le prouver à tous. Après ce que je vais faire, mes hommes me suivront jusqu'au bout du monde, vers la Rédemption, vers Dieu !

Tobias se recula dans son coin.

— Vous allez le tuer ! Oh, vous allez le sacrifier vous-même devant vos soldats !

— Je suis le guide de toutes ces âmes égarées ! articula Malronce avec l'éclat de la folie dans le regard. Je me dois de montrer l'exemple !

— Pour convaincre les sceptiques, ajouta le général Twain. Pour rallier à jamais les soldats d'aujourd'hui. Notre Reine va sacrifier sa propre chair à Dieu !

— Faites sonner les cors ! hurla Malronce. Je veux qu'ils le voient maintenant !

— Et la guerre ? intervint Ben. Vous avez promis !

Malronce l'étudia comme s'il était un insecte sur son chemin.

— Elle prend fin dès à présent.

Ben poussa un long soupir de soulagement. Il considéra Matt avec tristesse.

— Il le fallait, dit-il du bout des lèvres.

Malronce se mit à rire, un gloussement mauvais.

— Nous allons tendre la main à ton peuple, dit-elle, leur faire croire qu'ils nous ont infligé de trop lourdes pertes, et lorsqu'ils ouvriront leurs portes, nous les égorgerons. Car Dieu ne saurait souffrir de notre clémence. Notre don à lui doit être total !

Toute l'armée de Malronce s'était immédiatement repliée dans la plaine à l'appel des cors.

Elle abandonna la forteresse au milieu de l'assaut, quitta l'épave du Vaisseau-Matrice qu'elle mettait à sac, et les milliers d'hommes se regroupèrent au pied de la colline, sous la pluie battante.

L'orage était à présent sur eux.

Malronce se dressait sur la terrasse de son char, surplombant ses troupes, un poignard entre les mains.

Twain tenait Matt, lui bloquant les bras dans le dos.

Tobias et Ben étaient encadrés par une dizaine de gardes.

Le général poussa Matt vers sa mère sans le lâcher pour autant.

— Mes fidèles ! hurla Malronce à travers l'orage.

Sa voix s'envolait dans la plaine, comme si le fanatisme en elle parvenait à décupler sa puissance.

— Il y a longtemps de cela, le premier homme et la première femme, nos lointains ancêtres, ont péché, ils ont désobéi à Dieu et furent chassés du Paradis, et leurs enfants depuis, portent le poids de cette faute. L'humanité a trop longtemps souffert, bannie, incomplète, elle a espéré le pardon de Dieu. Il est venu le temps de ne plus attendre, mais de proposer ! Mes fidèles ! Je vous ai promis cette Rédemption, je vous ai promis que nous trouverions une solution au péché originel ! Voici l'heure de montrer à Dieu que nous sommes ses fidèles ouailles ! Qu'il peut nous reprendre en son sein ! Que les portes du Paradis terrestre peuvent s'ouvrir à nouveau ! Je vous ai demandé de sacrifier vos enfants, fruit ultime de notre vanité ! Pour que Dieu mesure notre détermination à n'aimer que lui ! Je vais à présent lui offrir la vie de ma propre chair ! Et lorsque nos enfants seront tous morts, nous trouverons celui qui porte la carte sur sa peau, cette carte qui nous montrera le chemin jusqu'à Toi, Dieu tout-puissant !

Twain leva Matt devant la foule et la clameur monta, une approbation générale qui résonna jusqu'aux murs de la forteresse.

— Seigneur ! Vois ma loyauté indéfectible ! Je renonce à tout amour autre que le tien ! Vois ma foi en toi ! Je renonce à mon fils !

Malronce brandit le poignard devant elle et attrapa la tête de Matt pour poser la lame sur sa gorge.

La foudre tomba sur le char, arrachant plusieurs drapeaux qui s'envolèrent en crépitant.

Twain sursauta et relâcha sa prise.

Matt lui donna un puissant coup de tête et se précipita sur Malronce pour taper si fort son poignet que celui-ci se brisa. Le poignard glissa entre les bambous sous les cris de la Reine.

À peine se redressa-t-elle qu'un claquement de cape attira son attention.

Le Raupéroden flottait devant Matt.

Il ondulait selon ses propres vents, insensibles aux rafales qui les entouraient. Grande silhouette noire.

Un visage squelettique se dessina dans le drap.

— Matt ! L'enfant Matt ! En moi !

Matt écarta les bras pour s'offrir à la créature.

— Je suis à toi, viens me chercher ! s'écria-t-il dans la tempête.

Le Raupéroden vibra et traversa la terrasse en claquant, si vite que Matt eut à peine le temps de faire un pas de côté pour se mettre devant sa mère.

Le grand drap fusa pour les engloutir tous les deux sans distinction.

Tobias usa de sa vivacité pour jaillir entre ses gardes et fila si vite qu'il parvint à Matt avant le Raupéroden.

Il attrapa son ami dans son élan et le fit rouler avec lui sur le sol tandis que le Raupéroden refermait sa grande bouche sur Malronce.

La masse noire s'immobilisa.

La foule des soldats poussa un cri de stupeur, s'apercevant que leur Reine venait d'être engloutie par le démon.

— Non ! hurla Twain en dégainant son épée.

La lame découpa les gouttes de pluie pour venir entailler Tobias de la joue jusqu'au front. Le général réarma son bras pour cette fois trancher la nuque du pauvre adolescent, mais Ben se jeta entre ses gardes pour protéger Tobias.

La lame lui ouvrit la tête et le sang recouvrit ses traits.

Ben plongeait ses pupilles dans celles de Tobias. Leur sang se mélangeait.

Puis tout le poids du Long Marcheur écrasa le jeune garçon.

D'un coup de pied, Twain repoussa le corps de Ben pour s'occuper de Tobias.

Matt avait roulé pour ensuite arracher son épée à un soldat incrédule et il para le coup pour dévier la lame.

Twain lui donna un direct du gauche qui lui ouvrit la lèvre, et le militaire voulut embrocher son adversaire avant de constater qu'il avait quelque chose de fiché dans le sternum.

Ses yeux descendirent sur sa poitrine.

L'épée de Matt avait traversé son armure, elle était plantée jusqu'à la garde, entre ses deux poumons.

Dans son cœur.

L'adolescent le fixait, les mâchoires serrées, la haine dans le regard.

— C'est pour Tobias, dit-il du bout des lèvres.

Twain tomba à genoux. La pluie dégoulinant sur son visage.

Il eut une dernière pensée pour sa Reine et pour leur idéal, et se demanda s'il allait enfin connaître le Paradis.

Alors il fut happé par le néant.

Le Raupéroden se contracta.

Puis quelque chose poussa en lui.

Une forme prenait vie dans les replis de sa cape.

Le tonnerre se calma, et la pluie baissa d'intensité.

La cape glissa au sol, comme si le Raupéroden n'était plus, dévoilant une silhouette, un genou à terre.

C'était un visage doux, sans aucun cheveu. Aux traits agréables, androgyne.

Il était impossible d'affirmer s'il s'agissait d'un homme ou d'une femme.

Matt se releva et contempla cet être qui lui était familier.

Ce n'était ni tout à fait son père, ni vraiment sa mère, mais un peu des deux.

L'être vit Matt et baissa la tête.

— Pardonne-nous, Matt, dit-il avant de s'effondrer.

Les deux esprits dans le même corps venaient de fusionner.

Mais la fragilité humaine ne put encaisser un choc pareil.

Ce qui avait été le Raupéroden et Malronce se recroquevilla lentement, et mourut.

Alors la foule des soldats commença à s'agiter, et ils sortirent les armes pour réclamer vengeance.

59

Un genou à terre

Toute l'armée remontait la colline pour massacrer Matt.

Ambre fut hissée par-derrière par Orlandia et Clémantis, Faellis n'avait pas survécu au crash.

Les deux Kloropanphylles portèrent Ambre jusque sur la terrasse, et de là, Ambre rassembla ses forces pour se tenir debout toute seule.

Elle contempla les milliers de Cyniks qui approchaient.

Matt voulut la prendre dans ses bras et la soutenir, mais Orlandia l'en empêcha.

— Laisse-la parler, dit-elle.

Et Ambre parla, d'une voix surpuissante, projetée hors de son corps par une force surnaturelle :

— Vous qui êtes nos pères, et nos frères, baissez les armes car nous ne sommes pas vos ennemis.

L'amplitude phénoménale de la voix de l'adolescente les arrêta.

— Vous êtes vides de connaissances, lança Ambre, vides de souvenirs. Et vous vous êtes réfugiés dans la religion pour fuir la peur. Mais s'il existe un dieu quelque part, il ne peut être que miséricordieux, il ne peut vouloir que vous versiez le sang de vos enfants. C'est la peur du vide qui vous a aveuglés. Et je peux combler ce vide.

Ambre leva les bras vers le ciel et la pluie s'interrompit, le vent cessa immédiatement. Une boule de lumière apparut d'un coup, elle se mit à grossir à quelques mètres au-dessus de l'adolescente, et elle tournoya sur elle-même, lentement.

— Voici le cœur de la Terre, et il est en moi. Il est la vie, la mémoire, le passé et l'avenir. La Tempête qui a changé le monde il y a neuf mois l'a fait remonter à la surface. À nous de le protéger. Il peut être notre guide.

Les parfums d'humus, de fleurs épanouies, de sève et d'iode se déversèrent sur la plaine.

Au loin les Scararmées cessèrent leur progression pour se tourner vers Ambre.

La boule de lumière émit un sifflement cristallin, elle palpitait comme un cœur de lumière.

Tous les Cyniks l'admiraient sans ciller, bouche ouverte, et les Pans sortirent de la forteresse pour venir voir cette apparition hypnotisante. Elle avait quelque chose de fascinant, au-delà des odeurs et du son, un pouvoir électrique qui s'infiltrait dans les corps.

Son énergie envahissait les esprits. Elle pénétrait les cellules.

Jusque dans l'ADN. Ces merveilleux codes biologiques qui contiennent tous les secrets de chaque être vivant.

Alors les spectateurs surent pourquoi cette lumière vive leur était familière.

Sa chaleur était celle qui abrite un fœtus dans le ventre de sa mère.

Elle était la lumière à sa naissance.

Et celle de la mort.

L'essence même de l'existence.

La boule semblable à une minuscule planète qui flottait au-dessus d'eux était la quintessence de la vie.

La voix spectrale d'Ambre continua :

— Si vous déposez les armes, et si nous nous allions tous ensemble, nous serons dignes de continuer cette mission qui est la nôtre depuis l'aube des temps ! Propager la vie ! Pour que l'évolution se poursuive.

Les Pans et les Cyniks venaient de se mélanger, captivés par cette féerie qui l'emportait sur la violence. Des Kloropanphylles étaient présents également.

La boule de lumière s'arrêta de tourner et commença à se désagréger en rubans de vapeurs blanches qui descendirent s'enrouler autour d'Ambre jusqu'à totalement disparaître en elle.

Ambre poussa un long soupir, épuisée.

Elle considéra cette armée à ses pieds et ajouta :

— Maintenant vous savez. Vous n'êtes plus seuls. Vos existences ne sont pas vaines. La nature nous a confié une mission depuis l'origine des temps : propager sa vie. De toutes les espèces animales, la nôtre a su s'en montrer la plus apte. Jusqu'à ce que nous nous perdions nous-mêmes, jusqu'à ce que nous devenions plus destructeurs, que notre prolifération pollue et menace l'équilibre de la planète. Ce jour est notre seconde chance. Voulez-vous la saisir ?

Ambre guetta les réactions. Elle scruta ces armes prêtes à la tailler en pièces, prêtes à répandre le cœur de la Terre dans l'atmosphère pour renoncer, pour renier l'évolution.

Puis elle vit des hommes pleurer en silence et poser un genou à terre. Des têtes s'inclinèrent.

Comme un seul homme, les milliers de Cyniks posèrent un genou dans la boue et lâchèrent lances, épées, haches et boucliers.

— Ensemble, conclut Ambre.

60

Le roi de Babylone

L'armée cynik alluma de gigantesques bûchers ce soir-là, pour faire brûler les cadavres qui jonchaient la plaine.

Une odeur abominable se répandit pendant des heures, mais personne ne se couvrit le visage.

Pour ne jamais oublier toutes ces vies sacrifiées.

Les Pans et les adultes restaient méfiants les uns des autres, mais ils s'aidèrent à porter leurs morts.

Tout le monde était déboussolé.

Ils ne savaient plus bien qui ils étaient, et ce qui les avait pris de s'entre-tuer ainsi.

Ambre était au centre de toutes les conversations, de tous les regards.

Elle fut conduite à la forteresse pour s'y reposer, car son corps luttait pour encaisser la dépense d'énergie des dernières heures.

Elle dormit deux jours entiers.

À son réveil, Tobias était à son chevet, une longue balafre rouge lui entaillant le front et la joue.

Matt était assis sur le lit, il lui tenait la main.

— Quelle aventure, dit-il doucement.

— Quelle aventure, lui répondit-elle sur le même ton.

— Les Cyniks vont proposer un haut représentant pour nouer le dialogue avec nous, l'informa-t-il. Tobias a proposé que ce soit Balthazar. Il est en chemin.

— Il faudra du temps pour que nous nous entendions, pour que nous nous fassions confiance, dit Ambre.

Matt la considéra un moment avant de demander :

— Comment te sens-tu ? Je veux dire : avec cette énergie en toi ?

— Angoissée. Par la responsabilité. Mais sinon, physiquement, je crois que... je ne ressens aucune différence, ça s'est estompé. C'est absorbé, c'est en moi, et c'est tout.

— Et maintenant ? questionna Tobias. Il y a... une sorte de recette à suivre ? Quelque chose que tu dois faire ?

— Non, je ne crois pas. Je ne sais pas. Je... Je ressens des choses. Lorsque la Terre a déclenché cette Tempête pour nous secouer, pour nous menacer et nous rappeler nos origines et notre vraie nature, je crois qu'elle a déployé tant d'énergie que son cœur en est ressorti, qu'elle ne pouvait plus le protéger. Il lui fallait une enveloppe pour le mettre à l'abri et pour le propager, et cette enveloppe, c'est moi.

— Le propager ? releva Matt.

Ambre baissa le regard.

— Oui. Un jour.

— Comment ça ? fit Tobias qui ne comprenait pas.

— En donnant la vie.

— Ah.

Ambre battit des paupières, et sentant le malaise parmi les garçons, elle changea de sujet :

— Comment vont les Pans ?

Matt et Tobias haussèrent les épaules en même temps, peinés.

— Il y a eu beaucoup de morts, exposa Matt. Et autant de blessés. Sans compter ceux qui ne s'en remettront pas mentalement. Et puis... il y a ceux dont on ne sait pas quoi faire, ceux qui ont basculé en vieillissant, Colin par exemple, qui ne se sentent plus à leur place parmi nous et pas encore bien parmi les adultes.

— Et Ben ?

Matt secoua la tête sombrement.

— Il nous a trahis, avoua Tobias honteusement, comme s'il en était lui-même responsable. Il pensait agir pour le bien du plus grand nombre.

— D'après ce qu'on entend des Cyniks, enchaîna Matt, c'est lui qui nous avait vendus à Babylone, et non Neil comme je l'avais cru. Il prenait de l'âge, il est devenu peu à peu adulte et ses choix devenaient de plus en plus... *rationnels*. On pense qu'il a cherché le moyen de nous livrer, toi et moi, aux Cyniks, pour arrêter la guerre, tout en s'assurant qu'il n'y aurait pas de violence à notre encontre. Il a tenté sa chance à Babylone, il n'a pas pu le faire à Wyrd'Lon-Deis sans compromettre les vies de tout le monde dont la sienne, alors il a attendu le meilleur moyen, ici.

— Devenir adulte me terrifie de plus en plus, ajouta Tobias.

— Les choses vont être différentes maintenant, le rassura Ambre.

Et elles le furent.

Balthazar arriva quelques jours plus tard.

Après avoir été sorti des geôles où il croupissait depuis son assistance dans l'évasion des Pans.

Il passa d'une paillasse moisie au trône.

Il fut nommé roi de Babylone par les Cyniks. Les hommes n'étaient pas prêts à vivre sans une autorité suprême, pas si rapidement, il leur fallait du temps.

Balthazar annonça immédiatement l'interdiction des anneaux ombilicaux. Il fit un long discours depuis les remparts de la forteresse où il s'adressa autant à ses hommes qu'aux Pans, pour les rassurer et pour annoncer qu'une nouvelle ère débutait.

Il insista sur l'importance de la nature humaine, sur l'importance de s'écouter, et sur le fait que l'amour n'était pas un péché. Il ne reniait pas l'existence d'un dieu, mais la reléguait au rang de spiritualité personnelle, et répéta qu'une croyance ne devait ni guider, ni entraver les relations humaines.

Il fustigea la place que les femmes avaient dans leur société actuelle, le manque de liberté qu'elles subissaient et il termina avec le plus important à ses yeux : les hommes et les femmes allaient s'aimer à nouveau pour que naisse l'avenir de l'espèce humaine.

Les semaines suivantes, en constatant que Cyniks et Pans se craignaient encore trop pour vivre ensemble, il fut déclaré que chacun garderait encore un peu de temps son territoire, les uns au nord, les autres au sud, et que la forteresse serait un lieu d'échange.

Les Cyniks, encore bien endoctrinés par les principes de Malronce, craignaient les enfants et l'idée même de devoir vivre à leurs côtés. Aussi les Pans proposèrent-ils d'élever les enfants qu'auraient les Cyniks.

En échange, les Pans qui grandissaient et qui ne se sentiraient plus à leur place parmi les enfants et les adolescents seraient accueillis parmi les Cyniks.

De nombreux principes furent ainsi adoptés, et tous se prirent à espérer que peu à peu, ils pourraient vivre en se respectant et, un jour, ensemble, sous les mêmes toits, adultes et enfants réunis, à Babylone, et peut-être, à Eden.

Le monde allait changer.

Au prix d'efforts et de sacrifices.

Pour le meilleur.

Du moins l'espéraient-ils tous.

61

Trois semaines avaient passé depuis l'alliance avec les Cyniks.

Matt marchait sous le soleil de ce début d'automne, dans les rues d'Eden. Il trouva Ambre, assise sous l'immense pommier au cœur de la cité Pan. Plume dormait à ses côtés, sa blessure presque cicatrisée.

Elle tenait une pomme à la main, qu'elle venait de ramasser.

— Le Conseil d'Eden vient d'annoncer que Zélie et Maylis seraient nos ambassadrices auprès des Cyniks, elles partent à la forteresse de la Passe des Loups ce soir, annonça Matt.

— C'est une bonne chose, elles sauront faire preuve de tact et d'intelligence pour que nos relations deviennent meilleures.

— Il n'y a, hélas, pas que des bonnes nouvelles. Les Cyniks ont un ambassadeur aussi, le Buveur d'Innocence ! Balthazar s'y est opposé, mais ce sale type a encore beaucoup d'appuis politiques à Babylone et il est parvenu à se faire nommer malgré l'avis du roi.

— Je suppose qu'il ne fallait pas s'attendre à des miracles, tout ne peut être parfait…

— J'ai prévenu Zélie et Maylis, elles l'auront à l'œil !

— Il y a beaucoup à faire, chacun devra trouver sa place.

— À ce propos, Colin part aussi pour la forteresse, il s'est proposé pour être messager entre adultes et Pans.

— Je suppose qu'il y sera bien, entre nos deux peuples, il trouvera peut-être la paix qu'il cherche. Comment va Tobias ?

— Sa blessure est refermée. Mais il gardera une belle cicatrice. Je crois qu'il en est presque fier, en fait. Le soir il traîne au Salon des Souvenirs et raconte à tout le monde nos aventures, et elle lui confère une sorte de respect !

Ambre et Matt rirent de bon cœur.

La jeune femme décela une pointe de mélancolie dans le regard de son ami.

— Et toi ? demanda-t-elle.

Matt se balança de droite à gauche comme pour signifier que c'était aléatoire.

— Je pense à mes parents, avoua-t-il. Pourquoi eux ? Pourquoi moi ?

— Parce qu'il en fallait un. C'est tombé sur toi, ça aurait pu être Tobias, moi, ou n'importe qui. La Terre a bouleversé notre monde lors de la Tempête, ce fut un travail considérable pour elle, et je crois qu'elle n'a pas tout parfaitement maîtrisé. Il y a eu des imperfections, comme les morts-vivants de la Horde. Des adultes vaporisés, d'autres ont été sauvés et éloignés de leurs enfants, comme pour nous obliger à en tirer des leçons. Ce que nous avons fait, d'ailleurs. La nature ne sait pas les choses, elle les *sent*, elle les *devine*, et tes parents, qui étaient sur le point de divorcer, représentaient probablement une problématique qu'elle ressentait à plus grande échelle dans l'espèce humaine. Nous obliger à rassembler les opposés, à unifier les adversaires, un test, un défi pour s'assurer que nous étions encore dignes de la représenter, de propager sa vie.

Matt haussa les épaules.

— Sans doute. Peut-être y a-t-il, ailleurs dans le monde, d'autres parents ainsi déchirés, d'autres enfants malmenés.

— J'en suis certaine. Rappelle-toi le Testament de roche, il y avait d'autres marques importantes, d'autres grains de beauté. Nous n'avons suivi que celui qui nous conduisait chez les Kloropanphylles car nous les connaissions déjà. Mais il y en a d'autres.

— Tu crois que des Pans comme nous les ont trouvés ? D'autres cœurs de la Terre ?

— Peut-être. Je l'ignore. Il faut l'espérer. D'autres filles et garçons comme nous, que la nature a choisis pour abriter des cartes, pour rassembler leurs parents ennemis. D'autres histoires, que j'espère belles. Belles comme la nôtre.

Matt lui sourit.

— Cette nuit-là, dans le château de Malronce, dit-il, c'était… un moment à part. Je ne l'oublierai jamais.

Ambre lui rendit son sourire.

Elle lui donna la main et le guida près d'elle, pour lui déposer un baiser sur les lèvres.

Puis elle lui tendit la pomme qu'elle venait de croquer :

— Tiens, elle est délicieuse.

Matt se coucha avec le cœur plus léger.

Au milieu de ses doutes, de sa tristesse, Ambre insufflait une chaleur réconfortante. Ses baisers l'apaisaient.

Avec cet avenir en construction, elle avait ajourné son ambition de devenir Long Marcheur. Il allait en falloir de plus en plus désormais, avec les échanges entre Pans et Cyniks, pourtant ce qu'elle venait de vivre l'interpellait au point de vouloir prendre son temps avant de faire un choix.

Son altération était à présent si puissante, qu'elle la craignait elle-même.

Et la présence du cœur de la Terre en elle la perturbait. Elle se sentait aussi peu encline à prendre un risque avec sa vie qu'une femme enceinte.

Il lui faudrait du temps pour accepter sa nouvelle condition, pour accepter les regards curieux et admiratifs dans la rue.

Matt était prêt à l'aider. À la soutenir.

Ensemble ils pouvaient accomplir de grandes choses, il en avait la certitude.

Leurs avenirs étaient liés.

Il ne cessait de se le répéter.

Ce soir-là, Matt s'allongea avec le sentiment de ne plus être seul.

Il repensa à ses parents avec une pointe de tristesse.

Toute cette histoire ressemblait à un rêve. Un rêve qui lui tournait autour.

Et si cela était vrai ? Maintenant qu'il en prenait conscience, allait-il se réveiller ?

Il s'interrogea sur l'hypothèse d'Ambre, que d'autres adolescents, ailleurs, puissent vivre la même chose.

Si ce n'était pas le cas, alors c'était bien un rêve.

Son rêve.

Et sitôt qu'il s'endormirait, il rouvrirait les yeux, dans son appartement, à New York.

Ambre ne serait plus là.

Ni Eden.

Ni les Pans.

Matt ferma les paupières et serra le coin de son oreiller.

Pour la première fois, il espéra qu'il serait encore là au réveil, dans ce nouveau monde.

C'était sa nouvelle vie.

Et il l'aimait.

Entropia

Europia

Prologue

Le vent sifflait entre les conifères, emportant la neige sur le bout des branches comme une poussière cristalline qui scintillait dans la pâle lumière du matin d'hiver.

Jon resserra la couverture sur ses épaules, pour conserver le peu de chaleur que produisait son corps.

Ce n'était pas un coup de froid qui allait le faire vaciller. Pas après tout ce qu'il avait vécu.

Lui qui s'était sorti des griffes du Buveur d'Innocence, du cauchemar de l'anneau ombilical, lui qui avait affronté ses problèmes de dédoublement de la personnalité, et qui avait survécu à la Grande Bataille…

Non, Jon en était convaincu, au pire il souffrirait d'un petit rhume, rien de plus.

Une bourrasque vint pousser sur les arcs-boutants du fort et remonta à toute vitesse vers le jeune rouquin qui frissonna.

Il eut l'impression qu'on lui frottait les oreilles au papier de verre.

— Satané vent ! maugréa-t-il entre ses dents.

Et dire qu'il s'était porté volontaire pour venir jusqu'ici !

S'il était resté à Eden, il aurait pu profiter de la paix pour s'improviser cultivateur sur un lopin de terre, faire des rencontres, peut-être une fille et…

Non ! C'est comme ça qu'on devient Cynik ! L'amour ça pousse à devenir adulte. Non merci !

L'échelle en bois craqua tandis qu'un autre Pan, Gavan, grimpait pour le rejoindre sur la passerelle de surveillance.

Le fort était petit et tout en bois : des palissades de rondins pointus, deux tourelles et un chemin de ronde. Ils n'étaient que cinq guetteurs en tout et pour tout. Et cela s'était révélé tout à fait suffisant. Les Postes Avancés avaient été bâtis aux limites du territoire exploré par les Pans, sortes de phares pour observer l'inconnu, il ne s'y passait pas grand-chose, parfois une créature étrange filait au loin, et la minuscule garnison s'empressait d'en faire une description aussi précise que possible au Long Marcheur qui s'arrêtait pour recueillir les dernières informations.

Lorsque Jon s'était porté volontaire, il avait eu le choix de son affectation. L'est n'était pas très intéressant, essentiellement des forts construits sur les côtes, avec l'océan Atlantique pour tout paysage à scruter. L'ouest était plus mystérieux, des milliers de kilomètres restaient encore à sonder, et en de rares occasions, on pouvait même y apercevoir quelques adolescents errants qui se joignaient aux Pans avec gratitude et espoir. Le sud était territoire cynik, il n'y avait pas de Postes Avancés. Depuis l'Alliance, ce n'était plus utile.

Restait le nord.

Terre de mystères. On continuait de s'interroger sur le nord. Plus aucun Pan n'en était descendu depuis plusieurs mois, les patrouilles envoyées n'étaient jamais montées très haut, et les rumeurs les plus folles circulaient au sujet de ce qui se passait sur l'ancienne terre du Canada. Jon n'avait pas hésité une seconde. Il s'était engagé pour six mois au nord, dans le poste le plus éloigné d'Eden, un fort dressé à plus de dix jours de marche du village Pan le plus proche.

C'était parfait pour lui. Isolé. Pour qu'il se concentre sur lui-même, pour s'assurer que son dédoublement de personnalité n'était plus un problème. Depuis sa libération de l'anneau ombilical, il n'avait plus refait une seule crise, n'avait plus perdu le contrôle. Pourtant il continuait d'en craindre les effets. Parfois il se réveillait en pleine nuit, le souffle court, persuadé d'avoir manqué une partie de la journée passée, et que son *autre* avait pris le contrôle.

Mais après vérification, rien de tout cela n'était advenu. Comme si la force du traumatisme l'avait guéri.

À *quel prix...*

Les cauchemars, eux, revenaient souvent, et Jon savait qu'il en était de même pour tous ceux qui avaient porté un anneau cynik au nombril. Les nuits n'étaient plus pareilles. Ils avaient toujours peur.

Peur que ça puisse recommencer un jour.

— Alors ? demanda Gavan.

Jon sursauta.

— C'est aussi animé que d'habitude, dit-il en se reprenant. J'ai vu passer une bande de loups juste après l'aurore, et depuis, rien. Ce serait bien de préparer une sortie, qu'en penses-tu ? Ça nous réchaufferait !

La principale occupation aux Postes Avancés consistait en de courtes expéditions à caractère scientifique, botaniques ou minéralogiques, ainsi qu'en recensements de nouvelles espèces animales.

Gavan soupira.

— Parfois j'en viens à espérer un peu d'animation, même un Rôdeur Nocturne ! Ça pimenterait notre quotidien !

Le visage de Jon s'assombrit.

— Ne dis pas ça, les Rôdeurs Nocturnes ça ne pimente rien du tout. À cinq on ne tiendrait pas la nuit.

Gavan haussa les épaules.

— Je parlais comme ça, c'est juste qu'on s'ennuie ici. De toute façon il n'y en a plus au nord. Ils sont tous partis. Tu crois que ça va durer pendant six mois ?

— Je l'ignore.

— Au moins, quand c'était la guerre avec les adultes, on n'avait pas le choix, fallait être vigilants ! Bon, je ne dis pas que je regrette cette époque, entendons-nous bien, mais maintenant, j'ai l'impression qu'on s'endort...

L'Alliance avec les Cyniks avait été signée trois mois plus tôt, et la vie entre les deux peuples s'organisait peu à peu, chacun chez soi, les Maturs – comme il convenait d'appeler les adultes désormais – au sud de la Forêt Aveugle, gouvernés par le roi Balthazar siégeant à Babylone, tandis que les Pans obéissaient au conseil d'Eden qui tentait d'établir des règles justes pour chacun.

La forteresse de la Passe des Loups servait de frontière, une zone neutre où Pans et Maturs avaient leurs ambassadeurs. Bien qu'ils craignent encore grandement les enfants, les Maturs avaient accepté de ne pas tuer leur progéniture. Balthazar tentait de réconcilier ses congénères avec la notion d'amour, les femmes accouchaient et, effrayées par ces nourrissons si différents, pas encore prêtes à les assumer, elles les confiaient aux Pans qui se chargeaient d'eux.

En échange, les Pans qui arrivaient à un âge mûr, ceux qui ne se sentaient plus à leur place parmi les enfants, étaient accueillis par les adultes et intégrés dans la société matur.

C'était en définitive une bien curieuse civilisation que celle-ci, où les enfants élevaient d'autres enfants, et où les adultes vivaient en repli, craintifs. Tous le savaient, il faudrait du temps pour que l'harmonie devienne possible.

— Quand peut-on espérer la venue d'un nouveau Long Marcheur ? demanda Gavan.

— Le dernier est passé il y a un mois et demi, donc le suivant ne devrait plus tarder. En général il en vient un toutes les six semaines.

— J'espère qu'il aura plein de nouvelles à nous raconter sur Eden, et tout ça !

Jon acquiesça distraitement, le regard fixe.

Il lui avait semblé distinguer un mouvement dans le sous-bois.

Le fort était encadré de collines peu élevées, couvertes de hauts sapins, et il n'était pas rare d'y voir passer des chevreuils, des cerfs et des sangliers. Mais aussi des animaux plus étranges, des créatures nouvelles engendrées par la Tempête, des insectes qui avaient muté ou des mammifères différents qui avaient fusionné.

Pourtant, ce que Jon avait entrevu n'était pas dans l'esprit des formes habituelles. Non, c'était plutôt… agile et *debout*!

— Quoi? Qu'est-ce qu'il y a? T'en fais une tête! s'étonna Gavan.

— Là-bas, sous le grand sapin, j'ai cru voir quelque chose.

— Une bête?

— Je ne sais pas… je crois que… je crois que c'était quelqu'un.

— Tout le monde est à l'intérieur, ce n'est pas un des nôtres. T'es sûr?

Au même instant, une forme longiligne se glissa entre les branches pour disparaître dans les ombres de la forêt.

— T'as vu? s'exclama Jon.

— Assurément quelqu'un! On a un visiteur!

Les deux garçons se jetèrent sur l'échelle afin de prévenir leurs trois autres compagnons et ils ouvrirent la porte du fort pour marcher à grands pas en direction de la forêt.

Michael, le plus âgé de la garnison, interpella Jon depuis le seuil:

— C'est pas prudent de tous sortir en même temps!

— J'ai vu un adolescent, comme nous! Venez! S'il est craintif nous ne serons pas trop de cinq pour suivre sa trace!

— Mais… et le fort?

— Ferme la porte, on le laisse toujours comme ça à chaque fois qu'on lance une expédition. Allez! Dépêchez-vous!

Michael ne semblait pas partager la hâte de Jon, toutefois il fit signe à ses deux compagnons de sortir et ils tirèrent les battants de bois derrière eux avant de presser le pas, dans la neige, pour rejoindre leurs camarades.

— Tu crois que c'est un Pan du nord? s'étonna Gavan.

— Qui veux-tu que ce soit d'autre? Il n'était pas très grand, comme nous. Et habillé. J'ai vu qu'il avait un vêtement sur lui. Un survivant qui saura sûrement nous en dire plus sur ce qu'il y a au-delà des fleuves glacés. Tu te rends compte ? Le premier rescapé du grand nord ! Et c'est nous qui allons le rencontrer !

Passé les abords du fort, ils progressaient difficilement dans la neige, obligés de lever haut les jambes, mais ils se rapprochaient.

Gavan avisa la hachette que Jon portait à sa ceinture de cuir.

— Si tu crois que c'est un survivant Pan, pourquoi tu as pris ton arme ?

— On n'est jamais trop prudent. Ça regorge de bestioles moins sympathiques qu'un Pan par ici !

Ils se faufilèrent sous les premières branches et scrutèrent la pénombre à la recherche du visiteur.

— Ohé ! cria Gavan. Nous sommes des amis ! Tu peux sortir de ta cachette !

Les appels du jeune Pan demeurèrent sans réponse. On n'entendait que les craquements du bois sous le poids de la neige et le souffle du vent qui ne parvenait pas à s'engouffrer dans la forêt, fouettant les frondaisons et arrachant une écume de flocons à chaque tentative.

— N'aie pas peur ! Nous sommes de ton côté ! cria Gavan.

Michael secoua la tête.

— Vous êtes certains de ne pas avoir rêvé ? demanda-t-il.

— Aucun doute, répliqua Jon. Il était...

Le visiteur se dressait au sommet d'une butte, entre deux branches. Il était vêtu d'un manteau brun à grosse capuche, semblable à un moine sans visage. Il ne mesurait pas plus d'un mètre soixante.

Jon leva la main en signe de paix.

— Bonjour, dit-il. Bienvenue au Poste Avancé septentrional. Je m'appelle Jon.

Comme la forme ne bougeait pas, Gavan enjamba un tas de bois brisé et s'approcha lentement.

— Ne sois pas effrayé, dit-il. Est-ce que tu parles anglais ?

La capuche pivota vers Gavan sans pour autant que le visage apparaisse dans la pénombre ambiante.

Gavan franchit les derniers mètres qui les séparaient et se pencha vers le visiteur, une main tendue en guise de salut.

De là où il se trouvait, Jon ne pouvait distinguer les détails, mais il vit Gavan reculer précipitamment.

Un long cri aigu leur parvint.

Un cri de terreur.

— Qu'est-ce qu'il y a ? s'écria Michael.

— Ce n'est pas un Pan !

Le petit moine gonfla sa poitrine, et bondit si brusquement qu'il parut monté sur ressorts. D'un saut, il fut sur Gavan, deux petites mains à la peau parcheminée, couvertes de furoncles noirs, jaillirent des manches du manteau et saisirent le visage de Gavan qui ne put esquiver.

Avant même que les autres Pans n'aient réagi, une épaisse fumée noire giclait, comme un jet d'eau, de la capuche et inondait la tête de Gavan.

Michael sortit une longue dague et fonça vers l'agresseur.

Une lanière noire surgit de nulle part et s'enroula aussi sec autour de sa gorge.

Jon pivota pour découvrir une deuxième silhouette derrière lui. Elle tenait ce qui ressemblait à un fouet.

Un mouvement sur le côté attira son attention et il se jeta au sol sans réfléchir, juste à temps pour éviter une troisième attaque. Un genou au sol, Jon faisait tournoyer sa hachette.

Combien étaient-ils ?

Ils surgissaient de partout. Il en compta bientôt six.

Tous identiques, petits, les mains horribles et le visage dissimulé sous une capuche.

Avant même que Michael puisse parler, sa tête se sépara de ses épaules et s'envola dans les airs.

— Non ! hurla l'un des Pans.

Deux silhouettes fondirent sur lui, la première bloqua son

coup de poing tandis que la seconde lui crachait un nuage poisseux en pleine face.

De son côté, Gavan titubait, pris de convulsions. Il ouvrait la bouche comme un poisson hors de l'eau, les yeux exorbités, les lèvres noires. Soudain sa peau se colora d'un gris sinistre, de grosses veines noires apparurent sous ses joues, ses tempes et son front, et il s'effondra.

Autour de Jon, les quatre Pans tombèrent en moins de cinq secondes. Sans vie.

Jon reculait.

Il fallait courir. Courir jusqu'au fort.

Et ensuite ? Jamais je ne pourrai tenir seul face à ces… monstres !

Une silhouette se glissa devant lui sans un bruit.

Elle releva la tête.

Jon vit alors ses traits.

Il lâcha sa hachette et sut qu'il n'y avait plus d'espoir.

1

Les dissensions de la paix

La terre trembla brusquement.

Un grondement sourd, projetant de petits nuages de poussière depuis les fissures des murs.

Matt bondit de sa chaise.

Ça recommençait.

Il se précipita hors de la maison et grimpa sur un banc de pierre pour inspecter les alentours.

Eden s'était figé. Tous ses jeunes habitants, en arrêt, guettaient avec anxiété l'horizon, attendant la possible réplique.

Un coup de tonnerre assourdissant fit baisser les têtes, rapprocha les corps inquiets.

Les jardins ! devina Matt en sautant pour courir vers le nord de la ville.

Les Pans s'écartaient devant lui, devinant l'urgence de la situation, laissant un sillage de murmures angoissés dans son dos.

Les vergers et les potagers d'Eden occupaient dix hectares le long du fleuve, émaillés ici et là de granges et de chalets aux toits pointus.

Une fumée brune s'étirait dans l'air au-dessus d'une rangée de pommiers.

La terre trembla à nouveau, accompagnée d'un grondement qui augurait le pire. Matt se précipita entre les arbres fruitiers, enjamba les plants de fraisiers et surgit au bord d'une longue étendue striée de profonds sillons.

Deux garçons d'une douzaine d'années se tenaient face au potager, les mains tendues devant eux.

Ils encadraient une grande jeune fille de seize ans à peine. Ses cheveux blonds prenaient des reflets roux. Elle était si concentrée qu'elle ne remarqua pas l'arrivée de Matt, le regard braqué sur l'extrémité du potager, près du fleuve, les lèvres pincées par l'effort.

Elle ouvrit les mains en ciblant le sol et l'onde de choc fut si violente que Matt manqua tomber à la renverse.

La poussière brune qui s'éleva alors masqua tout l'horizon avant qu'un coup de vent ne la dissipe sur la cime des vergers.

Il y eut soudain un bruissement cristallin et les sillons se remplirent d'eau.

Les trois complices sautèrent de joie en criant leur bonheur.

— Ambre ! aboya Matt. Qu'est-ce qui vous prend ?

La jeune fille se figea et pivota vers Matt.

— Un problème ? fit-elle, surprise.

Matt désigna le potager d'un geste large.

— Qu'est-ce que vous fabriquez ? Toute la ville tremble !

— Mel et Silvio ont une altération d'eau, je leur donne un coup de main pour la faire venir du fleuve jusqu'ici.

Matt soupira, agacé.

— Nous en avons déjà parlé la semaine dernière, et celle d'avant encore ! dit-il. Ton pouvoir est trop grand ! Tu causes autant de dommages que tu m'aides ! La moitié de la ville sursaute à chaque fois, les animaux paniquent, et je t'épargne les détails de la casse !

— À nous trois, en dix minutes, nous épargnons à une vingtaine de Pans le travail d'au moins dix jours ! riposta-t-elle. Et nos légumes seront irrigués en permanence désormais ! Cette ville doit se nourrir ! Nous ne pouvons plus compter seulement sur les restes des supermarchés ! Les vivres de l'ancien temps s'épuisent, nous devons nous rendre autonomes !

— Ambre, nous entrons en hiver ! Tu ne planteras rien maintenant !

— C'est justement le moment de nous en occuper, pour être prêts à semer au printemps ! Et puis tu trouves que c'est un climat hivernal, toi ? On se croirait au milieu d'un été indien interminable !

Matt acquiesça, avec une pointe d'énervement.

— Oui, mais tu ne peux pas user de la force du Cœur de la Terre qui est en toi, c'est trop puissant. Tu ne la maîtrises pas.

— Si je ne m'entraîne pas, je n'y arriverai jamais !

— Mais ça n'est pas fait pour ça !

— Qu'en sais-tu ? C'est toi qui l'as en toi ? Non ! Alors arrête de toujours me dire ce que je dois faire ! Ce sont *mes* grains de beauté qui nous ont indiqué son emplacement, tu te rappelles ? Et c'est *moi* qui ai pris tous les risques pour aller fusionner avec le Cœur de la Terre, ne l'oublie pas !

Matt capitula, le ton montait trop vite, il ne voulait pas se fâcher une nouvelle fois avec Ambre. Il balaya l'air devant lui d'un revers de main.

— Fais comme tu veux, lâcha-t-il en tournant les talons.

Le galet ricocha à la surface du fleuve, plusieurs fois, avant de finalement disparaître brutalement, avalé d'un coup.

Matt se sentait triste.

Et cela faisait un mois que ce sentiment désagréable perdurait en lui.

Depuis les premières disputes avec Ambre.

Trois mois et demi plus tôt, elle avait absorbé le Cœur de la Terre chez les Kloropanphylles et une énergie considérable s'était additionnée à son altération. Cette puissance colossale avait permis de faire basculer la guerre entre les adultes et les enfants en faveur des Pans et avait conduit à l'Alliance. Mais elle avait également entraîné des changements chez Ambre.

Elle s'était peu à peu affirmée, obsédée par l'idée que cette énergie devait être mise à profit pour améliorer la vie des Pans.

Matt, lui, restait convaincu que le Cœur de la Terre ne devait être sollicité que dans des situations exceptionnelles, après mûre réflexion. Une telle explosion de force n'était pas rassurante. Encore moins dans les mains d'une unique personne.

Mais Ambre ne voulait rien entendre. Elle expliquait qu'en se concentrant elle faisait remonter de ses entrailles une chaleur étrange, telle une présence réconfortante, et qu'elle pouvait y puiser toute la vitalité nécessaire pour dynamiser son altération dans des proportions phénoménales.

À bien y regarder, il semblait à Matt qu'il en allait de même pour tout Eden. La menace des Cyniks écartée, l'union des Pans lui semblait moins solide, on entendait plus souvent qu'auparavant des adolescents ou des enfants se plaindre de telle ou telle corvée, qu'ils n'effectuaient qu'à contrecœur.

Sous la pression extérieure, quand ils avaient craint pour leur survie, les Pans s'étaient serré les coudes, mais une fois en sécurité, chacun recommençait à penser à ses petits intérêts personnels. Le sujet avait été abordé à plusieurs reprises par le Conseil d'Eden, sans que la moindre réponse soit apportée.

Matt eut un pincement au cœur en songeant à Ambre.

Pendant plus de deux mois, il avait vécu un rêve éveillé. Elle et lui se voyaient tous les jours, se promenaient aux abords d'Eden, marchaient pieds nus dans les jardins de la ville, partaient pique-niquer dans les plaines environnantes, et s'embrassaient longuement. Ils se frottaient doucement l'un contre l'autre, et Matt avait passé là les plus beaux moments de son existence. Depuis plus d'un mois et demi, il avait quinze ans – même si tout ce qu'il avait vécu en un an, depuis la Tempête, lui semblait avoir duré des années et qu'il lui arrivait de se sentir beaucoup plus vieux – et c'était le début d'une existence qui lui plaisait de plus en plus.

Et soudain Ambre était devenue plus distante. Plus irritable aussi. Elle passait de moins en moins de temps avec lui, et de plus en plus avec d'autres Pans, à faire travailler leur altération, et à se servir de la sienne pour aider la communauté. Puis elle s'était mis en tête d'user du pouvoir du Cœur de la Terre.

Et en un mois, Matt et Ambre ne s'étaient plus ni effleurés, ni embrassés, leur relation devenant au contraire de plus en plus tendue, sans la moindre explication.

Matt avait tenté de lui parler, mais chaque fois qu'il en avait eu le courage, Ambre avait fui la discussion.

— Je te trouve enfin ! fit une voix familière dans son dos.

Tobias lui adressait un grand sourire. Un trait rose lui barrait le visage, du bas de la joue jusqu'au front, contrastant avec sa belle peau noire – souvenir de l'affrontement avec le général Twain, et de la chute de Malronce.

Tobias se laissa choir à côté de son ami et prit à son tour des galets qu'il lança avec moins d'adresse.

— Zélie et Maylis ont envoyé un message : nos ambassadrices à la forteresse de la Passe des Loups poursuivent les discussions avec les Cyniks. Pardon, les Maturs ! Décidément je n'arriverai jamais à m'y faire !

— Que disent-elles au juste ?

— Je l'ignore, le Conseil d'Eden se réunit ce soir pour en parler.

Matt fit la moue.

— On dirait que tu t'en fiches…, s'étonna Tobias.

— Quand nous sommes rentrés de la bataille contre les Cyniks, j'ai été fier de notre nomination au Conseil, mais maintenant, je… Toby, je songe à quitter la ville.

Tobias lâcha son galet.

— Quoi ? Pour aller où ?

— Peut-être sur l'île Carmichael pour commencer, revoir nos amis. Ensuite, je ne sais pas… explorer les terres inconnues, il y en a encore beaucoup.

— Mais… tu ne peux pas, tu es… tu es un membre important de notre communauté.

— Aucune personne n'a plus d'importance qu'une autre.

Tobias croisa les bras sur sa poitrine.

— Ça ne s'arrange pas avec Ambre, c'est ça ? demanda-t-il, plein de compassion.

Matt haussa les épaules.

— C'est pas une raison pour tout plaquer, continua Tobias, on a besoin de toi ici, tu sais très bien que lorsque tu parles, tout le monde t'écoute. Depuis la bataille, tu es un peu devenu une sorte de… un sage !

Matt ne put s'empêcher de rire. Un rire bref, aussitôt teinté d'amertume.

— Je ne suis pas un sage. Certainement pas. Tu le sais très bien.

— C'est quand même grâce à toi si tous les Pans ici sont libres.

— Non, c'est grâce à Ambre et au Cœur de la Terre. Moi je n'ai fait que détruire mes parents.

Tobias posa un bras sur les épaules de son ami.

— Ne dis pas ça. Tu les as réunis, ce n'est pas pareil.

— C'est pareil.

— Tu ne sais pas ce qui s'est vraiment passé. Peut-être qu'ils ont retrouvé une sorte d'équilibre parfait et qu'ils se sont dissipés dans le cosmos, dans l'harmonie. Après tout, ils ne vivaient l'un et l'autre que pour te retrouver, ils étaient aveuglés par le vide en eux. Le manque d'amour, le tien et celui de l'autre.

— Mes parents divorçaient quand la Tempête a frappé, ils se battaient pour avoir ma garde. Ils n'ont survécu que pour voir leur obsession décuplée, c'est tout. Je les ai réunis, et ils n'y ont pas survécu.

Tobias serra son ami contre lui, sans trouver les mots pour répondre.

Il vit une larme rouler en silence sur la joue de Matt.

La liberté de tous a un prix amer pour quelques-uns, songea Tobias.

La salle du Conseil d'Eden ressemblait à un cirque.

Les travaux d'agrandissement avaient transformé l'amphithéâtre en une succession de bancs en gradins, trois quarts de cercle dominant une piste de planches, une grande salle sans fenêtre, au toit incliné soutenu par de hautes poutres rouges, et éclairée par des lampes à huile qui diffusaient une clarté chaude et une odeur musquée sur la quarantaine de Pans rassemblés.

Un grand garçon, aux longs cheveux châtains et aux traits épais, occupait le centre de la scène. Matt reconnut sans peine Colin, le jeune homme qui n'avait plus trouvé sa place parmi les Pans, et qui avait donc « changé de camp ». Il était devenu le messager principal entre les deux peuples et, comme pour tous les messagers, on reconnaissait sa fonction à la cape rouge qui recouvrait ses épaules.

Matt remarqua que son acné avait notablement diminué, et qu'il se tenait plus droit qu'auparavant ; sa nouvelle condition lui faisait du bien.

Comme quoi, il suffit de se sentir à sa place dans le monde pour se transformer, songea-t-il.

Un Pan d'environ seize ans, cheveux courts, visage anguleux, regard sévère – d'un bleu qui faisait fondre toutes les filles d'Eden –, se tenait à ses côtés, Melchiot. Il était devenu le porte-parole du Conseil, et l'organisateur des débats.

Melchiot leva la main pour réclamer le silence.

Tous les Pans se souvenaient de son altération de feu qui avait fait des ravages pendant la bataille contre les Cyniks. Autrefois le meilleur élève d'Ambre, il était devenu le formateur d'altération en l'absence de la jeune fille. On le respectait autant qu'on le craignait, tant il s'était montré sans pitié pendant la guerre, et il faisait partie des rares Pans qui ne témoignaient aucun remords après avoir tué.

Melchiot était également le général des armées Pan aux côtés de Matt.

Tous les membres du Conseil s'assirent, et le silence tomba.

— Colin nous a apporté un message de nos ambassadrices

à la forteresse de la Passe des Loups, commença Melchiot. Les nouvelles sont rassurantes, tout se passe très bien.

Un murmure de contentement se propagea à travers l'assemblée.

Matt se détendit. Il avait craint le pire. La présence à la forteresse du Buveur d'Innocence comme ambassadeur cynik n'était pas pour l'apaiser. Chaque fois qu'un nouveau message parvenait à Eden, il envisageait des scénarios catastrophiques qui impliquaient ce sale bonhomme. Plus de trois mois après sa nomination, Matt n'en revenait toujours pas. Le Buveur d'Innocence était le plus abject des humains mais il disposait d'un réseau de soutien très actif, c'était un fin politique. Le roi Balthazar n'avait eu d'autre choix que de le nommer s'il ne voulait pas se mettre à dos toute une partie de ses sujets qui demeuraient fidèles au Buveur d'Innocence, et la paix était à ce prix : de dangereuses alliances pour rassembler, des compromis avec les opinions de tous pour gouverner, y compris celles des extrémistes.

— Les premiers échanges se passent bien, reprit Melchiot, les Pans qui ne se plaisent plus parmi nous commencent à rejoindre les rangs des Cyniks et cela n'a pas posé de problème.

— Je croyais qu'il ne fallait plus dire « Cyniks » pour ne pas les froisser ? fit remarquer une voix dans les travées. Il faut les appeler les Maturs maintenant !

— De notre côté, reprit Melchiot après avoir soupiré, la pouponnière d'Eden est en place, nous avons des volontaires et les premiers bébés vont bientôt arriver. Vous en avez certainement eu des échos, ce n'est pas simple, nous débutons en la matière, mais les nourrissons seront entre de bonnes mains.

— Tout de même, ce n'est pas à nous de faire ce travail ! s'indigna un Pan dans le haut des gradins.

— C'est pour l'instant le seul moyen de faire survivre l'espèce humaine, et de réhabituer les... *Maturs* à la notion d'amour. Nous avons bon espoir qu'un jour prochain, leurs enfants ne les effraieront plus.

— Une société qui impose à ses enfants d'élever les géné-rations suivantes est une société malade qui n'a aucun futur à offrir !

Melchiot haussa le ton :

— Notre *monde* est malade ! Nous sommes en sursis, et les règles d'autrefois ne peuvent plus s'appliquer. Si tout ce qui reste de bon en l'homme peut être gardé à l'abri par les enfants, alors c'est à eux d'assurer l'avenir de l'espèce. Cela ne m'enchante pas non plus, mais nous n'avons pas le choix. La Tempête a changé les perceptions, nous sommes une poignée à avoir survécu, et le plus dur reste à venir.

— Nous ignorons toujours ce qui l'a déclenchée ! Est-ce les excès de l'humanité ou un hasard de la nature ? intervint un autre Pan.

— Là n'est pas le débat de ce soir. Nous sommes ici pour faire le point sur notre situation, reprit Melchiot d'une voix autoritaire qui fit taire aussitôt les chuchotements qui commen-çaient à envahir la salle. Les Maturs nous demandent des effec-tifs pour venir assister les mères après les naissances, le temps que les bébés puissent supporter le voyage jusqu'à Eden.

— À Babylone ? s'étonna une adolescente.

— Oui. C'est là-bas qu'ils rassemblent les naissances. Nous avons déjà expédié plusieurs petits groupes, cette fois ce sont les volontaires de la pouponnière qui partent, mais il faudra une escorte pour le voyage. Faites passer le message, nous enverrons deux convois dans les prochains jours, il nous faudrait une tren-taine de Pans en tout.

Un Pan d'environ seize ans, les cheveux noués en un élégant catogan, se leva pour prendre la parole :

— Pourquoi ne pas choisir des membres de la garnison d'Eden ? Les fortifications tout autour de la ville sont suffisantes pour nous protéger, et puis maintenant que nous ne sommes plus en guerre, ça ne nous sert plus à rien d'avoir autant de sol-dats !

— Le monde là-dehors est loin d'être sûr ! rappela Melchiot.

Nous subissons régulièrement des attaques de créatures. À mesure que l'hiver va se durcir les meutes de loups rôderont de plus en plus près de la ville, il ne faut pas relâcher notre vigilance.

— En parlant d'hiver, vous ne trouvez pas que le climat est étrange ? Nous sommes en plein mois de décembre et il fait toujours chaud !

Floyd, le Long Marcheur, se leva pour répondre :

— Nos patrouilles rapportent que le froid est déjà descendu depuis plus d'un mois au nord, vers Siloh, il y a même de la neige plus au nord.

— Eden est bien situé, nous bénéficions peut-être d'un microclimat idéal, mais ça ne durera certainement pas, ajouta Melchiot. Où en est-on de nos provisions ?

Une fille se leva.

— Les granges sont pleines, les vingt-deux expéditions lancées depuis trois mois dans les ruines des grandes villes ont rapporté de quoi nous faire passer l'hiver. Par contre, ensuite, il faudra aller encore plus loin, les centres commerciaux les plus proches ont été dévalisés. Si nous voulons manger au printemps, il faudra explorer au-delà des zones connues.

Ambre se leva à son tour.

— Nos champs sont prêts, les potagers aussi, l'irrigation est réglée, avec un peu de chance nous aurons de quoi alimenter tout Eden d'ici à quelques mois.

— Les groupes de chasseurs sont opérationnels, ajouta Tobias qui supervisait les archers d'Eden. Ils rapportent assez de viande pour que nous n'en manquions pas.

— Pareil pour les pêcheurs sur le fleuve, intervint un autre Pan d'à peine douze ans. Et nous avons assez de poules, de vaches et de chèvres pour fournir les œufs et le lait nécessaires.

Melchiot acquiesça avec un sourire fier. Il hocha la tête avant de pivoter vers Ambre.

— Ambre, tout va bien à l'académie de l'altération ? Les Pans craignent de plus en plus le bruit et les tremblements.

— Oui. Nous expérimentons, voilà tout.

— Le Cœur de la Terre ?

— C'est une réserve d'énergie colossale, et elle nous permet de gagner du temps.

— Faites attention tout de même, le Conseil a déjà reçu de nombreux témoignages d'inquiétude.

Ambre croisa les bras sur sa poitrine et fit un imperceptible signe de la tête.

— Très bien, conclut Melchiot. À présent, passons aux questions et aux remarques. Qui a quelque chose à rapporter ?

Les uns après les autres, les Pans prirent la parole pour exposer les problèmes qui leur étaient confiés par les garçons et les filles qu'ils connaissaient, et le Conseil tenta de fournir une réponse à chacun.

La soirée touchait à sa fin, beaucoup de Pans bâillaient, lorsque Matt se décida à se lever.

— En tant que membre de ce Conseil et général de notre armée, je vous informe que j'envisage de quitter Eden, au moins pour un temps.

La stupeur s'abattit sur l'assistance d'un coup, et réveilla ceux qui s'assoupissaient.

— Pourquoi ? demanda Melchiot après un temps. Ta présence parmi nous est importante.

— Je pense qu'il est nécessaire de poursuivre l'exploration du monde, les Longs Marcheurs ont bien assez à faire à circuler de village en village et colporter les informations et les centraliser ici, je me porte volontaire pour monter une équipe et aller à l'ouest ou au nord, voir ce qu'il y a au-delà des zones connues.

Une houle agita aussitôt le Conseil, chacun y allant de son commentaire.

Matt était conscient que sa décision subite ressemblait à une fuite, mais il n'en avait cure. Au fil des semaines, il se sentait de moins en moins légitime ; certes il avait contribué à la survie des Pans pendant la Grande Bataille et l'Alliance qui avait suivi, mais les choses avaient changé depuis, et il réalisait qu'il était un garçon de terrain. Sa place n'était pas au milieu d'une arène politique à discuter et débattre de ce qu'il fallait faire ou ne pas faire pour améliorer la vie à Eden.

Matt s'ennuyait.

Ses yeux glissèrent vers Ambre qui le fixait avec une expression curieuse, que Matt ne parvenait pas à décrypter. Elle semblait confuse.

Il eut un pincement au cœur.

Est-ce que je m'ennuie vraiment ou est-ce que je préfère fuir celle qui m'échappe?

Il serra le poing et retrouva son aplomb pour faire face au Conseil.

— Je ne sers à rien ici, dit-il. Mes compétences seront bien plus utiles dehors. Ma décision est prise, il ne me reste plus qu'à former une équipe et choisir une direction.

— Soit, capitula Melchiot. C'est ton choix, nous ne pouvons te l'interdire, même si je pense que ta présence ici nous est précieuse.

— Il n'y a plus de conflit, plus de bataille à livrer, vous n'avez plus besoin de moi, trancha Matt.

Il sentait sur ses épaules, en cet instant, l'inutilité du guerrier en temps de paix.

Les membres du Conseil sortirent du bâtiment, la petite foule se dispersa rapidement, chacun pressé de rejoindre son lit, lorsque Tobias saisit Matt par le bras.

— Tu as vu? demanda-t-il sur un ton inquiet.

Matt suivit le regard de son compagnon qui fixait le ciel, vers le nord.

D'étranges lueurs rouges nimbaient l'horizon, semblables à d'interminables voiles, des fantômes de nuages aux formes allongées et entremêlées à travers lesquelles les étoiles scintillaient à peine.

— Wouah! s'exclama Matt. On dirait des... horreurs boréales!

— *Aurores* boréales, corrigea Tobias. Sauf que ça n'a pas

cette couleur, et que nous sommes bien trop au sud pour en voir.

— Alors c'est quoi à ton avis ?

D'autres Pans avaient remarqué le phénomène et s'étaient arrêtés à leur tour pour contempler les fascinants nuages de lumière rouge.

— Je l'ignore.

— C'est beau.

— C'est inquiétant, je trouve.

Matt haussa les épaules.

— Pourquoi dis-tu ça ? Depuis la Tempête la nature nous offre parfois de bien belles choses.

— Et de nouveaux dangers également.

— Ne dis pas de sottises, c'est aussi agréable à regarder que les luminobellules. Ce sont les nouvelles aurores boréales, c'est tout !

— Ce n'est pas normal. Nous ne devrions pas les voir d'ici.

Matt donna une tape amicale dans le dos de son ami.

— Allez, ne fais pas ton anxieux. Ce sont de belles couleurs !

— Justement, fit Tobias, songeur. Dans la nature, les créatures qui ont des couleurs vives sont souvent toxiques... C'est une règle de protection. Et ces nuages ne me disent rien qui vaille.

2

Entente Cordiale

La forteresse de la Passe des Loups dardait ses tours et ses remparts au milieu d'un goulet formé par les contreforts de la Forêt Aveugle. Deux interminables parois végétales qui grimpaient plus haut qu'une montagne et encaissaient une profonde vallée au fond de laquelle ondulaient les drapeaux pan et matur.

Terrain neutre, la forteresse délimitait l'unique endroit où les deux peuples pouvaient se côtoyer, non sans quelques difficultés, mais faisant le nécessaire pour que l'entente perdure.

Pans et Maturs possédaient chacun leur territoire : des tours, des couloirs et des étages du donjon qui leur étaient strictement réservés, et au milieu des zones mixtes où adultes et enfants se croisaient, échangeaient et travaillaient ensemble.

Cet équilibre trouvait sa source au sommet du donjon, dans une immense salle circulaire, percée de fenêtres rondes et où il faisait toujours froid : la Chambre Cordiale.

C'était en son sein que toutes les négociations entre Pans et Maturs se déroulaient et que la diplomatie s'exerçait pour améliorer les relations entre les deux peuples. Au centre, sur un piédestal en marbre, reposait le traité d'Alliance, un parchemin signé par les représentants matur et pan, symbole d'une union naissante, garante de la paix.

À la demande de Zélie et Maylis, les deux sœurs ambassadrices des Pans, les murs de la Chambre Cordiale avaient été gravés de tous les patronymes des Pans et Maturs tués lors de la bataille qui les avait vus s'affronter sans pitié. Plusieurs milliers de noms étaient incrustés dans la pierre, majoritairement des adultes.

Les victimes de la paix.

Personne ne devait les oublier lors des échanges qui avaient lieu ici, afin que chaque fois, ceux-ci débouchent sur le meilleur. Face à ces morts, en ces lieux, chacun se devait de travailler pour que le sacrifice n'ait pas été vain.

Un homme sec, à petite moustache blanche, aux yeux très rapprochés, comme si la cloison du nez n'existait pas, la tête portée par un cou maigre, strié de rides et de veines palpitantes, se tenait au centre, les mains croisées dans le dos de sa tunique rouge et noir – les anciennes couleurs des Cyniks, remplacées depuis par le bleu et le noir.

— Ambassadeur, fit l'homme en s'approchant (il s'inclina comme s'il s'adressait à un souverain, le regard craintif), un message du roi Balthazar.

Le Buveur d'Innocence saisit la missive d'un geste rapide et s'écarta pour la lire.

— Mmmh, fit-il d'un air songeur, l'index écrasant ses lèvres.

— Souhaitez-vous envoyer une réponse ? demanda l'homme, toujours en retrait.

— Non, tu peux disposer.

Dès qu'il eut disparu derrière les lourdes portes de la Chambre, le Buveur d'Innocence tendit la lettre au-dessus d'une des nombreuses bougies et la regarda se consumer rapidement.

Les tentures s'écartèrent à l'autre bout de la vaste salle, du côté des appartements Pan, et le Buveur d'Innocence se frotta les mains pour se débarrasser des dernières cendres avant de faire face à Zélie et Maylis.

Les deux sœurs aux longs cheveux bruns étaient toujours aussi belles, altières et gracieuses : Zélie la déterminée, au caractère guerrier, et Maylis l'observatrice, dont les rares phrases touchaient toujours au but.

Le Buveur d'Innocence se méfiait d'elles.

— Mesdemoiselles les Ambassadrices ! les salua-t-il en s'inclinant légèrement.

— Nous souhaitions vous informer que notre convoi à destination de Babylone partira bientôt d'Eden, vos mères seront ainsi encadrées pour accueillir leurs nouveau-nés.

Le Buveur d'Innocence ne put réprimer un frisson.

— Très bien, dit-il du bout des lèvres, sans masquer son dégoût. Les premiers groupes d'enfants ont déjà aidé à préparer le terrain, mais ils ne sont pas assez nombreux. J'ai de mon côté des nouvelles du roi Balthazar. En gage de confiance, il désire autoriser vos patrouilles à entrer en terre matur, sans autorisation spéciale.

— Pourquoi donc ? s'étonna Zélie. Qu'irions-nous faire sur votre territoire ?

Le Buveur d'Innocence haussa les épaules.

— Ce n'est qu'une autorisation, sans obligation aucune. Valable pour nos deux camps, bien entendu. Ainsi, nos soldats étant mieux armés et plus nombreux, ils pourraient, de temps à autre, vous prêter main-forte pour vous débarrasser des créatures les plus coriaces. J'ai entendu dire que vous étiez infestés de Rôdeurs Nocturnes, nous pourrions vous aider à les repousser, par exemple.

Zélie fit la moue.

— Cela demande réflexion.

— Bien sûr, si vous ne vous sentez pas encore prêts à nous accueillir sur vos terres, le roi comprendra, il en sera déçu, mais nous serons patients.

Zélie hésita, alors Maylis intervint :

— Si ces patrouilles ne sont pas des mouvements de troupes et qu'elles ne sont que ponctuelles, nous n'avons aucune raison de nous y opposer.

— Parfait ! Le roi sera ravi.

Sur ces mots, le Buveur d'Innocence leur offrit un petit sourire qu'on devinait forcé, ses lèvres fines relevées sur des dents longues et des gencives atrophiées.

Puis il leur tourna le dos et quitta la Chambre Cordiale.

Zélie poussa un profond soupir.

— Je n'aime pas ce sale bonhomme ! s'énerva-t-elle. Pourquoi as-tu accepté ? Nous n'en avons même pas discuté ensemble !

Maylis saisit sa sœur par le bras et l'entraîna vers la sortie.

— Pas ici. Viens, allons discuter dans nos appartements.

— Tu crois que les murs ont des oreilles ?

— Je crois que tout est possible, allons, viens.

Elles descendirent plusieurs étages et se réfugièrent dans une petite bibliothèque aux rayonnages emplis de livres aux dos multicolores.

— J'ai accepté parce que ce n'est pas le moment de nous montrer méfiantes, se justifia Maylis.

— Tu crois qu'il manigance quelque chose ?

Maylis haussa les épaules.

— Disons qu'il ne m'inspire pas confiance.

— Alors pourquoi ne pas prévenir le Conseil d'Eden ?

— Pour leur dire quoi ? Que mon instinct m'ordonne d'avoir à l'œil l'ambassadeur matur ? Non, je suis peut-être paranoïaque. Matt nous avait dit de ne pas nous fier à lui. Je sens qu'il prépare quelque chose.

— Nous pourrions au moins avertir Matt et Melchiot.

Maylis secoua vivement la tête.

— Je n'ai pas confiance non plus en notre messagerie.

— Lequel d'entre nos courriers ? Ils sont plusieurs !

— Colin tout d'abord. Le plus gros de notre correspondance passe entre ses mains, et je me méfie.

— Décidément ! Dis-moi : en qui crois-tu ?

— À part toi ? Pas grand-monde. Écoute, la paix commande que nous soyons vigilantes, les conflits naissent du relâchement, mieux vaut trop que pas assez. Soyons sur nos gardes avec le Buveur d'Innocence et cherchons quelque chose de louche dans son comportement.

— Tu veux qu'on se livre à de l'espionnage en fin de compte ?

Maylis dansa d'un pied sur l'autre, n'osant confirmer.

Zélie l'arrêta d'un geste.

— Tu peux compter sur moi. S'il fait quoi que ce soit de suspect, je trouverai des preuves.

— Attention, nous marchons sur des œufs, il ne faut surtout pas créer un incident qui pourrait avoir de graves conséquences.

— Fais-moi confiance, dit Zélie en adressant un clin d'œil à sa sœur, je serai invisible.

3

Le choix

De fines crevasses douloureuses creusaient les pieds de Matt. Plus d'un mois qu'il marchait sans répit, et son corps n'en pouvait plus.

Il devait se rendre à l'évidence, la volonté seule ne suffisait pas, il avait dépassé ses limites, celles de son enveloppe physique.

Après les ampoules et les courbatures, les maux de dos à force de dormir à même le sol, les brûlures causées par le frottement des vêtements imbibés de sueur, les ecchymoses sous les lanières de son sac à dos, les crevasses étaient la blessure de trop.

Il lui fallait trouver un refuge, s'abriter quelques jours, se reposer, reprendre des forces.

Mais Matt était poussé par un angoissant sentiment d'urgence.

C'était du domaine de l'instinct, de l'intuition.

Il fallait qu'il le fasse.

Sans tarder.

Et il était parti vers le nord.

Une destination inconnue. Il avait dépassé les Postes Avancés pour pénétrer dans une immense zone qu'aucun Pan n'avait explorée depuis la Tempête. Qu'était devenu le Canada ? Y avait-il eu des survivants là-bas aussi ? Matt n'avait pas souvenir du moindre témoignage à ce sujet, il n'avait jamais rencontré âme qui vive venant de plus haut que Chicago.

Après s'être massé les pieds avec un peu d'eau, Matt renfila ses chaussures et décida de chercher un endroit assez protégé du vent et des intempéries pour y rester au moins deux jours.

Il avait encore quatre bonnes heures devant lui avant le crépuscule.

La région était boisée, ponctuée ici et là de gros rochers,

dont certains dépassaient la cime des conifères, semblables à des canines de titans dressées vers le ciel.

Il marcha jusqu'à débusquer une petite cavité sous un rocher, assez large pour s'y faire une cabane de fortune.

Il y déposa son lourd sac à dos, et ne garda que son épée dans l'étui plaqué entre ses omoplates. Puis il alla chercher du bois sec afin de préparer un feu.

Il avait les bras chargés de branches mortes lorsqu'il remarqua une lueur, un peu plus loin, dans d'épais fourrés.

Une lumière rouge, semblable à celle d'une petite lampe, à moins de trente mètres.

Puis une autre, sur sa droite, derrière un mur de ronces.

Pris d'un étrange pressentiment, Matt fit un tour sur lui-même pour constater qu'il était entouré par les halos pourpres.

Il lâcha le bois à ses pieds et tira son épée.

Plusieurs halos rouges surgirent alors des buissons.

Comme les nombreux yeux d'une masse qui l'encerclait.

Matt ne pouvait en distinguer la forme, il ne voyait qu'une lumière rouge pulsant au milieu d'une haute silhouette humanoïde. Elle était devant lui, derrière et sur les côtés. Étaient-ils plusieurs ?

Une sirène effroyable mugit dans la forêt, plus angoissante qu'une corne de brume, et les lumières s'intensifièrent.

La douleur traversa Matt d'un seul coup, lui faisant lâcher son épée.

L'onde de souffrance pinça ses nerfs comme les cordes d'une harpe de cauchemar.

Matt s'entendit hurler.

Il se débattait, incapable de foncer sur les créatures.

Puis ses quatre membres furent tirés de toutes parts.

Les horribles craquements résonnèrent dans l'ensemble de son corps, et la souffrance s'interrompit net.

Matt s'effondra.

Mort sur le coup.

Il faisait déjà jour.

Ambre avait les yeux ouverts, la respiration courte.

Le cœur serré.

Un cauchemar ! C'est juste un cauchemar !

Sa poitrine se soulevait et s'abaissait à toute vitesse, incapable de se calmer.

Matt n'était pas mort pour de vrai, ce n'était qu'un rêve affreux.

Pourtant elle ne parvenait pas à se détendre.

Elle n'avait plus fait de cauchemar depuis trois mois, pas le moindre rêve d'ailleurs.

Depuis qu'elle avait absorbé le Cœur de la Terre en fait.

C'était le premier.

Et celui-là lui laissait un arrière-goût d'authenticité particulièrement déplaisant.

Ambre se redressa et s'assit sur le bord du lit.

Sa chemise de nuit était moite de transpiration.

— Ce n'est pas réel, dit-elle tout haut pour exorciser ses angoisses. Ce n'est pas vrai.

Pourtant elle ne parvenait pas à se défaire de cette impression particulière. Les sons étaient si précis qu'ils ressemblaient plus à un souvenir qu'à une projection de l'inconscient. Le souffle du vent, le froid et…

La douleur de Matt !

Elle était plus vraie que nature, Ambre l'avait perçue.

Ça ne ressemblait pas à un mauvais rêve.

Plutôt à un pressentiment.

Soudain, Ambre en fut convaincue : Matt ne devait pas partir, il ne devait surtout pas quitter Eden.

Elle se leva et après de rapides ablutions s'habilla et quitta les maisons de bois bordant le fleuve où elle logeait pour se rendre sur la grande place où Matt vivait avec Tobias.

Elle traversa la vaste étendue sans même répondre aux saluts amicaux des Pans déjà occupés à leurs tâches, et entra précipitamment dans la haute demeure au toit pointu.

Ambre savait précisément où dormait Matt, ils avaient passé de nombreuses heures dans sa chambre, l'un contre l'autre, à discuter, à somnoler ou à s'embrasser, pendant les semaines qui avaient suivi l'Alliance.

Ambre toqua à la porte et entra dès qu'elle reconnut la voix de Matt disant que c'était ouvert.

Le garçon passait un tee-shirt gris sur son jean, les cheveux encore mouillés, quand elle entra.

La surprise transforma aussitôt son visage.

— Ambre ? Je… Que…

— Tu ne dois pas partir, lança la jeune fille en se dressant devant lui.

Des perles d'eau glissaient sur le front et les joues de Matt, et il sentait bon, un parfum vanillé.

— Pardon ?

— Cette idée d'aller explorer les terres inconnues : oublie-la !

Sur les traits du garçon, la surprise céda la place à l'agacement.

— Ambre, tu ne peux pas m'ignorer pendant des semaines, faire comme si rien ne s'était passé entre nous, comme si j'étais un inconnu, et débarquer ensuite pour me dicter ma conduite !

— Je te le demande, s'il te plaît.

— Tu te rends compte de ton attitude ? (Matt cligna les paupières plusieurs fois, comme si une nouvelle idée lui venait à l'esprit.) Et puis pourquoi me demandes-tu cela ? Tu… tu as quelque chose à me dire ?

Ambre secoua la tête, mal à l'aise. Elle recula et vint se poster devant la fenêtre. Le soleil réchauffait Eden, perçant de gros nuages cotonneux.

— Non… je… non, c'est juste que…

— Alors pourquoi t'obéirais-je ?

Ambre repensa à l'abominable vision de Matt agonisant et se ressaisit.

— J'ai fait un cauchemar, voilà ! Tu étais parti et tu mourais, tué par des… des choses très bizarres. Et c'était plus qu'un rêve, crois-moi, j'ai senti que c'était une sorte de prémonition. Reste ici.

Matt balaya l'air d'un revers de main.

— Si je dois agir en fonction des rêves et des cauchemars de tout le monde, je n'ai pas fini de tourner en rond !

— Mais je ne suis pas tout le monde, Matt !

Le garçon se planta devant elle :

— Ah bon ? Tu en es sûre ? Parce que la dernière fois tu t'es comportée comme les autres.

Ambre serra les mâchoires, vexée et surtout confuse, noyée dans les émotions contradictoires qui tourbillonnaient en elle.

Elle secoua doucement la tête en fixant Matt droit dans les yeux, puis, les lèvres serrées, elle tourna les talons et s'éloigna.

Lorsque la porte claqua en bas, Matt se laissa tomber sur son lit, le cœur douloureux. Une boule de colère et de frustration arrimée à sa gorge.

Eden était traversée par le fleuve, une large diagonale d'eau claire qui séparait la partie habitée – l'ouest et le sud – de la zone plus sauvage – le nord et l'est – où les vergers, les bois et un immense champ occupaient l'essentiel de l'espace. Le tout était clos par une fortification de rondins dressée au sommet d'une butte. Qu'il soit sur une rive ou sur l'autre, chaque Pan pouvait ainsi se sentir en sécurité, protégé par l'enceinte gardée, et on s'y promenait sans arme.

Matt brossait Plume sur la rive sauvage du fleuve, sous l'ombre des trois grands silos fraîchement bâtis.

La chienne – à présent presque aussi haute qu'un cheval – regardait au loin, la langue pendant sur le côté, profitant de cet instant rien qu'à elle.

Tobias mâchouillait une longue tige qu'il venait de cueillir parmi les herbes et observait les deux complices.

— Chaque fois que je la vois j'ai l'impression qu'elle est plus grande ! s'exclama-t-il.

— C'est le cas. Elle a encore grandi depuis la Grande Bataille.

— Tu crois qu'elle ne va jamais s'arrêter ?

— Tous les chiens apparus ce soir-là, cet été, sont comme elle. J'ignore pourquoi. J'espère qu'elle va rester comme elle est maintenant, parce que sinon ça va devenir un problème.

Plume tourna la tête vers son maître et le fixa de ses iris noisette.

— Non, enfin…, bredouilla Matt. Tout de même, Plume ! Si tu continues tu ne pourras pas rester avec nous en ville ! Regarde-toi ! Tu ne rentres même plus dans la maison !

La chienne détourna le regard.

Tobias s'approcha et dit tout bas :

— Elle comprend vraiment ce qu'on dit ?

Matt haussa les épaules.

— J'en ai l'impression. En tout cas, moi, je la comprends. Pas vrai, Plume, qu'on se comprend ?

La chienne se leva et vint coller sa grosse truffe humide dans le cou de Matt qui pouffa. Puis elle alla s'allonger plus loin en lâchant un profond soupir.

Les deux garçons restèrent assis dans l'herbe, sans parler, avant que Tobias ne demande :

— Ton projet de partir, c'est du sérieux ?

— Oui.

— Pourquoi tu veux faire ça ? Tu n'es pas bien ici, avec nous ?

— Je crois que ça a assez duré. Il faut savoir trouver sa place dans la société, et la mienne n'est certainement pas ici, à attendre qu'on me demande mon avis pour construire une nouvelle tour de garde, ou décider s'il faut créer un service militaire obligatoire !

— Tu es général de notre armée, c'est normal qu'on te sollicite pour…

— C'est ce que je dis : ça m'ennuie ! Je ne me sens pas à l'aise avec ça. Ambre s'amuse bien à faire travailler l'altération à l'académie et à imposer aux Pans d'Eden de parler le mieux possible, avec des mots toujours plus savants ! Melchiot s'en sort très bien au Conseil, Floyd l'aide parfaitement, Tania et toi faites un superboulot avec les archers, bref, tout le monde a trouvé sa place. Sauf moi. Je crois que je suis un de ces garçons qui doivent être sur le terrain, pas enfermés dans une salle de Conseil à prendre des décisions politiques. Ma place est à l'extérieur de ces fortifications, dehors, dans la nature.

— Et tu comptes partir seul ?

— Pourquoi, tu veux venir ?

— Ça se pourrait.

— À une condition ! Que tu coupes tes cheveux ! Avec une tignasse pareille on va se faire repérer par tous les prédateurs à des kilomètres à la ronde !

Les deux garçons rirent de bon cœur. Tobias ne s'était plus coupé les cheveux depuis plusieurs mois et une sphère crépue lui surmontait le crâne à l'instar d'un casque de moto.

— Pas touche à mon look !

— On dirait que tu t'es coincé la tête dans une boule de bowling !

Nouveaux rires.

— C'est mon hommage aux Jackson Five, aux seventies ! Et en matière de cheveux trop longs, tu peux parler ! On dirait un vieux geek ! Si tu continues, tu vas pouvoir te les attacher sur la nuque !

Matt donna une bourrade dans l'épaule de son camarade.

Leurs rires s'estompèrent.

— Tu es sérieux, demanda-t-il, tu viendrais vraiment avec moi ?

Tobias baissa le regard, inspecta ses mains, la corne cloquait ses doigts à force d'entraîner les archers de la ville.

— Je ne peux pas dire que l'idée m'enchante, mais… te savoir au loin sans ma protection, non merci ! Je culpabiliserais !

Matt lâcha un sourire.

— Avoue que tu t'ennuies, toi aussi.

Tobias fit la moue.

— Non, je ne peux pas dire ça, j'ai mes habitudes maintenant…

— Le Salon des souvenirs où tu racontes tes exploits tous les soirs ? pouffa Matt.

— N'empêche, ils m'écoutent ! Et ma cicatrice les impressionne !

— Je sais, je te charrie.

— Et… Et Ambre ?

— Eh bien quoi ?

— Tu lui as parlé ? Si nous partons tous les deux, elle voudra peut-être nous accompagner, l'Alliance des Trois, tu sais !

Matt secoua la tête vivement.

— C'est inutile. Elle a trop à faire ici à l'académie de l'altération.

— Vous êtes toujours en froid ?

— Elle ne vient pas, c'est tout.

Devinant que le sujet était sensible, Tobias n'insista pas.

— On va où ?

— À l'ouest. Pour atteindre l'océan. Nous détaillerons chaque découverte, et nous établirons un chemin pour rallier Eden au Pacifique.

— Pourquoi pas le nord ? Après ce qu'on a vu l'autre soir, ça ne t'intrigue pas ?

— Je préfère l'océan. Au moins il y a un but précis.

L'autre soir, c'était juste un phénomène naturel, voilà tout.

— C'était tout de même bizarre, et nous n'avons aucune explication…

— Ce n'est pas plus anormal que la chaleur et le beau temps que nous avons ici alors que nous sommes le 22 décembre !

— C'est vrai, fit Tobias en restant pensif un moment. Quand est-ce qu'on part ?

— D'ici quelques jours, le temps de tout préparer.

Matt eut envie d'ajouter « le temps de dire au revoir à ceux que nous aimons », mais il se retint.

Cela sonnait comme un départ sans retour.

4

Un problème

La pierre à aiguiser tournait à toute vitesse sur son axe, produisant un raclement désagréable dès que l'acier de l'épée venait l'effleurer. Matt redonnait un coup de manivelle régulièrement pour qu'elle continue à bonne allure, versant un peu d'eau de temps en temps.

Le fil de sa lame commençait à devenir très tranchant.

Il le testa du bout du pouce et sa peau s'ouvrit brusquement, comme par magie, laissant apparaître une perle pourpre.

— Parfait ! fit-il en portant son doigt à sa bouche.

Une ombre se profila sur le sol, à ses pieds, et il pivota pour découvrir Floyd, le Long Marcheur au crâne rasé. Il arborait un air préoccupé.

— Salut, dit Matt. Ça ne va pas ?

— Viens, il s'est passé quelque chose.

— Comment ça ? s'inquiéta aussitôt Matt. Où ça ?

— Je ne peux pas t'en dire plus ici, nous sommes attendus au Hall des Colporteurs.

Matt rangea l'épée dans son fourreau et ils traversèrent la grande place d'Eden, filant sous la frondaison du majestueux pommier qui continuait de donner ses fruits goûteux.

Le Hall des Colporteurs était le quartier général de tous

les Longs Marcheurs, un vaste bâtiment à plusieurs niveaux, en forme d'église, accolé à une imposante écurie. Les Longs Marcheurs de tout le pays se retrouvaient là pour se reposer et délivrer leurs informations qui étaient ensuite répertoriées et archivées dans la bibliothèque du Serpent – ainsi nommée à cause de sa forme : une construction circulaire en anneaux concentriques, lovés les uns sur les autres, la faisant ressembler à un serpent.

Floyd et Matt pénétrèrent dans le Hall. De nombreuses capes vert foncé pendaient aux patères, témoignant de l'importante activité des Longs Marcheurs entre ces murs. L'odeur de foin, de fumier et de cheval parvenait jusqu'ici depuis l'écurie mitoyenne à travers une porte ouverte.

Les voix, les rires et les discussions passionnées résonnaient depuis la grande salle.

Floyd l'évita et entraîna Matt vers un escalier qui les mena jusqu'au deuxième étage, au fond d'un couloir, derrière une petite porte, bien à l'écart.

Des centaines de cylindres de parchemin de grande taille tapissaient les murs, roulés dans des racks en bois, et la lumière du jour peinait à s'infiltrer par quatre étroites fenêtres en ogive. Ils étaient sous les toits, dans la réserve des cartes du Nouveau Monde.

Le regard bleu de Melchiot l'accueillit ainsi que la silhouette longiligne d'une grande fille dont les cheveux bruns descendaient jusqu'au bas du dos. Elle se tourna à son arrivée et sous sa frange au cordeau, Matt reconnut de suite Tania et ses immenses yeux noisette. Depuis la Grande Bataille elle était devenue coordinatrice des Longs Marcheurs, en compagnie de Floyd.

Matt réalisa soudain que, pendant près de trois mois, il n'avait pas réellement vu ses amis, tout entier absorbé par l'après-guerre, le développement d'Eden, et Ambre.

Il eut envie de serrer Tania dans ses bras et de s'excuser de n'avoir pas été plus présent, mais son élan fut stoppé par une cinquième présence, dans le fond de la salle.

Une adolescente blonde et maigre, aux traits sales, aux cernes inquiétants était assise en bout de table. Matt nota qu'elle n'avait même pas retiré sa cape verte, un vêtement maculé de boue séchée, déchiré et percé, et, plus surprenant encore, que le capuchon en était rabattu sur sa tête.

L'air lui parut brusquement glacial.

Floyd referma la porte derrière lui.

— Il y a un problème ? demanda Matt.

— Ça se pourrait, répondit Melchiot. Matt, je te présente Amy. Elle a quitté Eden il y a plus de deux mois pour rallier les différents villages répertoriés au nord, ceux qui n'ont pas voulu rejoindre Eden. Elle a effectué sa mission de Long Marcheur, dans un premier temps s'assurer que tous les Pans qui nous avaient rejoints pour la Grande Bataille avaient retrouvé leur logis sans se perdre en chemin, puis recueillir et partager les informations. Elle a également circulé de Poste Avancé en Poste Avancé pour vérifier qu'il n'y avait rien à signaler. (Il se tourna vers la jeune fille.) Amy, je te laisse poursuivre ?

La Long Marcheur reposa le verre d'eau qu'elle venait de vider d'une traite et déglutit avec peine.

Elle fixa Matt.

— Il y a un peu moins de trois semaines, commença-t-elle d'une voix faible et tremblante, je suis arrivée au Poste Avancé du nord. Entre Longs Marcheurs, nous le surnommons Fort Punition tant il est isolé. C'était le dernier arrêt de ma longue mission. Je devais prendre leurs messages, leur délivrer les nouvelles et revenir jusqu'ici. Sauf qu'il n'y avait personne.

— Ils ont déserté ? s'étonna Matt.

Melchiot secoua la tête d'un air sinistre.

— Le fort avait été pillé, continua Amy. J'en ai fait le tour, et à l'extérieur j'ai finalement retrouvé des armes, une besace et... (Elle baissa le regard et prit une inspiration pour se donner le courage de retourner parmi ces souvenirs.) Ils étaient là. Du moins ce qu'il en restait.

— Tu veux dire… morts ? murmura Matt.

Elle acquiesça.

— Ils ont été attaqués en dehors du fort ? Combien étaient-ils ?

Melchiot répondit :

— Une garnison de cinq.

— Commandés par Jon, ajouta Tania.

Jon, songea Matt avec tristesse. *Le premier Pan à avoir été libéré de l'anneau ombilical à Hénok. Un garçon courageux, qui se disait lui-même « siphonné » pour plaisanter.*

— Et ils étaient *tous* morts ? insista Matt qui peinait à le croire.

Amy regarda Melchiot, puis Matt.

— Ils étaient quatre. Je n'ai pas retrouvé le cinquième, dit-elle, la voix chevrotante.

— Une attaque de Gloutons ?

Si, depuis l'Alliance, les Pans n'avaient plus à craindre les Maturs, les Gloutons – ces adultes mutants sauvages et barbares, dénués d'intelligence – pullulaient dans certaines régions et demeuraient un vrai danger, d'autant qu'ils s'étaient regroupés en petites meutes pour survivre.

Amy fit signe que non. Ses paupières se fermèrent à demi, tandis qu'elle plongeait dans sa mémoire.

— Les corps que j'ai découverts étaient… anormaux. Leur peau était toute grise, et de grosses veines noires apparaissaient en dessous. Et… et leurs yeux ! Ils étaient entièrement noirs !

Des larmes embuèrent les siens.

Tania se pencha vers elle pour la serrer dans ses bras.

Melchiot s'approcha de Matt.

— Trois des garçons de ce fort étaient de formidables combattants, murmura-t-il, ils s'étaient brillamment illustrés pendant la Grande Bataille. Quelle que soit la chose qui les a attaqués, elle est redoutable.

— Et rusée, compléta Matt.

— Pourquoi dis-tu ça ?

— Parce qu'elle les a tués en dehors du fort. Ils n'auraient pas été aussi imprudents s'ils n'avaient été mis en confiance auparavant. Elle a trouvé le moyen d'attirer leur attention, et non leur méfiance, pour les faire sortir.

Floyd approuva.

— Et elle a capturé l'un des nôtres, rappela-t-il. Amy a fait plusieurs fois le tour du fort, elle a appelé, fouillé, mais n'a rien trouvé.

— Aucune trace dans la neige ? s'étonna Matt.

Floyd et Melchiot se regardèrent, confus.

Le second se tourna vers la Long Marcheur :

— Tu ne nous as pas dit s'il y avait des traces autour du fort, dans la neige.

La jeune fille battit des paupières plusieurs fois, mal à l'aise.

— Eh bien ? insista Melchiot. Qu'y a-t-il ?

— Je… il avait un peu neigé avant mon arrivée.

— Assez pour recouvrir toutes les empreintes ?

Elle haussa les épaules.

— Assez pour semer le doute.

— C'est-à-dire ?

Amy déglutit une nouvelle fois.

— Tu peux parler, fit Tania d'une voix chaleureuse. Partager avec nous ce qui te pèse le rendra plus léger.

— J'ai… j'ai relevé de nombreuses traces. Mais c'étaient de petits pieds.

— La garnison du fort qui a piétiné l'extérieur avant d'être attaquée ? proposa Melchiot.

— Non, j'ai vérifié leurs semelles, ce n'étaient pas les mêmes. Et ceux qui ont fait ces marques dans la neige étaient beaucoup plus nombreux.

Matt, qui devinait le malaise d'Amy, demanda :

— Par petites traces, tu entends : des empreintes de Pans ?

Amy parut alors dévastée, prête à fondre en sanglots.

Elle hocha la tête.

— Oui. Des pas d'enfants.

Cette fois, les larmes roulèrent sur ses joues sales, traçant un sillage plus clair avant de cascader dans le vide depuis son menton.

Melchiot avait raison.

Ils avaient un problème.

5

Errance en peine

Les trois rues principales d'Eden étaient décorées.

Des lampions de papier rouges, bleus, verts et jaunes se balançaient, suspendus à des filins, une bougie à l'intérieur prête à être allumée le soir des festivités. Eden abritait des petits passages plus ou moins étroits entre les maisons et les autres bâtiments, et ce labyrinthe très fréquenté était recouvert de toiles cirées tendues entre les toits, dressant de vastes complexes abrités des intempéries et parfois obscurs sous lesquels toute une vie s'était développée, à la manière des souks d'Afrique du Nord. Là aussi, on avait disposé un peu partout des lampions, qui cette fois étaient allumés plusieurs jours avant les fêtes, pour créer une ambiance joyeuse, irradiant ces venelles habituellement sombres d'une magie rassurante.

Matt déambulait dans l'un de ces lieux que les Pans appelaient « bazars », entre les petits rassemblements d'adolescents sur des tabourets qui s'affrontaient aux cartes et aux dés, ou devant celles et ceux qui jouaient de certains instruments ou s'amusaient à déclamer du théâtre. Partout, des Pans proposaient des petits objets trouvés au gré des expéditions, ils se les échangeaient, ou les troquaient contre de menus services. Il y avait également de la nourriture, des grillades enfumaient tout le bazar, que ce soit des morceaux de viande ou des insectes qu'on surnommait « cracahouettes » à cause du bruit qu'ils produisaient sous la dent et dont les Pans étaient friands.

Le contraste entre la bonne humeur ambiante et ce que ressentait Matt le déconcertait.

À l'approche de Noël et du premier anniversaire de la Tempête qui avait bouleversé leur existence, les Pans avaient longuement hésité et débattu de ce qu'il convenait de faire. Pouvaient-ils encore célébrer Noël sans adultes tout en sachant que la Tempête était survenue peu après ? Était-ce décent ?

Après de longs échanges, le Conseil d'Eden – largement influencé par l'avis général – avait annoncé que tous les ans, une grande fête serait organisée, à la fois pour marquer le souvenir de l'ancienne vie et pour ne jamais oublier, même dans un siècle, que le monde avait basculé ce jour-là. Il était préférable de traverser cette période dans les festivités plutôt que dans le déni.

La ville tout entière s'était mobilisée avec une énergie qu'elle n'avait plus connue depuis la guerre pour préparer ces deux jours, les 25 et 26 décembre.

Matt ressentait la bonne humeur de chacun, presque une insouciance, comme s'ils étaient capables d'oublier, quelques jours durant, tout ce qui les entourait, tout ce qu'ils avaient vécu.

L'après-guerre avait été un tournant difficile à gérer, d'abord à cause des nombreux blessés, dont la moitié resteraient à jamais estropiés, mais également sur le plan psychologique. La plupart des Pans souffraient d'avoir dû se battre contre les adultes, contre leurs propres parents. Certains d'entre eux avaient mutilé, tué des Cyniks. Ce n'était pas simple de survivre à cela. De se coucher chaque soir avec des visions de violence, de sang, le souvenir des cris. Quand on n'était encore qu'un enfant.

Matt en savait quelque chose.

Au fil des mois, à lutter contre les monstres, qu'ils soient humains ou non, il avait été peu à peu pris dans une forme de spirale qui l'avait aveuglé. Elle l'avait coupé de sa sensibilité première, de ses émotions les plus essentielles.

Il s'était endurci, parfois trop, Matt s'en était rendu compte après la guerre, au contact d'Ambre.

Maintenant qu'il n'était plus gouverné par l'adrénaline, la peur et l'instinct de survie, il réalisait combien il avait été violent lui-même.

Et cela l'effrayait.

Mais plus que tout, son désir de repartir le troublait.

Ce besoin de reprendre la route, de voir du pays, de faire des rencontres…

Il ressentait l'envie de se lever chaque matin sans savoir de quoi serait fait le nouveau jour.

Mais le monde était sauvage, il le savait mieux que quiconque. Partir explorer le grand ouest, c'était se mettre en danger, ressortir cette lame si précieuse qui lui avait maintes fois sauvé la vie.

La violence remonterait à la surface.

Le sang coulerait à nouveau.

Pour survivre, se dit-il, *seulement pour me protéger.*

Alors pourquoi ce désir d'aventure ?

À présent qu'il observait les Pans autour de lui, il constatait que tous s'étaient faits à cette vie, sous la protection d'Eden. C'était devenu la normalité. Aimer ce calme. Savourer une certaine forme de certitude : demain serait *certainement* identique à aujourd'hui.

Tout près, un groupe d'une dizaine de garçons et filles entre huit et quinze ans riaient aux éclats.

Matt les contempla avec un pincement au cœur.

Melchiot avait eu raison.

Il avait ordonné qu'on ne parle pas de l'incident au nord, au Poste Avancé. Pas encore. Tania et Matt s'y étaient d'abord opposés, parce qu'il leur semblait naturel que tous les Pans puissent être informés, que le secret n'existait pas à Eden.

Mais Melchiot avait insisté, afin que les fêtes ne soient pas gâchées par la peur. C'était le devoir des membres du Conseil : faire les bons choix pour le salut de tout un peuple.

La dernière phrase de Melchiot résonnait encore dans l'esprit de Matt : « *C'est à ça que nous servons. Encaisser et faire des choix. La plupart des Pans ne voudraient pas de notre place, parce qu'elle exige des sacrifices, à commencer par celui de la sérénité et de tout ce qu'il reste d'innocence en nous. Nous sommes là pour préserver la leur autant que possible, le plus longtemps que nous le pourrons.* »

Il avait donc été décidé de taire l'attaque au nord jusqu'au prochain Conseil, après les fêtes.

Matt avait hésité à changer le cap de son voyage. Filer au nord pour voir ce qu'il en était de cette nouvelle menace. Mais Melchiot avait déjà prévu d'y envoyer un groupe de soldats, c'était plus sûr.

Deux garçons reconnurent soudain Matt, l'un des « héros » de la Grande Bataille, et le saluèrent respectueusement. Matt leur rendit leur signe de tête et ne s'attarda pas, il n'avait pas du tout envie de répondre à des questions sur Malronce et le Raupéroden.

Il n'en savait pas plus que les autres à leur sujet.

Son père et sa mère avaient fusionné, et le résultat n'avait pas survécu. Trop de déséquilibre, trop de manque, se répétait Matt.

Il avait été l'artisan de leur destruction.

Sa poitrine se creusa.

Il serra les poings.

Au moins, lorsqu'il était avec Ambre, ce sentiment-là ne remontait pas à la surface, sa présence l'apaisait et éloignait la culpabilité et la tristesse.

Elle allait lui manquer.

Et ses amis aussi, Chen, dit « Gluant », Floyd, Melchiot et Tania.

Il repensa alors à ceux qu'il avait perdus pendant la guerre.

Luiz, Neil, Horace, Ben et Mia.

Et à tous les visages de ceux qu'il avait croisés, côtoyés, et qui avaient péri.

Un frisson lui remonta le long de l'échine.

Si Tobias se joignait à lui, alors il pourrait tenir loin de tous. À deux ils se soutiendraient dans les moments difficiles.

Et puis il partait de son propre chef, personne ne l'y obligeait, bien au contraire. Il devait savoir ce qu'il voulait.

Matt pressa le pas. Il sortit du Bazar Central, celui qui regroupait toutes les bâtisses entre le Salon des Souvenirs et l'infirmerie générale, traversa deux places, puis fila vers le pont qui joignait les deux rives du fleuve. Il déambula dans les vergers, longea des granges et des silos à grain, toujours sur le même sentier, et après avoir marché près de deux cents mètres à travers un champ de blé, il entra dans le bois des Mûres, celui où avait été reconstruite la nouvelle académie de l'altération, plus grande et bien isolée du reste de la ville pour prévenir tout accident.

Il parvint devant le manoir en quelques minutes. Des crépitements de flammes, des bruits d'objets qui se brisent, de portes qui claquent s'échappaient par les nombreuses fenêtres ouvertes.

C'était un lieu étrange, tout en bois, fait de tours carrées ou rondes, de toits pentus, percés de meurtrières.

Ambre y enseignait l'art de l'altération. Elle aidait les Pans à trouver la leur, ou à la développer.

Matt remarqua un banc en pierre en lisière du bois et alla s'y asseoir.

Il ignorait lui-même ce qu'il faisait là. Il avait éprouvé le désir de marcher jusqu'ici, et d'attendre.

Au fond de lui, il savait que c'était pour voir Ambre. Lui dire au revoir, peut-être. Lui annoncer qu'il partirait après les célébrations, qu'il filerait vers l'ouest.

Qu'espérait-il ? Qu'elle l'accompagne ?

Il ne la comprenait plus. Son éloignement, sans un mot, sans une explication, son attitude vis-à-vis de lui, comme si elle cherchait par tous les moyens à le faire fuir.

Tu as réussi, Ambre, je m'en vais.

Une fois encore, son cœur se serra.

Il aurait voulu comprendre ce qu'il avait fait, ou dit, pour engendrer un tel changement.

Soudain, il se trouva ridicule. Que croyait-il ? Que d'un coup de baguette magique, tout allait s'arranger ? Qu'elle lui pardonnerait et qu'elle lui dirait ce qu'elle avait sur la conscience ?

De toute façon elle est capable de passer la journée entière dans ce manoir et de n'en sortir que tard cette nuit !

Il n'avait pas réfléchi.

Il avait été bête.

Matt soupira et se leva.

Ce soir il se joindrait à tout le monde pour les fêtes, et demain il préparerait ses affaires.

Il ne servait à rien d'attendre.

6

Un étrange observateur

Une nuée de flèches noires s'envola dans le claquement des cordes d'arc, et retomba quelque cinquante mètres plus loin, pour cribler une cible peinte sur un mur de planches.

— Excellent ! s'enthousiasma Tobias. Allez, on réarme aussitôt, vous devriez déjà avoir encoché une nouvelle flèche pendant l'envol de la précédente !

Tobias inspectait ses élèves, deux douzaines de garçons et filles que leurs qualités d'habileté avaient conduits jusqu'à lui. Futurs chasseurs d'Eden.

Il vérifia les postures, le buste droit, l'alignement parfait du bras qui tirait la corde avec celui qui maintenait l'arc, le tout formant un T bien ancré au sol. Il corrigea quelques attitudes, relevant un coude, tapotant un genou du bout de son arc.

Tobias était fier de son poste, et en même temps il angoissait énormément. Car s'il connaissait tout de l'exercice, le tir à l'arc chez lui n'était pas un don. Son altération de rapidité lui permettait d'envoyer plus de flèches à la minute que n'importe qui d'autre, toutefois il lui manquait toujours la précision.

Et Ambre n'était plus derrière lui.

Il avait maintes fois montré les gestes à ses élèves, il avait enchaîné les projectiles en usant de son altération de célérité pour les amuser, mais jamais en direction d'une cible.

Car il ignorait s'il était capable d'en toucher une sans l'assistance de la jeune fille.

À bien y réfléchir, il savait que c'était peu probable.

Il était de ces professeurs incollables sur la théorie mais qui n'excellent pas dans la pratique.

Il éprouvait le sentiment d'être un usurpateur.

Les Pans commençaient à s'impatienter.

Il donna l'ordre de bander les arcs et d'ajuster la cible.

Un mouvement dans le ciel attira son attention : un oiseau noir dessinait des cercles au-dessus d'eux.

Un corbeau. Un gros ! devina Tobias.

Qui tournait autour d'eux comme s'il se préparait à fondre sur sa proie.

Qu'est-ce qu'il a cet oiseau ? Il n'a pas l'air bien.

Le souffle crispé d'un des archers ramena Tobias à son exercice. Les bras des tireurs commençaient à trembler.

— Ajustez votre cible et bloquez votre respiration, dit-il. Tirez !

Les flèches s'envolèrent en sifflant.

Un tiers seulement atteignirent la cible.

C'était sa faute, Tobias le savait, il les avait trop fait attendre, bras tendus, ils avaient perdu leur précision par une trop longue tension musculaire.

Il releva la tête pour chercher le corbeau mais celui-ci avait disparu.

Il n'était nulle part dans le ciel, il avait simplement disparu.

Tobias sonda les environs, les feuillages.

Où est-il passé? Il était au-dessus de nous il y a un instant!

C'était un peu idiot de s'alarmer ainsi pour un oiseau, pourtant c'était plus fort que lui: il sentait qu'il y avait là quelque chose d'anormal. C'était instinctif, l'animal avait capté son attention, et surtout éveillé sa méfiance.

— Oh, il est bizarre ce corbeau! fit soudain remarquer l'un des élèves en pointant son arc en direction d'un arbre mort, fendu par la foudre.

L'oiseau se tenait au sommet du tronc déchiqueté. Les billes noires de ses yeux fixaient les Pans. Maintenant qu'il était plus proche, Tobias remarqua que son plumage brillait étrangement. Il luisait comme du vinyle.

— Qu'est-ce qu'il nous veut? demanda une jeune adolescente.

— Je ne sais pas, répondit un autre, mais en tout cas il ne perd pas une miette de ce qu'on fait.

— Dis pas n'importe quoi! Il ne peut pas comprendre! intervint un troisième.

Tobias passa devant eux et leva son arc pour les faire taire, puis s'approcha à pas lents du tronc fendu.

La tête de l'oiseau pivota, pencha de côté, comme s'il était surpris par le mouvement. Puis il se redressa pour fixer les jeunes archers.

Pendant un instant, Tobias crut qu'il les comptait, tant sa petite tête sombre s'inclinait imperceptiblement, devant chaque Pan.

Il y avait quelque chose de bizarre.

Tobias s'y connaissait en oiseaux. Avant la Tempête, chez les scouts, il était l'un des meilleurs observateurs et pouvait reconnaître la plupart des genres et des familles.

Mais celui-ci, un corbeau assurément, avait quelque chose de particulier.

Tobias avait parcouru la moitié de la distance qui le séparait du tronc.

Soudain le corbeau lança un croassement lugubre et déplia ses ailes pour décoller.

Il allait s'envoler lorsqu'un sifflement fila au-dessus de la tête de Tobias. La flèche cueillit l'oiseau en plein corps, le projetant en arrière, dans le vide puis dans les herbes.

Tobias fit volte-face.

Rudy, un garçon particulièrement indiscipliné, tenait encore son arc devant lui. Il vit le regard furieux de Tobias et baissa la tête.

— Bah… Il était pas normal ce piaf ! dit-il en guise d'excuse. On pouvait pas le laisser filer… Et puis c'était un supertir, non ?

Un de ses camarades lui donna une pichenette derrière le crâne pour le faire taire et lui signifier qu'il était vraiment idiot.

Tobias courut jusqu'au petit corps noir traversé de part en part par la flèche et tendit les mains pour l'attraper, s'assurer qu'il ne souffrait pas, qu'il était mort sur le coup.

Son geste se figea.

Le plumage luisait, recouvert d'un liquide poisseux.

Du pétrole ?

Comment avait-il pu voler dans cet état ?

Les yeux de l'oiseau étaient gris, comme voilés.

— Alors ? fit une voix de fille essoufflée dans son dos.

— Il est mort.

Alice se pencha par-dessus son épaule.

— Ah oui ! Tu m'étonnes !

— On dirait même qu'il est mort depuis longtemps, ajouta Tobias sur un ton inquiet.

Il attrapa la flèche et s'en servit pour soulever le corbeau et l'approcher de son visage.

— Mais il est mazouté ! s'écria un garçon qui venait d'accourir à son tour.

Du bout du doigt, Tobias toucha l'aile. Un dépôt charbonneux lui englua la peau.

— C'est tout collant.

Tobias souleva la petite tête doucement et retira brusquement sa main.

— Qu'y a-t-il ? fit Alice, apeurée.

— Il est tout froid !

— Froid comme s'il avait volé très très haut ?

— Non, froid… comme s'il était mort depuis plusieurs jours !

— C'est impossible, il vient de voler, il a bougé devant nous ! Il a même lancé son cri !

Tobias le toucha à nouveau.

Aucun doute.

— Cet oiseau est mort depuis très longtemps, dit-il tout bas.

Il repensa aussitôt à la manière qu'avait le corbeau de les observer.

Les avait-il *vraiment* comptés ?

Était-ce possible ?

Pas plus qu'un animal mort qui volait encore…

Il les avait survolés puis s'était posé pour les espionner avec une attention anormale pour un oiseau.

Comme s'il préparait quelque chose.

7

Les aveux

Eden scintillait dans la nuit.

Les bougies dans les lampions irisaient les artères principales, en plus de toutes les lanternes habituelles.

À chaque coin de rue, un groupe de Pans jouait de la

musique, des anciens airs connus, des compositions nouvelles et quelques improvisations pour les plus doués.

Matt déambulait au milieu de la joyeuse foule, percevant la bonne humeur collective. Il savait combien ce moment était important pour chacun. Les Pans les plus jeunes, quatre ou cinq ans, se mêlaient aux plus vieux, ceux qui approchaient les dix-huit ans ou, pour quelques-uns, qui les dépassaient. À tous, la fête offrait l'occasion de mettre ses incertitudes de côté, ses peines aussi, parfois sa culpabilité. C'était la première fois depuis la Tempête qu'ils s'unissaient dans le rire et la joie de leur âge. Après la guerre contre les Cyniks, personne n'avait eu le cœur à célébrer la paix, trop de morts et de blessés, trop de sang versé des deux côtés pour avoir envie de s'amuser.

Tout l'après-midi, Matt avait préparé son départ. Il avait rempli ses besaces avec minutie, attentif à ne rien oublier. Il ne manquait plus que les provisions, après quoi il pourrait sangler le tout sur le dos de Plume.

Il avait prévu de ne pas se coucher tard, pour partir le lendemain matin, pendant que la plupart des Pans seraient en train de se reposer.

Il n'aimait pas les adieux.

Tobias aussi avait fait son sac. Matt le trouvait très perturbé, en particulier à cause de son histoire d'oiseau mort.

L'événement semblait improbable. Pourtant Tobias était catégorique. L'oiseau avait bougé, il avait volé, bien que son corps soit couvert d'une sorte de pétrole. Et surtout : il était mort depuis longtemps !

Le Nouveau Monde était décidément plein de surprises. Même si Matt devait bien avouer qu'elles n'étaient pas de son goût.

La foule autour de lui riait et criait, dévorait ce qui rôtissait sur les feux à l'entrée des bazars, et de longues farandoles se formaient au rythme de la musique.

Matt prit soin d'éviter les danses et gagna la grande place pour découvrir l'immense pommier éclairé de l'intérieur par des dizaines de lampes pleines de champignons lumineux comme celui que Tobias avait trouvé presque un an auparavant.

Une clarté argentée s'échappait entre les branches, nimbant les environs d'un halo surnaturel. Au-dessous, la foule semblait auréolée comme s'il s'agissait d'anges festoyant autour de longues tables.

Cela lui faisait du bien de contempler Eden en liesse.

Mais son insouciance fut de courte durée. Il pensa bientôt aux défenses de la ville. Réduites en ces temps de paix, et particulièrement ce soir, pour ne pas contraindre trop de Pans à une corvée désagréable.

Qu'avaient-ils à craindre ?

Pas les Maturs dorénavant. Les Gloutons ? Ils n'étaient pas très discrets, et aucun Long Marcheur n'en avait croisé près d'Eden ces derniers jours.

Ce qui avait sévi à Fort Punition ?

Trop loin, se dit Matt.

Non, à vrai dire, il n'y avait aucune raison de se faire du souci pour la sécurité.

Matt attrapa une brochette sur un gril et commença à la grignoter tout en marchant entre les tables.

Tobias lui avait dit qu'il serait là ce soir, sous le pommier.

Et au fond de lui, Matt savait qu'Ambre ne serait pas loin.

Un dernier regard…

C'était tout ce qu'il voulait.

— Hey Matt ! Tu veux un cocktail ? s'écria Chen. Mieux vaut ne pas savoir ce que je mets dedans, mais ils sont délicieux !

Matt refusa d'un geste et continua jusqu'à ce qu'on lui tapote l'épaule.

— Alors comme ça tu pars demain ? fit une voix familière.

Ambre se tenait face à lui. Sa chevelure d'un blond roux réfléchissait l'éclat des lanternes.

— C'est Tobias qui te l'a appris ?

— Il est venu me prévenir. Me dire au revoir.

Cela résonnait comme un reproche.

Les deux adolescents restèrent ainsi un long moment sans se parler.

Puis Matt brisa le silence :

— Ne prends pas cet air déçu, c'est toi qui me fuis depuis un mois.

Ambre ouvrait la bouche pour répondre, mais ses yeux se mirent à scruter les environs, au milieu du brouhaha festif.

Elle le prit par le bras et lança :

— Viens.

Ils descendirent la rue principale, filèrent à travers le Bazar Occidental, où Ambre s'empara d'une lanterne à huile, et débouchèrent dans la friche qui occupait toute la partie sud-ouest de la ville. Ambre marchait à toute vitesse sur le petit sentier de terre battue, la lampe oscillant au bout de son bras.

Matt se laissait entraîner. Manifestement, elle avait décidé de les isoler le plus possible de la fête dont ils percevaient toujours les échos.

Ils longèrent le « Bois qui grince » et grimpèrent sur la colline abrupte qui abritait l'amphithéâtre d'Eden.

Ils s'arrêtèrent au sommet du grand arc de cercle creusé dans la butte, dominant les centaines de bancs en pierre et la grande scène, tout en bas, seulement éclairée par la lune.

Les Pans, qui voulaient s'occuper après la guerre, voire s'abrutir de travail, s'étaient fait un devoir de construire ce lieu imposant pour assurer la transmission de la culture. Il fallait continuer cet enseignement, celui qu'ils avaient commencé à recevoir avant la Tempête. Et après avoir retrouvé de nombreux ouvrages dans les bibliothèques en ruine, les représentations avaient débuté. Plusieurs fois par semaine. Des pièces de théâtre, et beaucoup de lectures de livres d'histoire, de biologie ou même de romans. Chacun y venait de son propre chef, s'il le désirait, et chaque fois, l'amphithéâtre était plein.

Ambre prit Matt par la main et le guida parmi les rangées de bancs. Ils descendirent au milieu et s'assirent côte à côte.

Le contact de la jeune fille fit frissonner l'adolescent.

Sa frustration et sa peine lui avaient presque fait oublier à quel point c'était bon de sentir sa peau, son parfum de fleurs et d'être frôlé par sa chevelure.

Elle déposa la lanterne à leurs pieds.

Son visage, ainsi éclairé par-dessous, n'en était que plus beau. Son menton fin, ses pommettes hautes, tout en elle était parfait. Matt pouvait même deviner la douceur de ses lèvres.

Elle le fixait.

— Je te présente mes excuses, dit-elle. Je me suis mal comportée.

Matt demeura silencieux. Il ne savait que répondre. Et surtout, il n'osait intervenir alors qu'il était sur le point de savoir enfin pourquoi il avait subi un tel rejet.

— C'est... c'est difficile pour moi de t'expliquer. (Elle pencha la tête et se mit à regarder la lanterne.) Je... Il se passe des choses en moi depuis que j'ai absorbé le Cœur de la Terre. Je sens des changements. Peu à peu. Et... nous deux, nous...

Elle soupira, butant sur les mots, incapable d'exprimer ce qu'elle ressentait.

Matt osa lui venir en aide :

— Qu'ai-je dit ou fait pour te mettre en colère ? Pour que tu ne viennes même pas m'en parler ? Je croyais que nous étions de ceux qui se parlent, même lorsque c'est difficile, même si c'est blessant pour l'autre, pour que le « nous » soit plus important que nos « je ».

— Non, ce n'est pas toi ! Enfin... ce n'est pas ce que tu as dit ou fait, tu ne peux t'en vouloir. C'est moi.

Matt serra sa main dans la sienne.

— Alors dis-moi !

— C'est difficile avec des mots... Tu sais que je me sens chargée d'une énergie nouvelle, et elle bouillonne en moi, elle tourne dans mon sang, dans ma chair. Et... lorsque nous étions ensemble, elle était présente... dans mon ventre. Une chaleur rassurante, mais en même temps... un désir.

Matt fronça les sourcils. Il n'était pas sûr de comprendre où elle voulait en venir.

— Je... j'ai senti au fil des semaines qu'il se passait quelque chose entre nous, ajouta-t-elle. Et l'énergie du Cœur de la Terre s'est progressivement mise à jouer avec mes sens.

Matt avala sa salive par deux fois avant de se lancer :

— Ne crois-tu pas que ça puisse être autre chose ?

— À quoi penses-tu ?

Matt rougit.

— Tu étais peut-être en train de... de tomber amoureuse.

Il termina à peine sa phrase, retenant le dernier mot entre ses lèvres.

Ambre le regarda et eut un sourire tendre.

— C'est ce que je te dis. Mais je ne contrôle pas bien mes... sentiments. Enfin... surtout mes désirs.

Elle posa une main sur le bas de son ventre.

— Tu veux dire que le Cœur de la Terre te donne des envies de... (Il inspira un grand coup.) De *le* faire ?

Le sourire d'Ambre s'estompa.

— Plus que ça, Matt. Mon corps et ce qui vit en lui me font te désirer, et plus encore. Ça me hantait chaque jour lorsque nous nous voyions, et je me battais contre cette pulsion ardente chaque fois que nous nous touchions.

Ambre se redressa et recouvrit leurs mains de son autre main.

— Matt, je sens le désir d'enfanter grandir en moi.

Matt se décomposa.

— Quoi ? Mais... J'ai quinze ans et ça fait à peine deux mois que tu as eu seize ans ! On ne peut pas...

— Ce n'est pas une question d'âge, c'est en moi. Je sens que c'est à cause du Cœur de la Terre. Et ça devenait trop fort, je ne pouvais plus résister. Tu comprends ?

— Alors... tu as préféré prendre tes distances.

Ambre se jeta contre lui et le serra dans ses bras.

— Oh, Matt, tu m'as manqué, dit-elle avec des larmes dans la voix.

D'abord penaud, Matt finit par l'enlacer à son tour. Il retrouvait goût à la vie.

— Je ne sais plus quoi faire, murmura-t-elle, le visage enfoui dans le cou du garçon. Je ne veux pas que tu partes, mais je sais que si nous continuons de nous voir, nous finirons par… par *le* faire. Ce sera plus fort que moi, que nous.

Faire l'amour.

L'apothéose de leur trajectoire sentimentale.

Puis faire un enfant à Ambre.

Matt avait du mal à l'imaginer. C'était trop. Trop vite. Il comprenait le désappointement d'Ambre. Mais ensuite ? Vieillir. Devenir adultes.

S'exiler du côté des Maturs un jour car ils finiraient par ne plus se sentir à leur place à Eden, parmi les enfants ? Probablement. Devenir adulte signifiait-il perdre son altération, comme tout le monde le pressentait ? Il était trop tôt pour le savoir, les Pans qui étaient passés de l'autre côté l'avaient fait récemment et n'avaient pas perdu leurs capacités, mais cela durerait-il ?

Matt admirait Ambre. Sa beauté, sa présence rassurante. Il aurait voulu fusionner avec elle, ne plus jamais la quitter.

Il lui passa la main dans les cheveux.

— Je crois qu'au fond, dit-il tout bas, je voulais partir parce que c'était insupportable de te voir tous les jours sans te sentir avec moi. Nous trouverons une solution. Fais-moi confiance.

— Tu ne vas pas nous abandonner à nouveau ?

— Je ne vous abandonnais pas. Je m'éloignais pour me préserver.

— J'ai fait ce rêve, Matt, il était si réel ! Si vrai… Tu ne dois pas partir pour le nord, ou tu… tu mourras !

La voix d'Ambre suintait l'angoisse, elle n'avait plus de souffle.

— Rassure-toi, répondit le jeune garçon, j'avais prévu d'aller à l'ouest, pas au nord. Maintenant les choses sont différentes.

Ambre recula pour lui faire face, ses yeux dans les siens. Leurs lèvres n'étaient qu'à quelques centimètres.

— Je t'aime, chuchota-t-elle.

8

De sa conscience vers le ciel

Tobias n'en pouvait plus.

Il avait mal au ventre tant il riait. Floyd, le Long Marcheur au crâne rasé, n'arrêtait pas avec ses blagues et elles étaient toutes plus tordantes les unes que les autres.

Tobias avait besoin d'une pause.

Lorsque Floyd se lança dans un jeu d'imitations, cela lui rappela cette soirée de détente sur le bateau qui les conduisait à Wyrd'Lon-Deis, quatre mois auparavant, et Horace qui les avait tant amusés avec ses grimaces et son altération de transformation.

Horace et son sacrifice, quelques semaines plus tard.

Cette fois, Tobias eut *envie* d'une pause.

Il s'écarta pour aller près du fleuve. Les musiques, les chants et les rires s'éloignèrent, sans tout à fait s'estomper.

Des lampions colorés encadraient le débarcadère où reposaient les bateaux de pêche.

Il remarqua une forme assise sur l'une des barques à fond plat.

Longs cheveux et large frange.

Tania.

— Ça va ? demanda Tobias en s'approchant.

— C'est bruyant là-bas, j'avais pas eu ma dose de calme depuis un moment.

— Je comprends, c'est pareil pour moi. Tu permets ? demanda-t-il en désignant l'autre planche qui faisait office de banc.

— Bien sûr.

Tobias descendit en prenant soin d'y aller doucement pour ne pas basculer par-dessus bord et se posta face à la jeune fille.

Tania le scrutait d'un air presque tendre. Tobias remarqua qu'elle s'attardait sur la cicatrice qui lui barrait une partie du visage, du front à la joue.

— Tu la trouves moche ? demanda-t-il, le plus neutre possible.

— Non.

— C'était plutôt une fierté au début…

— Et maintenant ?

— Je ne sais pas.

— Elle te renvoie à la guerre ? À ce que nous avons fait ? Aux hommes que nous avons tués ?

Tobias haussa les épaules, les yeux dans le vague, perdu dans ses souvenirs.

— Moi aussi, poursuivit Tania, je me sens parfois coupable. Je n'arrive pas à m'enlever de la tête le visage de ceux sur qui je tirais mes flèches. Je me souviens de chacun. De la vitesse à laquelle la pointe se plantait dans leur corps, et de leur dernière expression, tétanisée ou effrayée.

— Nous ne l'avons pas voulue, cette guerre, rappela Tobias d'une petite voix. C'était notre survie, notre liberté qui étaient en jeu.

— Oui, je sais. Il n'empêche que nous avons tout de même tué des hommes, et il faut vivre avec cela maintenant. Notre liberté, tous les jours, a un parfum de culpabilité. Je ne suis pas la seule dans ce cas, la plupart des Pans sont ainsi.

Tobias hocha la tête.

— J'essaie de ne pas trop en parler, en fait.

— Tu as tort. Nous ne devons pas garder ça en nous, les secrets que l'on enfouit pourrissent et deviennent des cancers. Ils auront un impact, un jour, sur toi, sur ce que tu seras. Tu devrais au contraire y réfléchir souvent, exorciser cette culpabilité, et c'est dur, j'en sais quelque chose.

Tobias croisa les bras sur sa poitrine.

— Tu as probablement raison.

Tania se pencha et posa l'index sur la boursouflure de chair qui commençait juste sous les cheveux du garçon. Elle parcourut ainsi toute la cicatrice.

— Elle n'est pas moche, dit-elle tout bas. C'est le prolongement de toi. Il faut juste que tu apprennes à vivre avec, et tu verras qu'elle ne sera plus jamais moche, ni pour toi, ni pour les autres.

Tobias afficha un sourire.

— Tu sais t'y prendre, toi, avec les gens !

Elle rit à son tour.

— C'est plus fort que moi, je dois avoir un instinct maternel très prononcé ! Tobias ? Qu'est-ce qu'il y a ?

L'expression du jeune garçon s'était figée. La tête levée, il observait le ciel en direction du nord de la ville, l'air préoccupé.

— Cette nuée d'oiseaux, là-bas, dit-il en se levant dans la barque. Ce sont les mêmes que celui que j'ai vu ce matin.

— Comment tu peux le savoir ? Ils sont loin et il fait nuit ! On n'aperçoit qu'un tas de taches noires !

— J'en suis sûr. Cette façon de voler un peu statique, raide.

— Et il avait quoi de si angoissant, ce piaf ?

— Il était mort.

Tania faillit s'étrangler.

— Mort ? Tu veux dire qu'il volait en étant mort ?

— Exactement.

— Tu as prévenu le Conseil ? La sécurité de la ville ?

— J'ai apporté le corps à Melchiot mais il n'en sait pas plus. Viens, je crois qu'il faut alerter les gardes. Je ne le sens pas ce coup-là, ils sont vraiment nombreux.

Tobias se hissa sur le pont et tendit la main à Tania pour l'aider à son tour. Il leva à nouveau les yeux au ciel.

L'escadrille sombre tournait en rond au-dessus de la ville, changeant de secteur après quelques virages, comme s'ils cherchaient quelque chose.

Brusquement ils piquèrent et rasèrent le toit des habitations les plus hautes, filant à pleine vitesse vers le sud d'Eden.

— T'as raison, concéda Tania, ils ne sont pas normaux. On dirait qu'ils ont trouvé ce qu'ils voulaient.

— Ils filent vers les friches. Il n'y a rien là-bas !

— L'amphithéâtre ?

— Vide, le spectacle est pour demain soir.

Le ciel s'illumina brièvement au nord, mais intensément, et le tonnerre claqua dans l'air, faisant sursauter les deux adolescents.

Trois nouveaux éclairs zébrèrent l'horizon.

Un orage approchait à grande vitesse.

9

Réminiscence cauchemardesque

Le souffle chaud de sa respiration caressait le visage de Matt.

Ambre était collée contre lui, ses lèvres si proches des siennes.

Sa poitrine s'écrasa contre son torse, et le cœur de Matt s'emballa.

Ses mains devinrent moites.

Ambre ferma les yeux. Son front effleura celui de son compagnon.

Puis ses lèvres tièdes cueillirent celles de Matt.

Avec douceur, elles jouèrent lentement à se découvrir, puis soudain se happèrent, et les mains d'Ambre se crispèrent contre lui, comme si une force électrique la traversait.

Sa langue chercha celle de Matt et tout le corps du garçon se réveilla.

Tout était bien réel.

Elle était contre lui.

Matt se mit à trembler.

Soudain quelque chose changea.

Matt pensa d'abord que c'était Ambre qui interrompait leurs caresses. Mais il réalisa qu'elle était tout entière abandonnée contre lui.

Ce n'était pas eux.

Mais *autour* d'eux.

L'environnement.

Quelque chose se passait.

Matt n'était plus concentré, Ambre le sentit et se recula.

— Ça ne va pas ? demanda-t-elle de sa voix douce.

Sans répondre, Matt scrutait les alentours, les centaines de bancs de pierre dans la nuit, la longue scène tout en bas, puis le bois au-delà, et l'ombre mouvante des arbres dans le vent.

La lumière n'était plus la même. La petite lanterne à huile aux pieds d'Ambre n'éclairait plus. Jusqu'à présent ils avaient eu une vue globale de l'amphithéâtre grâce aux étoiles.

Elles ont disparu ! constata Matt.

Il leva la tête, s'attendant à découvrir un gros nuage qui masquait la voûte céleste.

Une spirale de formes noires tournait à l'aplomb de leur couple, à cinquante mètres d'altitude.

Plusieurs centaines d'oiseaux virevoltaient en silence, recouvrant tout l'amphithéâtre d'un manteau de ténèbres.

— Bon sang ! gronda brusquement Matt. Qu'est-ce que ça veut dire !

— Ils décrivent des cercles… au-dessus de nous !

— Ça me rappelle de mauvais souvenirs avec des chauves-souris !

— Tu penses à Colin ? Son altération pour communiquer avec les oiseaux ?

Matt secoua la tête.

— Pourquoi ferait-il ça ? C'est la paix entre Maturs et Pans. Non, c'est autre chose. Viens, ne restons pas là, je n'aime pas ça.

À contrecœur, Matt prit Ambre par la main et l'entraîna en bas de l'amphithéâtre où ils longèrent la scène.

La masse tourbillonnante se déplaça en même temps.

— Ils nous suivent ! lança Ambre, paniquée.

— Il faut rentrer en ville, se mettre à l'abri.

Cette fois, Matt s'était ressaisi, la chair de poule et les frissons de désir s'étaient dissipés.

Ambre désigna le « Bois qui grince ».

— Là-bas nous serions protégés par les branches.

— Trop loin des habitations. Si ça se passe mal…

Au-dessus d'eux, les oiseaux volaient en cercle, sans un bruit, ne levant qu'un léger vent tourbillonnant.

— Ils ne sont pas normaux, Matt, je le sens.

Soudain un éclair illumina l'amphithéâtre, accompagné d'un coup de tonnerre assourdissant.

Matt avait sursauté, crispé, le visage tendu vers l'ouest, vers la butte surmontée d'un rempart de rondins taillés en pointe.

— Matt, lança Ambre qui avait senti la terreur s'emparer de son ami, ce n'est pas ce que tu crois. C'est juste un orage, d'accord ? Ce n'est pas *lui*. Il a disparu, tu te souviens ? Le Raupéroden est mort. Allez, viens, il faut partir.

Matt acquiesça lentement.

— En ville, rentrons à l'abri.

Ils s'élancèrent dans la nuit, contournant la grande colline pour rejoindre le sentier qui traversait la friche. Des barrières de ronces, de fougères et de hautes herbes les séparaient encore des premières maisons. Le sentier serpentait au milieu de cet amas végétal, grimpant, zigzaguant, descendant, parfois étroit, souvent dangereux à cause des nombreuses racines qui agrippaient les chevilles.

Matt en tête tenant fermement la main d'Ambre, ils filaient, précédés de la lampe à huile.

Le vent s'était brusquement levé, faisant bruisser les feuilles, secouant les tapis de fougères et la nature tout entière jusqu'à la rendre bruyante et inquiétante.

Trois nouveaux éclairs révélèrent le paysage, scandés par les grondements qui roulèrent au-dessus d'Eden comme un gigantesque tonneau près de s'abattre sur la ville.

Matt courait, entraînant la jeune fille.

Il ralentit un instant pour vérifier s'ils avaient gagné du terrain sur la nuée d'oiseaux noirs et constata avec anxiété que ces derniers étaient toujours là, au-dessus d'eux.

Ils nous suivent !

Tout à coup, l'un d'eux fondit en piqué, aussitôt imité par une centaine d'autres. La pointe du vol s'abattit à deux mètres devant Matt et Ambre avant de redresser la trajectoire et de remonter vers le ciel.

Ils venaient de leur barrer le chemin, de manifester leur intention de les stopper.

— Ils ne veulent pas que nous passions par là ! cria Ambre. Comment est-ce possible ? On dirait qu'ils savent ce qu'ils font !

— Je l'ignore mais ce n'est pas eux qui commandent ! Viens !

Matt se préparait à repartir et à poursuivre leur fuite lorsqu'un oiseau surgit devant lui, bec ouvert, ailes déployées, les serres prêtes à crocheter.

Par réflexe, Matt lui assena un coup du revers de la main. Son altération de force suffit à briser les os de l'oiseau et à l'expédier dans un nid de ronces.

Une traînée noire et grumeleuse recouvrait le dessus de sa main.

— Qu'est-ce que c'est ? Du sang ? fit Ambre.

Matt secoua la tête et porta la substance à son nez.

— Ça sent fort… Du pétrole ! Et du goudron je crois.

Ambre saisit aussitôt la lampe à huile et l'écarta de son ami.

— Mauvais mélange !

— Tobias avait raison ! Il en a vu un comme ça ce matin !

Déjà, plusieurs dizaines de volatiles fondaient sur Matt ;

Ambre n'eut que le temps de le tirer en arrière avant que les becs ne frappent.

Les adolescents couraient à nouveau, revenant sur leurs pas.

— Le bois ! s'écria-t-elle entre deux coups de tonnerre. C'est notre seule chance !

Ils coururent dans la nuit, à la lueur de leur lampe à huile, ballottée par les rafales de vent qui s'intensifiaient.

Puis elles cessèrent brusquement.

Matt ressentit des fourmillements sur la nuque.

Il connaissait cette impression.

Être pris au milieu d'une tempête et atteindre l'œil du cyclone.

Comme avec le Raupéroden.

Il stoppa leur course.

— Qu'y a-t-il ? demanda Ambre.

Matt désigna le ciel.

Les oiseaux tournaient autour d'eux, mais cette fois ils avaient laissé un espace vide au milieu, formant une couronne de corps de toutes tailles.

— Quelque chose se prépare, chuchota Matt.

La silhouette apparut au détour du sentier. Une forme humaine de deux mètres de haut enveloppée dans une longue toile noire ne laissant qu'un trou de ténèbres à la place du visage.

Matt fut traversé par une terreur absolue.

Ses membres cessèrent aussitôt de lui obéir.

Le Raupéroden se dressait à cinq mètres de lui.

La créature s'immobilisa, sa face de néant braquée sur eux.

À bien y regarder, elle n'était pas tout à fait comme le Raupéroden. Il ne s'agissait pas que d'un drap de ténèbres flottant dans l'air avec un immense crâne effrayant au centre, mais l'apparition était dotée de bras et de jambes. Sous la toile qui lui servait de manteau, des gants de cuir recouverts de bouts de métal cliquetaient, et de grosses bottes de cuir et d'acier dépassaient du tissu. Là où le Raupéroden ressemblait à un monstre éthéré, la créature tenait plus de l'homme.

Elle ressemblait à la Mort.

Il ne lui manquait que la grande faux.

Un souffle rauque jaillit de sous le capuchon.

Semblable à un grognement de satisfaction.

Une des mains gantées se tendit vers Matt.

Et il lui sembla que le cuir ne *recouvrait* pas la main, mais *était* la main, avec des veinures et des tremblements à sa surface, pareils à une réaction épidermique. Les insertions de métal couvraient chaque articulation, et l'extrémité des doigts dessinait des griffes tranchantes.

Matt repoussa Ambre derrière lui.

— Dès que je te le dis, tu cours de toutes tes forces, dit-il par-dessus son épaule.

— Je ne te laisse pas.

— Fais ce que je te dis. J'arriverai peut-être à le ralentir le temps que tu prennes assez d'avance pour atteindre le bois. Ensuite tu le traverses vers l'est et tu retournes en ville en longeant les fortifications. De là tu pourras aller chercher des renforts.

— C'est un grand détour ! Jamais tu ne tiendras si longtemps !

La créature se mit à avancer d'un pas lourd vers les deux adolescents.

— Nous n'avons pas le choix ! lança Matt en se préparant à frapper de toutes ses prodigieuses forces.

La créature accéléra sur les derniers mètres.

— Maintenant ! hurla Matt.

Le garçon fit un bond de côté pour surprendre son assaillant et lança son poing avec toute la puissance dont il était capable, accompagnant le geste d'une rotation du buste et du poids de tout son corps.

Le coup allait être dévastateur.

Il vint cueillir le monstre en pleine poitrine.

Le poing traversa la cape et heurta une surface dure, métallique, qui s'enfonça sous l'impact.

N'importe quel homme aurait eu la colonne vertébrale brisée. Une mort presque instantanée.

Pourtant la créature ne fit que reculer d'un mètre, à peine gênée par le choc.

Elle sembla décontenancée un instant, puis se redressa et fit de nouveau face à Matt.

Une lueur rouge, presque imperceptible, s'alluma sous le capuchon, mais Matt ne put voir s'il s'agissait de ses yeux.

Le monstre tendit sa main gantée vers lui et un trait gris en jaillit.

Matt reçut le coup de poing invisible au creux de l'estomac et tomba à genoux en gémissant.

Le trait gris s'enroula autour de lui comme un fouet et se resserra brutalement, arrachant un cri au garçon.

Sa peau se mit à le torturer comme si le lien était enflammé. Il avait l'impression de brûler.

Matt avait le souffle court, la douleur devenait insupportable.

Du coin de l'œil, il vit qu'Ambre reculait lentement, effrayée. Elle n'avait pas couru vers le bois, elle avait refusé de l'abandonner.

La créature se rapprocha en émettant un grondement pareil à celui des flammes dévorant des bûches.

Matt rassembla ses forces, malgré la douleur de plus en plus vive, et contracta ses muscles pour faire craquer le lien qui brûlait ses épaules et ses bras.

Mais rien ne se produisit.

Le monstre ouvrit la main pour saisir la tête de Matt et ce dernier comprit qu'il allait la lui presser comme une orange.

Il ne put rien faire.

Sauf voir l'éclair rouge traverser l'air depuis le sommet de l'amphithéâtre et frapper la créature en pleine poitrine.

10

Tourmenteur

Une gerbe d'étincelles crépita dans la nuit, et le monstre recula.

Trois autres éclairs le cueillirent au torse et l'éloignèrent un peu plus de Matt.

Soudain, un brasier incandescent illumina la friche tandis qu'un long trait de flammes ardentes s'abattait du ciel sur le monstre.

Les liens qui enserraient Matt relâchèrent leur étreinte puis disparurent d'un coup, tandis qu'un amas de poussière se répandait au sol.

Matt aperçut une centaine de Pans au sommet de l'amphithéâtre.

Tous lançaient leurs attaques ensemble, faisant s'abattre un déluge de feu, de glace, d'éclairs, de vent et de coups sur l'intrus qui titubait.

Une dizaine d'autres Pans surgirent dans son dos, et l'un s'approcha avec son arc pour préparer son tir et viser la tête quasiment à bout pourtant. Matt reconnut Elric, l'un des chefs de la garde d'Eden, l'un des meilleurs archers.

La créature fit aussitôt volte-face et posa son gant sur le visage du garçon.

Elric ne put l'éviter.

Sa peau devint grise en une seconde, et l'instant d'après, le monstre le lâchait. Elric restait figé dans la même position, l'arc bandé, prêt au tir, sans plus aucune trace de vie en lui.

Deux autres impacts s'abattirent sur la créature et le pire survint : Elric explosa. À l'image d'une statue de cendres qui se désagrège dans le vent, il se transforma en un nuage de poussière grise qui aveugla ses compagnons, les obligeant à battre en retraite.

En haut de leur colline, le gros des troupes intensifia ses

attaques sur le monstre, toutes plus féroces les unes que les autres et qui produisaient des bouquets d'étincelles jusqu'aux pieds de Matt.

Dans le ciel, les oiseaux virèrent en même temps pour se préparer à fondre sur les Pans.

Ils amorçaient un virage pour descendre leur crever les yeux lorsqu'une centaine de flèches sifflèrent dans la pénombre. Tobias menait un bataillon d'archers en compagnie de Tania.

Les coups d'altération redoublaient sur la créature qui ne pouvait plus rien faire d'autre que reculer.

Matt n'en croyait pas ses yeux. Elle encaissait un flot inouï d'énergie, assez pour détruire un immeuble, et pourtant elle restait en vie.

En vie mais acculée.

Il la vit tout à coup plonger sa face dans ses mains et un grognement guttural jaillit de ses entrailles.

Les volatiles qui avaient échappé aux flèches changèrent aussitôt de cap et fondirent sur le monstre.

Plusieurs dizaines de ces petits cadavres volants vinrent recouvrir la créature au milieu des attaques lumineuses, et elle disparut dans la trombe tournoyante, protégée par ses sbires.

La colonne remonta vers le ciel en tourbillonnant, tornade d'ailes, de becs et d'yeux translucides.

Un long cri aigu, dans lequel Matt crut percevoir autant de souffrance que de rage, résonna dans la cuvette de l'amphithéâtre, et les oiseaux prirent de l'altitude jusqu'à ce qu'il n'en reste plus aucun au sol.

Les cieux grondèrent, un éclair blanc zébra les nuages, le vent reprit de plus belle, et l'orage repartit vers le nord.

En moins de cinq minutes, le calme revint sur la ville.

On ne retrouva rien d'Elric. Ni lui, ni ses affaires. Tout avait été vaporisé. Desséché en un instant, jusqu'à la cendre.

Entre les sanglots et la peur, les garçons et les filles contemplaient les abords de la scène où flottait encore l'odeur piquante des éclairs. L'air était saturé d'électricité, et de nombreuses flammèches brûlaient encore au sol.

Melchiot fit rentrer les Pans en ville. Il doubla les gardes et repoussa d'un geste impérieux ceux qui réclamaient que le Conseil d'Eden se réunisse immédiatement.

— L'heure n'est pas aux jérémiades et aux délibérations sans fin ! répliqua-t-il en rejoignant Matt et Ambre.

Melchiot s'imposait de plus en plus comme un chef, surtout dans les moments de crise. Il demanda à Floyd de disperser les plus curieux et s'approcha de ses deux amis victimes de l'attaque du monstre.

— Vous n'êtes pas blessés ? s'enquit-il.

— Non, quelques bleus, rien de plus, répondit Matt en se massant la main droite qui était tout enflée.

Melchiot nota cependant que le garçon semblait plus fébrile qu'à l'ordinaire, et qu'Ambre tremblait légèrement.

— Une idée de ce que c'était ?

Ambre et Matt se regardèrent.

— Ça ressemblait à la Mort, fit une voix dans leur dos.

Tobias apparut, son arc sous le bras.

— Pas faux, avoua Melchiot. Sauf que la Mort n'existe pas… Enfin, je veux dire : pas concrètement, pas sous une forme précise !

Tous se regardèrent, mal à l'aise.

— Les oiseaux lui obéissaient, rapporta Ambre d'un ton presque absent.

— Et pourtant ils n'étaient plus vivants depuis longtemps, ajouta Tobias. Cette chose commande aux morts.

Melchiot secoua la tête en grimaçant.

— Je n'aime pas ça.

— Elle… Elle ressemblait un peu au… Raupéroden, balbutia Tobias en observant Matt.

Ce dernier acquiesça doucement :

— Moi aussi j'ai remarqué. Cet habit noir, ce manteau comme une cape, ce capuchon sans visage…

— Sauf que le Raupéroden flottait dans l'air, rappela Ambre, il n'était qu'un immense visage de mort qui se dessinait sur un drap vibrant dans la nuit, avec des dizaines de mains capables d'en sortir. Là c'était une silhouette bien précise, qui marchait sur la terre, elle n'était pas fantomatique.

— Et le Raupéroden est détruit, insista Melchiot.

— Je ne saurais l'expliquer, répondit Matt, mais j'ai le sentiment que cette chose et le Raupéroden ont un lien. C'est comme s'ils venaient du même endroit.

— Allons, le coupa Melchiot, pas de théorie de ce genre. Pour l'heure, nous venons d'identifier une nouvelle menace, et puissante de surcroît !

— Tu m'étonnes ! gémit Tobias avec anxiété. Il a fallu les meilleures altérations d'Eden pour le repousser ! Et encore ! Nous avons dû mettre le paquet !

— Si une patrouille le croise là-dehors, elle ne pourra rien faire, conclut Melchiot sinistrement.

— Il est arrivé avec l'orage, les informa Ambre.

— Comme le Raupéroden…, murmura Matt.

— Il va falloir informer nos soldats, approuva Melchiot. Leur dire d'éviter à tout prix les zones orageuses.

Ambre posa une main sur l'épaule de Matt.

— Je sens ton tourment, dit-elle tout bas.

Matt lui prit la main.

— On va l'appeler comme ça, rebondit Melchiot. *Tourmenteur*. Ça lui va bien. J'espère qu'il est l'unique représentant de son espèce, parce que s'ils sont plusieurs, nous sommes…

— Dans le pétrin, termina Tobias.

Melchiot le regarda. Il avait en tête un autre mot moins noble, mais l'idée était la même.

Soudain, au nord, le ciel s'illumina d'éclairs blancs, lointains et silencieux. Puis d'autres éclairs enflammèrent la nuit, beaucoup plus au nord-ouest. Il en jaillit au nord-est, et bientôt tout l'horizon nord s'éclaira de saccades hypnotiques.

Une demi-douzaine d'orages localisés semblaient se répondre.

Les grondements du tonnerre parvinrent à Eden avec plusieurs dizaines de secondes de latence.

Mais lorsqu'ils commencèrent, ils saturèrent l'air de roulements lugubres qui écrasèrent la ville de leur menace.

11

Dans la gueule du loup…

Les notes de musique rebondissaient dans les hauteurs de la grande salle, résonnant sous les arches du donjon, entre les fenêtres éclairées de l'intérieur par de nombreux candélabres.

Les Maturs avaient retrouvé et réparé un piano à queue sur lequel jouait un jeune homme approchant de la vingtaine. Un adulte barbu l'accompagnait à la guitare et une adolescente brillait au violon.

Les murs de la forteresse de la Passe des Loups vibraient aux sons des airs enjoués. Les célébrations de fin d'année, Noël et le premier anniversaire de la Tempête avaient rassemblé enfants, adolescents et adultes dans la vaste salle de bal du donjon, à l'origine réfectoire des troupes. De longues banderoles, des gonfalons, pavois et autres bannières colorées la décoraient, créant une ambiance chaleureuse.

Près de trois cents personnes avaient festoyé, ri, discuté, et bien que tous aient fourni de vrais efforts en début de soirée pour se mélanger, à présent que la nuit s'étirait, Pans et Maturs se retrouvaient chacun de leur côté.

Maylis repoussa son assiette, elle avait trop mangé.

— Je n'en peux plus ! Je crois que si Peter m'invite à danser, je vais lui vomir sur les pieds !

Zélie esquissa un sourire distrait.

— Ça ne va pas ? demanda Maylis qui sentait son aînée préoccupée.

— Si, si…

— Non, je le vois bien, tu es soucieuse. Quel est le problème ?

Zélie lui fit signe d'oublier mais Maylis suivit son regard, et de l'autre côté de la table du banquet, aperçut le Buveur d'Innocence.

— Ah, lui ! pesta-t-elle. Tu veux toujours l'espionner ?

— J'ai déjà commencé.

— Pardon ? Sans me prévenir ?

— Nous en avions parlé. Tu l'as dit toi-même : il n'est pas clair.

— Zélie, ne prends aucun risque. Pour toi, mais aussi pour la paix entre nos peuples. Si on t'attrape en train de fouiner dans ses affaires, cela pourrait créer un véritable incident diplomatique.

— Tout dépend de ce que je trouverai… Et puis ne me donne pas de leçon de ce genre, tu es la première à te méfier de ce sale type !

— Je m'emballe vite, c'est vrai, mais contrairement à toi, je sais me modérer ! Je réfléchis.

— Eh bien moi, j'agis, pendant que tu te trifouilles les méninges ! Je n'ai pas encore eu accès à ses appartements. Pour l'heure je me suis contentée d'étudier ses allées et venues. Il reçoit beaucoup de courrier en provenance de Babylone.

— C'est normal, ses ordres viennent du roi Balthazar.

— Sauf qu'il ne nous réunit pas souvent, les échanges entre Balthazar et nous sont rares.

— Ils discutent peut-être ? Ça ne me rend pas paranoïaque en tout cas. Par contre, j'aimerais être sûre que le Buveur d'Innocence ne nous cache rien, qu'il ne prépare pas un sale coup dans notre dos.

Zélie hésita, puis se rapprocha de sa sœur pour chuchoter :

— Mis à part quelques gardes et ceux dont c'est le tour de

faire certaines corvées, tout le monde est ici ce soir, dans cette salle ou pas loin. Je me disais que c'était l'occasion rêvée de descendre dans ses appartements, pour jeter un œil.

— Trop dangereux ! répliqua aussitôt Maylis.

— Nous n'aurons plus d'aussi belle opportunité avant longtemps !

— Tu te rends compte ? Si tu es découverte ?

— Justement, s'il y a bien un moment où je risque moins de l'être, c'est maintenant.

Maylis n'était pas convaincue.

— Je ne sais pas… Il est capable de tout.

— C'est pour ça que j'ai besoin de toi, que tu l'aies à l'œil. S'il veut quitter la salle, soit tu le retiens, soit tu te précipites pour me prévenir, avec ton altération de dissimulation, tu pourras te fondre dans les ombres des couloirs pour le prendre de vitesse.

— Justement, c'est plutôt à moi d'y aller, je serai plus discrète.

— Sauf que le Buveur d'Innocence est un Cynik prudent. Il aura fermé ses appartements à clé. Et je suis la seule à pouvoir passer à travers une porte.

Maylis soupira, vaincue.

— Bon, très bien, mais promets-moi de ne prendre aucun risque inutile. Tu regardes si tu trouves quelque chose de louche puis tu remontes sans traîner ! D'accord ?

Zélie approuva d'un grand sourire de conspiratrice.

Zélie filait dans les couloirs du château. Elle passait sous les torches, petite silhouette discrète, empruntait des escaliers en colimaçon qui semblaient ne jamais s'arrêter, enroulés sur eux-mêmes jusqu'à l'étourdir, puis elle poussait des portes étroites pour filer de passages en pièces obscures ou à peine éclairées par quelques bougies.

Elle avait quitté la zone des Pans pour entrer dans les appartements maturs. Elle n'était pas censée se trouver là, mais aucune loi n'interdisait à un Pan de venir s'y promener, il suffisait d'avoir une bonne raison pour cela, et Zélie ne manquait pas d'imagination.

Elle n'avait croisé personne sur son chemin, si ce n'est quelques individus qu'elle s'était arrangée pour éviter, et aucun garde. La surveillance se limitait, ce soir-là, à des rondes sur les remparts et au sommet des tours, pour prévenir de tout danger extérieur.

Les Pans et les Maturs commençaient à se faire mutuellement confiance.

Exactement la règle que je ne respecte pas ! songea Zélie.

C'était à cause de lui. Le Buveur d'Innocence. N'importe quel autre Matur aurait fait l'affaire, et elle serait restée à sa place, respectant l'intimité de chacun.

Mais avec un homme pareil, elle ne pouvait faire confiance et attendre. Pas avec les responsabilités qui étaient les siennes. Les Pans comptaient sur les deux sœurs pour les représenter et… les protéger.

Près de quatre mois après sa nomination, Zélie continuait de s'interroger sur la lucidité du roi Balthazar. Comment avait-il pu nommer un tel ambassadeur ?

Le Buveur d'Innocence a toujours été un politicien, il connaît du monde, il a des réseaux et beaucoup de Cyniks croient en lui, c'est pour ça que Balthazar a accepté. En fait il n'a pas eu le choix ! Le Buveur d'Innocence l'y a sûrement obligé, en échange de son allégeance et celle de ses partisans !

C'était assurément ce qui s'était passé. Après la chute de Malronce, les Cyniks s'étaient scindés en deux clans : ceux qui avaient ouvert les yeux sur leur fanatisme et s'étaient rangés derrière Balthazar, et ceux qui avaient pleuré la perte de leur reine. Cette dernière faction était importante. Beaucoup d'intégristes religieux, d'extrémistes haineux faisaient confiance au Buveur d'Innocence, réputé intransigeant et fidèle à ses convictions.

Voilà comment se construit le pouvoir : avec des compromis dangereux! s'énerva Zélie tout en sachant qu'une démocratie naissait parfois à ce prix.

La fraîcheur lui indiqua qu'elle arrivait à destination. Les appartements du Buveur d'Innocence étaient tout en bas du donjon, près des caves. Zélie ne connaissait pas ce secteur, aussi se guidait-elle en suivant les petits panneaux en bois qui marquaient chaque croisement. Il lui suffisait de suivre « Quartiers privés ». Seuls les hauts dignitaires maturs y résidaient, et la plupart du temps uniquement le Buveur d'Innocence puisqu'il ne supportait pas la compagnie d'autres politiciens. Depuis son installation, il refusait systématiquement tous les conseillers que Balthazar lui proposait.

Ça aussi c'est louche!

Les torches dégageaient une odeur âcre, brûlant avec un petit chuintement ponctué de crépitements. Le bout du couloir sur sa droite se terminait par une lourde porte en bois ornée de ferronneries massives. Un écriteau indiquait qu'elle entrait dans une zone privée – interdite à toute personne non autorisée.

Zélie jeta un dernier coup d'œil par-dessus son épaule pour s'assurer qu'elle n'était pas suivie et s'engagea dans le couloir.

Ce qu'elle s'apprêtait à faire était dangereux.

Ce n'était pas tant les Cyniks qu'elle craignait que sa propre altération. Sa capacité à traverser les objets, à passer la main à travers une feuille de papier sans la déchirer, ou de l'autre côté d'un linge sans même le trouer. Cette fois, c'était son corps tout entier qu'elle espérait projeter à travers le bois.

Elle n'avait tenté cela qu'une seule fois, pendant la Grande Bataille, et elle y était parvenue grâce à l'énergie supplémentaire délivrée par les Scararmées.

Depuis, les Pans avaient rendu aux petits insectes leur liberté, non sans les remercier pour leur précieuse aide, et Zélie s'était peu entraînée à la pratique de son altération.

Mais elle s'en savait capable.

En fait, elle s'en *espérait* capable.

Car si elle restait coincée en travers de la porte, non seulement la duperie serait découverte, mais elle risquait d'y laisser la vie !

Zélie effleura la serrure du bout des doigts.

Je peux le faire même sans les Scararmées, je peux réussir ! C'est une question de concentration !

Toutefois, elle actionna la poignée avec un pincement au cœur, nourrissant le mince espoir d'entendre le déclic de l'ouverture.

Fermé.

Il fallait se lancer.

Zélie appliqua les deux mains contre le battant sans parvenir à se décider.

Elle avait peur.

Maintenant qu'elle était face au problème, elle ne se sentait plus aussi déterminée, plus aussi sûre d'elle.

Un frottement résonna dans les couloirs, derrière elle. Quelqu'un approchait.

Zélie se retourna, paniquée. Elle était prise au piège au fond de cette impasse.

C'est maintenant ou jamais.

Elle ferma les yeux, se concentra sur les battements de son cœur, s'efforçant d'obtenir une respiration calme, de longues inspirations et expirations.

Elle n'avait plus beaucoup de temps, les pas se rapprochaient, la personne allait surgir d'un instant à l'autre.

Zélie sentait le bois sous ses paumes.

Soudain la matière disparut.

Un bracelet froid entoura ses poignets et remonta le long de ses bras à mesure qu'elle entrait dans la matière.

Brusquement son nez entra en contact avec une substance molle, et tout son visage passa au travers.

Elle eut l'impression de sortir d'une flaque de gélatine froide.

Les épaules.

Les hanches.

Zélie exultait. Elle avait réussi !

Sa concentration retomba.

Et sa cheville fut brutalement piégée par un carcan de bois.

La chair éclata et la matière commença à s'immiscer à l'intérieur. De plus en plus violemment.

Zélie étouffa un cri de douleur et sut aussitôt que son pied serait tranché si elle ne le libérait pas dans la seconde.

Son instinct de survie lui permit de dépasser la souffrance et elle retrouva bientôt le contrôle de sa concentration, de son cœur, de sa respiration.

La prise se relâcha et elle bascula en avant, s'effondra sur le sol de pierre.

Un étau brûlant enserrait sa cheville juste au-dessus de la chaussure. Le tissu de son pantalon était enfoncé dans les chairs à vif, du sang suintait tout autour.

Oh non !

La blessure était vilaine. Probablement superficielle, mais douloureuse et impressionnante.

Elle était passée tout près de la catastrophe.

Zélie se releva en grimaçant.

Elle était à présent chez le Buveur d'Innocence.

Dans la gueule du loup.

12

Éclairs de lucidité

Le calme était revenu sur Eden.

Les Pans s'étaient dispersés et rentraient chez eux. Il était déjà tard, et plus personne n'avait la tête à la fête après l'attaque du Tourmenteur et la mort d'Elric.

L'amphithéâtre était désert.

Ou presque.

Ambre, Matt et Tobias restaient assis sur les gradins de pierre, le champignon lumineux diffusant sa clarté argentée sur leurs visages.

L'Alliance des Trois au complet, comme au bon vieux temps.

Quatre mois s'étaient écoulés depuis la Grande Bataille, et il leur semblait ne pas s'être retrouvés ainsi depuis des années.

Les nombreux éclairs au nord avaient finalement disparu. Il ne restait plus qu'un ciel noir, troué de flaques d'étoiles scintillantes.

— Elles brillent plus qu'avant, remarqua Tobias. Je veux dire qu'avant la Tempête, on les voit mieux en tout cas. C'est à cause de la lumière des villes. Vous saviez qu'une simple bougie suffit à gêner l'observation des étoiles jusqu'à deux kilomètres de distance ?

— Tu nous l'as déjà dit des dizaines de fois, répondit Matt avec un sourire un peu crispé.

— C'est vrai. Parce que je suis nerveux. J'ai besoin de parler quand je stresse. Je n'arrête pas de penser à Elric.

— Moi aussi, répondirent en chœur Ambre et Matt.

Tobias secoua la tête.

— Tout est allé si vite… Ce truc… on aurait dit qu'il *buvait* toute la vie d'Elric en un instant ! C'était monstrueux.

Ambre lui tapota l'épaule.

— Je crois que pour ce soir il vaudrait mieux ne plus aborder le sujet, dit-elle. Si nous désirons dormir en tout cas. Demain, nous verrons.

Tobias étouffa un bâillement.

— Tu as raison. Dis, Matt, faudrait peut-être qu'on rentre se coucher si on veut être en forme demain pour notre départ.

Matt regarda Ambre.

— Toby, dit-il, je… Je ne sais plus si nous partons.

— Ah.

Matt prit la main d'Ambre et le visage de Tobias s'illumina.

— OK ! Tout s'explique. Ça y est, vous vous reparlez ? Il était temps ! Ça me tuait de vous voir malheureux chacun de votre côté.

— C'est un peu compliqué, avoua Ambre qui se tourna vers Matt pour lui adresser un clin d'œil complice.

— Je ne dis pas que nous ne partirons pas, mais peut-être pas pour les mêmes raisons, expliqua Matt. En tout cas pas pour fuir mes sentiments. Si je monte une expédition, ce sera pour mettre mes compétences au service d'Eden. Ce sera plus utile que de rester ici à me morfondre et à tourner en rond. La politique, les décisions du quotidien, je ne suis pas doué pour ça. Ma place est là, dehors.

— Tu veux dire : derrière la colline fortifiée qui nous protège ? résuma Tobias avec une grimace.

— Je ne cherche pas le danger, mais j'ai besoin de mouvement. Il y a des cérébraux, comme Ambre, et des gens qui sont davantage dans le concret. Moi, j'ai besoin de bouger.

— Et moi je me situe où, là-dedans ? demanda Tobias.

— Probablement entre les deux, c'est pour ça qu'on s'entend si bien, tous les trois.

Tobias approuva, satisfait de la réponse.

— Si tu pars, commença Ambre, ce sera pour aller où ? Pour faire quoi ?

Matt devina une pointe d'anxiété dans la voix de la jeune fille, malgré tous ses efforts pour paraître impassible.

— Les Pans ont établi des Postes Avancés aux limites de nos terres explorées, pour guetter d'autres enfants perdus, pour sonder nos frontières. Ils font des missions de reconnaissance, d'études botaniques, zoologiques, minéralogiques, pour Eden. Je compte prolonger ce travail, aller au-delà de nos frontières pour enrichir nos connaissances. Je pensais à l'ouest, atteindre l'océan Pacifique et revenir.

— C'est un très long périple, répliqua Ambre aussitôt.

— Deux à trois mois pour y arriver. Autant pour rentrer.

— Au minimum.

Matt regarda Ambre, devinant en elle ce que lui-même

éprouvait : la peur de la séparation, d'autant qu'ils se retrouvaient à peine.

Toutefois, il savait qu'à terme rester ici serait pour lui un piège dans lequel il finirait par se perdre, jusqu'à n'être plus que le fantôme de lui-même.

Partir signifiait s'imposer une souffrance, mais il savait que chaque jour le visage d'Ambre accompagnerait sa mémoire et qu'elle serait le moteur de son désir de rentrer.

Matt prenait conscience d'un étrange paradoxe.

L'amour, cette émotion si puissante, source d'une énergie incommensurable, était également capable de paralyser ses proies.

L'amour pouvait être aussi bénéfique pour aller de l'avant que tétanisant.

Et l'amour lui imposait une véritable épreuve, un choix terrifiant : partir et souffrir ou rester et se perdre.

— Rien n'est encore décidé, dit-il en se levant. Allons, rentrons.

Les trois amis empruntèrent le sentier traversant l'épaisse friche et gagnèrent le Bazar occidental. Tous les lampions de la fête étaient éteints, il ne restait plus que quelques lanternes sous verre qui veillaient, celles qu'on laissait toute la nuit pour ne pas se perdre dans le dédale des bazars et des rues de la ville.

L'Alliance des Trois remonta vers la grande place, où l'immense pommier brillait de mille feux argentés.

Ils filèrent le long de la Bibliothèque circulaire, et tandis qu'ils passaient non loin du Hall des Colporteurs, Tobias ralentit.

— Qu'est-ce qu'il y a ? s'étonna Matt.

— Chut ! Écoutez.

— Je n'entends..., commença Matt avant de se taire.

Il devina un léger soupir, puis un reniflement humide.

— On dirait des pleurs, devina Ambre.

Tobias se rapprocha du Grand Hall en forme d'église et, se

guidant à l'ouïe, il s'enfonça entre deux arches pour s'agenouiller près d'une ombre recroquevillée dans un coin.

— Ça ne va pas ? demanda-t-il.

Matt et Ambre restèrent en retrait, laissant leur ami opérer.

— Pourquoi pleures-tu ? insista Tobias avec douceur.

L'ombre ramena ses genoux contre elle, sous sa cape, et renifla. Une mèche blonde sortit de sous le capuchon.

— Tu peux me faire confiance. Je m'appelle Tobias. Et toi ?

— Elle s'appelle Amy, fit Matt en approchant. Qu'est-ce qu'il y a, Amy ? Un cauchemar ?

Il s'agenouilla face à elle et lorsqu'elle le reconnut elle se jeta dans ses bras, à la grande surprise de Matt qui finit par la réconforter, un peu mal à l'aise. La jeune fille se remit à pleurer à chaudes larmes.

— Les éclairs, dit-elle entre deux sanglots, ce sont les éclairs !

— L'orage de tout à l'heure ?

— Oui. Je les ai vus au loin, au nord ! Ce sont les mêmes !

— Les mêmes que quoi ?

Elle se recula pour trouver le regard de Matt.

— Que quand j'étais à Fort Punition. L'horizon au nord était tout noir. Et le soir, il y a eu des éclairs partout, ça ne s'arrêtait pas ! Je ne saurais l'expliquer, mais…

Devinant qu'elle n'osait en dire plus, Matt insista :

— Mais quoi ? Qu'as-tu vu ?

— Ces éclairs… ils n'étaient pas normaux. Je l'ai ressenti dans mes tripes, ils dégageaient quelque chose, une mauvaise impression. Ce soir-là, j'ai eu la certitude qu'ils étaient pour quelque chose dans ce qui s'était produit au fort !

Ses yeux s'embuèrent à nouveau et ses poings se serrèrent sur le polo de Matt.

— Je n'ai pas osé vous en parler, ajouta-t-elle, vous m'auriez prise pour une folle. Mais je sais que ce sont ces éclairs qui l'ont fait ! Il y avait des empreintes d'enfants un peu partout, et ce sont les éclairs qui les ont rendus fous ! Je l'ai senti en les voyant dans le ciel ! Leur lumière est différente ! Elle est... _maléfique_ !

— Calme-toi, tu es en sécurité maintenant, tu es à Eden.

Amy secoua vivement la tête.

— Non, pas en sécurité. J'ai vu les éclairs tout à l'heure. Et ils cherchent quelque chose ! Ils vont revenir ! J'en suis certaine ! Ils vont revenir, et ils rendront fous certains d'entre nous ! Personne n'est en sécurité !

Matt lui prit les mains et les serra entre les siennes.

— Amy, regarde-moi ! Écoute-moi. Il ne t'arrivera rien, d'accord ? Tu t'es fait peur, c'est tout. C'est un violent orage, il y en a beaucoup au nord, tout le monde le sait, c'est ainsi. Il ne va rien te faire, c'est juste un orage comme les autres, tu comprends ? Tu es en sécurité ici, avec nous. Nous allons te protéger.

Mais tandis qu'il parlait, Matt réalisait qu'il n'était pas sûr de ce qu'il affirmait.

Lui aussi l'avait senti.

Ces orages n'étaient pas normaux.

Ils ressemblaient à ceux qui accompagnaient le Raupéroden.

Et à ceux par quoi tout avait commencé.

Les éclairs de la Tempête, ceux-là mêmes qui avaient vaporisé le monde qu'ils connaissaient.

13

Volatilisé !

Zélie posa l'oreille sur le battant pour s'assurer que la personne qui passait dans le couloir ne venait pas vers les appartements du Buveur d'Innocence.

Les pas s'éloignaient.

Elle avait un peu de temps devant elle.

Elle commença par déverrouiller la porte. Si Maylis devait accourir pour la prévenir d'un danger, elle pourrait ainsi entrer.

Le hall était immense, un large escalier qui se dédoublait grimpait vers une mezzanine, le tout éclairé par un lustre garni de bougies.

Je dois localiser sa chambre, ou son bureau, c'est là qu'il cachera ses papiers!

Zélie poussa deux portes pour découvrir une réserve et une cuisine, ce niveau devait être entièrement dédié à la vie quotidienne, aussi opta-t-elle pour l'étage, susceptible d'abriter des pièces plus intimes.

Elle grimpa les marches en grimaçant à cause de sa cheville meurtrie.

La galerie qui surplombait le hall était décorée d'imposants tableaux représentant des enfants. Tous arboraient une expression craintive ou soumise.

Quel genre d'homme peut aimer des œuvres pareilles? Un malade mental!

Il n'était pas le Buveur d'Innocence pour rien. Beaucoup de rumeurs circulaient à son sujet, dont sa passion pour les enfants jeunes qu'il réduisait en esclavage, parfaites petites marionnettes destinées à le servir.

Zélie eut un frisson qui la traversa des pieds jusqu'au bout des doigts.

Elle s'arrêta devant une porte à double battant qu'elle poussa prudemment. D'un rapide coup d'œil, elle découvrit un salon rouge et rose : des velours épais, des banquettes moelleuses, des rideaux lourds et du tissu sur les murs, des tableaux d'animaux dans des cadres dorés.

Zélie se glissa à l'intérieur et fonça vers le secrétaire au fond de la pièce. Il flottait dans l'air une désagréable odeur de tabac froid.

La jeune fille feuilleta rapidement des liasses de papier vierge pour s'assurer que rien n'y était dissimulé, souleva l'encrier, le presse-papiers, et sonda les tiroirs sans rien remarquer.

Si ce n'est le cendrier. Rempli de cendres, de coins de pages et de fragments de lettres carbonisées.

Il brûle ce qu'il reçoit ? Par prudence ?

Se méfiait-il de ses propres hommes ?

Il restait un tiroir verrouillé que Zélie n'avait su ouvrir.

Je peux y glisser la main, et puisque mes vêtements traversent la matière avec moi, je devrais pouvoir faire passer de petits objets…

Zélie se concentra à nouveau, longuement, pour ne pas rater son coup, puis lorsqu'elle se sentit prête, le cœur battant dans les tempes, elle plongea sa main droite à travers la matière.

Ses doigts effleurèrent plusieurs feuillets qu'elle fit rouler sous sa paume jusqu'à parvenir à assurer sa prise.

Concentrée sur ses gestes, sur son rythme cardiaque, sur le froid qui enserrait son poignet, elle commença à sortir le poing.

Ainsi focalisée sur le papier qui prolongeait son corps, elle avait le sentiment d'en sentir les vibrations.

Un bout de la feuille apparut, avec sa main.

Soudain elle sursauta.

Une partie du document s'était prise dans le bois du secrétaire et refusait de sortir.

Zélie redoubla de concentration et réussit à dégager sa main avec l'essentiel de son précieux butin.

Une partie cependant s'était arrachée au passage.

Tant pis…

Elle déplia les feuilles froissées sur le sous-main en cuir et fronça les sourcils.

Des listes de noms.

Des dates.

Zélie tiqua. Cela lui disait quelque chose.

Les convois de Pans volontaires pour aider les mères maturs ! Et ceux qui sont descendus visiter Babylone ! Et là, les Pans qui ont décidé de vivre chez les Maturs !

Le Buveur d'Innocence avait conservé une liste de chaque Pan parti en terre matur. La plupart concernaient les petits groupes qui aidaient à élever les nourrissons le temps qu'ils soient sevrés pour ensuite les emmener vers Eden.

La survie de l'espèce humaine passait par le courage de ces enfants et adolescents prêts à endosser un rôle qui n'était pas le leur.

Comme dans les temps anciens, où l'on devenait père ou mère pour la première fois à douze, treize ou quatorze ans.

Nous sommes revenus au Moyen Âge…

Zélie remarqua qu'en face de certains noms, en moyenne deux par convoi, le Buveur d'Innocence avait tracé une croix à l'encre.

Elle lut plusieurs fois chaque nom ainsi annoté jusqu'à les mémoriser et se concentra pour remettre les feuilles en place. Elles étaient froissées et déchirées mais il était plus prudent de faire comme si de rien n'était. Avec un peu de chance, le Buveur d'Innocence penserait qu'il avait lui-même chiffonné les pages.

Pourquoi garde-t-il ces listes ?

Elle n'aimait pas ça. Déjà, la dernière proposition des Maturs – autoriser les patrouilles civiles d'un peuple à entrer sur le territoire de l'autre – ne lui avait pas plu. Zélie craignait que ce ne soit le moyen de grappiller du terrain pour finir un jour par laisser les Maturs entrer librement dans Eden. Heureusement, cet accord tout frais interdisant les mouvements de troupes, aucune armée ne pouvait entrer chez les Pans.

Là, ce qui dérangeait le plus Zélie, c'était le mystère de ces listes. Elle ne voyait pas à quoi elles pouvaient servir, n'en discernait pas la sournoiserie.

Un claquement de semelles dans l'escalier la fit sursauter.

Quelqu'un approchait.

Avait-elle été démasquée ?

Zélie s'empressa de traverser le salon, sans bruit, malgré sa cheville douloureuse, et se posta dans l'embrasure de la porte.

Elle eut à peine le temps de distinguer une silhouette qui parvenait au bas du grand escalier.

Une petite silhouette.

Celle d'un enfant.

Zélie songea aussitôt à sa sœur, Maylis, qui venait la prévenir du retour imminent du Buveur d'Innocence, mais ce n'était pas elle, elle avait clairement distingué des cheveux courts et plutôt blonds.

Qu'est-ce qu'un Pan ferait ici ?

Son estomac se creusa tandis que le pire se dessinait dans son esprit.

Un prisonnier ?

Non, il a l'air de circuler librement, il n'y a aucun adulte avec lui.

Zélie se précipita dans la galerie, puis dans l'escalier, toujours avec la plus grande discrétion.

Elle grimaçait à cause de sa blessure mais cela ne l'empêchait pas de dévaler les marches.

La porte de la réserve se refermait.

Pendant le court instant où Zélie put distinguer l'intérieur de la pièce, elle vit qu'il s'agissait bien d'un jeune garçon, seul, et manifestement libre de ses mouvements.

Il ne l'avait pas entendue.

La porte se referma.

Zélie hésitait. Elle ne pouvait pas se jeter sur lui, même si c'était un Pan, sans être sûr qu'il était bien de son côté.

Il est jeune ! Aucun Pan jeune n'a jamais trahi ! Seuls les adolescents, quand ils approchent de l'âge adulte, basculent du côté des Maturs. Ça ne peut pas être un espion au service du Buveur d'Innocence…

Pourtant il était bien là, et apparemment il connaissait les lieux.

Zélie ne savait plus quoi faire.

Au loin, au-delà des appartements privés du Buveur d'Innocence, une porte claqua et des rires étouffés parvinrent jusqu'à la jeune fille.

Les Maturs commençaient à rentrer de la fête. Elle devait fuir, rester devenait trop risqué.

Néanmoins sa curiosité était piquée au vif.

Elle s'approcha de la porte de la réserve et la poussa doucement.

Tant pis, je dois savoir.

La pièce était pleine de boîtes de conserve récupérées parmi les vestiges de la civilisation disparue, de sacs de farine et de dizaines de bouteilles d'eau minérale.

Aucune trace du Pan.

C'est impossible ! Il n'y a pas d'autre accès !

Ni porte ni fenêtre.

Zélie entra en hâte et examina les lieux.

Il s'était volatilisé.

Cela ne pouvait s'expliquer que d'une seule manière.

Voilà qui devenait de plus en plus intéressant.

Le Buveur d'Innocence avait un passage secret sous ses appartements.

Et il n'était pas le seul à s'en servir.

14

Chasse et Messager

Les célébrations du 26 décembre furent moins festives qu'on ne l'avait prévu à Eden.

L'attaque du Tourmenteur hantait toutes les mémoires : une partie de la ville l'avait directement affronté, et l'autre s'en était fait conter l'horreur.

On songeait à préparer une cérémonie pour dire adieu à Elric.

Les deux jours suivants, la vie reprit à Eden, organisation

des corvées, culture des champs, des potagers et des vergers, entretien des animaux, tours de garde, patrouilles extérieures, rédaction de toutes les nouvelles que rapportaient les Longs Marcheurs, travail de l'altération à l'académie...

Le troisième jour, Melchiot convoqua Matt dans une petite salle du Hall des Colporteurs pour faire le point sur le Tourmenteur, en prévision du prochain Conseil d'Eden. Matt s'y rendit avec Ambre et Tobias.

Ils parlèrent de ce qu'ils avaient ressenti, une menace singulière qui ne ressemblait à rien de connu, sinon au Raupéroden. Ils évoquèrent la présence inquiétante des orages cette même nuit, au nord, et le récit d'Amy.

— Tu crois qu'il existe une menace au nord ? demanda Floyd, également présent.

— Je m'interroge, répondit Matt. Le Raupéroden venait du nord, et pour ce que j'en sais, nous n'avons jamais vu de Pans ou même de Cyniks arrivant de plus loin que Chicago. C'est comme si le Canada avait disparu des cartes. Peut-être que l'origine de la Tempête est là-haut. Et notre Poste Avancé le plus septentrional a été attaqué !

— Je voudrais envoyer une troupe au nord, conclut Melchiot. Je soumettrai le projet au Conseil dans les prochains jours pour organiser rapidement cette mission. Tout ça est de plus en plus étrange.

Peu avant le 31 décembre – une autre fête était en préparation –, un groupe de quatre chasseurs revint après une longue journée de battue. Ils demandèrent à voir Floyd immédiatement, car ils le connaissaient bien, ils avaient confiance en lui et savaient qu'il était l'un des plus influents membres du Conseil d'Eden.

— Il y a eu un problème, rapporta Cliff, le plus âgé. Nous chassions du côté de la forêt de Keroll, au nord de la ville, lorsque nous sommes tombés sur la piste d'un gros sanglier.

Antonio n'a eu aucune peine à nous guider jusqu'à l'animal et là…

Ses trois compagnons croisèrent les bras en même temps, mal à l'aise.

— C'était pas un sanglier normal ! lâcha Antonio avec un fort accent espagnol.

— Il était mort ! pesta un autre.

— Mort ? releva Floyd en passant la main sur son crâne rasé. Et alors ? Où est le problème ?

Les quatre chasseurs se regardèrent un instant avant que Cliff réponde :

— Il nous a chargés.

— Je croyais qu'il était mort ?

— Il avait les yeux vitreux, il ne respirait plus, et tout son poil était englué par une sorte de goudron. Oui, il était bien mort ! Nous lui avons planté six flèches dans la tête et il continuait de nous foncer dessus !

— Il a fallu l'altération électrique d'Owen pour que l'animal s'effondre, ajouta le quatrième chasseur. Et encore, il n'est pas resté longtemps au sol ! Juste assez pour qu'on grimpe tous dans un arbre. Ensuite il a reniflé la terre et il est parti en direction d'Eden. On l'a criblé de flèches jusqu'à ce qu'il titube et Owen a dû l'électrocuter à douze reprises pour qu'il ne bouge plus !

Owen acquiesça, les traits tirés, vidé de son énergie.

— Je vois, fit Floyd. Vous avez parlé de tout ça à d'autres que moi ?

— Non, répondit Cliff.

— Alors tenez vos langues, ça pourrait créer la panique en ville. Eden a besoin de souffler, ces derniers mois ont été longs et difficiles, la fête de fin d'année doit avoir lieu. Je me charge de prévenir le Conseil.

Floyd les fit sortir et s'adossa à la porte en soupirant.

Matt avait peut-être raison, il se passait quelque chose d'anormal au nord. Ce n'était pas une troupe qu'il fallait y expédier mais une petite armée.

Le lendemain midi, l'un des guetteurs de la tour Nord signala l'approche d'un cavalier. Son galop était si rapide qu'il soulevait un panache de poussière haut de plusieurs dizaines de mètres.

C'était un Long Marcheur qui arriva, épuisé, sur un cheval qu'il avait poussé à bout, proche de la rupture, les lèvres couvertes d'écume. Le cavalier descendit de sa monture et s'effondra.

— Je dois parler au responsable des Longs Marcheurs, murmura-t-il en s'agrippant à la manche du soldat qui le soutenait.

On l'aida à gagner le Hall des Colporteurs où Floyd et Tania le reçurent avec de l'eau fraîche et du jambon fumé sur du pain tiède.

— Bois et mange, dit Floyd, aucune nouvelle n'est urgente au point de coûter une vie. Tu as besoin de reprendre des forces.

Le garçon repoussa le plateau et se pencha vers Floyd qu'il saisit aux épaules. Il murmura :

— Un grand danger approche ! J'étais au village de Siloh, il y a quatre jours, et la veille de mon départ, un être étrange est entré en ville au crépuscule. Ce n'était pas un Cynik, bien qu'il ait eu la forme d'un homme, pas un Glouton non plus, mais j'ignore au juste de quoi il s'agissait. Il était enveloppé dans une grande cape, ses pieds et ses mains étaient couverts de fer et de cuir, comme une armure, mais on n'a jamais pu voir son visage, tout au fond d'un capuchon.

Floyd vacilla et se rattrapa à une chaise qu'il tira pour s'asseoir, imité par Tania.

— Continue, dit-il, fébrile.

— Il a traversé tout le village en silence, sous nos regards éberlués !

— Il ne vous a pas attaqués ?

— Non. Il a pulvérisé les portes pour y entrer, mais ensuite il l'a seulement traversé en observant chaque Pan sur son passage. On aurait dit qu'il... qu'il cherchait quelqu'un !

Le Long Marcheur avait le regard vide sans que Floyd puisse discerner si c'était à cause de l'épuisement ou parce que sa mémoire lui refusait les images cauchemardesques du Tourmenteur. Car il ne faisait aucun doute que c'était lui.

— Ensuite, poursuivit le Long Marcheur, il a fini par s'arrêter au milieu de Siloh et il s'est penché vers le Pan le plus proche de lui. Avant même qu'on puisse réagir, il avait saisi la tête du malheureux qui s'est mis à convulser. Ses yeux sont devenus tout blancs, il bavait et criait ! C'était horrible ! Le garçon a seulement dit « Eden est au sud, au sud ! Pitié ! » et la créature l'a lâché. Quatre gardes ont sauté sur le monstre, ils sont morts presque aussitôt, comme sous l'effet d'une magie diabolique ! Nous ne pouvions rien faire ! C'était atroce ! Et puis la créature est ressortie par la porte Sud, et nous ne l'avons plus revue.

— Il y a quatre jours, dis-tu ?

— Tout juste. J'ai pris le cheval le plus résistant et j'ai galopé jusqu'au hameau de Canaan, où j'ai pu en changer. Je ne me suis pas arrêté. Je n'ai pas croisé le monstre, ça veut dire qu'il n'a pas emprunté le chemin le plus court, mais il est en route, quelque part ! Il vient à Eden, et il cherche quelqu'un !

Floyd se passa la main sur le crâne, la sensation du duvet qui repoussait le calmait lorsqu'il était nerveux.

— Tu as bien fait, dit-il après un moment de réflexion. Cette chose, elle marchait ? Elle n'avait pas de monture ?

— Je ne crois pas. En tout cas je n'en ai pas vu. Les routes entre Siloh et Eden sont des sentiers. Si elle ne connaît pas le chemin, elle pourra se perdre dans le Bourbier de Yalhan ou dans la forêt Tentaculaire. Au pire, elle atteindra Eden d'ici à demain soir, au mieux dans quelques jours.

Floyd se leva sous le regard anxieux de Tania.

Il n'y avait plus une seconde à perdre.

Eden devait s'armer et se préparer au pire.

15

Un petit comité pour le nord

Le Conseil d'Eden était en effervescence.

Chacun y allait de sa remarque : combien de soldats il fallait envoyer au nord, les nouvelles fortifications qu'il fallait bâtir en urgence autour de la ville, la nature même des Tourmenteurs…

— En tout cas, fit un Pan du nom de Michael, nous savons maintenant qu'il en existe plusieurs.

— Sauf si c'est celui que nous avons repoussé et qu'il a atterri avec ses maudits oiseaux à l'autre bout du pays ! répondit un autre.

— Non, il a fouillé l'esprit de ce pauvre garçon à Siloh pour savoir où était Eden, c'est donc qu'il n'est jamais venu. Ils sont plusieurs !

— Il faut envoyer une armée ! proposa un adolescent un peu rond. Une grosse armée ! Ne pas prendre de risques ! Qu'elle trouve où se cachent ces Tourmenteurs, et qu'elle les détruise !

— Tu te portes volontaire pour la diriger ? railla un autre. Parce que c'est bien beau de prendre la décision d'envoyer nos soldats se battre, mais ça veut dire qu'il y aura des morts !

— Tu préfères attendre que ces Tourmenteurs nous dessèchent tous comme Elric ?

— Et si nous demandions de l'aide aux Kloropanphylles ? proposa une jeune Pan aux longs cheveux roux.

— Ils refuseront, coupa Ambre aussitôt.

L'assemblée se tut immédiatement. Il en était toujours ainsi lorsque Ambre prenait la parole. Depuis qu'elle avait absorbé le Cœur de la Terre, ses rares interventions étaient écoutées religieusement.

— Pas si c'est toi qui le leur demandes, insista la jeune fille. Ils te considèrent presque comme une divinité, non ?

— Justement, il serait malvenu d'en profiter. Les Kloropan-phylles aspirent à vivre loin de tout, ils veulent être oubliés au sommet de la forêt Aveugle.

— C'est égoïste de leur part ! jeta un Pan.

Ambre préféra ne pas relever. Lors de la Grande Bataille, elle avait acquis une grande compréhension de ce peuple et de ses croyances. Ceux qui autrefois avaient été des enfants malades, rejetés par la société, désiraient aujourd'hui rester à l'écart du monde. Ils avaient leurs propres codes, leur univers, dans cet océan végétal, leurs souvenirs dans les profondeurs de la Forêt Aveugle, auprès des ruines de leur hôpital... Ils étaient heureux ainsi.

— Manifestement, enchaîna Melchiot, les Tourmenteurs cherchent quelque chose. Quelque chose qui se trouve ici, à Eden.

Matt baissa la tête.

— Je crois que c'est moi, dit-il d'une voix sourde.

— Pardon ?

Cette fois, Matt se leva de son banc, dans les gradins, afin que tous puissent le voir et surtout l'entendre.

— Je pense que ce que cherchent les Tourmenteurs, c'est moi. Celui qui a attaqué l'autre soir s'en est pris directement à moi.

— C'est peut-être le hasard ! objecta Tobias.

Matt secoua la tête.

— Ils ressemblent un peu au Raupéroden, et lui, il n'y a aucun doute, c'est moi qu'il voulait. Je sens que c'est lié.

— Le Raupéroden ? Que proposes-tu alors ? demanda un Pan d'une voix chevrotante. De t'enfermer au centre de la ville, de te cacher ?

— Au contraire. De quitter Eden.

Un long murmure agita la salle.

— C'est dangereux, intervint Floyd.

— Siloh est tout au nord, continua Matt. Le sanglier mort venait aussi du nord, notre Poste Avancé septentrional a été attaqué, les orages étranges sont au nord. Manifestement, il se passe quelque chose là-haut. Je ne crois pas qu'envoyer une armée soit une bonne idée. Pas sans savoir ce qui l'attend.

— Tu envisages de monter une expédition toi-même ?

— C'est le meilleur moyen d'éloigner les Tourmenteurs tout en allant voir ce qui se passe là-bas. Je veux comprendre ce qu'ils sont, et ce qu'ils me veulent.

— Tu risques de te jeter dans la gueule de ces créatures, répondit Melchiot.

— Il ne partira pas seul, intervint Tobias en se levant à son tour. Je l'accompagne.

— Alors moi aussi, lança Ambre en bondissant de son banc.

L'assemblée écarquilla de grands yeux inquiets.

— Non ! fit une voix dans les hauteurs des gradins. Tu as le Cœur de la Terre en toi, tu es notre arme secrète !

— Je ne suis pas une arme ! Certainement pas ! Et je suis libre de disposer de ma personne comme je l'entends !

— Mais tu as tellement d'énergie en toi ! Que fera-t-on sans toi si ces monstres arrivent à Eden ?

— Et tu es la responsable de l'académie ! rappela une autre Pan.

— Je ne suis pas irremplaçable, beaucoup d'entre nous sont maintenant aussi pédagogues que moi.

— Tu es la force d'Eden ! cria la petite rouquine. Tu ne peux pas partir !

— Ils ont raison, confirma Melchiot, t'envoyer dans l'inconnu serait une erreur. Tu es unique, Ambre, nous ne pouvons nous permettre de te perdre.

— Parce que vous pouvez vous permettre de perdre Matt ? s'emporta-t-elle.

— Bien sûr que non, c'est juste que…

Matt posa la main sur le bras de la jeune fille et lui chuchota :

— Ils ont raison. C'est trop dangereux. Tu ne peux risquer ta vie, tu es bien trop précieuse ! Pour nous, et pour la vie sur terre ! Tu le sais, ce qui est en toi désormais représente l'avenir du monde !

— Ne dis pas ça, tu ne sais même pas ce que c'est !

— Je sais en tout cas que tes grains de beauté conduisaient à cette énergie, et qu'elle a fusionné avec toi. Ça fait de toi quelqu'un d'unique !

— Je ne veux pas te voir partir.

— Il le faut pourtant.

— Et ensuite ? Que me demandes-tu ? De t'attendre jour après jour pendant des semaines, des mois ? Sans savoir si tu es encore vivant, sans savoir si tu n'es pas en train d'agoniser dans un fossé ? C'est une condamnation à la souffrance perpétuelle que tu m'imposes !

— Je suis désolé, Ambre. Nous n'avons pas le choix. Quelle que soit la nature de ces créatures, elles sont puissantes et féroces. Nous ne pouvons rester ici à attendre qu'elles viennent décimer notre ville. Je dois partir vers le nord, je dois comprendre. Notre salut en dépend.

— Avoue que tu es encore hanté par ton père et ta mère ! Par la fusion du Raupéroden et de Malronce ! Ce voyage tu ne le fais pas pour sauver Eden, tu le fais parce que tu crois que ça va t'apporter une réponse !

Matt demeura muet, le regard fiché dans celui de son amie.

— Je ne suis pas d'accord avec tout ça, assena Ambre.

Sur quoi elle se dégagea et descendit les marches à toute vitesse pour quitter la salle du Conseil.

Matt soupira, et se rassit pendant que Tobias lui donnait une tape fraternelle sur l'épaule, pour le consoler.

— D'après le Long Marcheur, le Tourmenteur n'est pas très loin d'Eden, reprit Melchiot. Si tu veux partir, Matt, il ne faut plus tarder.

— Demain matin à l'aube, répliqua aussitôt le garçon.

— Je t'accompagne ! s'écria Floyd. Tu auras besoin d'un

Long Marcheur à tes côtés pour t'aider, je connais les plantes comestibles et les animaux, je te serai utile.

— Nous aurons aussi besoin d'un bon guide, quelqu'un qui connaît les sentiers du nord, ajouta Matt.

— Le Long Marcheur qui est arrivé aujourd'hui ?

— Il n'est pas en état de repartir, l'informa Melchiot.

— Amy, dit Matt.

— Après ce qu'elle a vécu ? s'étonna Tobias.

— Elle viendra. J'ai vu du courage dans ses yeux. Elle est de ceux qui préfèrent affronter leurs peurs plutôt que de les fuir. Nous serons un petit groupe, ce sera plus discret. Nous prendrons quelques chiens pour transporter nos vivres.

— Jusqu'où espères-tu monter ?

— Le plus loin possible. Au-delà du dernier Poste Avancé. Jusqu'aux réponses à nos questions.

En se dirigeant vers les marches, Matt lança :

— Préparez la ville, il est probable que le Tourmenteur passera par Eden malgré mon départ. Il vous faudra le combattre tous ensemble. Et surtout : qu'aucun d'entre vous ne tombe entre ses mains !

— À quoi penses-tu ?

— À ce qu'il a fait à Siloh ! S'il peut faire parler un prisonnier, il saura que nous sommes partis vers le nord. Ils s'en rendront compte bien assez tôt, j'aimerais autant ne pas leur annoncer notre visite !

Melchiot approuva.

— Nous le retarderons au mieux. Avec un peu de chance, si tous les Pans d'Eden rassemblent leurs altérations, nous parviendrons même à le détruire, celui-là !

Matt tendit le pouce en l'air en signe d'encouragement.

Pourtant, il n'y croyait pas beaucoup.

Lors de la première attaque, le Tourmenteur avait paru invincible. Tout ce que les Pans avaient réussi à faire, ç'avait été de le mettre en fuite.

Une créature capable de commander à des animaux morts ne pouvait probablement pas mourir elle-même.

Les Tourmenteurs ressemblaient à des avatars funestes.

Des émissaires de la Mort en personne.

16

Respiration de la Nature

La fraîcheur du petit matin acheva de réveiller Tobias.

Il faisait encore nuit, et la ville dormait, à l'exception de quelques membres du Conseil qui veillaient au départ de l'expédition.

Matt, Tobias, Floyd et Amy – qui, comme Matt l'avait prévu, s'était laissé convaincre de les guider – vérifièrent une dernière fois les vivres dans les sacoches portées par les chiens, qui ressemblaient à des poneys. Matt eut un pincement au cœur en découvrant parmi la meute qui les accompagnait la présence de Gus, le saint-bernard géant d'Ambre.

C'était sa façon à elle de veiller sur lui, Matt le savait. Elle ne pouvait venir, mais s'était assurée qu'au moins un être de confiance aiderait son ami. Gus était lourdement chargé de besaces de nourriture, de couvertures, de matériel et de tout le nécessaire de survie.

Là encore, Matt savait qu'Ambre avait tout préparé elle-même, et n'avait rien laissé au hasard.

Chen, fidèle compagnon durant le périple qui avait conduit l'Alliance des Trois jusqu'au château de Malronce, s'était porté volontaire, ne désirant pas laisser ses amis partir seuls vers une nouvelle aventure. Matt en avait souligné les dangers, mais Chen avait continué de plaisanter – personne ne partirait sans

« Gluant » ! Lui qui était capable de se coller aux murs et aux arbres… Il pourrait les aider, il en était convaincu.

Tania vint également se joindre aux derniers préparatifs, mais pas pour dire au revoir. Elle marchait au côté de Lady, sa chienne.

— Vous aurez besoin d'un second archer, affirma-t-elle en saluant Tobias.

Celui-ci lui adressa un sourire ravi.

Il appréciait beaucoup Tania.

Il cilla et se rendit compte qu'il la dévisageait d'un air béat.

— Bienvenue, la salua-t-il en se reprenant.

— Tu as bien réfléchi à ce que tu fais ? s'enquit Matt. Nous partons pour longtemps, et ce sera…

— Je sais tout ça. Je suis là, motivée, c'est tout ce qui compte.

Matt la fixa un instant.

— Très bien. Ton aide nous sera précieuse.

Floyd s'approcha, avec sa chienne, Marmite, elle aussi chargée de sacoches débordant d'équipement.

— Tout le monde est prêt, c'est quand tu veux.

Une vingtaine de Pans s'étaient massés pour les saluer avant leur départ.

Matt chercha vainement parmi eux le visage d'Ambre.

La veille au soir, il avait tenté de lui parler, mais elle lui avait claqué la porte au nez. Cette fois, elle était vraiment fâchée contre lui.

Au moment où elle lui avouait la force de ses sentiments, au moment où ils pouvaient enfin nouer un lien très fort, Matt décidait de partir.

Il la comprenait, et en même temps souffrait de son absence. La présence de Gus ne lui suffisait pas.

Il aurait souhaité la prendre dans ses bras, emporter avec lui un souvenir qui lui aurait tenu chaud dans les moments difficiles.

Il attendit. Puis, comme il ne la voyait pas venir, il décida qu'il était temps de partir.

Il fit signe à Floyd d'ouvrir la voie et vint saluer Melchiot.

— Soyez prudents, conseilla ce dernier. Nous ferons en sorte de retarder le plus possible le Tourmenteur. Prenez le chemin le plus court vers le nord, au moins nous savons que ces créatures ne sont pas rapides. Si vous ne vous attardez pas, celui-là ne vous rattrapera pas.

— Avec Floyd et Amy nous ne pourrons pas nous perdre. En tout cas pas avant le dernier Poste Avancé. Veille bien sur Eden, Melchiot. Tu sais que j'y laisse plus que des amis.

— Compte sur moi, Matt.

La petite troupe se mit en route. L'aube n'était pas levée quand les portes Nord s'ouvrirent devant six Pans et six chiens lourdement chargés, qui ne tardèrent pas à se fondre dans l'horizon obscur.

Matt avait fait et refait l'inventaire dix fois dans sa tête, il avait pourtant la désagréable impression de partir trop vite, d'oublier quelque chose.

Ils avaient de la nourriture pour tenir un moment, et ils traverseraient des points de ravitaillement, sans compter qu'ils pourraient chasser.

Ils avaient des armes, Matt s'était assuré que chacun prenait de quoi se battre. Pour ce voyage vers l'inconnu, mieux valait s'attendre à tout.

Ils marchaient déjà depuis quatre heures.

Le groupe avait laissé derrière lui les champs et les pâturages d'Eden pour entrer dans une zone de forêts séparées par de longues clairières herbeuses et de modestes collines, à peine de larges buttes.

Matt passait souvent la main dans le poil de Plume. Cette sensation étrange d'appréhension et d'excitation... Tout cela lui avait manqué.

D'ici à quelques jours viendrait s'ajouter la fatigue du voyage.

Il était à nouveau sur la route.

Il se pencha pour sentir l'odeur de sa chienne.

Le poids de son épée dans son dos le rassurait.

Et pourtant il détestait s'en servir.

Matt se sentait un peu confus. Tiraillé entre la joie de retrouver ce à quoi il s'estimait habile et la crainte de mettre ses amis en danger.

Peut-être aurais-je dû partir seul…

Le soleil s'était levé depuis plus de deux heures maintenant, et la chaleur commençait à se faire sentir. Les manteaux et les capes quittèrent les épaules pour venir peser un peu plus sur les chiens qui ne semblèrent pas s'en plaindre.

À vrai dire, Matt trouvait même qu'ils avaient l'air heureux de cette expédition.

Parce qu'ils partent en balade… Ils ne réalisent pas le danger qu'ils courent.

Mais rien n'était moins sûr. Plume possédait une intelligence hors du commun, et Matt n'aurait pas été surpris qu'elle connaisse à la fois les raisons de leur voyage et sa destination.

Une heure plus tard, le garçon proposa une halte, pour se reposer, boire et se sustenter. Il savait par expérience que les premiers jours, chacun voulait faire plus que nécessaire et minimisait les besoins de pauses régulières, ce qui entraînait très vite une fatigue inutile.

Floyd profitait des arrêts pour ramasser quelques champignons qu'il affirma être succulents, et ils repartirent en tout début d'après-midi.

Cette fin décembre ressemblait à un mois de septembre : du soleil, des températures agréables et peu de pluie. Personne ne comprenait pourquoi le climat était à ce point déréglé, mais cela avait au moins permis aux cultures de pousser sans attendre six mois de plus. Et pour le voyage, Matt espérait que cela continuerait. Il avait demandé à chacun de prévoir des vêtements pour affronter la neige et le froid, mais en espérant ne pas s'en servir.

Ils marchaient depuis un moment, bercés par la cadence monotone de leurs pas, lorsque soudain Amy leva le bras pour arrêter la colonne.

— Qu'est-ce qu'il y a ? s'alarma Tobias derrière elle.

— Vite ! Cachez-vous dans les fourrés ! ordonna-t-elle, paniquée.

Sans comprendre, ils obéirent et se précipitèrent vers l'orée du bois qu'ils longeaient, entraînant leurs chiens sous l'ombre des frondaisons.

— Je n'ai vu personne, moi, dit Floyd à l'adresse d'Amy. Pourtant je surveillais aussi le sentier.

— Ce n'est pas le sentier le problème, c'est le ciel, répondit la petite blonde en désignant un minuscule point noir qui se découpait sur le fond de nuages blancs.

— Je ne vois rien, c'est quoi ?

— Un oiseau.

— Ça je m'en doute !

— Un oiseau mort, précisa Amy.

Le même frisson les parcourut.

— Comment tu peux en être sûre ? On le voit à peine ! s'étonna Tania.

— Mon altération touche ma vue. Je vois très loin, et aussi la nuit.

— Ça c'est pratique, chuchota Tobias.

Matt roula pour venir au plus près d'Amy.

— Tu es certaine que c'en est un ?

— Catégorique. Son plumage brille, il est couvert de goudron.

— Bon réflexe en tout cas, la félicita Matt. Ces bestioles sont probablement des éclaireurs pour le Tourmenteur. Il ne faut pas qu'ils nous remarquent.

— Celui-là je l'ai vu assez tôt, mais je n'aurai pas toujours cette chance.

— Alors on va quitter la route. On marchera parallèlement au chemin.

— Nous serons plus lents, déplora Chen. Je croyais qu'il fallait avancer vite ?

— Jusqu'à ce soir au moins. Ensuite, le Tourmenteur sera soit à Eden, soit, on peut l'espérer, derrière nous. Avec un peu de chance, ses éclaireurs seront passés avec lui.

Ils attendirent que l'oiseau disparaisse pour se relever et reprendre leur marche.

La végétation n'était pas trop dense, et par conséquent ne les ralentissait pas autant que Matt l'avait craint. Ils circulaient entre les troncs, à un jet de pierre du sentier.

Floyd vint à la hauteur de Matt. Et discrètement, à voix basse :

— Si l'oiseau était là, il est probable que le Tourmenteur suivait pas loin. Ça veut dire qu'il est sur le chemin que nous empruntons.

— En effet.

— Il serait peut-être prudent d'envoyer Amy et Tania en éclaireuses. Si Amy distingue la moindre présence sur le sentier, Tania décochera une flèche pour nous prévenir.

— Envoyer les filles devant ? Pour la galanterie, c'est raté ! Mais c'est une bonne idée.

Quelques minutes plus tard, Amy et Tobias progressaient en tête, à cinq cents mètres de la colonne.

En fin d'après-midi, ils traversèrent plusieurs clairières qui entrecoupaient les bois, de longues étendues à découvert qui angoissèrent Matt. Mais tout se passa bien.

Le soleil déclinait à l'ouest lorsqu'il décida de bivouaquer pour la nuit.

Ils s'installèrent entre deux troncs abattus par la foudre, à une vingtaine de mètres du sentier.

On délesta les chiens d'une partie de leur équipement et

ils s'affalèrent autour de leurs petits maîtres, à l'exception de Plume, Gus et Zap, le berger australien de Chen, qui s'éloignèrent tous les trois en jetant des coups d'œil en direction des Pans, comme trois conspirateurs.

— Je fais un feu ? proposa Floyd.

— Pourquoi pas, répondit Tobias. Nous pourrons ainsi cuire la viande.

— Je préférerais éviter, objecta Matt. À cause de la fumée.

— Avec le feuillage, elle sera invisible, expliqua Tobias.

— Non, pas vraiment.

— Bon, le chef a dit : pas de feu.

— Je ne suis pas le chef, souligna Matt sèchement.

Tobias leva les bras au ciel.

— Ça me rassurait de le penser…

Une nuée d'oiseaux s'envola tout à coup, à une centaine de mètres au nord. Tous les Pans se raidirent, à l'exception de Chen.

— C'est rien, dit-il, ce sont nos chiens.

— Ils sont partis vers l'ouest, fit remarquer Matt sans détacher son regard du nord.

Soudain, le chant de la forêt sembla s'altérer.

Les centaines de petits bruits de la nature se turent brusquement.

Les ombres longues du soir s'étirèrent encore, plus denses.

Bientôt, toute la zone parut figée.

Morte.

Les six Pans restaient assis, incapables de bouger, tétanisés par cet incroyable changement.

Matt parvint à se pencher pour attraper la poignée de son épée qu'il tira jusqu'à lui.

Du coin de l'œil, il vit que Tobias faisait de même avec son arc et son carquois, bientôt imité par Tania.

Trois, puis quatre, six longues pattes fines surgirent sur le sentier.

Celles d'une créature énorme.

Une araignée plus grosse qu'un cheval apparut, ses pattes ondulant comme les chenilles d'un tank, ignorant les aspérités et les obstacles qu'elle franchissait en silence.

Les six Pans frissonnaient, terrorisés par cette vision d'horreur.

L'araignée filait à un bon rythme, l'ombre se déplaçait avec elle.

De plus en plus proche.

Matt vit la forme humanoïde qui la chevauchait.

Un Tourmenteur.

Enveloppé dans sa cape noire, le capuchon sans visage.

Cette fois les doigts de Matt étreignirent la poignée de son épée à s'en faire grincer les articulations.

Tous avaient baissé la tête, plaqués en avant pour disparaître dans l'ombre du soir, au milieu des fougères.

L'oxygène manquait, l'air semblait n'avoir plus aucune utilité, comme vidé de sa substance.

L'araignée ralentit alors et tourna lentement la tête dans leur direction.

Matt vit ses nombreux yeux globuleux, comme des boules de billard éclairées de l'intérieur par une pâle lueur rougeâtre.

Mais le cavalier tira sur les rênes qui encadraient la tête abominable et la créature accéléra.

Elle fila tout près des Pans, sans bruit.

Et disparut après un virage.

Les ombres se diluèrent, les oiseaux semblèrent sortir de leurs cachettes et se mirent à chanter timidement, le vent reprit sa course molle entre les troncs, bruissant contre les feuilles, comme si la nature tout entière poussait un profond soupir de soulagement.

Les poumons des Pans se remplirent d'air frais.

Matt relâcha son épée. Sa paume était moite.

— Finalement, je suis d'accord, chuchota Tobias d'une voix qui transpirait la peur. Pas de feu pour ce soir.

17

Funérailles et Souffrance

Floyd guidait l'expédition d'un bon pas aux côtés de Marmite. Il connaissait les abords d'Eden au moins aussi bien qu'Amy.

Ce deuxième jour, la marche fut plus difficile, les muscles des jambes se raidissaient, les pieds devenaient douloureux, les premières ampoules apparaissaient et il fallut s'arrêter souvent pour poser un pansement spécial ou percer une cloque pleine d'eau. Matt insistait sur la nécessité de boire beaucoup afin de bien s'hydrater.

La nuit avait été courte, cela n'arrangeait rien.

Personne n'avait pu dormir convenablement après l'atroce apparition qui les avait frôlés. Ils en avaient très peu parlé au réveil, comme s'ils refusaient même de l'évoquer.

Ils circulaient à nouveau sur le sentier. Le Tourmenteur était passé, ils voulaient désormais le distancer le plus rapidement possible.

À midi, Matt accepta une pause plus longue, et Floyd alluma un feu pour cuire leur repas. Viande et champignons. Ce fut un repas de fête pour célébrer le premier jour de la nouvelle année.

— Je n'ai pas aimé notre réveillon, hier soir, tenta de plaisanter Chen.

Personne n'avait le cœur à rire. Ils mangèrent cependant de bon appétit, prenant des forces pour la suite.

La reprise n'en fut que plus dure. Ils claudiquaient dans une quasi-somnolence, jusqu'à ce que les petites blessures se rappellent à eux et les réveillent.

Le soir, chacun baigna ses pieds dans un peu d'eau. Il en serait ainsi durant la première semaine de marche, Matt le savait, il fallait à tout prix éviter l'infection. Ensuite la corne qui se formerait les protégerait pour le reste de l'aventure.

Ils venaient à peine de finir de dîner, la nuit tombait sur les adolescents rassemblés autour du feu, lorsque, au sud, l'horizon s'illumina d'un flash rouge.

Tobias se prépara à éteindre le feu en catastrophe mais Matt le retint.

Une dizaine d'éclairs retentirent, bientôt suivis d'un roulement lointain.

Le sud s'embrasait de couleurs spectrales. Des rouges, des bleus et des violets entrecoupés d'éclairs puissants.

— C'est Eden, chuchota Floyd, debout au milieu de ses compagnons. Ils se battent contre le Tourmenteur.

Tous se rapprochèrent du feu, anxieux.

Ils ne pouvaient rien faire, sinon espérer de toutes leurs forces que leurs amis repousseraient le monstre, voire le détruiraient.

Avec le moins de victimes possible chez les Pans.

Ils assistèrent au ballet lumineux pendant un long quart d'heure, puis la nuit redevint calme.

Ils en ignoraient l'issue, mais à Eden le combat était terminé.

Le lendemain matin, ils longèrent un fleuve, et en profitèrent pour remplir toutes les gourdes. Tobias pesta de n'avoir pas le temps de pêcher un peu de poisson frais.

Ce fut la pire journée depuis leur départ.

Leurs corps tout entiers n'étaient plus que douleur : pieds couverts de crevasses suintantes, jambes en bois, dos courbatus, épaules lacérées par les lanières des sacs à dos. Ils n'avançaient plus que mus par la dynamique du groupe, et Amy et Floyd, plus entraînés à cet exercice, se relayaient en tête pour tenir une cadence régulière.

En fin de matinée, ils gravirent une haute colline dont le sentier semblait ne jamais prendre fin, comme si le sommet se dérobait en permanence. Une fois celui-ci atteint, ils eurent une vue splendide sur toute la région.

— Est-ce qu'on peut voir Eden d'ici ? s'enquit Tania.

— Nous sommes à plus de quatre-vingts kilomètres maintenant, c'est impossible, expliqua Floyd.

— Déjà ?

— Nous couvrons environ quarante kilomètres par jour.

— Je comprends mieux l'état de mes pauvres pieds !

Amy s'approcha.

— Il faut décider de l'itinéraire maintenant. Le pont des mauvais souvenirs n'est plus très loin, dit-elle en pointant un index vers le nord.

Après trois boucles, le fleuve était traversé par une longue masse noire qui ressemblait, depuis cette distance, à un curieux prolongement de la forêt enjambant le cours d'eau.

— C'est-à-dire ? demanda Matt.

— Si nous restons sur cette berge nous devrons traverser le Bourbier de Yalhan, un marécage infect. Nous perdrons beaucoup de temps, mais là, au moins, personne ne pourra nous suivre.

— Et sinon ?

— Il faudra traverser le pont pour remonter en direction du hameau de Canaan, un sentier le longe.

Matt approuva.

— Ne perdons pas de temps, cette seconde option me plaît davantage.

— Le pont, Matt…, objecta Floyd. C'est un endroit stratégique. Si les Tourmenteurs te cherchent, ils auront pensé à poster l'un des leurs dessus.

— Pour ça il faudrait qu'ils sachent que j'ai quitté Eden. Et même si, d'une manière ou d'une autre, ils l'ont appris hier soir, ils n'auront pas eu le temps de s'organiser. Non, je ne pense pas que ce soit un problème. Nous serons plus prudents lorsque nous nous rapprocherons du nord, mais pour l'heure, je suis confiant.

— Comme tu veux.

Ils reprirent la route pour atteindre leur objectif peu après le repas de midi. Le sentier s'élargissait à mesure qu'ils montaient la rampe d'accès vers un grand pont suspendu. Les câbles qui le retenaient, ainsi que les pylônes et les suspentes, étaient recouverts de lianes et de plantes grimpantes, si bien qu'il faisait assez sombre sur tout l'ouvrage d'art. Même la route était tapissée d'une épaisse mousse verte.

— Vous êtes sûrs qu'il tient encore ? s'inquiéta Tobias.

— Tous les Longs Marcheurs qui partent pour le nord l'empruntent, confia Amy. Et puis nous ne pesons pas deux tonnes !

Bien que le tablier fût large, ils se placèrent en file indienne pour s'y engager. Le vent soufflait plus fort entre les câbles, s'engouffrant à toute vitesse dans le couloir que représentait le fleuve.

Ils progressaient en silence, étudiant les longues cascades végétales qui les encadraient lorsque, à mi-chemin du pont, Chen bondit en hurlant.

— Ah ! Bon sang ! C'est dégoûtant ! s'écria-t-il en désignant le sol sur sa droite.

Les restes d'un corps de petite taille gisaient sur la mousse.

Floyd s'en approcha et se pencha pour l'examiner.

— Un des nôtres ? demanda Matt.

Floyd acquiesça sombrement. Il prit son poignard et s'en servit pour soulever un morceau d'étoffe.

— Une cape vert foncé, dit-il. Un Long Marcheur. C'est assez récent, il sent encore très mauvais et il y a... il reste de la chair sur les os.

Tania et Chen se couvrirent la bouche de la main, réprimant une forte nausée.

— Je crois que c'est Walton, murmura Floyd. Il devait rentrer ces jours-ci.

Amy vint le rejoindre.

— Qu'est-ce qui lui est arrivé ?

Floyd pointa l'extrémité de son poignard sur les longues entailles qui striaient la cage thoracique.

— Il a été attaqué par une bête.

— Le Tourmenteur qu'on a croisé ? suggéra Matt.

— Pas sûr. On dirait plutôt des griffes. Il lui manque un bras et les jambes. Comme si une bête sauvage avait emporté sa proie avec elle. Et puis ça expliquerait qu'il soit tout… nettoyé par endroits. Elle l'a rongé jusqu'à l'os.

Le vent continuait de souffler entre les câbles, agitant les lianes et les feuillages comme les voiles d'un navire fantôme.

— Ne restons pas là, commanda Matt.

— On ne l'enterre pas ? s'étonna Tania.

Matt hésita.

— J'y ai pensé. Mais ça va nous retarder, dit-il sans conviction.

— C'était l'un d'entre nous, insista la grande brune.

Matt hocha la tête.

— Tu as raison. Floyd et moi allons le transporter avec sa cape, les autres, redescendez pour creuser un trou aux abords du pont. On le recouvrira de cailloux.

Floyd fouilla rapidement les alentours et découvrit une sacoche en cuir qu'il ouvrit. Un carnet était intact. Il le feuilleta.

— Ce sont ses notes, c'est tout ce qu'il reste de sa mémoire maintenant. Elle doit rejoindre les archives d'Eden. C'était bien Walton. Il rentrait d'une mission au nord-est. Il a relié plusieurs villages pour collecter les informations et partager les nouvelles, et il était en route pour Eden. Tiens… c'est étrange.

— Quoi donc ?

— Il a cherché à répertorier les autoroutes des Scararmées dans son secteur, et… d'après ce qu'il a noté, ils ont tous fui les régions du nord.

— C'est pour ça qu'on n'en a pas croisé. Encore le nord, décidément.

— La dernière entrée de son carnet date du 30 décembre.

— Quatre jours seulement, commenta sombrement Matt.

— Paix à son âme.

— Il ne dit pas s'il se sentait suivi ou s'il avait vu quelque chose ?

— Attends, je regarde… Non. Il fait un commentaire sur le temps, sur une variété de champignon qu'il a découverte plus loin, c'est tout. La chose qui l'a tué l'a saisi par surprise.

Floyd fit disparaître le carnet dans sa poche et vint déposer la sacoche sur le corps de Walton.

Ils passèrent une heure et demie à préparer la tombe et à ensevelir les restes de l'adolescent. Lorsque ce fut fait, Floyd déposa la cape verte déchirée sur la sépulture, la coinça avec de grosses pierres et prit le temps de graver le nom de Walton sur l'une d'elles.

— Floyd et Amy, dit Matt. Dorénavant, ce pont s'appellera le pont Walton, je compte sur vous pour transmettre ce nom aux autres Longs Marcheurs.

— Ce sera fait, dit Floyd avec émotion.

Ils retournèrent sur le pont et ils étaient presque parvenus de l'autre côté lorsqu'un ronronnement étrange les stoppa net, tous en même temps. Un bruit de chat excité.

Floyd tira aussitôt son épée.

— Une Souffrance ! s'écria-t-il.

— Quoi, une Souffrance ? paniqua Tobias en saisissant son arc. C'est méchant ça, une Souffrance ?

Amy avait dégainé sa hachette.

— Elle ronronne lorsqu'elle s'apprête à tuer ! lança-t-elle.

Ils reculèrent d'un même mouvement.

Une forme allongée se faufilait derrière l'un des pylônes et se glissait sous un bandeau de lianes.

— Oh ! mais c'est vachement grand ! gémit Tobias.

La Souffrance ressemblait à une panthère de la taille d'un cheval. Sauf que son poil était gris tirant sur le vert, ses yeux jaunes, et qu'à la place de moustaches, de longs filaments couverts de ventouses imitaient les tentacules d'un poulpe.

Sa gueule qui s'ouvrait d'un œil à l'autre découvrait des gencives luisantes, dénuées de dents.

— Voilà ce qui a tué Walton, gronda Floyd. Tenez-vous prêts. Non seulement elle est rapide, mais ses griffes sont aussi tranchantes que des lames de rasoir. Elle va chercher à nous séparer. Dès qu'elle en aura attrapé un, elle s'enfuira avec pour aller se mettre à l'abri.

— Et le dévorer ?

— D'abord elle jouera. Comme un chat avec une souris vivante, elle traque sa proie sur son domaine, pour la faire paniquer, jusqu'à la crise cardiaque. Ensuite, elle la dévore.

— Je comprends mieux son nom, gémit Tobias.

— Tout ça pour dire que nous devons rester groupés ! résuma Amy.

La Souffrance bondit sur la route de mousse qu'elle traversa comme un éclair pour se cacher de l'autre côté, derrière un pylône.

— Elle nous jauge, précisa Floyd, elle choisit sa proie.

Tobias et Tania encochèrent une flèche.

— Qu'elle vienne, souffla Tania entre ses dents, je ne vais pas la louper.

Chen avait sorti sa double arbalète de la sacoche que portait Zap et l'armait pendant que Matt surveillait leurs arrières.

Tobias s'attendait à une hésitation de la Souffrance, le temps qu'elle évalue la menace qu'ils représentaient, mais le prédateur bondit brusquement de sa cachette et fondit sur eux.

Trop vite. Même pour Tobias qui avait pourtant une altération de rapidité.

Il banda son arc et tira. Sans viser.

Sa flèche fila au-dessus de l'animal.

Tania n'eut pas plus de succès. Et avant que Chen n'ait eu le temps d'agir, Tobias avait de nouveau encoché une flèche, bandé et tiré.

Cette fois il frôla la gueule de la Souffrance.

Elle n'était plus qu'à mi-distance.

Floyd et Amy en première ligne.

Les carreaux de Chen fusèrent en sifflant et rebondirent devant la bête. La panique et la vitesse du monstre aidant, il n'avait pu ajuster son coup.

Tobias bandait de nouveau son arc, usant de son altération de vitesse pour enchaîner les tirs. Il savait qu'il manquait de précision, mais comptait sur le nombre pour faire mouche.

Le troisième fut le bon.

La flèche vint se planter dans le poitrail de la Souffrance qui ne ralentit même pas.

Les tentacules de son museau s'écartèrent, prêts à saisir une proie, la gueule s'ouvrit en grand.

Les gencives sans dents se contractèrent et soudain des centaines de petits triangles y surgirent comme dans une gueule de requin blanc.

Tania terminait seulement d'encocher sa seconde flèche lorsque Tobias tira la quatrième.

Il la vit partir et sut immédiatement que c'était mal ajusté.

Pourtant la flèche se déporta légèrement et vint se ficher en plein dans la mâchoire béante de la Souffrance qui, cette fois, ralentit en secouant la tête.

Mais elle ne stoppait pas sa terrifiante charge pour autant et l'instant d'après elle galopait à nouveau vers Floyd et Amy qui se préparaient au pire, cramponnés à leurs armes.

Quinze mètres.

Tania toucha l'animal à la cuisse.

Le monstre poussa un râle de colère mais continua sa course folle, les crocs dehors, prêts à déchiqueter.

Chen finissait d'armer son arbalète. Il n'aurait jamais le temps de s'en servir avant que la Souffrance ne soit sur eux.

Tobias lâcha la corde de son arc.

Cette fois la flèche partit bien droit et se planta en plein dans la gueule du prédateur.

Dix mètres.

Une autre flèche. Trop haute.

Pourtant, au dernier moment, elle dériva pour venir transpercer l'œil gauche du félin.

Entraîné par sa vitesse, ce dernier ne pouvait plus s'arrêter. Il fonçait sur ses cibles.

Cinq mètres.

Amy leva sa hachette devant elle.

La dernière flèche de Tobias fusa au fond de la gorge du prédateur dont les pattes se dérobèrent.

La Souffrance s'effondra, emportée par son élan, et glissa jusqu'aux pieds d'Amy et Floyd, paralysés de terreur.

Un long soupir fila depuis les entrailles du monstre, et tous les petits triangles osseux se rétractèrent dans ses gencives. Les tentacules de son museau se recroquevillèrent, comme les pattes d'une araignée morte.

Cette fois, la Souffrance ne dînerait pas d'un Long Marcheur.

Tous les Pans se tournèrent alors vers Tobias.

Tremblants, incrédules et admiratifs à la fois.

18

Six et six qui font sept

Tobias était partagé entre fierté et scepticisme.

Tous lui avaient témoigné une gratitude qui lui avait fait chaud au cœur. Pourtant, au fond de lui, il avait le sentiment de ne pas la mériter tout à fait.

Certes, il avait bien sauvé la vie de ses camarades en tirant sept flèches en une poignée de secondes, mais il ne parvenait pas à se satisfaire de cet acte héroïque. Il éprouvait ce qu'un sportif dopé devait ressentir au moment de la victoire.

Comme s'il avait triché.

J'ai tué cette abomination ! J'ai protégé mes amis ! Pourquoi ne puis-je en être heureux ?

La violence n'était pas en cause. Après tout, c'était la loi de la jungle, tuer ou être tué. Question de survie.

Alors quoi ?

La trajectoire des flèches. Tobias avait agi dans la précipitation, sans vraiment viser.

Et plusieurs de ses traits étaient mal partis, pourtant ils avaient dévié pour faire mouche. Tobias avait mis de l'effet dans certains de ses tirs. Une technique qu'il ne maîtrisait pas consciemment.

Je dois me faire confiance… L'arc est le prolongement de mon corps. Ce que je ne sais pas, mon corps le devine, lui ; et mes doigts font ce qu'il faut.

Tobias avait l'instinct du tireur.

Vu sous cet angle, c'était plutôt plaisant, et finalement cette idée lui donna le sourire pour le reste de la journée.

Jusqu'à ce qu'un pressentiment nouveau vienne le chatouiller.

Non, c'est impossible. Comment l'expliquer ?

Alors Tobias pressa le pas pour monter au niveau de Tania qui était chargée de gérer les provisions ; il était pris d'un doute.

— Dis-moi, question nourriture, tout va bien, nous avons toujours de bonnes réserves ?

— Oui, pourquoi ? fit Tania, surprise par la question.

— Tu n'as pas l'impression qu'on mange plus que prévu ?

Tania haussa les épaules.

— Mis à part les gourmands qui se servent dans les besaces quand j'ai le dos tourné ? Non.

— Des vivres qui disparaissent ?

— De petites quantités, rassure-toi. Avec les kilomètres qu'on engloutit, ça n'a rien d'étonnant.

— Non, j'imagine, répondit Tobias d'un air songeur.

Mais cela ne faisait que confirmer son hypothèse.

Je ne peux pas en parler aux autres, pas tant que je n'en suis pas certain…

Ce soir, au bivouac, je vais vérifier tout ça !

Ils poursuivirent leur périple jusque tard dans la journée.

Lorsqu'ils se posèrent pour le repos du soir, Tobias, qui avait l'habitude de s'occuper d'abord de lui, commença cette fois par Gus. Il défit chaque sacoche et retira les couvertures, cordes, gourdes et sacs de toile qui emballaient leurs vêtements d'hiver.

Ce fut à ce moment que sa main heurta une autre main.

Tobias n'en fut qu'à demi surpris.

Il se recula et dit :

— Sors de là. Je sais que c'est toi.

Les autres Pans se tournèrent vers l'adolescent qui parlait à un tas d'équipement.

— Tu te sens bien, Tobias ? demanda Tania.

— Nous avons un passager clandestin, révéla-t-il.

— Pardon ? s'exclama Floyd.

— Je savais que mes tirs n'étaient pas aussi précis. Il y avait forcément un truc !

Matt se leva et se rapprocha du chien.

L'équipement sur le dos de Gus se mit à bouger et plusieurs sacs chutèrent tandis qu'une forme se dépliait.

— C'est bon, je me rends, dit-elle.

— Ambre ? murmura Matt, interloqué.

L'adolescente sauta de son chien, les cheveux emmêlés, ruisselante de sueur.

— De toute façon je n'en pouvais plus. Trois jours là-dessous, j'ai bien cru que j'allais mourir !

— Que fais-tu ici ? demanda Matt sur le ton d'une brusque colère.

Une colère qui ne sonnait pas juste.

— Mais c'est dangereux ! s'exclama Floyd. Tu es… tu portes le Cœur de la Terre !

— Me renvoyer à Eden avec le Tourmenteur qui rôde sur la route serait encore plus risqué. Vous n'avez plus le choix maintenant.

Matt secoua la tête, dépité par l'entêtement de son amie. Cependant, une part de lui-même se réjouissait de sa présence.

— Chaque soir j'étais obligée de me glisser dans les fourrés avant que vous ne retiriez le harnachement de Gus, et je dormais dans les ronces et les toiles d'araignées ! Je n'aurais pas tenu deux nuits de plus ! Toby, comment tu as su ?

— C'est toi qui as guidé mes flèches !

— En effet.

— Mes tirs n'étaient pas assez précis. Je le savais. À force d'y penser je n'avais plus que ça en tête. C'était comme lorsque tu es avec nous. Je tire à toute vitesse et tu guides mes projectiles.

Amy s'approcha d'Ambre et lui tendit la main :

— Alors je te remercie d'avoir contribué à nous sauver la vie. En ce qui me concerne, je suis contente de te savoir parmi nous.

— Ça va poser un problème de provisions, grommela Floyd. Nous avions prévu pour six, pas pour sept.

— J'ai ajouté pas mal de choses dans les sacoches de Gus, répliqua Ambre.

— En cas d'urgence, si nous devons chevaucher les chiens, nous n'en avons que six !

— Gus est vigoureux, il pourra nous porter, Tobias et moi.

Matt se plaça entre Ambre et Floyd.

— C'est bon, elle est là, coupa-t-il, maintenant nous devons faire avec.

Les uns et les autres approuvèrent et chacun retourna à ses activités après l'avoir saluée.

Lorsqu'ils se retrouvèrent seuls, Matt se tourna vers elle.

— Même si je pense que c'est une énorme bêtise, je suis content que tu sois là, avoua-t-il.

Ambre sourit.

— Moi aussi.

Ils s'enlacèrent, longuement, avant qu'Ambre ne recule tout à coup.

— Bon, c'est pas tout ça, mais moi je ne pouvais pas faire ma toilette là-dessous ! Donc si tu le permets, je vais prendre un peu d'eau et aller m'isoler derrière ces buissons avant d'incommoder tout le monde !

Matt la suivit du regard avant qu'elle ne disparaisse derrière la végétation.

Son cœur battait plus vite depuis qu'elle était là.

19

Canaan

Matt se sentait observé.

Plume ronflait juste au-dessus de lui, il pouvait sentir son odeur.

Il ouvrit les paupières avec difficulté, aveuglé par la lumière du petit matin. Il n'avait plus si bien dormi depuis leur départ.

Il vit Chen, Tobias et Tania qui le regardaient en chuchotant, retenant à grand-peine leurs rires.

— Oh les amoureux ! railla Chen sur un ton enfantin.

Matt réalisa alors qu'Ambre était lovée contre lui et qu'il la tenait dans ses bras, duvet contre duvet.

— Bande d'idiots ! s'emporta-t-il en se redressant.

Le temps était maussade. Un plafond de nuages gris et bas menaçait.

Ils rééquipèrent les chiens et se remirent en route, à sept marcheurs cette fois. Ambre s'était trouvé un long bâton qui lui servait de canne, et se fit un devoir de suivre le rythme. Matt la connaissait assez pour savoir que même les pieds en sang, elle ne se plaindrait pas. C'était à lui d'être vigilant, de l'arrêter avant qu'elle ne dépasse ses limites.

La pluie se mit à tomber avant midi, des gouttes épaisses et fraîches qui les trempèrent en peu de temps.

Floyd et Amy, en Longs Marcheurs prévoyants, s'étaient équipés de capes imperméables.

Matt n'aimait pas la pluie. Elle obligeait à baisser la tête et masquait la visibilité.

Il comprit qu'ils traversaient les ruines d'une ville lorsqu'ils longèrent un immeuble recouvert de feuilles, de racines et de mousse. Aussi loin que sa vue portait, il discernait d'autres formes, des bâtiments, des feux de croisement devenus pergolas végétales, des places colonisées par les fougères, et parfois des buildings entiers effondrés, leurs gravats transformés en collines où poussait déjà ce qui serait bientôt des arbres majestueux. La nature avait fait le travail de plusieurs dizaines d'années en à peine douze mois.

Elle avait été dopée. Et brusquement, Matt comprit pourquoi l'hiver tardait à venir. La Tempête avait modifié l'ADN végétal pour le stimuler mais, par prudence, elle avait également affecté le cycle des saisons, pour ne pas exposer trop rapidement cette nature fraîchement relancée à des conditions trop rudes. Il n'y aurait probablement pas d'hiver cette année. Le temps pour la végétation et les animaux de solidement s'enraciner et se développer dans leur nouvel écosystème.

C'était assez logique en fait.

— Et si nous allions nous abriter quelque part en ville ? proposa Tania.

— Mieux vaut éviter, confia Amy. Les animaux s'y sont installés, ils sont à présent dans tous les halls, dans les égouts et les centres commerciaux. Ça fourmille de prédateurs là-dedans.

— Alors oubliez ce que j'ai dit ! corrigea Tania en jetant des coups d'œil peu rassurés en direction des ruelles et des portes entrouvertes.

La nuit tomba avant que la pluie ne cesse.

Dormir dans ces conditions était impossible à moins de débusquer un abri. Matt avait espéré un secteur plus vallonné où trouver une grotte, ou au moins des rochers de taille suffisante.

Pour ce soir, il allait falloir se résoudre à sortir les tentes, ce qui ne permettrait pas d'allumer un feu pour se réchauffer et sécher ses vêtements.

— Nous n'allons plus tarder à nous arrêter, prévint Matt. Inutile de continuer dans ces conditions avec la nuit qui tombe.

— Nous sommes presque arrivés au hameau de Canaan, l'avertit Floyd. C'était notre objectif du jour avec Amy.

Matt fit la moue.

— Je ne suis pas sûr que ce soit une bonne idée. Je préférerais éviter de nous faire remarquer.

— Ce sont des Pans, rappela Amy. Ils sont avec nous !

— Mais si un Tourmenteur passe leur rendre visite et les interroge comme ils savent le faire… Vous voyez où je veux en venir ?

— Nous avons une bonne avance sur celui qui était à Eden avant-hier, précisa Floyd. Nous sommes trempés. C'est l'un des rares moments où nous pourrons dormir dans de vrais lits, et nous réapprovisionner en toute sécurité. Ensuite il n'y aura plus que Siloh à deux ou trois jours de marche.

— Nous contournerons Siloh, rectifia Matt. N'allons pas là où les Tourmenteurs sont déjà passés.

— Raison de plus pour nous arrêter ce soir à Canaan ! insista Floyd.

Matt soupira. Il était probablement trop prudent.

Limite paranoïaque.

— Bon, très bien.

Tania et Tobias se tapèrent dans la main, comme deux sportifs complices qui viennent de marquer des points.

Deux kilomètres plus loin, ils parvinrent à un rempart de bois. La route s'arrêtait devant une double porte surmontée d'une passerelle. Floyd cogna trois fois lourdement contre l'un des battants.

— Avec ce déluge, j'espère qu'ils vont nous entendre !

Un Pan grimpa sur la passerelle qui les surplombait et s'écria :

— Qui va là ?

— Floyd et Amy, Longs Marcheurs, avec nos compagnons de voyage. Nous demandons le gîte pour la nuit.

— Amy ? Amy Drowing ?

— Moi-même.

— Je descends ma lanterne pour vous voir !

Le Pan accrocha l'anneau de sa lampe à un hameçon et se servit d'une canne à pêche pour descendre la lanterne qui illumina les visages des deux Longs Marcheurs.

— Amy ! s'exclama-t-il. C'est bien toi ! Je vous ouvre !

On actionna plusieurs verrous et la porte recula pour laisser passer le Pan emmitouflé dans sa cape imperméable.

— Désolé pour ces mesures, dit-il, mais les nouvelles du nord sont alarmantes ! Venez vous mettre au chaud !

— Quelles nouvelles ? s'enquit Matt précipitamment.

— Il y a à peine une semaine, un cavalier qui a changé de cheval ici nous a dit de nous méfier, qu'une force surnaturelle viendrait probablement du nord.

Le Long Marcheur qui descendait de Siloh, celui qui avait vu le Tourmenteur partir pour Eden, comprit Matt.

— Et vous avez vu quelque chose depuis ?

— Non. Mais on ne va pas s'en plaindre ! Venez, ne restez pas sous la pluie !

Ils traversèrent une petite place. Canaan n'était constitué que de six maisons, quelques granges et un bâtiment principal, haut d'un étage, qui occupait la moitié du hameau à lui tout seul.

— Laissez vos chiens à Ludwig, à l'étable, il va s'en occuper.

— Nous allons nous en charger, intervint Matt. Ils apprécieront.

Après avoir déchargé les animaux, ils les brossèrent et Ludwig, un jeune Pan aux longs cheveux roux, qui boitait, leur apporta des sacs de nourriture.

— Ils doivent être affamés les pauvres !

— Tu aimes les chiens ? devina Ambre.

— Je les adore ! Et j'en avais jamais vu d'aussi grands ! On m'en avait parlé, mais c'est la première fois que je les approche !

— Tu n'étais pas à la Grande Bataille ?

— J'avais une infection au pied, avoua-t-il, honteux. J'ai failli le perdre.

Ambre lui tapota la main.

— N'aie pas de regrets. Ce n'était pas un beau moment de notre histoire.

Ils se dirigèrent vers le bâtiment central de Canaan, d'où émanaient de la lumière et une alléchante odeur de pot-au-feu.

La grande pièce rassemblait l'essentiel de la population du hameau, soit une petite vingtaine de Pans en tout et pour tout. Ils étaient attablés par petits groupes, discutant en dînant, jouant aux dés pour certains, devant une imposante cheminée où bouillonnaient trois marmites qui dégageaient une chaleur rassurante.

L'arrivée des visiteurs provoqua un profond silence et attira tous les regards.

— Mes amis, s'exclama le garde qui leur avait ouvert, bienvenue à Canaan !

Ce fut comme un signal. Deux adolescents se levèrent pour proposer leur aide afin d'aller étendre les affaires mouillées près du feu tandis qu'un troisième invitait les visiteurs à se changer dans une autre pièce.

Une fois secs, les nouveaux venus furent installés presque de force à la table du milieu, la plus grande, où vinrent s'asseoir cinq Pans, bientôt imités par leurs camarades. Toute la population de Canaan se massa, debout, autour de la table.

— Notre hôte s'appelle Barney, présenta Amy.

— Pour vous servir ! fit Barney en se penchant jusqu'à ce que ses mèches trempent dans son bol de soupe, ce qui déclencha l'hilarité générale.

— Merci de nous accueillir, dit Matt en adressant un signe de tête un peu gêné à l'assemblée. Nous ne resterons pas longtemps, rien que cette nuit. Nous repartons demain matin, à la première heure.

— Vous êtes la prochaine garnison de Fort Punition ? demanda une fille.

— Non, fit Chen. Nous sommes en mission !

— En mission ? répéta-t-elle, les yeux brillants.

— Non, enfin, pas tout à fait, balbutia Matt. Nous allons dans la région de Siloh.

— Avec deux Longs Marcheurs ? nota Barney. Ça doit être une mission importante !

— Nous allons répertorier les différentes espèces botaniques, inventa Floyd.

— Ah.

L'assemblée était déçue. Cela manquait de panache et d'héroïsme.

Matt adressa un regard de gratitude à Floyd qui savait être plus discret que Chen.

— Pourriez-vous nous ravitailler en nourriture ? s'informa Matt.

— Bien entendu.

— Si ça pouvait être fait ce soir… Nous partirons très tôt. Je vous remercie.

— On s'en occupe, lança un grand garçon tout maigre en entraînant ce qui devait être son frère jumeau.

— Quelles sont les nouvelles ? questionna Barney.

— Vous n'avez pas reçu la visite d'un Long Marcheur dernièrement ? interrogea Floyd.

— Amy, il y a quinze jours, mais c'était… en coup de vent, et elle n'a pas été très bavarde ! Ce cavalier il y a moins d'une semaine, celui qui n'a fait que changer de cheval et nous prévenir de nous méfier, que ça bardait au nord. Ah, et j'allais oublier : Walton il y a six jours environ. Il venait de l'est. Vous avez dû le voir arriver à Eden depuis.

Floyd et Matt échangèrent un regard plein de tristesse.

— Walton est mort, confia le Long Marcheur.

— Oh.

Les visages s'attristèrent. Tous savaient que la vie des Longs

Marcheurs ne tenait souvent qu'à un fil, mais apprendre le décès de l'un d'eux faisait toujours un choc.

— Nous allumerons une bougie en sa mémoire, proposa une adolescente qui approchait de l'âge adulte.

Barney se tourna vers Amy :

— Alors, cette fois-ci non plus tu ne restes pas ?

La petite blonde secoua la tête.

— En tout cas, reprit-il, tu as meilleure mine que la dernière fois. On aurait dit que tu avais croisé un fantôme.

Amy plongea son nez dans son bol de soupe.

Comme personne ne parlait, Barney s'exclama :

— Eh bien ! Faut-il que nous allions nous-mêmes à Eden pour avoir des nouvelles fraîches ?

Floyd entreprit de leur faire un compte rendu des dernières négociations entre Maturs et Pans à la forteresse de la Passe des Loups, puis, après une longue hésitation, décida d'aborder le sujet des Tourmenteurs :

— Un nouveau danger a été découvert : les Tourmenteurs. Nous ignorons encore ce qu'ils veulent mais ils sont très dangereux. Si vous en voyez, fuyez-les. Ne cherchez surtout pas le conflit.

— À quoi ressemblent-ils ? demanda une voix dans l'assemblée.

Floyd haussa les sourcils.

— À la Mort, dit-il tout bas après avoir cherché d'autres mots en vain. Ne vous en approchez sous aucun prétexte, et surtout : ne les laissez pas vous toucher.

Barney acquiesça avec beaucoup de sérieux.

— C'est de ça que parlait le cavalier qui est passé il y a une semaine, n'est-ce pas ?

— Oui.

— Laissez-les manger un peu ! intervint la Pan plus âgée en apportant une marmite fumante.

Elle leur servit du pot-au-feu avec des pommes de terre

charnues, des carottes et des oignons confits qu'ils dévorèrent rapidement.

Un garçon qui arborait un épais duvet sombre sur la lèvre supérieure s'approcha de Matt.

Il le dévisagea.

— Je peux t'aider ? demanda Matt.

— Tu es Matt Carter, pas vrai ?

— Euh… oui, balbutia-t-il. On s'est déjà rencontrés ?

— Je t'ai reconnu, sourit fièrement le garçon. À la forteresse de la Passe des Loups. J'étais là quand tu es rentré avec tes cavaliers, sur les chiens géants. C'était incroyable !

Barney scruta Matt avec une fascination nouvelle.

— Matt Carter ? Formidable ! Un héros à Canaan !

— Non, attendez, je n'ai rien d'un héros. Vraiment.

— J'étais là ! insista le garçon à la petite moustache. Ne joue pas les modestes ! Tu as massacré des centaines de Cyniks à toi tout seul !

— Ce n'est pas vrai. Et quand bien même ça le serait, il n'y aurait rien de glorieux là-dedans. Tuer n'est pas héroïque.

— C'étaient nos ennemis ! s'emporta le garçon.

— C'étaient nos parents, lui répliqua Matt aussitôt en le fixant droit dans les yeux. Nous avons tué nos parents.

Ce qui calma à la fois son interlocuteur et les spectateurs.

Matt sonda celles et ceux qui les entouraient pour s'assurer qu'ils n'avaient pas reconnu Ambre. C'était la dernière chose qu'il voulait : que tout le monde sache que la porteuse du Cœur de la Terre était en route pour le nord.

La plupart le regardaient lui.

Il finit son repas sans traîner.

La moitié de la salle était retournée s'asseoir, jetant de brefs coups d'œil dans la direction de Matt.

Lorsqu'ils eurent terminé de dîner, Barney s'approcha :

— Pour dormir, nous vous avons installés dans les chambres à l'étage, c'est un peu spartiate, mais les voyageurs entre Siloh et Eden ne s'en sont jamais plaints.

— Ça sera très bien, j'en suis sûr, répondit Matt. Barney, pour tout à l'heure… Je suis désolé si j'ai été un peu sec avec ton ami.

— T'en fais pas. Et puis tu as raison. Par ici on préfère ne pas trop parler de ce qui s'est passé avec les Cyniks… Des souvenirs souvent douloureux remontent à la surface sinon.

Le cri strident d'un enfant fit sursauter tout le monde.

Une fillette se tenait, horrifiée, sur le seuil de la pièce où s'étaient changés Matt et les siens.

Floyd et Tobias se précipitèrent, suivis par Matt.

Le garçon à la moustache gisait, inconscient, dans une mare de sang, l'épée de Matt à ses côtés. Le sang s'écoulait d'une vilaine plaie au bas de sa cuisse.

— Oh non ! s'écria Barney. Samy, qu'as-tu fait !

— Il a joué avec mon épée, comprit Matt en s'agenouillant à ses côtés. Il saigne beaucoup. Vous avez un docteur ou quelqu'un capable de prodiguer des soins avec son altération ?

— Pas vraiment. Mais on a déjà recousu des blessures.

— Celle-ci est trop profonde, j'ai peur qu'il ait touché l'artère. Vous n'avez personne dont l'altération permette au moins de cautériser la plaie ?

Barney secoua la tête.

— Il… Il va mourir ?

Matt ne sut que répondre. Il pressait la plaie pour l'empêcher de saigner mais il craignait une hémorragie interne. Si c'était le cas, Samy n'avait plus que quelques minutes à vivre. Matt n'avait presque aucune connaissance médicale, tout juste des rudiments appris au cours de l'année, rien de bien sérieux, il savait à peine poser correctement un pansement.

Ambre entra dans la pièce.

— Sortez, dit-elle. Sortez tous, sauf Matt et Tobias.

Matt ignorait ce qu'elle avait en tête mais il lui faisait confiance. Il insista avec une autorité surprenante :

— Dehors ! Vite !

Tous s'exécutèrent et Floyd ferma la porte.

— Que veux-tu faire ? demanda Matt.

— Tenter le tout pour le tout.

Elle s'agenouilla pour poser ses mains sur la blessure de Samy, tandis que Matt pressait dessus pour stopper l'hémorragie comme il le pouvait. Ambre ferma les yeux.

— Tu n'as pas ce pouvoir ! s'étonna Matt.

— Depuis que le Cœur de la Terre est en moi, j'abrite une énergie gigantesque. Je déborde de vie. De toute façon, si je n'essaye pas, il est mort.

Matt l'arrêta en la retenant par le bras.

— Ne fais pas n'importe quoi. Pour ta santé, c'est peut-être dangereux.

— Laisse-moi, dit-elle doucement mais avec détermination.

Matt ne put que la contempler en pleine action, comprimant au mieux la blessure.

Ambre se concentra et pendant une minute il ne se passa rien.

Après quoi elle serra les mâchoires, comme si elle souffrait, et Matt hésita à l'interrompre.

Brusquement, il sentit une chaleur nouvelle se répandre sur la peau de Samy, là où il pressait la plaie avec Ambre.

D'une main, elle chassa celle de Matt et une petite fumée rouge s'échappa d'entre ses doigts.

Samy poussa un long gémissement de douleur sans pour autant se réveiller.

Il se mit alors à transpirer, tout comme Ambre.

La fumée rouge devint plus épaisse et la jeune fille étouffa un cri de souffrance.

Cette fois c'en était trop, Matt voulut la tirer en arrière mais Tobias le saisit par les épaules.

— Laisse, il faut qu'elle continue.

Le corps de Samy fut pris de convulsions, sa tête tressauta sur le parquet, et puis il s'immobilisa d'un coup.

Ambre leva les mains, en sueur.

Le sang ne coulait plus. À l'endroit de la plaie, la peau, toute fripée, striée, semblait brûlée.

— Je crois qu'il va vivre, conclut Ambre avant de basculer en arrière et de s'évanouir.

20

Ambre sur tous les fronts

Les chambres étaient pour quatre personnes.

Matt partageait la sienne avec Tobias, Chen et Floyd, les trois filles ayant décidé de faire chambre commune, au grand regret de Matt.

Ils venaient à peine de se coucher après une longue discussion avec Ambre. Elle était restée inanimée pendant près d'une heure.

Matt ne pouvait la sermonner, pourtant il n'approuvait pas qu'elle s'éreinte ainsi. Il avait peur pour sa santé.

— Je sens que cette énergie est inépuisable, avait-elle dit, elle se renouvelle sans cesse, tu comprends ? Si je vide ce que j'ai en moi, après une bonne nuit de sommeil elle est de retour comme si elle ne m'avait jamais quittée !

— Mais tu ignores tout des conséquences !

— C'est le fluide de la Vie, la matrice du monde, Matt. La Terre m'a permis de l'absorber pour en faire quelque chose. Cette puissance doit servir aux autres.

— Avec parcimonie.

— Sauver une vie, n'est-ce pas une raison suffisante de ne pas être parcimonieux ?

Cette réplique avait clos le débat.

Matt se couchait à peine qu'on toquait à la porte. Son cœur bondit dans sa poitrine.

Il se précipita pour ouvrir tandis que Chen grognait. Tous les autres s'endormaient.

Le visage d'Ambre apparut dans le couloir. Matt se glissa hors de la chambre. L'adolescente tenait une bougie qui diffusait un faible halo. Elle était en tee-shirt et culotte.

— Ce n'est pas vraiment le meilleur moment pour ça, mais… J'ai un cadeau pour toi, dit-elle. Nous n'avons pas trop eu l'occasion d'être seuls depuis le départ. J'attendais que… enfin, tiens, je crois qu'il ne sert à rien d'attendre plus long-temps. Voilà.

Elle posa la bougie sur le sol et lui tendit un rectangle sombre.

Un gilet pare-balles comme celui qu'il portait avant la Grande Bataille.

— C'est le même que l'autre. Il est en Kevlar, précisa-t-elle. Léger et robuste. De quoi te protéger des griffes des Rôdeurs Nocturnes et autres bizarreries !

— C'est génial ! Comment as-tu trouvé une rareté pareille ?

— Un Pan pendant une mission d'exploration des ruines l'a découvert. Je l'ai échangé contre deux semaines de ses corvées. Quand il va se rendre compte que je suis partie, je risque de me faire un ennemi !

— Merci.

Leurs regards s'épousèrent. Ils restèrent face à face, long-temps, avant que Matt ne se décide à l'embrasser. La chair de poule recouvrit sa peau.

La bouche d'Ambre ouvrait sur le paradis. Matt en était convaincu. Il se sentait si bien, contre elle, dans cette chaleur qui se diffusait en lui, cette suavité, cette humidité bouleversante.

Leurs corps se cherchèrent.

Les seins d'Ambre s'écrasèrent contre son torse. Matt frissonna.

La main d'Ambre se posa sur ses reins et le plaqua contre elle.

Et soudain la jeune fille se recula.

Les portes du Paradis se refermèrent brutalement.

Ambre rompait le contact physique.

— Il vaut mieux s'arrêter là, dit-elle, confuse.

— Mais…

Elle avait les joues en feu.

— Je suis désolée. C'est… Bonne nuit, Matt.

Elle se faufila entre lui et le mur pour rejoindre sa chambre et il entendit la porte se refermer.

Matt regarda la flamme de la bougie à ses pieds.

Elle se trémoussait, ardente malgré les dernières gouttes de cire au fond du pot en terre.

Puis soudain elle vacilla, et s'éteignit d'un coup, plongeant Matt dans l'obscurité.

Matt étouffait.

On le privait d'air.

Soudain il comprit qu'on lui plaquait une main sur la bouche.

Il se redressa d'un bond.

— Doucement ! chuchota une forme dans la pénombre. C'est moi, Barney !

Complètement désorienté, Matt se sentait fatigué et lointain, comme s'il ne vivait pas tout cela, qu'il y assistait à distance.

Combien de temps avait-il dormi ?

— Que fais-tu là ? demanda-t-il en clignant les paupières. Quelle heure est-il ?

— L'aube ne tardera plus. Il y a un problème. Viens, approche, mais ne fais pas de bruit !

Barney se colla à la fenêtre et souleva doucement le rideau.

Matt examina l'extérieur. Il pleuvait encore, il n'y voyait pas grand-chose.

Puis ses yeux détectèrent un mouvement au milieu du déluge.

Une forme trop familière.

Une araignée géante.

Matt recula brusquement.

— Il est ici ?

— Il a défoncé la porte il y a cinq minutes ! Ça m'a réveillé. Il fouille les granges pour l'instant mais il ne va pas tarder à venir ici. Écoute, je ne suis pas idiot, j'ai reconnu Ambre, ainsi que Tobias. Vous êtes l'Alliance des Trois. Tout le monde connaît vos exploits. Vous l'avez encore prouvé tout à l'heure en sauvant Samy.

Matt allait protester mais Barney enchaîna :

— Et l'Alliance des Trois n'est pas du genre à aller récolter des plantes avec deux Longs Marcheurs. Je sais que vous préparez quelque chose d'autre, d'important probablement. Et mon petit doigt me dit que cette créature, là-dehors, n'est pas là pour s'inviter à notre table. Elle cherche quelque chose, ou quelqu'un.

— Il ne faut pas qu'elle me trouve.

— Je m'en doutais. Viens, on va réveiller tes compagnons et je vous fais sortir en douce par-derrière.

— Il faut alerter le hameau, le Tourmenteur va leur faire du mal.

— Liz, ma sœur, est en train de les prévenir. À l'instant où vous quitterez Canaan je sonnerai le clairon pour rameuter les troupes.

— Non, fuyez avec nous, il est trop dangereux.

— Si c'est le cas, il nous rattrapera tous. Laisse-moi faire, on n'a peut-être pas de guérisseur ici, mais on sait mettre une bonne raclée à ceux qui nous dérangent.

Matt était trop sous le choc pour argumenter. Il réveilla ses compagnons, s'habilla et partit avertir les filles.

Ils descendaient en silence pour réunir leurs affaires lorsque Barney leur désigna une petite porte au fond du bâtiment.

— Nos chiens sont dans l'étable ! lui rappela Matt.

— La bestiole est juste à côté ! Tant pis pour vos chiens ! Vous trouverez des chevaux rapides et solides à Siloh !

— Je n'abandonne pas Plume, décréta Matt.

— Mais l'araignée vous verra !

— Nous allons chercher nos chiens.

Barney laissa tomber ses bras sur ses flancs, résigné.

Matt, Tobias et Ambre se faufilèrent sous la pluie, courbés sous leurs capes, et gagnèrent la première maison qu'ils longèrent avant de s'arrêter à l'angle de l'étable.

Matt jeta un bref coup d'œil vers l'entrée de Canaan.

L'énorme araignée patientait contre une grange, pendant qu'à l'intérieur son maître mettait tout sens dessus dessous.

— Alors ? demanda Tobias.

— Je ne sais pas, elle peut nous voir.

— Surtout qu'elle a au moins huit yeux !

— Tobias et Ambre, vous vous préparez, si jamais elle montre le moindre signe d'alerte, vous tirez. Que vos flèches lui traversent le crâne !

— Compte sur nous, répondit Tobias en armant son arc.

Matt se pencha pour foncer jusqu'à l'étable et s'aperçut alors que l'araignée avait disparu. Elle n'était plus nulle part.

C'est le moment ou jamais !

Il s'élança, suivi d'Ambre et de Tobias.

Dans l'étable ils trouvèrent les six chiens tendus, aux aguets, Plume en particulier, la truffe contre le mur de planches d'où elle guettait l'extérieur par un petit trou.

Les chiens les accueillirent sans bruit, seules leurs queues se mirent à battre de joie.

— Vous sentez qu'il y a un problème, pas vrai ? murmura Ambre. Approchez, qu'on vous équipe.

Ils s'empressèrent de les charger puis Tobias les entraîna vers le fond de l'étable.

— Attends que je te donne le signal, ordonna Matt.

Il se posta près de la porte et inspecta l'extérieur.

L'une des granges s'ouvrit violemment et la silhouette d'un Tourmenteur en jaillit pour se précipiter dans la suivante.

— Je le vois! C'est bon!

— Et l'araignée? s'enquit Ambre.

— Je ne sais pas. Venez!

Il ouvrit et se précipita dehors. Les longues pattes fines de l'arachnide se déployèrent au-dessus de lui.

Tobias n'eut pas le temps d'armer son tir.

Les pattes fusèrent, la créature se laissait tomber de son fil, mandibules ouvertes. Et Matt ne vit rien venir.

Les pattes se refermaient sur l'adolescent pour l'immobiliser lorsque la tête du monstre vola en éclats.

Tout le corps se figea au bout du fil de soie qui pendait depuis la poutre faîtière de l'étable.

Matt se retourna, la main sur le pommeau de son épée, entre ses omoplates, tandis que les horribles débris du monstre pleuvaient autour de lui, et il vit Ambre, bras tendus en direction de l'araignée.

Soudain un cri guttural creva le silence dans la grange où le Tourmenteur s'était rué.

— Merde, lâcha Tobias.

— On fonce! commanda Matt.

Les trois Pans et les six chiens se précipitèrent derrière le bâtiment principal où les attendaient Barney et le reste de l'expédition.

— J'ai ouvert le portail Nord, les informa-t-il. Allez-y, moi je vais rassembler Canaan et semer la confusion pour que cette chose ne sache plus où donner de la tête. Foncez mes amis!

Matt tenta de le retenir, de l'emmener avec eux, tout comme le reste des habitants du hameau, mais il n'en avait pas le temps.

S'il voulait vivre il fallait fuir.

Il se raccrocha à l'espoir que le Tourmenteur ne tuerait pas les Pans de Canaan, qu'il passerait parmi eux comme à Siloh.

Mais au fond de lui, il craignait le pire.

Plume mordilla sa cape et tira pour le rapprocher d'elle.

— Elle veut que tu grimpes sur son dos, dit Ambre.

Gus l'imita avec sa maîtresse.

— Ils sont trop chargés.

— Elle sait ce qu'elle fait. Allez ! Tout le monde sur les chiens ! lança Ambre. Tobias, tu viens avec moi.

Les six chiens et leurs cavaliers s'éloignèrent sous la pluie.

Derrière eux, Barney frappait une poêle avec un marteau en hurlant :

— Canaan ! Un intrus ! Un intrus ! Aux armes !

La meute sortit de Canaan par une poterne dans le rempart de bois et fonça dans la nuit pour rejoindre le sentier qui menait au nord.

Une explosion illumina le côté opposé de la colline, qui abritait le hameau de Canaan, suivie de trois autres détonations.

Puis le bruissement de la pluie envahit la nuit.

Le cœur de Matt se serra.

Canaan était à nouveau silencieuse.

21

Cloaque

Le soleil entrait par les hautes fenêtres de la salle, faisant miroiter la poussière en suspension comme des tranches d'or tombant en diagonale.

Zélie et Maylis se promenaient sur les tapis bariolés, seules dans l'immense hall.

— J'ai vérifié, dit Maylis. Les listes que tu as trouvées

chez le Buveur d'Innocence correspondent bien aux convois de Pans partis vers Babylone et Hénok pour aider les Maturs avec leurs nouveau-nés, ou pour visiter les terres du sud, sans oublier ceux qui ont décidé de les rallier pour vivre auprès des adultes.

— Et les noms qui étaient cochés ?

— Impossible d'en savoir plus pour l'instant. Il y a eu quelques échanges de messages entre eux et Eden, mais c'est un système assez lent. Le mieux serait d'envoyer l'un des nôtres pour vérifier sur place.

Zélie mordilla nerveusement sa lèvre inférieure.

— Il prépare quelque chose, finit-elle par dire. Je ne sais pas quoi, mais j'en suis certaine.

— Pour le passage secret, je me disais qu'on pourrait y aller toutes les deux, on finirait bien par le trouver !

— C'est risqué. Il est souvent dans ses appartements, et ses lieutenants viennent quand il est absent. Nous n'aurons jamais le temps de chercher.

— Alors, préparons notre affaire pour ne pas avoir à fouiller longtemps !

— Comment ça ?

Maylis avait sa tête des bons jours. L'air malicieux qu'elle arborait quand elle savait avoir un coup d'avance sur les autres.

— Dans la tour carrée, il y a les archives de la forteresse. Et aussi les plans de construction !

Zélie prit la main de sa sœur.

— Excellent ! Qui surveille les archives ? Un Pan ou un Matur ?

— Le vieux Gregory, un Matur plutôt gentil.

— Des chances qu'il soit du côté du Buveur d'Innocence ? Qu'il lui rapporte notre présence ?

— Je ne pense pas. Il semble apprécier les Pans, et il ne jure que par le roi Balthazar.

— Les fidèles de Balthazar détestent le Buveur d'Innocence en général, c'est un bon point pour nous. Allons-y.

La tour carrée se situait sur le flanc ouest de la forteresse, une construction sans fenêtre, ou presque, occupée par des salles de garde, des halls d'entraînement au combat, une armurerie et des archives, tout en bas. Les deux sœurs ne croisèrent que des adultes qui les saluèrent poliment. Certains avaient cependant un regard peu engageant.

Une partie des Maturs restaient des Cyniks et n'éprouvaient que méfiance, voire haine à l'égard des enfants.

Un vieil homme mal rasé, aux poils blancs et aux cheveux hirsutes, accueillit les deux sœurs. Il sentait la sueur et n'arrêtait pas de battre des paupières.

— Que puis-je pour vous ? demanda-t-il.

— Nous songeons à faire des travaux d'amélioration dans les appartements du donjon, pour l'évacuation des eaux usées, mentit Zélie avec aplomb. Vous auriez les plans ?

— Vous trouverez ça dans le rack du fond, c'est pas bien rangé, mais vous devriez trouver votre bonheur !

Maylis s'empara d'une des lanternes en verre et la posa sur une petite table où les sœurs étalèrent des dizaines de parchemins. Elles étudièrent chaque niveau, les plans de coupe, les vues extérieures. Pour une forteresse qui avait été bâtie dans l'urgence et en très peu de temps, les Maturs avaient bien fait les choses. Zélie préférait ne pas songer à tous ceux qui y avaient laissé leur vie.

Une construction érigée dans le sang pouvait-elle abriter ensuite de belles choses ?

— Je ne trouve pas les étages inférieurs, maugréa Maylis.

— Moi non plus.

Zélie se leva pour interpeller le vieux Gregory.

L'homme somnolait dans son coin, avachi sur une chaise, les pieds sur un guéridon couvert de documents.

— Monsieur ! (Il se redressa en sursaut.) Êtes-vous sûr que tous les plans du donjon sont ici ? Dans ce rack ?

— Catégorique.

— Il en manque, ils doivent être mélangés avec d'autres, ailleurs…

— Non, j'ai fait l'inventaire après… Après la guerre. Je suis certain qu'ils sont tous là. C'est un peu entassé, mais c'est entassé par catégories !

— Alors il manque les deux niveaux les plus bas du donjon.

Le vieux Gregory se leva en grognant et les rejoignit en traînant les pieds.

— Faites-moi voir ça !

Il éplucha chaque rouleau, les faisant tomber au sol sans ménagement, puis secoua la tête.

— Ah, c'est vrai qu'il en manque.

— Les appartements inférieurs, ceux de… du Buveur d'Innocence par exemple ? hasarda Maylis d'un air candide.

— Oui, mais pas seulement.

— Je n'ai pas noté qu'il manquait un autre étage, intervint Zélie qui voulait bien faire, tout y est.

— Non, pas le cloaque.

— Le quoi ? grimaça Maylis.

— Le cloaque. C'est une zone que Bill… le Buveur d'Innocence, comme vous dites, a fait fermer à son arrivée.

— C'était destiné à quoi ? s'enquit Zélie.

— À l'origine, à abriter des salles de torture, des cachots, un grand complexe sous la forteresse.

— Je comprends pourquoi il l'a fait fermer ! gloussa Maylis avec dégoût.

Zélie, suspicieuse, se pencha sur la table vers le vieux Gregory.

— Et ce… cloaque, il était *sous* le donjon ?

— Oui. Sous les appartements de Bill en fait.

Zélie et Maylis se regardèrent, entre horreur et triomphe.

Le Buveur d'Innocence leur cachait bien plus qu'elles ne l'avaient pensé.

22

Du divin

Deux jours qu'ils marchaient d'un bon pas.

À la demande de Matt, chaque pause avait été écourtée, ils avaient même raccourci leurs nuits pour mettre un maximum de distance entre eux et Canaan.

Ils avaient également bifurqué sur des sentiers parallèles, moins empruntés, au point de parfois disparaître sous les herbes et les fougères.

Régulièrement, ils s'écartaient du chemin pour couper à travers bois, afin de brouiller les pistes.

Mais le Tourmenteur ne semblait pas les suivre.

Était-il possible que les habitants de Canaan aient eu raison de lui ? Cela semblait peu probable. Des centaines de Pans à Eden étaient seulement parvenus à en faire fuir un, alors comment une poignée d'adolescents mal entraînés auraient-ils pu triompher d'une créature aussi puissante ?

Matt en avait conclu qu'ils avaient semé le Tourmenteur. Il était peut-être un redoutable combattant, mais n'avait aucun flair surnaturel, et leurs nombreux détours avaient fini par l'égarer.

L'attitude d'Ambre, en revanche, était peu à peu devenue sa principale préoccupation.

La jeune fille se montrait tendre et proche de lui dans la journée, lui prenant la main, partageant quelques baisers furtifs, mais dès la tombée de la nuit, elle prenait ses distances, se couchant entre Tania et Amy. Ce qui s'était passé entre eux dans le couloir de l'auberge de Canaan l'avait affectée bien davantage que Matt ne pouvait le supposer.

Elle était débordée par ses sentiments. Ses émotions devenaient physiques. Et Ambre avait peur d'aller trop loin.

Le Cœur de la Terre s'agitait en elle, la poussait à brûler les étapes, il aspirait à faillir. À célébrer la vie, à la répandre, la transmettre.

Au point qu'Ambre ne savait plus si ce désir était sien ou s'il était impulsé par cette énergie nouvelle.

Il lui fallait du temps pour exercer son discernement.

Matt lui-même était paniqué par ce qu'il éprouvait. Il avait tellement envie de la sentir contre lui en permanence que c'en devenait parfois étouffant.

Et… il avait aussi peur de leurs réactions physiques.

La passion qui les avait consumés cette nuit-là était torride, il le savait. Il s'en était fallu de peu qu'ils n'aillent plus loin.

Matt était tiraillé entre le feu ardent qu'Ambre déclenchait en lui à chaque baiser et sa terreur de l'amour.

Surtout s'il devenait physique.

Il en avait envie. Et le redoutait en même temps.

Comment était-ce ? Serait-il à la hauteur ?

Ils n'en étaient pas encore là, se rassura-t-il.

Mais rien que d'y penser, ses jambes flageolaient.

Ce soir-là, Floyd alluma un petit feu pour cuire leur dîner et ils en profitèrent pour sécher leurs vêtements encore humides de l'avant-veille.

Tobias, qui s'était assis à côté de Matt, se pencha pour lui chuchoter :

— Tu crois que le pouvoir d'Ambre est illimité ?

— Je ne sais pas.

— En tout cas, elle a été capable de sauver Samy, puis de faire exploser la tête de cette saleté d'araignée !

— Pour l'araignée, c'est le prolongement de son altération de télékinésie, gonflée par l'énergie du Cœur de la Terre. Par contre, pour la guérison… Là, c'est nouveau.

— Et si…, commença Tobias avant de se taire.

— Si quoi ?

— Tu vas trouver ça idiot.

— Allez, lance-toi !

— Eh bien… Si elle avait tous les pouvoirs en elle ? Si c'était le cas, elle serait une sorte de… de dieu, non ?

Matt gloussa.

— Dieu ? Rien que ça ?

— Bah, réfléchis une minute. Si elle pouvait régénérer toute vie, ou détruire toute existence, ce serait un peu divin, non ?

Matt haussa les épaules.

— Tout dépend de ce qu'on appelle dieu. En tout cas je te conseille de ne pas lui dire ça si tu ne veux pas qu'elle te colle au mur ! C'est le genre d'idée qui pourrait lui déplaire !

— Là on est bien d'accord.

Après le repas, Matt prit le premier tour de garde, surveillance qu'il avait imposée depuis leur départ de Canaan. Il veilla deux heures en regardant ses compagnons dormir, et fut pris d'une crise de mélancolie en songeant à sa vie d'avant. À tous ses amis, au-delà de Tobias, à son école, à la ville, et à ses parents.

Quand il réveilla Floyd pour prendre la relève, Matt avait le moral à zéro et, malgré la fatigue, il mit un temps infini à s'endormir.

Pendant les deux jours suivants, ils contournèrent Siloh par l'ouest, et aperçurent la fumée des cheminées dans le ciel.

Le midi de ce deuxième jour, Tania et Floyd partirent chasser pour épargner leurs réserves de nourriture. Ils revinrent au bout d'une heure, avec un lièvre. Lorsqu'ils le dépecèrent, Chen faillit tourner de l'œil.

— C'est dégueu ! gémit-il. Je crois que je ne mangerai plus jamais de viande !

— Avec tous les efforts que tu demandes à ton corps, tu auras besoin de protéines, expliqua Floyd entre deux coups de couteau bien précis. C'est peut-être dur, mais c'est nécessaire.

N'oublie pas que personne ici ne tue pour gaspiller. C'est le cycle de la nature.

— Parce que tu trouves qu'un garçon capable de sécréter de la colle avec ses pieds et ses mains pour grimper aux arbres c'est le cycle de la nature ? railla Chen.

— Ce n'est pas une expérience chimique orchestrée par l'homme qui t'a transformé, ne l'oublie pas. La Tempête obéissait à une dynamique qui nous échappe, mais qui est naturelle.

— Ou bien elle était l'œuvre de Dieu, proposa Tobias.

Matt l'observa avec curiosité.

— Tu nous fais une poussée de foi ?

Tobias haussa les épaules.

— Je m'interroge, c'est tout.

Ils reprirent la route après une halte beaucoup plus longue que d'habitude, et Matt demanda à Floyd d'accélérer un peu le rythme pour compenser, si bien qu'en fin d'après-midi, ils étaient à bout de forces.

Amy leva brusquement la main et la colonne s'arrêta net. À l'arrière, ils butèrent les uns contre les autres.

— Tu vois un danger ? demanda Matt en venant vers elle.

— Des éclairs de lumière, là-bas, après la colline.

— Comme les attaques du Tourmenteur ?

— Je l'ignore. Ça pourrait être ça.

Matt distingua en effet une variation subite de la luminosité au loin. Ils circulaient entre deux collines striées de falaises d'une dizaine de mètres de haut piégées dans un petit canyon.

— Pas moyen de s'en écarter à moins de faire demi-tour, nota Floyd. Mais on perdrait facilement trois heures.

Matt refusa.

— Tant pis, on continue, mais discrètement tant qu'on ne sait pas ce que c'est.

Il prit la tête de l'expédition avec Amy et Floyd. À la sortie du goulet, Matt aperçut une clairière entourée de forêts qui grimpait en pente douce. Les hautes herbes étaient constellées de coquelicots et de grosses marguerites se balançaient dans la brise légère.

Au fond de la clairière, dominant les environs, une grande église blanche tendait son clocher pointu au-dessus des arbres.

Par intermittence, une lumière vive illuminait les vitraux de l'intérieur, comme un flash d'appareil photo.

— Vous connaissez cet endroit ? demanda Matt.

— Ça ne me dit rien, avoua Floyd.

— Moi je l'ai déjà vu en passant par ici, mais il n'y avait pas ces lumières, confia Amy.

Tobias s'approcha.

— Tu n'es jamais entrée ?

Amy s'empourpra.

— En tant que Long Marcheur j'aurais dû. Pour la répertorier. Mais… je n'aime pas les églises.

— Ce n'est pas un Tourmenteur, affirma Matt.

Des voix résonnaient à l'intérieur. L'écho d'un chant religieux lointain, qui se dissipa aussitôt.

— Non, ce n'est pas un Tourmenteur ! confirma Floyd. Qu'est-ce qu'on fait ?

— On se tire ! proposa Tobias avec conviction.

Floyd pivota vers Matt qui hésitait.

— Vous avez vu comme la nature s'est tenue à l'écart ? fit remarquer Tania. C'est la première fois que je vois une construction humaine qui n'est pas ensevelie sous les plantes.

— Elle est entretenue, avança Chen.

— Je ne crois pas. Les herbes sont hautes tout autour, il n'y a pas de passage pour y aller.

— Alors ceux qui s'en occupent vivent dans l'église et n'en sortent pas souvent ?

— Tu voulais du divin ? glissa Matt à Tobias. C'est peut-être l'occasion…

— Non, Matt, je ne le sens pas. Pourquoi on irait s'attirer des ennuis là-dedans ? On n'en a pas besoin.

— J'ignore ce qu'il y a dans cette église, mais ça pourrait être intéressant de le savoir. Si en approchant on a le moindre doute, on fait demi-tour.

— J'espère qu'on ne va pas le regretter, maugréa Tobias entre ses dents.

Et Chen d'ajouter :

— Moi, mes parents m'ont toujours dit que la curiosité est un vilain défaut.

— Regarde où ce genre de dicton les a conduits, conclut Matt en s'élançant vers l'église.

23

Les voix du Seigneur

Matt dégagea son épée du fourreau, puis actionna la poignée d'une des portes de l'église.

Il l'ouvrit doucement, jusqu'à pouvoir distinguer l'intérieur.

Il vit d'abord un bénitier en pierre, des colonnes, puis des rangées de bancs en bois.

L'endroit était poussiéreux mais préservé de toute intrusion végétale, ce qui était étonnant.

Matt se glissa le long des murs en prenant soin de ne pas faire de bruit, bien que la lumière qui entrait à présent par la porte ait dû avertir de leur présence.

Tobias et Floyd le suivaient de près.

Matt s'immobilisa à l'entrée de la nef, face au chœur.

Des bougies brûlaient autour de l'autel.

— Nous ne sommes pas les premiers, chuchota Floyd.

Le tabernacle, tout au fond de l'église, encadré de statues de la Vierge et surmonté d'un grand crucifix doré, s'illumina

brutalement, projetant des éclats aveuglants dans le bâtiment.

Les trois garçons se couvrirent les yeux en reculant.

Des murmures s'élevèrent alors dans la nef, entre les bancs
déserts. Des dizaines, sinon des centaines de voix qui parlaient
bas, toutes en même temps.

— C'est une église hantée ! gémit Tobias en faisant un pas
vers la sortie.

Matt secoua la tête.

— Les bancs… ils parlent ! dit-il en s'approchant.

Il découvrit des petites bibles un peu partout, échouées entre
les travées ou sur les bancs.

Matt fut alors pris d'un doute. Il s'empara de l'une d'elles.

Le livre émettait une voix d'homme.

— C'est incroyable ! s'écria-t-il.

Il tourna la page.

La voix changea aussitôt. Celle d'un autre homme. Alors il
répéta l'opération et d'autres timbres se succédèrent : hommes
et femmes, parfois enfants, et la langue même n'était pas toujours de l'anglais. Matt reconnut de l'espagnol, de l'italien, ce
qu'il prit pour de l'allemand, puis du français… Et chaque fois
qu'il tournait une page, un nouvel interlocuteur remplaçait le
précédent.

— Il y a des gens dans les bibles, dit-il à ses camarades.

— Je ne suis pas des gens, je suis John, lui répondit celle
qu'il tenait dans les mains. John, d'Akron, dans l'Ohio.

Matt tomba à la renverse.

— Oh la vache ! s'exclama Tobias.

Le reste de la troupe les rejoignit dans l'église, laissant les
chiens dehors, et se groupa autour de Matt.

— Vous… Vous pouvez m'entendre ?

— Qui es-tu ? demanda John. Où sommes-nous ?

— Je… Je m'appelle Matt. Et nous sommes dans… dans une
église, au nord-ouest de Siloh.

— Siloh ? Je ne connais pas. Je ne vois rien. Tout est noir ici.

— Noir ? répéta Tobias. Et il fait froid aussi ?

Ambre esquissa une grimace pour lui demander où il voulait en venir.

— Ce gars est peut-être mort et il ne le sait pas ! murmura Tobias.

— Non. Il ne fait pas froid.

— Vous êtes là depuis combien de temps ? questionna Tania.

— Je ne sais pas. Je crois que je n'ai plus la notion du temps.

Floyd se rapprocha de Matt pour prendre la parole :

— Vous vous souvenez de la Tempête, le 26 décembre ?

L'homme mit plusieurs secondes avant de répondre :

— C'est une date ?

— Euh… oui, répondit Floyd, circonspect. Ça ne vous dit rien ?

— Si, il me semble. Je…

Nouveau blanc.

— Le 26 décembre, répéta enfin John. Une tempête, dites-vous. Oui, je crois.

— Vous étiez où ce jour-là ?

— Où ? Chez moi, à Akron.

— Dans votre maison ? insista Floyd.

— Oui. Non, attendez… je… je n'en sais rien.

— Vous avez perdu la mémoire ? demanda Ambre d'une voix compatissante.

— Tout est confus. Je ne suis sûr de rien. Je connais mon nom. Mais j'ignore qui je suis et où je suis.

— Le 26 décembre, le dernier jour du monde connu, insista Floyd, ça ne vous évoque rien ?

L'homme le fit patienter de longues secondes.

— Je crois que si. Une tempête, oui. Je me rappelle… Attendez ! Un visage. Je… je crois que c'est ma femme.

— Vous ne savez pas si vous êtes marié ? s'étonna Chen.

— Non. Je suis John, d'Akron, dans l'Ohio. C'est tout ce que je sais. Mais je vois un visage maintenant. C'est ma femme.

— Elle s'appelle comment ? demanda Ambre.

Nouveau silence.

— Je… je ne me souviens pas, avoua John après un temps.

— Il ne sait plus rien, conclut Chen.

Floyd lui mit la main sur l'épaule pour le faire taire.

— Parce qu'il n'est plus, dit-il assez bas pour ne pas être entendu. Il a perdu tous ses repères. Même la plus rudimentaire curiosité. Il ne cherche pas à savoir qui nous sommes !

— Qu'est-ce qu'il a ? s'inquiéta Tobias.

Floyd, qui avait une petite idée, se pencha vers la bible.

— John, le 26 décembre, reprit-il. Vous étiez à l'église ?

— À l'église ? Je… J'étais… Attendez. Ma tête est vide, je n'ai aucune mémoire. Je sais seulement que je suis John, d'Akron, dans l'Ohio.

— Le visage de votre femme, dit Ambre, pensez à son visage. Vous étiez avec elle, n'est-ce pas ?

— Le jour de la Tempête, ajouta Tobias.

Silence.

— J'ai eu peur, dit enfin John. Et elle aussi. Du moins il me semble que c'est le mot juste, peur. Je n'en suis pas certain mais c'est le mot qui me revient en mémoire. Oui. C'est ça. À l'église. Je crois. Une église. À Akron, chez nous.

Floyd hocha la tête. Délicatement, il déposa la bible un peu plus loin pour pouvoir discuter librement avec ses amis :

— C'est ce que je pensais. Ces gens dans les bibles, ce sont les esprits de tous ceux qui étaient dans des églises quand la Tempête a frappé. Ceux qui priaient, ceux qui sont venus parce qu'ils étaient effrayés, peu importe. Quand les éclairs ont vaporisé l'humanité, tous ces gens ont été… cristallisés dans leur foi.

— Tu plaisantes ? dit Tania dans un souffle. C'est horrible.

— Leur corps a disparu, comme pour les autres, continua Floyd. Mais leur esprit, leur âme ou peu importe le nom qu'on lui donne, a été protégée ou emprisonnée, selon la façon dont on voit les choses, dans leur croyance.

— Tu as déjà réfléchi à tout ça auparavant, conclut Ambre. Ce n'est pas la première fois que tu viens ici, n'est-ce pas ?

— Si. Mais j'ai déjà entendu une histoire similaire. Un Long Marcheur, dans une église à l'est d'Eden, le mois dernier. Il n'a pas su expliquer ce qu'il avait vu, toutefois, j'en ai tiré mes propres déductions, et elles se confirment. Nous ne voulions pas en parler tant que nous n'étions pas sûrs.

— La foi les a protégés contre la nature ? résuma Chen.

— Ou les a damnés ! intervint Tania. Question de point de vue !

Matt joignit les mains sous son menton, absorbé dans ses pensées.

— Donc, dit-il, tu penses que l'esprit de John est dans une bible à Akron ? Alors pourquoi on l'entend ici ?

— Quand tu tournes les pages, tu tombes sur des gens du monde entier. Les bibles sont connectées entre elles.

— À travers Dieu ? fit Tobias, les yeux écarquillés.

— À travers la foi des hommes. À force de croire, nous avons créé une sorte de connexion, comme de l'électricité spirituelle. Je ne suis pas sûr que Dieu, s'il existe, ait grand-chose à voir là-dedans.

— C'est grâce à lui que tout ça est possible, non ? insista Tobias.

— Non, c'est grâce ou à cause du fanatisme. Ou par simple dévotion. Mais, siècle après siècle, les hommes, à force de prier ensemble, ont développé une forme d'énergie commune. En tout cas je le pense. Et ce que nous voyons là pourrait en être une preuve. Ce n'est pas propre à un dieu mais à l'investissement spirituel des hommes, et cela touche toutes les religions. Ce phénomène a dû se produire aussi dans les mosquées, les synagogues, temples et autres lieux de prière importants.

Tobias semblait sceptique.

— Floyd, dit Matt, ta théorie signifie que si un Pan, dans

l'église de John à Akron, pouvait lui parler, alors John pourrait nous répéter ce qu'il entend, comme une sorte de téléphone !

— Oui. Nous pourrions communiquer. D'une église à l'autre.

— Et ces pauvres gens dans les bibles ? s'indigna Tania. On les transformerait en… standardistes ?

Floyd haussa les épaules.

— Au moins ça les occuperait ! dit-il.

— C'est cynique !

Floyd alla reprendre la bible.

— John d'Akron ? Vous allez bien ?

— Je crois.

— Vous vous sentez… comment dire ? Mal ? Perturbé ?

— Je… je ne sais pas.

— Vous vous ennuyez ?

— Non.

— Mais que faites-vous de vos journées ?

— Mes journées ? Je… je n'en ai pas. Je ne sais pas en fait.

Floyd reposa la bible.

— Tu vois ? dit-il à Tania. Ils ne sont que des esprits vides pris au piège dans des livres. Rien de plus.

— C'est terrible, murmura l'adolescente en se laissant tomber sur un banc.

Matt claqua dans ses mains.

— Préparons le camp pour la nuit. Nous allons dormir ici.

— Dans cette église ? s'alarma Tobias.

— Ce sera mieux que dehors, nous serons à l'abri…

— Quelqu'un a vu Amy ? demanda Ambre.

Chen fit signe que non.

— Elle n'est pas entrée je crois.

Tous se tournèrent alors vers la porte.

— J'espère que c'est pas l'église hantée qui l'a enlevée, gémit Tobias, sans savoir lui-même s'il plaisantait ou s'il était sérieux.

24

Fragments du passé

Amy se tenait face à l'entrée de l'église.

— Je vais rester à l'extérieur, dit-elle à ses compagnons.

— Nous installons notre bivouac ici pour la nuit, l'avertit Matt.

— Dans ce cas je monterai la garde.

Tous pouvaient percevoir son malaise.

— Amy, fit Ambre, qu'est-ce qui ne va pas ?

La petite adolescente blonde grimaça.

— Je... je n'aime pas les églises.

— T'en as peur ? s'étonna Chen.

— Je ne les aime pas, c'est tout. Bon, vous n'allez pas rester là toute la nuit à me dévisager, j'ai dit que je n'entrerais pas, point final !

— Tu ne vas pas dormir dehors toute seule ! insista Matt.

— Je serai avec les chiens.

— Dans ce cas, je reste avec toi, dit Ambre.

— Moi aussi, ajouta Tania. Soirée filles.

— Non, objecta Matt. Nous ne pouvons pas vous laisser dehors pendant que nous sommes à l'abri...

— C'est une affaire réglée, le coupa Ambre. Les garçons dedans, les filles dehors, et tu ne négocies pas. Prenez vos affaires pour ne pas revenir nous déranger par la suite, nous avons des trucs à nous raconter.

Ambre laissa à peine aux garçons le temps de s'équiper, et les poussa dans l'église.

— Je crois qu'on vient de se faire mettre à la porte, dit Chen avec un rictus.

Tobias regardait le tabernacle qui continuait d'émettre ses flashes de lumière.

— Et ce machin-là, c'est quoi au juste ? demanda-t-il avec une pointe d'anxiété.

— Si toutes les bibles sont comme des modems d'ordinateurs, supposa Matt, alors les tabernacles sont un peu comme des routeurs. L'énergie spirituelle des fidèles a dû se canaliser là-dedans, dans l'autel et le crucifix.

— C'est flippant, avoua Tobias.

Ils posèrent leur matériel un peu à l'écart, près du confessionnal, et Floyd sortit le réchaud à gaz pour préparer le dîner.

— J'espère que les filles ne risquent rien, dit Matt.

— Si tu veux mon avis, dit Tobias, elles sont plus en sécurité là-dehors avec les chiens comme rempart que nous ici !

— De toute façon Tania a le sommeil léger, elle nous préviendra s'il y a le moindre problème, assura Floyd.

Pendant que les garçons mangeaient, les murmures hantaient l'église, résonnaient contre les murs et tissaient un cocon de mystère autour de la nef.

Soudain toutes les voix se turent en même temps, puis entonnèrent ensemble un chant religieux qui ne dura que quelques secondes.

— Ça va être pratique pour dormir, gloussa Chen.

Le tabernacle s'illumina à nouveau, puis les cierges s'éteignirent et le silence revint, comme si tout l'édifice était abandonné depuis des lustres.

Tobias leva le nez de sa gamelle.

— Suffisait de demander, plaisanta-t-il, pas rassuré pour autant.

— Vous croyez que ça ne fonctionne que de temps en temps ? demanda Chen.

— Apparemment, répondit Floyd. Peut-être qu'il n'y a pas assez d'énergie pour que ce soit continu, ou alors ça marche par cycles.

Aucune autre manifestation étrange ne survint de la soirée, et les garçons finirent par se coucher, intrigués mais épuisés.

Les trois filles surveillaient l'ébullition de l'eau sur le petit feu qu'elles avaient allumé, au centre du cercle. Les chiens étaient partis explorer les alentours, comme à leur habitude, avant la nuit.

— Vous vous attendez à ce qu'on trouve quoi au nord ? demanda Tania.

— Si je le savais…, soupira Ambre. En tout cas Matt a raison sur un point : tous les trucs les plus bizarres qu'on a vus venaient du nord. Le Raupéroden, les Tourmenteurs…

— Des fantômes, dit alors Amy. Je pense que c'est là-haut que vivent les spectres de l'ancien monde.

— Pourquoi dis-tu ça ?

Amy haussa les épaules, le regard dans le vague.

— À cause de ce que j'ai vu à Fort Punition. Les cadavres de ces malheureux. Seuls des spectres peuvent tuer ainsi.

— Mais tu as aussi trouvé des empreintes de petits pas, rappela Tania. Les fantômes ne laissent pas de traces !

— Sauf s'ils pénètrent l'âme d'un Pan et qu'ils en prennent le contrôle.

— Brrrrrr, fit Ambre, vous me faites peur ! J'espère bien que tu te trompes, Amy !

— S'il ne s'agit pas de fantômes, alors ceux qui ont massacré nos soldats sont des Pans, répliqua-t-elle. Tu es sûre de préférer cette hypothèse ?

Ambre haussa les sourcils, dépitée.

— C'est… c'est à cause de ce voyage dans le nord, de ces fantômes, que tu as peur des églises ? demanda-t-elle.

Amy fit claquer sa langue contre ses dents.

— Je savais que j'aurais droit à la question tôt ou tard, dit-elle avec une pointe d'agacement.

— Pardon, je ne voulais pas me montrer indiscrète, je pensais que ça te ferait du bien d'en parler. Excuse-moi.

Amy soupira.

— Après tout, vous avez le droit de savoir, finit-elle par dire. C'est à cause de mes parents.

— Ah, fit Ambre en posant sa main sur celle d'Amy. Je suis désolée.

— C'étaient des… bigots, je crois qu'on peut le dire. Tous les jours à l'église. Ils ne juraient que par Dieu si je puis dire.

— Et toi, tu n'étais pas croyante ? s'étonna Tania.

— Si, forcément. Avec des parents comme ça, je n'ai jamais eu le choix ! Le soir de la Tempête, j'étais chez mes grands-parents, mes parents devaient nous rejoindre pour le dîner, mais avec toute la neige qui était tombée ils n'ont pas pu partir de notre petite ville. Le lendemain matin, quand je me suis réveillée, il n'y avait plus personne dans la maison, ni même dans la rue. J'étais toute seule. Quand j'ai compris qu'il s'était passé quelque chose de grave, je me suis habillée chaudement, j'ai pris de quoi manger, et j'ai fait les quinze kilomètres dans la neige pour rentrer chez moi. Mais il n'y avait personne là non plus. Alors j'ai pensé à l'église du quartier. J'étais sûre que mes parents s'y étaient réfugiés. J'y suis allée et…

Les larmes ruisselèrent sur les joues de la petite Long Marcheur. Elle les essuya d'un revers de main et prit une profonde inspiration pour continuer :

— Ils étaient bien là. Du moins ce qu'il en restait. Ils étaient au moins six ou sept, tous plus abjects les uns que les autres. Des êtres à la peau toute plissée, pendante, couverte de pustules, les doigts déformés et le regard vide.

— Des Gloutons…, murmura Ambre.

— Oui, des Gloutons. J'ai reconnu tout de suite mes parents malgré leur apparence difforme. (Amy étouffa un sanglot.) Ce sont les premiers qui m'ont attaquée. J'ai réussi à m'enfuir, mais jamais plus je ne remettrai les pieds dans une église.

— Tu as perdu ta foi ? demanda Tania.

— Dieu n'a jamais existé, lâcha sèchement Amy. C'étaient des foutaises inventées il y a longtemps pour calmer les esprits

belliqueux. Si Dieu avait été réel, tout ça ne se serait jamais
produit !

Ambre secoua doucement la tête, plus mesurée :

— J'ignore si Dieu existe, mais je sais que l'important est
d'avoir ses propres convictions, et de vivre en harmonie avec
elles. Or, chez toi, je sens beaucoup de… colère. Entre ce que
tes parents t'ont enseigné, que tu as longtemps admis, et ce que
tu ressens aujourd'hui, il manque…

— J'ai de la haine. Pour tous ces mensonges, dit-elle en se
tournant vers l'église. Si mes parents n'avaient pas cru en Dieu,
ils n'auraient pas été dans l'église cette nuit-là, et peut-être
qu'ils seraient restés eux-mêmes.

— Pour être vaporisés comme les miens, conclut Tania avec
tristesse.

— Ou pour devenir des Cyniks, sans mémoire et sans amour,
ajouta Ambre.

— Comment fais-tu pour rester toujours aussi forte, Ambre ?
demanda soudainement Tania. Depuis que je te connais, jamais
tu ne t'es effondrée, jamais tu n'as parlé du passé avec mélancolie, comme si tu n'avais jamais vécu notre ancienne existence !

— C'est le cas, avoua la jeune fille. Avant je ne vivais pas.
Je subissais. Une mère lâche, un beau-père alcoolique, maintenant je fais ce que je veux de mon existence.

— Et ton père ? Tu l'as connu ?

— Non, répondit Ambre trop rapidement.

— Mais ta mère ne te manque pas ? Ni tes anciens amis ?

Ambre prit le temps de réfléchir avant de répondre. C'était
une question qu'elle ne se posait jamais. Tout ce qui avait trait
au passé ne l'intéressait plus.

— J'ai trouvé ma place dans ce monde, expliqua-t-elle.
Avant je me cherchais, auprès de mes camarades de classe,
dans mon quartier, même dans ma… famille, si on peut appeler
ça une famille. Aujourd'hui je sais qui je suis, ce que je veux.
J'existe vraiment, on me respecte pour ce que je suis.

Tania émit un long sifflement admiratif.

— Dis donc, t'en as fait du chemin !

— J'ai surtout compris que l'essentiel n'était pas de trouver *comment* vivre tous les jours, mais de savoir tous les jours *pourquoi* on vit.

— Ce qui est inattendu dans un monde sauvage comme le nôtre, où nous devons quotidiennement lutter pour survivre !

— C'est vrai, c'est un luxe spirituel. Mais il me porte chaque matin. Oh, les filles, l'eau bout depuis cinq minutes !

Elles s'affairèrent à préparer leur repas, tandis que les chiens revenaient en gambadant et s'étendaient à leurs pieds en grognant de satisfaction.

Lorsque les trois filles furent couchées, près des braises qui fumaient dans l'obscurité, Ambre contempla Amy qui s'endormait.

Il était si cruel pour elle d'imaginer que l'esprit de ses parents avait peut-être quitté leur corps la nuit de la Tempête pour ne laisser que des coquilles vides, les Gloutons.

Si tel était le cas, alors ses deux parents vivaient encore quelque part, dans les pages d'une bible, enfermés dans une église.

Ils n'avaient plus aucun souvenir de leur ancienne vie, et il était même peu probable qu'ils puissent reconnaître la voix de leur fille.

Ambre serra les poings.

En un instant de clairvoyance, elle comprit qu'elle préférait s'intéresser au malheur des autres plutôt que de songer à sa propre vie.

À son passé.

Son père.

Était-il encore en vie quelque part ?

Un autre Cynik sans mémoire ?

La reconnaîtrait-il s'ils venaient à se croiser ?

Aurait-il de l'amour pour sa fille ?

Il n'en avait pas avant, pourquoi est-ce que ça changerait maintenant ? pesta Ambre avec dégoût.

Non, il était préférable de considérer cet homme comme mort.

C'était déjà ce qu'elle faisait avant la Tempête, il n'y avait aucune raison de changer.

Les parents étaient tous morts, d'une certaine manière. Les Pans devaient faire leur deuil.

Ambre serra les paupières.

La nuit allait diluer les ombres de son passé.

25

Fort Punition

Pendant huit jours, l'Alliance des Trois et leurs quatre camarades continuèrent leur marche vers le nord. Ils trottaient à bonne allure sur les sentiers, accompagnés par leurs montures chargées de l'équipement.

Le temps changea au fil de la semaine, l'air tiédit jusqu'à devenir frais. Particulièrement la nuit. Ils prirent l'habitude de dormir les uns près des autres, avec les chiens autour d'eux comme une barrière de chaleur.

Leurs corps étaient devenus des îlots de souffrance, à cause des courbatures, des muscles raides, des crampes, et surtout de l'état déplorable de leurs pieds. Puis ils passèrent le cap, ils s'habituèrent aux réveils difficiles, aux remises en route douloureuses après les pauses. Jour après jour, la plante de leurs pieds vira du rouge cloqué au blanc croûteux, insensible, tandis que la corne venait remplacer les ampoules.

Le voyage s'emparait d'eux, chacun trouvait sa fonction et son rythme, allumer le feu, faire à manger ou la vaisselle, les tours de garde. La vie au sein de la caravane s'organisait avec naturel, menée par Amy, à présent la seule capable de reconnaître la route.

Le paysage se modifiait peu à peu, les vastes espaces ouverts disparurent, les champs d'herbes folles se raréfièrent ainsi que les bosquets, remplacés par des collines abruptes et des forêts parfois interminables, qu'ils traversaient sur plus de cent kilomètres.

À mesure qu'ils se rapprochaient de leur destination, Matt s'interrogeait de plus en plus sur ce qu'ils allaient trouver.

De quoi était constitué le nord désormais ?

Un an sans en voir descendre le moindre Pan ou le moindre Cynik. Le Canada avait-il été rayé de la carte ? Comme le reste du monde ? Après tout, ils n'avaient pas davantage de nouvelles du Mexique et de l'Amérique centrale…

Chaque membre de l'expédition guettait le ciel, en particulier le soir, nerveux à l'idée d'y découvrir un orage en préparation. Mais les Tourmenteurs semblaient avoir perdu la trace de Matt.

L'épisode de Canaan avait particulièrement marqué l'adolescent.

Outre les dégâts possibles parmi la population, il s'interrogeait sur la présence d'un Tourmenteur cette nuit-là, si près d'eux. Il cherchait, il fouillait les bâtiments comme s'il avait su que Matt était présent dans le hameau. Comment était-ce possible ? Manifestement, ces créatures ne possédaient pas de flair surnaturel. Le Tourmenteur qu'ils avaient vu passer dans la forêt sur son araignée n'avait pas été capable de les détecter. Alors comment avait fait celui de Canaan ?

Était-il renseigné ? Par qui ?

Aucun Pan à Canaan ne pouvait l'avoir donné, Matt en était convaincu. Il y avait bien eu quelques trahisons parmi les Pans en faveur des Cyniks, mais c'était à mettre sur le compte de l'âge, du vieillissement, de la perte de l'innocence. Se ranger subitement du côté des adultes était une chose, mais derrière les Tourmenteurs ? Non, impossible ! Servir ces monstres était impensable.

Aucun Pan ne se serait mis au service du Mal.

Huit jours supplémentaires sans la moindre présence des Tourmenteurs apaisèrent Matt qui commençait à espérer en être débarrassé.

Par chance, ils ne croisèrent pas d'autres prédateurs après l'épisode de la Souffrance. Tout juste entendirent-ils les cris, au loin, d'un Urk-Bruk, sorte d'immense ours brun ayant muté en quelque chose de bien moins séduisant que le nounours qu'ils avaient en tête. Mais le danger s'éloigna dès qu'ils allumèrent un feu.

Tobias craignait plus que tout les Rôdeurs Nocturnes, et fut rassuré lorsque Amy et Floyd lui apprirent qu'ils avaient déserté les contrées nord. Ce qui eut l'effet contraire chez Matt : pour qu'un monstre pareil fuie la région, il fallait qu'elle soit devenue particulièrement hostile.

Puis s'invita bientôt un autre ennemi.

Le froid et son habit d'hiver : la neige.

D'abord modeste tapis grinçant sous les semelles, au fil des kilomètres elle devint de plus en plus épaisse, les obligeant à marcher au ralenti. Dix jours après leur départ, ils furent épuisés par cette contrainte supplémentaire.

Aux premières traces de neige, Amy avait exigé qu'ils organisent une grande chasse, et durant tout un après-midi ils s'étaient constitué un stock de viande grâce au petit gibier.

Les conifères, de plus en plus serrés, se massaient en épaisses forêts. Parfois, un écureuil téméraire sautait d'une branche à l'autre, libérant des paquets de neige qui faisaient sursauter le groupe en marche.

Les sons n'étaient plus les mêmes. Plus étouffés, moins riches. Les chants d'oiseaux se localisaient plus facilement, sans échos.

Lorsque le vent soulevait des bourrasques, chacun enfonçait

la tête dans son col, le nez dans les écharpes, et avançait au ralenti.

Ce furent deux jours à part, l'annonce d'un périple difficile en terre inamicale. Deux jours qui les préparèrent à ce qui suivrait : le Poste Avancé septentrional, Fort Punition.

Ils l'atteignirent en fin de journée, après dix-huit jours de marche, par un après-midi de grisaille.

Encadré de collines couvertes de sapins, le fort dressait ses deux tours de bois hérissées de rondins pointus dans un silence glaçant.

Un grand cerf se tenait près de l'entrée, ses longs bois tournés vers la petite troupe. Il les regarda approcher lentement, puis bondit pour disparaître dans le sous-bois le plus proche.

Au moins la vie n'avait pas totalement fui cet endroit.

Lorsqu'ils furent tout près, Amy, qui ouvrait la voie, s'immobilisa.

— Tu as vu quelque chose ? s'alarma Floyd.

— Non. C'est le portail. Je l'avais refermé quand je suis venue.

Un des battants était grand ouvert sur la cour intérieure.

— Le vent, peut-être ?

— Trop lourd.

— Alors un autre Long Marcheur, proposa Matt, qui s'était rapproché.

— Aucun n'avait de feuille de route pour monter aussi loin au nord, sauf Amy.

— Allons voir, lança Matt en sortant son épée de son étui dorsal.

Le fort n'était pas grand : un bâtiment principal et une grange qui servait à la fois d'étable et de remise. Tout était ouvert, les coffres vidés, les étagères renversées, les armoires étalées au sol et les lits éventrés. Mais aucune présence. Le gel avait cristallisé certains objets. Le vent avait poussé la neige jusque dans la cheminée.

— J'ignore ce qui est venu ici mais ce n'était pas un animal, constata Floyd.

— Des pillards, répliqua Matt.

— De quel genre ? À part les Gloutons, je ne vois pas ! Aussi loin au nord, ce serait étonnant.

— Chassés par le froid, ils venaient peut-être des terres septentrionales, après tout, nous ignorons ce qu'il y a à l'emplacement du Canada...

— Pas des Gloutons, l'interrompit Chen, dans leur dos.

Il désignait des empreintes de pas dans la neige. Des petits pas.

— Des Pans ? s'écria Tobias, interloqué.

— Peut-être le survivant, celui dont Amy n'a pas retrouvé le corps, intervint Tania.

— Non, s'interposa Amy aussitôt. Les traces continuent ici, et là, ils étaient plusieurs, nombreux même.

La jeune fille était livide.

— Ça va aller ? demanda Ambre en s'approchant.

Amy acquiesça.

— Ils sont revenus, dit-elle. Après ce qu'ils ont fait aux Pans qui étaient là et après mon passage, ils sont revenus.

— Et comme les traces n'ont pas été recouvertes par les dernières neiges, conclut Floyd, c'était il y a peu de temps, quelques jours tout au plus.

Tania sortit de la réserve, un sac de toile dans la main.

— J'ai trouvé de l'explosif ! Plusieurs bâtons de dynamite !

— Prends-les ! s'enthousiasma Tobias.

— Non ! s'opposa Ambre. C'est trop dangereux !

— Mais...

— Toby, il suffit d'une maladresse et nous sommes tous morts !

Tobias soupira, exaspéré par sa prudence.

Matt rangea son épée.

— Amy, guide-moi jusqu'aux corps, dit-il.

— Je viens aussi, s'empressa Ambre. Je peux servir, au cas où…

— Non, tu restes. À deux nous serons plus discrets. Ces… choses n'ont pas remarqué Amy lorsqu'elle était seule. Fermez les portes derrière nous, et voyez si vous pouvez remettre un peu d'ordre, pour que nous y passions la nuit.

— Tu veux qu'on dorme ici ? s'indigna Chen. Après ce qui s'est passé ?

— Nous serons plus en sécurité derrière ces murs. Et nous avons un avantage désormais : nous savons que les victimes ont été attirées dehors par la ruse. Nous ne commettrons pas la même erreur. Cette nuit nous ferons des tours de garde par deux, ce sera plus prudent. Des rotations toutes les trois heures.

Sur quoi Matt s'élança vers la sortie du fort.

Amy sondait la neige avec un bâton.

— Tu es sûre que c'était là ? demanda Matt.

— Oui, je reconnais cette petite cuvette. Le jour où je suis arrivée au fort, quand je me suis rendu compte qu'il était vide j'ai suivi les traces de pas jusqu'ici. Je me souviens très bien du gros sapin au-dessus de nous qui domine les environs.

Matt croisa les bras, pensif.

— Est-ce qu'ils seraient revenus pour voler les corps ? Quel genre d'adolescents ferait ça ?

— Ce ne sont pas des adolescents. En tout cas pas comme nous.

— Pourquoi pas ? Nous ignorons comment ils ont vécu la Tempête au Canada. Ils sont peut-être parvenus jusqu'ici, ont pris peur en voyant le fort, et ce massacre ne serait que le résultat d'un tragique malentendu, après tout…

— Tu te trompes, le coupa Amy. Si tu avais vu les cadavres, tu saurais toi aussi que…

Le bâton avait rencontré une résistance sous la croûte de

neige. Matt vint aider la Long Marcheur à déblayer ce qu'elle avait trouvé, et ils reculèrent brusquement en découvrant un visage gris.

C'était un garçon de treize ou quatorze ans. Sa peau était toute grise, ses lèvres noires retroussées sur ses dents dans une grimace de souffrance ignoble. De grosses veines noires couraient sous l'épiderme, comme des ramifications qui charriaient un sang toxique.

— Oh non, gémit Matt.

— Tu vois ? Ce qui les a attaqués n'est pas comme nous. Ça ressemble à un Pan par la taille, mais ça n'en est pas un.

Matt hocha la tête.

— Nous ne pouvons pas les laisser là, dit-il.

Amy ausculta le ciel entre les branches. La lumière s'était encore affaiblie, les ombres se densifiaient.

— Il fera bientôt nuit, constata-t-elle. Nous n'avons pas le temps. Ça peut attendre demain. Ils ne sont plus à un jour près, maintenant.

Matt demeura plusieurs minutes immobile à scruter ce visage de terreur avant de resserrer sa cape autour de ses épaules en grelottant.

Amy, qui était déjà passée par ce sentiment de détresse, lui fit un signe de tête.

— Rentrons, dit-elle d'une voix douce. Il y a des endroits qu'il ne fait pas bon fréquenter au crépuscule.

Matt observa la forêt autour d'eux.

Elle était silencieuse. La nature tout entière paraissait pétrifiée.

— Demain je te montrerai le nord depuis la grande falaise, ajouta Amy. Tu comprendras pourquoi je n'aime pas cet endroit. Allez, viens.

Matt jeta un dernier coup d'œil aux profondeurs des bois.

Les ténèbres commençaient à s'installer. Ici l'hiver n'avait pris aucun retard. Tout était en hibernation depuis longtemps.

Et pendant un court moment, le garçon eut l'impression que l'espoir même de revoir un jour le printemps s'était envolé.

26

Les présences de la forêt

Amy se porta volontaire pour le premier tour de garde. Ambre se joignit à elle.

Lorsque la Long Marcheur vint réveiller Matt, elle l'empêcha de secouer Tobias pour l'accompagner, elle se sentait incapable de dormir et proposa de prendre sa place. Ambre, elle, était déjà partie se coucher.

Ils s'installèrent sous le toit d'une des deux tours en bois qui dominaient le secteur, emmitouflés dans des couvertures, un petit pot de braises ardentes qu'Amy avait entretenues toute la soirée à leurs pieds.

— Vous n'avez rien remarqué ? s'enquit Matt.

— Rien du tout. C'est calme.

— Et avec ta vision nocturne, tu n'as rien détecté ?

— Quelques animaux, c'est tout.

— Plutôt rassurant. Tu es sûre que tu ne veux pas aller te coucher ? Demain tu seras…

— Je ne pourrai pas trouver le sommeil, alors ça ne sert à rien de priver quelqu'un de repos. Si je m'endors tout à l'heure, on permutera.

Ils se turent pendant vingt minutes, avant qu'Amy n'ose poser la question qui lui brûlait les lèvres depuis le début :

— C'est vrai que… la créature qui te pourchassait le jour de la Grande Bataille, c'était… c'était ton père ?

— Le Raupéroden ? Oui.

— Mais…, fit Amy, mal à l'aise de se montrer si curieuse, pourquoi il était sous cette forme ? Pourquoi pas en Cynik ?

— Je ne le sais pas vraiment. Il était incomplet. D'une certaine manière, je crois qu'il lui manquait la conscience. Enfin, la conscience telle que nous l'entendons. Lui n'était que ressentiment, haine, envie. Comme ma mère.

— Malronce ?

Matt acquiesça. Amy rebondit :

— C'est tout de même étonnant que tes deux parents soient devenus des… personnages aussi particuliers, tu ne trouves pas ?

— Au moment de la Tempête, ils étaient déjà comme ça, dans la haine l'un de l'autre, dans l'affrontement pour avoir ma garde. Tout s'est amplifié avec la Tempête. Il s'est passé d'étranges choses à ce moment-là. Pourquoi la plupart des gens ont-ils été vaporisés ? Pourquoi d'autres sont-ils devenus des Gloutons ? Pourquoi les criminels les plus terribles sont-ils devenus des Rôdeurs Nocturnes ? Pourquoi d'autres se sont-ils réveillés loin au sud, sans mémoire ? Je ne me l'explique pas. Je crois que la Tempête a une part d'aléatoire, comme toute création, comme la nature.

— Ou bien elle n'a fait que concrétiser nos désirs les plus profonds, en accord avec notre nature propre. Tous les gens qui ne vivaient qu'à moitié, qui n'étaient que les fantômes d'une société qu'ils subissaient ont été ventilés, aussi anonymement qu'ils vivaient. Les autres, les excessifs, les sans demi-mesures, les plus névrosés, aurait dit mon psy, sont devenus des parodies d'êtres humains, dans l'excès le plus absolu des instincts primaires : les Gloutons. Quant à ceux qui restaient, ils ont payé pour les excès de l'humanité, le non-respect de la nature. Toutefois cette dernière leur a laissé une ultime chance de faire leurs preuves : elle a effacé leur mémoire, les a rassemblés pour qu'ils montrent vers quoi, instinctivement, ils allaient tendre, comment ils choisiraient de se reconstruire. La Tempête n'est qu'un révélateur. De notre nature, pour le compte de la Nature.

— Si c'est bien ça, alors ça fait peur ! enchaîna Matt. Les

Maturs peuvent nous remercier de les remettre sur le droit chemin !

— C'est peut-être ça qui nous sauvera. Dans un monde qui n'avait plus de vraies valeurs, nous repartons de zéro, et cette fois ce sont les enfants les guides. Parce que nous n'étions pas encore corrompus par la civilisation. À nous d'en rebâtir une plus saine. Ou de périr.

— Dans cette idée, alors mon père symboliserait l'inconscient des hommes, et ma mère...

— La conscience. Celle d'une société brutalement disparue. Mais sans l'inconscient elle était tout aussi déséquilibrée que lui. Bon, peut-être que j'ai passé trop d'heures assise en compagnie d'un psychologue ! Maintenant j'interprète tout !

Matt ne releva pas le trait d'humour et exprima ce qu'il était en train d'assembler mentalement :

— Dans ce cas leur fusion aurait dû les rendre meilleurs, pas les détruire.

— Ils se sont rééquilibrés, Matt. J'en ai l'impression. Mais d'après ce que je comprends, ils étaient trop en colère pour vivre ensuite. Ils ont fusionné, ils ont peut-être retrouvé l'amour originel, et se sont fondus dans le cosmos.

— Peut-être, répéta l'adolescent, pensif.

— Maintenant, reste à comprendre ce que la Tempête a développé au nord. Ce qui nous y attend. Parce que, a priori, ça n'est rien de bon.

Le froid commençait à pénétrer les couches de vêtements, et ils se serrèrent l'un contre l'autre pour se tenir chaud, après qu'Amy eut soufflé sur les braises pour les raviver.

Pendant près d'une heure, ils guettèrent le néant, la nuit qui les encerclait, avant qu'un poids ne tombe sur l'épaule de Matt.

Amy venait de s'endormir contre lui.

Il préféra ne pas la réveiller et s'efforça de redoubler de vigilance.

Il restait aux aguets, scrutant les ténèbres à la recherche de la moindre altération dans les nuances d'obscurité, à l'écoute du moindre son, bien que ses oreilles lui parussent moins sensibles à cause du froid.

Le temps passait.

Les braises s'étaient éteintes.

Pour ne pas somnoler à son tour, Matt pensa à ses parents.

Soudain, il crut distinguer un mouvement au loin, une flaque noire, sur l'océan de neige, qui contrastait à peine dans la nuit. La tache avait paru bouger, mais il n'en était pas sûr.

Avec soin, il repoussa Amy sur son siège et se leva pour s'approcher du bord de la tour.

Il n'y voyait absolument rien.

Était-ce un animal ?

Je devrais réveiller Amy, elle pourrait me le dire.

Matt resta encore une minute, les mains sur le rebord du sous-toit, à sonder le paysage.

Comme il ne remarquait rien, il supposa qu'il avait rêvé et retourna à sa place.

Amy gémit dans son sommeil et vint se coller contre lui, plongeant la tête dans son cou. Matt en fut embarrassé sur l'instant, puis il trouva le contact agréable. Les boucles blondes de la jeune fille lui caressaient le menton.

Ils demeurèrent ainsi jusqu'à la fin du tour de garde de Matt, après quoi Chen et Floyd prirent la relève pour le reste de la nuit.

Au moment d'aller se coucher, Amy l'observa avec intensité. Elle semblait attendre quelque chose. Matt la salua et referma la porte de sa chambre.

Quand il se rendormit, il avait les idées confuses. Il pensait à ses parents, à Ambre, à Amy, aux Tourmenteurs et aux êtres étranges qui rôdaient alentour.

Il se retourna longuement dans son lit avant de parvenir à trouver le sommeil.

Un sommeil agité.

Le lendemain matin, ils se rassemblèrent pour dégager les quatre corps de la neige, le plus silencieusement possible, et les transportèrent jusqu'au fort où Matt usa de son altération de force pour parvenir à creuser la terre glacée.

— Impossible de trouver le cinquième volontaire, dit Floyd.

— C'est peut-être bon signe, avança Tania, il aura pu survivre à l'attaque.

— Je l'espère.

— Tu sais leurs noms ? demanda Ambre à Floyd.

— J'en connaissais trois personnellement, Jon, Gavan et Michael. J'ignore qui étaient les deux autres.

— Je connaissais Jon, dit Amy, et c'est son corps que je n'ai pas retrouvé.

Tobias leva devant lui les morceaux de bois qu'il était en train de graver :

— Pour les deux autres, je ne mettrai rien, on vérifiera à Eden, et le prochain Long Marcheur qui passera pourra inscrire les noms.

Après avoir prononcé quelques mots d'adieu à leurs camarades défunts, les sept Pans entreprirent de brosser leurs chiens, de nettoyer leurs chaussures et de faire l'inventaire des vivres qu'il leur restait.

Amy vint trouver Matt pour lui proposer de le conduire à la grande falaise pendant que les autres terminaient, et ils s'élancèrent sur les dos de Plume et Cannelle, la chow-chow de la Long Marcheur.

Après avoir gravi une interminable pente, ils longèrent un petit ravin bordé d'arbres morts et arrivèrent au sommet d'une longue falaise qui dominait sur plusieurs dizaines de kilomètres le paysage au nord.

Un pelage soyeux de conifères couvrait l'horizon, seulement coupé, au loin, par le ruban brun et argenté d'un large fleuve.

Cependant, ce qui attira immédiatement l'œil de Matt se trouvait encore plus au nord : un horizon sombre et illuminé.

Le ciel s'arrêtait brusquement, barré par un mur noir et

vertical duquel jaillissaient des flashes de lumière vive. Il était si compact que Matt se demanda s'il ne s'agissait pas d'une éruption volcanique. Par moments, des éclairs fendaient le mur de fumée, semblables à des bras et des mains squelettiques se saisissant avidement de ce qu'ils trouvaient.

— Voilà le nord, annonça Amy avec la voix de celle qui se fait toute petite. Nous sommes à la frontière canadienne.

Plume recula instinctivement.

Aussi loin que Matt pouvait voir, tout l'horizon était ainsi barré par cette montagne nuageuse opaque.

— Tu veux toujours aller là-dedans ? interrogea Amy.

— Il le faut, répondit Matt d'un air grave. Pour obtenir des réponses.

— Si elles existent.

— Elles existent. Rentrons, j'en ai assez vu.

— Cet endroit, là-bas, je pense qu'il rend fou.

— Heureusement que nous le sommes déjà, dit Matt pour détendre la Long Marcheur qu'il sentait à bout de nerfs.

Ils rentrèrent en prenant soin de scruter les sous-bois qui les entouraient, et rejoignirent le fort pour le déjeuner.

— Quand repartons-nous ? demanda Chen pendant qu'ils mangeaient. Cette nuit dans un vrai lit m'a fait du bien, je ne cracherais pas sur une seconde !

— Inutile d'attendre plus longtemps, répondit Matt. Après le repas nous équiperons les chiens.

— Il fera vite sombre, rappela Floyd.

— On aura déjà avalé quelques kilomètres.

— Et ceux qui ont attaqué le fort, tu y as pensé ? En sortant, nous risquons de nous jeter dans leurs griffes.

— De toute façon nous n'allons pas rester cloîtrés ici. Il faudra être vigilants, c'est tout.

Ils quittèrent les remparts de rondins avec une pointe de

regret, adressant un dernier regard aux quatre tombes qu'ils abandonnaient.

Pendant qu'ils marchaient, Floyd vint se poster à hauteur de Matt.

— Tu sais que nous arrivons à la région des fleuves ? dit-il.

— Il va falloir trouver un moyen de les franchir.

— Pour le premier, intervint Amy, les équipes de Fort Punition avaient effectué des repérages et trouvé un pont, plus à l'est. Ensuite, ce sera à nous de nous débrouiller.

— On improvisera, conclut Matt avec optimisme.

Quand le crépuscule tomba, ils avaient déjà mis plus de vingt kilomètres entre eux et le fort. Ils installèrent leur campement dans une minuscule clairière où ils déplièrent leurs tentes. La plus grande abritait les trois filles, tandis que les garçons dormaient en binômes, Tobias-Matt et Chen-Floyd.

Matt refusa qu'ils allument un feu tant qu'ils ignoreraient ce qui avait attaqué le fort. Il ne voulait prendre aucun risque, ce qui rassura Tobias mais les obligea à manger froid, presque glacé. Pour y remédier, ils décidèrent après coup de placer les sachets de viande entre les sacoches et le pelage des chiens, afin que leur chaleur corporelle maintienne l'ensemble à une température acceptable.

La nuit fut inconfortable, froide, angoissante à cause de son profond silence, et ils repartirent le lendemain avec de petites mines, le corps tout engourdi.

Ils marchaient depuis quatre heures lorsque Matt remarqua qu'Amy jetait régulièrement des coups d'œil sur leur flanc gauche, l'air de plus en plus contrariée.

Il accéléra pour se placer à ses côtés.

— Tu as vu quelque chose ? demanda-t-il tout bas.

— Je crois que nous sommes suivis.

L'estomac de Matt se creusa.

— Tu le crois ou tu en es sûre ?

— Les buissons bougent, au loin, et ça fait un moment que

ça dure. J'ai cru distinguer une silhouette tout à l'heure mais je ne l'ai plus revue depuis.

— Et tu ne disais rien ?

— Par moments j'ai l'impression de voir, mais je peux me tromper. Ça pourrait être le vent qui…

La caravane s'immobilisa brusquement devant eux, Floyd en tête.

Matt se prépara au pire. D'un coup d'épaule il rajusta le baudrier qui tenait son épée calée entre ses omoplates.

Il se pencha pour voir ce qui arrêtait Floyd.

On leur barrait le chemin à une trentaine de mètres.

Un être de taille moyenne, les pieds enfoncés dans la neige.

Un Pan, songea Matt.

Il se tenait droit, face à eux, engoncé dans sa cape, le capuchon relevé sur le visage.

Floyd se tourna vers Matt, ne sachant que faire.

— Je ne le sens pas, dit Amy en lui saisissant le bras.

— Raison de plus pour s'assurer de ses intentions, murmura Matt en se dégageant pour rejoindre Floyd en tête de convoi.

— Il a l'air seul, lui confia Floyd à l'oreille.

— Bonjour ! s'écria Matt. Nous sommes des Pans d'Eden. Et toi, qui es-tu ?

L'être ne répondit pas, pas plus qu'il ne bougea.

— Il n'a pas l'air bien, dit Floyd.

— Est-ce que nous pouvons approcher ? demanda Matt assez fort pour être entendu malgré la distance.

L'être leva le bras et tendit la main en guise d'invitation.

— Oh, mon Dieu ! gémit Amy aussitôt.

— Qu'y a-t-il ? s'alarma Matt qui ne voyait pas aussi bien qu'elle.

— Sa main ! Regardez sa main ! Elle est toute grise !

— Oh non…, souffla Floyd en agrippant la garde de son épée.

L'être fit alors un pas dans leur direction, et son capuchon glissa sur ses cheveux, dévoilant ses traits.

Amy cria. Un hurlement de terreur.

Ils reconnurent Jon, le Pan disparu de Fort Punition.

Sauf que sa peau était grise et parcheminée, et tout un réseau de grosses veines noires sinuait sous son épiderme transparent.

Ses yeux mêmes n'étaient plus que deux flaques d'ébène.

Il se mit en marche, de plus en plus vite, pour venir à la rencontre de la caravane.

Amy se pressa contre Matt.

— Ils sont là ! hurla-t-elle. Dans la forêt autour de nous ! Je les vois à présent ! Ils sont plusieurs ! Et ils nous encerclent !

Cette fois, Matt dégaina son épée.

Les lèvres de Jon tremblèrent et s'écartèrent. Matt crut un instant qu'il allait parler, au lieu de quoi il esquissa une caricature de sourire.

Un sourire de cruauté.

27

À perdre haleine…

Jon s'élançait vers Matt.

Ses yeux noirs le fixaient et il ouvrit la bouche en grand, comme s'il s'apprêtait à cracher quelque chose.

— Ce n'est plus lui, dit Matt. Ce n'est plus Jon.

Au même moment, six silhouettes de petite taille surgirent des bois sur le sentier, tout autour de la caravane.

Il s'agissait d'adolescents, la peau tout aussi grise et veinée que celle de Jon, avec d'énormes furoncles un peu partout. Le premier bondit devant Chen et arma son bras pour frapper. Au moment où la lanière noire, semblable à un fouet, claqua pour saisir Gluant, ce dernier avait déjà sauté sur le tronc le plus proche et se hissait avec une agilité déconcertante sur une branche dont il se servit pour passer au-dessus de son assaillant.

Chen avait quelque difficulté à maintenir son équilibre, il ne disposait que de ses mains – qui sécrétaient une poix collante – pour saisir ses prises, il n'avait pas eu le temps d'enlever ses chaussures, mais il retomba néanmoins dans le dos de son agresseur avant même que ce dernier ait compris ce qui se passait.

Lorsqu'il se retourna pour faire face à Chen, la double arbalète l'accueillit, braquée sur son visage.

Chen, sans aucun scrupule – aussi effrayé que prompt à répliquer –, actionna les deux détentes et les cordes claquèrent tandis que deux carreaux traversaient la tête du Pan monstrueux.

De son côté, Jon chargeait, les traits à présent déformés par une rage sourde.

Soudain une fumée noire jaillit de sa bouche pour projeter sur Matt ce qui ressemblait à un nuage de pétrole toxique. L'adolescent en fut si surpris qu'il n'eut pas le temps de réagir.

Un mur de neige se souleva dans un souffle puissant, comme si un rideau blanc sortait du sol, et le jet de ténèbres buta contre cette barrière salvatrice.

Ambre se tenait juste derrière Matt, la main tendue.

Jon traversa le mur en projetant de la neige partout et fonça sur Matt, qui voulut l'esquiver d'un pas de côté.

Mais l'assaillant, avec une réactivité hors du commun, digne de Tobias et son altération, put corriger sa trajectoire pour heurter Matt de plein fouet et l'entraîner au sol.

D'un geste trop rapide pour être contré, Jon attrapa Matt par la mâchoire pour lui immobiliser la tête et se pencha au-dessus de lui la bouche ouverte, se préparant à lui cracher sa fumée toxique au fond de la gorge.

Matt usa de son altération de force pour saisir le poignet qui le tenait et d'un mouvement brusque et féroce, il le brisa net.

Jon n'eut aucune réaction de douleur. Au lieu de quoi il s'empressa d'attraper sa proie de son autre main et se pencha pour déverser son fluide mortel.

Matt le frappa avec le pommeau de l'épée.

Il donna un coup si puissant que la tête de Jon craqua horriblement sous l'impact. Cela déstabilisa l'agresseur et permit à Matt de le repousser d'un coup dans le sternum.

L'instant d'après, Jon faisait de nouveau face à l'adolescent dont la lame siffla dans l'air.

Un filet de gouttelettes d'un rouge sombre aspergea la neige.

Puis un trait pourpre apparut sur la gorge de Jon.

La plaie s'élargit brusquement et un sang noir se déversa sur son cou.

D'un coup de pied rageur dans le ventre, Matt repoussa Jon dans les fourrés où il roula sans un cri.

Pendant ce temps, Amy hurlait, aux prises avec deux des assaillants. Leurs mains grises couvertes de pustules se tendaient pour l'agripper.

Deux flèches cueillirent le premier dans le dos, Tania et Tobias avaient tiré en même temps, presque à bout portant.

Amy leva sa hachette devant elle, plus pour se protéger que pour se battre. La créature l'attrapa par le col et de son autre main leva un poignard acéré en direction de son cœur.

Floyd trancha le bras du monstre d'un coup d'épée après avoir frappé de toutes ses forces, au point d'être entraîné par son élan et de choir aux pieds de son adversaire.

Ce dernier allait lui saisir la tête par les cheveux lorsqu'il s'envola.

Tels des cerfs-volants arrachés du sol par une violente bourrasque, les quatre créatures décollèrent, projetées par Ambre et son altération dopée à l'énergie du Cœur de la Terre.

Les quatre corps disparurent dans le ciel, au-dessus des arbres, et s'effondrèrent bien plus loin dans la forêt.

Tobias et Chen en restèrent bouche bée.

Mais déjà les deux monstres criblés de flèches se relevaient en titubant, bientôt imités par Jon.

Leurs blessures étaient pourtant mortelles. Aucun être

humain n'aurait été capable de se redresser après de pareils coups.

— Tous sur les chiens ! s'écria Matt.

Un jet de fumée noire manqua de peu Lady, la chienne qui portait Tania et qui fermait la marche, puis ils prirent le galop.

Les chiens fusaient sur le sentier presque invisible, à peine une fine tranchée qui serpentait entre les blocs de pierre et les sapins.

Rapidement distancés, les monstres disparurent.

Dans la fine poudreuse, les chiens ne ralentirent pas pendant près d'une heure, et même lorsque les Pans tentèrent de les calmer, craignant qu'ils ne s'épuisent, ils refusèrent d'obéir, comme s'ils sentaient l'importance du danger qui les avait frôlés et désiraient mettre le plus de distance possible entre eux et cette menace.

Lorsqu'ils s'arrêtèrent enfin, hors d'haleine et la langue pendante, ils lapèrent un peu de neige et reprirent le trot, cette fois sans porter leurs maîtres qui marchaient à leurs côtés.

— Est-on encore loin du pont ? demanda Matt.

Amy avait cessé de trembler au bout d'une demi-heure, mais elle demeurait hagarde, choquée par la violence de l'attaque.

— Peut-être à une dizaine de kilomètres, répondit-elle d'un air absent.

— Alors ne traînons pas.

— Tu crois qu'ils pourraient nous rattraper ? s'angoissa Tobias. Ils avaient l'air rapides !

— En vitesse pure, non, les chiens les ont largués, mais en résistance, je ne sais pas. S'ils sont capables de marcher non-stop, y compris la nuit, ils finiront par revenir jusqu'à nous.

— S'ils ne se reposent jamais, ça veut dire qu'ils ne sont pas humains…

— Tu as vu la même chose que moi ? Ils ne sont plus humains !

— C'était pourtant Jon.

— Non ! Il était… habité par autre chose. C'est pour ça que

j'ai pu lui trancher la gorge. Je savais que ce n'était plus celui que je connaissais.

— Bravo, fit Tania sombrement. Moi je n'aurais pas pu. J'ai tiré une flèche sans savoir sur quoi je tirais, mais si j'avais vu son visage…

Matt s'efforçait de rester impassible. Mais il n'en menait pas large. Tout s'était passé très vite, il s'était laissé emporter par la peur, par l'adrénaline du combat. Ses gestes relevaient du réflexe, et lorsqu'il avait vu le sang noir apparaître sur la gorge de Jon, son esprit avait hurlé.

Il prit une grande inspiration pour enfouir sa culpabilité et son horreur le plus profondément possible. Il ne devait pas montrer ses failles, le groupe avait besoin de lui. Matt le savait : son assurance les portait, les rassurait. C'était en partie grâce à cela qu'ils le suivaient, qu'ils l'écoutaient et lui demandaient de prendre les décisions.

— Vous avez vu ce qu'ils ont fait ? demanda Amy d'une toute petite voix, le regard absent. Ils sont possédés.

— Par quoi ? Des démons ? demanda Chen sur un ton presque moqueur.

Si ce dernier éprouvait la moindre culpabilité pour avoir décoché deux carreaux d'arbalète en plein crâne d'un Pan, il n'en montrait rien, ses émotions soigneusement rangées derrière le masque impassible du Chen qu'ils côtoyaient chaque jour.

— Par une force maléfique qui vit au nord, répliqua Amy. Derrière cette barrière de nuages. Nous ne devrions pas y aller.

— Nous n'avons plus le choix, rappela Matt. Et dès que nous aurons franchi le pont, nous serons condamnés à trouver une autre voie.

— Pourquoi ? À quoi penses-tu ? s'enquit Ambre.

— Aux explosifs qui étaient au fort.

— Je savais qu'on aurait dû les prendre ! s'écria Tobias. Ils nous auraient bien servi !

Matt tapota sa besace, sur son flanc.

— J'ai couru le risque, dit-il.

Ambre fit claquer ses mains contre ses hanches en un geste de dépit.

— C'est bien un truc de mec, ça ! pesta-t-elle. Il faut toujours que vous fassiez quelque chose de stupide dans notre dos !

Matt ne parut pas affecté. Il arborait le même air déterminé lorsqu'il ajouta :

— Nous devons nous assurer que nos poursuivants ne pourront pas nous rattraper. Nous allons faire sauter le pont.

— Et comment rentrerons-nous ? questionna Ambre.

— Par une autre route, plus à l'ouest ou à l'est, nous trouverons.

— Un détour de plusieurs dizaines de kilomètres dans l'inconnu ? Est-ce prudent ?

— Venir jusqu'ici ne l'était pas. À partir de maintenant il va falloir improviser. Nous savions que ça finirait comme ça tôt ou tard. Il n'est plus temps d'hésiter.

Le ton, aussi autoritaire que cassant, ne souffrait aucune contestation.

Matt était dur et il ne s'en rendait pas compte.

Il essayait d'oublier la gorge tranchée de Jon.

28

Double jeu

Le Buveur d'Innocence caressait la moustache fine qui ornait sa lèvre supérieure.

Ses petits yeux rapprochés fixaient avec beaucoup d'attention les deux ambassadrices des Pans, au milieu de la Chambre Cordiale. Elles se tenaient devant le piédestal en marbre sur lequel reposait le traité de paix entre les deux peuples.

— Mes chères amies, commença-t-il, je voulais vous voir

pour plusieurs raisons. Tout d'abord, un point reste vague depuis des semaines : vous aviez promis de partager avec nous vos informations sur le Cœur de la Terre, comme vous l'appelez. Vous vous doutez que le roi s'impatiente et commence à se demander si vous ne cherchez pas à gagner du temps.

— Gagner du temps pour quoi faire ? répondit Zélie aussitôt avec mauvaise humeur.

Le Buveur d'Innocence prit son air le plus surpris :

— Comprenez que nous nous interrogions. Vous disposez d'une force colossale dont vous êtes les seuls détenteurs et vous refusez de nous en dire plus sur son origine exacte, sa puissance, ses capacités.

L'énergie titanesque que vous avez déployée pendant la guerre a de quoi effrayer ! Surtout lorsqu'elle est entre les mains…

— D'enfants ? termina Zélie avec agacement.

— … d'un seul camp. Pour un monde équilibré, il faut partager la puissance, ce sont les bases saines de la paix. Pendant la guerre, votre magie à chacun a été décuplée, et cela est… surprenant ! Nous aimerions comprendre. Est-ce lié au Cœur de la Terre ? Comment cela fonctionne-t-il ? Bref, autant de questions sur lesquelles vous pourriez vous montrer confiantes et faire un pas dans notre direction.

Zélie et Maylis se regardèrent.

Pour l'heure, les Pans n'avaient jamais confié aux Maturs ce qu'ils savaient sur les Scararmées, que leur présence démultipliait les capacités de l'altération. Une retenue instinctive leur commandait de se taire ; pas question que tous les Maturs du pays se mettent à traquer les pauvres insectes dans l'espoir de s'approprier le secret.

Il en allait de même avec le Cœur de la Terre. Les Maturs ne savaient qu'une chose : Ambre en était la dépositaire. Après sa démonstration de force durant la Grande Bataille et son discours devant l'armée des Cyniks, certains parlaient de la jeune fille comme d'une sorte de messie. Pour d'autres, bien souvent les partisans du Buveur d'Innocence, elle était au contraire une manipulatrice qui se servait de son altération pour les mener en bateau. Entre les deux camps, des milliers d'adultes s'interrogeaient sur le phénomène étrange et apaisant qu'ils avaient contemplé ce jour-là sans en avoir la moindre explication.

— Ambre *est* le Cœur de la Terre, voilà tout, répondit Maylis.

— Il ne s'agit pas d'un secret quelconque, compléta Zélie, juste d'une réserve d'énergie importante. Vous l'avez vu, vous l'avez senti le jour où la guerre a pris fin, cette énergie, c'est celle de la planète.

— Justement, il nous apparaît de plus en plus injuste et… dangereux, que vous soyez les seuls à en disposer.

— Dangereux ? répéta Maylis.

— Oui. Comme la bombe atomique si vous préférez ! Quand une seule nation la détient, elle peut dominer les autres ! Le monde est alors soumis à celui qui possède la bombe. Les autres sont forcés d'obéir. En revanche, si tous les pays en disposent, il n'y a plus de dictature de la peur, rien qu'une dissuasion collective qui prévient les excès, dans un camp, comme dans l'autre !

— Ambre n'est pas une arme nucléaire, intervint Zélie.

— Mais ce qu'elle représente, son énergie, est du même ordre. Les forces ne sont pas équilibrées. Nous demandons que vous mettiez à notre disposition le résultat de vos travaux, et que vous permettiez à nos chercheurs de l'étudier à leur tour.

— L'étudier ? s'indigna Zélie. Vous plaisantez ?

— Une femme aussi puissante doit être au service de la communauté. Maintenant, soyez rassurées, nous ne comptons pas lui faire de mal !

La réponse de Maylis fusa :

— C'est absolument hors de question. Ambre n'est pas une curiosité. Elle a sa vie, et en jouit comme bon lui semble ! Personne ne peut l'étudier ! Ni vous, ni même nous !

Le Buveur d'Innocence parut sincèrement troublé :

— Comment ? Vous voulez dire que vous ne cherchez pas à en savoir plus ?

— Monsieur l'ambassadeur, répondit Zélie avec beaucoup d'assurance, sachez que nous partagerons toutes nos informations pertinentes dès lors que celles-ci pourront servir l'intérêt commun de nos deux pays. Mais pour ce qui est d'Ambre et du Cœur de la Terre, je vais être directe : vous ne mettrez jamais la main dessus.

— Diplomatiquement, vous me placez dans une position fâcheuse vis-à-vis du roi je…

— Économisez votre salive, le coupa Maylis. Cette discussion est close. Il y avait un autre point que vous désiriez aborder ?

Le Buveur d'Innocence serra les lèvres très fort, au point de les rendre aussi blanches que sa moustache.

Puis il se reprit :

— En effet. Je dois m'absenter, le roi Balthazar m'a demandé de descendre à Babylone pour différentes affaires. C'est l'histoire de quelques jours tout au plus, car je voyage en phalène géante. Je vais donc vous laisser les clés de la maison, si je puis dire.

— Vous êtes libre de vos mouvements, répondit Zélie.

— Pendant cette absence, si vous aviez une urgence, mon assistant, Grimm, reste à votre disposition.

— Quand partez-vous ?

— Dès demain. Le roi sera certainement attristé par votre manque de coopération sur l'affaire du Cœur de la Terre, mais comptez sur moi pour prendre votre défense en lui expliquant la situation au mieux.

Zélie et Maylis, loin d'être dupes, le remercièrent d'un sourire de façade.

— « Mais comptez sur moi pour prendre votre défense » ! singea Maylis en contrefaisant une voix d'adulte ridicule.

— Il ne manque pas de culot ! ragea Zélie.

— Je ne le supporte pas ! Il nous prend vraiment pour des imbéciles ! Je suis sûre que Balthazar sera plus compréhensif que lui !

— À condition qu'il ait les bonnes informations.

— Qu'est-ce que tu entends par là ?

— Depuis que j'ai visité ses appartements, je me demande jusqu'où peut aller son vice. Et s'il manipulait le roi Balthazar comme il joue avec nous ?

— Dans quel but ? Les Maturs sont pour la plupart rangés derrière le roi, il ne pourra pas le destituer.

— Il a ses partisans, ils ne sont pas majoritaires, mais on ne sait jamais. En tout cas son départ tombe à pic.

— Tu penses retourner faire une petite visite ?

Pendant deux semaines, les deux sœurs avaient guetté la moindre opportunité de redescendre dans les appartements du Buveur d'Innocence, sans y réussir.

Depuis qu'elles avaient appris l'existence du cloaque, ce réseau de galeries et de salles sous ses appartements, elles n'avaient plus qu'une idée en tête : le visiter.

Pendant ce temps, elles avaient adressé une lettre à Melchiot, à Eden, pour lui demander des nouvelles de tous les Pans qui s'étaient portés volontaires pour descendre au sud, en terre matur. La réponse était revenue assez rapidement : tout allait bien, les Pans écrivaient à leurs amis, et il semblait n'y avoir rien à signaler de ce côté. Même les Pans dont les noms étaient cochés sur la liste du Buveur d'Innocence avaient envoyé des courriers depuis leur départ et se portaient bien.

Zélie et Maylis ne comprenaient pas pourquoi cette liste existait, ni à quoi elle pouvait servir.

Et elles plaçaient beaucoup d'espoir dans la visite du cloaque.

Si le Buveur d'Innocence cachait quelque chose, c'était assurément dans l'une des salles de ce sinistre dédale.

— Quand il sera parti, exposa Zélie, nous irons chez lui.

J'ouvrirai les portes en passant à travers, et toi tu t'assureras qu'il n'y a personne en te faufilant dans les ombres.

— Je crois que c'est un bon plan, fit Maylis en tapant dans la main de sa sœur. Ce sale type va bientôt nous dévoiler tous ses secrets.

On frappa à la porte du bureau du Buveur d'Innocence.

— Ah, mon cher Grimm, entre donc !

Un petit homme aux cheveux hirsutes, entre blond et roux, et aux joues roses s'avança en inclinant la tête vers son maître.

— Vous m'avez demandé, messire ?

— Oui, Grimm. Cela concerne mon absence pour Babylone, j'aurais une mission à te confier. Je voudrais que tu caches quelques hommes à nous, des personnes de confiance, pas des fidèles de Balthazar.

— Que je les cache ? Mais où ? Et pourquoi ?

— Ici même. Il te suffira d'en positionner quatre ou cinq dans la petite chambre, là, derrière cette porte. Il leur faudra de la patience et surtout de la discrétion !

— Et dans quel but ?

— S'ils entendent le moindre bruit, qu'ils interviennent et arrêtent sur-le-champ tout intrus !

— On pourrait donc vouloir visiter vos appartements, messire ?

— On l'a déjà fait.

Grimm écarquilla les yeux.

— En êtes-vous sûr ?

— J'ai des raisons de le croire. Le soir des célébrations de fin d'année, j'ai découvert des gouttes de sang derrière la porte d'entrée.

— Il y a beaucoup d'explications possibles à cela, sans aller jusqu'à une intrusion... Un garde ou un serviteur peut s'être écorché et...

— C'est ce que j'ai d'abord pensé, mais ensuite j'ai trouvé ceci !

Le Buveur d'Innocence sortit la liste des noms de Pans. Elle était un peu froissée et déchirée à un coin.

— Je suis soigneux. Ce document a été manipulé par un autre que moi. J'ai confiance en toi, Grimm, mais je pense que quelqu'un, dans ce château, se joue de nous. J'ignore s'il s'agit d'un fidèle du roi qui veut nous mettre des bâtons dans les roues ou si c'est l'un de ces sales gosses !

— Si c'est un Pan, que devons-nous faire ?

— Une intrusion est une intrusion ! Vous l'arrêtez sur-le-champ et au cachot ! Jusqu'à mon retour. J'aviserai ensuite de la marche à suivre. Soit nous éviterons l'incident diplomatique majeur, soit au contraire je trouverai comment nous en servir, qui sait ? Cela nous permettra peut-être d'atteindre nos objectifs plus rapidement !

— Comme vous voudrez.

— Que vos soldats usent de la force si nécessaire. Après tout, ils seront en légitime défense.

Le Buveur d'Innocence émit un petit rire sec qui fut aussitôt interrompu par un coup à la porte.

Un soldat entra et déposa une missive sur son bureau.

— Elle vient d'être interceptée par le service du courrier interne. Apportée par messager depuis Eden.

— Par messager ? Et pas par oiseau ? Les Pans ne font ça que pour les courriers importants ! Vous l'avez prise sans que le messager s'en rende compte ?

— Il l'a déposée au bureau des lettres des ambassadrices. Notre homme là-bas l'a aussitôt subtilisée, il ne le fait que s'il est certain de ne pas être pris. Il faut la remettre rapidement, avant que le messager ne croise les deux sœurs.

Le sourire du Buveur d'Innocence s'élargit encore.

— J'aime ces moments-là, dit-il. Voyons voir.

Il la décacheta doucement et déplia les deux feuillets.

À mesure qu'il lisait, ses mains retombaient sur son bureau et son sourire se dissipait.

— Tout va bien, messire ? demanda Grimm.

— Oui. Très bien, répondit son maître d'un air songeur.

Le Buveur d'Innocence congédia le soldat et fixa son assistant.

— Vous ai-je déjà parlé de ce garçon que je déteste par-dessus tout ?

— Celui que les Pans adorent ? Matt, c'est cela ?

— Exactement. Je crois bien que j'ai trouvé un moyen de lui faire payer ce qu'il m'a fait.

Grimm se frotta les mains.

— Ah ? Une information compromettante ?

— Mieux que cela ! Un renseignement très sensible. Figure-toi qu'Eden a été la proie d'une attaque. D'étranges créatures que les gamins appellent Tourmenteurs, si j'en crois le contenu de cette lettre. Une menace qui viendrait du nord. Et d'après ce qu'écrit ce Melchiot, les Tourmenteurs cherchent à mettre la main sur le fameux Matt ! Mon cher Grimm, que sait-on sur le nord ?

— Rien, messire. Personne n'est allé là-haut. Il faudrait pour cela traverser les terres Pan, à moins d'opérer un très long détour par l'ouest.

Le Buveur d'Innocence se pinça les lèvres, le temps d'établir son plan.

— J'ai obtenu l'autorisation de faire circuler des patrouilles sur leur territoire, exposa-t-il. J'avais autre chose en tête, mais nous allons nous servir de ce droit pour envoyer des hommes à nous au nord. Le plus loin possible. Je crois que j'ai une idée redoutable.

— C'est qu'elle est bonne, le flatta Grimm.

— Si ces Tourmenteurs veulent Matt, je propose que nous les aidions à le capturer. En échange de quoi, ces choses du nord pourront bien nous rendre un précieux service. Va me chercher mon encrier, j'ai une lettre à rédiger. Et fais rapporter celle-ci à son bureau en la recachetant proprement, les deux sœurs ne doivent se douter de rien.

Le Buveur d'Innocence s'enfonça dans son siège.

Il était de plus en plus satisfait de la tournure que prenaient les événements. Ses affaires marchaient pour le mieux.

Tout aurait été parfait s'il n'y avait eu cette histoire d'intrusion. Mais il avait bon espoir que tout se réglerait en son absence. Et avec un peu de chance, cela servirait ses ambitions.

Tout dépendrait de l'identité de l'intrus.

29

L'aube laiteuse

Matt pouvait apercevoir l'ossature métallique du pont au loin lorsque Amy s'écria :

— Un oiseau mort ! Ils nous ont repérés !

Un gros corbeau planait en arrière de la caravane, fixant de ses yeux translucides le petit cortège qui avançait à bonne allure.

— Si nous avions un doute sur le lien entre les Pans possédés et les Tourmenteurs, dit Matt, voilà qui devrait nous convaincre.

— Il nous guette, rapporta Floyd.

— Et il nous suivra jusqu'à ce qu'un des Tourmenteurs nous tombe dessus ! répliqua Matt.

— On va régler ce problème, intervint Tobias en prenant son arc. Ambre, tu es avec moi ?

— C'est quand tu veux, répondit-elle.

Tobias banda son arc, ajusta le tir et décocha sa flèche. Elle grimpa à toute vitesse et semblait bien partie pour faire mouche lorsqu'elle perdit de sa vitesse et dévia de sa trajectoire.

Ambre se concentra aussitôt pour corriger l'erreur et rendre de la vélocité au projectile qui transperça l'oiseau avant même qu'il puisse virer pour l'esquiver.

— Voilà au moins qui est réglé, dit-elle.

Ils traversèrent le pont, puis Matt fila dessous pour placer les bâtons de dynamite contre la pile en béton, au niveau de la butée de l'arche.

— Gardes-en un ou deux, conseilla Tobias.

— Impossible, j'ai déjà peur que ce ne soit pas suffisant.

Après avoir torsadé les mèches ensemble, Matt s'assura que ses compagnons étaient à l'abri, à bonne distance, et les alluma avec un briquet. Plume le prit sur son dos immédiatement et galopa pour rejoindre les autres.

L'explosion tonna si fort qu'ils se couvrirent les oreilles en grimaçant ; un nuage de fumée et de poussière s'éleva. L'acier grinça, le métal couina, puis l'arche se mit à vaciller, et brusquement la partie située sur leur rive s'effondra dans l'eau avec un fracas épouvantable.

Les Pans sautèrent de joie en poussant des cris de triomphe, comme s'ils venaient de vaincre leur adversaire de toujours.

— Voilà qui devrait ralentir nos poursuivants, se réjouit Matt. Le pont le plus proche est à combien de kilomètres ?

— Aucune idée, avoua Amy. Loin, c'est certain, sinon la garnison de Fort Punition l'aurait répertorié.

— Tant mieux.

— Sauf que pour rentrer, nous ne saurons par où passer…, rappela Ambre.

— Chaque chose en son temps. Allons, ne traînons pas, je voudrais que nous nous éloignions de cet endroit au plus vite.

Avant le crépuscule, les Pans durent franchir deux petites rivières, l'une en la traversant sur un énorme tronc, et la seconde par un gué peu profond mais dans une eau glacée et au milieu d'algues noires qui se mirent à frémir au contact des pattes des chiens.

Quand vint l'heure de s'établir pour la nuit, ils plantèrent leurs tentes dans une steppe de buissons secs où la neige et la boue formaient une lourde mélasse entrecoupée d'étangs en partie gelés, de flaques limoneuses et de petits bras d'eau qui transformaient la région en un marécage sinistre. La protection des forêts de conifères avait disparu derrière eux.

Au nord, le mur de nuages gris s'était rapproché, et ils pouvaient distinguer clairement les éclairs bleus en forme de bras squelettiques qui semblaient arracher arbres, terre et pierres à chaque coup de griffe électrique.

Le vent soufflait, les rafales claquaient contre les parois des tentes, faisant siffler les cordes.

— Assurez-vous que vos piquets sont bien enfoncés ! cria Floyd pour se faire entendre, j'ai peur que la nuit soit agitée.

Il ne croyait pas si bien dire.

Ils dînèrent d'un repas froid, incapables d'allumer un feu par ce temps, serrés les uns contre les autres.

Dès qu'ils furent couchés, le vent redoubla, écrasant les tentes contre les Pans incapables de trouver le sommeil. Les chiens rampèrent pour venir se coller près de leurs maîtres et toute la nuit le nylon fut battu par une tempête tournoyante.

À plusieurs reprises, Matt dut sortir replanter les piquets qui s'arrachaient, et il les renfonça profondément, calés sous de grosses pierres, pour ne plus avoir à se lever.

Pendant l'une de ces interventions logistiques, il crut entendre des couinements aigus au loin. Il s'accroupit au milieu des bourrasques pour écouter mais, ne percevant plus rien, il finit par retourner se mettre à l'abri.

Pendant une minute, il avait eu le cœur soulevé, craignant qu'il s'agisse d'une de ces araignées géantes porteuses de Tourmenteurs.

Il se coucha avec son épée contre lui, la main sur la poignée, prêt à bondir et fendre la tente si nécessaire.

À l'aube, Matt mit le nez dehors dans un calme surprenant, presque inquiétant. Comme tous les autres, il s'était endormi après des heures de veille forcée, sans savoir si ses sens s'étaient finalement habitués ou si les intempéries s'étaient dissipées au petit matin.

Le vent était tombé.

Mais une brume épaisse recouvrait tout le paysage, laiteuse et oppressante.

Les éclairs au fond du ciel donnaient l'impression d'être plus proches que la veille au soir.

Puis, tandis que les membres de l'expédition remballaient leur matériel pour reprendre la route, ils virent des centaines de lapins surgir du nord et filer en direction du sud, certains n'hésitant pas à foncer entre leurs jambes.

Des claquements d'ailes leur indiquèrent qu'au moins autant d'oiseaux migraient à basse altitude.

Puis des chevreuils apparurent, de majestueux cerfs, des hardes de sangliers et quelques animaux plus sauvages encore qu'ils ne purent identifier, de nouvelles espèces, ainsi que quelques prédateurs plus préoccupés de fuir que de s'attaquer à ces proies faciles.

Toute la faune s'exilait brusquement.

— Oh, ça, fit Tobias, ce n'est pas bon signe. Pas bon signe du tout.

Les grondements du tonnerre résonnèrent soudain.

Longs et répétitifs, au point qu'ils ressemblaient au roulement de tambours gigantesques.

La marche funèbre et belliqueuse d'une armée morte.

Elle approchait.

30

Les entrailles des hommes

L'armoire sentait la transpiration.

Perrault en était écœuré.

— Vous ne vous êtes pas lavés depuis quand ? s'indigna-t-il en regardant ses quatre soldats dans la pénombre du meuble.

Regards embarrassés.

— C'est une infection ! insista-t-il. Je ne vais pas rester là-dedans pendant des jours avec vous ! Je vous préviens, ce soir, après la relève, vous filerez tous vous plonger dans un bac d'eau savonneuse !

— Vous parlez trop fort, sergent, osa répondre l'un des hommes.

— Je chuchote ! répliqua Perrault.

— Vous croyez qu'on va entendre l'intrus d'ici ? demanda un autre. Si c'est un gosse, il ne fera pas de bruit et on va passer pour des crétins ! Et si on se cachait plutôt derrière les rideaux ?

— Sous le lit, dans la chambre, proposa le troisième.

— Sigmund est déjà sous le lit, et Carl derrière les rideaux. Si un gamin entre dans les appartements du Buveur d'Innocence, il ne pourra pas leur échapper.

— Bon. Mais tout de même, ici c'est exigu.

— C'est l'odeur qui est insoutenable ! Voilà ce qui se passe quand on ne s'occupe pas de soi ! Insupportable !

Cinq heures qu'ils attendaient ainsi, et Perrault soupçonnait les gardes précédents, avec le sergent Andersen, d'avoir déjà imbibé l'armoire de leur pestilence.

Il manquait d'air.

Quelque chose grinça dans la pièce mitoyenne, une porte, supposa Perrault.

— Vous avez entendu ? demanda-t-il.

— Oui. On sort ?

— Attendez. Il faut être sûr de surprendre l'intrus. Qu'il n'ait pas le temps de s'enfuir.

Nouveau grincement.

— Cette fois, ça ne fait aucun doute, sergent, il y a quelqu'un dans le hall !

Perrault acquiesça. Il hésitait tout de même. Il voulait tellement bien faire, n'intervenir que pour réussir à attraper l'in-discret, qu'il n'osait donner l'ordre, attendant le moment idéal.

— Sergent, Sigmund et Carl ne passeront pas à l'acte si nous n'y allons pas d'abord, insista son second.

— D'accord, d'accord. Vous êtes prêts ? Vous avez vos armes en main ? Alors allons-y !

Perrault poussa la porte et sauta dans le salon avec ses sol-dats.

Il n'y avait personne, mais les grincements provenaient de la pièce d'à côté. Il s'élança et bondit dans le hall au moment où résonnait le déclic d'un pêne de serrure.

— La réserve ! comprit-il.

Il donna un coup de pied dans la porte pour l'ouvrir et jaillit tel un diable de sa boîte.

La réserve pleine de conserves, de bouteilles d'eau et de sacs de céréales l'accueillit dans un silence glacial.

Il n'y avait personne.

Perrault donna des coups de pied dans les sacs, renversa des cartons de vivres et lança une bordée de jurons.

— Bon sang ! s'écria-t-il. Il y avait quelqu'un ici ! Allez me chercher Carl et Sigmund ! Ils connaissent la forteresse mieux que quiconque !

Les deux soldats rejoignirent leurs camarades et se postèrent à l'entrée de la réserve.

— Vous êtes certain ? demanda le premier.

— Catégorique.

— Vous ne l'avez pas rêvé, sergent, vous êtes sûr ? insista Sigmund.

— Puisque je vous le dis ! Vous n'avez rien entendu de votre côté ?

Sigmund examina les lieux sans répondre, bientôt imité par Carl, tels deux chiens renifleurs flairant une piste.

— C'est caché, fit le premier.

— Oui, c'est passé dans le réseau collectif souterrain.

— Qu'est-ce que vous baragouinez tous les deux ? s'énerva Perrault.

— L'intrus est dans l'inconscient de la forteresse, statua Sigmund.

— Pardon ?

— L'inconscient collectif, insista Carl. Sur lequel est construit ce château, sergent. Tout simplement.

— Vous ne pouvez pas vous exprimer comme tout le monde ?

— Ce que nous sommes en train de dire, c'est que l'intrus est passé de l'autre côté. Dans le dédale sur lequel repose le donjon.

— Et par où on passe pour le suivre ?

— Mieux vaut ne pas essayer. Un labyrinthe complexe, un vrai cloaque pour celui qui ne connaît pas.

— En effet, ajouta Sigmund. Il est préférable d'attendre qu'il ressorte. Car tout ce qui entre doit ressortir tôt ou tard.

Perrault était décontenancé.

— Comment vous savez ça, vous ? demanda-t-il. Je ne suis même pas au courant !

— Chacun sa fonction, expliqua Sigmund. Le Buveur d'Innocence nous a initiés. Nous y descendons parfois pour travailler.

— Mais seulement avec un bon guide, ajouta Carl.

— Travailler ? releva Perrault.

— À son œuvre.

— N'en dis pas trop ! le sermonna Sigmund. Il y a des secrets qui doivent rester cachés.

— Vous deux, vous êtes vraiment atteints ! pesta Perrault.

— Vos meilleurs limiers, sergent, ne l'oubliez pas.

Perrault soupira en rangeant son épée dans son fourreau.

— Bon, on va attendre ici que ce qui est *entré* se décide à *ressortir*, dit-il en insistant sur les mots.

Sur quoi il ordonna à Carl et Sigmund de rester en faction

dans la réserve pendant qu'il allait s'allonger sur le divan du salon.

Zélie attrapa sa sœur par le bras.

— Tu as entendu ? demanda-t-elle.

— Non. Quoi ?

Zélie dressa l'oreille pour vérifier, mais les murs étaient trop épais.

— Rien, finit-elle par dire, j'ai dû rêver.

Les sœurs avaient suivi leur stratégie à la lettre, Zélie avait traversé les portes pour les déverrouiller, et Maylis usé de son altération de dissimulation pour ouvrir la voie et s'assurer qu'il n'y avait personne. Elles avaient fouillé la réserve pendant près d'une heure, auscultant chaque mur, jusqu'à découvrir enfin le mécanisme qui commandait l'ouverture du passage secret, derrière un coffret où étaient rangés les alcools. Zélie avait fait le guet dans le hall pendant que sa sœur descendait jeter un premier coup d'œil.

Puis elles s'étaient lancées ensemble dans l'exploration des profondeurs.

Zélie sortit de sa poche un morceau de champignon lumineux pour éclairer les marches d'une lueur argentée.

— Si jamais quelqu'un approche, tu le ranges tout de suite ! avertit Maylis. Que je puisse me fondre dans les ombres.

— Et moi je fais quoi ?

— Tu franchis le mur !

— S'il n'y a rien derrière je vais rester prisonnière de la pierre et mourir !

— Alors croise les doigts pour qu'on ne rencontre personne.

L'escalier se terminait par une corniche surplombant un abîme sans fin. Cinquante mètres plus loin, l'autre paroi du rift accueillait tout un réseau de passerelles, d'échelles de corde, d'escaliers et de tunnels qui s'enfonçaient dans la roche.

Des lanternes arrimées aux murs brillaient, en face, dans les ténèbres, à l'instar d'étoiles dans un ciel d'encre.

— Incroyable ! siffla Zélie. La forteresse a été bâtie sur une faille !

— Là-bas, il y a un pont.

Elles traversèrent le gouffre sur une étroite bande de pierre bordée d'un minuscule garde-fou et elles s'apprêtaient à emprunter la première passerelle qu'elles avaient trouvée lorsque des semelles de bottes martelèrent le sol. Toutes deux se plaquèrent contre le mur, dans un renfoncement obscur, et Zélie dissimula son champignon dans sa poche.

Deux soldats en armure sortirent d'un tunnel, dix mètres plus haut, et descendirent sur un chemin de planches jointes par de la corde, leurs talons claquant contre le bois. Zélie sortit la tête de sa cachette pour les observer.

Ils encadraient un jeune garçon qui suivait sans entrain.

— Un Pan ! chuchota-t-elle.

Ils passèrent dans une autre galerie et disparurent.

— Je n'avais pas rêvé ! Il y a bien des enfants ici ! Le Buveur d'Innocence a des prisonniers ! Il faut prévenir le Conseil d'Eden, les Cyniks nous mentent !

— Attends un peu ! Nous n'en savons rien. Nous devons d'abord comprendre ce qui se trame ici. Et savoir si le Buveur d'Innocence est seul, dans cette manipulation, ou si le roi Balthazar et tous les Maturs sont dans le coup.

— Alors montons, il faut les suivre !

Elles se faufilèrent à travers le maillage de passages et parvinrent à l'entrée de la galerie qu'avaient empruntée les soldats cyniks une minute plus tôt.

Des lanternes éclairaient le corridor de pierre, diffusant dans l'étroit goulet une épaisse odeur d'huile.

— S'ils reviennent sur leurs pas, nous sommes fichues, prévint Maylis avant de s'élancer.

Zélie nota une légère pente, puis elle se rassura en découvrant quatre pièces pleines de malles en bois, une cachette potentielle.

Maylis s'engagea dans l'une d'elles.

— Que fais-tu ?

— Je regarde ce qu'il range ici, enfin !

Maylis eut besoin de l'aide de sa sœur pour déclouer le couvercle d'une des caisses et elles se penchèrent sur des lames d'acier tranchant.

— Des épées !

Zélie fit le tour des marchandises.

— Et il en a stocké une sacrée quantité !

— Ça ressemble à un coup d'État militaire en préparation, si tu veux mon avis.

Elles poursuivirent leur visite et croisèrent d'autres couloirs, vers d'autres salles, et quelques escaliers. Les deux gardes les avaient distancées et elles n'avançaient plus qu'au hasard de leurs pas.

Par moments, elles détectaient une présence et s'immobilisaient, prêtes à courir vers la première cachette possible, mais aucun Matur ne s'approcha, ils passaient au loin, d'un couloir à l'autre, ou n'étaient que des voix distantes qui parlaient fort.

Elles avaient vu des monte-charges, des puits, et ce qui, à l'odeur, ressemblait à des latrines, bref, tout ce qui faisait de ce cloaque une ville souterraine.

Après plus d'un kilomètre de couloirs, elles en devinaient beaucoup plus. Fort heureusement, l'endroit paraissait à peine peuplé, à l'exception de quelques gardes de temps à autre.

Le réseau souterrain était gigantesque. Plus impressionnant encore que la forteresse.

— C'est un labyrinthe, s'inquiéta Zélie. Il ne faut pas sortir de l'axe principal que nous avons emprunté jusqu'à présent si on ne veut pas se perdre.

Maylis hocha la tête vigoureusement.

— Pas envie de croupir ici ! murmura-t-elle.

Le couloir se teinta d'une lumière rougeâtre, puis à gauche

se transforma en balcon surplombant une longue pièce où
s'agitaient de nombreuses ombres éclairées par des torches qui
crépitaient.

Les deux ambassadrices se firent aussi petites que possible et
se penchèrent entre les barreaux de la rambarde.

En contrebas, une demi-douzaine de soldats maturs faisaient
entrer de petites silhouettes. Les enfants allèrent s'asseoir docilement sur des bancs, dans ce qui était un réfectoire où le repas
venait d'être servi.

— Allez, vermine ! aboya l'un des gardes en donnant un
coup de pied aux fesses d'un petit qui faillit trébucher.

— Tu vois ce que je vois ? demanda Maylis dans un souffle.

Zélie ne put répondre. Elle acquiesça du menton.

Une trentaine de Pans relativement jeunes prirent place en
silence.

Une trentaine de petits prisonniers au regard vide.

31

Un odieux trafic

Zélie et Maylis avaient la nausée.

Tous ces enfants – en moyenne moins de dix ans –, asservis,
si terrorisés qu'ils n'osaient même pas lever le regard, vivaient
là, sous leurs pieds, pendant que des centaines de Pans évoluaient à la surface dans la plus insouciante tranquillité ! C'était
abominable.

— Cette fois ça suffit ! s'emporta Zélie. Remontons prévenir
les autres de ce qui se passe ici, nous devons redescendre en
nombre pour les libérer !

Maylis la retint fermement par le poignet :

— Et tu comptes t'y prendre comment ? En enfonçant la

porte du Buveur d'Innocence avec quinze de nos guerriers, affrontant les soldats maturs qui s'opposeront à nous, hurlant à la trahison et déclenchant une nouvelle guerre ?

— Non, mais nous devons agir !

— Il faut d'abord en savoir plus.

Zélie dut faire un effort intense pour contenir sa colère, et elles attendirent que les prisonniers aient terminé leur repas, qu'ils soient ressortis du réfectoire.

— Descendons, lança alors Maylis, il faut les approcher.

Elles trouvèrent un escalier et se dissimulèrent dans l'ombre d'une alcôve lorsqu'un garde passa devant elles à vive allure. L'altération de Maylis lui permettait de se fondre dans la pénombre et elle se rendit compte que Zélie en bénéficiait lorsqu'elle se collait à elle.

Cet étage était plus animé que ceux qu'elles avaient explorés jusque-là, il y avait plus de mouvement, plus de bruit également. Elles y circulèrent par petits bonds, d'un renfoncement à l'autre, d'une pièce vide à une anfractuosité, guettant la présence éventuelle d'un Matur.

Elles passèrent devant ce qui devait être une cuisine, puis des réserves, et enfin une série de trois puits avec de nombreux baquets entassés contre les margelles.

Une porte s'ouvrit et Maylis eut tout juste le temps de pousser sa sœur dans l'ombre du mur et de créer sa cape de ténèbres pour les soustraire à la vue de l'arrivant.

Un garçon d'à peine neuf ou dix ans passa devant elles d'une démarche traînante.

— Pssssst ! fit Zélie.

— Qu'est-ce que tu fais ? chuchota Maylis, paniquée. C'est peut-être un traître !

— Pas si jeune ! Pssssssssst ! insista l'aînée.

— Tu oublies que tu en as surpris un dans les appartements du Buveur d'Innocence ! Il aurait pu fuir s'il l'avait voulu !

Le Pan ralentit, pencha la tête sans même se tourner, puis reprit son chemin.

Zélie sortit de sa cachette et se posta devant lui.

— N'aie pas peur ! dit-elle tout bas. Nous sommes de ton côté.

Le garçon la regarda avec aussi peu de surprise que s'il l'avait toujours attendue. Il ne répondit rien et semblait attendre qu'elle se pousse pour continuer sa marche.

Zélie agita la main devant lui.

— Hey, je te parle ! Tu m'entends ?

Le garçon cligna les paupières, comme s'il était lassé par cette présence, mais resta muet.

Zélie pivota vers sa sœur.

— Qu'est-ce qu'il a ? On dirait un robot !

Maylis était livide. Elle approcha doucement du garçon et souleva son tee-shirt sale et troué pour découvrir son ventre.

L'anneau était là. Cercle d'alliage fiché dans les chairs roses du nombril, créant une boursouflure obscène.

— Un anneau ombilical ! gémit Zélie. Oh bon sang !

— C'est pour ça qu'ils obéissent. Cette ordure de Bill leur a implanté à tous une de ces horreurs ! Ce sont ses esclaves !

— Tobias a déjà réussi à en retirer sur des Pans, ce n'est pas irréversible. On peut encore les sauver.

— Lorsque la paix a été signée, les Cyniks nous ont rendu près d'une centaine de Pans ainsi neutralisés, rappela Maylis. Plus de trente n'ont pas survécu à l'opération. Et depuis, les autres l'avouent : ils se sentent vides, il leur manque quelque chose, ils sont quasiment dépressifs en permanence. Et plus aucun n'a d'altération, l'anneau annihile à jamais les capacités spéciales. Ça signifie qu'il y aura des victimes parmi ces prisonniers.

— Ce sera toujours mieux que de les laisser croupir ici.

— C'est vrai.

— Maintenant, tu as ce que tu voulais. On peut remonter ?

— Non. Il nous manque l'essentiel : qu'est-ce que le Buveur d'Innocence prépare dans cet antre ?

Maylis laissa le garçon passer et le regarda s'éloigner.

— On le suit, c'est ça ? devina Zélie.

Maylis acquiesça.

Il les entraîna vers une rampe qui descendait dans un grand hall percé de nombreuses portes d'où s'échappaient des gémissements et des cris d'enfants.

Les lanternes ne suffisaient pas à éclairer un si grand espace et les deux filles purent se faufiler entre deux flaques d'obscurité pour suivre le garçon. Des bruits de chaînes et d'instruments métalliques provenaient de derrière les portes, entre deux hurlements de panique ou de douleur.

On torturait des enfants dans les profondeurs de la forteresse.

Leur petit guide entrouvrit une des portes et la referma aussitôt derrière lui sans qu'elles puissent en voir davantage.

Maylis saisit le bras de sa sœur et le serra, bouleversée.

— Je crois que ça suffit, dit-elle.

— Tu veux remonter maintenant ?

— C'est l'endroit où ils posent les anneaux, ça s'entend ! Inutile d'aller voir ça. Je n'en ai pas envie.

Zélie approuva.

Une série de détonations claquèrent dans l'une des salles, résonnant dans tout le hall, terrorisant un peu plus les deux sœurs.

Puis des flashes de lumière colorée embrasèrent le dessous d'une des portes.

— Je ne suis pas sûre qu'ils soient en train de poser des anneaux, corrigea Zélie. Ça ressemble plutôt à des expériences.

Elle se dégagea pour s'approcher de l'une des portes.

— Ne fais pas ça ! l'implora Maylis.

— Il faudrait savoir ! Il y a dix minutes c'est toi qui m'empêchais de remonter, tu voulais découvrir ce qui se tramait ici !

— À présent j'ai peur ! Si nous sommes capturées, personne ne saura où nous rechercher et tous les prisonniers de ce cloaque y resteront à jamais !

— C'est vrai, admit Zélie, partagée entre le besoin d'en savoir plus et le risque de ne pouvoir sauver les enfants.

Un cliquetis assourdissant les fit sursauter et elles assistèrent à la descente d'une large plate-forme au fond du hall, entraînée par un système de contrepoids. L'ascenseur d'acier et de bois parvint à leur niveau et ralentit pour laisser apparaître une carriole bâchée tirée par deux chevaux. Le cocher, tenant une torche à la main, était accompagné de trois soldats en armure dont l'un tira sur un levier pour immobiliser la plate-forme.

La carriole s'élança jusque devant les portes du hall et l'un des soldats frappa.

Un petit homme roux, hirsute, sortit en se frottant les mains.

— Ah ! le nouvel arrivage ! dit-il avec joie.

— Grimm ! chuchota Zélie, rageuse. Je savais qu'il était aussi digne de confiance que son maître !

— Tout frais, répliqua le cocher. Ils arrivent de Babylone.

— Combien ?

— Trois filles et un garçon.

— Des filles ! Parfait ! Elles sont plus résistantes. Gardes, emmenez-les vers les geôles, qu'ils se reposent du voyage. Le docteur Gélénem s'occupera d'eux dans quelques jours, quand ils seront remis.

— Moi aussi, je me reposerais bien avant…, commença le cocher.

— Vous remontez de suite, l'interrompit Grimm. Nous avons besoin de plus d'enfants. Beaucoup plus ! Nous progressons mais ça ne suffit pas. Le docteur en veut davantage.

— C'est qu'il devient difficile de les faire disparaître sans que ça se remarque !

— Nous gérons le courrier, ne vous en faites pas. Eden ne se doute de rien ! Faites ce pour quoi vous êtes payé, ne vous souciez pas du reste. Allez ! Ouste !

Le cocher marmonna quelque chose dans sa barbe pendant que Grimm retournait s'enfermer.

Les gardes ouvrirent l'arrière de la carriole pour en faire sortir quatre adolescents hébétés qu'ils poussèrent vers un autre tunnel où ils disparurent.

La carriole se remit en branle et fit demi-tour vers l'ascenseur, au pas fatigué de ses deux hongres.

Zélie tira sa sœur.

— Viens, c'est le moment ou jamais de savoir à quel endroit débouche l'ascenseur !

Elles se glissèrent à l'arrière de l'attelage, entre des cages à l'odeur acide, dans la paille, puis le cocher alla actionner les contrepoids du mécanisme et tira sur le levier du frein pour que la plate-forme remonte.

— Pourquoi les Cyniks ne sont-ils pas entrés par là pendant la Grande Bataille ? s'étonna Maylis.

— Si tu veux mon avis, c'était loin d'être achevé. Regarde, tout a l'air parfaitement neuf, propre, les rivets au sol ne sont ni éraillés ni tordus par l'usure. Le Buveur d'Innocence a terminé les travaux en s'installant ici ces derniers mois.

Les parois de roche défilaient lentement tout autour, tandis que trois énormes chaînes filaient dans des travées en cliquetant.

L'ascension parut interminable aux deux sœurs, puis la lumière du jour commença à se frayer un chemin jusqu'à elles.

Quand l'ascenseur s'arrêta, il ne faisait pas totalement jour.

L'équipage avait atteint une vaste grotte où veillaient six soldats autour d'une table, d'un tonnelet de vin et d'un jeu de cartes. Ils jetèrent à peine un regard au cocher avant de poursuivre leur partie.

Zélie et Maylis soulevèrent un minuscule bout de la bâche pour distinguer l'extérieur.

La carriole passa sous un rideau de lianes et se retrouva au milieu d'une forêt.

Le soleil traversait les frondaisons et sa lumière réveilla l'espoir des deux adolescentes. Le chant des oiseaux leur fit du bien, ainsi que le parfum de la nature, ces fragrances de menthe sauvage, de fleurs et d'humus.

Elles se sentaient revivre après un trop long séjour en enfer.

Lorsque la carriole se fut éloignée de la grotte, elles sautèrent en marche et se réfugièrent dans une mer de fougères.

Elles n'eurent aucun mal à reconnaître la forêt lorsque la forteresse de la Passe des Loups apparut au détour d'une clairière.

Elles n'étaient qu'à un petit kilomètre des remparts, dans un bois connu pour ses champignons.

Dans le donjon, Perrault attendait sur le divan, en compagnie de Sigmund et Carl.

Il y avait encore des enfants capables de leur échapper.

32

Tour d'âmes entre deux brumes

La brume ne se dissipait pas.

La matinée s'écoulait, les kilomètres filaient sous les pieds des Pans, que cette chose oppressait.

La fuite de toute vie animale avait fortement troublé les membres de l'expédition. Chacun avançait sur le qui-vive, guettant les alentours avec appréhension. Le moindre bosquet d'épineux qui surgissait de cette viscosité les faisait sursauter.

Un silence total, absolu, les cernait, et c'était là le plus perturbant. Le vent s'était tu, aucun animal ne jetait plus son cri dans la steppe. Les Pans avaient le désagréable sentiment d'être seuls au monde. Même le tonnerre avait cessé, ce qui pour le coup leur fit du bien. Son martèlement incessant la veille leur avait matraqué les tympans jusqu'à l'épuisement nerveux.

La neige avait disparu elle aussi, comme si elle refusait d'offrir à cette terre son immaculée blancheur.

Ils longèrent une rivière immobile, dont l'eau stagnait,

sans aucun courant. Personne ne voulut y remplir sa gourde, jusqu'aux chiens qui refusèrent d'y boire. Tous furent rassurés de s'en éloigner quelques kilomètres plus loin.

Toute la journée, ils progressèrent ainsi, sans que la brume s'allège jamais.

Ces conditions de voyage occupaient en permanence l'esprit de Matt. Il ne pensait plus à Ambre et à son envie constante de la tenir par la main, d'être proche d'elle.

Le lendemain fut identique : angoissant et affligeant.

En fin de journée, ils commençaient à trébucher de fatigue lorsque Amy arrêta Floyd, qui guidait la colonne.

— J'ai vu un mouvement devant, dit-elle tout bas.

Tous se jetèrent à plat ventre, faute d'un véritable couvert végétal, et les chiens se couchèrent dans les hautes herbes et les buissons.

Une forme ronde se détacha derrière l'écran blanchâtre de la brume.

Une araignée géante, plus haute qu'un homme, son abdomen gras hissé sur d'interminables pattes fines. Elle glissait à la surface de la terre, s'arrêtant de temps à autre pour épier les environs.

Mais aucun Tourmenteur ne la chevauchait.

Elle disparut comme elle avait surgi : sans un bruit.

Les Pans retenaient leur souffle, les doigts crispés sur leurs armes.

Plus tard, ce fut un mille-pattes d'une cinquantaine de mètres de long, haut comme un poney, qui se faufila sur leur flanc sans les remarquer.

Enfin, avant la nuit, une nuée de moustiques gros comme des aigles les survola sans les distinguer, zigzaguant à toute vitesse au-dessus des marécages.

Cette brume était un vrai cauchemar.

Ce soir-là, personne ne proposa d'allumer un feu. Manger froid et ne pas se réchauffer leur parut plus acceptable que d'habitude. Aucun d'eux ne put dormir, les insectes abjects hantaient leurs souvenirs.

Quand ils reprirent la route, à l'aube, les éclairs du nord avaient repris, plus proches qu'ils ne l'avaient jamais été, si proches par moments qu'ils semblaient frapper à quelques mètres d'eux. Mais le grondement du tonnerre affirmait le contraire, ne survenant qu'avec une latence de plusieurs secondes.

Toutefois, ils le surent dès le lever, aujourd'hui ils parviendraient au mur de cendres.

Celui-ci se profila peu après le déjeuner. La brume s'étiolait, et il surgit au détour d'une volute diaphane qu'ils traversèrent avant de s'immobiliser comme un seul homme.

Ce n'était finalement qu'une autre brume, plus sombre, plus écrasante, mais celle-ci grimpait vers l'infini du ciel, comme si aucun monde n'existait plus au-delà.

Les éclairs frappaient sans discontinuer, à l'est et à l'ouest, suivis d'un vacarme assourdissant.

— C'est le moment ou jamais pour vous de rentrer à Eden, déclara Matt d'un air sombre.

— Tu plaisantes ? répliqua Chen. Après tout ce qu'on vient de vivre ? Rater ça ?

Mais son humour manquait d'assurance.

— Mon petit doigt me dit que ça ne sera pas une partie de plaisir.

— Nous le savions avant de nous mettre en route, rappela Floyd.

— Personne n'a envie de te laisser là, ajouta Tania. Ou nous entrons tous ensemble, ou personne n'entre.

Ambre et Tobias fixaient Matt sans avoir besoin de prononcer un mot, ces trois-là se comprenaient au-delà du langage, jamais ils ne se lâcheraient.

Matt pivota vers Amy.

Elle hésitait, il le devinait.

— Je voulais savoir ce qui avait tué nos camarades du fort,

dit-elle d'une petite voix. Je croyais que cela apaiserait mes peurs, mais c'est le contraire qui se produit. Je ne suis pas sûre de vouloir continuer.

— Tu ne peux rentrer seule à Eden ! lui signifia Chen. C'est beaucoup trop dangereux !

— J'ai l'habitude, je suis une Long Marcheur, ne l'oublie pas. Et je serai plus discrète que notre groupe, j'attirerai moins l'attention.

— Et le pont ? Nous l'avons détruit !

— Je trouverai un autre passage.

Matt vint se poster devant elle.

— Si tu rentres maintenant, tu ne sauras pas ce qui les a tués. Parce que la réponse est derrière ce mur de brume. Je ne dis pas ça pour que tu viennes avec nous, mais pour que tu ne te trompes pas. Rentrer à présent, ce serait comme si tu n'étais pas venue. Tu n'as pas encore trouvé la vraie réponse à ta question. Nous savons tous que les Pans que nous avons croisés n'étaient plus eux-mêmes. Quelque chose était en eux. Et ce quelque chose règne là-bas, au nord.

Amy acquiesça.

— Oui. Tu as raison. Mais j'ai peur.

— Nous avons tous peur. Et nous avons tous une bonne raison d'être ici.

Matt recula pour faire face à ses amis. Il les observa un par un, et se sentit un devoir de franchise. Alors il confia, le plus naturellement du monde :

— Je suis venu ici pour comprendre ce qu'était le Raupéroden, mon père. Parce que, au fond de moi, je sens que tout ce qui se passe ici est lié à lui. Et donc à moi, à mon histoire.

Tobias fit un pas en avant :

— Moi, je suis venu parce que j'ai la trouille d'être seul dans ce nouveau monde, et que Matt est tout ce qui me rattache à mon ancienne vie. Et pour ça je le suivrai dans les enfers cyniks s'il le faut.

Matt reçut cette confidence comme un uppercut en plein

estomac. Il ne s'était pas attendu à cela, et encore moins à ce que Tobias fasse preuve d'une telle lucidité sur lui-même, devant tous de surcroît.

— Moi, je suis là parce que je veux être quelqu'un, avoua soudain Floyd. Dans notre nouvelle destinée, je veux exister, avoir ma place, mon importance, ne pas être un anonyme parmi tant d'autres dont la vie ne sert à rien. Je veux rapporter des informations importantes à Eden, je veux mériter ma place à la tête des Longs Marcheurs. Être fier de moi, et me sentir légitime.

— Moi, je suis là parce que vous êtes ma famille, déclara Tania. Après ce qu'on a vécu à la Grande Bataille, je me sens proche de vous. La seule famille qu'il me reste. J'ai autant détesté frôler la mort qu'aimé défendre notre liberté à vos côtés. Et je ne voulais pas vous voir partir sans moi. S'il y a encore du travail à accomplir au nord, pour Eden, pour les Pans, pour nous, alors je veux en être avec vous.

Matt nota qu'elle regardait surtout Tobias en parlant.

Chen haussa les épaules, comprenant que tous les regards se braquaient à présent sur lui dans ce tour de table improvisé.

Devinant son malaise, Matt intervint :

— Tu n'es pas obligé de…

— Si, je vais le dire. Je crois que c'est important. Je suis là parce que… je ne me sens pas bien à Eden. Pas bien avec les autres, confia-t-il avec une pointe de honte. Je ne m'y sens plus à ma place. Et j'ai tellement peur de ce que ça signifie…

Tous le regardaient avec autant de compassion que de peur.

— Tu grandis…, osa enfin dire Floyd comme s'il brisait un tabou.

— Je m'accroche à l'idée que c'est la ville qui me fait ça. Que j'ai besoin d'air, mais au fond de moi je suis terrifié à l'idée de commencer à basculer vers l'âge adulte. Je ne veux pas aller chez les Maturs !

Ses yeux s'embuèrent alors et Tania le prit dans ses bras.

— T'en es pas encore là, Chen, le rassura-t-elle. Tu es à ta place avec nous, depuis le début de ce voyage, je le vois.

— Je sais. Mais j'ai peur, sanglota le garçon d'une voix étouffée. Un jour, ça va venir, je ne me sentirai plus heureux avec les enfants et les adolescents d'Eden, et je finirai par vous quitter pour le sud ! Pour rejoindre les adultes ! Je ne veux pas de ça !

Tania échangea un regard plein d'empathie avec ses amis. Tous avaient été confrontés à cette angoisse. Elle venait les hanter dans les moments de solitude, d'ennui, et planait au-dessus de leur tête en tic-taquant, leur rappelant sans cesse leur condition précaire de Pans. Devenir adulte était une petite mort en soi.

Et l'espérance de vie d'un Pan dépassait rarement les dix-huit ans.

Chen se dégagea de l'étreinte de Tania et sécha ses larmes d'un revers de manche.

— Je suis désolé, se reprit-il.

— Ne le sois pas, répondit Floyd. Nous sommes tous dans le même état que toi si ça peut te rassurer.

Puis il y eut un silence durant lequel tous baissèrent les yeux. Ambre le rompit :

— Moi, je suis venue parce que j'aime Matt, dit-elle tout simplement.

Les deux adolescents se regardèrent et affichèrent un sourire complice.

— Tu vois, Amy, conclut Matt, nous sommes tous ici pour une bonne raison. Nous ne ferons pas demi-tour parce que nous devons aller jusqu'au bout.

Amy se frottait les mains nerveusement.

— Vous avez raison, dit-elle avec fébrilité. Je dois vaincre ma peur. Je continue.

L'un après l'autre, ils vinrent la féliciter de son courage. Ils étaient également rassurés de la savoir dans le groupe, et non de retour, seule, vers les abominations qu'ils avaient croisées.

Même si le pire restait peut-être à venir.

Ce fut Tobias qui remarqua le mouvement :

— Hey ! Le mur de brume grise ! Il avance !

Et de fait, l'épais rideau progressait lentement, engloutissant le paysage dans son voile opaque.

Ils étaient arrivés au bord du monde.

33

Mauvais souvenirs

La végétation devenait grise.

À mesure que l'expédition des Pans progressait dans la brume, les herbes et les arbustes perdaient leurs couleurs naturelles pour prendre celle, terne, du nouvel environnement de cendre.

Depuis combien de temps le pays des brumes occupait-il cette région ? Avançait-il en permanence, ou était-ce une sorte de marée, avec un reflux qui ne tarderait plus ?

Toutes ces questions, Matt et ses compagnons se les posaient à chaque pas. Plus ils progressaient dans cette terre de pénombre, plus ils savaient qu'ils étaient *dans* le pays des Tourmenteurs, et qu'ils avaient franchi la barrière du bout du monde.

Cela s'était fait sans peine, sans coup de gong, sans flash ni cri. Ils avaient seulement marché pour pénétrer le rideau moutonneux, cette bête informe, et l'instant suivant ils étaient engloutis dans son haleine.

Tobias ouvrait la route avec Floyd, son champignon lumineux à la main, pour leur offrir le luxe d'un peu de clarté et de voir où ils posaient les pieds.

Après plusieurs kilomètres, la végétation changea à nouveau. Elle était desséchée, tout était mort. Plus loin encore, les racines, les tiges et les troncs s'étaient tordus avant de rendre l'âme, comme s'ils avaient souffert horriblement. Le paysage tout entier devenait cimetière.

Tobias rangeait précipitamment son champignon chaque fois qu'il croyait détecter une présence vivante, et parfois une ombre glissait en silence sur l'horizon cendreux.

Ils atteignirent le bord d'un large fleuve au clapotis presque rassurant. Cette eau-là n'était pas figée, et ils durent choisir entre l'est et l'ouest, dans l'espoir de trouver un moyen de la franchir.

— Je vous préviens, je ne me baigne pas ! lança Tobias. Hors de question que nous passions à la nage !

Plume vint alors donner un coup de truffe amical à l'adolescent qui ne sut si elle le remerciait de parler en son nom ou si au contraire elle se moquait de sa couardise.

Lorsque la structure d'un pont se détacha à travers la brume, Tobias ne put que soupirer de soulagement, même si celui-ci était couvert d'une végétation morte, sorte de linceul en décomposition.

L'autre rive n'était guère plus accueillante. Ils atteignirent les ruines d'une ville, et les traversèrent aussi rapidement que la discrétion le leur permettait, s'arrêtant brusquement chaque fois qu'une pierre tombait d'un bâtiment, qu'une porte claquait ou qu'ils entendaient du verre se briser. Une faune hantait encore cet endroit, et nul ne désirait la croiser, même Floyd et Amy, malgré leur statut de Longs Marcheurs, ne souhaitaient pas s'aventurer dans ce genre de décombres.

À plusieurs reprises, Matt eut le sentiment d'être épié, et tandis qu'ils franchissaient un escalier pour atteindre la grande place de la ville, il repéra une silhouette semblable à un insecte gigantesque – une sorte de cafard monumental, sur le toit d'un immeuble de trois étages – qui s'empressa de disparaître lorsqu'il pivota dans sa direction.

— Je crois que nous sommes observés, annonça Matt.

Par réflexe, tous vérifièrent leurs armes puis pressèrent le pas. Pas question de passer la nuit en ville, il fallait atteindre les faubourgs avant d'établir un campement, et la journée touchait déjà à sa fin, comme la fatigue le leur indiquait. Quant au soleil, lui, il devenait difficile à distinguer. L'épaisseur de la brume atténuait la lumière du jour, ne laissant filtrer qu'une pénombre crépusculaire.

La nuit serait totale, ils le devinaient sans peine.

— Si jamais nous devons dormir ici, commença Floyd, il faudra choisir entre rester à l'extérieur ou s'installer dans un bâtiment.

— Et pourquoi pas un couloir de métro tant qu'on y est ? s'indigna Chen. Moi je ne rentre pas là-dedans !

— De toute façon il est préférable de marcher encore, même si la nuit tombe, intervint Matt, pour sortir d'ici. Nous le savons tous, les villes sont le repaire d'une faune dangereuse, c'est en tout cas comme ça chez nous, et je pense que cet endroit ne déroge pas à la règle.

Ils surgirent tout d'un coup à un carrefour, presque invisibles, ressemblant à deux hauts poteaux dans la brume, jusqu'à ce que les Pans remarquent leurs mouvements : deux créatures de cinq mètres, fines, enveloppées dans de longs manteaux à capuche, leurs jambes semblables à des échasses blanches, leurs mains terminées par d'incroyables doigts longs et laiteux.

Deux échassiers.

Ces pisteurs qui accompagnaient le Raupéroden dans sa traque pour retrouver Matt.

Celui-ci se figea, le cœur en arrêt.

Deux projecteurs jaillirent de sous les capuches, comme si les échassiers ouvraient seulement les yeux, et les faisceaux lumineux sillonnèrent la rue, fouillèrent les façades autour d'eux.

Toute l'expédition se précipita derrière un tas de gravats, à l'exception de Matt qui demeura pétrifié au milieu de la route.

Plume l'attrapa par le col et le tira jusqu'à ce qu'il reprenne ses esprits et rejoigne ses compagnons.

— Qu'est-ce qu'ils font là ? haleta Tobias.

— Tu sais ce que c'est ? demanda Amy.

— Des échassiers ! Ils escortaient le Raupéroden, ils nous ont poursuivis plusieurs fois. S'ils t'attrapent dans les lumières qui remplacent leurs yeux, ils ne te lâchent plus, ils courent vite et ont des bras télescopiques !

Matt était tout pâle.

— Tu oublies l'essentiel : ils obéissent à quelqu'un ou à quelque chose, ajouta-t-il.

— À qui donc ? s'inquiéta Amy.

— C'est bien là le problème. Jusqu'à présent je pensais qu'ils ne servaient que le Raupéroden, mais puisqu'il n'est plus...

Les lumières balayaient les décombres de la ville, et les deux hautes créatures avançaient en silence.

Puis l'une d'elles s'arrêta soudain, le regard braqué sur l'emplacement où s'étaient tenus les Pans quelques secondes plus tôt.

Une voix susurrante, presque inaudible, gutturale, sortit d'un des échassiers :

— Sssssssssssssch... Présence... Je sens... Sssssssssssch... Une présence.

L'autre s'approcha, de sa démarche chaloupée, et allongea les bras pour poser ses mains au sol sans avoir à se pencher. Puis il s'inclina et laissa glisser son capuchon jusqu'à une vingtaine de centimètres du bitume fissuré.

— Sssssssssssch..., dit-il, plusieurs. Ggl les veut.

— Sssssssch, lancer la traque... Sssssssssssssssch, il faut appeler la traque !

Les deux échassiers levèrent leur capuchon vers le ciel et une série d'étranges cris en jaillirent avec beaucoup de puissance, résonnant dans toute la rue. Il s'agissait d'une variation de sons autour de deux syllabes déclinées à l'infini sans cohérence apparente :

« Wi-non-non-non-wi-non-wi-wi-non-wi-non-non-wi-wi-non-wi-non. »

Ils ressemblaient à deux émetteurs radio brisés crachant un grésillement inintelligible et continu.

— T'as entendu ce nom ? chuchota Tobias à l'oreille de Matt.

— *Gagueulle ?* C'est ça ?

— Ça ressemblait à ça, mais dit avec la gorge, comme s'il n'y avait plus les voyelles. C'est qui, tu crois ? Une sorte de Raupéroden *bis* ?

— J'espère que non.

Un peu partout dans la rue des ombres apparaissaient, se faufilant d'une fenêtre à l'autre, sautant de toit en toit ou surgissant des plaques d'égout pour ramper sur l'asphalte.

— Je n'aime pas ça du tout, murmura Ambre. Il ne faut pas rester ici !

Une armée d'insectes géants convergeait vers les deux échassiers.

Floyd fit tourner son index au-dessus de sa tête pour signifier qu'ils faisaient demi-tour et la petite troupe se glissa sans bruit en arrière, pour entrer dans un immeuble, unique voie accessible depuis leur cachette sans retourner sur la route.

Tobias serra son champignon entre ses paumes pour en contrôler le débit de lumière et ils traversèrent un hall, les six chiens sur leurs talons. Plume fermait la marche, jetant des coups d'œil réguliers en arrière.

Ils parvinrent à rejoindre l'autre côté de l'immeuble et débouchèrent dans une rue parallèle.

Des stridulations, des frottements frénétiques d'ailes et des cliquetis de pattes sur l'acier résonnaient dans les artères latérales.

Matt désigna les chiens.

— En selle, mes amis, il faut se préparer à fuir.

Les modulations des deux échassiers se turent enfin. Un véritable grouillement provenait maintenant de la rue.

Les chiens accueillirent leurs maîtres et s'élancèrent d'un pas rapide mais silencieux en direction du nord-ouest.

La nuit tombait, la brume effaçait les contours de la ville, noyant l'ensemble dans des ténèbres poisseuses. Même Amy, avec sa vision nocturne, n'y voyait plus grand-chose. Pourtant les chiens continuaient de trotter, bifurquant lorsque c'était nécessaire pour éviter un cratère, un tas de ronces mortes ou la façade effondrée d'une maison.

Tobias n'osait plus sortir son champignon de sa poche, de peur d'être repéré, il s'en remettait totalement à Gus, le saint-bernard géant sur lequel il avait pris place avec Ambre.

Ils furent brusquement aveuglés.

Prisonniers des phares d'un train filant à toute vitesse sur eux.

Avant de comprendre la vraie nature de cette lumière : un échassier qui poussait sa longue plainte pour alerter ses troupes.

En tête, Cannelle, qui portait Amy, sauta alors vers la première voie de fuite possible et s'engouffra dans un parking surélevé. Tous les chiens la suivirent aussitôt, tandis que la créature commençait à les prendre en chasse, augmentant la longueur de ses pattes pour gagner en vitesse.

Cannelle vira si vite à gauche qu'Amy dut se cramponner à ses poils pour ne pas être éjectée. La chienne abaissait son centre de gravité à chaque virage afin de changer de direction brutalement et handicaper l'échassier et ses longues pattes.

Les cinq autres chiens faisaient de même, galopant pour la survie de leur cavalier.

Ils se retrouvèrent bientôt dans un cul-de-sac les obligeant à emprunter la rampe vers l'étage supérieur. Puis le suivant. Et enfin ils parvinrent sur le toit du parking vide.

Ils avaient distancé l'échassier d'une cinquantaine de mètres, tout juste de quoi faire le tour du dernier niveau, cherchant désespérément un autre accès pour redescendre.

L'escalier de service était à l'autre bout.

Sa porte s'ouvrit en claquant sur une vingtaine de rats gros comme des sangliers, qui investirent le parking telle une bande de délinquants venus en découdre avec le gang adverse.

L'échassier accourait, prenant les Pans en tenaille.

Il ne leur restait qu'une poignée de secondes avant que l'étau ne se referme sur eux.

Matt orienta Plume vers le sud. L'immeuble de l'autre côté de la ruelle était éventré, exposant ses bureaux et ses couloirs déserts aux quatre vents. L'extrémité du parking avait été emportée également, supprimant toute rambarde.

— Tu peux le faire, pas vrai ? demanda-t-il à sa monture.

Plume tourna la tête pour tenter de distinguer son maître.

— Je sais que tu es capable d'y arriver.

La chienne semblait récalcitrante.

Elle fixa le bout du parking.

Les rats se précipitèrent vers eux, et l'échassier allait les atteindre d'un instant à l'autre.

— C'est notre unique chance de sortir d'ici vivants, insista Matt. Il faut le faire. Tu peux y parvenir, j'en suis certain. Allez, Plume !

Plume frissonna. Elle transférait son poids d'un côté puis de l'autre, comme si elle hésitait encore ou se préparait physiquement à un effort colossal.

Les autres Pans les regardaient, entre espoir et terreur, se préparant à sortir leurs armes pour un baroud d'honneur. S'il fallait périr ici, ça ne serait pas sans combattre.

Plume s'élança d'un coup, gagnant peu à peu en vitesse.

Lorsque le bord du parking survint, Matt prit conscience de la distance qui séparait les deux constructions et sut qu'il avait commis une terrible erreur en poussant sa chienne.

Mais ils allaient déjà beaucoup trop vite pour pouvoir s'arrêter avant le vide.

Plume attendit le tout dernier moment, lorsque ses pattes avant basculèrent, et elle se lança de toutes ses forces pour bondir par-dessus la ruelle en direction de l'immeuble d'en face.

Elle n'avait pas parcouru les deux tiers de la distance qu'elle perdit de sa vitesse et de sa hauteur.

C'en était fini.

Ils allaient s'écraser quinze mètres plus bas.

34

Échange de flux

Matt et Plume s'écrasaient.

Tous leurs organes remontaient dans leur corps.

Ils allaient mourir.

Lorsqu'une force invisible les projeta en avant et permit à Plume d'atterrir dans le couloir de l'immeuble éventré. L'instant suivant, l'adolescent et la chienne chancelaient, jambes et pattes tremblantes, déstabilisés et hagards d'avoir ainsi frôlé la mort.

Ambre se tenait de l'autre côté, la main tendue vers le vide.

Aussitôt Floyd et Marmite s'envolèrent à leur tour, projetés par l'altération d'Ambre aux côtés de Matt.

Les uns après les autres, ils franchirent le passage, jusqu'à ce qu'il ne reste plus qu'Ambre, Tobias et Gus.

Les rats les entourèrent avant qu'ils puissent s'élancer, et l'échassier surgit dans leur dos.

Matt, qui voulait repartir en arrière pour aller défendre ses amis, hurla de frustration.

Les rats ne lancèrent pas leur attaque, ils laissèrent passer l'échassier qui tendit la main vers Tobias et Ambre pour les saisir.

L'air prit corps.

Un impact si violent dans l'atmosphère qu'il fit apparaître des cercles concentriques d'oxygène semblables à la surface d'un lac dans lequel une pierre venait de tomber. Les ondulations vibrèrent devant l'échassier qui se disloqua immédiatement, ouvert en deux au niveau du ventre.

Ambre venait de frapper un grand coup avec son altération et le Cœur de la Terre combinés.

L'échassier tomba à la renverse avant même d'avoir pu pousser un cri. Ses entrailles n'étaient plus qu'un nuage d'encre qui se répandait au-dessus de lui comme si elles flottaient dans l'eau.

Les rats reculèrent tous en même temps, sous le coup de la surprise, puis se reprirent et chargèrent Gus.

Une tornade surgit de nulle part et les balaya tous en quelques secondes, les projetant dans le ciel à la façon de bouts de papier soufflés par une rafale.

Les cheveux d'Ambre volaient autour de sa tête, et Matt vit alors que Gus ne touchait plus le sol, en lévitation à plusieurs centimètres. Tobias, effaré, se cramponnait à la taille d'Ambre.

La jeune fille développait une énergie considérable.

Son pouvoir allait bien au-delà de ce que Matt avait envisagé. Lui qui pensait qu'elle avait tout donné durant la Grande Bataille comprenait soudain que plus le temps passait, plus Ambre maîtrisait et décuplait ses facultés.

Gus s'envola au-dessus du vide et vint se poser, pas très rassuré, au milieu de ses compagnons.

Ambre cilla comme si elle allait s'évanouir et se reprit.

Tobias l'aida à se maintenir droite sur son chien et elle fit signe que ça allait, qu'elle pouvait continuer.

Un cri strident transperça l'air, puis un autre, plus loin, en réponse, suivi d'un troisième.

— Des Tourmenteurs ! cria Matt.

Floyd donna un coup de talon à Marmite qui bondit dans l'escalier pour rejoindre la rue et fuir le plus loin possible, le plus vite possible.

Une sorte de gros cafard, de la dimension d'un 4×4, surgit devant eux et leva ses antennes.

Tania avait déjà armé son arc et Tobias, avec sa célérité, la rattrapa.

Les deux flèches fusèrent et se plantèrent dans la tête qui les scrutait. Le cafard tituba et s'effondra au moment où la meute de chiens lui passait devant.

— Merci ! fit Tobias à Ambre.

— Je n'ai rien fait !

— Pardon ? Ma flèche ? Tu l'as guidée, non ?

— Non, Toby, ce coup-ci tu ne le dois qu'à toi !

Tobias n'en revenait pas. Un tir si brusque, si difficile !

Ils parvinrent au sommet d'une colline, dans un quartier résidentiel qui dominait le centre-ville.

La brume recouvrait l'horizon, mais les Pans aperçurent les paires d'yeux-projecteurs qui balayaient la cité. Ils devinèrent qu'une faune d'insectes monstrueux sillonnait les artères à la recherche des intrus. Ils distinguaient partout des formes effrayantes, sur les toits, dans les ruelles, et ils les entendaient communiquer à coups de stridulations, de couinements et de cris aigus.

— Il y en a tout autour ! gémit la petite Amy.

Une bonne vingtaine de paires d'yeux-projecteurs creusaient un sillon blanc dans la brume, fouillant, sondant, leurs propriétaires prêts à sonner l'alerte.

La situation était mal engagée.

Soudain une chose venue des airs les frôla dans un battement d'ailes suraigu.

Un énorme coléoptère se posa sur ce qui avait été la pelouse d'un pavillon et leva sa tête cornue dans leur direction. Un son de crécelle jaillit de l'insecte.

— Il appelle des renforts ! s'écria Chen.

Tania et Tobias décochèrent leurs flèches, qui cette fois rebondirent sur l'épaisse chitine. Ambre se préparait à lancer l'une de ses attaques mais Matt la déconcentra :

— Garde tes forces, tu as l'air épuisée. Ça pourrait nous servir plus tard.

Il se tourna vers les autres puis sonda le paysage nocturne percé par les regards lumineux des échassiers qui approchaient à vive allure.

— Il faut sortir de cet enfer au plus vite ! s'écria-t-il. Plume, guide-nous dans l'obscurité, trouve un chemin !

La grande chienne partit aussitôt au galop, immédiatement suivie par ses cinq compagnons. Ils slalomèrent d'un quartier à l'autre, croisant des insectes de plus en plus nombreux qui tentaient de leur barrer le chemin, ou qui lançaient leur crécelle pour alerter leurs congénères.

Trois échassiers les prirent en chasse. Des coléoptères les traquaient depuis le ciel, et parfois des sortes de moustiques tout aussi géants devenaient visibles lors d'attaques en piqué. Les Pans les entendaient approcher et devaient se baisser ou faire un écart afin d'esquiver leurs assauts maladroits.

Plus ils fuyaient, et plus Matt réalisait qu'ils étaient cernés. Il en venait de partout.

Puis, loin au nord, les cieux grondèrent et des éclairs bleus et rouges illuminèrent la brume. Alors toute la faune devint plus virulente encore, les insectes excités se jetaient sur les Pans qui ne pouvaient compter que sur la réactivité de leurs montures pour les éviter. Mais les chiens n'allaient plus tenir longtemps.

Un son étrange se mit à monter de la ville.

Répété sans cesse, psalmodié.

Un bruit de gorge. Comme une déglutition difficile, ponctuée de souffles rauques. Toutes les créatures dotées de cordes vocales se rejoignaient dans la même incantation, le même nom, inlassablement.

« GA-GUEU-LLE. »

« GA-GUEU-LLE », répétaient-elles partout, sur le passage des adolescents, dans les ruelles obscures, à l'entrée des souterrains, dans les ruines des bâtiments. Toute la cité invoquait la même entité.

« GA-GUEU-LLE » !

Matt pensait que ça ne pouvait plus être pire lorsqu'une araignée surgit à ses côtés, comme sortie du néant. Elle perça les ténèbres et apparut juste à son niveau, plus haute que lui sur Plume, chevauchée par l'incarnation de la Mort : un Tourmenteur. Celui-ci tenait une haute barre de métal sur laquelle courait une lame rectangulaire, une faux interminable ressemblant à un rasoir démesuré.

Le Tourmenteur leva le bras.

Matt attrapa la poignée de son épée et n'eut que le temps de parer le coup qui fit jaillir une gerbe d'étincelles.

L'altération de Matt lui sauva la vie. Tout autre Pan aurait été emporté par la férocité de l'attaque. Avant même qu'il puisse à son tour frapper, le Tourmenteur avait amorcé un autre moulinet du poignet et la lame s'abattait en direction de son torse.

Matt la repoussa du fil de son épée dans un nouveau torrent d'étincelles qui crépitaient à mesure que les deux lames se frottaient, puissance contre puissance.

Plume fit une embardée sur la gauche et permit à Matt de se dégager.

Le Tourmenteur surgit alors derrière Amy.

Chen le cueillit de deux carreaux d'arbalète dans la nuque en faisant bondir Zap dans le dos du monstre. Ce dernier faillit chuter de son araignée mais se rattrapa et s'apprêtait à frapper Amy malgré une blessure qui aurait dû être mortelle.

Tania et Tobias lui décochèrent leurs flèches en pleine poitrine, et cette fois le Tourmenteur bascula en arrière, juste devant Chen.

Zap fit alors un bond spectaculaire par-dessus la créature.

Ils couraient à présent sur le quai d'un canal occupé par des péniches et des petits yachts pour la plupart à demi coulés, un quai jalonné par une bande de terre aride qui avait dû être un parc. Des formes immondes dépliaient leurs pattes dans les branches mortes des arbustes.

Matt sut qu'ils allaient être débordés par l'ennemi. Il fallait agir, trouver une échappatoire, quelle qu'elle soit, et vite.

Une autre araignée avec son Tourmenteur venait de prendre la relève de la précédente. Aussitôt suivie par une troisième.

Ils ne tiendraient pas longtemps.

— Tous au bateau ! s'écria Floyd tandis que Marmite quittait le quai pour sauter sur le pont d'un voilier.

Sans réfléchir, ils en firent autant et Matt jaillit de Plume pour trancher les amarres avec sa lame.

Ce faisant, il réalisa combien leur refuge était précaire. Jamais ils n'auraient le temps de sortir les voiles, malgré l'aide de Tobias, qui s'y connaissait un peu, et de s'éloigner du quai, quand bien même le navire ne s'enfoncerait pas dans l'eau grise dès la première manœuvre. Les Tourmenteurs et leur ménagerie monstrueuse les auraient mis en pièces avant même que la proue ne s'éloigne du bord.

Et juste au moment où Matt l'envisageait, un Tourmenteur se posta devant lui, sur le dos de sa monture abjecte, et leva sa longue hache.

Le voilier trembla et la dernière amarre, celle que Matt n'avait pas encore tranchée, se tendit brusquement.

La lame frôla le visage de Matt sans le toucher.

Ils partaient. Un mètre du quai déjà. En à peine une seconde !

Matt donna un coup d'épée et coupa la corde.

Le Tourmenteur avait sauté à terre et les regardait partir, décontenancé.

Une présence se matérialisa soudain à ses côtés et une araignée lancée dans son élan tenta de bondir sur le pont.

Quatre flèches et carreaux la cueillirent en plein vol, la tuant sur le coup.

Mais son cavalier roula parmi les Pans sur le pont et se releva aussitôt pour tenter de décapiter Floyd, lequel ne dut son salut qu'au réflexe prodigieux de Tobias qui l'avait bousculé.

Ambre était focalisée sur le navire, le poussant à la surface de l'eau par la force de sa pensée. Elle ne pouvait leur venir en aide, cette fois.

Alors Matt se posta devant le Tourmenteur, l'épée levée en signe de défi. Le Tourmenteur s'immobilisa, surpris.

Il serra ses doigts de cuir et d'acier sur le manche de son arme redoutable et se prépara à l'abaisser.

Matt surprit tout le monde en demandant :

— Qui est Gagueulle ?

Le Tourmenteur se redressa. Ce qui devait être sa colonne

vertébrale émit des craquements métalliques et le capuchon s'inclina.

Une voix, presque un souffle, sortit du tréfonds de ses entrailles et prononça cet unique mot, dépourvu de toute voyelle :

— Ggl !

Il l'articulait avec lenteur, étirant les lettres comme si chacune d'elles formait un mot à part entière. Dans une bouche humaine, ce mot étrange devenait *Ga-gueu-lle*.

Puis le Tourmenteur sonda chaque Pan à bord, d'un pivotement de son capuchon de ténèbres.

Le cuir de ses mains crissa et il sembla revenir à la réalité.

Alors il abattit sa hache vers Matt qui avait anticipé le coup.

Tenant son épée d'une main, l'adolescent dévia la lame pour éviter de se faire fendre le crâne, et il plongea l'autre dans le vide du capuchon en espérant y saisir un visage.

Ses doigts ne rencontrèrent que le néant. Un néant qui lui glaça la peau et dont le froid remonta le long de son bras comme se propage une maladie contagieuse.

Le Tourmenteur s'était figé.

Matt avait l'impression qu'un liquide glacial s'infiltrait dans son sang, filant vers son épaule puis dans sa nuque jusque dans son cerveau. Là, le liquide se répandit en un instant et prit la forme d'une main aux longs doigts crochus qui agrippa son esprit.

Matt se raidit.

Il était incapable de bouger. Et la chose était en lui.

Il avait voulu bien faire, improviser une attaque efficace, et il se retrouvait prisonnier du Tourmenteur.

Une onde électrique parcourut le liquide, comme un influx, et la douleur explosa.

Une souffrance abominable. Des centaines d'hameçons s'enfonçaient dans sa chair, et Matt crut qu'on lui arrachait les nerfs. Il voulut hurler, se débattre, mais ne put rien faire, totalement asservi.

L'influx pénétrait son cerveau. Il commençait à ouvrir des portes, à saisir des informations, il fouillait l'intérieur de Matt. Sa mémoire, ses connaissances. Son intimité.

L'adolescent vit des projectiles s'abattre contre le Tourmenteur sans que celui-ci frémisse.

Il paraissait insensible, invulnérable.

Soudain une porte sauta dans l'esprit de Matt sans qu'il puisse identifier ce qu'elle abritait et l'influx se mit à ronronner ; un bourdonnement insupportable. Matt avait le sentiment que tous ses nerfs formaient un filet dans lequel s'étaient pris les hameçons et que ceux-ci tiraient de plus en plus fort pour l'arracher.

Il n'allait plus tenir. Il allait devenir fou ou perdre conscience.

L'influx se documentait et tout d'un coup il s'arrêta.

Tout se referma brutalement.

L'influx repartit à toute vitesse, avec les hameçons et le liquide froid, et Matt fut libéré.

Le Tourmenteur était criblé de flèches et de carreaux.

Il pivota vers l'arrière du bateau.

Puis il se jeta par-dessus bord.

35

Un allié inattendu

Maylis avait subtilisé une cape rouge dans les appartements Pan de la forteresse, la cape des messagers.

Après ce qu'elles avaient vu et entendu dans le cloaque, Zélie avait insisté pour qu'elles tentent de savoir exactement sur qui elles pouvaient encore compter.

Et pour cela, il leur fallait d'abord s'assurer que leur principal moyen de communication était encore fonctionnel et neutre. Après ce qu'avait dit Grimm dans les sous-sols à propos du courrier, elles craignaient le pire.

Maylis traversait les couloirs, grimpait les différents escaliers du donjon en prenant soin de baisser la tête. Elle était connue de beaucoup, et usa un peu de son altération pour renforcer les ombres autour de son visage.

Le service du courrier se trouvait au milieu de l'immense tour. Maturs et Pans s'y relayaient jour et nuit pour collecter les lettres qui arrivaient par messagers de tout le pays, du nord comme du sud. La forteresse de la Passe des Loups servait de centre de tri avant que les missives ne repartent vers leur destination finale.

Maylis passa avec un Matur un peu pressé, se glissant dans son ombre au moment où il entrait. À peine introduite, elle recula derrière un portemanteau pour découvrir la grande salle où une dizaine de personnes, adultes et adolescents, travaillaient devant d'imposantes tables et des casiers en bois où était rangé le courrier par destination.

La jeune fille se glissa entre deux armoires de fournitures et s'éloigna de l'entrée avant qu'on ne la remarque.

Chacun était affairé, nul ne levait le nez.

Voilà qui est bien ! La preuve qu'on ne remet en question son système que lorsqu'on en a le temps !

Maylis prenait très au sérieux son rôle d'ambassadrice et s'était procuré sur la politique des livres de l'ancien monde qu'elle lisait avec attention, même si elle ne comprenait pas toujours tout. La leçon qu'elle avait retenue concernait les dictatures : asservir la population par le travail, occuper les masses afin d'empêcher toute rébellion, faire en sorte que personne n'en ait ni le temps, ni l'énergie.

Cela ressemblait beaucoup au système que le Buveur d'Innocence avait mis en place à la forteresse. Ses gens cumulaient les fonctions. En leur donnant le sentiment d'être responsabilisés, d'avoir de l'importance, il s'assurait en fait qu'ils obéissaient sans poser de questions.

Le centre de tri avait fait l'objet d'interminables négociations entre lui et les deux ambassadrices Pan au début de leur mandat. Elles avaient finalement dû céder, accepter un travail intensif pour obtenir qu'il lâche du lest sur d'autres sujets sensibles.

En découvrant la nervosité, plus que l'esprit studieux, qui régnait dans la salle, Maylis réalisa qu'elles avaient probablement eu tort de se laisser convaincre. Tous paraissaient tendus, se levant brusquement de leur chaise pour ranger une pile de lettres, se précipitant vers un messager pour le charger encore avant qu'il n'ait franchi le seuil. Jamais un sourire, rien qu'une pression palpable.

C'est la dernière fois que je laisse le Buveur d'Innocence dicter les règles de travail!

Maylis avisa les deux portes du fond.

L'une d'elles était celle du bureau de Colin, le Pan qui avait trahi Matt autrefois pour se rallier aux Cyniks avant d'être recueilli par le Buveur d'Innocence. Il était aujourd'hui le messager principal entre les deux peuples, le relais entre Maturs et Pans.

Elle devait lui parler, en toute discrétion.

S'il se passait quelque chose de louche au centre de tri, il ne pouvait l'ignorer, il en était responsable.

Maylis attendit que les trieurs les plus proches soient plongés dans leur labeur pour se fondre dans l'ombre du mur. Puis elle entra dans le bureau de Colin.

Le Buveur d'Innocence avait des yeux partout, des espions à tous les niveaux, il était préférable que cette entrevue ne lui revienne pas aux oreilles.

Maylis referma la porte aussitôt, sûre de n'avoir pas été vue.

Colin était absent.

C'est bien ma veine!

Elle s'était pourtant renseignée le matin même, et on lui

avait dit qu'il serait présent à la forteresse toute la journée, occupé dans son bureau.

Il va revenir, je l'attendrai un peu, voilà tout…

Sans gêne, Maylis s'installa dans son siège en bois.

Colin occupait une belle pièce, avec de nombreux documents étalés un peu partout, des cartes essentiellement. Des cartes de l'ancien monde et beaucoup de celles dessinées à la main par les Pans et les Maturs pour répertorier Autre-Monde tel qu'il était désormais. Les principales routes et sentiers empruntés par les messagers figuraient en pointillés.

Maylis laissa son regard y traîner comme si elle voyageait en même temps sur ces terres.

Toute la communication du monde y était représentée. Le nouvel Internet : des hommes, des femmes et des adolescents sur des chevaux qui ralliaient des fermes, des hameaux, des villages et des villes. Ces pointillés tissaient un maillage entre les survivants de la Tempête.

Et si on les coupe tous, songea Maylis, *c'est la solitude. Tous isolés.*

Tous fragilisés.

Celui qui contrôle les routes, les communications, contrôle le monde.

Maylis se redressa dans le fauteuil.

Elle n'avait jamais aussi pleinement saisi l'importance de ce point.

Voilà pourquoi le Buveur d'Innocence a tant voulu que le centre de tri s'organise à sa manière ! C'est pour ça qu'il n'a rien cédé !

Maylis repensa à toutes les armes stockées dans le cloaque.

S'il ambitionnait un coup d'État, outre les moyens militaires, il devait préparer un plan d'attaque en coupant les lignes de communication. Les fanatiques qu'il avait ralliés à sa cause n'étant pas assez nombreux pour affronter directement l'armée du roi Balthazar, il fallait empêcher celle-ci de se former, la scinder en petits groupes que le Buveur d'Innocence pourrait aisément vaincre.

Le temps que Balthazar comprenne ce qui se passait, le Buveur d'Innocence serait aux portes de Babylone.

Dans ce cas, comment compte-t-il prendre le pouvoir sur les Pans ? Il ne peut pas mener deux batailles en même temps, pas sur deux fronts opposés.

Il avait forcément une idée de ce côté-là aussi.

Maylis examinait les cartes entassées sur le bureau ou à même le sol.

Un frisson la traversa d'un coup.

Maîtriser les voies de communication, c'était maîtriser les chefs de poste.

Colin !

Elle secoua la tête.

Non, pas toi, Colin. Pas encore une fois !

Dans la grande salle, elle pouvait entendre l'agitation, les déplacements des uns et des autres, les tiroirs qui grinçaient et les portes de placards qui claquaient. Colin allait certainement revenir d'un instant à l'autre.

Le regard de Maylis dériva sur les tiroirs du bureau, juste devant elle.

C'était tentant.

Elle avisa à nouveau la porte.

J'ai bien une minute ou deux…

Elle s'agenouilla et ouvrit les tiroirs pour les fouiller rapidement.

Les quatre de droite ne contenaient rien d'autre que des feuilles, de l'encre, des enveloppes, un peu de cire et un briquet.

À gauche, le premier ne bougea pas.

Verrouillé.

Mince !

Maylis étudia la serrure. Rien de très sophistiqué, mais il fallait un trombone et une certaine dextérité. Et Maylis n'y connaissait pas grand-chose en crochetage !

Tant pis pour la discrétion !

Cédant à sa curiosité, elle attrapa un coupe-papier et fit levier avec la lame pour forcer le pêne qui céda aussitôt.

En voyant le bout de bois arraché tomber à ses pieds, Maylis fut prise d'une crainte subite.

Qu'est-ce que j'ai fait? Il va savoir que je suis venue!

Ou pas. Colin avait toujours été distrait. Parfois même un peu simplet.

Là, c'est moi qui suis idiote de croire qu'il ne va pas remarquer que son tiroir secret est brisé!

Elle le tira pour en examiner le contenu. Des lettres.

Toutes écrites par des Pans en territoire matur à destination d'autres Pans, à Eden ou ailleurs.

Qu'est-ce que...

Maylis les parcourait en diagonale.

Tout s'assemblait sous son crâne.

Certaines lettres donnaient des nouvelles et expliquaient le choix de leur auteur de ne finalement pas poursuivre et de rentrer. Dans d'autres, ils s'étonnaient de ne plus avoir de nouvelles d'Untel, disparu en terre matur.

Maylis connectait les points entre eux. Entre ces lettres et le cloaque, ce qu'elle y avait vu et ce que Grimm y racontait.

Les hommes du Buveur d'Innocence ciblaient des Pans un peu isolés parmi les volontaires qui descendaient en territoire adulte et ils les enlevaient. Ils faisaient passer ça auprès de ceux qui restaient pour une renonciation et un retour vers Eden, afin de ne pas éveiller les soupçons, et inventaient de fausses lettres à destination d'Eden, pour continuer de faire croire à leur présence au sud. Ainsi, des deux côtés de la forteresse, les Pans croyaient les leurs bien portants, sans se douter qu'ils avaient en fait disparu.

Et Colin interceptait les missives problématiques.

Il devait certainement avoir à sa solde un parfait faussaire capable de réécrire les courriers en en faisant disparaître toute mention douteuse. À lui d'inventer de fausses lettres des Pans enlevés pour rassurer tout le monde.

Maylis sursauta en reconnaissant la voix de Colin de l'autre côté de la porte.

Elle n'eut que le temps de repousser le tiroir et de se jeter dans l'angle du bureau en usant de son altération pour y épaissir l'ombre.

Colin entra et jeta un sac de toile sur son sous-main.

Il se laissa choir dans son fauteuil qui grinça sous le poids de sa grande carcasse et rota.

Quel porc! pensa Maylis, dégoûtée. *Il faut que je file avant qu'il ne me voie, mon altération ne tiendra pas s'il regarde bien ou s'il s'approche.*

Il repoussa plusieurs papiers et s'immobilisa en découvrant quelque chose par terre.

Ça y est! Le tiroir. Il a compris!

— Qu'est-ce que ça veut dire? tonna-t-il.

Colin bondit, ouvrit la porte et se dressa sur le seuil de la pièce.

— Qui est entré dans mon bureau? aboya-t-il. Qui?

Un silence de mort tomba soudain et Maylis comprit que tous ici le craignaient. Colin n'était pas commode.

— Mon tiroir a été forcé! Quelqu'un est venu, alors qui? Je vais faire un rapport! Je vous préviens!

Et, Maylis s'en doutait, il ne comptait pas en référer à elle ou sa sœur, mais bien au Buveur d'Innocence.

— C'est moi, fit un garçon d'une petite voix.

Maylis ne comprenait plus rien. Que se passait-il?

— Tim? Je crois que toi et moi on va avoir une petite conversation…

— J'avais besoin du sceau pour recacheter une lettre, je suis désolé.

— Personne n'est autorisé à ouvrir une enveloppe close par les armes de la forteresse!

— Je sais, je n'ai pas fait exprès, dans ma précipitation je l'ai accroché et rompu. Mais je n'ai pas regardé la lettre! Je voulais juste réparer mon erreur, c'est tout!

Tim semblait effondré.

Maylis sortit de son angle à quatre pattes pour jeter un coup d'œil derrière Colin. Elle repéra le Tim en question, un jeune garçon brun aux cheveux trop longs. Il regardait le sol devant lui.

— Si tu t'avises de remettre une fois les pieds dans mon bureau, le menaça Colin, je te corrige personnellement, c'est clair ?

Tim hocha vivement la tête.

Maylis était abasourdie.

Ce garçon venait de lui rendre un très précieux service sans qu'elle comprenne pourquoi.

Elle devait repartir, profiter que la porte était ouverte pour se faufiler dans le dos de Colin et tout rapporter à sa sœur.

Maintenant, les choses étaient différentes.

Et bien pires que ce qu'elles avaient cru.

Car elles ne pouvaient plus compter sur les messagers.

Elles étaient isolées à la forteresse de la Passe des Loups en compagnie du Buveur d'Innocence.

Le temps était compté avant qu'il ne déclenche son terrible plan.

36

Clairs-obscurs

Le voilier descendait le canal à bonne vitesse.

Propulsé par la seule volonté d'Ambre.

C'était un seize-mètres rouillé, avec de longues toiles d'araignées dans les gréements, un beau bateau en termes de proportions, pas évident à manœuvrer.

Tobias, le seul à bord à disposer de notions de navigation,

supervisa la mise en voile du navire et il prit la barre, en espérant que cela soulagerait Ambre.

Tant qu'ils ne vogueraient pas à bonne distance de la ville, elle refuserait de se reposer, il le savait bien.

Amy prit son courage à deux mains et entreprit de monter au sommet du mât pour y improviser une hune de vigie avec un duvet qu'elle enroula autour du mât, calé entre deux barreaux de l'échelle.

Les autres finirent par s'asseoir parmi les chiens, couchés sur le pont.

Matt guettait l'horizon noir devant eux et s'interrogeait sur le danger de naviguer ainsi à l'aveugle. Ne risquaient-ils pas à tout moment de s'encastrer dans un rocher, une des nombreuses épaves ou la pile d'un pont ?

— Je me demande si nous ne devrions pas nous arrêter pour la nuit, confia-t-il. Ambre ne peut pas guider le bateau éternellement, et elle n'y voit pas mieux que nous, nous risquons de nous échouer.

— La ville est encore trop proche ! objecta Chen.

— Et Amy est là-haut, avec sa vision nocturne elle préviendra Ambre s'il y a le moindre obstacle, rappela Floyd.

— Si elle parvient à distinguer quelque chose dans cette brume ! répondit Matt.

— Je *sens* les choses, dit alors Ambre d'une voix concentrée, les yeux toujours fermés. Je peux deviner les obstacles, j'ai la perception de notre environnement immédiat.

Elle parlait difficilement, l'esprit ailleurs.

— Amy va pouvoir se focaliser sur le ciel, enchaîna alors Floyd. Si l'un de ces insectes décide de nous suivre, Tania et Tobias nous en débarrasseront.

— Il n'y en aura pas, fit Matt.

— Pourquoi en es-tu si sûr ?

— Parce que aucun d'eux ne nous a pris en chasse lorsque nous avons fui la ville.

— C'est d'ailleurs surprenant, avoua Tania.

— Ou pas.

Tous regardèrent Matt.

— Pourquoi dis-tu cela ? questionna la jeune fille à la frange noire.

Matt inspira profondément. Il allait se confier à eux. Il leur devait cette franchise, même si cela impliquait de se remémorer la terrible souffrance que le Tourmenteur lui avait infligée.

— Quand j'ai voulu saisir le Tourmenteur par le visage, mes doigts se sont refermés sur du vide. Et j'ai aussitôt été pris au piège par une force étrange. Glaciale. Elle s'est infiltrée en moi, j'ignore par quel procédé, mais elle est parvenue jusqu'à mon cerveau.

— Tu veux dire qu'elle est *entrée* en toi ? fit Tania avec dégoût. Elle t'a *pénétré* ?

— Et je n'ai rien pu faire. J'ai senti qu'elle fouillait mon esprit.

— Est-ce que le Tourmenteur a pu apprendre des choses ? s'inquiéta alors Tobias. Sur nous ?

Matt hocha la tête sombrement.

— J'ignore quoi exactement.

— On ne l'a pas vaincu, comprit Chen. Il est parti parce qu'il le voulait.

— J'en ai bien peur, confirma Matt.

— Mais, demanda Floyd, pourquoi s'enfuir s'il peut avoir le dessus sur nous ?

— Parce qu'il a découvert une information cruciale et qu'il estime plus important de nous laisser partir, au moins pour l'instant, et d'aller rapporter sa précieuse découverte à ses camarades.

— À *Gagueulle* ? proposa Tobias.

— Tu le dis mal, tenta de plaisanter Chen sans susciter le moindre sourire.

— À votre avis, c'est quoi ? lança Tania.

— Aucune idée mais c'est important ! ironisa Tobias.

— Une sorte de divinité, supposa Floyd.

— Quand tu vois leur monde, je n'ose pas imaginer la gueule de la divinité ! gémit Chen.

— Je pense que cette chose vit encore plus au nord, confia Matt. Quand nous étions en pleine course il y a eu des éclairs bleus et rouges loin au nord, et alors toute la ville s'est mise à l'appeler. Quoi que ce soit, ça vit au milieu de ces éclairs.

— Des éclairs comme ceux qui ont vaporisé le monde pendant la Tempête, dit Tania en se tordant les mains d'anxiété.

Floyd rebondit aussitôt sur les paroles de l'adolescente :

— Peut-être que c'est lui l'origine de la Tempête.

— On a des raisons de le croire, approuva Matt. Je pense que Gagueulle est la cause de tout ce qui nous arrive.

Tobias siffla :

— Si c'est ça, alors on n'est pas sortis d'affaire ! Non mais vous avez vu cette ville ? Et la brume grise avance ! J'espère qu'elle va s'arrêter bientôt sinon elle finira par atteindre Eden ! Et le reste du monde suivra !

Floyd se pencha vers Matt :

— Qu'est-ce que le Tourmenteur a pu voir en toi de si important ?

— Aucune idée. J'ai bien essayé de creuser la piste, mais impossible de tirer ça au clair ! Je n'arrive pas à imaginer ce qu'il a tiré comme information.

— Que nous sommes ici pour nous confronter au nord, pour savoir ?

— Pour affronter Gagueulle ? tenta Tobias.

— Moi, je ne compte pas l'affronter ! le contra Tania.

— Et si on te disait qu'en le tuant, notre monde redeviendrait comme avant la Tempête ? insista Tobias.

— C'est un truc de gamin, ça. Voilà la différence entre les rêves et la réalité : dans cette dernière on ne peut jamais revenir en arrière.

Tobias haussa les épaules, déçu que Tania ne se prête pas au jeu, et un peu vexé par le terme de « gamin ».

— Et maintenant ? demanda Floyd. On va où ? On fait quoi ?

— Avons-nous le choix ? répondit Matt. Nous suivons le canal tant que nous le pouvons, cela nous permettra de voir si la brume se dissipe plus loin à l'est.

— Et ton objectif ensuite ? C'est d'aller vers ces éclairs bleus et rouges ?

Matt acquiesça d'un air préoccupé.

— Il faut rendre visite à cette chose. Comprendre ce qu'elle est, ce qu'elle veut. Peut-être pourrons-nous entamer un dialogue.

— Et si elle est… maléfique ?

Matt se releva et jeta un coup d'œil vers l'arrière du voilier, en direction d'Ambre qui demeurait concentrée.

— Alors nous tenterons de la détruire, conclut-il.

Ambre resta assise en tailleur à côté de la barre jusqu'au petit matin, les paupières closes, l'esprit tout entier tourné vers la masse du bateau qui filait sans bruit sur l'eau limoneuse.

Le vent se leva avec le soleil, les voiles se gonflèrent et Floyd alla réveiller Tobias pour qu'il puisse gouverner.

Ambre s'effondra au même moment, terrassée par l'effort.

Matt descendit la coucher sur un petit lit dans la cabine et veilla sur elle avec anxiété.

Amy vint le trouver dans la matinée.

— Tu as des cernes, tu devrais aller te reposer, lui dit-elle.

— Je préfère rester là.

Amy l'observa un long moment, avant de murmurer :

— Si je te demandais de résumer en une phrase ce que tu ressens pour elle, que dirais-tu ?

Matt contemplait Ambre, assoupie. Ses boucles d'un blond roux, la finesse de ses traits, ses longs doigts délicats … Tout en elle lui inspirait un flot d'émotions fortes.

Il se concentra sur ce qu'il éprouvait et tenta d'y poser des mots.

— Ses baisers sont la promesse d'une religion dont le paradis est aux portes de nos lèvres, dit-il naturellement. Et j'ai envie d'y croire. Pas mal pour un athée, non ?

Amy émit un petit rire sec. Il y avait de l'amertume dans sa réaction.

— C'est beau, avoua-t-elle. Elle a de la chance.

Sur quoi elle se leva et sortit de la cabine.

Tout le jour, Tobias, Floyd et Chen se relayèrent à la barre tandis qu'Amy et Tania, qui avaient la meilleure vue, scrutaient l'horizon gris depuis la proue.

Le canal rejoignit une rivière, et ils continuèrent vers l'est.

Ils accostèrent en fin de journée pour permettre aux chiens d'aller se dégourdir les pattes, et repartirent après une heure de pause angoissante durant laquelle chaque Pan avait scruté la toile grise qui les entourait dans la crainte d'en voir surgir une silhouette agressive.

Ils décidèrent ensemble, à l'exception d'Ambre qui dormait encore, de poursuivre la croisière jusqu'à ce qu'ils percent la brume, pour espérer la contourner ensuite par le nord.

Durant cinq jours, le voilier descendit une rivière qui se transforma bientôt en un fleuve de plus en plus large au point de les faire douter : étaient-ils parvenus à un immense lac ou bien à l'océan ? Chen décida de goûter l'eau – douce – pour évacuer l'hypothèse de l'océan.

Ambre, de son côté, ne revenait à elle que pour boire un peu, aller aux toilettes et se recoucher sans un mot, livide.

Matt, inquiet, se jura que c'était la dernière fois qu'il la laissait s'épuiser avec son altération. Un jour viendrait où elle irait trop loin et se tuerait, et il ne pouvait l'envisager.

Il remarqua qu'Amy l'évitait, et comprit qu'elle avait espéré plus qu'une amitié complice. Mais contre l'amour déçu il ne connaissait aucun remède sinon le temps, alors il respecta l'attitude de l'adolescente et ne chercha pas à l'approcher.

Le matin du sixième jour, la brume s'ouvrit tout à coup.

Ils percèrent la pellicule grise et la lumière les aveugla.

Ambre était levée ce jour-là, elle semblait avoir récupéré et débordait d'énergie et d'envies, voulant aider à tous les postes, embrassant Matt dès qu'elle le croisait et pinçant affectueusement Tobias.

Le paysage apparut et eut un effet euphorisant sur les Pans, comme s'ils recouvraient la vue après une longue période de cécité. Ils étaient au milieu d'un fleuve majestueux, large de plus d'un kilomètre, encadré par des étendues de conifères. La neige tapissait les arbres et les berges.

Ils ne tardèrent pas à constater que les forêts alentour regorgeaient de vie : cerfs et chevreuils buvant sur les rives, nuées d'oiseaux survolant l'étendue d'eau, écureuils sautant de branche en branche. Seul le fleuve lui-même donnait l'impression de ne plus contenir de poissons, parce qu'il traversait la brume grise avant de déboucher à la lumière.

Ils accostèrent pour le déjeuner, et les six chiens disparurent dans les bois. Ils revinrent après une bonne heure de promenade, le pelage couvert de brindilles et de feuilles, et eurent droit à une longue séance de brossage avant que le voilier reparte.

Matt et Floyd voulaient prendre de la distance avec l'impressionnant mur gris anthracite qui grimpait dans leur dos jusqu'à se perdre dans les cieux.

En milieu d'après-midi de gros nuages survinrent par le nord-ouest et une pluie diluvienne s'abattit sur la région, bientôt suivie par un vent de plus en plus intense chargé d'éclairs et de tonnerre.

Les Pans durent choisir : poursuivre dans ces conditions ou accoster, au risque d'échouer le voilier. Ils finirent par continuer.

L'orage devint plus violent encore, et soudain les éclairs surgirent tout autour d'eux.

Des éclairs trop longs, trop étranges pour être normaux. Ils ressemblaient à d'interminables tentacules crochus agrippant tout ce qu'ils pouvaient arracher à la terre.

Les éclairs du mur de brume.

— La tempête entropique, murmura Floyd.

— C'est quoi entropique ? demanda Tobias qui préférait focaliser son esprit sur autre chose que la peur.

— Une forme de chaos croissant, une incertitude en mouvement.

— Hou là ! c'est compliqué ton truc.

— La brume grise c'est de l'entropie. Du chaos qui produit encore plus de chaos. Et nous sommes au milieu d'une tempête entropique.

Les éclairs enfonçaient leurs griffes dans la forêt et arrachaient des dizaines d'arbres qu'ils éparpillaient en fragments dans l'atmosphère.

Une odeur d'ozone ne tarda pas à se répandre.

Des particules végétales se mêlèrent à la pluie.

Et dans la pénombre de l'orage un immense écran opaque se dressa peu à peu devant le voilier.

— Le mur de brume ! s'écria Amy. Nous retournons dedans !

— Il faut débarquer tout de suite ! ordonna Chen.

Matt secoua la tête.

— Non, les éclairs frappent la forêt au nord, nous risquerions d'être massacrés. De toute façon la brume est aussi au nord, regardez. Nous étions dans une poche préservée, mais elle se referme.

— On ne peut pas rester indéfiniment sur le bateau, rappela Tania. Nos provisions commencent à manquer, il nous faudra cueillir des baies et des champignons si on peut en trouver, et chasser d'ici à quelques jours.

— Avons-nous le choix ?

— Il reste la berge sud.

— Ce serait nous couper de notre objectif, tu le sais.

Amy fixa Matt.

— N'y a-t-il pas un moment où il faut savoir renoncer ? demanda-t-elle, avec une étrange intensité dans le regard.

— Je ne baisse pas les bras, répondit-il en fuyant le contact visuel. Floyd, garde le cap. Nous retournons dans... comment l'appelles-tu ?

— La tempête entropique, répondit le Long Marcheur en guettant les éclairs avec crainte.

— Alors cette brume qui sème le désordre s'appelle Entropia. Nous retournons en Entropia.

La surface du fleuve s'agitait, chahutant le navire, et chacun dut s'amarrer avec un bout de corde pour éviter de passer par-dessus bord. Même les chiens furent ainsi sécurisés, faute de pouvoir descendre dans la cabine où ils n'auraient pas tenu.

Le voilier s'enfonça à nouveau dans la brume grise, et la tempête s'intensifia.

Ils passèrent sous une ombre énorme qui enjambait le fleuve, un pont gigantesque qui grinçait dans le chaos. Par moments des débris tombaient en sifflant et s'écrasaient dans l'eau en un fracas effrayant.

Les Pans levaient la tête de crainte de voir fondre sur eux un bout d'acier qui empalerait le bateau et le coulerait à coup sûr.

Mais les débris tombèrent tout autour en les épargnant.

Le voilier tanguait de plus en plus, et bien qu'ils aient replié les voiles à l'exception d'une petite à l'avant, le navire devenait de plus en plus difficile à contrôler.

Ils furent rapidement trempés et frigorifiés.

Les lumières apparurent peu à peu, d'abord une vague lueur dans l'obscurité, lointaine, qui se démultiplia jusqu'à devenir plusieurs points ambrés pulsant, côte à côte.

— Est-ce que c'est une ville ? demanda Tobias. Amy, tu y vois quelque chose ?

— Je distingue une construction massive au sommet de la colline. À moins d'un kilomètre dans les terres. Je pense que ce sont les fenêtres d'un immeuble éclairé.

— J'ai pas eu l'impression que les créatures entropiques

allumaient sur leur passage, s'écria Floyd par-dessus le bruit des intempéries.

— Et si c'étaient des êtres humains ? suggéra Chen. Ça vaudrait le coup d'aller voir, non ?

Floyd se tourna vers Matt.

— Qu'en penses-tu ?

— Vous avez l'air motivés. Je vous suis.

— De toute façon ça ne peut pas être pire qu'ici ! grimaça Ambre en chassant d'un revers de main la pluie qui lui coulait sur les yeux.

Comme ils se rapprochaient de la berge, de longs quais de chargement se profilèrent et, au-delà des entrepôts, toute une ville.

Une grande cité à flanc de colline.

Dominée par un château impressionnant au donjon impérial.

Ils le reconnurent tout de suite.

Le château Frontenac. Ils étaient arrivés à la ville de Québec.

La citadelle les observait dans la pénombre d'Entropia.

Des éclairs fendirent les cieux tout autour.

De nombreuses fenêtres brillaient d'une lumière ondulante.

Puis soudain, tout un étage s'éteignit en une poignée de secondes.

Quelqu'un vivait là, dans cette brume oppressante.

Dans un château immense.

37

Insoutenable vérité

Maylis surgit de l'ombre, comme si elle apparaissait dans le couloir, juste devant Tim.

Le garçon sursauta et se heurta à Zélie, derrière lui.

— Les ambassadrices ? s'étonna-t-il. Oh, je suis désolé, je ne regardais pas où je marchais.

— Tim, dit Maylis, nous devons parler.

Elle le vit qui déglutissait, anxieux, puis il acquiesça comme s'il savait déjà de quoi il retournait.

Ils s'installèrent dans une bibliothèque toute proche et après s'être assurées que personne n'était présent entre les rayonnages, Maylis s'assit en face de Tim à l'une des deux tables de lecture.

— Tu as quelque chose à nous dire ? demanda-t-elle.

— Je... eh bien... C'est un peu délicat en fait.

— Nous t'écoutons, insista Zélie.

Il prit une profonde inspiration et se lança :

— Ça fait quelques semaines déjà que je soupçonne quelque chose. Je crois que... Je crois que Colin trafique des lettres.

Il avait dit sa dernière phrase à toute vitesse, pour s'en débarrasser.

Zélie et Maylis échangèrent un regard complice.

— Vous vous en doutiez, n'est-ce pas ? demanda-t-il. Vous avez envoyé un espion, pas vrai ?

— C'est pour ça que tu as endossé le coup du tiroir cassé l'autre jour ? interrogea Maylis.

— Je me suis douté que c'était un espion de chez nous. Je ne voyais pas pourquoi quelqu'un d'autre aurait forcé le tiroir de Colin. J'ai fait ce que j'ai cru être le mieux, pour nous, pour notre cause.

— Et tu as eu raison ! le rassura Zélie. Tu as sauvé ma sœur.

— Vous ? s'étonna-t-il. En personne ?

— C'est-à-dire que notre réseau d'espionnage est... comment dire ? Très limité.

— À nous deux en fait, compléta Zélie, non sans dérision. C'est pour ça que nous avons besoin de ton aide.

— Moi ?

Tim était estomaqué. Et fier. Il était avec les deux ambassadrices d'Eden, et elles lui demandaient de devenir espion pour elles.

— Ta mission sera d'avoir un œil sur Colin et de nous rapporter tout ce qu'il pourra faire qui sort de l'habituel.

— Comptez sur moi, répondit Tim avec aplomb.

Zélie jeta un regard à sa sœur.

— Mais nous avons besoin de toi avant cela, dit-elle. Pour quelque chose d'un peu… dangereux.

— Je suis votre homme. Je ne supporte plus ces journées au centre de tri ! Mon affectation se termine dans trois semaines, alors si d'ici là je peux aider à quoi que ce soit, ça me va !

— Je peux te demander quelle est ton altération ?

Tim prit un air accablé.

— Oh, il n'y a pas de quoi s'emballer, regretta-t-il. Je jouais de la batterie avant… Et maintenant je peux créer des sons.

— Des sons ? C'est-à-dire ?

Tim se recula, ferma les yeux et se concentra.

L'air au-dessus des trois adolescents se mit à vibrer, et un gong retentit dans toute la bibliothèque. Puis un coup sourd, répété, en rythme, suivi d'un frétillement cristallin. Tim parvenait à faire entrer l'air en résonance.

— C'est spectaculaire ! s'écria Zélie.

Tim rouvrit les yeux.

— Mais ça ne sert à rien, déplora-t-il.

— Au contraire, je pense que ça sera parfait pour ce que nous te demandons.

— Maylis et moi allons descendre dans un long puits d'ascenseur. Mais pour cela, il faut détourner l'attention des gardes pour les éloigner.

— Oh. Je ne sais pas me battre, vous savez…

— J'espère bien que tu n'en auras pas besoin ! Il faut juste faire diversion, sans te montrer.

— Un puits ? Des gardes ? Euh… vous êtes sûres de devoir faire ça vous-mêmes ? N'y aurait-il pas plutôt des espions entraînés pour ça ?

Zélie secoua la tête.

— Les Pans sont peut-être trop naïfs mais nous n'avons jamais pensé à créer ce genre de service.

— Du coup, ajouta Maylis, c'est devenu notre rôle.

Tim était collé à la roche, sous un camouflage de lianes.

— Je le sens pas, dit-il. C'est dangereux ! Et si vous ne remontez pas ? Je préviens qui ?

— Nous remonterons, le rassura Maylis. Quand la plate-forme se mettra en marche, tu devras faire à nouveau diversion pour que nous puissions ressortir.

— D'accord. Bon. Je suis prêt.

Les deux sœurs se collèrent l'une à l'autre et elles reculèrent dans l'ombre où elles disparurent totalement.

— Tu m'étonnes que vous n'ayez pas besoin d'espions ! murmura Tim.

Il attendit cinq minutes comme convenu, pour qu'elles puissent s'approcher, et il se concentra.

Le gong résonna dans toute la grotte et attira les quatre gardes qui se précipitèrent, inquiets.

— Tu vois bien que c'est pas un effondrement ! se moqua le premier quand ils furent près de l'entrée.

— Ni le tonnerre !

— Alors c'était quoi ?

— À ton avis ? Une bestiole ! Ça ne peut être qu'une sale bestiole !

— Ouais, bah, j'espère qu'elle va pas venir établir sa tanière ici !

Les quatre Maturs finirent par rejoindre leur table et leurs tonnelets d'alcool.

Tim croisa les doigts : pourvu que les ambassadrices aient eu assez de temps pour descendre.

Maylis était suspendue à une corde, dans le vide et les ténèbres.

Elle avait pu l'accrocher pendant que les Cyniks s'éloignaient, et avec l'obscurité qui régnait en haut, il était peu probable qu'ils la remarquent.

Mais à présent qu'il fallait descendre, Maylis se demandait ce qu'elle faisait là.

Pourquoi je me suis embarquée là-dedans? J'ai été idiote! Je n'y vois rien!

Le pire était de ne pas savoir où se trouvait le fond. Était-elle à plus de vingt mètres ou seulement à deux?

Zélie avait filé la première, à peine son mousqueton accroché au baudrier. Cela lui ressemblait bien. Se jeter dans le vide sans réfléchir pour éviter de trop en avoir peur.

Maylis avait eu plus de mal à basculer, à sauter.

Encore un peu, je ne dois plus être très loin!

Elle donna du mou à la corde et perdit plusieurs mètres supplémentaires.

Et si la corde est trop courte? J'ai pris la plus longue possible, mais est-ce suffisant?

Maylis s'imagina suspendue avec plus de trente mètres à remonter sur une corde lisse.

Impossible. Si c'est le cas, nous sommes fichues! Il faudra attendre que la plate-forme revienne et nous serons démasquées…

Elle libéra une longueur, puis une autre, et encore un peu. Ses pieds tapèrent contre le sol et elle manqua tomber, rattrapée par Zélie.

— Quelle trouille j'ai eue, avoua-t-elle.

— Moi aussi, lui confia Zélie. J'ai préféré tout faire d'un coup, j'avais trop peur de rester coincée au milieu!

Des lanternes et des torches brûlaient dans le gigantesque hall, trop vaste pour être entièrement éclairé, et les deux sœurs se noyèrent dans les immenses poches d'ombre pour s'approcher des portes qui les intéressaient.

Elles devaient comprendre ce que le Buveur d'Innocence manigançait.

Les cris d'enfants leur glaçaient le sang.

Chaque coup de marteau au loin, chaque flash de lumière

sous les portes, chaque grondement souterrain leur arrachait un sursaut.

Cet endroit était abominable. Mais il fallait poursuivre.

Le Buveur d'Innocence, si cruel fût-il, ne torturait pas des Pans juste pour le plaisir. Il voulait leur arracher un secret, les faire parler, mais pour savoir quoi ?

Zélie arrêta sa sœur devant l'un des battants de bois et d'acier.

— L'ouvrir serait trop risqué sans savoir ce qu'il y a derrière. Attends-moi là, je vais voir.

Zélie passa à travers la matière.

Les hurlements terrifiaient encore plus Maylis à présent qu'elle était seule dans le vaste hall creusé sous la forteresse.

La poignée se tourna lentement et Zélie la fit entrer.

Elles se tenaient sur un balcon surplombant une pièce profonde, malodorante – effluves de transpiration, d'huile de lanternes, d'urine –, dans laquelle un âtre plein de braises diffusait une lumière rougeâtre.

Un Cynik donnait des claques à un garçon d'environ dix ans, allongé tout nu sur une table, des bracelets en cuir reliés à des chaînes aux poignets et aux chevilles.

— Allez, mauviette, réveille-toi !

Une plus petite chaîne était suspendue à un crochet au-dessus de son ventre. Celle-ci se terminait par un anneau planté dans son nombril boursouflé et rouge.

Une porte latérale claqua, donnant sur une pièce similaire, et un homme tout maigre, arborant une fine moustache noire, approcha en se frottant les mains, aussitôt suivi par Grimm et ses touffes hirsutes sur le crâne.

— Alors ! Comment va-t-il celui-là ? Il coopère ?

— Il s'est évanoui, docteur Gélénem, l'informa le garde.

— Nous allons le réveiller avec ma méthode.

Gélénem saisit la chaîne ombilicale d'un coup sec.

L'enfant hurla avec une rage et une souffrance qui tirèrent des larmes à Zélie et Maylis.

— Voooooilààààààà ! s'enthousiasma Gélénem avec un rire sadique.

— Je croyais que c'était dangereux ? Qu'il ne fallait jamais le faire ? s'étonna le garde.

— Bill rentre aujourd'hui, expliqua Grimm. Il nous faut des résultats. Nous accélérons les recherches.

— Quelle est son altération à celui-ci déjà ? demanda Gélénem.

— Il produit des éclairs, dit le garde. Il en a lancé trois tout à l'heure.

— Trois ? Parfait.

Maylis se serra contre sa sœur.

— Je croyais que l'altération disparaissait quand on implantait un anneau ombilical ? chuchota-t-elle.

— Quand on le retire ! corrigea Zélie. Apparemment, tant qu'il est dans la chair, ça marche.

— Je déteste cet endroit.

Gélénem prit un carnet posé sur une tablette et relut les dernières notes.

— Il répond aux stimuli ? questionna-t-il.

— De mieux en mieux.

— Parfait, parfait… J'aime ce garçon ! Il s'éduque mieux qu'un chien ! Encore quelques jours et je suis certain qu'il aura développé un tel réflexe que nous obtiendrons ce que nous voulons !

Gélénem enfonça son index dans l'anneau ombilical et se pencha au-dessus du garçon.

— Donne-moi un petit éclair, esclave… Allez, sois obéissant.

Le garde s'empressa de s'écarter du prolongement des mains du prisonnier.

Comme le docteur Gélénem n'obtenait pas de réaction, il tourna l'anneau d'un quart de tour et tout le corps du garçon se crispa, les muscles saillants, le visage déformé par une grimace de douleur.

Un coup de tonnerre sec accompagné d'une décharge de

lumière intense fit vibrer la pièce tandis qu'un tonneau volait en éclats à l'autre bout.

Le Pan avait lancé un éclair.

— C'est ça ! s'écria Gélénem en toisant ses deux acolytes. Bientôt il suffira d'un ordre et d'une pression sur son anneau pour que, par réflexe, il lance son éclair ! Quand le cortex profond aura enregistré qu'il peut éviter la douleur en déclenchant cette action, ce sera un parfait petit fantassin docile !

La chair de poule envahit les avant-bras de Zélie.

— Oh non, gémit-elle. Ils sont en train de s'approprier nos altérations ! Voilà comment le Buveur d'Innocence va s'y prendre pour contrôler les Maturs et les Pans ! Avec une armée d'esclaves surpuissants !

— Il faut prévenir Eden.

— Eden n'a pas le pouvoir de destituer Bill, le Buveur d'Innocence. Ce serait un acte de guerre !

— Alors il faut s'adresser au roi Balthazar. L'avertir que son ambassadeur se prépare à le renverser !

— Ça ne peut certainement pas se faire par courrier.

Maylis secoua la tête.

— Je vais me rendre à Babylone. Pendant ce temps, toi tu tâcheras de gagner du temps avec le Buveur d'Innocence. Il ne faut pas qu'il lance son opération avant que nous soyons prêts.

38

L'armée du nord

La herse du château était baissée.

Les Pans regardaient à travers les barreaux d'acier vers la cour.

— Je ne vois personne, prévint Amy.

— Si on appelle et que ce qui vit ici est inamical on aura l'air fins ! intervint Tobias.

— Mais dans le cas contraire nous passerons pour des agresseurs, corrigea Ambre.

— Plutôt bourreau que victime, dit Floyd en tendant le bras entre deux barreaux.

Ses os craquèrent et son épaule se déboîta avant que son membre tout entier ne s'allonge peu à peu grâce à son altération d'élasticité. Il attrapa le levier plus loin et l'abaissa.

— Voilà qui devrait déverrouiller le mécanisme, dit-il.

Matt attrapa le bas de la herse et usa à son tour de son altération pour la lever de deux mètres et laisser passer ses compagnons ainsi que les chiens.

Tous les bâtiments qui encadraient le donjon étaient plongés dans l'obscurité, seule la tour massive était éclairée. Ils se postèrent devant un portail en chêne pour découvrir qu'il était fermé de l'intérieur.

— Toutes les fenêtres basses sont protégées par des volets, nota Chen. Mais pas celles du troisième étage. Je dois pouvoir m'y glisser et vous ouvrir.

— Tu seras seul à l'intérieur, lui rappela Matt.

— Raison de plus pour venir rapidement ! répliqua Chen en retirant ses chaussures.

Tobias lui tendit son champignon lumineux.

— Prends-le, ça pourra te servir.

— Merci, mec.

Chen dansa sur la neige à cause du froid et s'empressa de poser ses mains sur la façade du donjon pour commencer à grimper. En deux minutes, il était sous une fenêtre du troisième étage, en train de la forcer avec un couteau. Après quoi il disparut.

Cinq minutes plus tard, un verrou grinçait de l'autre côté de la porte, puis une barre de renfort, et Chen se profilait avec un sourire fier, le champignon à la main.

— Merci qui ? dit-il tout bas.

— Tu as croisé quelqu'un ?

— Personne. C'était désert pour descendre.

Le hall était immense, tout en bois. Au sol, les pieds glissaient sur des moquettes épaisses. Des lustres en cristal piégeaient les éclats argentés du champignon. Le château Frontenac était un merveilleux hôtel avant la Tempête et, malgré le temps et les bouleversements, il demeurait aussi singulier et envoûtant. Pourtant la pénombre l'enveloppait d'une atmosphère de manoir hanté.

À contrecœur, les Pans décidèrent qu'il était plus discret et plus prudent de laisser les chiens dans un salon. Puis ils se dirigèrent vers l'escalier.

— C'est le sixième étage qui est éclairé, indiqua Tania. J'ai compté.

Ils atteignirent le sixième palier sans faire de bruit et se retrouvèrent dans un large couloir desservant les chambres.

Une lanterne à huile, allumée, était posée au bout du corridor.

— Et maintenant on cogne à chaque porte ? demanda Tobias avec une grimace.

Matt avançait déjà, prêt à dégainer son épée. Les autres lui emboîtaient le pas lorsque soudain toutes les portes des chambres s'ouvrirent en même temps sur une douzaine de militaires en treillis, vestes commando et cagoules d'intervention.

Arbalètes braquées, ils hurlèrent tous en même temps dans une langue que Matt identifia comme étant du français.

Seul Tobias avait pu bander son arc et visait le soldat le plus proche.

Matt savait qu'il serait criblé de carreaux s'il tentait d'attraper son arme. Il leva les mains devant lui en signe d'apaisement et de soumission.

— Je ne parle que l'anglais, s'excusa-t-il.

— Ne bougez plus ! lança un garçon dans un anglais teinté d'accent français.

À bien les regarder, les soldats étaient tout petits.

— J'vous avais dit qu'c'étaient pas des Clowneries! triompha l'un d'eux avec une voix d'enfant.

Lui s'exprimait parfaitement en anglais.

Des Pans.

— On vous veut pas de mal…, commença Matt.

— SILENCE! aboya le plus grand des soldats.

— J'vous dis qu'c'est des comme nous! insista le petit. Ça s'voit tout d'suite!

Sur quoi le garçon sortit de la chambre en baissant son arbalète et s'approcha de Tania et Floyd.

— Marv! s'écria une jeune fille. Reviens tout de suite!

Mais Marvin n'en faisait qu'à sa tête. Il se planta devant Tania et lui demanda :

— Vous venez nous libérer?

— Vous libérer? répéta Tania.

— Vous êtes la brigade de s'cours, c'est ça? insista Marvin. Vous venez de derrière la zone de l'accident? Dites donc, vous en avez mis du temps!

L'adolescente qui avait interpellé Marvin sortit à son tour, l'arbalète braquée sur Tania, et s'approcha pour prendre le garçon par l'épaule.

— Vous… vous êtes vraiment les secours? demanda-t-elle, incrédule.

Tania regarda Floyd, puis Matt, ne sachant que faire.

— Non, répondit Matt. Nous sommes des Pans, comme vous.

— Des quoi? fit Marvin.

Matt désigna les armes qui les visaient :

— Vous ne voudriez pas baisser ça qu'on puisse discuter sans se sentir en danger de mort?

— Qui êtes-vous? insista celui qui semblait être le meneur.

— C'est une longue histoire.

— Mais l'monde en dehors de la zone de l'accident, il va bien, non? s'enquit Marvin avec une angoisse soudaine.

— Vous n'êtes jamais sortis de votre ville? s'étonna Chen.

— L'accident a contaminé la zone, c'est trop dangereux, expliqua l'adolescente. Comment avez-vous fait pour la traverser ?

— Marv, c'est ça ? demanda Ambre. Il s'est passé par mal de choses dehors, je propose que nous nous installions quelque part, tous ensemble, et sans armes. Vous voulez bien ?

Marvin regarda l'adolescente qui se tourna vers le meneur.

Celui-ci jaugea ses compagnons à son tour, puis il tira sur sa cagoule pour dévoiler le visage d'un garçon d'environ seize ans, blond aux yeux verts, la mâchoire carrée.

— Je m'appelle Charles-Philippe Osmond, dit-il avec un accent français, mais vous pouvez m'appeler CPO. Allons dans le salon, vous passerez devant, je vais vous guider. Si vous tentez quoi que ce soit, je vous embroche. On va s'écouter, et on verra ce qu'on fait.

— Bienvenue à Frontenac, fit Marvin, ôtant sa cagoule en souriant.

Les Pans avaient investi un grand salon et regroupé de nombreux fauteuils, banquettes et tables basses pour former plusieurs cercles concentriques autour d'une petite scène.

Des lanternes à huile furent disposées un peu partout, qui projetèrent des ombres allongées sur les hauts plafonds.

À la demande des occupants de Frontenac, Matt et ses amis s'assirent au centre pendant que les autres prenaient place tout autour. La plupart avaient retiré leur cagoule.

Ils avaient entre dix et seize ans, douze personnes au total.

Marvin était un petit métis aussi beau qu'il semblait espiègle, et l'adolescente était sa grande sœur, Tina.

CPO gardait son arbalète sur les genoux, attentif.

— Les parents vont v'nir nous chercher ? s'enquit Marvin qui n'en pouvait plus d'attendre des explications.

Ambre et Matt se regardèrent, déstabilisés.

— Qu'est-ce que vous savez de… l'accident, comme vous l'appelez ? demanda Ambre.

— C'était juste après Noël et y a eu un accident atomique, s'empressa d'expliquer Marvin.

— Nucléaire, corrigea sa sœur.

— Oui, c'est pareil !

— Vous y avez assisté ? s'étonna Ambre.

— Non ! Sinon on s'rait tous morts, répondit Marvin comme si Ambre était idiote. Mais on l'sait, c'est tout.

— Et qu'est-ce qui vous fait croire que c'était un accident nucléaire ?

— Vous êtes sortis là-dehors, non ? Vous avez vu à quoi ressemble le monde ? Y a que l'nucléaire pour faire ça ! C'est tout corrompu !

— Vous avez survécu tout ce temps sans sortir ? s'étonna Tania.

— L'hôtel était plein de vivres, expliqua un garçon assez jeune. Et puis la ville aussi… Les supermarchés !

— Oui, enfin, il était temps que vous veniez ! intervint un autre. On n'aurait pas tenu encore longtemps !

— Vous n'avez jamais reçu la visite d'autres enfants ou même d'adultes ? demanda Ambre.

— Non, vous êtes les premiers, avoua Tina.

— Mais on vous attendait depuis un paquet d'temps ! s'exclama Marvin. Alors, quand c'est qu'on repart avec vous ? Tout l'Canada il est détruit ou c'est que l'Québec ?

— Et le nord des États-Unis ? s'empressa de demander un autre garçon. Le Vermont, il a sauté avec l'accident ou tout va bien ?

— Et l'Ontario ? interrogea un autre.

— Et Montréal ?

Ambre soupira.

— Je crois que la réponse va prendre du temps, et vous risquez d'être déçus.

Elle se lança alors dans l'explication de tout ce qu'elle savait.

La Tempête, les adultes devenus Gloutons ou Cyniks… puis Maturs, les Pans, Eden, la guerre, puis la paix.

Son auditoire, très circonspect au début, accusa bientôt la peur, puis la détresse. À mesure que le récit prenait forme, les visages se défaisaient. Colère, larmes, déni, chacun encaissait les nouvelles à sa manière.

Plusieurs refusèrent de croire Ambre, qui dut user de toute sa douceur pour les convaincre.

Enfin le silence plomba le grand salon. Interminable.

— Je suis désolée, murmura Ambre.

Marvin s'était réfugié dans les bras de sa sœur.

— On r'verra plus nos parents, alors ? demanda-t-il.

Ambre eut un pauvre sourire plein de compassion.

— J'ai bien peur que non.

— Mais la guerre avec les adultes est terminée, pas vrai ?

— En effet. Tout n'est pas parfait entre Maturs et Pans, toutefois nous parvenons à nous entendre. Mais personne n'a encore retrouvé ses parents, à ma connaissance. Et compte tenu de leur rapport au passé, à la mémoire, et surtout aux enfants, je doute que des retrouvailles heureuses soient possibles pour l'instant. Je préfère ne pas te donner de faux espoirs. Tu comprends ?

Marvin fit signe que c'était le cas en séchant bravement ses larmes.

Ambre leur laissa le temps pour se remettre, puis termina par une description de l'altération. Et tandis que la plupart demeuraient décomposés, atterrés, elle demanda :

— Et vous, vous avez développé des facultés ?

Elle espérait les lancer sur un sujet différent, qu'ils pensent à autre chose, ils auraient bien le temps ensuite de ruminer.

CPO acquiesça doucement.

— Vous avez appris à les contrôler ? s'informa Ambre.

— *La* contrôler, corrigea CPO.

— Une seule ? Vous n'avez qu'une altération pour tout le monde ? La même pour tout le monde ou une seule personne apte à s'en servir ?

— C'est un peu particulier.

— C'est-à-dire ?

CPO regarda ses mains, hésita, puis se lança :

— Notre… altération, comme tu dis, est collective. Lorsque nous sommes tous ensemble, nous pouvons nous en servir.

— Une altération collective ? C'est génial ! Je n'en ai jamais vu ailleurs ! Et quelle est-elle ? Comment se manifeste-t-elle ?

CPO regarda ses camarades. Il cherchait leur assentiment avant d'en dire plus.

Il planta ses prunelles dans celles d'Ambre avant de lancer :

— Tout. Quand nous sommes ensemble, nous pouvons tout faire.

39

Confidences sous les lanternes

Ambre en resta bouche bée.

— Tout ?

CPO parut ennuyé.

— Oui.

— Vous dites ça pour nous faire marcher, pas vrai ? dit Chen, incrédule.

— Non, nous pouvons tout faire. Du feu, du vent, de la glace, épaissir les ombres, produire de la lumière, être plus rapides ou plus forts, et encore deux ou trois bricoles…

— Alors pourquoi n'êtes-vous pas sortis de la ville ? demanda Floyd.

— Pour aller où ? Nous ne savions pas ! Et puis nous avons voté, plusieurs fois, et à la majorité, nous avons décidé qu'il était plus prudent de rester ici en attendant que les secours arrivent.

Nous éloigner de la ville ça aurait été prendre le risque qu'on ne puisse plus nous retrouver.

— Et il y a le Cirque…, ajouta Marvin, un peu réticent.

— Marvin ! le gronda CPO.

— Le Cirque ? répéta Tania. C'est quoi ?

— On peut bien leur dire, intervint Tina en fixant CPO qui haussa les épaules, désabusé. Le Cirque c'est le Mal.

Tobias, lui, était curieux.

— Un vrai cirque, avec des animaux et des clowns ?

Marvin frissonna.

— Des Clowns, oui…

Sa sœur enchaîna :

— Il était en tournée dans tout le pays quand l'accident s'est produit. Il était installé pas loin des quais, chez nous, à Québec. Le nucléaire l'a entièrement corrompu.

— L'atomique a ouvert une porte vers l'enfer ! précisa Marvin avec sérieux.

— C'est le Cirque qui contrôle cette ville ! ajouta un autre garçon.

— Pour parvenir jusqu'ici vous n'avez pas croisé de Clowneries ? s'étonna Marvin.

— Des Clowneries ? demanda Floyd.

— Oui, les émissaires du Cirque ! La Méningerie-sauvage : ces animaux savants et féroces ; des Roulottes-glauques ; des Dompteuers ou… des Clowns.

Marvin avait prononcé le dernier mot plus bas, avec crainte.

— Personne. Nous avons circulé depuis les quais jusqu'ici en remontant la colline à travers des rues désertes.

— C'est une sacrée veine ! s'ébahit alors le jeune garçon.

CPO secoua la tête.

— Impossible, lâcha-t-il sèchement. Le Cirque vous aurait forcément vus, à sept, vous n'êtes pas discrets.

Matt songea aux chiens qui les accompagnaient et qui formaient une caravane encore plus imposante.

— Si le Cirque les avait repérés, intervint Tina, ils ne seraient pas là pour nous parler !

— C'est bien ce qui m'inquiète.

— Que veux-tu que ce soit ? Ils ne sont pas des Clowneries, ça se voit !

— Je ne dis pas le contraire. Mais à mon avis, si le Cirque les a laissés venir jusqu'à nous, c'est pour une raison bien particulière. Il *voulait* qu'ils passent.

— Ce Cirque, dit Matt, il a un meneur ?

CPO approuva nerveusement.

— Il s'appelle Yorick.

— Avez-vous tenté de dialoguer avec lui ?

— Impossible, il ne désire qu'une chose : nous annihiler ! Yorick est jaloux de toute forme de vie, il veut tout détruire.

— Et ils sont nombreux ces gens du Cirque ? interrogea Tobias.

— Assez, répondit Tina.

— Et surtout très dangereux ! ajouta Marvin. Très forts !

— Pour vous ravitailler, dit Ambre, comment procédez-vous ? Vous avez évoqué les supermarchés…

— Pendant longtemps nous avons utilisé les réserves de l'hôtel, expliqua Tina, il y avait de quoi tenir ! Mais parfois nous devions sortir… Nous y allions tous ensemble, et notre altération nous a souvent sauvé la mise !

La fin de sa phrase s'éteignit dans sa bouche.

— C'est pour ça que le Cirque vient pas à Frontenac, compléta Marvin. Il a compris qu'on était très forts aussi et capables de l'repousser. Par contre, il fallait pas rester trop longtemps là-dehors. Dès que le Cirque nous repérait, on fonçait pour rentrer avant d'être submergés !

— C'est rassurant d'avoir cet endroit, approuva Chen.

CPO renifla nerveusement.

— Eh bien… justement. Nous ne sommes plus en sécurité, avoua-t-il.

— Pourquoi ?

— Ce pouvoir que nous avions tous ensemble, nous... nous l'avons perdu.

— On peut perdre son altération ? s'inquiéta Tobias.

— Il y a un mois, l'un des nôtres est tombé malade. Fièvre, tremblements et toux. Il est mort en une semaine. Depuis, nous ne sommes plus au complet, et notre pouvoir ne fonctionne plus. Pour l'instant le Cirque ne l'a pas remarqué, mais quand il comprendra... nous serons fichus.

— Vous ne pouvez plus rester ici, lança Matt. Venez avec nous.

— Pour cette ville dont vous parlez ? Eden ? Et comment nous y rendre ? À peine poserons-nous le pied dehors que toutes les Clowneries de Québec nous tomberont dessus !

— Nous n'avons pas été attaqués ! Il faudra se faufiler jusqu'aux quais, nous y avons un voilier, on pourra tenir dessus, ce sera difficile, mais c'est possible !

— Combien êtes-vous ? demanda Floyd.

— Tous ceux que vous voyez là, douze.

— Avec nous ça fera dix-neuf, plus les chiens, ça va être compliqué ! calcula Floyd en avisant Matt.

— Dix-huit, corrigea Matt. Vous repartirez sans moi. Je n'ai pas fini ce pour quoi je suis venu jusqu'ici.

— C'est de la folie ! s'écria Ambre. Nous savons que le nord est saturé par cette tempête entropique, que veux-tu de plus ?

— Comprendre sa vraie nature ! Ce qui constitue son cœur. Sinon, elle continuera de descendre vers le sud, et un jour elle atteindra Eden et nous ne pourrons rien y faire !

Ambre se claqua la cuisse d'agacement.

— Tout ce que tu vas réussir à faire, c'est te tuer !

Tobias se tourna vers CPO.

— La tempête grise, dehors, elle est là depuis le début ?

— Non. Avant il y avait des brumes très souvent, mais à part le Cirque qui nous traquait, ça allait. La tempête est là depuis deux mois environ.

— Elle ne s'éloigne jamais ? questionna Ambre.

— Non. Parfois des éclairs terribles détruisent la ville, sinon c'est un épais brouillard gris qui ne laisse pas passer la lumière du soleil. Les plantes sont toutes mortes, et les rares animaux qu'on pouvait apercevoir dans les rues, à part ceux de la Méningerie-sauvage, ont disparu.

— Ça signifie donc que la tempête entropique s'étend vers le sud, souligna Matt.

— Nous l'avons vue arriver au loin, confirma Tina. Pendant plusieurs semaines on a aperçu un mur gris au nord. Il avançait tout doucement, mais il avançait. Et puis il s'est rapproché, et un matin, nous étions plongés dans la pénombre.

— Entropia finira par atteindre Siloh, le hameau de Canaan et enfin Eden, confirma Matt en s'adressant à Ambre. Je ne peux pas rentrer sans savoir ce qu'est réellement Entropia.

Tobias approuva d'un signe de tête.

— Je vais libérer une place de plus sur le voilier, dit-il. Je sais bien que je ne peux pas te laisser continuer seul.

Ambre s'enfonça dans son siège.

— Très bien, capitula-t-elle, sans un mot de plus.

— Ça veut dire quoi ? demanda Tobias. Nous avons ta bénédiction pour partir ou…

— À ton avis ? Tu crois vraiment que je peux vous laisser filer tous les deux et dormir tranquille ? Je viens, bien sûr.

Matt pivota vers Floyd et Amy.

— Vous ramenez tout le monde à Eden.

— Sur le voilier ? grimaça le Long Marcheur. Je ne connais pas assez les fleuves !

— Il faudra remonter jusqu'au golfe du Saint-Laurent, en espérant sortir de la tempête entropique. Quand vous le pourrez, accostez, et cap au sud.

— Une fois à terre, je me débrouillerai avec Amy. Vous êtes sûrs de vouloir faire ça ? Comment rentrerez-vous ?

— Plume et Gus sont rapides et ont le sens de l'orientation.

— Ça ressemble à un plan foireux, si tu veux mon avis.

— Je n'en ai pas de meilleur, Floyd.

Tania sortit de ses pensées et s'adressa à CPO :

— Vous êtes tous là, dans la pièce ? Mais alors, personne n'est de garde ? Aucune vigilance ? Comment empêchez-vous le Cirque de rentrer dans le château ?

— En baissant la herse, et en gardant toutes les portes et fenêtres fermées. C'est l'unique moyen de… Oh, non ! comprit-il soudain. Comment êtes-vous arrivés jusqu'ici ?

Matt se leva d'un bond.

— La herse et la porte ! Nous les avons laissées ouvertes, dit-il.

40

Être ou ne pas être

Matt pouvait à peine distinguer la herse, de l'autre côté de la cour, à travers les rubans de brume.

CPO et les siens traversèrent, accompagnés par Matt, Tobias et Floyd, pendant que les autres restaient dans le hall.

La herse était abaissée.

CPO tira sur le levier pour enclencher à nouveau le verrouillage.

— Apparemment, personne n'est entré, fit remarquer Tobias.

— Il faut se méfier avec le Cirque, ils sont malins et fourbes. Ils ont pu investir l'hôtel, s'y cacher et attendre le moment propice pour attaquer. Comme vous avez laissé la porte ouverte…

— Si quelque chose de mauvais était entré, nous aurions été alertés. Nous sommes venus avec des chiens et ils sont restés près du hall. Ils l'auraient senti, vous pouvez en être sûrs.

— Des chiens ? releva CPO, sceptique.

— Du genre très affectueux et très intelligents, compléta Tobias.

— Rentrons, je n'aime pas traîner dans la cour : elle est potentiellement contaminée.

Dans le hall, les Pans d'Eden présentèrent leurs chiens à ceux de Frontenac, qui eurent d'abord peur, avant d'être séduits par ces énormes boules de fourrure qui ne demandaient qu'à recevoir leurs caresses.

Matt nota l'absence de Chen et de Tania. Il avisa Ambre :

— Il nous en manque deux.

— Chen s'est souvenu qu'il avait laissé la fenêtre ouverte à l'étage, ils sont partis la refermer.

— Rien que tous les deux ?

— La herse était baissée, non ?

Matt s'élança dans l'escalier pour rejoindre le troisième étage.

Il trouva Tania et Chen dans le couloir.

— Tout va bien ? s'enquit-il, essoufflé.

— Bah, oui ! s'étonna Chen. Un problème dehors ?

— Personne n'a pu passer par la fenêtre ?

— Je l'ai refermée et j'ai tiré le verrou.

Matt vida ses poumons de tout le stress qu'ils contenaient.

— Je deviens paranoïaque, s'excusa-t-il. Allons, redescendons, les autres doivent s'imaginer le pire !

Tous les trois s'engagèrent dans l'escalier sans remarquer la présence, au-dessus d'eux, sur la rambarde en bois.

Un perroquet vert et rouge dont les yeux parfaitement blancs fixaient les trois Pans.

Compte tenu de l'incident de la herse, CPO opta pour une surveillance nocturne pendant que la plupart des habitants du château dormaient.

Il posta deux gardes dans le hall, avec un vieux cor de chasse en cas de problème – il fallait au moins cela pour réveiller les occupants des étages supérieurs.

Les chiens quant à eux furent laissés dans le salon du rez-de-chaussée avec des gamelles d'eau et les grands tapis pour paillasses.

L'hôtel fut bientôt silencieux. Seul le vent sifflait contre les façades, et au loin grondait l'orage perpétuel.

Tous dormaient d'un sommeil bienvenu, l'esprit saturé, le corps éreinté.

Pendant qu'un perroquet s'efforçait d'ouvrir une fenêtre avec son bec.

Tobias s'éveilla dans la chambre obscure. En une année, comme beaucoup de Pans, il avait pris l'habitude de *sentir* l'aube, son horloge interne s'était acclimatée à l'absence de montre.

Cette fois, il était perturbé. Cotonneux, sans repère, engourdi par un carcan de fatigue.

Il se leva et attrapa son champignon lumineux.

Matt dormait toujours, enroulé dans ses draps. Le confort d'un vrai lit pouvait les ramollir plus que de raison. Tobias se demanda s'il n'était pas déjà tard dans la matinée. Son estomac gargouillait.

Il enfila un tee-shirt sur son caleçon et sortit dans le couloir.

Aucune lanterne n'était allumée.

Ah, c'est encore la nuit alors…

Il suffisait de pousser les volets d'une fenêtre pour s'en assurer, si la brume était grise et qu'il pouvait distinguer les ombres des autres bâtiments, alors il faisait jour. Si elle était noire…

Quelqu'un se tenait au bout du couloir et le regardait.

Tobias se raidit.

La personne était beaucoup trop grande pour être du château.

Un Matur ? Ici ?

Soudain, Tobias réalisa qu'il était probablement au milieu de la nuit, face à un intrus, et son cœur s'accéléra.

Il sortit aussitôt de sa léthargie.

La créature se mit à marcher dans sa direction, de plus en plus vite.

Tobias le regardait approcher, incapable de décider d'une attitude.

Deux touffes de cheveux hirsutes s'échappaient de chaque côté du crâne du géant, et plus il approchait du cercle de lumière, plus Tobias avait l'impression que c'était un homme au visage blessé…

Sa démarche était étrange.

De larges blessures autour de ses yeux, de sa bouche.

Un nez difforme, allongé…

Soudain la panique secoua Tobias.

Un Clown fonçait sur lui.

Et entrait dans le cercle de lumière du champignon.

Ses cheveux verts, sa peau blanche et rouge, ses yeux de serpent et sa tenue de satin et de strass déchirée, tout en lui était caricature.

Il chargeait et leva devant lui des mains aux ongles trop longs, maculés de crasse.

Enfin il sourit, montrant des petits crocs pointus dans un puits de ténèbres sans fond.

Tobias retrouva sa mobilité au dernier moment, quand l'aura du Clown atteignit ses cellules, que son propre corps frissonna de dégoût et de terreur. Alors, d'un bond, il esquiva l'attaque et rebondit sur le mur du couloir pour passer derrière son agresseur.

Il courait.

Plus vite que jamais.

Si vite que la moquette lui irritait la plante des pieds.

Derrière lui il entendait le souffle du Clown qui le poursuivait, mais il parvenait à le distancer grâce à son altération.

Un claquement sec faillit lui percer le tympan et la seconde suivante une lanière de cuir s'enroulait autour de sa cheville et le projetait en l'air.

Tobias s'assomma à demi en retombant, les coudes brûlés par la glissade.

L'énorme bonhomme l'attendait, agrippé au fouet qui lui enserrait la cheville.

L'obèse portait un manteau rouge brodé d'or et un haut-de-forme vissé sur le crâne. Son visage inexpressif, comme s'il était mort, bavait abondamment.

Le manteau s'ouvrit sur un ventre gigantesque. La chemise craqua et une tête de lion apparut, sans poils, dans la peau du ventre du Dompteur. La gueule exhiba ses crocs bien réels et voulut s'extraire de ce corps immonde afin de venir dévorer sa proie.

L'homme tira sur le fouet, ramenant Tobias vers lui pour un festin de cauchemar.

Tobias hurla.

Aussi fort que le lui permit sa gorge.

Le Clown accourait pour le faire taire, il pouvait le voir du coin de l'œil.

C'était un cauchemar. Il allait se réveiller dans sa chambre. Tout ça n'était qu'un mauvais rêve.

Pourtant il vit un perroquet vert et rouge qui l'observait, perché sur un miroir, et pendant un instant, il eut l'impression que le volatile souriait, qu'il adorait ce qu'il contemplait.

Un trait argenté fendit l'air.

L'emprise sur la cheville de Tobias se dissipa aussitôt.

Puis un nouveau sifflement et la mâchoire du lion fut coupée en deux, répandant au sol un flot brun et poisseux.

Matt sauta dans la lumière du champignon et se posta entre Tobias et le Clown qui arrivait.

Ce dernier s'immobilisa aussitôt, l'air profondément dégoûté, comme s'il surjouait ses émotions.

— W ! dit-il d'une voix éraillée. Tu as tué W ! Sale petit garnement ! Z va te donner une bonne leçon ! Z va te gober les yeux !

— Arrête de me réciter ton alphabet, répliqua Matt, et viens plutôt goûter de mon acier.

Tobias était médusé. À la fois terrorisé et admiratif.

Quel panache ! Quelle repartie ! Matt était impressionnant. Cette phrase allait rester, il en était certain.

S'ils survivaient.

Le Clown évita la lame avec une souplesse incroyable, se permit même de laisser venir deux autres attaques qu'il esquiva avec facilité avant de saisir Matt par le cou d'un geste si vif que le garçon ne l'avait pas vu venir.

Les ongles s'enfoncèrent dans sa gorge.

Matt crocheta son adversaire de la même manière et serra en y mettant toute sa force.

Le visage du Clown afficha d'abord de la surprise, puis ses yeux s'écartèrent brusquement. Son cou s'allongea, sa tête grimpa vers le plafond, laissant de moins en moins de prise à Matt.

Un rire sec s'échappa de la bouche immonde.

Tobias devait agir pour sauver son ami.

Il bondit et allait sauter sur le Clown quand il en vit cinq autres qui approchaient en silence dans la pénombre du couloir. Et aussi une dizaine de singes qui grimpaient aux murs comme des araignées, le regard mauvais, les lèvres retroussées sur des dents luisantes.

Ils étaient fichus.

Il fallait fuir.

Tobias eut un éclair de lucidité. Il songea à la hache d'incendie à l'entrée du couloir, dans sa boîte de sécurité. Le Clown était peut-être souple, mais pas à ce point !

Il fit volte-face et se trouva nez à nez avec un lion.

À l'haleine pestilentielle.

Quatre autres lions l'accompagnaient, et un Dompteur fermait la marche.

Tobias vit la gueule énorme s'ouvrir sur des crocs meurtriers lorsque tout à coup le lion décolla du sol.

Plume venait de surgir et l'agrippait au garrot en le secouant et le frappant contre le mur avec une violence inouïe. Tout le couloir en trembla, le plâtre se fendit, les os du lion craquèrent et Plume éjecta ce qu'il en restait trois mètres plus loin.

Les autres prédateurs se mirent en position pour lui sauter dessus mais furent balayés par Gus, Marmite, Cannelle et Zap, tandis que Lady sautait sur le dos du Dompteur et le projetait vers un miroir dans lequel il s'encastra.

CPO, Tina, Marvin et les autres dévalèrent les marches.

Matt étouffait. Des taches noires apparaissaient devant ses yeux.

Il ne sentait déjà plus la brûlure dans sa gorge, seul le mince filet d'air qui passait encore lui importait.

Il perdait sa lucidité. Sa force aussi.

Il voulut lever son épée pour frapper mais comprit que le Clown lui tenait le bras de sa main libre.

Il força, sans succès.

Chen apparut au plafond. Il posa l'extrémité de sa double arbalète contre le front du Clown et les deux carreaux lui traversèrent le crâne.

La poigne se relâcha, l'air s'engouffra dans les poumons de Matt qui tomba au sol avec un râle.

Les cinq Clowns s'immobilisèrent dans le couloir, avec les singes, et s'écartèrent pour laisser passer un petit homme en tenue de velours bleu marine brodée d'or. Un homme sans visage.

Ses traits n'étaient que du maquillage : fond de teint blanc, plâtre, peintures rouge et noire… Et le tout en mouvement, modifiant tour à tour les lèvres : fines, puis épaisses, allongées ou au contraire minuscules. Ses pommettes étaient hautes, l'instant d'après effacées, tout comme le reste de son faciès.

Yorick était tout le monde et personne à la fois.

— Être ou ne pas être, vous pouvez encore décider, dit-il avec emphase, comme un comédien sur la scène d'un théâtre. Je vous en laisse le choix. Mais je veux les plus jeunes en échange. De la vie contre du temps. Et le temps, c'est la vie !

Tobias regarda CPO, à qui semblait s'adresser Yorick.

— Je ne suis pas un marchand de vie, répondit CPO, l'arbalète chargée contre lui.

— Vos trois plus jeunes membres, je les regarderai doucement ne plus être ! s'écria soudain Yorick. Ou je vous écrase
tous.

— Tu sais très bien que notre pouvoir t'en empêchera !

La bouche de Yorick devint immense et se déforma pour sourire. Il leva la main et le perroquet vint se poser sur son index.

« *Ce pouvoir que nous avions quand nous sommes tous ensemble,
nous… nous l'avons perdu.* » La voix de CPO sortait du bec du
perroquet qui ajouta :

« *Pour l'instant le Cirque ne l'a pas remarqué, mais quand il
comprendra… nous serons fichus.* »

Yorick exultait, les yeux brillants de triomphe.

— Considérez que je vous fais une fleur ce soir, en ne vous
annihilant pas tous, dit-il, extatique. J'en garde pour plus tard,
car le temps, c'est la mort ! Et du temps, j'en ai à tuer !

Sur quoi il lâcha un rire perçant de fou.

Matt se massait la gorge.

— Et toi, considère que c'est ton jour de chance, lui dit-il
d'une voix devenue rauque. Tu vas vivre, à condition de partir
sur-le-champ.

Matt brandit sa lame devant lui.

— Z ne t'a pas suffi ? cria soudain Yorick. Tu en veux
encore ?

Les singes se remirent alors à ramper à toute vitesse sur les
murs.

Matt s'effaça de la pénombre et Ambre apparut derrière lui.
Il lança :

— Débarrasse-nous d'eux.

La jeune fille avait le visage penché, les paupières closes. Elle
leva les mains devant elle et l'air du couloir s'altéra.

Le sourire de Yorick disparut.

Il lévita et se mit à paniquer. Ses membres s'écartèrent
comme s'il était saisi par un géant et une force prodigieuse lui fit

traverser le couloir à pleine vitesse jusqu'au mur contre lequel ses os se brisèrent en même temps que les cadres se décrochaient tout autour.

Les singes s'écrasèrent contre le papier peint, puis, balayés, les cinq Clowns tournoyèrent, subitement en apesanteur, balancés d'un mur à l'autre jusqu'à ce que leurs cris cessent.

Le couloir sembla prendre sa respiration, et brusquement la maçonnerie céda, l'hôtel s'ouvrit sur l'extérieur, projetant les émissaires du Cirque dans la nuit et les disloquant en dizaines de morceaux que la tempête emporta aussitôt.

Ambre s'effondra dans les bras de Matt.

CPO et ses camarades se regardaient, hagards.

Ils étaient enfin débarrassés du Cirque.

41

Suspicions multiples

Maylis avait filé avec l'aube, emmitouflée dans une grande cape. À dos de chien, elle s'était faufilée par une poterne après avoir serré sa sœur dans ses bras et avait disparu sous les premiers rayons du soleil en direction de Babylone.

C'était à Zélie, désormais seule, que revenaient les clés de la politique Pan.

Et il faudrait la jouer fine face au Buveur d'Innocence.

Anticiper ses mouvements, comprendre quand et où il allait frapper en premier.

Pour cela, Zélie comptait sur Tim.

Le bureau du courrier était le centre névralgique de la bataille qui allait avoir lieu. Si Colin se comportait étrangement, ou si le courrier cessait d'arriver d'un lieu précis, ce serait le signal que le coup d'État commençait.

Zélie devait tout faire pour l'empêcher, le retarder.

Elle avait bien songé à partir de son côté pour aller chercher des renforts à Eden, investir le cloaque, libérer les Pans et se débarrasser de toutes les armes. Mais cela équivaudrait, aux yeux des Maturs les plus extrémistes, à une déclaration de guerre. Les méfiants et les sceptiques rallieraient alors la cause du Buveur d'Innocence.

Elle dut se résoudre à laisser les Pans dans le cloaque, et cela lui pesait lourdement sur la conscience.

Pour sauver le plus grand nombre, elle venait d'accepter la torture d'un petit groupe.

Zélie n'en avait pas dormi de la nuit.

Tim se présenta à ses appartements dans l'après-midi.

— Colin est sorti de son bureau ce midi, rapporta-t-il. Avec toutes ses cartes dans les bras. Il n'est revenu que trois heures après !

— Ils préparent leurs mouvements, conclut Zélie. L'assaut est imminent.

— Et Colin est encore plus nerveux que d'habitude. Il nous crie dessus sans cesse !

— Ces cartes, il les avait avec lui quand il est rentré ?

— Non.

Zélie cogna son poing dans sa paume.

— Il nous les faudrait. Au moins y jeter un œil. C'est là-dessus que le Buveur d'Innocence fonde sa stratégie.

— Je garde les yeux ouverts, si les cartes reviennent, je vous préviens.

Le soir même, Zélie reçut une invitation aux négociations de la part de l'ambassadeur matur.

Elle le retrouva dans la Chambre Cordiale.

— L'ambassadrice Maylis n'est pas là ? s'étonna le Buveur d'Innocence.

— Non, pas ce soir.

— C'est que... j'ai pour habitude de discuter avec vous

deux, il me semble que vous n'êtes pas ambassadrice seule, que votre mission doit être remplie à deux, n'est-ce pas ?

— Elle est souffrante, elle dort. Que voulez-vous ?

Zélie avait encore plus de difficulté que d'habitude à se composer un masque avenant.

— Des rumeurs font état d'une importante présence de Gloutons, comme vous les appelez, au nord de la Passe des Loups, sur votre territoire. Je voudrais votre accord pour y envoyer des troupes en renfort.

— Je n'ai pas entendu ces rumeurs, d'où émanent-elles ?

— Un messager. Je viens d'en avoir confirmation par l'une de nos patrouilles, que vous avez autorisée à circuler sur vos terres.

Zélie se tut. Le piège était grossier, mais il était inutile d'insister sur la véracité de ces rumeurs, il finirait par produire une fausse lettre et ordonnerait à l'un de ses soldats de confirmer.

— C'est un problème Pan, nous le réglerons entre nous, répliqua-t-elle avec assurance.

— Permettez-moi d'insister, nous avons les troupes adéquates, les armures, la force nécessaire, nous vous en débarrasserions avec facilité.

Ben voyons… deux ou trois cents cavaliers sur les terres Pan.

— C'est non, je vous remercie. Nous attachons une grande importance à notre indépendance, même militaire, et cela passe par notre capacité à régler ce genre de situation. Qui serions-nous, si chaque fois que nous avions un problème nous faisions appel à vous ? Tels des enfants s'abritant sous l'aile de leurs parents !

Le Buveur d'Innocence se fendit d'un sourire.

— N'est-ce pas, après tout, ce que vous êtes ?

— Nous avons perdu nos parents avec la Tempête, vous le savez ! Et vous avez toute autorité sur nous en vous ralliant à Malronce. Maintenant il nous faut trouver un terrain d'entente, ce que nous faisons ici, jour après jour.

— Soit. J'entends votre point de vue. Mais référez-en tout de même à votre sœur, peut-être qu'elle ne le partage pas…

— Ne comptez pas sur le fait que nous soyons deux pour nous diviser, monsieur l'ambassadeur ! Maylis et moi sommes soudées et partageons les mêmes opinions.

— Je note une pointe d'effronterie dans votre ton. Vous aurais-je offensée d'une manière quelconque ? Serait-ce à cause de mon absence ?

Zélie s'en voulut aussitôt d'avoir montré une faille.

— Tout va bien, répondit-elle sèchement. Maintenant, si vous n'avez rien d'autre à me proposer, je vais me retirer au chevet de ma sœur.

Le Buveur d'Innocence tournait en rond dans ses appartements.

— Quelque chose vous chagrine, messire ? demanda Grimm en entrant avec deux verres de liqueur de l'ancien monde retrouvée dans les ruines d'une ville près de Babylone. Est-ce à cause du refus que vous avez essuyé d'envoyer nos troupes chez les Pans ?

— Non, je le prévoyais. Avec ces deux gamines la partie est toujours serrée, non, ce n'est pas ça, nous ferons autrement. Elles refusent un bataillon mais ont déjà signé pour de petites patrouilles. Je vais juste en envoyer dix de plus en leur ordonnant d'être discrètes. Si elles se font intercepter, les Pans croiront que c'est une de nos unités autorisées à circuler chez eux. Quand viendra le moment de prendre le contrôle nous serons déjà en territoire ennemi. Ce sera moins pratique mais je m'y attendais.

— Alors qu'y a-t-il ?

— C'est l'attitude de Zélie, confia le Buveur d'Innocence. Elle nous cache quelque chose.

— Vous croyez qu'elle se doute de notre plan ? En tout cas, personne ne s'est introduit dans vos appartements pendant votre absence, vos ordres ont été scrupuleusement respectés, et les gardes n'ont arrêté personne !

— Elles sont malignes ces deux-là, assez pour déjouer la surveillance de quatre abrutis. J'aurais dû me montrer plus prudent encore.

— Vous pensez qu'elles ont pu trouver les souterrains ?

— J'en serais fort surpris. Cependant il ne faut rien négliger. Il est plus probable qu'elles se soient rendu compte que ça ne tournait pas rond avec le courrier.

— Colin ?

— Non, pas directement, il m'est fidèle comme un chien. Mais ce garçon n'est pas très futé ! C'est ce qui le rend si obéissant et digne de confiance ! Mais il a pu commettre une erreur.

— Si elles étaient averties, les armées Pan seraient déjà au pied de la forteresse.

— Sauf si elles sont prudentes.

— Comment savoir ?

Le Buveur d'Innocence avala sa liqueur d'une traite.

— Je crois que j'ai une idée, dit-il avec malice. Fais appeler Colin. Nous allons passer à la vitesse supérieure.

— C'est-à-dire ?

Le Buveur d'Innocence attrapa la cerise qui nageait au fond de son verre.

— Nous allons décapiter Eden, dit-il en croquant à belles dents le fruit qui s'ouvrit en libérant son jus.

42

Avalé !

Des caisses de vivres étaient rassemblées dans le hall de l'hôtel.

Il régnait une bonne humeur générale au château Frontenac, malgré la tempête qui soufflait à l'extérieur.

La mort de Yorick et de ses sbires, si atroce qu'elle eût été, avait libéré les Pans.

Ils rentraient à Eden, à l'abri.

Un foyer, une place à se faire dans un nouveau monde.

Ils rentraient tous, sauf l'Alliance des Trois.

Matt avait catégoriquement refusé que d'autres les accompagnent. Leur mission avait pris un nouveau tour à Québec, et il fallait maintenant ramener douze Pans à la maison.

L'énergie d'Ambre avait estomaqué les habitants de Frontenac tout autant qu'elle les avait rassurés. Ils parlaient d'elle avec un respect profond, presque de la dévotion, et tous passèrent à son chevet pour demander à Matt s'ils pouvaient faire quelque chose pour l'aider à se remettre.

— Elle va dormir quelques heures, c'est tout, répondit Matt.

Du moins l'espérait-il.

Il s'en voulait de l'avoir exposée en première ligne, de l'avoir incitée à user de son altération avec le Cœur de la Terre. Mais pouvait-il faire autrement pour échapper aux griffes de Yorick ?

À présent il lui caressait le front en priant pour qu'elle ne reste pas dans ce coma trop longtemps.

Floyd supervisa le chargement du voilier, et revint en fin de journée, trempé.

— Tout est prêt, dit-il à Matt. Nous partirons quand Ambre sera remise.

— Allez-y, ne nous attendez pas, le temps presse, il faut prévenir Eden que la tempête entropique approche.

— De combien de temps dispose-t-on à ton avis ?

— À la vitesse où elle va, peut-être des semaines, peut-être des mois, mais tant que nous ne saurons pas ce qu'elle est réellement, cela ne changera rien, nous ne pourrons l'arrêter.

— Je vais attendre jusqu'à demain à l'aube. Il nous a fallu presque un mois pour parvenir jusqu'ici, j'espère que malgré le détour par l'océan, nous ne mettrons pas plus longtemps pour rentrer. Prends soin de Tobias et Ambre, tu sais qu'ils ne vont dans le nord que pour toi.

Matt acquiesça. Oui, il le savait, et cela lui faisait porter un poids parfois trop lourd. La culpabilité de se sentir rassuré avec eux à ses côtés, de les avoir entraînés dans son obsession de connaître la vérité, au-delà de la menace sur les Pans d'Eden, vers la vérité du nord, du Raupéroden, de son histoire personnelle.

— Nous nous sommes trouvés, dit-il, ensemble tout devient plus facile. Compte sur moi pour veiller sur eux comme ils veilleront sur moi.

Ambre revint à elle en début d'après-midi, assoiffée.

Elle demeura un peu groggy jusqu'au soir.

Ils dînaient tous dans le grand hall, leur repas ayant cuit sur les réchauds à gaz, lorsqu'il y eut un bruit de porte qui claque dans la cour.

Bastien, l'un des amis de CPO, se leva pour aller jeter un coup d'œil, craignant que la tempête ne se soit intensifiée.

Il n'eut pas le temps de défaire le premier verrou du hall que le battant volait en éclats dans un tourbillon de vent et de pluie.

Bastien se rattrapa à une chaise et l'ombre d'un colosse lui tomba dessus.

Bottes et gants de cuir et d'acier.

Long manteau noir recouvert d'une cape dont le capuchon dissimulait le visage du néant.

Un Tourmenteur.

Il portait une longue épée métallique, forgée d'un seul tenant, dont le fil scintillait.

Bastien dégaina l'unique arme qu'il avait sur lui : un poignard.

L'épée se leva et s'abaissa si rapidement que la plupart des Pans qui assistèrent à la scène ne comprirent pas ce qui venait de se passer.

Quand ils virent la tête de Bastien rouler au sol et un geyser pourpre la remplacer, ils surent à quel point tout cela était réel.

CPO et les siens s'emparèrent de leurs arbalètes tandis que le groupe de Matt se jetait sur ses armes.

Le Tourmenteur fondit dans sa direction.

D'un bras, il repoussa un adolescent qu'il envoya s'écraser contre le bar, d'un coup d'épée il para deux carreaux et fonça jusqu'à ce que quatre flèches se plantent dans son dos.

L'épée balaya l'air horizontalement en sifflant, et Floyd ne dut son salut qu'à l'incroyable élasticité de son corps qui lui permit de basculer en arrière in extremis.

Chen et Tania tirèrent à leur tour, et le touchèrent en pleine tête.

Les trois projectiles l'avaient atteint, pourtant il ne semblait pas les sentir. Il tenta de décapiter l'un des soldats de Frontenac que Tobias plaqua au sol juste à temps, grâce à sa vitesse.

Matt pivota vers Ambre qui cherchait à se concentrer en se tenant la tête. L'effort était surhumain, il le devinait, après tout ce qu'elle avait déjà donné.

Pourtant, sans la puissance du Cœur de la Terre, jamais ils ne pourraient vaincre le Tourmenteur.

Il fallait laisser du temps à Ambre.

Lorsqu'il se retourna pour se préparer à l'assaut, le monstre était déjà sur lui.

L'épée virevoltait avec une vivacité étourdissante et elle s'abattit au dernier moment sur Matt qui ne put que la parer avec sa force pour tout bouclier.

Quand il entendit le choc des aciers, il crut que sa propre lame venait de se briser.

Le Tourmenteur tenta une autre attaque, puis une troisième, si rapides que Matt ne pouvait réagir qu'en déviant le coup au tout dernier moment. Le troisième assaut le surprit et le fit trébucher à côté d'Ambre.

L'arme dressée s'abattait déjà sur eux sans que Matt puisse cette fois lever le bras.

— Non ! hurla rageusement une silhouette en sautant sur la trajectoire de la lame.

La hachette se rompit sous le choc et Amy fut immédiatement transpercée.

La lame se retira comme une marée froide, emportant avec elle le courant de la vie.

Amy chercha Matt du regard, et tomba à la renverse.

La poitrine de l'adolescente s'affaissa.

Elle avait sauté pour les protéger, en sachant qu'elle n'avait aucune chance.

L'épée du Tourmenteur filait à nouveau dans sa direction.

Mais cette fois il y avait tant de rage en Matt qu'il fit ricocher la lame d'un moulinet du poignet et l'instant d'après il enfonçait sa pointe dans les entrailles du Tourmenteur.

Il poussa de toutes ses forces pour passer au travers de l'acier d'une armure, et les résistances cédèrent.

Le Tourmenteur émit un grondement semblable au roulement du tonnerre et se dégagea brusquement. Matt se cramponna à sa poignée pour ne pas se faire arracher l'arme des mains. Le monstre tituba en arrière.

Tania, Chen, Tobias et cinq autres Pans de Frontenac choisirent cet instant pour tirer.

L'épée dévia la moitié des tirs, ceux qui le perforèrent ne le firent pas broncher.

Matt serra Amy contre lui.

Elle avait les yeux ouverts. Son sang se répandait sur le sol.

— J'ai… j'ai froid, grelotta-t-elle.

— Tiens bon, Ambre va te soigner, tiens le coup !

Amy voulut attraper sa main mais n'y parvint pas. Matt la saisit in extremis.

— Non, gémit Amy. Elle… n'a pas assez… de force. Elle doit repousser…

— Accroche-toi, je te dis !

Amy avait peur, Matt pouvait le lire dans son regard. Elle était terrorisée.

Elle savait que tout s'arrêtait ici pour elle. Le froid résultait de l'hémorragie, elle s'était vidée de son sang. Cette fois, plus personne ne pouvait la sauver.

— Prends soin d'Ambre, murmura-t-elle en essayant de serrer la main de Matt.

Ses pupilles se figèrent, sa poitrine retomba d'un coup et Matt sut que c'était fini.

CPO s'était lancé dans un corps-à-corps avec le Tourmenteur. Il roulait au sol, se redressait pour tenter une attaque au poignard, se jetait à nouveau entre des fauteuils pour ne pas se faire trancher en deux par l'imposante lame qui vibrait dans l'air.

Soudain, CPO vit une ouverture et frappa de toutes ses forces dans la cuisse du Tourmenteur. La lame se ficha dans une surface dure et lorsque la créature baissa la main sur le garçon, celui-ci tira sur son poignard qui resta planté dans l'armure.

La main lui attrapa le visage et malgré ses coups de poing, CPO ne parvint pas à se dégager.

Un froid tétanisant l'envahit aussitôt. La seconde suivante, il avait perdu conscience.

Les autres virent CPO devenir tout gris, et sa peau se craquela.

Lorsque le Tourmenteur lâcha sa tête, tout le corps de CPO se transforma en un bloc de cendres qui s'effondra en un nuage aussi aveuglant qu'écœurant.

Tous les adolescents se raidirent, horrifiés par cette vision.

CPO venait de se répandre dans le hall.

Les six chiens surgirent en grognant, prêts à attaquer.

Sachant qu'ils n'étaient pas assez rapides pour esquiver les coups d'épée, Matt, d'un cri autoritaire, leur ordonna de rester en retrait pour éviter la boucherie.

Les Pans devraient se débrouiller seuls.

Ambre n'était pas encore parvenue à rassembler assez d'énergie, elle était pourtant au bord de l'évanouissement.

Matt sut qu'il devait agir.

Sinon ils allaient tomber un par un.

Dès que le Tourmenteur prenait contact avec une cible, Matt l'avait remarqué, il s'interrompait le temps de puiser ses informations dans le cerveau du malheureux.

C'était une folie.

Mais seule cette idée pouvait encore les sauver.

Matt se jeta vers le Tourmenteur. Deux flèches détournèrent l'attention du monstre juste à temps pour que l'adolescent puisse bondir sur une table et lorsque le Tourmenteur tourna vers lui son capuchon de ténèbres, l'épée du Pan s'enfonça à l'intérieur.

Elle plongea jusqu'à la garde.

Emporté par son élan, Matt vit le capuchon s'élargir brusquement, comme une bouche qui s'ouvrait en grand, et qui l'engloutit.

Elle l'avala, l'aspira d'un coup.

Le temps que Tobias encoche une nouvelle flèche, Matt avait totalement disparu.

43

Immortel

Les coups pleuvaient, un orage d'acier et de bois, de cris et de rage.

— Non ! Non ! Non ! hurlait Tobias en bondissant à une vitesse prodigieuse pour porter ses coups de couteau de chasse.

Tous frappaient avec la même intensité.

Et le Tourmenteur parait, esquivait, repoussait une partie des assauts, encaissant les autres sans montrer le moindre signe de faiblesse. Une flèche se planta dans son dos, ne l'empêchant pas de regarder autour de lui, avisant les Pans, comme s'il cherchait quelque chose.

Mais Tobias, avec son tourbillon d'attaques, l'empêchait de distinguer ce qu'il voulait.

Brusquement, Tobias fut stoppé en suspension dans l'air.

Une main puissante l'avait attrapé par le sweat-shirt et l'immobilisait face au capuchon noir du Tourmenteur.

La vague glacée montait des entrailles du monstre.

L'air autour d'eux claqua comme une gigantesque voile prise par une rafale.

Le Tourmenteur fit pivoter son capuchon en direction d'Ambre.

Puis une force invisible le percuta aux hanches, l'obligeant à lâcher Tobias.

Une onde de choc vertigineuse remonta en lui, *à l'intérieur* de son armure, et s'amplifia, de plus en plus forte, de plus en plus rapide.

Tout l'oxygène du hall disparut d'un coup, comme aspiré, entraînant un silence terrible, et l'air se compacta en retour, à l'instar d'un élastique qui se détend brusquement.

L'air se concentra sur un point précis. Le Tourmenteur.

Un choc énorme.

Et instantanément, il implosa.

Pris entre deux forces phénoménales, le Tourmenteur se disloqua.

D'abord l'armure se disjoignit, les plaques s'écartèrent, le cuir craqua, le métal se fendit.

La cape s'envola, vibrant dans le hall.

Une boule de fumée grise à l'odeur de plastique brûlé gicla hors de son corps pour se disperser aussitôt.

Puis la cape retomba et tout s'arrêta.

Le Tourmenteur se tenait debout, le capuchon penché sur la poitrine, comme s'il dormait, les bras inertes, l'épée à ses pieds.

Les Pans restèrent effarés à le contempler puis à regarder Ambre pendant une bonne minute, la mâchoire pendante.

Tobias se releva, se massa le coude qu'il ne sentait plus et s'approcha du Tourmenteur qui le dominait de plusieurs têtes.

— Il... il est mort ? demanda Marvin.

Tobias, ne sachant que répondre, approcha la main pour toucher l'un des gants de la créature.

À peine l'effleura-t-il que la cape se souleva et que le Tourmenteur reprit vie.

Il sauta vers la porte en un bond incroyable et disparut vers la nuit dans un claquement de tissu.

44

Séparations et entêtement

Les Pans soignèrent leurs blessures.

Ils mirent une heure avant de rassembler leur courage pour s'occuper de Bastien et Amy.

Pour CPO et Matt, il n'y avait rien à ramasser.

Ils respiraient encore les particules de l'un, tandis que l'autre avait été digéré sous leurs yeux.

Au milieu des larmes, presque toutes silencieuses, Floyd s'approcha d'Ambre et Tobias serrés l'un contre l'autre, le regard perdu.

Il passait la main sur son crâne rasé, nerveux, bouleversé.

— Il y a bien assez de provisions à bord du voilier pour deux personnes de plus, dit-il tout bas, il est inutile d'en ajouter.

— Nous n'abandonnons pas notre objectif, répondit Ambre d'un air absent. Nous poursuivons la mission.

Floyd se pinça le nez, sans trouver les mots pour exprimer ce qu'il ressentait.

— Continuer vers le nord, c'est une folie, avoua-t-il enfin. Vous avez vu ce dont sont capables ces êtres.

— Mon énergie peut les repousser.

Floyd contempla Ambre. Elle ne tenait plus debout, ses membres tremblaient d'épuisement, des cernes noirs creusaient ses joues et elle était pâle comme si la moitié de son sang l'avait quittée. Sans une à deux journées de repos complet, Floyd ne lui donnait pas vingt-quatre heures. Elle allait se tuer à l'effort.

— Tu n'es plus en état, regarde-toi. Tu t'épuises, encore une tentative et cette fois tu ne reviendras plus.

Tobias approuva :

— Il a raison sur ce point. Toutefois, Floyd, nous partons vers le nord. Pour savoir. Pour Matt. Pour Eden. On se débrouillera pour éviter les Tourmenteurs, voilà tout.

Floyd soupira. Il ne suffisait pas de vouloir pour pouvoir.

Cependant il n'insista pas, il savait que ce serait une perte de temps avec ces deux-là.

Il leur donna une tape amicale et s'éloigna.

Plume vint s'allonger derrière Ambre et Tobias, leur donna un coup de langue et poussa un profond soupir accablé.

À elle aussi, son jeune maître allait manquer.

À l'aube, Floyd, Tania, Chen, une partie des chiens et les dix survivants de Frontenac embarquaient sur le voilier en partance pour Eden.

Amy et Bastien avaient été enterrés dans la cour du château pendant la nuit. Une troisième croix en bois fut dressée, au nom de Charles-Philippe Osmond, sans tombe.

Tobias avait refusé qu'on en plante une pour Matt.

Il refusait l'idée qu'il puisse être mort.

Disparu à jamais.

Plume et Gus étaient assis sur le quai en compagnie d'Ambre et Tobias.

Ils allaient poursuivre le voyage.

Ambre serra la main de Tobias dans la sienne, tandis que le voilier s'éloignait doucement du quai.

Quand elle avait fait son sac, Tobias avait posé le sien à côté. Il n'avait même pas voulu qu'ils en discutent.

— Tu sais très bien que je continue avec toi, avait-il dit.

Et elle avait compris qu'il s'accrochait au même fol espoir qu'elle.

Ambre regarda le voilier s'enfoncer dans les brumes grises où il se noya rapidement. Des éclairs jaillissaient au loin, dans un grondement tonitruant.

Le nord les attendait désormais.

Le nuage rouge et bleu.

Gagueulle.

Ggl.

45

Rendez-vous manqué

Zélie regardait le paysage par la fenêtre ronde de sa chambre.

La Forêt Aveugle bordait la forteresse de part et d'autre, des arbres de plus en plus hauts et larges, jusqu'à dépasser des montagnes. Zélie vivait dans un château sombre, privé de l'éclat direct du soleil une bonne partie de la journée à cause de ce goulet profond qui l'enfermait.

Sa sœur était-elle arrivée en sécurité à Babylone ?

À dos de chien, elle avait pu mettre deux jours pour s'y rendre, trois au maximum. Cela faisait maintenant cinq jours qu'elle était partie.

Cinq longues journées à supporter seule le Buveur d'Innocence. À ne pas trouver le sommeil, le soir, sur son oreiller, en sachant que des Pans se faisaient torturer dans le cloaque sans qu'elle puisse intervenir.

Elle était épuisée. De plus, elle craignait de commettre un

impair, de ne pas être assez vigilante et de passer à côté de signes annonçant l'imminence du coup d'État.

Pour tenter de se donner du temps, Zélie avait expliqué au Buveur d'Innocence qu'il ne fallait pas s'inquiéter si ses patrouilles croisaient des armées de Pans au nord de la Passe des Loups, Eden organisait des manœuvres. L'idée était de l'obliger à attendre.

Sur le coup, Bill avait manqué s'étrangler et répliqué qu'il était imprudent d'entraîner une armée si près du territoire neutre, cela pouvait être mal interprété.

La lueur qui avait alors brillé dans ses yeux avait fortement déplu à Zélie. Il lui avait semblé qu'il voyait en elle. Qu'il comprenait le mensonge, la manipulation.

Savait-il que son secret était éventé ?

Un messager tapa à la porte et déposa un mot à l'intention de Zélie.

« Il faut que nous nous voyions. Ce soir, après le coucher du soleil, près du quai de chargement. Tim. »

Zélie eut un pincement au cœur. Son mensonge n'avait peut-être pas eu l'effet escompté. Le Buveur d'Innocence avait-il décidé d'agir plus vite ?

Il fallait attendre jusqu'à la nuit pour en savoir plus.

Zélie resserra son manteau sur ses épaules.

Il faisait un peu froid.

Dans l'obscurité, le fleuve était d'un noir d'encre.

Des tonneaux en provenance de Babylone s'accumulaient sur le quai où l'attendait une silhouette familière.

Tim se tenait en retrait, pour être le moins visible possible de loin.

Zélie remarqua que les torches étaient éteintes. C'était une erreur qui allait finir par attirer l'attention des gardes maturs postés en face.

D'ailleurs, il était curieux qu'il lui donne rendez-vous ici, maintenant qu'elle y pensait, du côté de l'aile occupée par les adultes, plutôt que dans un secteur contrôlé par les Pans.

— Tim, dit-elle en approchant, ne restons pas là.

— Je suis désolé, répondit-il.

— Pour quoi ?

— Pour ça, répondit une voix dans son dos.

Grimm lui posa la pointe d'une dague sur la gorge.

Il était accompagné de six soldats surgis de derrière les tonneaux.

— Vous commettez une très grave erreur, tenta Zélie. Je suis ambassadrice, vous l'oubliez ?

Grimm était tout sourires, ses dents jaunes et déchaussées offertes à la nuit.

— Vous serez bientôt une de nos esclaves, dit-il vicieusement. Gardes, prenez-les tous les deux et descendez-les aux souterrains. Le docteur va leur poser quelques questions avant qu'on leur place l'anneau ombilical !

Les jambes de Zélie se dérobèrent sous elle.

Un anneau ombilical.

Le cauchemar sur terre.

46

Entropia

Des limbes sans fin.

Ambre et Tobias chevauchaient Gus et Plume à travers l'infini étouffant d'Entropia.

Aucune plante n'avait survécu, il ne restait que des mers d'herbes fuligineuses qui se désagrégeaient dès qu'on les effleurait, des forêts de troncs tordus enroulés sur eux-mêmes dans un spasme d'agonie, plus aucune feuille, plus aucun chant d'oiseau,

rien que le silence, parfois un vent glacial, et au loin, par intermittence, le grondement du tonnerre.

La tempête entropique asséchait la planète. Elle semblait
également accélérer la décomposition des villes. Toutes celles
qu'Ambre et Tobias croisaient – même en prenant soin de les
contourner pour en éviter la faune sinistre – s'effondraient, ou
étaient sur le point de devenir ruines.

Plus ils montaient vers le nord, plus les cours d'eau stagnaient, sans aucune vie dans leurs profondeurs.

Entropia annihilait tout, même les forces basiques de la
Terre.

Il ne restait que la lente déclinaison des jours et des nuits, les
premiers n'étant que des crépuscules permanents.

Quatre jours durant, les deux Pans allèrent bon train, observant leurs réserves d'eau qui diminuaient peu à peu. S'ils ne touchaient pas au but d'ici à trois jours, ils n'en auraient plus assez
pour repartir, jusqu'à Québec au moins, où le Saint-Laurent
avait paru encore potable.

Ils croisaient souvent des silhouettes effrayantes, la plupart du temps des insectes géants qu'ils parvenaient à éviter
en se cachant, mais Tobias dut tout de même user à deux
reprises de son arc, avec l'assistance d'Ambre, pour terrasser
un scorpion de la taille de Plume puis un cafard gros comme
un sanglier.

Ambre n'avait utilisé que son altération, préservant l'énergie
du Cœur de la Terre, et se préservant par la même occasion.

Le plus problématique demeurait les airs.

De nombreux oiseaux semblables à des corbeaux morts sillonnaient les cieux d'Entropia à basse altitude : les guetteurs des
Tourmenteurs. Chaque fois qu'une ombre se profilait, il fallait
bondir derrière le rocher le plus proche, dans un bosquet de
ronces grises qui se cassaient presque aussitôt, ou derrière un
talus en espérant que l'espion ne les avait pas remarqués.

Plus ils s'enfonçaient dans Entropia, plus le monde devenait froid et dévasté. Même la géologie avait subi l'impact

de la Tempête. Les collines s'étaient effritées, des coulées de terrain dessinaient des falaises nouvelles, des escarpements étaient apparus un peu partout, et tout ce que le sol contenait de rochers ressortait pour former un paysage de plus en plus agressif, cependant que les créatures devenaient de plus en plus énormes.

Ils croisèrent un pince-oreille de la taille d'un autocar, avant de se tétaniser face à la silhouette d'une patte d'araignée de plusieurs dizaines de mètres qui surgit de la brume pour se poser brusquement devant eux avant de disparaître sans que sa propriétaire les ait repérés.

Si Entropia atteignait Eden, c'en serait fini de leur monde.

Pire encore : si elle se répandait sur tout le globe, ni les Pans ni les Maturs ne pourraient survivre plus de quelques semaines.

Ambre et Tobias contemplaient la fin du monde.

L'enfer libéré.

Qui était ce *Gagueulle*, cette entité qui commandait à Entropia, aux Tourmenteurs ?

D'où venait-il ?

Était-il à l'origine de la Tempête qui avait transformé la civilisation des hommes ? Plus Ambre et Tobias se rapprochaient de lui, plus ils en doutaient. La Tempête avait corrigé les hommes, elle les avait remis à leur place, pour les rappeler à plus d'humilité, elle avait redonné à la nature une force nouvelle afin de rivaliser, reprendre l'ascendant, pour imposer un respect nécessaire à l'espèce humaine qui l'avait perdu avec le temps.

Tout était question d'harmonie globale.

Or, Entropia ne véhiculait aucune harmonie, rien que le chaos.

Le désordre, la confusion.

L'horreur.

La mort.

Non, pas tout à fait, s'était corrigé Tobias mentalement, *il y a une vie ici. Différente. Un nouvel équilibre. Entropia, c'est le chaos pour l'homme, mais un chaos qui a engendré autre chose.*

Au soir de ce quatrième jour, le cœur d'Entropia leur apparut enfin.

Des éclairs rouges et bleus à quelques kilomètres, un maelstrom de lumières pulsant à travers l'épaisse brume grise, et le bruissement étrange de centaines de voix qui s'en échappaient.

Toutes psalmodiaient les deux mêmes syllabes que les échassiers aperçus en ville une dizaine de jours plus tôt.

« Wi-non-wi-non-non-wi-wi-non-wi-non-wi-non-non-wi-non-wi-wi-wi-non-wi-non-wi-non-non-wi-non-wi-wi-non-wi-non-non. »

Chacune y allait de son enchaînement discontinu, sorte de protolangage ininterrompu, et toutes ces voix se superposaient les unes aux autres. On eut l'impression qu'une cour jacassante discutait avec frénésie aux pieds du roi.

Quelle forme avait donc ce monarque pour s'entourer de pareils mignons ?

Des Tourmenteurs jaillissaient de cette lactescence et disparaissaient à toute vitesse dans des directions opposées pour sillonner le monde tandis que d'autres accouraient pour s'enfoncer dans l'ouate épaisse, où ce néant mobile avait établi son quartier général.

Ils étaient arrivés aux portes de toutes leurs questions.

Restait à savoir si les réponses allaient leur convenir.

47

Le réseau entropique

Une sensation de froid intense.

Puis d'étouffement.

Et de glissade interminable dans un boyau ténébreux.

L'impression écœurante d'être digéré.

Lentement.

Avant de surgir par un trou de cuir poisseux dans un estomac obscur.

Matt ouvrit les yeux, hagard et étourdi, recouvert d'une bave laiteuse et puante.

Quelque chose l'attrapa par la jambe et le souleva.

Une vague lueur entrait par une extrémité de cette poche et Matt vit la forme de ce qui le tenait.

Il manqua s'étrangler de terreur.

Une énorme araignée.

D'un habile mouvement de ses longues pattes poilues, elle le fit tourner et un lien filandreux s'enroula autour de l'adolescent, de plus en plus vite, pour l'emprisonner.

Il ne put rien faire, trop surpris, et trop rapidement emmailloté dans un anneau qui grossissait.

Il allait finir dans un cocon.

Avant d'être dévoré.

Tout l'estomac tressauta en même temps qu'un flash aveuglant transperçait ses parois.

Le spasme se répéta deux fois, et l'araignée lâcha Matt pour se recroqueviller dans un coin.

Une bourrasque pénétra dans la cavité avec violence et plaqua Matt au sol tandis qu'elle remontait par le boyau qui l'avait craché.

Tout l'organe trembla une dernière fois et ce fut le silence.

L'araignée ne bougeait plus, les pattes ramassées contre elle.

Quelque chose venait de se passer avec le Tourmenteur.

C'était l'occasion ou jamais.

Matt tira de toutes ses forces, cherchant à décoller ses bras de ses flancs, en vain.

Il recommença, encore et encore, transpirant et essoufflé.

Il ne voulait pas mourir ici, pas de cette manière.

Il fallait qu'il se libère.

Pourtant, après maintes tentatives, il dut accepter la vérité : il n'était pas assez fort pour vaincre la résistance et l'élasticité de la toile qui le maintenait.

Puis il aperçut son épée, tombée au pied du boyau.

Il se jeta au sol, rampa pour se positionner juste au-dessus et, maintenant à grand-peine la lame entre ses genoux, parvint à glisser la pointe entre son sternum et le lien.

Il tira sur son altération de force et les fils se rompirent.

L'araignée ne bougeait toujours pas.

Il avisa le trou au-dessus de lui. Trop haut. Et la descente avait été si longue qu'il lui parut absolument impossible de ressortir par là.

Il était à l'intérieur du Tourmenteur.

Comme dans le Raupéroden. C'est la même chose ! Une grotte d'arrivée avec une araignée ! La fonction digestive, l'alimentation du monstre !

Pour ressortir du Raupéroden, ils avaient meurtri ses entrailles jusqu'à ce qu'il les rejette comme un aliment expulsé par un estomac.

Cette fois il n'y avait plus de doute possible : le lien entre Raupéroden, Tourmenteur et Gagueulle existait bien.

Matt hésita.

Il pouvait frapper de toutes ses forces cette grotte et espérer se faire repousser, remonter à la surface, ou il pouvait en profiter pour chercher des réponses à ses questions.

Tout ce qu'il avait voulu savoir sur son père, et peut-être même sur la Tempête, se trouvait certainement ici, quelque part, dans les fonctions cérébrales du Tourmenteur, dans son esprit.

Car si c'était bien similaire au Raupéroden, alors chaque fonction essentielle serait représentée par une créature ou un lieu dans cette projection symbolique de *l'intérieur* du monstre.

Pour du symbolique, c'est bien concret…

Matt contourna l'araignée. Il voulait regarder au-dehors. Au moins commencer par là. S'assurer qu'il avait vu juste.

Il grimpa jusqu'à l'entrée de la grotte et se tint en surplomb d'une lande de terre grise encadrée de collines escarpées comme celle où il se trouvait. Une forêt sombre frissonnait plus loin, sous le ciel noir.

Des éclairs silencieux zébraient l'immense plafond de cette lande perdue nulle part, à mi-chemin entre le monde réel et celui qu'*habitaient* les êtres vivants liés à Ggl.

Matt reconnaissait cette géographie. Il l'avait déjà arpentée, *dans* son père. Comme le Raupéroden, les Tourmenteurs se subdivisaient en fonctions bien distinctes. Tobias le lui avait expliqué en détail pour y avoir séjourné un long moment.

L'araignée était le Dévoreur.

Les éclairs, la force.

Les créatures volantes ou rampantes seraient son système immunitaire, celui qu'il fallait à tout prix éviter.

Et quelque part, le Tourmenteur abritait son cœur, sous la forme d'un étrange mobile – petits objets tournant autour d'un axe invisible – animé d'une force propre.

Et son âme ?

Celle du Raupéroden était son père.

Qui était dans le Tourmenteur ?

Matt serra les poings. Il devait la trouver. C'était une occasion inespérée de comprendre parfaitement ces créatures et leur maître.

Et de savoir. Tout simplement.

Pourquoi le traquaient-ils ?

Sa décision était prise. Si folle soit-elle.

Il se faufila sur le flanc rocailleux et entreprit de descendre vers la plaine en s'assurant qu'il ne faisait pas tomber de pierre sur son passage, rien qui puisse alerter le système immunitaire.

Les éclairs, nombreux, diffusaient une clarté suffisante pour que Matt voie où il posait les pieds.

La pente lui parut interminable.

Il n'éprouvait aucune fatigue particulière, rien qu'une lassitude à force de descendre. Il dominait toujours le paysage, comme s'il n'avait pas bougé, et pourtant l'entrée de la grotte, l'antre du Dévoreur, cette « araignée digestive », avait disparu, loin au-dessus de lui.

Matt continua son voyage sans s'interrompre, sans savoir si le temps qui s'écoulait se décomptait en heures, voire en jours, tant il lui parut s'éterniser.

Lorsqu'il parvint au bord de la plaine, il songea qu'il avait probablement marché pendant un laps de temps inhumain sans que son corps en ressente la moindre conséquence, sans éprouver ni la faim, ni la soif. Son propre organisme était en stase. Fixé dans le vide, dans l'attente d'être dissous, ou de reprendre vie.

Tobias lui avait dit que le Raupéroden rangeait son cœur dans une cabane, au milieu d'une forêt morbide, aussi opta-t-il pour les arbres qu'il pouvait apercevoir sur sa droite.

Mais la plaine était encore plus longue que la pente qu'il avait lentement dévalée. Il s'engageait pour un périple à devenir fou.

Je dois savoir.

Alors il marcha.

Longuement. Sans ralentir. Encore et encore. Sur cette terre poussiéreuse, sans vie, craquelée, comme le vestige d'une mer évaporée depuis longtemps.

Il avança sans plus se poser de questions, hypnotisé par ses propres pas, en l'absence de repères de temps, en suspension dans le néant, sans savoir s'il marchait ou rêvait qu'il marchait.

Des étoiles filantes traversaient le ciel, des centaines, parfois des milliers. À peine visibles, elles fusaient, sans cesse remplacées par d'autres.

Matt nota qu'elles se dirigeaient toutes dans le même sens, parfaitement parallèles. Une autoroute de traits brillants.

À force de les observer, il commença à éprouver une curieuse impression. Celle que ces étoiles étaient chargées de quelque chose. Non pas de matière, mais plutôt d'éléments abstraits... de connaissance.

C'était inexplicable, juste un sentiment profond.

Matt contemplait le ballet scintillant du savoir.

Ici, dans les entrailles glauques d'un Tourmenteur.

Puis il comprit que ce ciel n'était pas unique, mais commun.

Sa présence en cet endroit suffisait à lui faire ressentir des vérités universelles.

La toile qui recouvrait ce monde était la même pour tous les Tourmenteurs.

Alors où va tout ce savoir? À quoi sert-il?

Soudain, la forêt qui s'était dérobée pendant si longtemps fut à ses pieds.

Matt cligna les paupières comme s'il se réveillait d'une nuit trop longue, et mit un moment avant de réaliser qu'il était enfin sur les bords de la plaine, complètement groggy par son marathon étrange.

Il longea l'orée de troncs torturés et sans feuilles, slaloma entre des montagnes d'épineux dont les tentacules s'enroulaient autour de ses chevilles dès qu'il s'en approchait de trop près, et son cœur s'emballa lorsqu'il découvrit un sentier qui filait vers le bois.

Derrière lui, dans la plaine, une nuée de moustiques géants surgit.

Les fonctions du Tourmenteur s'étaient réveillées.

Le système immunitaire savait-il qu'il était ici?

Le Dévoreur s'en souviendra… Sauf s'il pense que je suis reparti par là où je suis arrivé!

Matt pressa le pas, il s'enfonça dans ce labyrinthe de végétation morte et suivit le sentier. Les créatures sillonnaient le ciel sans être affectées par les distances, elles traversaient la plaine prestement, rasaient les collines et se rapprochaient de la forêt par petits groupes.

La tanière du Tourmenteur apparut lorsque Matt s'y attendait le moins, alors qu'il avait presque oublié pourquoi il marchait.

Elle se dévoila au centre d'une minuscule clairière.

Un bunker de béton dont les renforts d'acier dépassaient du toit comme des antennes de télécommunication.

L'unique entrée n'était protégée par aucune porte, rien qu'un couloir de ténèbres.

Matt sentit son cœur s'accélérer.

Il s'approcha et se glissa sans un bruit à l'intérieur.

Ses yeux s'accommodèrent et après un coude, une lumière bleutée le fit ralentir.

Un écran d'ordinateur !

Il était posé au fond, contre le mur, et diffusait une lueur tirant sur le bleu. Un écran vide.

Et dans un fauteuil en vinyle, juste en face, un être enveloppé d'une houppelande à large capuchon fixait l'écran sans bouger, hypnotisé.

Matt ne vit aucun clavier, aucune unité centrale, aucun câble non plus, rien d'autre que le moniteur.

« *Ggl* », dit une voix rauque sous le capuchon. « *Ggl.* »

Le sifflement entre chaque consonne était difficile à discerner. Cette première syllabe ne sonnait finalement plus tout à fait comme « GA », ainsi qu'ils l'avaient d'abord cru, mais comme « GAU », du moins dans la bouche de cet être.

— PARLE ! ordonna une voix synthétique dans l'écran.

Elle résonnait sur un ton effrayant, grave et inhumaine.

— *Ggl ! Maître ! La source est là, toute proche ! Nous l'avons localisée à nouveau, nos yeux dans le ciel l'ont repérée ! Je la suis ! Je vais pouvoir la saisir !*

— OÙ EST-ELLE ? exigea la voix avec la même autorité dérangeante.

— *Elle est toujours dans une Inertienne, et elle approche de vous, Ggl ! Elle est à vos portes ! Toute proche du réseau source !*

— ELLE VIENT À MOI ? LAISSE-LA, SERVITEUR RÊPBOUCK !

Matt connaissait à présent une partie de son identité.

Rêpbouck ! Quel étrange nom !

— *Que je n'intervienne pas ?* La forme en houppelande était décontenancée. *Je pourrais la prendre. L'Inertienne ne me voit pas ! Laissez-moi l'attraper, maître !*

— NON ! s'écria la voix en vrillant les tympans de Matt. JE

VEUX L'ASSIMILER MOI-MÊME ! ELLE EST PRESQUE ARRIVÉE À MOI.
L'ÉNERGIE SOURCE EST À MOI !

Matt se crispa.

Il revit tout le film de ces semaines passées en un instant.

Il avait eu tort.

Matt comprit qu'il avait fait une erreur d'interprétation.

Il s'était trop focalisé sur sa propre histoire, sur ses peurs, sur
le Raupéroden.

Chaque fois qu'un Tourmenteur les avait retrouvés, c'était
après qu'Ambre avait utilisé le Cœur de la Terre.

Ils remontaient jusqu'à elle ainsi.

Ce n'était donc pas lui la cible.

Depuis le début, ils ne voulaient qu'Ambre.

48

Fusions entropiques

Ambre avait donc continué son périple jusqu'à Ggl.

Tobias l'accompagnait à coup sûr.

Matt devait les avertir.

Ne pas les laisser approcher du cœur d'Entropia.

À moins qu'ils puissent affronter Ggl en personne, tous les
trois, et le vaincre pour interrompre la progression de la tempête entropique.

*Comment ai-je pu me focaliser à ce point sur moi ? C'était le
Cœur de la Terre qu'ils voulaient, depuis le début !*

Matt se souvint aussi de l'épisode du Tourmenteur sur le
voilier qui, après avoir sondé son esprit, s'était enfui. Il avait lu
en Matt que le Cœur de la Terre vivait en Ambre. C'était ainsi
qu'ils avaient identifié leur cible.

Je dois la prévenir, l'aider à fuir !

Malgré tout, Matt resta encore un peu.

Cet instant était précieux, une liaison entre l'âme du Tourmenteur et Ggl en personne.

Matt réalisa qu'il n'avait pas aperçu un mobile comme celui décrit par Tobias, celui qu'il avait vu dans le Raupéroden. Où le Tourmenteur cachait-il son cœur ? Il en avait forcément un, quelque part, tout ici reposait sur la même mécanique que les entrailles du Raupéroden. Ces créatures étaient similaires.

Trouver le cœur pour le rendre vulnérable.

Et à quoi ressemble-t-il, ce Tourmenteur ? Quel visage se cache derrière ce capuchon ?

Car il le savait, si le Raupéroden avançait masqué, son âme, elle, ne pouvait l'être, et elle arborait les traits de son père.

Quelle était la véritable identité du Tourmenteur ? Était-ce un homme ou une femme ?

— *Il sera fait selon votre désir, maître*, disait Rêpbouck.

— L'ÉNERGIE SOURCE VA PROPAGER LE RÉSEAU PARTOUT JUSQU'AUX PROFONDEURS DE LA MATRICE ORIGINELLE. JE VEUX L'ÉNERGIE SOURCE.

Puis la voix se mit à répéter la dernière phrase tout en déclinant jusqu'à se dissiper.

La matrice originelle ? Évoquait-il la Terre ?

Matt voulait savoir qui se cachait derrière l'âme du Tourmenteur, convaincu que plus ils en sauraient sur leur ennemi, mieux les Pans parviendraient à se défendre.

Il longea le mur pour se poster sur un flanc du Tourmenteur.

Ce dernier fixait toujours l'écran, plongé dans ses réflexions.

Encore un mètre et Matt pourrait en distinguer davantage…

Le capuchon pivota. La lumière de l'écran se prenait en plein dedans, illuminant l'intérieur.

Il était entièrement vide.

Les manches se levèrent et il n'y avait pas non plus de mains.

L'âme était entièrement vide. Elle n'était personne en particulier.

Et tout le monde à la fois.

Soudain le Tourmenteur tourna la tête dans sa direction et bondit de sa chaise.

Le tonnerre gronda à l'extérieur.

Matt était repéré.

Il sortit son épée et se jeta sur son adversaire en espérant être plus rapide.

La houppelande claqua et esquiva le coup sans difficulté, tout comme le suivant.

Dehors Matt pouvait entendre les ailes des moustiques géants qui avaient mis le cap sur le bunker.

L'âme voulait lui faire perdre du temps. L'occuper pour que sa garde rapprochée puisse le terrasser.

Matt devait agir vite.

Il donna deux coups de lame en se servant d'une main, au troisième il parvint à saisir la houppelande par le col. Son altération de force entra en action aussitôt pour maintenir l'âme contre lui.

Dès qu'il entra en contact avec le tissu soyeux comme de la peau humaine, les étoiles filantes le traversèrent.

Le contact créa une passerelle.

Des dizaines de kilo-octets de données. Les étoiles filantes étaient des lignes d'information.

Matt sut que Rêpbouck était le nom de tous les Tourmenteurs en Entropia. Et qu'ils étaient les vecteurs d'information, les émissaires d'Entropia.

En son cœur, Ggl centralisait toutes les données. Il était le cerveau du réseau, le collecteur de flux.

Une entité synthétique. Assoiffée de connaissance.

Et d'entropie. Un chaos fait d'autres chaos.

Un agglomérat de tout ce que le monde des hommes avait produit de sale, de destructeur, de corrompu.

Et d'un coup, Matt sut ce qu'était véritablement Entropia.

Pollution, intelligence artificielle, saturation de matières synthétiques, machines autonomes, et un gigantesque maillage quasi vivant de données, comme un réseau de veines parcourues d'électricité, à l'instar d'un sang prêt à donner la vie.

La Tempête avait eu une autre conséquence, imprévisible, elle avait engendré une nouvelle forme d'existence.

En nettoyant la planète de sa pollution physique – hydrocarbures, voitures… – et virtuelle – électricité, Internet… –, la Tempête avait concentré toute cette matière néfaste en un point précis. Car rien ne peut se détruire totalement. Elle l'avait compactée pour l'isoler et redonner son éclat à la nature, comme un drap sale qui aurait recouvert le monde et qui aurait été plié jusqu'à n'être pas plus grand qu'un mouchoir rangé tout au fond d'un placard.

Le réseau avait pris vie. Il s'était aggloméré au reste.

Télécommunications, déchets, pollutions diverses, machines, tout cela avait fusionné pour prendre corps.

Entropia était née.

Avec pour cerveau le centre du monde virtuel : Ggl.

GA-GUEU-LLE.

Car l'Internet n'avait pas disparu avec la Tempête, il s'était replié, ramassé dans tous ces rebuts, et pire : il avait donné à ce corps informe une conscience. À cet être chaotique fait de tout ce qui était contre nature une intelligence, une personnalité. La pollution était son oxygène, les machines son corps, et Internet son esprit, son âme.

Matt le sut à travers l'âme du Tourmenteur, Ggl était indestructible en soi. Créature synthétique, il avait vu le jour au centre de la tempête entropique et si Ambre l'approchait, il l'assimilerait pour lui dérober le Cœur de la Terre.

Cette énergie formidable qui saturerait son propre réseau pour l'étendre encore plus.

Car Ggl n'avait qu'une seule ambition : toujours plus.

S'étendre. Savoir. Assimiler. Maîtriser.

Pour que tout ne soit plus que lui. Et lui tout.

Il allait dévorer les Pans, ceux qu'il appelait *Inertiens*. Et le monde.

Et tandis que Matt tenait l'âme du Tourmenteur par le col, il comprit quel était son cœur.

Ils étaient nombreux, sans visage, une armée d'informateurs sans véritable personnalité au service du réseau source, à la solde de Ggl.

Son autre bras se tendit et la lame de son épée perfora l'écran lumineux.

Un terrible grincement secoua toute la lande, toutes les entrailles du Rêpbouck.

Les éclairs frappèrent le bunker par dizaines, et l'âme anonyme du monstre frissonna dans sa peau de tissu.

Matt fit tournoyer son épée à nouveau, et cette fois il trancha le capuchon de la houppelande.

Même si son cœur était synthétique et son âme vide, aucune créature, si entropique soit-elle, ne pouvait survivre sans l'une et l'autre.

Le Tourmenteur allait s'anéantir.

Avec Matt à l'intérieur.

49

Les voix de la brume

Les éclairs bleus et rouges crépitaient par centaines, ils formaient une cascade de lumières électriques protégeant le cœur d'Entropia.

Ambre et Tobias se tenaient sur leurs chiens, face à ce spectacle aussi terrifiant que fascinant.

Leur quête touchait à sa fin, du moins l'espéraient-ils.

La connaissance de la nature d'Entropia s'étendait juste là, sous leurs yeux.

Ils firent avancer Gus et Plume avec prudence, ce n'était pas le moment de se faire repérer. Les chiens tremblaient. Pourtant ils obéissaient aveuglément à leurs jeunes maîtres, les portant vers ce qu'ils devinaient être néfaste.

Le paysage apocalyptique qui les entourait ressemblait à l'image que Tobias s'était faite du monde après une guerre thermonucléaire totale. De la poussière partout. Les vestiges inidentifiables d'une vie autrefois animale, végétale… humaine. Et des cendres à l'infini que des vents de plus en plus violents balayaient pour venir alimenter la brume grise.

Ils allaient devoir se protéger le visage, les yeux et la bouche, de cette tempête de particules dans laquelle ils s'engageaient.

Ils se rapprochaient.

Et dans ce fracas de tonnerre assourdissant, Tobias crut entendre son nom.

Entropia l'appelait.

Puis elle appela Ambre.

Elle connaissait leur identité.

Elle les attendait.

La voix se faisait de plus en plus précise.

Familière.

Tobias attrapa la crinière de Plume pour l'arrêter.

La chienne avait les oreilles levées. Elle s'agitait, cherchant quelque chose dans le chaos.

Matt ? C'est la voix de Matt !

Il était là, tout proche.

Derrière eux.

Il transperça la brume en courant, s'époumonant à hurler leurs noms.

Ambre était stupéfaite, incapable de descendre de son chien, comme s'il s'agissait d'un mirage.

Tobias se jeta dans les bras de son ami.

— Matt ! Tu es vivant ! Tu es vivant !

Il exultait, il le serrait contre lui, puis le repoussait pour le regarder, s'assurer que c'était vraiment son ami, avant de le reprendre dans ses bras.

Matt était recouvert d'une huile noire, il semblait sur le point de défaillir. Les joues creusées par l'épuisement, les yeux injectés de sang, il frémissait, se tenait debout à grand-peine.

— Je le savais ! Au fond de moi je le savais ! s'écriait-il.

Ambre les rejoignit et elle attrapa Matt pour lui nettoyer le visage en l'asseyant entre les deux chiens. Plume gémissait de bonheur, cherchant à lécher l'adolescent poisseux.

— Comment as-tu fait ? demanda-t-elle, encore incrédule.

— Je vous raconterai, souffla-t-il avec difficulté, mais il faut partir d'ici sans plus tarder.

— Le cœur d'Entropia est juste là, fit Tobias. Nous y sommes presque…

— Justement, il ne faut surtout pas entrer. Il veut Ambre, il veut le Cœur de la Terre, il ne faut pas le lui donner, surtout pas !

— Comment le sais-tu ?

— C'est une longue histoire ! Vous avez été repérés par des oiseaux.

— J'en étais sûr ! pesta Tobias. Il y en avait tellement, et avec cette brume… peut-être qu'ils peuvent voir au travers mais pas moi ! Comment on va faire pour s'en débarrasser ?

— Je crois que pour l'instant ils ont tous été… perturbés. Je viens de détruire un Tourmenteur, de l'intérieur. Ça devrait nous donner un peu d'avance. Mais il faut sortir de cette brume rapidement. Aidez-moi, je n'arrive pas à me relever.

Tobias le hissa sur ses jambes et l'aida à grimper sur Plume tandis que lui-même rejoignait Ambre sur Gus.

Les deux chiens partirent au galop à travers cette cendre qui recouvrait la région et filèrent tout droit en direction de la frontière américaine, ou du moins ce qu'il en restait. Matt se cramponnait comme il le pouvait, vidé de toutes ses forces. Détruire l'âme et le cœur du Tourmenteur depuis l'intérieur, profitant de la surprise, n'avait finalement pas été si difficile, mais s'enfuir de ses entrailles sous le harcèlement des moustiques pour regagner l'antre du Dévoreur s'était révélé plus épique. Matt avait

repoussé les attaques des insectes volants, tranché les mandibules de l'araignée, et s'était fait régurgiter en frappant les parois
de la grotte-estomac jusqu'à provoquer un rejet.

Puis il avait titubé dans Entropia en hurlant les noms de ses
deux amis qu'il savait tout proches du corps du Tourmenteur
qui venait de le recracher en s'effondrant une bonne fois pour
toutes, carcasse vide.

Contre toute attente, Matt était en vie.

Mal en point, mais pourtant vivant, avec Ambre et Tobias.

Galopant sur Plume.

À bien y songer, l'histoire se répétait.

Une fois encore, Matt fuyait la menace que représentait
désormais le nord pour gagner sa seule terre d'espoir : le sud.

50

Perversion et serpent

Dans les entrailles de la forteresse de la Passe des Loups, le
docteur Gélénem admirait le cercle d'un anneau ombilical qu'il
tenait devant ses yeux. Même le fermoir était imperceptible.

— Si pur, dit-il. Une forme parfaite !

Il s'adressait à Zélie et Tim, allongés sur une table dans une
geôle du cloaque.

— C'est tout de même surprenant, poursuivit le moustachu
tout maigre, un simple anneau, fait d'un alliage peu complexe,
en somme, suffit à vous ôter toute volonté propre. Le retour du
cordon ombilical matriciel vous paralyse ! J'adore ! Comme un
réflexe naturel en définitive. Tels ces chats qu'on saisit par le
cou et qui, réflexe atavique, se soumettent totalement !

— Nous ne sommes pas des chats ! s'indigna Zélie. Vous
torturez des êtres humains ! Des enfants !

— Ce n'est que pour nous protéger ! coupa le Buveur d'Innocence aux côtés de son sinistre acolyte. Vous autres, gamins, n'êtes pas capables d'obéir sans chercher tôt ou tard à renverser l'ordre établi ! Ce n'est qu'une question de temps avant que vous cherchiez à tout bouleverser !

— Vous n'en savez rien ! répondit Tim, apeuré.

— C'est une excuse pour pouvoir vous livrer à vos jeux sadiques ! répliqua Zélie. Vous êtes un pervers !

Le Buveur d'Innocence se fendit d'un sourire gourmand.

— Et si tu n'étais pas si rebelle, je me serais fait un plaisir de te le prouver, dit-il avec une lueur dans le regard.

— Dans quelques minutes elle sera plus soumise qu'une proie à son prédateur, s'amusa le docteur Gélénem en préparant une grosse pince en acier terminée par deux pointes. Allons, montrez-moi vos ventres !

— Je suis désolé, gémit Tim à l'intention de Zélie. Ils m'ont obligé à le faire, à te tendre le piège. Colin m'a démasqué.

— Oh non, pas ce gentil crétin serviable, non, corrigea le Buveur d'Innocence. Mais quand je l'ai harcelé de questions sur les allées et venues dans son bureau, votre nom est ressorti mon cher.

Grimm se tenait en retrait, observant la scène avec cruauté.

— Où est votre sœur ? demanda le Buveur d'Innocence à Zélie. C'est la dernière fois que je vous pose la question gentiment.

— Vous ne la trouverez jamais. Vous pourrez bien me transformer en esclave, jamais je ne vous le dirai !

— Elle finira bien par se montrer. Et elle commettra une erreur, comme vous. (Il se tourna vers le médecin.) Allons, terminons le travail !

Zélie le vit approcher de Tim avec sa pince et un anneau ombilical.

Cette fois ils étaient arrivés à la fin de tout espoir. Zélie avait tout envisagé, tout essayé, rien n'y avait fait.

D'un instant à l'autre, elle allait devenir un zombie servile, perdre toute personnalité.

Elle savait que seule face à ces quatre adultes, avec le gardien, elle n'aurait aucune chance, mais il fallait qu'elle agisse, elle ne pouvait se laisser annihiler sans rien tenter.

Plutôt mourir que de devenir esclave du Buveur d'Innocence.

Elle savait ce qu'il lui ferait, les pires rumeurs couraient à son sujet.

Elle se concentra tandis que Tim hurlait pour ne pas se faire ombiliquer.

Ses poignets et ses chevilles passèrent à travers les bracelets de cuir.

Le gardien s'en rendit compte, et il allait crier quand Zélie lui donna un énorme coup de pied dans le menton qui l'envoya s'effondrer en arrière.

Grimm lui attrapa le bras et Zélie le mordit de toutes ses forces. Il se mit à hurler.

Elle le repoussa et se préparait à sauter de la table lorsqu'une décharge douloureuse secoua tout son corps.

Le Buveur d'Innocence la laissa tomber sans la retenir et reposa dans le tas de charbon la pelle avec laquelle il venait de la frapper.

— Tenez-lui les mains le temps qu'on lui pose l'anneau, ordonna-t-il.

Tim vociférait. Autant de peur que de douleur.

La pince se referma dans un claquement lugubre sur les chairs de son nombril, les deux pointes se frayant un chemin en lui.

Tim pleurait, des gémissements d'enfant terrorisé.

Puis le docteur Gélénem greffa l'anneau et les cris cessèrent aussitôt. Il le tourna dans le nombril jusqu'à faire ressortir la partie ouverte qu'il ferma en revissant le fermoir.

— Et un de fait ! Il ne sera plus jamais le même !

Le Buveur d'Innocence contemplait Tim, dont les larmes coulaient encore sur les joues.

— Voilà comment j'aime mes enfants, dit-il en lui passant une main dans les cheveux.

— À son tour, dit Gélénem en se postant au-dessus de Zélie.

Grimm s'était enroulé un chiffon autour du poignet.

— La garce ! Faites-lui mal ! Je veux voir ça !

Le garde se relevait difficilement, encore sonné par le coup.

Gélénem s'arrêta, la pince dans une main.

— Mon anneau ? dit-il, étonné. Où est-il passé ? Je l'avais posé sur le plateau !

— C'est ça que vous cherchez ? fit une petite voix dans l'ombre.

Maylis apparut sous une torche, l'anneau entre les doigts.

— Que…

Le Buveur d'Innocence se raidit. Pressentant que la présence de la deuxième ambassadrice était annonciatrice de problèmes, il se recula dans la pénombre.

— Toi, tu vas payer pour ça ! fit Grimm en accourant.

— C'est vous qui avez des comptes à me rendre ! tonna une voix impérieuse depuis le balcon.

Tous se retournèrent pour découvrir un vieil homme aux cheveux blancs, au visage émacié mais aux prunelles de feu : le roi Balthazar, entouré de ses soldats.

Avant qu'il ait pu esquisser un geste, le docteur Gélénem était encadré par deux militaires.

Une porte grinça.

Le Buveur d'Innocence venait de se faufiler dans la pièce suivante.

— Ah non ! s'écria Maylis en se lançant à sa poursuite.

Grimm se jeta devant elle pour lui opposer sa masse et la saisit aux épaules.

— Sale petite traîtresse ! cracha-t-il, les dents serrées.

Un long serpent s'enroula aussitôt autour de son cou et Grimm écarquilla les yeux.

Balthazar était déjà dans son dos, une main tendue vers lui, le serpent sortait de sa manche.

— Lâchez-la, Grimm, commanda le roi.

Le reptile resserra son étreinte, des bruits de suffocation émanaient de la gorge de Grimm, qui libéra Maylis.

— Où est-il parti ? insista le roi.

Grimm porta les mains à sa gorge pour tenter de défaire l'étau qui l'étouffait.

— Où ? insista le roi.

— C'est… un labyrinthe… vous… ne… le retrouverez… pas.

Maylis lut la colère du roi et le serpent serra plus fort. Cette fois il allait tuer Grimm.

La main de Maylis se posa sur celle du roi.

— Balthazar, non, dit-elle. Trop de vies ont déjà été sacrifiées ici.

La colère déserta aussitôt le roi qui fit glisser l'animal dans sa manche tandis que Grimm s'effondrait.

Maylis serra sa sœur dans ses bras. Zélie revenait à elle, les paupières papillotantes.

Derrière, elle vit Tim, allongé, les yeux fixes, face au plafond.

Le pauvre garçon ne réagissait plus.

Son tee-shirt était relevé sur son ventre.

Un anneau ombilical planté dans le nombril.

Du sang coulait sur ses flancs.

51

L'Hypothèse d'Ambre

Plume et Gus puisaient dans leurs réserves.

Sans ralentir, les deux chiens portaient leurs maîtres à travers la brume grise, esquivant les attaques d'insectes monstrueux, se précipitant dans une anfractuosité pour se soustraire à la vue des oiseaux qui rasaient le paysage.

Une pause régulière pour boire et reprendre leur souffle, puis les deux canidés se relançaient dans une course folle.

Ils dormaient à peine quelques heures contre les trois adolescents, quand l'obscurité se faisait dense, avant de repartir au même train d'enfer.

Le deuxième soir, ils étaient presque arrivés à hauteur de Québec lorsque Tobias trouva une toute petite caverne dans laquelle ils se réfugièrent. Là, il osa enfin allumer son réchaud à gaz et fit chauffer deux rations lyophilisées de pâtes au bœuf.

Manger chaud leur fit du bien, cependant que les chiens ronflaient.

Durant le voyage, Matt avait raconté toute son expérience dans le Tourmenteur à ses camarades. Il retrouvait peu à peu ses forces, mais se sentait encore fragile. Il savait que s'il devait se battre, cela risquait d'être son dernier combat.

Ce soir-là, lorsque Tobias fut endormi, Ambre lui demanda :

— Quand tu as vécu ce contact et que tu as lu toutes ces données qui filtraient du Rêpbouck, tu n'as rien noté à propos du Cœur de la Terre qui soit rattaché à de la peur ou de la méfiance ?

— Non, je ne crois pas. Pourquoi ?

— Je me demande si… Quand je me suis servie de l'énergie du Cœur de la Terre pour repousser le Tourmenteur, cela a plutôt bien fonctionné et j'ai senti comme… de la peur. En tout cas ça y ressemblait. Je crois qu'ils détestent cette force en moi.

— Je vois que tu as une idée derrière la tête, je reconnais cette expression !

— Je me demande si nous ne pourrions pas repousser Ggl de la même manière.

— Impossible. Je l'ai compris, il est indestructible, il est trop étendu, trop vaste, il est synthétique, ce n'est pas une *vie* au sens strict du terme. Tu ne pourrais rien lui faire, même avec le Cœur de la Terre, j'en suis certain. Et puis je te rappelle qu'il veut justement l'absorber !

— *L'assimiler*, tu as dit. Mais si au lieu de l'assimiler pour en fondre le pouvoir et se l'approprier, on lui opposait le Cœur de la Terre justement ? Si au lieu de l'intégrer en lui, progressivement comme il voudrait le faire, on le lui imposait brutalement ?

— Ça ne lui ferait rien, il est beaucoup trop fort. Tu as vu les Tourmenteurs ? Tu peux en repousser un en donnant tout ce que tu as, eh bien lui c'est le maître de ces engins, leur créateur ! Tu imagines un peu ?

Ambre acquiesça. Elle n'avait pas développé son argument jusqu'au bout :

— En l'état, c'est vrai, je ne suis pas capable de lutter. Mais si je gagnais en puissance ?

— Ambre, je ne veux pas te faire de la peine, cependant, même en t'entraînant tous les jours, tu ne pourras jamais rivaliser.

— Avec ma seule altération, non. Mais si le Cœur de la Terre grandissait en moi ?

— À quoi tu penses ? s'inquiéta Matt.

— Aux autres emplacements que mes grains de beauté indiquent. Tu te rappelles ce jour où j'étais allongée sur le Testament de roche ?

Matt ne pouvait l'oublier ! Ils avaient été nus l'un contre l'autre pendant que Matt parcourait le corps d'Ambre pour y lire l'emplacement du Cœur de la Terre.

— Il y avait trois lieux différents, continua-t-elle. Nous avons suivi le plus proche de nous, ici, aux États-Unis, mais il y en avait deux autres, dont un en Europe.

Matt secoua la tête.

— N'y pense même pas ! Et puis nous ne savons même pas ce qu'il y a là-bas !

— Le premier grain de beauté marquait l'emplacement du Cœur de la Terre, quoi que ce soit, ce sera en rapport. Et j'ai le sentiment que celui que j'ai en moi n'est qu'un fragment.

— Non mais tu imagines ? Avec un seul tu restes sans force, alors avec deux, voire trois ? Tu exploserais ! Ou tu deviendrais folle !

— Le Tourmenteur a eu peur, Matt, je l'ai senti. Ggl veut cette énergie pour la dissoudre dans son réseau, pour la soumettre à ce qu'il est. Si au contraire on la lui impose brutalement, je crois que nous pourrons le repousser.

— Traverser l'océan Atlantique ? Avec tout ce qu'il doit y avoir dans ses profondeurs ? Sans compter qu'on ignore ce qui s'est produit en Europe ? Et si c'était pire qu'ici ?

— Et si c'était mieux ?

Matt se sentit un peu bête. Il haussa les épaules.

— Je ne le sens pas, c'est tout, avoua-t-il.

— La solution à tous nos problèmes est là, en moi, sur ma peau.

— Commençons déjà par rentrer chez nous en un seul morceau, et nous verrons pour la suite, éluda Matt avant d'aller se coucher à son tour, épuisé.

Le lendemain, Matt usa de son altération de force pour repousser un gros lézard, malgré son état, et Tobias se joignit à lui avec ses flèches quand ils croisèrent la route d'une mante religieuse.

Ambre avait interdiction formelle de se servir du Cœur de la Terre. Pour ne surtout pas attirer l'attention des Tourmenteurs, elle ne pouvait user que de sa propre altération, ce qui était déjà une aide précieuse lorsque Tobias devait faire mouche avec une seule flèche, comme ce fut le cas lorsqu'un oiseau goudronné les repéra.

Il chuta la seconde suivante, transpercé de part en part.

— J'espère qu'il transmet ses informations à ses congénères par la parole ou le contact, parce que si c'est de la télépathie instantanée nous sommes repérés ! gronda Matt.

Au bout du compte, ils mirent une semaine pour parvenir aux confins de la tempête entropique.

Lorsqu'ils eurent franchi le mur de brume, sous le déluge d'éclairs dévastateurs, ils reprirent vie en quelques heures.

Le soleil apparut.

Toutes les menaces habituelles d'Autre-Monde leur parurent alors bien peu préoccupantes. Même les Rôdeurs Nocturnes, après ce qu'ils venaient de vivre, ne les angoissaient plus.

Pour un temps du moins.

Entropia avançait dans leur dos, mais elle était lente, et ils purent la distancer en une journée de trot.

Pendant trois semaines, Gus et Plume abattirent des kilomètres, sans jamais montrer de signe d'épuisement. C'était leur contribution à la mission et leur devoir : les ramener à bon port le plus vite possible.

Les deux chiens accomplirent cette performance.

Jusqu'à ce jour de début mars, plus de deux mois après leur départ, où ils virent enfin des champs dorés qu'ils connaissaient.

Et en leur centre une cité de pierre et de bois, vaste, traversée par une rivière, abritant une forêt derrière ses hautes palissades de rondins : Eden.

52

Cap à l'est

Le roi Balthazar en personne accueillit Matt, Tobias et Ambre à Eden.

En compagnie de Zélie et Maylis.

Floyd et le voilier n'étaient pas encore rentrés.

Ils parlèrent longuement, enfermés dans la salle du Conseil où, pour la première fois, un adulte mettait les pieds.

La trahison du Buveur d'Innocence fut exposée.

— Il est parvenu à s'enfuir, avoua Maylis. À travers le dédale de souterrains de la forteresse. C'est gigantesque là-dessous, beaucoup de grottes naturelles sont reliées aux couloirs creusés par l'homme, mais nous finirons par lui mettre la main dessus.

— Cent de mes plus fidèles soldats s'y relaient en permanence, précisa Balthazar.

— Colin aussi a pris la poudre d'escampette, intervint Zélie. Celui-là en revanche, m'est avis que nous ne le reverrons pas de sitôt.

— Il y a plus urgent pour l'heure, confia Matt avec gravité. Le nord descend sur nous et détruit tout ce qu'il recouvre. Une tempête de brume grise, de pollution, de destruction : Entropia.

Matt entreprit alors de leur faire le récit de ce qu'il savait, et les visages se décomposèrent.

Après un long silence, Zélie demanda :

— Il n'y a rien que nous puissions faire ?

— Fuir ? proposa Maylis avec une ironie désabusée. Devenir un peuple nomade qui ira partout où Entropia ne sera pas !

— À terme, Entropia recouvrira le monde entier, prophétisa Matt. Je l'ai senti, c'est en elle, elle ne saura pas s'arrêter. Ggl en veut toujours plus. Il est né pour s'étendre.

— Il a un visage, ce Ggl ? interrogea Zélie. Tu l'as vu ? On peut lui parler ?

— Son visage ? Non, j'ignore s'il en a un. Je ne l'ai pas vu, je ne sais pas à quoi il ressemble, sinon qu'il est au cœur d'Entropia, derrière des éclairs bleus et rouges. Pourrait-on lui parler que ça ne servirait à rien. Il ne négocie pas. C'est une machine de guerre. Il ne sait rien faire d'autre que se répandre et s'agrandir ! Nous ne pourrons pas le raisonner. Ce serait comme vouloir convaincre un ordinateur de devenir une machine à laver !

— Alors nous sommes perdus ? Tous ? demanda le roi.

— Non, fit Ambre. Il y a peut-être une solution.

Matt la fixa. Il savait très bien où elle allait en venir. Et cette option lui faisait peur.

— Le Cœur de la Terre, ajouta-t-elle, il n'y en a pas qu'un seul. Il y avait trois grains de beauté particuliers, chacun marquant un emplacement géographique. Le premier, c'était le Cœur de la Terre que j'ai assimilé. Les deux autres sont en Europe et encore plus loin à l'est.

— En Europe ? répéta Maylis. Rien que ça ?

— Il faudrait que je puisse relever où exactement.

— Pour cela, il va vous falloir le Testament de roche, n'est-ce pas ? demanda Balthazar. Je vous fournirai une escorte personnelle pour vous y rendre.

— C'est trop loin, dit Ambre. Et nous n'avons plus beaucoup de temps. S'il faut aller sur le Vieux Continent, nous devrons faire de longs préparatifs, construire un navire capable de traverser l'océan. Je ne peux me permettre de partir alors que j'ai tant à faire ici.

— Dans ce cas je vais faire monter la roche jusqu'à vous.

— Et nous la chargerons à bord, compléta Ambre.

— Il va vous falloir un équipage digne de confiance, fit Zélie.

— J'ai quelques pistes.

Ambre jeta un regard à Tobias et Matt. Ce dernier le lui rendit.

— Et pour la construction du navire ? intervint Maylis, nous n'avons aucune connaissance !

— Je sais déjà à qui nous allons demander, mais je vais devoir m'absenter un certain temps, répondit Ambre. C'est pour ça que je ne peux descendre personnellement au Testament de roche.

Deux semaines plus tard, tandis qu'Ambre avait quitté la ville, Floyd, Chen, Tania et les Pans de Frontenac parvinrent à Eden avec les chiens, après un long détour par les côtes. Leur retour soulagea tout le monde qui avait craint le pire à mesure que les jours filaient. Ils étaient à bout de forces, blessés, mais heureux. Malgré les circonstances, une fête fut organisée pour célébrer les retrouvailles.

Le lendemain, les croyants célébrèrent une messe à la mémoire d'Amy, de CPO et Bastien, de Walton, qui donnait désormais son nom à un pont au nord, ainsi qu'à tous les Pans morts à Fort Punition. Les autres, ceux qui ne croyaient en aucun dieu, allèrent jeter quelques fleurs dans le fleuve, et chacun confia à voix haute le souvenir qui le liait aux victimes.

Cette nuit-là, Zélie et Maylis s'isolèrent avec un garçon, dans une grange. Tim les suivait partout, sans rien dire.

Elles avaient longuement hésité avant de prendre leur décision.

Lui retirer l'anneau ombilical risquait de le tuer.

Toutefois, c'était préférable à ce qu'il était devenu.

À l'aide de pinces, elles retirèrent le cercle qui s'était pris dans les chairs, et Tim se réveilla en hurlant.

Il demeura prostré une heure interminable avant qu'elles puissent l'emmener se coucher.

Tim avait survécu, mais il ressemblait davantage à un fantôme qu'au garçon qu'elles avaient connu.

À l'aube, le lendemain, elles firent de même avec tous les Pans qui avaient été libérés du cloaque. Cinq sur neuf moururent avant midi.

Les deux sœurs allèrent se nettoyer les mains dans l'eau du fleuve, et aucune ne parla du reste de la journée.

Au fond, elles n'en avaient nul besoin. Elles partageaient le même désir de vengeance.

Faire payer au Buveur d'Innocence ses atrocités.

En fin de semaine, Ambre rentra à Eden, accompagnée d'Orlandia, la Kloropanphylle.

Tous les Pans accoururent pour voir la jeune fille aux cheveux verts emmêlés et aux yeux où brillait une curieuse lueur verte, entourée d'un halo luminescent. Même ses lèvres étaient d'une émeraude pâle, et ses ongles tiraient sur le kaki.

— Les Kloropanphylles vont nous fabriquer le bateau, expliqua le soir même Ambre devant les membres du Conseil. En fait, il est presque terminé. Ils nous donnent celui qu'ils fabriquaient pour remplacer leur Vaisseau-Matrice détruit lors de la Grande Bataille.

Orlandia se leva et prit la parole :

— Il sera prêt d'ici deux semaines, mais il en faudra autant pour le transporter depuis la mer Sèche jusqu'à l'océan.

Tous la regardaient avec stupeur. C'était la première fois qu'ils voyaient un Kloropanphylle, surtout d'aussi près. Après la guerre contre les Cyniks, les Kloropanphylles n'avaient pas traîné, ils s'étaient empressés de remonter dans leurs arbres et de quitter cette terre sanglante.

— Comment naviguera-t-on sur l'Atlantique ? demanda Melchiot.

— Grâce aux étoiles, expliqua Orlandia.

— Mais nous ne savons pas le faire !

— Moi je sais. Je vous accompagnerai. Avec plusieurs des miens. L'âme de l'Arbre de vie a choisi Ambre pour une bonne raison, nous la suivrons, notre peuple l'aidera.

Depuis qu'elle avait fusionné avec le Cœur de la Terre, Ambre savait que les Kloropanphylles la considéraient presque comme une divinité. C'était aussi difficile à vivre que pratique en pareil moment.

Melchiot, se faisant le porte-parole des habitants d'Eden, interrogea Ambre :

— Et une fois en Europe, que ferez-vous si la situation est catastrophique ? Ou si vous avez besoin d'aide ! Et combien de temps pensez-vous partir ? Doit-on prévoir un autre navire pour venir vous secourir si dans un an vous n'êtes pas de retour ?

Ambre interrompit le flot de questions en levant les mains devant elle :

— Nous communiquerons, dit-elle.

Melchiot, comme tous les Pans de la salle, écarquilla les yeux.

— Et par quel miracle le pourrons-nous ?

— Grâce aux églises. Pendant notre traversée vous référencerez toutes les églises proches d'Eden. Lorsque nous serons en Europe, nous nous arrêterons régulièrement dans celles que nous trouverons. Nous nous servirons des bibles et des âmes qui y sont emprisonnées pour dialoguer et faire passer des messages.

— Es-tu sûre que ça marchera ?

— Lorsque nous appareillerons, nous ne serons plus sûrs de rien, trancha Ambre qui semblait avoir tant réfléchi à son voyage qu'elle avait réponse à tout.

Après le conseil, tandis que tous entouraient Melchiot et Orlandia qui discutaient ensemble, Matt vint trouver Ambre, un peu à l'écart du bâtiment et de la foule.

— Donc c'est décidé, tu pars en Europe, lui demanda-t-il.

— Tu sais bien que ce n'est pas un choix. Entropia descend sur nous, et nous n'avons aucun moyen de l'en empêcher, sauf celui-là.

— Et si ça ne donne rien ? Si au contraire, lorsque tu affronteras Ggl, toute cette énergie le rendait plus fort ?

— C'est un risque à prendre. Mais j'ai senti la peur chez ce Tourmenteur quand il était au contact du Cœur de la Terre. Je crois que ça peut fonctionner. De toute façon quel autre choix avons-nous ? Attendre ici avec nos épées et nos haches ? Tu l'as vu comme moi ! Entropia nous décimera ! D'abord les éclairs dévasteront Eden, puis les armées d'insectes déferleront sur nous. En quelques semaines nous n'aurons ni eau potable, ni nourriture renouvelable. Puis les Tourmenteurs achèveront ceux qui resteront avant que Ggl en personne ne vienne sonder les esprits des derniers survivants ! Quel avenir !

— Balthazar nous aidera. Ses armées seront avec nous.

— Matt, ça ne changera rien ! Pourquoi refuses-tu de voir la vérité en face ?

— Parce que c'est te mettre en première ligne, avoua-t-il

dans un souffle. Avec ce plan, c'est toi qui t'exposes et je ne pourrai rien faire.

Ambre vit qu'il souffrait terriblement à l'idée de la perdre.

Elle lui prit la main.

— Alors tu peux me protéger le temps que je rassemble les Cœurs de la Terre. Ensuite, ce sera à moi de jouer. Mais d'ici là, j'aurai besoin de toi.

Matt serra sa main.

— Toby voudra venir, dit-il.

— J'y compte bien. Nous aurons besoin de nos meilleurs éléments. C'est un long voyage qui nous attend. Vers l'inconnu. Qui sait ce qu'on trouvera en Europe et au-delà.

Matt se pencha et l'embrassa.

Leurs frissons dialoguaient, échangeaient, et une onde de chaleur exigeante les parcourut tous les deux.

Puis Matt se recula. Les grands yeux verts de l'adolescente le dévoraient. Il chuchota :

— Et ce désir en toi, celui qui t'effrayait tant, qu'est-il devenu ?

— Il est toujours là. Comme un feu qui s'étend peu à peu.

— Mais... Tu n'as plus peur de moi ?

— De nous ? Non. Il arrivera ce qui doit arriver. En tout cas, c'est avec toi que je veux traverser cet océan. Contre toi.

Ambre se glissa près de lui et il la serra dans ses bras.

Ils se sentaient bien.

Au-dessus d'eux, les étoiles brillaient, bienveillantes, sur ces enfants trop grands.

Autre-Monde était loin d'avoir livré tous ses secrets.

Épilogue

Les torches brûlaient en crépitant, exhalant une forte odeur d'huile rance.

Les souterrains étaient mal aménagés, à la va-vite et avec bien moins de moyens que ceux de la forteresse de la Passe des Loups.

Toutefois, le Buveur d'Innocence se félicitait d'avoir hâté ses projets de construction. Il n'était qu'à quelques kilomètres de la forteresse, mais avant que le roi ne le trouve ici, il aurait eu tout le temps de mettre son plan à exécution.

Colin marchait à côté de lui.

— Pourquoi n'êtes-vous pas plus en colère ? demanda le jeune homme.

— Parce que nous allons leur faire payer ce qu'ils nous ont fait, mon cher Colin.

— Mais nous n'avons plus rien !

— Détrompe-toi.

— Et vos expériences sur les Pans ? Tout ça gâché !

— Gélénem a obtenu des résultats intéressants avant d'être arrêté. Nous allons poursuivre dans cette direction. Viens, j'ai quelque chose à te montrer.

Le Buveur d'Innocence entraîna Colin vers la partie basse des sous-sols, celle que Colin n'avait pas encore visitée.

— Tu te rappelles quand j'ai insisté auprès du roi pour placer mes fidèles lieutenants sur la frontière sud de son territoire ? Eh bien c'est parce que je venais d'apprendre que des enfants entraient massivement sur ses terres depuis le Mexique !

— Des enfants ?

— Oui, d'autres Pans si tu préfères ! Originaires d'Amérique centrale, je suppose. Mes hommes s'en sont occupés, et après quelques semaines, il n'en est plus venu ! Je crois que le message était passé !

— Vous… vous les avez tués ?

— Pour qui me prends-tu ? Gâcher une si bonne marchandise ? Non ! Je les ai fait venir jusqu'ici, mon cher !

Le Buveur d'Innocence tira sur un rideau branlant et dévoila une vaste grotte où s'entassaient plusieurs centaines d'enfants et d'adolescents. Aucune chaîne, aucune entrave visible, pourtant ils étaient remarquablement sages.

— Comment faites-vous pour les garder si calmes ?

— Un anneau ombilical pour chacun !

Colin était stupéfait. Son maître était décidément l'être le plus intelligent de la planète.

— Mais alors, pourquoi aviez-vous tant besoin de Pans ? Pourquoi prendre autant de risques pour enlever ceux des convois ?

— Parce que ceux que tu vois là n'ont pas d'altérations. En tout cas ils n'en ont jamais développé ! C'est de la matière brute.

— Que comptez-vous faire d'eux ? Ce n'est pas une armée ! Ils ne savent pas se battre non plus !

Le Buveur d'Innocence posa la main sur l'épaule de son serviteur.

— Figure-toi que j'ai, parmi les gens d'Eden, un contact très précieux qui m'alimente en potins et ragots divers ! Et les derniers en date sont plus qu'intéressants ! Eden part à la conquête de l'Europe mon cher ! Rien que ça…

Le Buveur d'Innocence entraîna Colin vers un escalier grossièrement taillé dans la roche.

— Il se trouve que lorsque j'avais prévu de conquérir Babylone, j'ai fait construire les trois gros transporteurs de troupes que voici !

Ils surplombaient à présent une vaste caverne où entrait un bras du fleuve. Ancrés le long du quai, trois bâtiments de guerre en bois s'alignaient, prêts à appareiller.

— Voilà à quoi vont servir les gamins. À ramer ! Colin, tu prendras le contrôle de cette flotte et vous allez descendre le fleuve jusqu'à l'océan. Tu useras de ton altération avec les oiseaux pour communiquer avec moi. Je t'indiquerai la direction à suivre pour rester dans le sillage du navire des Pans.

Colin en avait les larmes aux yeux.

— C'est merveilleux, dit-il. Moi, vous me faites capitaine ?

— Tâche de te montrer digne d'un tel honneur !

Colin se sécha les joues d'un revers de manche et renifla.

— Vous n'aurez pas à le regretter, maître ! C'est brillant ! Votre génie est brillant ! Nous oublions Babylone, alors ? Nous n'allons plus détrôner le roi ?

— Nous allons voir plus grand, mon ami. J'ai envoyé des hommes à moi dans le nord, pour prendre contact avec cette forme de vie qui traque Matt et les siens. Je vais lui proposer un pacte !

Le visage du Buveur d'Innocence s'illumina.

— Et vous, maître, vous serez où ?

— Oh, moi ? Pas très loin de toi.

Il siffla, et un de ses soldats approcha en tirant un Pan par une chaîne ombilicale.

Le Buveur d'Innocence prit l'enfant contre lui et passa sa main sous sa blouse au niveau du nombril.

— Le docteur Gélénem a obtenu quelques résultats, te disais-je. Tout n'est pas encore parfait, mais c'est déjà un bon début. Le navire des Pans est immense, d'après mon contact à Eden. Largement de quoi dissimuler à bord un ou deux garçons dans le genre de celui-ci.

— Mais à quoi ils vont servir ?

Le Buveur d'Innocence dévoila ses dents en un sourire hideux.

Il tira sur l'anneau ombilical et disparut aussitôt, remplacé par un adolescent comme celui qu'il tenait contre lui.

— N'est-ce pas incroyable ? dit-il avec une voix d'enfant. Et j'ai également une fille qui a le même pouvoir ! Je vais me glisser à bord, au milieu de tous ces sales gosses, et il me sera plus que facile de les manipuler !

L'adolescent affichait une grimace de satisfaction.

— Ils partent pour l'Europe ? dit-il. Eh bien nous allons les accompagner !

Table

Le Livre de Poche s'engage pour l'environnement en réduisant l'empreinte carbone de ses livres. Celle de cet exemplaire est de :
2,7 kg éq. CO_2
Rendez-vous sur
www.livredepoche-durable.fr

PAPIER À BASE DE FIBRES CERTIFIÉES

Composition réalisée par MAURY-IMPRIMEUR

Achevé d'imprimer en septembre 2018 en Italie
par La Tipografica Varese Srl - Varese
Dépôt légal 1ʳᵉ publication : novembre 2018
LIBRAIRIE GÉNÉRALE FRANÇAISE
21, rue du Montparnasse – 75298 Paris Cedex 06

Composition réalisée par NORD COMPO